LA BASSE VALLÉE DE L'EUPHRATE SYRIEN DU NÉOLITHIQUE À L'AVÈNEMENT DE L'ISLAM :

géographie, archéologie et histoire

INSTITUT FRANÇAIS DU PROCHE-ORIENT

Amman - Beyrouth - Damas

BIBLIOTHÈQUE ARCHÉOLOGIQUE ET HISTORIQUE - T. 166

INSTITUT FRANÇAIS D'ARCHÉOLOGIE DU PROCHE-ORIENT

MISSION ARCHÉOLOGIQUE DE MARI TOME VI

LA BASSE VALLÉE DE L'EUPHRATE SYRIEN DU NÉOLITHIQUE À L'AVÈNEMENT DE L'ISLAM :

géographie, archéologie et histoire

Volume I : Texte

sous la direction de

Bernard Geyer

et

Jean-Yves Monchambert

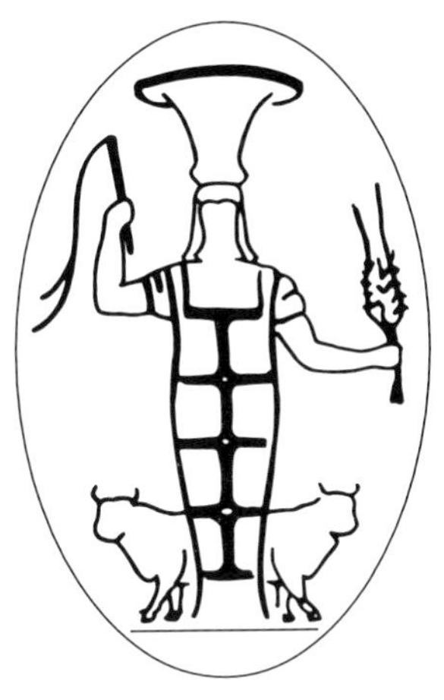

Ouvrage publié avec le concours
de la direction générale de la Coopération internationale et du Développement
du ministère des Affaires étrangères

BEYROUTH

2003

Maquette : Rami Yassine
PAO : Antoine Eid
Suivi de la publication : Emmanuelle Capet
Traduction en arabe : Hassan Salamé-Sarkis
Directeur de la publication : Jean-Louis Huot

B.P. : 11-1424 Beyrouth, Liban
Tél. : 961.1.420 299
Télécopie : 961.1.615 866
Email : ifapo@lb.refer.org
ISBN 2-912738-23-7
Dépôt légal : 4e trimestre 2003

À la mémoire de Jacques Besançon

Sommaire

VOLUME I

VOLUME II

Préface

J.-Cl. Margueron *

Lorsqu'en 1978, la direction de la Mission archéologique de Mari me fut confiée par la commission des recherches archéologiques à l'étranger du ministère des Affaires étrangères, en plein accord avec André Parrot, l'inventeur et le fouilleur particulièrement heureux du site, je fus amené à réfléchir sur les axes prioritaires de recherche que je comptais engager. Il y avait bien entendu à poursuivre certaines des actions qui n'avaient pu être menées à leur terme, tant les découvertes exceptionnelles s'étaient succédé à un rythme inespéré depuis le début des travaux en décembre 1933 ; une exploitation systématique des résultats acquis jusque-là, que nul n'avait eu le loisir de conduire, s'imposait, mais là ne pouvait s'arrêter l'ambition de la nouvelle équipe.

La nature des découvertes et leur première analyse — palais entier, temples, documents d'archives par milliers, peintures uniques en Orient, collection exceptionnelle de statues — n'avaient pas laissé le temps de s'interroger sur des problèmes aussi importants que la ville elle-même, le milieu dans lequel la capitale de la moyenne vallée de l'Euphrate s'était développée ou la signification historique de Mari.

C'est pourquoi je décidai que l'un des axes prioritaires des recherches nouvelles serait la connaissance du monde dans lequel avait vécu et prospéré la ville qui fut la capitale d'une région-clé du Proche-Orient. Non seulement ce type de recherche n'était alors pas très répandu dans le domaine de l'archéologie syro-mésopotamienne, même si, depuis, une partie du retard a été comblée, mais encore le cas de Mari était très particulier et me paraissait devoir focaliser des recherches sur cette question. En effet, comment comprendre qu'une cité se soit développée dans un contexte si peu favorable à la vie urbaine : un milieu sub-désertique, avec des pluies moyennes — ce qui n'a pas grande signification dans un tel contexte — d'environ 140 mm par an, donc bien au-dessous du minimum nécessaire pour assurer les récoltes indispensables (environ 250 mm), absence de carrefour routier pouvant donner naissance à un centre commercial, aucune ressource locale permettant la production d'une denrée que l'on serait venu chercher de loin : non, rien ne justifiait la présence d'une grande ville, sauf l'Euphrate qui apparaissait comme un élément positif dans ce contexte particulièrement défavorable.

Une étude de la vallée et de ses abords, de son fleuve et de l'ensemble du réseau hydrographique, des atouts et des inconvénients que présentait ce milieu, s'imposait. Il m'a semblé alors que celle-ci ne pouvait se faire sans que la recherche sur les hommes qui avaient vécu dans la vallée soit étroitement associée à celle du milieu et de ses contraintes. C'était donc dans une double direction qu'il fallait orienter l'enquête : d'une part définir le milieu physique né de l'action du fleuve dans la formation et l'évolution de la vallée, relier ce milieu aux possibilités d'exploitation par l'homme, enfin chercher les traces de l'occupation humaine, aussi bien celles des établissements que celles des aménagements tels que le réseau de canaux que nous savions avoir existé par les textes du XVIIIe siècle av. J.-C. Mais bien entendu, il ne fallait pas limiter les reconnaissances à l'identification des vestiges appartenant au troisième et au début du second millénaire, c'est à une enquête globale qu'il fallait procéder, d'où ressortirait une histoire de la moyenne vallée de l'Euphrate.

Il restait à trouver les spécialistes pour enquêter sur le terrain et dresser les principales conclusions, pendant que se poursuivaient les recherches de type traditionnel sur le tell.

Pour l'étude de la vallée, il convenait de la confier à un géomorphologue, spécialiste de la dynamique fluviale.

* Directeur de la Mission archéologique de Mari.

M'étant ouvert de mes projets auprès de Paul Sanlaville qui m'avait fait l'amitié de travailler avec l'équipe d'Emar et qui était venu opérer une première reconnaissance de l'environnement à Mari, il me conseilla de m'adresser à l'institut de géographie de Strasbourg, ville où j'enseignais moi-même, mais où nos instituts dépendaient d'universités différentes, car l'un des thèmes de recherche y était justement fondé sur les grands fleuves. C'est alors que les contacts furent pris avec Bernard Geyer qui s'est dès lors engagé sans compter dans cette opération dont il voyait tout l'intérêt car il ajoutait à sa spécialisation de géographe-morphologue, une activité archéologique déjà ancienne. Il a conduit l'enquête avec un enthousiasme et une compétence qui feront date. En outre, Jacques Besançon dont le Proche-Orient a été le domaine de prédilection pendant toute sa vie, a été associé à certaines des recherches géographiques.

L'étude des sites devait être confiée à un archéologue, déjà formé à la céramologie, puisque l'une des tâches consistait à dater les installations repérées, et que cette opération ne pouvait se faire que par le ramassage des tessons de surface. Jean-Yves Monchambert, qui avait fait partie de l'équipe d'Ugarit et qui avait travaillé à Emar, dont la thèse avait porté sur la céramique commune d'Ugarit, qui de surcroît s'intégrait à l'équipe de Mari et qui eut l'opportunité de conduire une prospection de surface systématique de la vallée du Khābūr était l'homme d'une telle opération. Il s'y est engagé lui aussi avec enthousiasme.

Il nous faut signaler que la réussite de cette enquête est aussi, pour une part importante, le fait de l'Institut français d'archéologie du Proche-Orient auquel les deux auteurs ont été rattachés plusieurs années durant comme pensionnaires scientifiques et qui a servi de base permanente à toute l'opération : que son directeur de l'époque, Georges Tate, en soit vivement remercié. On ne saurait oublier non plus l'aide apportée par le GOLD (General Organisation of Land Development de la République arabe syrienne) et celle du GERSAR (Groupement d'études et de réalisations des sociétés d'aménagement régional) qui ont soutenu la recherche sur le terrain et grandement facilité l'accès aux cartes et photographies aériennes nécessaires pour une telle entreprise.

C'est pour la mission de Mari un énorme sujet de satisfaction que de voir aboutir dans cette publication l'un de ses tout premiers axes de recherche, réalisé dans un parfait accord entre la mission et l'antenne de terrain formée par ses deux signataires qui ont su harmoniser leurs objectifs et réaliser un véritable travail d'équipe. Qu'ils en soient tous les deux vivement remerciés : la mission leur en est reconnaissante.

Introduction

B. Geyer et J.-Y. Monchambert

Lancée en 1982 à l'instigation de J.-Cl. Margueron afin de connaître l'environnement immédiat de Mari, la grande cité du moyen Euphrate du IIIe et du début du IIe millénaire, la prospection menée conjointement par un géographe (B. Geyer) et un archéologue (J.-Y. Monchambert) a rapidement et largement débordé de son objectif premier. Il s'est vite avéré en effet que le territoire proche que dominait Mari ne se limitait pas à l'alvéole dans laquelle elle se trouvait, mais allait au moins jusqu'à l'embouchure du Khābūr. En outre, d'importants travaux d'aménagement hydro-agricole de la vallée étaient entrepris entre Deir ez Zōr et Abu Kemāl et menaçaient directement les aménagements et les installations antiques, qui risquaient — c'est un euphémisme — de disparaître à jamais. La prospection a revêtu dès lors un caractère d'urgence : il convenait de recueillir le maximum d'informations sur la région avant qu'elle ne fût profondément bouleversée.

Les concours alors apportés par la direction générale des Antiquités et des Musées à Damas et son directeur régional à Deir ez Zōr, A. Mahmoud, le soutien moral et matériel prodigué par la Mission de Mari, l'hospitalité et l'aide du GOLD et du GERSAR [1] à Deir ez Zōr ont grandement facilité l'accomplissement de ce programme. Le ministère des Affaires étrangères et, plus directement, l'Institut français d'archéologie du Proche-Orient (IFAPO) et son directeur — à l'époque G. Tate — ont fortement soutenu nos recherches, non seulement financièrement, mais également en nous permettant, grâce à l'octroi de postes de pensionnaires scientifiques, de travailler dans d'excellentes conditions. Le CNRS est intervenu en finançant les missions de J. Besançon (géomorphologue) qui a participé à l'ensemble des relevés concernant le Pléistocène.

LE PROGRAMME DE RECHERCHE

De l'alvéole proprement dite de Mari, c'est-à-dire le secteur compris entre les falaises de Doura-Europos au nord et celles de Bāqhūz au sud, nous avons étendu notre champ d'investigation à l'ensemble de la vallée de l'Euphrate située entre Deir ez Zōr et Abu Kemāl. Cette extension géographique s'est accompagnée d'une extension chronologique et ce n'est plus seulement à l'époque de prospérité de Mari, le Bronze ancien et le Bronze moyen, que nous nous sommes intéressés. Nous avons été amenés à rechercher toutes les traces d'occupation et de mise en valeur, depuis la sédentarisation néolithique jusqu'au début du XXe siècle. D'une étude de l'environnement de Mari, nous en sommes venus à essayer de reconstituer l'évolution de l'occupation du sol de la vallée de l'Euphrate. La tâche étant énorme, au tandem des débuts sont venus s'ajouter, en fonction des besoins et des opportunités, et pour des durées variables, J. Besançon (géomorphologue), B. Debergue (historien, alors en poste à Deir ez Zōr), M. Wolff (pédologue du GERSAR) et S. Berthier (archéologue). Occasionnellement, les fouilleurs de Mari ont arpenté en notre compagnie les digues du canal de Mari ou les pentes de quelques sites (Tell Medkūk, Tell Abu Hasan, etc.) pour y récolter de la céramique. S. Muhesen (préhistorien) et É. Coqueugniot (préhistorien) ont accepté d'analyser certains des artefacts lithiques que nous avons récoltés : le premier s'est intéressé aux artefacts découverts dans les formations alluviales quaternaires [2], le second à ceux très particuliers de deux sites de la vallée.

Dans les faits, nous nous sommes limités, dans notre interprétation des résultats et dans la reconstruction de l'histoire du peuplement et de l'aménagement de la vallée,

1 - Organisme et entreprise qui avaient en charge les études préliminaires au projet d'aménagement hydro-agricole de la vallée.

2 - Ses travaux feront l'objet d'une publication à part.

aux périodes antérieures à l'avènement de l'islam. L'étude du peuplement rural et des aménagements agricoles à l'époque islamique a été menée à partir de nos données, puis de recherches spécifiques, par S. Berthier, qui en publie ailleurs les résultats [3].

LA VALLÉE DE L'EUPHRATE DANS LA RECHERCHE ANTÉRIEURE

Jusqu'en 1980, ce secteur de la vallée en aval de Deir ez Zōr n'avait jamais été exploré de façon systématique. Il avait été parcouru, en particulier au XIXe et au début du XXe s., par des voyageurs et des archéologues, lors d'expéditions diplomatiques, historico-archéologico-ethnologiques ou de voyages au fort parfum d'aventure, ou par des ingénieurs et des militaires, à l'occasion de missions exploratoires en vue de la construction d'une ligne de chemin de fer ou de la mise en place d'un service de navigation sur l'Euphrate. Ces voyageurs, nourris des écrivains antiques et des récits bibliques, cherchaient à localiser les lieux cités dans les écritures, saintes ou non, et se sont attachés à identifier les ruines visitées. Un certain nombre de sites sont ainsi mentionnés dans leurs comptes rendus de voyages ou dans leurs rapports de missions, parfois accompagnés de commentaires érudits de géographie historique. Quelques sites sont même décrits avec force précision. Les informations qui nous ont ainsi été transmises sont généralement intéressantes, en ce qu'elles confirment et souvent complètent les observations que nous pouvons faire de nos jours ; mieux, ces comptes rendus décrivent parfois une réalité aujourd'hui disparue, dont ils resteront le seul témoignage.

Par ailleurs, des fouilles avaient été effectuées sur plusieurs sites, provoquées en général par des trouvailles fortuites, comme ce fut le cas à Qal'at es Sālihīye (Doura-Europos) à partir de 1922, à El 'Ashāra (Terqa) en 1923, ou à Tell Hariri (Mari) à partir de 1933. Les missions qui y travaillaient essaimèrent sur d'autres sites proches, supposés receler des niveaux contemporains. C'est ainsi que la mission de Doura procéda à des fouilles dans la nécropole romano-parthe de Bāqhūz entre 1934 et 1936, découvrant par la même occasion les tombes de l'âge du Bronze et le site de l'époque de Samarra ; de même, la mission de Mari effectua un sondage à Tell Abu Hasan en 1937. Pendant près d'un quart de siècle, aucun autre site ne fut exploré. Il fallut attendre les années 1960 pour voir le site néolithique de Buqras être fouillé par une mission franco-néerlandaise qui effectua aussi un sondage sur le site contemporain de Tell es Sinn. Les travaux menés dans la deuxième partie des années 1970 dans le bourg de Meyādīn, dans la citadelle de Raḥba et dans les ruines situées au pied de cette dernière [4] donnèrent lieu à des fouilles et à des relevés topographiques et architecturaux, encore largement inédits.

La reprise des fouilles à El 'Ashāra (Terqa) en 1975 fut la première occasion d'une amorce d'étude régionale : une prospection aux alentours du site fut entreprise par K. Simpson [5], bientôt suivie d'une fouille sur le site voisin d'El Graiye. Ce *survey*, baptisé « Khana-Survey », concerna dans un premier temps la proche région de Terqa. En 1978, une soixantaine de « sites », pour la plupart de petits épandages de tessons d'époque médiévale, furent détectés au cours d'un « *intensive surface survey* ». En 1979, une prospection motorisée (« *intensive jeep survey* ») permit de retrouver une vingtaine de sites sur les deux rives de l'Euphrate, dans un secteur de 600 km², depuis le village de Buqras au nord jusqu'à ceux d'El Kishma en rive droite et d'Abu Hammām en rive gauche au sud. À quelques exceptions près, la plupart des sites existant dans ce secteur d'exploration furent ainsi repérés.

En 1976 et 1977, une prospection, non publiée, a été menée entre Deir ez Zōr et Meyādīn par l'équipe néerlandaise qui fouillait à Buqras ; elle permit de déceler les niveaux néolithiques de Tell es Sinn et entraîna la conduite d'un sondage sur ce site [6].

De vastes zones de la vallée en aval de Deir ez Zōr restaient donc inexplorées : toute la partie méridionale en aval d'Abu Hammām et, compte tenu du caractère resté inédit de la prospection néerlandaise, toute la partie en amont de Buqras. Nous avons donc remédié à ces importantes lacunes.

En rive gauche, notre prospection réalise en outre la jonction avec celle effectuée dans la vallée du Khābūr par H. Kühne en 1975 dans le cadre du *Tübinger Atlas des Vorderen Orients* [7]. Une autre prospection fut conduite sur l'Euphrate en amont de Halabīya par K. Kohlmeyer [8] en 1983 et 1984. Un tronçon du fleuve et de sa vallée reste donc dans l'ensemble inexploré, entre Halabīya et Deir ez Zōr.

LA MÉTHODE

Conçue au départ pour étudier l'environnement immédiat de Mari, notre prospection a pris, comme nous l'avons dit précédemment, une ampleur imprévue et a revêtu un caractère d'urgence en raison des travaux d'aménagement hydro-agricole qui étaient entrepris dans la vallée. Elle s'est

3 - Berthier sous presse ; Berthier *et al.* 2001.

4 - Bianquis 1987.

5 - Simpson 1983.

6 - Roodenberg 1979-1980.

7 - Kühne 1974-1977, notamment fig. 1 où sont reportés les sites retrouvés sur le bas Khābūr : en dehors de T. Bsēra (Buseire 1), les sites les plus en aval sont T. Ḫarīza (El Khreiza) et T. Ğubn en rive droite, T. Mašīḥ (El Māshek) en rive gauche, ce dernier probablement vu par E. Sachau (1883, p. 290) quelques minutes après le village de tentes d'Elmâshiḥ, à côté d'un autre village de tentes appelé El'awêne ; et Kühne 1978-1979.

8 - Kohlmeyer 1984 a et b ; 1986.

donc étendue à l'ensemble de la région menacée, c'est-à-dire toute la vallée de l'Euphrate syrien en aval de Deir ez Zōr, soit 130 km de long sur 12 à 15 km de large en moyenne, pour une superficie d'environ 1 800 km^2.

Dès lors, la méthode initialement utilisée, la prospection pédestre et cycliste [9], a été abandonnée au profit d'une autre plus rapide, mais certainement moins systématique : nous avons sillonné la vallée en voiture, en nous appuyant d'une part sur des cartes au 1:25 000 pour le repérage des buttes les plus importantes, et au 1:5 000 pour celui des reliefs moins marqués, en nous fondant d'autre part sur l'observation visuelle pour des microreliefs que l'équidistance des courbes de niveaux ne nous aurait pas permis de détecter.

De façon à avoir une cohérence d'ensemble depuis Deir ez Zōr jusqu'à Abu Kemāl, nous avons aussi parcouru le secteur déjà étudié par K. Simpson aux alentours d'El 'Ashāra. Si nous n'avons pu retrouver tous les petits amas de tessons d'époque médiévale, nous avons complété son inventaire en y ajoutant plusieurs sites.

Par ailleurs, notre prospection chevauche quelque peu celle de H. Kühne sur le Khābūr [10]. Cela s'explique par la configuration de la zone de confluence, qui rend impossible une délimitation absolument précise de ce qui, sur la rive gauche du Khābūr, relève de cette vallée ou de celle de l'Euphrate. En outre, le souci de comprendre le Nahr Dawrīn, aménagement hydraulique majeur de rive gauche de la vallée de l'Euphrate, a rendu indispensable la recherche de l'éventuel site de prise d'eau de ce canal ; nous avons donc remonté son tracé sur une vingtaine de kilomètres dans la vallée de l'affluent. De même, en amont de Deir ez Zōr, nous avons étudié le site de prise d'eau d'un autre grand canal de rive gauche, le Nahr Sémiramis, localisé dans le défilé de la Khanouqa, entre les ruines de Halabīya et de Zalabīya, à une cinquantaine de kilomètres en amont de notre secteur d'étude.

Dix-sept missions de terrain, d'une durée d'une à quatre semaines, ont été effectuées de 1982 à 1990 [11]. La prospection s'est faite le plus souvent en duo.

LES LIMITES DE LA PROSPECTION

Si nous pouvons être à peu près certains qu'aucun site important ni aucun aménagement d'envergure ne nous ont échappé, il n'en est pas moins vrai que nous n'avons pas repéré la totalité des vestiges du passé. Comme le soulignait K. Simpson [12] à propos de sa prospection aux alentours d'El 'Ashāra/Terqa : « *in addition to large, multi-occupational, historic tells they may be small habitation units and specialized activity areas usually represented in the archaeological record by sherd and lithic scatters. Another typic archaeological site type is the use area, an area of low-density artifact scatter without definable site boundaries. Such sites are rarely discovered in reconnaissance survey, especially in those conducted by vehicle. To discover the site types an intensive foot survey is necessary* ».

Une prospection complémentaire de la nôtre, effectuée par S. Berthier, confirme cette observation. Couvrant un secteur plus restreint, compris entre Ali esh Shehel au nord, près du Khābūr, et Darnaj au sud, elle a été menée de façon plus systématique, à pied, particulièrement le long du Nahr Dawrīn ; les sites retrouvés [13] sont effectivement beaucoup plus nombreux que ceux que nous y avions repérés. Il s'avère que la plupart d'entre eux sont des campements d'époque islamique, très certainement liés à la présence du canal, faits qui ont pu être établis grâce à des sondages réalisés par S. Berthier [14]. Nous ne nous sommes, quant à nous, intéressés qu'aux faits qui nous ont été révélés par la prospection. Tout ce qui découle des modes de vie nomades n'a guère pu être pris en compte, les vestiges correspondants, rares pour les époques préislamiques, n'étant guère identifiables et encore moins interprétables sans fouille. Nous sommes certes tout à fait conscients du rôle que les nomades ont dû jouer, aussi bien dans l'occupation du sol que dans la mise en valeur de la vallée, mais c'est là une des limites imposée par la prospection dans cette vaste région.

En outre, les conditions géomorphologiques spécifiques de la vallée nous ont montré qu'il était illusoire de prétendre repérer toutes les installations anciennes. Les sites que nous avons repérés ne constituent pas la totalité de ceux qui ont existé au cours des siècles : certains ont pu disparaître, sapés peu à peu par l'Euphrate ou enfouis sous les dépôts alluvionnaires par les crues successives du fleuve. Les activités humaines sont également à mettre en cause : certains sites ont disparu du fait de l'exploitation de gravières ou de la construction de routes, d'autres ont été recouverts par les agglomérations modernes.

L'image que l'on pourra reconstruire de l'occupation et de l'aménagement de la vallée à une époque donnée ne reflétera donc pas exactement la réalité du moment, mais constituera une hypothèse *a minima* de ce qu'elle a pu être alors.

9 - La première inspection des alentours de Tell Hariri a été effectuée grâce à un superbe vélo chinois, acquis pour quelques livres syriennes à Abu Kemāl, et qui était fort pratique pour passer les très nombreux canaux d'irrigation du secteur.

10 - Le chevauchement le long de la rivière est d'environ cinq kilomètres.

11 - 7 au 29 avril 1982, 5 octobre au 3 novembre 1983, 16 mars au 6 avril 1984, 15 octobre au 23 novembre 1984, 5 au 17 mai 1985, 10 au 27 septembre 1985, 5 au 12 décembre 1985, 26 au 30 janvier 1986, 12 au 19 juin 1986, 2 au 12 septembre 1986, 19 au 24 décembre 1986, 23 janvier au 6 mars 1987, 17 au 28 avril 1987, 1er au 15 octobre 1987, 6 au 16 février 1988, 4 au 16 avril 1988, 13 au 18 avril 1990.

12 - K. Simpson, in Buccellati 1979, p. 17.

13 - Les sites repérés lors de cette prospection complémentaire ont été insérés dans notre catalogue des sites (nos **162** à **201**).

14 - Berthier *et al.* 2001.

LA PUBLICATION

De nombreuses personnes ont contribué, à divers titres, à la publication de cette prospection.

Notre reconnaissance s'adresse tout d'abord à M. J.-L. Huot, directeur de l'IFAPO, qui a accepté de publier cet ouvrage dans la collection de la BAH et à M. J.-Cl. Margueron qui a bien voulu en rédiger la préface.

Nous voulons remercier également tous ceux qui ont participé à sa réalisation matérielle : D. Andrieu, O. Barge, Y. Montmessin et J.-B. Rigot qui ont confectionné les cartes et les schémas, E. Capet, A. Eid et R. Yassine qui ont assuré la mise en forme de l'ouvrage.

M. Dohet a aidé J.-Y. Monchambert à dessiner des céramiques, I. Boehm a procédé à leur encrage. Qu'elles en soient toutes les deux remerciées.

Nous adressons enfin nos plus vifs remerciements à J. Besançon, I. Boehm, E. Oudot et Th. Monloup pour la patience dont ils ont fait preuve en relisant les pages de cet ouvrage.

Lyon, juillet 2000

BIBLIOGRAPHIE RELATIVE AUX TRAVAUX RÉALISÉS LORS DE LA PROSPECTION

BERTHIER S.

sous presse *La céramique villageoise de la moyenne vallée de l'Euphrate à l'époque islamique (fin VIIe-XIVe s., Syrie). Index typologique*, 2 vol., IFEAD, Damas.

BERTHIER S., CHAIX L., D'HONT O., GYSELEN R., SAMUEL D., STUDER J., MONCHAMBERT J.-Y., ROUSSET M.-O., GARDIOL J.-B.

2001 *Peuplement rural et aménagements hydroagricoles dans la vallée de l'Euphrate (fin du VIIe-XIXe siècle)*, Publications de IFEAD n° 191, Damas.

BERTHIER S., D'HONT O., GEYER B.

1989 Le peuplement rural de la moyenne vallée de l'Euphrate à l'époque islamique (VIIe siècle-début du XXe siècle), *Contribution française à l'archéologie syrienne*, IFAPO, Damas, p. 227-231.

BERTHIER S., GEYER B.

1988 Rapport préliminaire sur une campagne de fouilles de sauvetage à Tell Hrīm (Syrie) — hiver 1986, *Syria* LXV, fasc. 1-2, p. 63-98.

BESANÇON J., GEYER B.

sous presse Environmental and Land-Use Evolution in the Euphrates Valley during the Neolithic and Chalcolithic Periods, in actes du colloque de Deir ez-Zor *The Syrian Djezireh, Cultural Heritage and Interrelations*.

CALVET Y., GEYER B.

1991 Antike Talsperren in Syrien, in G. Garbrecht (éd.), *Historische Talsperren 2*, Verlag K. Wittwer, Stuttgart, p. 195-236 et 283.

1992 *Barrages antiques de Syrie*, Collection de la Maison de l'Orient méditerranéen n° 21, série archéologique 12, Lyon, 144 p.

GEYER B.

1984 Environnement et milieu naturel à Mari, *Histoire et Archéologie : les dossiers, numéro spécial : Éblouissante richesse de Mari sur l'Euphrate*, n° 80, p. 14-16.

1985 Géomorphologie et occupation du sol de la moyenne vallée de l'Euphrate dans la région de Mari, *MARI* 4, p. 27-39.

1986 Notes sur l'implantation de Tell Melebiya (vallée du Khābūr — Syrie), *Akkadica* 46, p. 17-18 et 47.

1988 Le site de Doura-Europos et son environnement géographique, *Syria* LXV, fasc. 3-4, p. 285-295.

1990 a Aménagements hydrauliques et terroir agricole dans la moyenne vallée de l'Euphrate, in B. Geyer (éd.), *Techniques et pratiques hydro-agricoles traditionnelles en domaine irrigué : approche pluridisciplinaire des modes de culture avant la motorisation en Syrie*, actes du colloque de l'IFAPO, Damas 1987, BAH CXXXVI, vol. 1, P. Geuthner, Paris, p. 63-85.

1990 b Une ville aujourd'hui engloutie : Emar —contribution géomorphologique à la localisation de la cité, *MARI* 6, ERC, ADPF, Paris, p. 107-119.

1992 a Haradum : un site parfaitement intégré à son environnement, in C. Képinski-Lecomte (éd.), *Haradum* I. *Une ville nouvelle sur le Moyen-Euphrate (XVIIIe-XVIIe siècles av. J.-C.)*, ERC, Paris, p. 37-49.

1995 L'Euphrate et sa vallée : 1922-1990, in *Une mission de reconnaissance de l'Euphrate en 1922. Les enjeux économiques, politiques et militaires d'une conquête. Deuxième partie : les textes*, Publications de l'Institut français de Damas n° 133, Damas, p. 11-27 (+ index, p. 115-124).

GEYER B., BESANÇON J.

1997 Environnement et occupation du sol dans la vallée de l'Euphrate syrien durant le Néolithique et le Chalcolithique, *Paléorient* 22/2, p. 5-15.

GEYER B., MONCHAMBERT J.-Y.

1983 Prospection dans la basse vallée de l'Euphrate syrien, *Annales archéologiques arabes syriennes* XXXIII, t. 1, p. 261-265.

1987 a Une nécropole à es-Susa (moyenne vallée de l'Euphrate), *MARI* 5, p. 275-291.

1987 b Prospection de la moyenne vallée de l'Euphrate : rapport préliminaire 1982-1985, *MARI* 5, p. 293-344.

1989 Prospection de la moyenne vallée de l'Euphrate, *Contribution française à l'archéologie syrienne 1969-1989*, Damas, IFAPO, p. 65-72.

GEYER B., SANLAVILLE P.

1991 Signification et chronologie des terrasses holocènes du bassin syrien de l'Euphrate, *Physio-Géo.* 22-23, p. 101-106.

MONCHAMBERT J.-Y.

1990 a Réflexions à propos de la datation des canaux : le cas de la basse vallée de l'Euphrate syrien, in B. Geyer (éd.), *Techniques et pratiques hydro-agricoles traditionnelles en domaine irrigué : approche pluridisciplinaire des modes de culture avant la motorisation en Syrie*, actes du colloque de l'IFAPO, Damas 1987, BAH CXXXVI, vol. 1, P. Geuthner, Paris, p. 87-100.

1990 b Un tesson inscrit à Es Saiyal, *MARI* 6, ERC, ADPF, Paris, p. 645-646.

MONCHAMBERT J.-Y.

1999 De Korsoté à Circesium : la confluence du Khabour et de l'Euphrate de Cyrus à Justinien, *Ktema* 24, p. 225-241.

2001 L'occupation de la vallée à l'avènement de l'Islam, in S. Berthier *et al.*, *Peuplement rural et aménagements hydroagricoles dans la vallée de l'Euphrate (fin du VIIe-XIXe siècle)*, Publications de IFEAD n° 191, Damas.

sous presse L'occupation humaine de la Moyenne Vallée de l'Euphrate : premières conclusions, in actes de la table ronde « Mari », Strasbourg, 14 et 15 juin 1997, *MARI* 9.

CHAPITRE PREMIER. La géomorphologie de la basse vallée de l'Euphrate syrien

Contribution à l'étude des changements de l'environnement géographique au Quaternaire

J. BESANÇON (†) et B. GEYER

Le recours à la stratigraphie a naguère favorisé le rapprochement entre archéologues et géologues. L'intérêt successivement porté à l'écologie, puis à la notion d'espace, a ouvert la voie à une symbiose entre l'archéologie et la géographie qui demande encore à progresser.

Au Proche-Orient (initialement au Liban), c'est dans les années 1960 qu'a été ressenti ce besoin de convergence, parmi un petit nombre de préhistoriens et de géomorphologues réunis au sein de la RCP 438, qui deviendra plus tard l'UMR 5647.

C'est dans ce cadre que furent ensuite inventoriés les principaux domaines écologiques de la Syrie, depuis les régions subcôtières (SANLAVILLE éd. 1979) jusqu'aux steppes humides (BESANÇON *et al.* 1978 et 1995), aux steppes sèches et au désert (BESANÇON *et al.* 1982 et 1997). L'Euphrate, qui traverse ces deux dernières zones, a fait l'objet d'un programme particulier (BESANÇON et SANLAVILLE 1982, BESANÇON 1983) auquel ne manquait plus que la partie terminale de la vallée entre Deir ez Zōr et Abu Kemāl. Cette lacune a pu être comblée grâce à l'offre de coopération qui nous a été faite par J.-Cl. Margueron (Mission archéologique française de Mari). Ce dernier programme nous a permis de compléter notre connaissance de l'Euphrate au Quaternaire et d'accorder, enfin, toute l'attention qu'ils méritent aux événements de la période holocène, jusqu'ici beaucoup mieux répertoriés du point de vue archéologique que paléo-écologique et morphologique.

L'équipe a effectué plusieurs missions qui sont venues compléter celles effectuées régulièrement depuis 1982 par l'un des auteurs de ce chapitre, en compagnie de J.-Y. Monchambert. Il en résulte une double carte, sur fond au 1:25 000, ici réduit au 1:50 000 pour la publication. Le relevé complet des accidents géomorphologiques significatifs d'une part, et des sites, gisements ou aménagements d'origine anthropique d'autre part, était indispensable pour retracer les étapes marquantes du passé en associant les transformations du cadre naturel et les mutations culturelles des populations qui s'y sont successivement installées.

Il est difficile, en tout cas toujours long et coûteux, de restituer l'environnement biologique des époques révolues. Nous disposions heureusement d'un moyen, certes imprécis mais facile à mettre en œuvre : l'analyse des traces laissées sur le terrain lors des changements climatiques qui ont rythmé le déroulement du Quaternaire. À défaut de déchiffrer toute la série des informations conservées dans l'épaisseur des stratigraphies lacustres — rarement sans lacunes (cf. le Houlé) — il demeure possible de repérer les étapes majeures de l'évolution subie par la nature en interprétant les coupes et les vestiges de surface. L'analyse géomorphologique, qui vise à définir génétiquement et à sérier chronologiquement les formes du relief et les formations sédimentaires qui les sous-tendent ou les recouvrent, permet, par inférence, d'évoquer les facteurs responsables : telluriques (volcanisme, mouvements tectoniques, etc.) ou climatiques (refroidissement, aridification, etc.). S'agissant des millénaires récents (Holocène), il convient d'introduire un nouveau déterminant parmi les causes (densité du couvert végétal, régime des crues, actions éoliennes, etc.) et les effets (déformation des méandres, immobilisation des dunes, étendue des submersions, etc.) de la morphogenèse : l'activité de l'homme, dont l'impact a pu se conjuguer avec celui d'oscillations climatiques mineures.

Dans tous les cas, faute d'un nombre suffisant de radiodatations, l'établissement d'un tableau chronologique cohérent a été tenté en s'appuyant sur les données de la géomorphologie, de la préhistoire et de l'archéologie, les assemblages et les échantillons fournissant des présomptions au même titre que des fossiles directeurs (SANLAVILLE éd. 1979, BESANÇON *et al.* 1988).

INTRODUCTION

En aval de Deir ez Zōr (**fig. 1**), la vallée de l'Euphrate syrien n'a pas suscité, exception faite pour les missions de Mari et de Doura-Europos, et plus récemment celle d'El 'Ashāra (Terqa), autant de travaux qu'en amont. Et ceux que l'on peut recenser se sont surtout appliqués au champ de l'archéologie.

Seuls les géologues soviétiques (PONIKAROV éd. 1966 et 1967) ont évoqué, marginalement, certains traits géomorphologiques relatifs aux territoires qu'ils cartographiaient, par exemple dans les notices explicatives (cartes au 1:500 000 et au 1:200 000). Mirzaev (1982) les a repris dans une synthèse, à la lumière d'une problématique malheureusement dépassée.

Dans une précédente publication, principalement fondée sur les travaux exécutés sur l'Euphrate syrien moyen (Besançon *et al.* 1980) et supérieur, l'un des auteurs du présent chapitre avait ébauché sa propre synthèse concernant l'ensemble du nord-est de la Syrie (Besançon 1983). La mission qui l'avait conduit dans les parages de Meyādīn et de Tell Hariri avait été trop rapide pour que ses interprétations ne souffrent pas d'erreur. Nous ne manquerons pas d'y revenir dans ce texte. Des éléments du contexte géomorphologique ont également été soulignés par l'autre auteur de ce chapitre (Geyer 1985, 1988, 1990 b, 1992 a et b ; Geyer et Monchambert 1987 b, Geyer et Sanlaville 1991), ou encore conjointement (Geyer et Besançon 1997). Enfin, A. Ozer a entrepris dans la région d'El 'Ashāra une étude géomorphologique dont un premier rapport a été publié (Ozer 1997).

Si la Syrie nord-orientale est demeurée longtemps à l'écart du champ des investigations géographiques, cela tient notamment à sa position excentrique (Abu Kemāl - Damas = 600 km), alors que les moyens de communication étaient médiocres, ce qui était dû à un peuplement (sédentaires et semi-sédentaires) et à une mise en valeur à la fois lacunaires et faiblement développés. Le changement est venu de ce que l'État a pris conscience des richesses potentielles que recèle l'Euphrate (eau, énergie) et des réserves d'hydrocarbures qui prolongent celles antérieurement découvertes en Iraq. L'intérêt s'est donc brusquement focalisé sur une région demeurée en sommeil jusqu'au milieu du xxe siècle.

Après avoir parcouru 420 km en Turquie, l'Euphrate traverse obliquement la Syrie sur 460 km, du nord-ouest au sud-est, avec une inflexion en S dans le franchissement en gorge (**fig. 2**)[1] de la meseta basaltique de Halabīya. À partir de Deir ez Zōr, il s'inscrit, sur près de 130 km à vol d'oiseau jusqu'à la frontière iraqienne, à ± 50 m en contrebas d'un vaste plateau aux horizons calmes. Sur sa gauche, ce dernier fait partie de la Jézireh, qui naît au pied du Taurus et se prolonge jusque sur les rives du Tigre et à Bagdad. À droite du fleuve, le plateau de Shamiyeh s'étend vers l'ouest jusqu'aux Palmyrénides et rejoint la cuvette de Palmyre.

Topographiquement, ce vaste ensemble monotone est affecté par une triple pente, à laquelle se conforme le système hydrographique. L'inclinaison principale, faible, s'oriente vers la Mésopotamie à raison de 26 cm par km pour la vallée de l'Euphrate (cf. p. 24). Jézireh et Shamiyeh sont en outre inclinés vers le fleuve. Le premier de ces plateaux est un glacis long de 100 à 200 km, né au pied des Jebels Abd el Aziz (920 m) et Sinjar (1 480 m), doté de 5 à 6 ‰ de pente. Le plateau de Shamiyeh s'appuie au nord-ouest sur le Jebel Bichri (865 m), à l'ouest sur les croupes du Jebel Rhaba-Gaara (moins de 800 m), et descend vers l'est, sur 180 à 200 km, avec une pente d'à peine 3 ‰.

Des réseaux hydrographiques, fonctionnels à l'ouest ou désorganisés à l'est, sillonnent les deux plateaux. Ils drainent une superficie d'environ 100 000 km^2, entre les latitudes 32° 25' et 37° 50' N et les longitudes 38° 20' et 41° 25' E, dont le centre se situe à 400 km de la Méditerranée et à 800 km du golfe Persique. Plus de 10 000 km^2 débordent la frontière turque (haut réseau du Khābūr) et près de 25 000 km^2 la frontière iraqienne (amonts des Wādis Dheina[2] et er Radqa, ainsi que la moitié orientale du réseau du Wādi 'Ajij).

LES CONTRAINTES NATURELLES : L'ÉTAT PRÉSENT

D'importants travaux hydro-agricoles sont en cours de réalisation et pourtant notre connaissance de l'écologie régionale manque de précision : ainsi, l'enregistrement des paramètres climatiques ne porte souvent que sur une période très courte (ordinairement bien inférieure à 30 ans).

La sévérité du climat

Les températures et les pluies

Le caractère fondamental de la région tient à son aridité. Ce n'est pas encore le désert intégral, tel ceux du Sahara ou de l'Arabie, mais on s'en approche, car les pluies sont très modiques et l'évapotranspiration potentielle (ETP) leur est bien supérieure.

Cette aridité procède de la dégradation du climat méditerranéen (Traboulsi 1981) de sorte que les pluies tombent en saison fraîche, ce qui limite quelque peu les reprises immédiates par évaporation. L'année climatique est nettement coupée en deux, avec une moitié estivale (jusqu'à 180 jours par an) continûment et absolument privée de pluie. L'autre moitié en perçoit de moins en moins à mesure que l'on se déplace vers l'est : si, à l'amont, Raqqa totalise en moyenne 200 mm par an, dès Deir ez Zōr la lame d'eau se réduit à 155 mm/an et Abu Kemāl ne reçoit plus que 123 mm/an[3] (**fig. 3**). Seules les marges semi-montagneuses du bassin-versant — tel que défini dans notre introduction — sont un peu moins désavantagées : le Jebel Sinjar recevrait presque 400 mm par an, le Jebel Bichri 300 mm à la station de Balqis (Kerbe 1979).

Comme toujours sur les marges arides, ces moyennes masquent une notable variabilité interannuelle : en 1960, Deir

1 - Sauf indication contraire, les photos sont des auteurs.

2 - Souvent mentionné sur les cartes et dans la littérature sous le nom de W. es Souāb. Pour préserver une cohérence d'ensemble de la toponymie, nous avons préféré utiliser le nom de « W. Dheina » qui est celui mentionné sur notre document de référence : la carte au 1:25 000 publiée en 1960.

3 - Les données climatiques sont extraites de Alex 1985.

ez Zōr n'a totalisé que 78 mm, contre 280 en 1967, dans le temps où Balqis enregistrait respectivement 125 et 430 mm, soit des variations du simple au triple, sinon au quadruple. Le pire est que les années sèches sont rarement isolées ; elles ont tendance à se succéder par trains de trois ou quatre, ce qui amplifie les dommages infligés à la végétation et, conséquemment, à l'économie rurale. Ainsi la badiya [4] orientale a vu fuir les troupeaux nomades durant l'hiver 1986-1987 en raison de la quasi-absence de pluie.

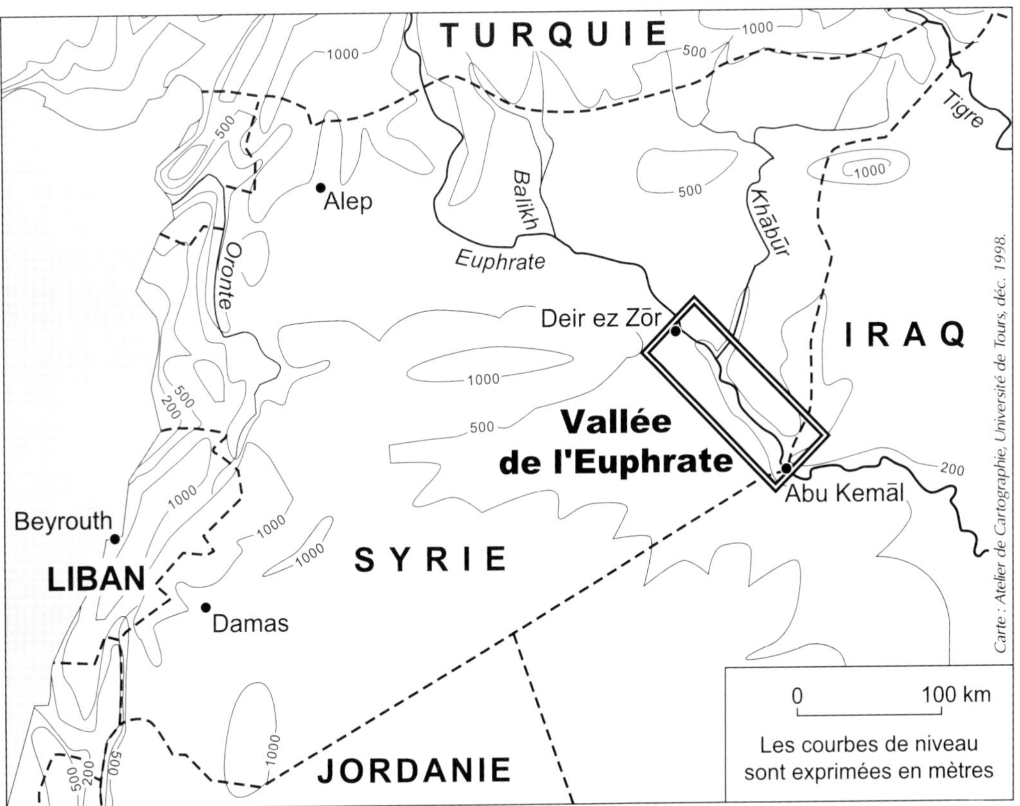

Fig. 1 - Carte de localisation.

Fig. 2 - Gorge de l'Euphrate imprimée dans la meseta de Halabīya. La formation alluviale pléistocène Q_{III} y est revêtue d'une mince chape basaltique. Au pied du versant de rive droite apparaît la terrasse $Q_{I'}$.

4 - Le terme de badiya, qui désigne un type de milieu naturel considéré dans son ensemble, peut être traduit par « steppe désertique ».

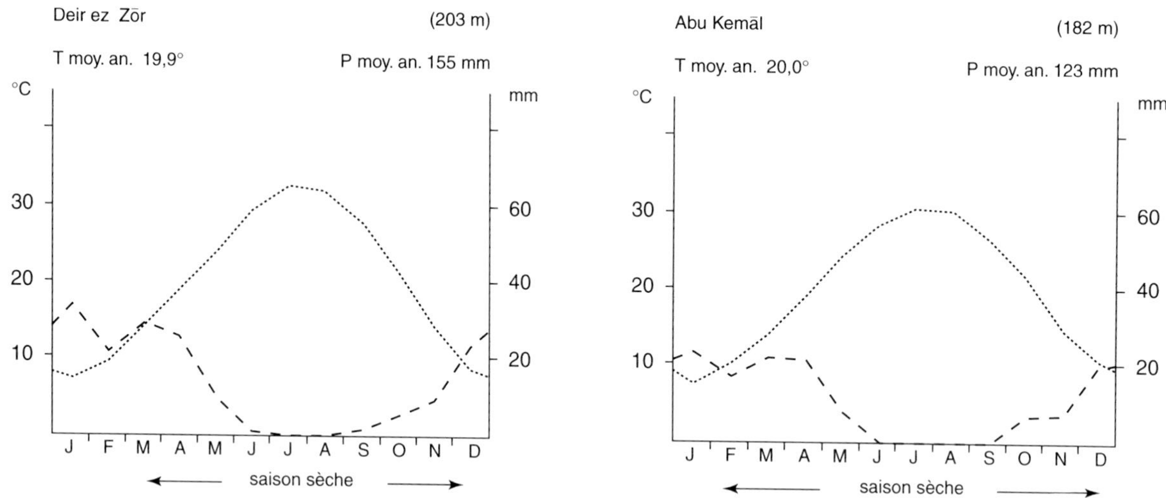

Fig. 3 - Diagrammes ombrothermiques pour les stations climatiques de Deir ez Zōr et d'Abu Kemāl (d'après Alex *1985).*

L'évaporation (et plus encore l'évapotranspiration) est particulièrement élevée en raison de la longueur de la saison sèche et chaude, ainsi que du taux très bas de l'humidité relative : moins de 45 % à Abu Kemāl en moyenne annuelle et seulement 25 % en été malgré la surface évaporatoire que représente le fleuve tout proche. Il faut ajouter le vent qui contribue à la vaporisation de l'eau. Dans un contexte topographique aussi dépourvu d'abris, les vents sont aussi fréquents qu'en mer. Ici les mouvements de l'air résultent, en hiver, de la circulation des dépressions cycloniques au-dessus du bassin oriental de la Méditerranée, en été de l'appel lié aux basses pressions en Mésopotamie. Leur vitesse est telle qu'on enregistre de fréquents vents de poussière ou de sable : en été, un jour sur deux (cf. p. 14). Il en découle que l'évapotranspiration potentielle avoisine ou dépasse 2 000 mm par an [5].

Certes, le cantonnement des pluies dans une partie de l'année où l'évaporation est minimale peut faciliter la mise en réserve dans le sol d'une partie de la dotation ; cette eau peut ainsi devenir utilisable par la végétation, du moins lorsque la présence de sels toxiques n'entrave pas sa croissance. Mais encore la végétation doit-elle pâtir de l'espacement des averses : d'octobre à mars, on n'enregistre guère que 50 jours de pluie — c'est-à-dire ayant « bénéficié » d'au moins 0,1 mm en 24 heures — total qui s'amenuise dans l'est pour tomber au-dessous de 30 jours. Il y a donc des averses suffisamment intenses pour humecter le sol. Mais les plantes doivent attendre l'averse suivante parfois plus de 15 jours, et, en tout cas, il n'y a pas de mois qui enregistre plus de 7 journées pluvieuses.

Le facteur thermique contribue de deux façons à la sévérité des conditions climatiques. La transparence de l'air et l'éloignement des mers thermo-régulatrices font que les nuits d'hiver sont froides : sous abri, le thermomètre tombe au-dessous de 0 °C plus de 15 fois l'an (22 fois à Abu Kemāl), et au sol sans doute deux fois plus souvent. La neige n'est pas inconnue. Inversement les températures élevées sont de règle, le jour, une bonne partie de l'année. À Deir ez Zōr, la moyenne mensuelle peut dépasser 32 °C ; elle se tient au-dessus de 20 °C pendant 6 mois. Quant aux maximums, on sait qu'ils franchissent la barre des 35 °C pendant 110 jours (117 à Abu Kemāl).

Lorsque l'on calcule les quotients pluviothermiques selon la formule d'Emberger et qu'on les situe sur son diagramme (**fig. 4**), on s'aperçoit que tout le secteur, s'il reste en dehors de l'aire des hyperdéserts, fait déjà partie du domaine « saharien ».

Le potentiel végétal

Le déficit hydrique est donc considérable. Si, en hiver, les apports d'eau atmosphérique sont moins dilapidés que dans les régions à pluies estivales, l'inconvénient tient, outre la durée réduite du flux lumineux, à la fraîcheur de l'air et du sol qui ralentit l'activité végétative : il faut probablement évaluer à une cinquantaine le nombre de nuits durant lesquelles le minimum descend au-dessous de + 5 °C, seuil critique quant aux principales fonctions biologiques [6].

5 - D'après les études réalisées par le GERSAR (1976) à Deir ez Zōr, l'évaporation annuelle sur surface libre s'élèverait à 3 020 mm/an. L'évapotranspiration moyenne calculée par la formule de Penman s'élève à 1 890 mm/an.

6 - En fait, dans la vallée, les rigueurs de l'hiver n'excluent pas le palmier-dattier que l'on retrouve jusqu'à Deir ez Zōr, c'est-à-dire près de 90 km au nord de Palmyre que l'on s'accorde généralement à considérer comme la limite septentrionale de cette culture. Il faut toutefois souligner que la fructification y est souvent entravée par les gelées.

Stations	Précipitations annuelles en mm	Maximum moyen du mois le plus chaud	Minimum moyen du mois le plus froid	$Q = \frac{2\,000\ P}{M^2 - m^2}$
Deir ez Zōr	154,5	312,9 °K	275,1 °K	13,9
Palmyre	129,0	310,9 °K	275,6 °K	12,5
Abu Kemāl	122,8	313,5 °K	274,9 °K	10,8

D'après les données de M. Alex 1985

Tableau 1 - Définition du climat selon les quotients pluviothermiques d'Emberger.

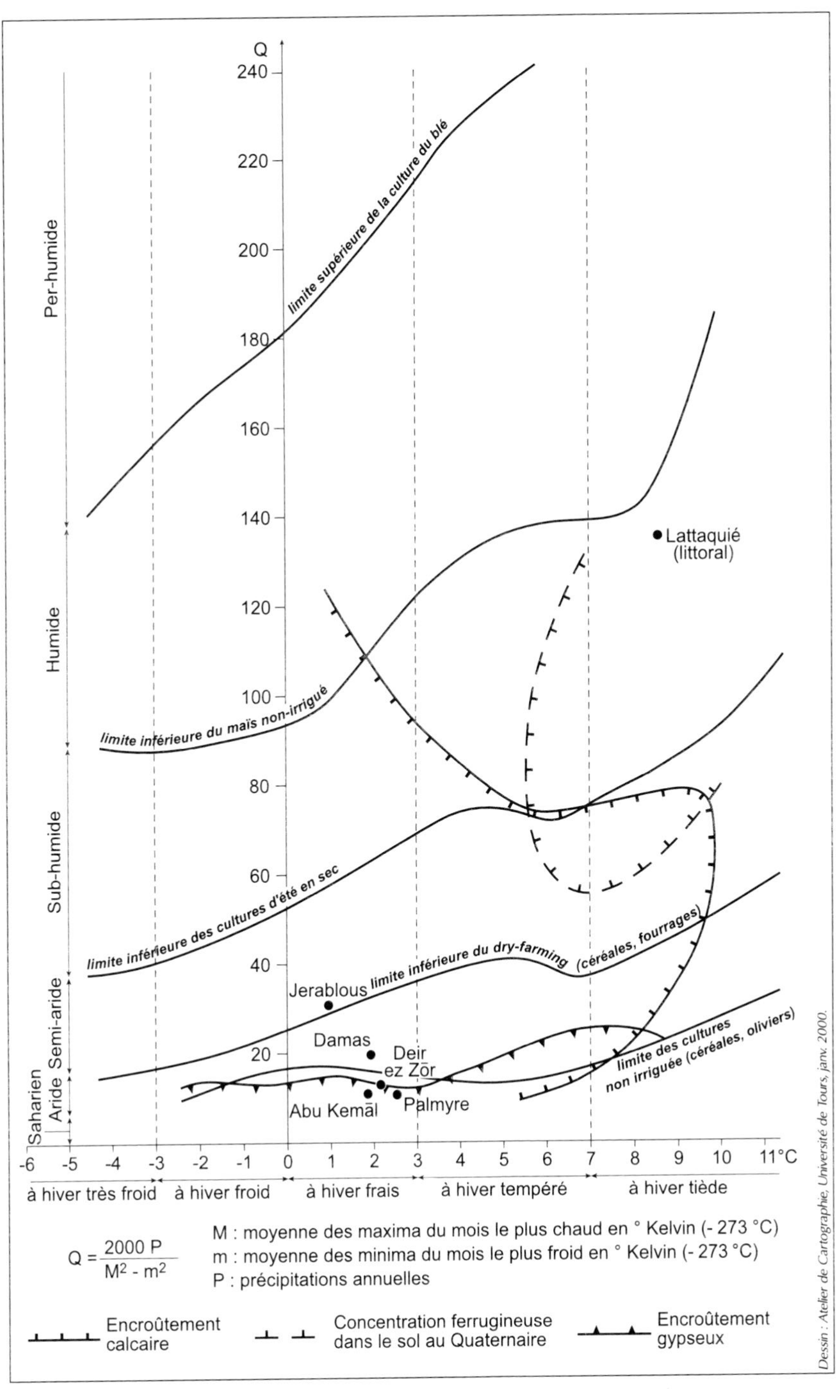

Fig. 4 - Classification des climats selon le diagramme d'Emberger.

Aux facteurs climatiques négatifs s'ajoute la mauvaise qualité des sols. Là où la roche n'affleure pas directement, ce qui est le cas sur toutes les pentes raides, comme les versants de la vallée, le sol est ordinairement très mince, pauvre en matrice fine (reg), parfois carapaçonné par des croûtes ou des dalles, ou étouffé par les limons et les sables éoliens. Telle est la situation sur les plateaux, exception faite des fonds de vallons secs et des dépressions fermées qui ont retenu une fraction des paléosols aujourd'hui presque entièrement érodés. Dans les vallées de l'Euphrate et du Khābūr, et aux embouchures des grands oueds, les alluvions du Quaternaire récent sont plus épaisses, mais la proximité de la nappe phréatique et les remontées capillaires que cette situation génère sont souvent la cause de l'enrichissement des sols en chlorures et sulfates toxiques, ce qui a eu, nous le verrons, des conséquences directes sur la mise en valeur.

Dans ces conditions, il n'est pas surprenant que le couvert végétal soit des plus pauvres. À l'exception des hautes collines ou des basses montagnes du pourtour qui portent les ultimes témoins d'une steppe à bosquets de pistachiers, poiriers et pruniers sauvages, les plateaux paraissent si dénudés qu'on se demande ce que les troupeaux des nomades peuvent bien trouver à brouter. En fait, l'état présent de la biomasse exprime, outre une écologie sévère, les effets d'un surpâturage millénaire encore aggravé ces dernières décennies par le refoulement des nomades dans les régions les plus pauvres. Originellement, ces territoires supportaient une steppe claire, haute d'un demi-mètre, à armoises, soudes, astragales, pâturins et stipes, piquetée de bosquets de pistachiers, genévriers, nerpruns, poiriers, amandiers, aubépines (Frey et Kürschner 1991). Aujourd'hui, les arbres et les arbustes ont totalement disparu, les arbrisseaux et les herbes ont régressé en nombre et en hauteur, tandis que le carex tend à se substituer aux espèces palatables. Au terme de la dégradation des associations végétales naturelles, il ne subsiste plus, là où affleurent la roche, le reg ou la dalle, que des taches de mousses et de lichens (Pabot 1956).

La situation a toujours été moins misérable autour des sources, rares, et le long des cours d'eau permanents. Jusqu'au milieu du XIXe siècle, ces derniers possédaient de véritables forêts-galeries sur chacune de leurs rives (Mallowan 1946). Leur existence résultait de l'abandon de la plupart des installations sédentaires, consécutif au long déclin de la période ottomane. De nos jours, le plancher de ces vallées a été intégralement réoccupé et défriché, exceptés les roselières et les lacs des méandres recoupés, quelques îles, les amas dunaires et les champs abandonnés pour cause de salinité.

Le problème de la salinisation des sols est crucial pour la mise en valeur des terres du bas Euphrate syrien. Il tient à l'intensité de l'évaporation. Toutes les régions arides sont, effectivement ou potentiellement, soumises au danger des remontées capillaires : les sels solubilisés dans les horizons profonds ou moyens se déposent en (sub)surface, là où seules les molécules d'eau, du fait du soleil et du vent, passent à l'état gazeux. Ici cette tendance est favorisée par plusieurs facteurs, dont le premier tient à la nature des roches du substratum (Miocène moyen et supérieur et surtout Pliocène), elles-mêmes riches en sels alcalins, gypse et carbonates. Toute eau qui ruisselle à leur surface ou y circule souterrainement prend rapidement en charge ces minéraux dont la solubilité, toujours élevée, décroît dans l'ordre où nous les avons cités. Les terres d'aval et surtout les creux de la topographie recueillent des quantités considérables de sels solubles. Dans le premier cas surtout, les cristaux sont remaniés et localement accumulés par le vent : d'où la fréquence des croûtes gypso-salines souvent épaisses de plusieurs décimètres. Dans le second cas, il y a imprégnation des sédiments avec efflorescences ou croûtes salines en surface (sebkhas) et, dans tous les cas, enrichissement des eaux phréatiques. Si la nappe qui loge dans les alluvions du Khābūr est essentiellement calcique, en raison de ses sources (cf. p. 21), celle de l'Euphrate est surtout riche en sulfates et chlorures de sodium et de calcium. Le lit du fleuve est si peu incisé que le drainage interne du plancher est mal assuré et s'inverse même pendant les hautes eaux. À faible profondeur, les alluvions sont engorgées, sauf celles des bourrelets de crue, des terrasses holocènes les plus récentes et, localement, celles de la bordure des terrasses holocènes les plus anciennes (cf. p. 42 *sq.*). Les creux laissés par le déplacement des méandres sont occupés par des marais et des lacs d'eau saumâtre que l'homme transforme parfois en salines, comme à Abu Schweima, à Surāt el Kishma près du village d'El Kishma ou à Ghabra.

Il s'ensuit que la forte teneur des sols en minéraux toxiques pour la végétation est d'abord un phénomène engendré par le climat qui, par le biais de la forte évapotranspiration provoque la concentration des sels dissous dont le stock est toujours renouvelé par les eaux d'irrigation. Elle dépend également de la nature des sédiments géologiques qui affleurent sur les vastes plateaux et les versants des vallées, lesquels ont été déposés sous climat aride bien avant le Quaternaire. Elle dépend enfin, nous le verrons, du taux de salinité de la nappe phréatique et de la profondeur de celle-ci.

Écologie et morphogenèse

La sécheresse climatique ralentit également les processus morphogéniques externes. Ils ne sont pourtant pas totalement inhibés. De plus, l'Euphrate et le Khābūr possèdent des moyens d'action (méandres mobiles, crues avec submersion...) qui sont par nature indépendants des conditions atmosphériques locales [7].

7 - La situation décrite, notamment en ce qui concerne l'Euphrate, son régime et son influence régionale, est celle qui prévalait avant la construction des nombreux barrages qui ont assagi le fleuve.

Contrairement aux planchers de leurs vallées, qui exposent des alluvions parmi lesquelles domine la fraction fine et meuble, les plateaux mettent au jour la roche ou la dalle. Toutefois, actuellement encore, les alternances thermiques et hygrométriques propres au climat saharien sont en mesure de procéder à des fragmentations (clasties). Compte tenu des amplitudes diurnes de la température au sol et de la mauvaise conductibilité des roches, la thermoclastie ne joue probablement pas un rôle majeur, encore que les silex à patine brique ou sombre portent les empreintes d'éclats thermiques. La cryoclastie, qui résulte du gel de l'eau dans les pores et les fissures, ne doit pas être négligée puisque les passages nocturnes au-dessous de 0 °C sont, en hiver, sensiblement plus nombreux au sol que sous abri et que le refroidissement s'accompagne vraisemblablement de rosée. Nous sommes démunis d'informations à cet égard. Il convient de souligner que les saupoudrages de particules de sel et de gypse, généralisés dans la région, aident à capter l'eau de rosée grâce à leur forte hygroscopie.

Ces minéraux interviennent directement dans les phénomènes de clastie dans la mesure où les solutions soumises à dessiccation précipitent : la cristallisation des sels développe des pressions similaires à celles du gel de l'eau interstitielle. Cette haloclastie joue visiblement un rôle déterminant, proportionnel au nombre annuel des cycles de dissolution-cristallisation. D'autres processus interviennent, de type géochimique (karstification épidermique) ou biochimique (algues, endolithes, mousses et lichens, etc.). Même les regs les plus couvrants ne sont pas constitués que de silex ou de quartz insolubles : on y remarque souvent des fragments arrondis, couleur lie-de-vin, issus du démantèlement d'une ancienne dalle lapiazée (**fig. 5**). Si les processus mécaniques délogent, *in fine*, ces débris, leur individualisation est le produit de dissolutions le long de fissures verticales elles-mêmes peut-être d'origine thermique.

Quoi qu'il en soit des processus, la fragmentation des roches ou des dalles cohérentes se poursuit donc là où elles ne sont protégées ni par un sol, ni par des alluvions ou des colluvions. Les produits de la dissociation sont ensuite l'objet d'attaques répétées qui, selon la nature des matériaux, peuvent aboutir à des éléments très petits, exportables par les vents.

Ces derniers sont d'autant moins négligeables que la proportion des jours de calme, dans l'année, ne dépasse guère 10 %. Ils sont en mesure de soulever des grains de matière solide dès lors que ceux-ci sont meubles, fins et secs, toutes conditions aisément remplies. Les flux dominants, du quadrant ouest, sont capables de déplacer des sables de calibre moyen, notamment en période de khamsin : ainsi les sables ocre rouge, venus de Shamiyeh (cf. p. 52), qui voilent le plateau de Doura-Europos par exemple, franchissent le rebord du versant de l'Euphrate, tapissent sa base (**fig. 6**) et progressent sur certains des petits cônes du pied de versant (**fig. 7**).

Fig. 5 - Dalle calcaire saumonée, lapiazée, scellant la terrasse Q_{III} à Mazār esh Shebli, en rive droite : elle libère des blocs et des « poupées ».

Fig. 6 - Amont d'un cône mineur de rive droite, envahi par des sables éoliens de couleur orangée.

Fig. 7 - Recouvrement éolien à Maqbarat Dablān, au pied d'un petit cône, créant des amas de sables à l'abri des constructions.

L'encaissement et l'orientation de la vallée de l'Euphrate ne modifient pas sensiblement le sens de l'écoulement des flux dominants : les arbres ne présentent pas de ces déformations (inclinaisons, réduction du branchage au vent) que l'on observe dans la trouée de Homs par exemple. Autrement dit, la géométrie de la vallée ne l'amène pas à jouer le rôle d'un « tube à vent ». Toutefois, la présence généralisée de matériaux fins, l'extension des défrichements et la répétition des façons culturales sont favorables aux remaniements éoliens, notamment grâce aux mini-trombes estivales (*dust-devils*). Il s'en produit, à Deir ez Zōr, au moins un jour sur deux durant l'été. En fait, sur le fond de vallée, il en naît plusieurs dans une même journée, à partir de 9-10 heures du matin. Elles résultent des inégalités du réchauffement du sol, par suite des différences d'albédo, et se déplacent en tourbillonnant. Les limons soulevés retombent quelques centaines de mètres plus loin. Les forts vents régionaux, moins fugaces, sont capables de ratisser des kilomètres carrés de vallée et de faire franchir aux limons le versant de rive gauche. Ils peuvent aussi mobiliser les sables qui constituent une bonne part des alluvions du lit mineur du fleuve ou ceux avec lesquels furent naguère édifiées les levées de berge des méandres abandonnés. Ainsi se construisent, à faible distance, des amas informes ou même des barkhanes mobiles. Dans les basses vallées des oueds majeurs de rive droite (Wādi Bir el Ahmar et W. Dheina surtout), la mobilisation des limons, stoppée par des tamaris, est à l'origine de chapelets de nebkas.

Parmi les particules éolisables, on observe une forte proportion de cristaux ou amas de cristaux (gypse et sel), ce qui pourrait expliquer l'extension et l'épaisseur particulières des croûtes gypso-salines de la Jézireh.

Les participations du vent à la morphogenèse sont donc multiples. Il convient de ne pas minimiser pour autant le rôle des ruissellements, car du fait d'un couvert végétal extrêmement discontinu et d'un substrat rocheux ou encroûté, l'infiltration est restreinte. En outre, les pluies tombent souvent avec une forte intensité. Une station comme Palmyre enregistre en moyenne plus de 3 jours par an fournissant plus de 10 mm, presque un jour tous les 2 ans au moins 25 mm. On a mesuré 66,6 mm en 24 heures (le 24-10-1966) à la station T2 de l'oléoduc de l'IPC, 85,5 mm (le 15-03-1973) à Shujeri (Jebel Bichri), 50 mm en un peu plus d'une heure à Mari (fin avril 1982, observation personnelle). Même inorganisés, les ruissellements pluviaux peuvent éroder les terres meubles : rigoles et même ravins griffent les pentes des grands tells archéologiques, le rebord externe des terrasses holocènes. Près du château d'Er Rheiba (**52** [8]), un vallon élémentaire du plateau, jadis utilisé comme dépotoir, est en voie d'exhumation : des tessons mêlés de terre s'accumulent en un cône de déjections à la lisière sud-est de l'ancienne agglomération sise au pied du château.

Pour peu que l'aire de réception de ce type d'averse soit suffisamment vaste, le ruissellement passe du stade diffus au stade ravinant, puis se rue dans les talwegs des oueds pour finalement déboucher dans la vallée de l'Euphrate. Durant l'année 1975-1976, des coefficients de ruissellement de 10 à 30 % ont été mesurés par le GERSAR (1976) sur les Wādis el Khōr, Dheina et Bir el Ahmar, balayés par des crues (50 m^3/s sur le Wādi Dheina). Ces dernières produisent des effets de chasse, rares mais capables aussi bien de calibrer largement les vallées dont la fonctionnalité est ainsi maintenue, que de nettoyer les pieds des versants des colluvions qui tendraient à les ennoyer ou les fonds plats des petites accumulations éoliennes qui s'y édifient.

Cette activité conservatoire ne pose pas de problème en ce qui concerne les cours d'eau permanents. Là où le lit mineur vient lécher l'un ou l'autre versant des larges vallées, il en sape la base en période de hautes eaux. Les falaises « vives » sont affectées par des éboulements de masse (par exemple à Bāqhūz et en amont de Doura-Europos) qui font reculer la lisière du plateau : ainsi sous Doura-Europos (**fig. 8**) où le vieux palais de la citadelle a été à demi démoli (Geyer 1988).

8 - Les chiffres en caractères gras et entre parenthèses correspondent aux numéros d'identification des sites archéologiques (cf. chap. III et cartes h.-t.).

Le substratum géologique

Les processus morphogéniques sont directement affectés par les contraintes climatiques régnant sur la Syrie orientale, mais encore, indirectement, par celles que subissent les hautes montagnes du Taurus et qui régulent le comportement de l'Euphrate.

Ils s'attaquent aux substrats rocheux qu'a mis en place une longue et complexe histoire géologique. On ne peut mésestimer le comportement physico-chimique des affleurements (facteur lithologique) non plus que les conséquences de leur distribution spatiale (facteur structural) sur les formes que revêtent les reliefs et les modelés.

La lithostratigraphie

À l'exception du bassin-versant du Khābūr, il faut s'éloigner du cours de l'Euphrate pour retrouver en surface des sédiments antérieurs au Néogène (**fig. 9**), c'est-à-dire oligocènes à paléocènes dans l'ouest, ou crétacé supérieur sur la crête du Jebel Abd el Aziz. Partout ailleurs, on ne remarque plus que les strates fragiles du Pliocène, sous lesquelles apparaissent minoritairement celles, guère plus résistantes, du Miocène (**fig. 10**). Les unes et les autres se sont empilées dans un vaste bassin subsident, dont l'ombilic se situe entre Meyādīn et Doura-Europos.

Aux assises du Miocène inférieur (N_1^1) correspond la « formation de Dībān » ou, dans l'est, le « calcaire de l'Euphrate », tous deux de nature marine. Il s'agit principalement de calcaires à silex. Quant aux dernières strates, attribuées au Miocène moyen (N_1^1) c'est-à-dire au Tortonien, et équivalentes des « Lower Fars », elles témoignent de conditions généralement lagunaires (cf. les bancs de gypse épais et massifs de Bāqhūz ou du Wādi el Jūra). Dès le Miocène supérieur (« Upper Fars », N_1^3) la région s'est trouvée isolée de la mer orientale de sorte que ne s'y déposèrent plus que des matériaux lacustres ou deltaïques, essentiellement limono-argileux. L'aire de la sédimentation s'y contracta progressivement en réponse à une lente exondation.

À la fin du Miocène, par suite d'une poussée orogénique, toute la région s'assécha et subit une phase d'érosion. Durant la première partie du Pliocène (N_2^a) réapparurent des conditions lacustres : d'où les dépôts conglomératiques et calcaires dans l'ouest (N_2^a), gypseux, pour partie dunaires, au centre. À la suite de nouvelles déformations qui aggravèrent le creux de subsidence, le Pliocène se termina (N_2^b) par la mise en place d'alluvions grossières pour partie originaires du Taurus et apportées par l'Euphrate, lequel terminait ainsi sa course dans une vaste cuvette soumise, déjà, à un climat aride : d'où l'abondance du gypse et du sel [9].

Fig. 8 - Falaise vive de Doura-Europos (rive droite).

Au total, les assises néogènes ne sont pas très épaisses et leurs faciès changent fréquemment. Ces matériaux sont diversement colorés (gris, beiges, verts ou rouges), riches en constituants solubles évaporitiques, faiblement consolidés et généralement détritiques : ces lœss, grès tendres, cailloutis, conglomérats mal cimentés sont peu résistants bien que l'érosion ne soit guère active en raison du climat semi-aride. Ils témoignent eux-mêmes de la persistance de ce conditionnement, inauguré bien avant le Quaternaire.

L'arrivée des alluvions tauriques (sable gris, galets de roches métamorphiques dont les fameuses « roches vertes » et silex résiduels) domina dès la seconde période de la sédimentation pliocène. Durant le Quaternaire, elles contribuèrent aux formations alluviales de l'Euphrate par le biais des apports des affluents locaux. L'instabilité tectonique engendra par ailleurs quelques reliefs postiches résultant d'éruptions volcaniques principalement fissurales, qui se produisirent au Quaternaire moyen (**fig. 11**) et même supérieur (**fig. 12**). Ainsi naquirent des mesetas basaltiques : en amont de Deir ez Zōr (Himmat el Jazīra) comme au pied

9 - Dans le sud-est, le faciès du Tortonien redevient riche en galets grossiers (calcaires et silex éocènes), ce que l'on observe le long des Wādis el Miyah et er Radqa.

du Jebel Abd el Aziz (Feidat el Mieza). S'y ajoutent quelques cônes pyroclastiques, aujourd'hui fort érodés, alignés sur des fractures transversales. Ces manifestations dispersées de l'activité volcanique ont peu interféré avec l'évolution géomorphologique, sauf en protégeant certains dépôts fluviatiles pléistocènes (comme le Q_{III} conservé sous les mesetas de Halabīya et Zalabīya ; BESANÇON et SANLAVILLE 1982). Elles ont fourni aussi des galets incorporés, en petit nombre, dans certaines terrasses de l'Euphrate, comme par exemple à Abu Jemaa.

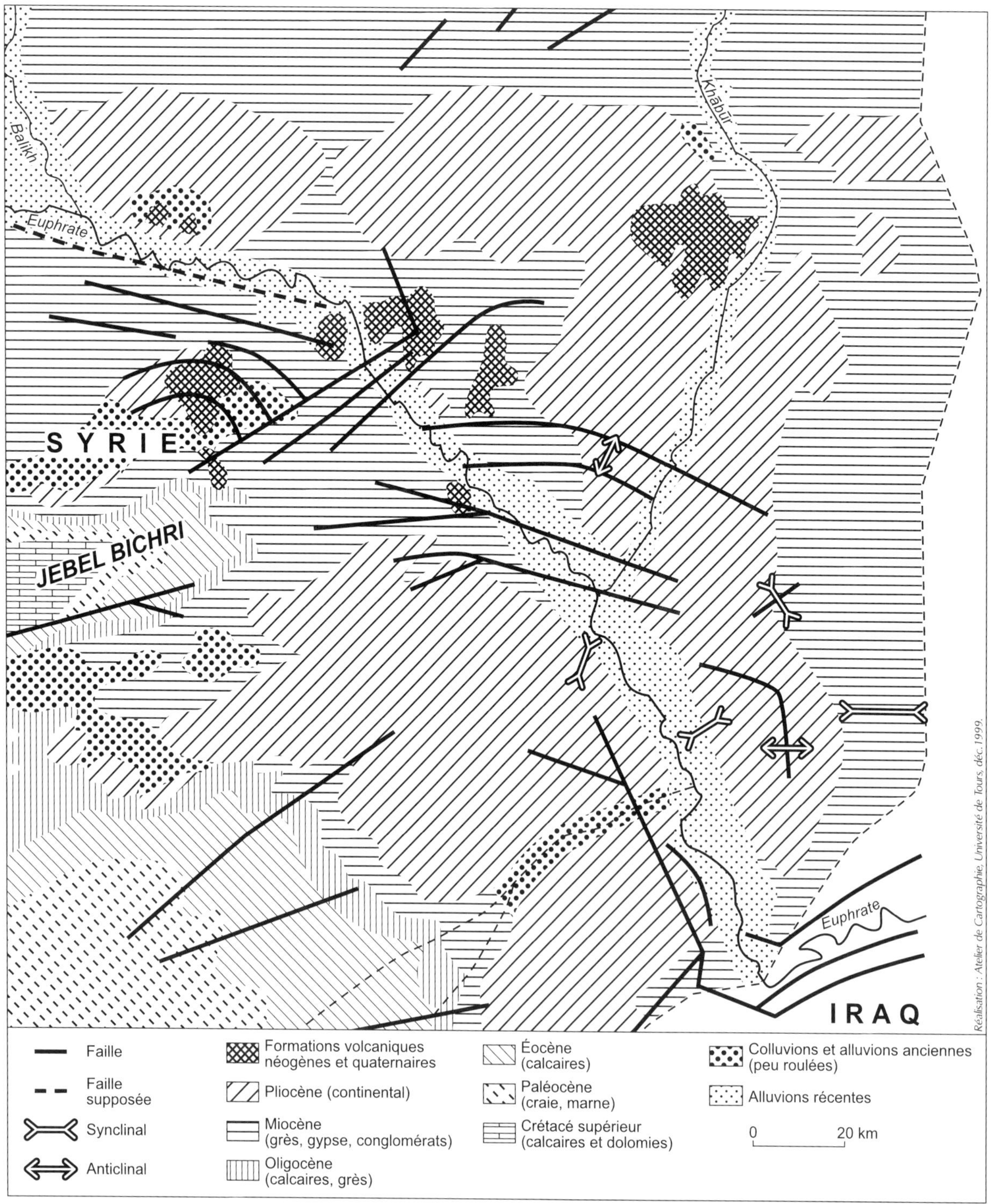

Fig. 9 - Carton géologique simplifié (d'après PONIKAROV *1966).*

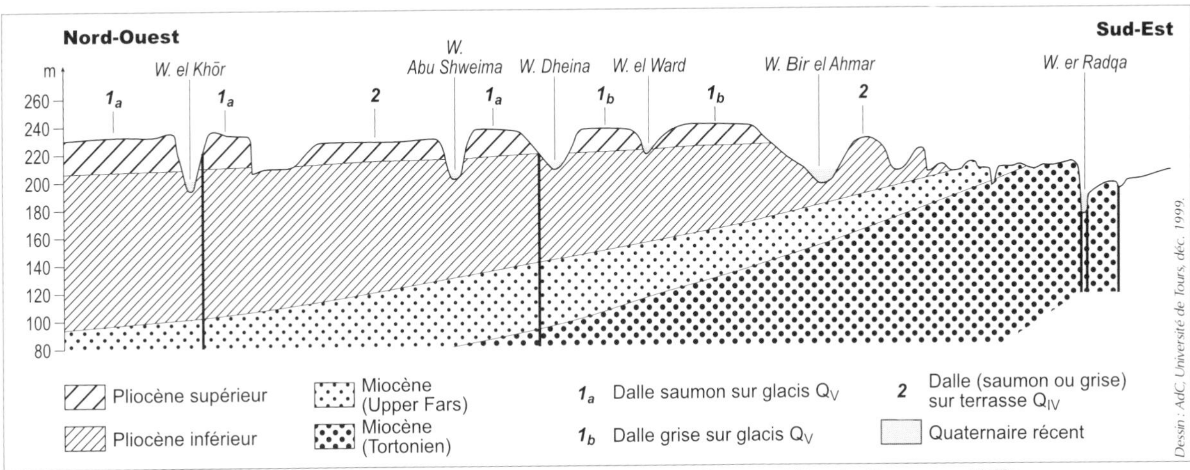

Fig. 10 - Lithostructure en rive droite à l'aval de Doura-Europos (d'après PONIKAROV *1968).*

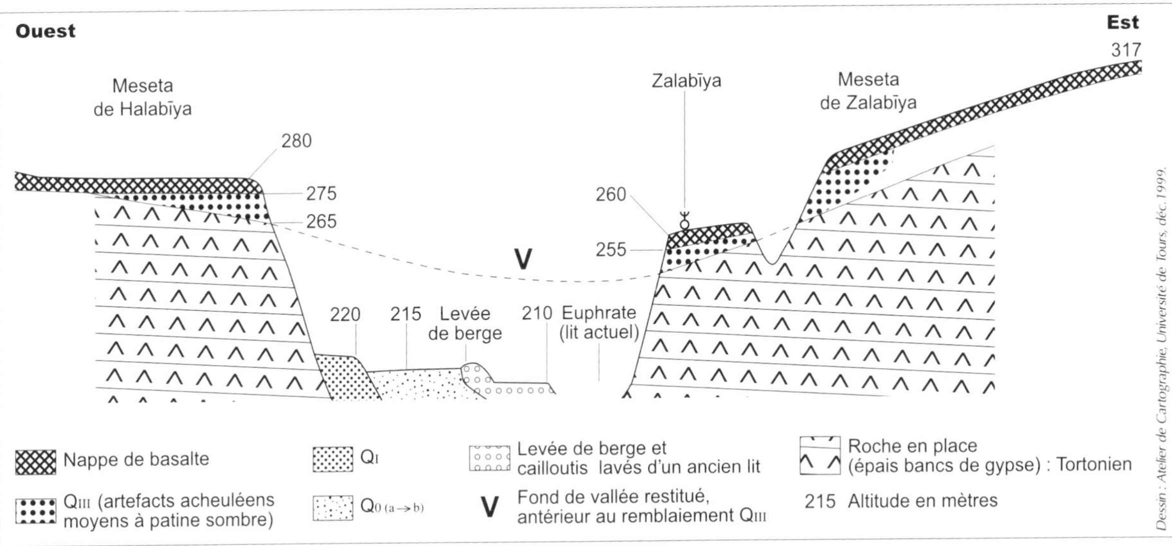

Fig. 11 - Coupe simplifiée du défilé de Halabīya-Zalabīya.

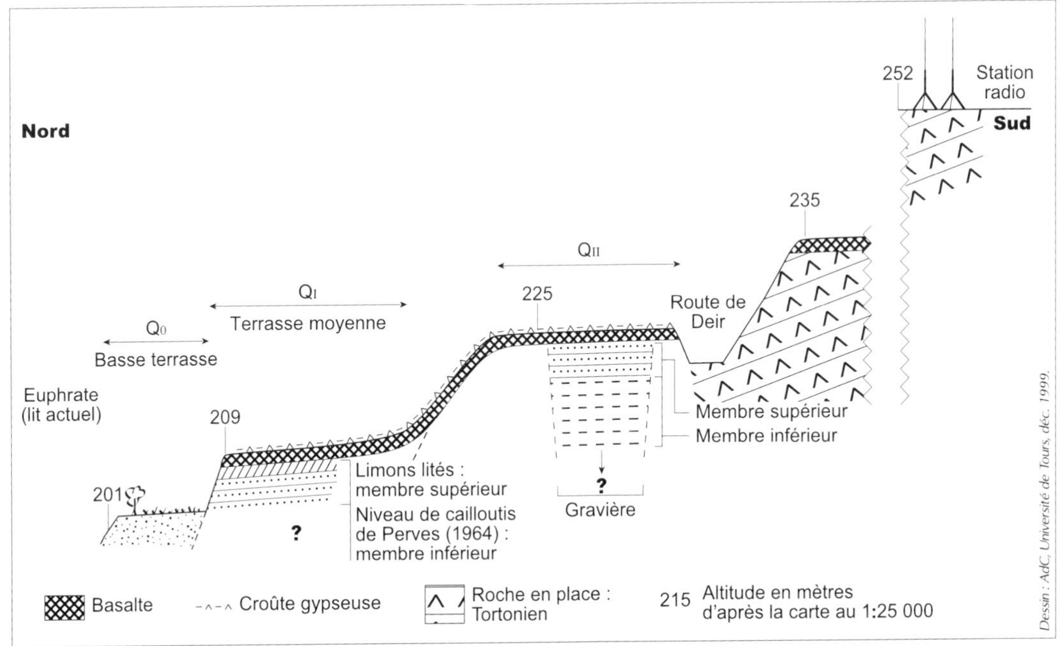

Fig. 12 - Coupe simplifiée des terrasses de rive droite en amont de Deir ez Zōr.

Le dispositif structural

Si le cours supérieur de l'Euphrate syrien apparaît étroitement guidé par une faille orientée du nord-nord-est au sud-sud-ouest, il a finalement échappé au piège des dépressions endoréiques qui jalonnent le pied des Jebels Hass et Chbeit (Geyer *et al.* 1998) en effectuant à Meskéné un coude qui le conduisit à pénétrer dans un sillon de subsidence. Ce dernier, un graben qui s'allonge sur plus de 300 km, traverse obliquement, du nord-ouest au sud-est, toute la Syrie orientale (**fig. 13 a** et **b**).

Cet accident majeur guide le cours moyen et inférieur de l'Euphrate syrien. Il occupe en largeur jusqu'à une quarantaine de kilomètres. Le fleuve suit son axe le plus déprimé après contournement de l'extrémité du massif palmyrénien (Jebel Bichri). Les coupes, telle celle proposée par R. K. Litak *et al.* (1998) au sud de Meyādīn (**fig. 14**), montrent que cet accident rassemble un grand nombre de failles organisées en un double escalier, compliqué par de multiples grabens, semi-grabens et petits plis secondaires. Il témoigne de l'affrontement des plaques arabiques et eurasiatiques. La subsidence affecte simultanément le soubassement antéprimaire. Elle a permis dès la fin de l'ère secondaire, au Sénonien, l'accumulation de sédiments épais, principalement paléogènes et néogènes, lesquels ne sont qu'assez peu affectés par les nombreuses fractures (**fig. 15**).

L'épaisseur des strates néogènes diminue en direction des bordures du bassin de subsidence, mais elle atteint 350 à 400 m dans l'ombilic, à mi-chemin entre Deir ez Zōr et Abu Kemāl. Le Pliocène y

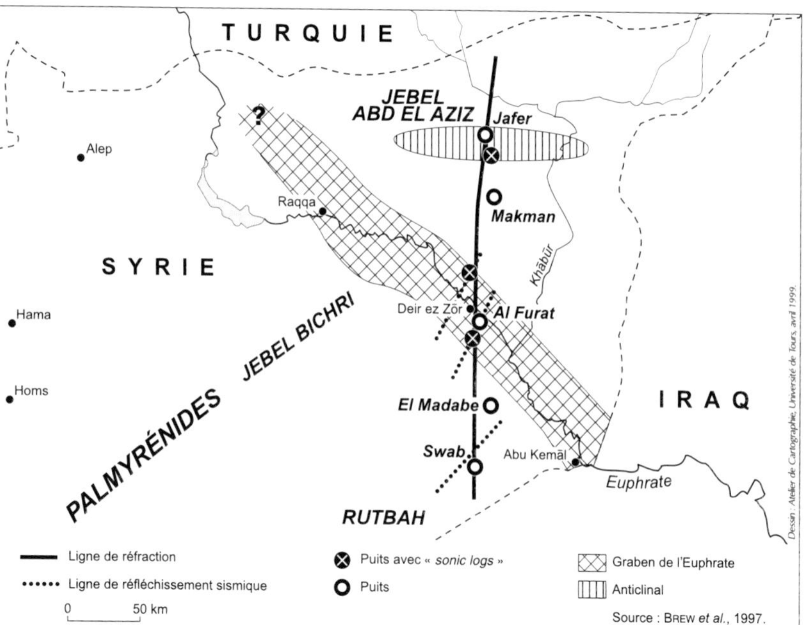

Fig. 13 a - Le graben de l'Euphrate et les accidents structuraux adjacents (d'après Brew et al. *1997).*

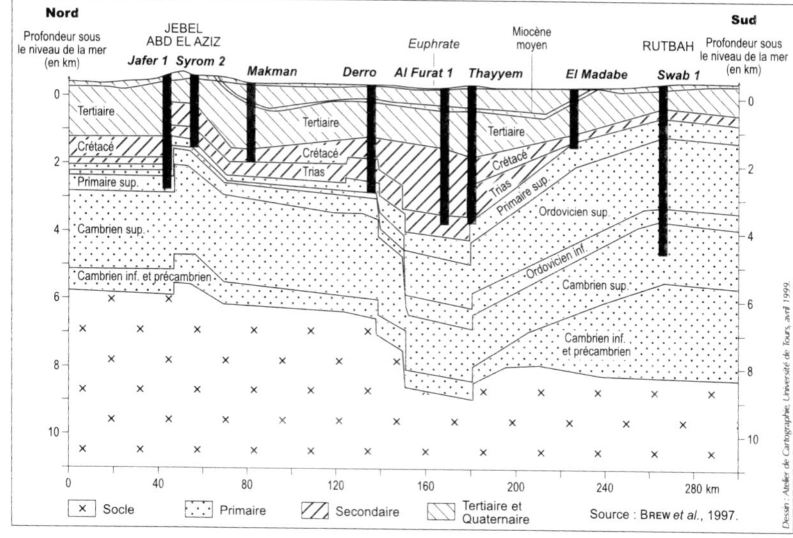

Fig. 13 b - Structure et sédiments depuis le Jebel Abd el Aziz jusqu'à la plate-forme de Rutbah : coupe nord-sud sur le tracé de la ligne de réfraction (d'après Brew et al. *1997).*

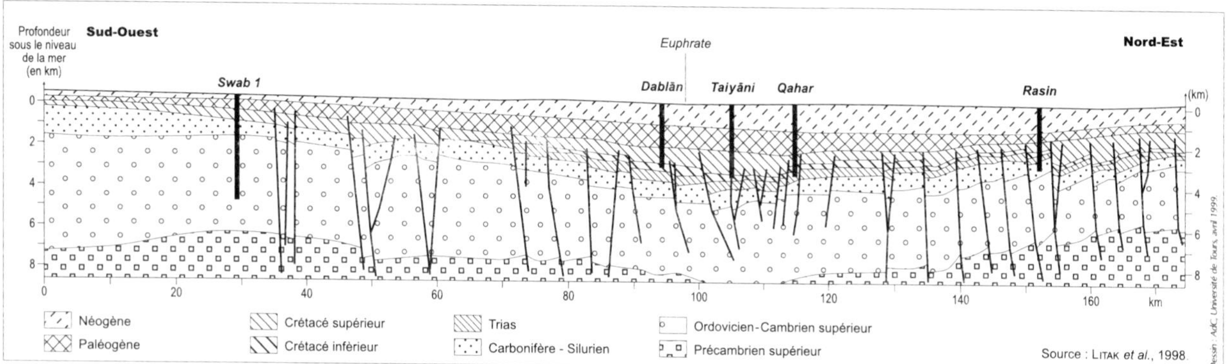

Fig. 14 - Détail des structures dans le graben de l'Euphrate (d'après Litak et al. *1998).*

repose en discordance (jusqu'à 30°) sur le Miocène supérieur. Dans le sud-est, les pendages s'inclinent vers l'ouest et le nord-ouest (cf. **fig. 10**).

La vallée est localement accompagnée par des failles observables : le rejet de celle de Bāqhūz atteint une centaine de mètres, en rive gauche. D'autres failles sont soupçonnées, en rive droite à Doura-Europos, à Meyādīn et à l'ouest de Deir ez Zōr. Le long du versant en falaise, on voit que les couches s'inclinent faiblement, tantôt en direction du lit du fleuve, tantôt en sens contraire. Sur le plateau occidental attenant, d'autres fractures plus ou moins parallèles guident pour partie les réseaux des oueds affluents : le Wādi Abu el Kheder au sud-est de Deir, le Wādi el Khōr et son affluent le Wādi el Hamra, de même que plusieurs vallons dans le secteur de Buqras. Plus à l'ouest, les sebkhas du plateau de Shamiyeh se distribuent également sur des accidents de même orientation (**fig. 16**). À ces fractures alignées du nord-ouest au sud-est s'en ajoutent d'autres (**fig. 15**), disposées transversalement. Ainsi s'expliquent le long segment rectiligne du Wādi Bir el Ahmar, le changement d'orientation adopté par le Khābūr en amont d'Es Suwar et le tracé du Wādi er Radqa sur un anticlinal faillé qui met au jour le Miocène.

Le plateau de Jézireh, au voisinage de la vallée, paraît tectoniquement moins perturbé, encore que la réapparition du Miocène sur le Wādi 'Ajij y soit liée à l'existence d'un bombement méridien excavé en combe.

Les accidents structuraux n'ont pas eu pour seule conséquence d'influer sur les tracés des réseaux hydrographiques. Ils interviennent également sur la circulation des nappes d'eau souterraines, éventuellement mises sous pression (sources du Wādi er Radqa). Ils contribuent à la diversification des affleurements géologiques d'où résultent des modelés qui rompent avec l'uniformité des plateaux adjacents : multiplication des dépressions fermées ou semi-fermées, excavation de galeries souterraines, reliefs d'inversion (Himmat el Jazīra), etc.

Il n'en demeure pas moins que le Pliocène terminal (N_2^b) affleure sur la majeure partie du bassin-versant du bas Euphrate syrien, ce qui a permis aux populations préhistoriques successives de s'approvisionner aisément en silex, bien que les affleurements du Paléogène ou du Crétacé se localisent loin de la vallée.

LE RÉSEAU DE L'EUPHRATE ET SA VALLÉE

Grâce au bon état de conservation de la majeure partie des oueds du désert, l'Euphrate ne souffre pas exagérément de pertes liées à la traversée de l'Orient syrien. Il n'en va plus de même au-delà de la frontière syro-iraqienne.

L'ORGANISATION DU RÉSEAU HYDROGRAPHIQUE

Il se caractérise par une nette dissymétrie, les tributaires de rive gauche différant sensiblement de ceux de rive droite.

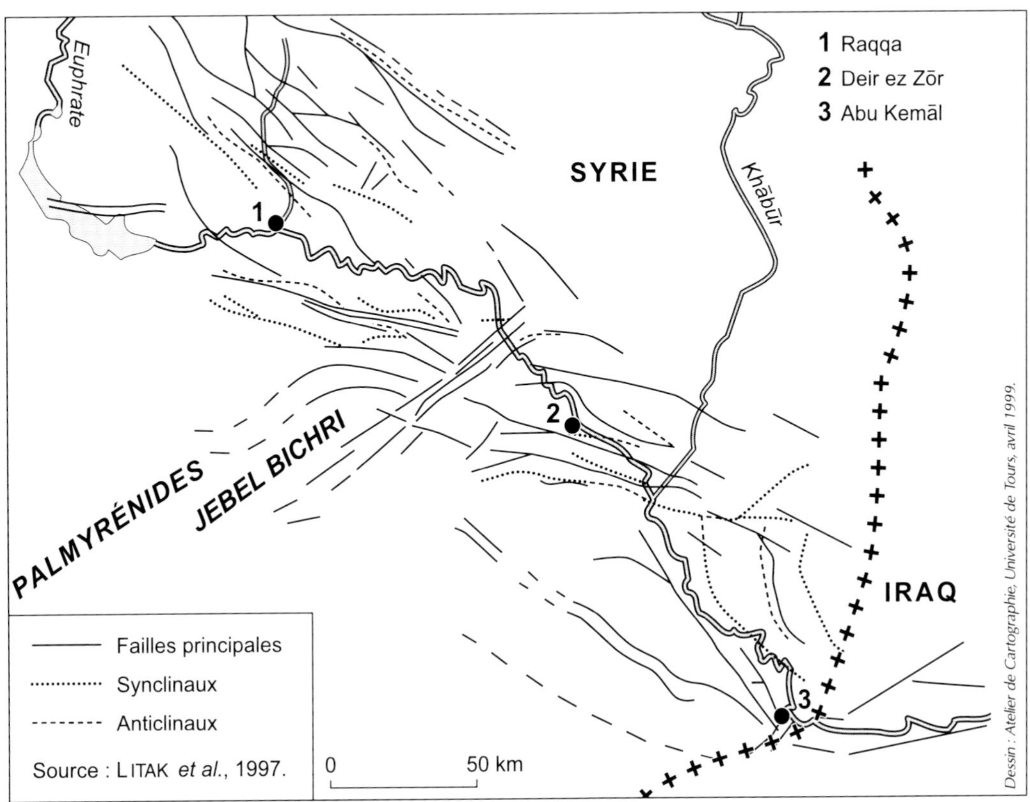

Fig. 15 - Accidents structuraux repérés au voisinage de l'Euphrate d'après LITAK et al. *1997).*

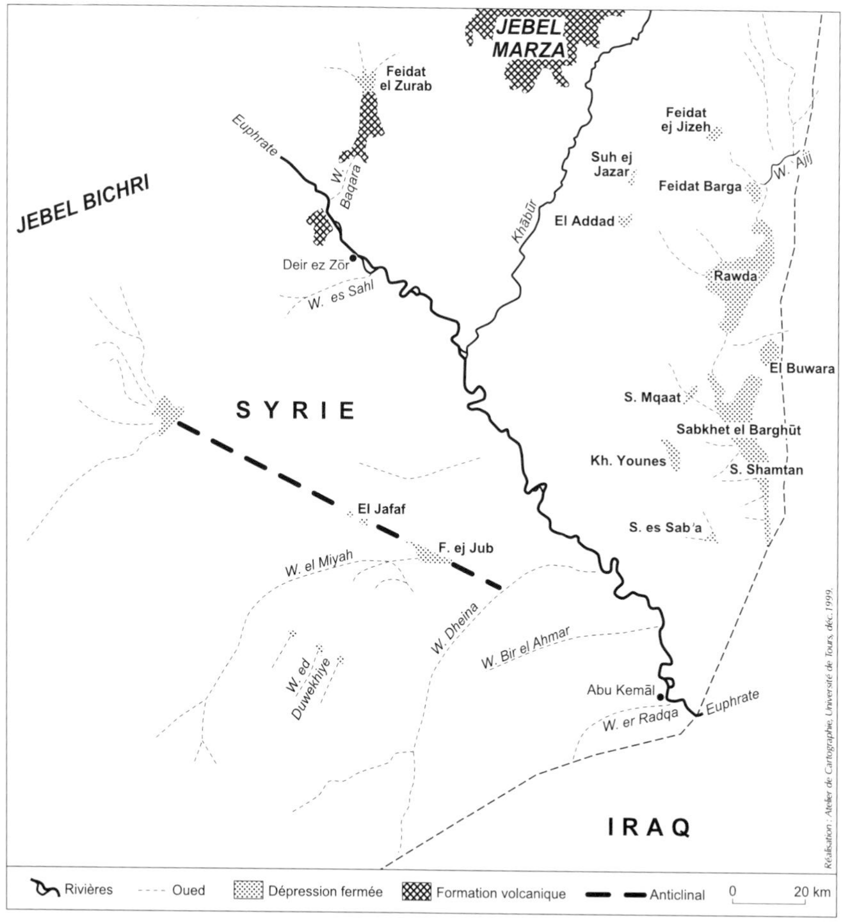

Fig. 16 - Les grandes dépressions fermées de la Syrie orientale.

La Shamiyeh

Sur le plateau occidental, les oueds s'échelonnent assez régulièrement de l'amont (Deir ez Zōr) vers l'aval (Abu Kemāl) et se distribuent en quatre catégories.

Les plus courts ne sont guère que des ravins de versants qui entaillent la falaise rocheuse et la découpent en trapèzes (Doura-Europos), voire en triangles. Leurs bassins de réception ne mordent sur le plateau que sur plusieurs dizaines de mètres. Ils rejoignent le plancher de la vallée par l'intermédiaire de brefs cônes, généralement rocheux, dont le rayon varie entre quelques centaines de mètres et un kilomètre. Là où le versant est particulièrement étalé (secteur proche de Deir ez Zōr), ils associent souvent les eaux recueillies par deux ou trois bassins de réception voisins : systèmes bi- ou triréiques.

La seconde catégorie regroupe des organismes qui s'inscrivent plus longuement sur le plateau, soit qu'ils constituent un réseau unique et rectiligne (oued au nord d'Er Rheiba), soit qu'ils suivent un tracé coudé sur lequel sont branchés des sous-affluents. C'est le cas à l'est de Deir ez Zōr où les amonts peu incisés des oueds courent sur des axes parallèles au tracé de la falaise avant de changer brusquement d'orientation, plus ou moins à angle droit, et d'inciser une gorge étroite. Il semble qu'il y ait là des cas de capture par l'érosion régressive réalisée par d'actifs ravins de versant, comme, par exemple, un ravin au sud-est du Wādi Hawi Abu Leil. De nouvelles captures paraissent imminentes : le Wādi Umm Gadāma menace ainsi de détourner le haut Sīlet Zghairi. Dans le secteur de Buqras, en revanche, ces oueds occupent un palier topographique intermédiaire entre le plateau proprement dit et la vallée (cf. **carte h.-t. II**), ce qui réduit sensiblement la dénivelée du versant de rive droite. Leurs débouchés sont relativement espacés et les réseaux revêtent un aspect plus ou moins quadrillé (nord-ouest - sud-est et sud-ouest - nord-est) avec des tronçons de vallées sèches qui évoquent, là aussi, des captures tardives. Le Wādi Abu Shweima représente une troisième variante avec un tracé assez rectiligne (sud-ouest - nord-est) sans recourbement final vers l'est. Dans tous les cas, on soupçonne l'intervention de facteurs structuraux.

Un autre groupe d'oueds occidentaux correspond à des systèmes de moyenne extension et d'orientation générale ouest-est (W. Bir el Ahmar, W. Bkīye) ou bien dont le débouché paraît avoir été gêné par le développement des cônes façonnés par les oueds de quatrième catégorie. C'est le cas du Wādi el Ward (cf. **carte h.-t. IV**). Il semble que cette contrainte, en ralentissant l'écoulement des crues aussi bien dans le passé que de nos jours, ait favorisé une tendance à l'évasement des vallées dans leur segment situé entre le réseau arborescent des ravins initiaux et le cône rocheux terminal.

Enfin, à des intervalles presque réguliers, des oueds majeurs découpent le plateau et débouchent de plain-pied dans la vallée de l'Euphrate. Certains demeurent connectés à leurs lointaines têtes, à une bonne centaine de kilomètres du fleuve [10], ou inscrites sur la retombée orientale du Jebel Rhaba-Gaara (W. er Radqa). Le Wādi Dheina semble avoir déjà perdu un de ses constituants, en l'espèce le Wādi el Miyah qui disparaît dans une sebkha (Feidat ej Jub) à 35 km du confluent Dheina - Euphrate (**fig. 16**). La réduction de l'aire de drainage, par disjonction ou désorganisation du système amont, est plus grave pour le Wādi el Khōr, lequel n'est plus épisodiquement fonctionnel que sur ses trente derniers kilomètres, soit guère plus que le Wādi es Sahl, tributaire voisin de Deir ez Zōr. Tous ont des tracés courbes qui les orientent vers l'est dans les 10 à 15 derniers kilomètres de leur cours. Ils ont alésé de profondes vallées, au fond plat, dont la plus large est celle du Wādi Dheina.

La Jézireh

En rive gauche, les ravins élémentaires (1re catégorie) sont négligeables à l'ouest du Khābūr, en raison de la faible élévation de la « falaise » qui limite le plancher holocène. C'est seulement à l'aval d'El Kishma que, les méandres de l'Euphrate ayant suffisamment sapé le versant rocheux, certains ravins acquièrent une énergie notable. Encore demeurent-ils peu nombreux, sans doute parce que les oueds de deuxième catégorie occupent trop bien l'espace en dessinant des réseaux serrés sur les glacis quaternaires en pente douce et/ou que le sapement des falaises s'est exercé jusque dans le Pléistocène récent. Depuis lors, l'aridité revenue n'a pas favorisé la naissance de nouveaux ravins. En conséquence, il n'y a plus de facettes trapézoïdales : vers Ersi, la falaise est continue, bordée de gros blocs éboulés, comme à Doura - Europos. On en conclut que la durée d'exposition est un facteur déterminant quant à la genèse d'un modelé à facettes et, inversement, que la présence de trapèzes (*a fortiori* de triangles) est la preuve que la falaise n'a plus guère été attaquée par le fleuve depuis longtemps.

Ce sont les oueds de deuxième catégorie qui constituent la quasi-totalité des réseaux tributaires de rive gauche. Leur longueur et le niveau de hiérarchisation sont assez semblables. Il en va de même pour leur espacement (entre 1 et 2 km). En fait, ils ne mordent guère, sinon pas du tout, sur le vieux plateau, car celui-ci se termine généralement trop loin de l'actuelle vallée pour que notre carte l'incorpore, excepté entre le Wādi el Īsba' et le Khābūr (cf. **carte h.-t. I**). En conséquence, les oueds naissent et s'organisent sur les glacis quaternaires, longs et peu pentus, qu'ils dissèquent modérément. Les talwegs sont parfois difficiles à définir, sinon grâce aux colluvions éventuellement ensemencées en céréales. Ce n'est qu'à l'aval que les creux deviennent nets, avec des linéaments d'une terrasse du Pléistocène récent (par exemple, le Wādi el Īsba'). Les ruraux y ont parfois édifié des barrages en terre, comme dans le secteur d'Es Sūsa. Lorsque le glacis de la dernière génération est long, les débouchés sur la vallée de l'Euphrate, après une petite gorge de raccordement, se matérialisent sous la forme de cônes d'accumulation de dimension restreinte (par exemple, de Deir ez Zōr-Nord à Es Sabkha ou au nord-est d'Esh Sha'afa). Dans l'ensemble, en rive gauche, on dénombre peu de cônes de pied de versant, soit par absence de falaise, soit parce que celle-ci a été façonnée ou avivée à la fin du Pléistocène.

L'orientation des tributaires de rive gauche, qui donne une impression de parallélisme, varie peu à peu de Deir ez Zōr-Nord où ils sont presque méridiens à la section finale où, le versant ayant opté pour un tracé presque nord-sud, ils deviennent presque est-ouest. Toutefois, là où la falaise décrit des courbes concaves (en plan), les oueds finissent par constituer un réseau semi-convergent (secteur d'Esh Sha'afa). De tous les tributaires, c'est le Wādi 'Omar qui possède, grâce à l'évidente capture du Wādi ed Dhara, le plus vaste bassin-versant : de l'ordre de 50 km^2.

Rive gauche, il existe un affluent sans équivalent en rive droite : le Khābūr. C'est le seul tributaire qui livre à l'Euphrate de l'eau en toutes saisons. Son bassin-versant apparent couvre environ 32 000 km^2 (dont 10 à 11 000 km^2 en Turquie) grâce à un réseau serré d'affluents (les Wādis Djirjib, Zerzem, Awij, Jagh-Jagh, etc.) organisés selon un système arboré et qui le rejoignent avant le franchissement des monts Abd el Aziz - Sinjar par un col encombré de dépôts volcaniques. D'une longueur de 355 km, le Khābūr naît sur le Karaçahir Dagh dans les montagnes de Mardin et parcourt 120 km avant de pénétrer en Syrie à l'endroit où sourdent les fameuses sources karstiques de Ras el 'Ain. Celles-ci augmentent considérablement son débit et lui confèrent toute son originalité. À l'aval de Hassekeh, il n'attire plus que de courts oueds, souvent pentus, au fonctionnement épisodique et qui ont façonné des cônes rocheux empiétant sur le fond de sa vallée plate et régulièrement calibrée. D'orientation sub-méridienne, le Khābūr décrit des méandres à petit rayon de courbure auxquels succèdent de simples sinuosités. Après une inflexion en baïonnette vers le sud-sud-ouest, il rejoint l'Euphrate dans un évasement de vallée, ouverture triangulaire qui rappelle celle du Balikh (Besançon et Sanlaville 1982), autre affluent de l'Euphrate alimenté par des résurgences. La vallée du Khābūr atteint *in fine* plus de 5 km de largeur. Dans son tracé terminal, et contrairement au Balikh, le lit mineur du Khābūr ne s'inscrit pas en position

10 - Près de 200 km pour le Wādi Dheina.

liminaire orientale, ce qui serait conforme à la pente générale de la vallée de l'Euphrate, mais longe à l'ouest la terrasse pléistocène sur l'extrémité de laquelle est installé le bourg de Buseire (cf. **carte h.-t. II**).

Enfin, à cheval sur la frontière syro-iraqienne, il existe un vaste réseau hydrographique, le seul qui soit comparable par ses dimensions à celui du Khābūr, mais aujourd'hui si entièrement désorganisé qu'il ne possède même plus trace de son raccordement avec le fleuve. Il s'agit du système du Wādi 'Ajij qui couvre plus de 17 000 km^2 (dont les 3/4 en Iraq) et naît sur le versant méridional du Jebel Sinjar. Il ne bénéficie donc pas d'appoints karstiques en provenance du Taurus, mais seulement des précipitations locales souvent inférieures à 50 mm/an. Il a en outre souffert des processus hydro-éoliens favorisés par la minéralogie des roches mio-pliocènes. Il en est résulté, sans doute tôt dans le Quaternaire, l'excavation d'une suite de grandes dépressions fermées (**fig. 16**).

FORMES ET DIMENSIONS DE LA VALLÉE DE L'EUPHRATE

Calibrage

À partir de Deir ez Zōr, le fond de vallée acquiert une largeur supérieure à celle qu'il possède entre Tabqa et Deir ez Zōr, même en faisant abstraction du rétrécissement causé par l'épigénie de Halabīya, où le fond de la vallée a moins de 1 km de large (cf. **fig. 2** et **11**). La vallée s'étale en effet sur une douzaine de kilomètres en moyenne, plus si l'on inclut les triangles de confluence des grands tributaires : 17 km avec celui du Wādi es Sahl, 14 km pour le Khābūr. Inversement, le « cap » que projette le plateau de Doura-Europos la réduit à 7 km et la cluse d'Abu Kemāl impose un fort resserrement (3 km).

L'élargissement en redent à la limite de Deir ez Zōr est visiblement causé par l'accident structural ouest-est qui fait affleurer le Miocène et surélève le plateau de rive gauche jusqu'à plus de 300 m d'altitude. À l'abri s'est développé le double cône des Wādis es Sahl et en Nīshān, au pied de la flexure sud de l'anticlinal. À l'autre bout de la vallée, le resserrement d'Abu Kemāl correspond à un nœud structural : la rencontre vers Bāqhūz du brachyanticlinal faillé, ouest-est, du W. er Radqa et du bombement méridien du 'Ajij.

Le ruban de plaine alluviale s'inscrit en creux dans le vieux glacis d'érosion (Shamiyeh - Jézireh) avec un emboîtement qui varie sensiblement selon qu'on l'observe en rive droite (jusqu'à plus de 100 m sur le Wādi es Sahl) ou en rive gauche (moins de 4 m à proximité d'Es Sabkha). Il évolue sans cesse de l'amont vers l'aval : moins de 20 m dans le secteur de Buqras, plus de 60 m à Ersi en face d'Abu Kemāl. Ces changements, apparemment anarchiques, tiennent d'abord au fait que les versants ne se raccordent pas toujours directement au vieux glacis (dit Q_V, cf. p. 30 *sq.*), mais tantôt à des glacis plus récents et suffisamment développés pour que la bordure du niveau Q_V soit notablement en retrait (par exemple, les secteurs de Buqras, d'Abu Kemāl en rive droite, et tout le long de la rive gauche, sauf à Ard el Bāqhūz), tantôt à la présence de reliefs antérieurs au glacis Q_V incomplètement arasés (Ard el Bāqhūz). Il n'est pas impossible que des mouvements tectoniques tardifs aient contribué à accentuer ces variations.

Les méandres du temps présent

Sur le large fond de la vallée, le lit mineur, tel que consigné sur la carte, n'occupe qu'un espace minime : ordinairement près de 250 m, mais jusqu'à 1 km lorsque des îles divisent le cours d'eau en plusieurs bras. La tendance à la diramation n'aboutit jamais à un tracé réellement anastomosé et l'unicité du cours est très vite réaffirmée. Il n'y a pas de localisation préférentielle des îles ; on les retrouve tantôt sur les rares segments rectilignes, tantôt en bout de méandre. Elles sont essentiellement constituées de sables gris, comme les atterrissements des rives convexes des méandres, et signalés comme tels sur les cartes au 1:25 000.

Le lit mineur dessine une suite de beaux méandres libres, c'est-à-dire déformables, notamment lors des crues. La comparaison des cartes dressées à des époques différentes [11] et des photos aériennes réalisées en 1959 et en 1975 est instructive à cet égard (cf. **cartes hors-texte**). Elle montre que l'exagération et, éventuellement, le recoupement des méandres — qui laissent des traces, par exemple sous forme de lacs en croissant — ne balaient pas tout le plancher de la vallée. Ils évoluent dans les limites d'un couloir ou « lit de méandres » dont ils ne s'évadent pas, car l'exagération d'un méandre ne peut se perpétuer indéfiniment, le recoupement se produisant quasi inéluctablement. Ce lit de méandres est conditionné par la pente, la nature des alluvions et surtout le débit du fleuve. Il se situe un peu en contrebas du niveau de la plaine alluviale. C'est aussi le seul espace, correspondant aux terrasses les plus récentes (cf. p. 42 *sq.*), régulièrement inondable par les crues ordinaires avant que les barrages syriens et turcs n'aient tempéré l'amplitude naturelle du régime de l'Euphrate. Le plus grand des méandres vifs cartographiés sur la carte de 1960 n'atteint pas 5 km de corde, alors qu'en général, le lit des méandres actuels présente 3 à 4 km de largeur, jusqu'à Abu Kemāl où il se resserre. Il est à noter que cette constriction, comme celle de Halabīya, calme provisoirement le jeu : l'une et l'autre annoncent un bief où le fleuve adopte un tracé quasi rectiligne sur une dizaine de kilomètres.

11 - Le document cartographique le plus ancien dont nous disposons est la Reconnaissance du fleuve exécutée du 9 février au 1er avril 1922 par le lieutenant Héraud, de l'Aéronautique du Levant (HÉRAUD 1922 a). Le tracé du fleuve en 1959 a été repris de la carte topographique au 1:25 000 publiée en 1960 ; le tracé de 1975 a été dessiné d'après photographies aériennes.

Les méandres hérités

Si l'on tient compte des anciens méandres, plus allongés et moins bien conservés par la topographie, quoique reconnaissables par leurs levées sableuses arquées, on définit au moins localement un autre lit de méandres, qui reste submersible lors des grandes crues. Sa largeur (Q_{00} + Q_{0b}, cf. p. 42) dépasse normalement 5 km et peut atteindre 8 km, par exemple entre Deir ez Zōr et Buseire. Il diminue évidemment là où la vallée elle-même se resserre (Doura-Europos et Abu Kemāl). Ce lit de méandres hérité se situe légèrement en creux par rapport au reste du fond de vallée (Q_{0a}) et s'écarte souvent de l'axe médian, longeant tour à tour les versants rocheux de rive droite, puis de rive gauche : à droite jusqu'à Deir ez Zōr, tout de suite à gauche jusqu'à Buseire, de nouveau à droite jusqu'à Meyādīn, à gauche face au débouché du Wādi el Khōr, à droite le long de la falaise de Doura-Europos, à gauche à hauteur du Wādi Dheina jusqu'à Esh Sha'afa, enfin à droite pour longer Abu Kemāl.

De cette manière, le plancher utile (c'est-à-dire non ou rarement submersible) de la basse vallée de l'Euphrate syrien est naturellement découpé en une suite d'alvéoles alternées, séparées les unes des autres par le fleuve (**tableau 2** et **fig. 17**).

N°	Alvéole (de)	rive droite	rive gauche
1	Mōhasan	de Deir ez Zōr à Buqras	
2	Dībān		de Buseire à Taiyāni
3	El 'Ashāra	d'Et Ta'as el Jāiz à El Kishma	
4	Abu Hammām		de Darnaj à Kharāij
5	Tell Hariri	du W. Dheina à Abu Kemāl	
6	Hajin		de Kharāij à Abu Hasan

Tableau 2 - Les alvéoles, unités naturelles.

L'alvéole n° 5 a été le support durable d'un État qui a joui, à l'âge du Bronze, d'une belle destinée sous l'égide de sa capitale Mari (Tell Hariri, 1). Certaines des autres alvéoles ont connu, elles aussi, leur époque de prééminence, comme l'alvéole n° 3 avec Terqa (El 'Ashāra, **54**), toutes bénéficiant d'une base agro-alimentaire autonome, d'une voie de circulation (le fleuve) et de limites naturelles.

Hypothèse

Les ondulations du lit des méandres hérités, qui englobe celui des méandres actuels, obéissent à un rythme dont la longueur d'onde atteint 15 à 20 km. Ce rythme paraît perturbé par des interférences.

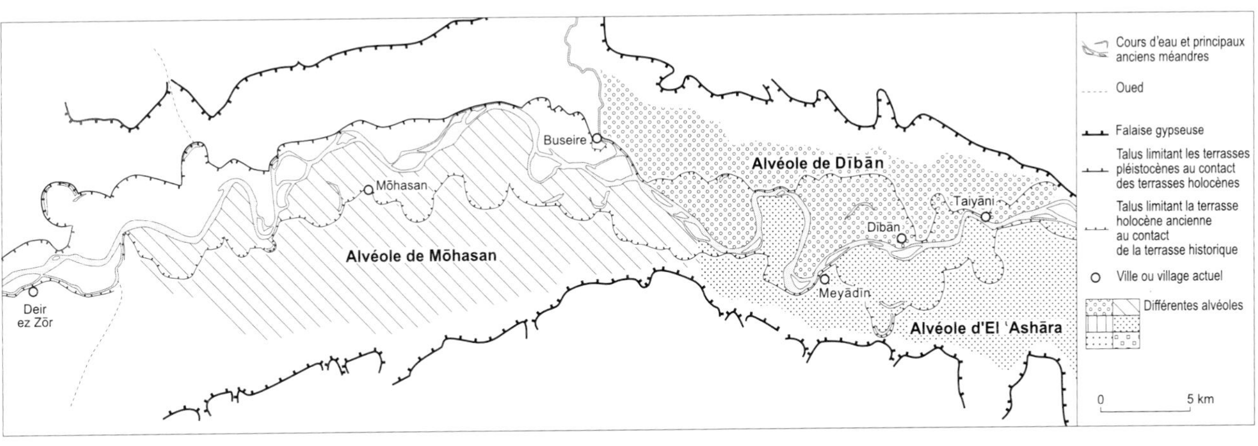

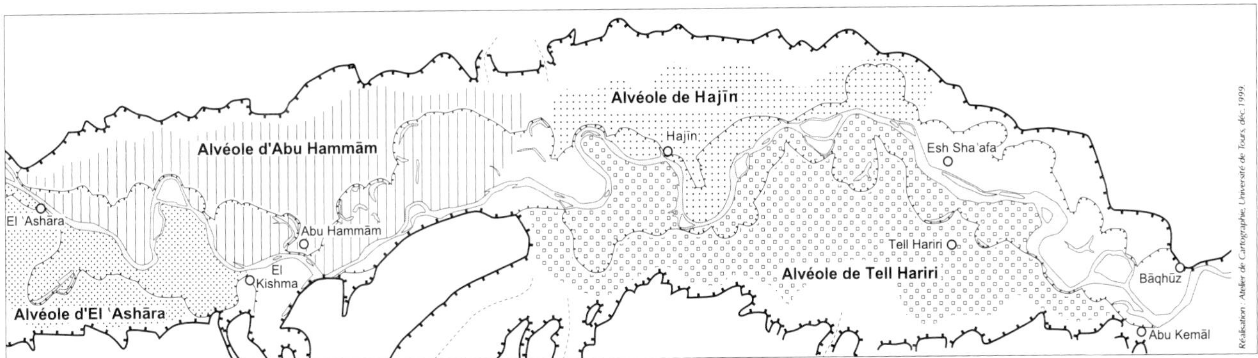

Fig. 17 - Localisation des alvéoles sur le bas Euphrate syrien.

Fig. 18 - Môle caillouteux (Q_{II}) à Taiyāni, en rive gauche : les conglomérats tauriques grossiers, stratifiés, ont été difficilement rabotés par le fleuve.

Tout d'abord, les oueds majeurs manifestent leur efficacité en repoussant ce lit (et le lit mineur actuel) vers le versant opposé. Le phénomène est évident au droit des Wādis es Sahl et en Nīshān, du Khābūr, du W. el Khōr, du W. Dheina et, dans une moindre mesure, du W. Bir el Ahmar. Toutefois, les Wādis Bkīye et er Radqa sont inefficaces, en raison du resserrement local de la vallée.

Par ailleurs, une des conséquences de la tendance au creusement de la vallée, sur le long terme, aura été la mise au jour de môles de résistance constitués par les alluvions jadis accumulées (Q_{II}, cf. p. 36 *sq.*), éventuellement fortement cimentées (**fig. 18**), tantôt sur une berge du fleuve, comme à Hajīn, tantôt sur les deux berges, comme à Taiyāni (**67**) et à El Graiye (**45**), ou en lisière du lit des méandres actuels, comme à Es Saiyāl. Ces butoirs fixent impérativement l'emplacement du lit mineur ou bornent ses divagations. Pris au piège, l'Euphrate ne peut plus migrer librement et même, en aval, adopte brièvement un tracé rectiligne.

L'existence de môles-butoirs, parfois masqués par des bourrelets de rive ou des accumulations anthropiques (tell, déblais ou ordures), peut se déduire à partir de quatre critères :

— un recourbement du dessin de la berge, en col de cygne, à l'amont immédiat ;
— un tracé plus rectiligne du lit mineur directement à l'aval ;
— une implantation humaine plus globulaire que linéaire (bourrelets de rive) ;
— un ou plusieurs tells pré-islamiques.

On peut ajouter l'éventuel rétrécissement du lit actuel des méandres, comme dans le secteur d'Es Saiyāl (moins de 2 km) avant un segment plus dilaté (Esh Sha'afa = 4,5 km).

Appliquant ce mode d'analyse, nous déduisons de la lecture de la carte qu'il existe probablement d'autres butoirs (Q_{II}) à Er Ramādi (**4**), à Abu Hammām, à Meyādīn (**51**), ce qu'il conviendrait de vérifier.

La pente longitudinale

Mesurée au niveau du lit mineur, l'altitude diminue de 198,5 m à Deir ez Zōr jusqu'à 165 m à Abu Kemāl, soit sur une distance à vol d'oiseau de 127,5 km, une pente arithmétique de ± 26 cm/km. L'Euphrate fait ainsi exception à la règle qui veut qu'à l'aval la pente soit plus douce qu'à l'amont, car de Jérablous à Abu Kemāl, la moyenne n'est que de 20 cm/km, ce qui suppose une pente sensiblement inférieure à 20 cm/km entre Jérablous et Deir ez Zōr.

Mais ce sont des valeurs abstraites puisque les méandres, selon J. Kerbe (1979), allongent le parcours de 40 %, ce qui, dans le cas présent, nous conduit à une longueur effective d'environ 180 km, et donc à une pente moyenne d'environ 18,5 cm/km [12].

En ne considérant que l'inclinaison du fond de vallée (26 cm/km), on constate que dans le détail, elle évolue sans obéir à la loi de la décroissance progressive vers l'aval. Nous avons relevé les cotes aux croisements du lit mineur et des abscisses du quadrillage Lambert sur la carte au 1:25 000, dans un premier temps de 10 en 10, ce qui donne le tableau suivant.

Coordonnées	Cotes en mètres	Différences en m	Segments
380	198,5		
370	191,0	7,5	
360	187,5	3,5	1
350	184,0	3,5	
340	181,0	3,0	
330	179,5	1,5	---------------
320	176,0	3,5	2
310	172,0	4,0	---------------
300	169,0	3,0	3
290	166,5	2,5	

Tableau 3 - Cotes d'altitude et pente longitudinale.

À l'amont (1er segment), la pente est forte mais décroissante, peut-être parce que l'Euphrate vient de sortir de l'obstacle opposé, au début du Quaternaire moyen, par les barrages volcaniques de Halabīya (Besançon et

12 - Contre ± 13 cm/km pour l'ensemble, d'une frontière à l'autre, en tablant sur le même coefficient.

Sanlaville 1982, Ponikarov 1966). Une rupture de pente convexe, correspondant au 2ᵉ segment, se produit entre les débouchés des Wādis Abu Shweima et Dheina, c'est-à-dire là où, en rive droite, se dresse la spectaculaire falaise, élevée et continue, de Doura-Europos (cf. **fig. 8**). Avec le 3ᵉ segment, on retrouve une décroissance progressive.

Le tableau se complique si l'on relève les cotes selon un intervalle réduit de moitié (de 5 en 5). Le 1ᵉʳ segment englobe une série d'alternances dont deux très nettes diminutions de la pente au voisinage de la confluence du Khābūr et vers Meyādīn - Taiyāni. Le second segment est affecté par une nette réduction au niveau de la confluence du Wādi Abu Shweima. En revanche, les pentes restent relativement fortes par la suite, jusqu'à El Kita'a - Abu Hasan, c'est-à-dire qu'elles débordent sur le 3ᵉ segment, lequel indique une nouvelle tendance à l'accélération du cours d'eau à l'aval de Tell Hariri.

Le contact avec les plateaux adjacents

La vallée de l'Euphrate est contenue entre deux versants que le fleuve ne longe qu'exceptionnellement. À leur pied, on note la présence discontinue de deux « gouttières » peu marquées, qui résultent du profil faiblement bombé du plancher alluvial ancien et qui aident à l'évacuation des eaux d'inondation ou de celles déversées par les ravins et les oueds mineurs. Ce dispositif naturel, dont l'efficacité est limitée par la présence de petites dépressions fermées, a été amélioré jadis, le long des alvéoles de Tell Hariri et d'El 'Ashāra, par des drains dont il subsiste des traces (cf. chap. v, p. 197 et Geyer 1990 a).

Sur la rive externe de ces « gouttières » sinueuses, le bas des versants est généralement ourlé par les cônes des ravins et ceux, plus proéminents, des oueds affluents. Grâce à eux, la transition entre le versant raide et la plaine alluviale s'effectue progressivement, la pente longitudinale des cônes étant concave (**fig. 19**). Seul le changement de la nature du sol et la légère contrepente liée à la « gouttière » marquent le relais. Il existe toutefois quelques cônes, notamment entre celui du Wādi Bir el Ahmar et Abu Kemāl, qui se terminent par un ressaut convexe qu'ébrèchent les incisions de petits ravins rayonnants.

Les débouchés des oueds majeurs interrompent la continuité des versants de l'Euphrate, parfois sur plusieurs kilomètres ; c'est le cas par exemple du Wādi Dheina ou du Khābūr. À grande échelle, le tracé des versants dessine des sinuosités (« conques ») produites par le sapement actif des méandres à différentes époques du Quaternaire : ainsi des « conques » encore fraîches, en rive gauche, à l'aval d'El Kishma, ont été façonnées ou rajeunies durant l'Holocène. D'autres remontent au dernier Pluvial (secteur de Buqras). Inversement, le fleuve attaque encore le versant, il est vrai fragile (formation Q_{II}), à hauteur de Darnaj.

On dénombre deux secteurs où les versants possèdent un tracé non indenté : ni « conques », ni cônes. Au nord-ouest, à l'aval de Deir ez Zōr-Nord, le lit des méandres actuels, repoussé par le puissant cône des Wādis es Sahl et en Nīshān, sectionne l'extrémité d'un glacis de coalescence Q_{II}-Q_I en une falaise peu élevée et droite. La médiocre résistance des dépôts Q_{II} et le dynamisme très modéré des oueds mineurs tributaires paraissent y avoir contribué. En revanche, la haute falaise rocheuse de Doura-Europos constitue une énigme : les ravins y sont éloignés les uns des autres, incapables d'engendrer de véritables cônes, probablement en raison d'un sapement durablement exercé par l'Euphrate, générateur d'un recul de la falaise et du phénomène de valleuses.

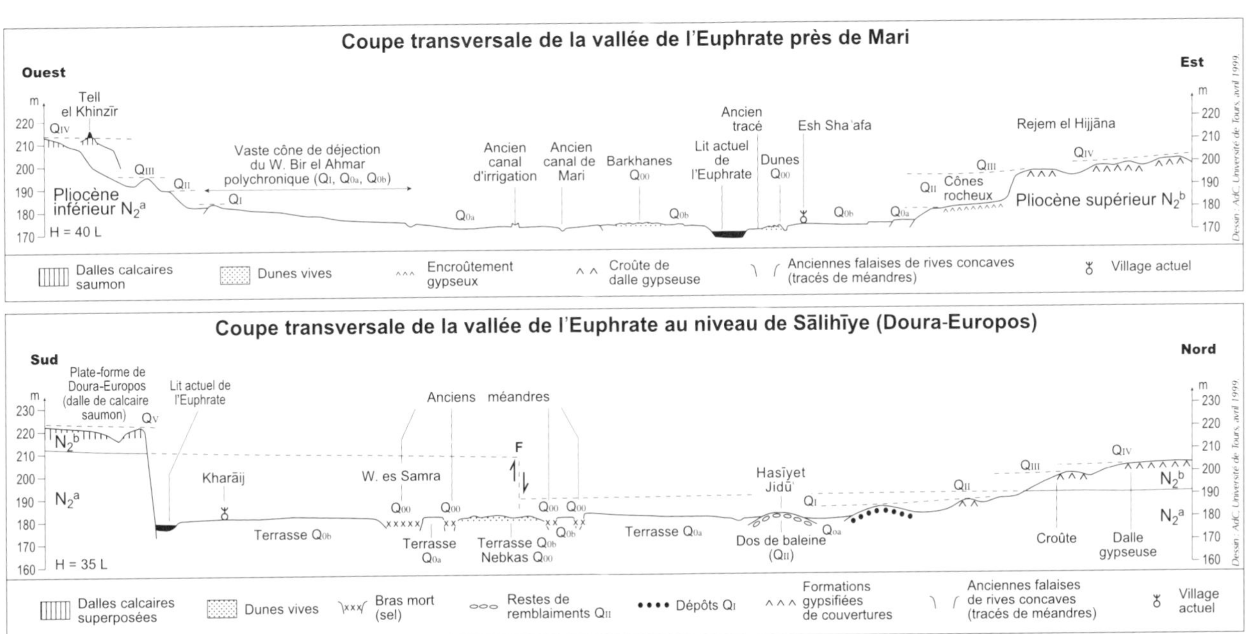

Fig. 19 - Coupes transversales de la vallée de l'Euphrate.

La basse vallée du Khābūr

Des recherches y étant menées par d'autres équipes [13], nous n'envisagerons le cas, très particulier, du Khābūr inférieur que dans ses relations avec la vallée de l'Euphrate.

Après le franchissement du col entre les Jebels Abd el Aziz et Sinjar et le contournement de la mesa du Feidat el Mieza, sur les 25 derniers kilomètres de son cours, la vallée, large de 4 à 6 km et creuse de moins de 25 m, est rectiligne et orientée vers l'ouest-sud-ouest, parallèlement aux failles des cônes volcaniques du Feidat el Mieza. On soupçonne un guidage par une fracture, qui se prolongerait sur le Wādi el Hejna, à l'endroit où le Khābūr fait un crochet en baïonnette qui le décale vers l'est, avant de reprendre l'orientation initiale.

Si le Wādi el Hejna a jadis servi d'exutoire au Khābūr, ce fut il y a longtemps et nous n'en avons pas trouvé la preuve.

D'Ali esh Shehel jusqu'en face du village de Buqras s'allonge un vaste triangle, trop plat pour mériter le vocable de cône, qui mesure 10 km du nord au sud et 4 km à la base, et remonte largement dans la vallée principale. Le dernier segment de l'affluent en longe le côté occidental et se trouve ensuite relayé par l'Euphrate, inhabituellement rectiligne. La couverture alluviale est mince et discontinue sur la moitié amont du triangle, foncièrement rocheuse, l'autre moitié étant envahie par les alluvions tardives (Q_{00}) du fleuve.

En amont, le plancher alluvial de la vallée du Khābūr varie de largeur. On note un rétrécissement entre Damana et El Qasiriyé, là où le lit mineur s'avance presque en ligne droite. Au nord de ce secteur, il décrit de vrais méandres (la corde est de 0,5 km), qui ne réapparaissent plus à l'aval (exception faite pour celui d'El Khreiza) où ils sont remplacés par de simples sinuosités. De nombreux oueds latéraux, qui ne sont guère que de grands ravins de versant, ont façonné de petits cônes homométriques qui mordent alternativement sur la vallée. Enfin, le lit mineur est définitivement renvoyé vers le bord de droite, probablement sous la poussée des affluents orientaux, de mieux en mieux développés et qui ont façonné de beaux glacis d'érosion au Pléistocène (cf. **carte h.-t. II**).

Hydrologie

Dans l'est syrien, le régime de l'Euphrate doit tout aux apports de l'amont, à l'exception d'une modeste contribution due au Khābūr.

L'Euphrate en amont de Buseire

À partir de Raqqa, le fleuve ne reçoit plus d'affluent permanent. Encore les eaux du Balikh sont-elles aujourd'hui presque totalement utilisées à l'irrigation de sa propre vallée, de sorte que l'on peut considérer que cette situation dure depuis la confluence du Sajour, lequel n'apporte d'ailleurs que 140 millions de m^3 en année moyenne [14]. Par conséquent, les eaux qui circulent entre Deir ez Zōr et Abu Kemāl proviennent de Turquie. On n'en connaît pas exactement le débit actuel, certainement inférieur à celui mesuré avant la mise en eau du barrage de Tabqa [15] : il était alors de 28 milliards de m^3 en moyenne annuelle à l'entrée en Syrie [16], pour seulement 24 milliards de m^3 par an à Deir ez Zōr [17].

Quant aux variations naturelles, elles se résument en deux saisons (**fig. 20**). Les basses eaux durent de la fin juin à la fin février (module de septembre = 216 m^3/s) ; les hautes eaux, de mars à juin (module d'avril = 3 422 m^3/s), sont alimentées par les pluies de printemps, puis par la fonte des neiges sur les massifs de Turquie orientale. Des coups de chaleur se traduisent par des pointes de crue supérieures à 7 000 m^3/s. Le record, enregistré en 1954 (9 410 m^3/s), correspond vraisemblablement à une crue décennale susceptible d'inonder au moins la terrasse holocène inférieure (Q_{0b}, cf. p. 44 *sq.*). En saison fraîche, des séquences pluvieuses peuvent gonfler des crues supérieures à 2 500 m^3/s.

Comme partout sur les marges de la zone méditerranéenne, la variabilité interannuelle des précipitations commande la forte irrégularité du débit moyen de l'Euphrate (**fig. 20**) : de 2 000 m^3/s (1962-1963) à 500 m^3/s (1960-1961). Dans des cas de faible débit, les hautes eaux peuvent ne pas dépasser 1 500 m^3/s pour le mois le plus favorisé.

Le régime du Khābūr

Les eaux du Khābūr fournissent un supplément de l'ordre de 1,5 milliard de m^3/an [18], la variabilité interannuelle étant relativement faible. Il en va de même pour les variations saisonnières : à Es Suwar, les débits mensuels les plus élevés (janvier et février) n'atteignent pas, en moyenne, le quintuple de ceux du mois d'étiage (août).

Le Khābūr doit cette relative constance à ce que l'essentiel de ses eaux lui est fourni par la demi-douzaine de puissantes sources karstiques de Ras el 'Ain. Cela n'empêche pas que des averses exceptionnelles puissent engendrer des

13 - Notamment la mission allemande de Tall Šēḫ Ḥamad/Dūr-katlimmu dirigée par H. Kühne et les nombreuses équipes de diverses nationalités qui ont participé à la campagne de sauvetage des sites du moyen Khābūr, menacés de submersion par la construction d'un barrage.

14 - Sauf indication contraire, les chiffres relatifs aux débits sont extraits de Kerbe 1979.

15 - Les submersions en période de crue, les adductions, le lac de retenue et surtout les irrigations multiplient les pertes par évaporation.

16 - Mutin 2000, p. 66.

17 - Ponikarov 1966.

18 - Mutin 2000, p. 66.

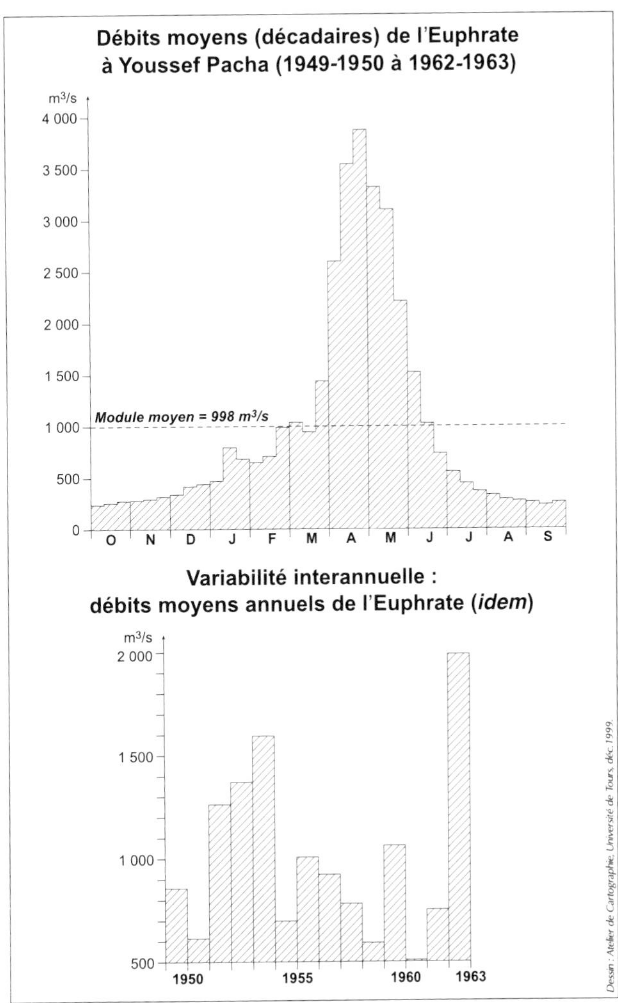

Fig. 20 - Débits moyens de l'Euphrate à Youssef Pacha (d'après KERBE *1979).*

pointes de crue non négligeables. On aurait mesuré environ 600 m³/s à Tell Tamer, localité située entre Ras el 'Ain et Hassekeh.

L'Euphrate en aval de Buseire

L'intérêt du Khābūr, outre sa pérennité, tient au fait que ses livraisons croissent durant la saison des basses eaux de l'Euphrate, puisque les hautes eaux de l'affluent se produisent entre décembre et avril. En raison de la disparité des modules, cet heureux décalage ne suffit évidemment pas à rétablir l'équilibre, et leur groupement en saison froide, durant laquelle l'activité végétative se ralentit sensiblement, leur enlève une partie de leur intérêt. Dans ces conditions, un transfert au profit de la saison chaude, grâce à la retenue projetée, ne contribuera qu'à l'amélioration des cultures irriguées dans la vallée du Khābūr elle-même.

Nous pouvons conclure que l'influence du Khābūr sur le régime de l'Euphrate est, sinon négligeable, du moins des plus modestes. Pour leur part, celle des oueds, fussent-ils « majeurs », est encore moins perceptible dans les conditions climatiques actuelles. Les crues pluviales, aux allures de chasses d'eau, ne rejoignent pas toutes le fleuve, sauf certaines de celles du Wādi Dheina sur lequel on a enregistré 50 m³/s en 1976. En revanche, elles jouent un rôle dans la morphodynamique de leurs vallées, qu'elles maintiennent en état de fonctionnement, et peuvent contribuer localement à la submersion du fond alluvial de la vallée de l'Euphrate, au droit de leurs débouchés.

La dynamique du fleuve

La vitesse du courant, dans le lit mineur de l'Euphrate, et la rapidité de propagation des crues sont commandées par les variations du débit, elles-mêmes déclenchées en Turquie, et par la pente dans la traversée de la Turquie et de la Syrie. On a vu qu'en aval de Deir ez Zōr, la pente est plus marquée qu'en amont (cf. p. 24), que l'on tienne compte ou non de l'allongement du circuit du fait des méandres.

Les accélérations du courant et l'augmentation du volume d'eau en transit se traduisent par l'érosion des berges sableuses ou limoneuses et, du fait des relais de charge, par la modification de la courbure des méandres, sauf en présence de môles-butoirs. Les galets qui tapissent le fond du lit ont des dimensions qui excèdent la compétence de l'Euphrate contemporain : héritage pléistocène qui interdit tout creusement linéaire et favorise les tendances au sapement latéral dans les alluvions holocènes moins grossières. Il s'ensuit que les fortes crues, potentiellement les plus aptes à remettre en mouvement les vieux galets, sont très vite affaiblies par le débordement des berges et l'inondation du lit majeur, voire des basses terrasses.

La nappe phréatique

Dans l'épaisseur du plancher alluvial perméable existe un puissant aquifère qui emmagasine une énorme quantité d'eau. On la connaît moins précisément que celle de la vallée du Nil, car la nappe phréatique, qui migre lentement vers l'Iraq, présente presque partout l'inconvénient dont souffre seule une partie du delta du Nil : un taux de salinité rédhibitoire.

Les alluvions reposent sur le plancher rocheux excavé au Pléistocène récent (cf. p. 36) dans les affleurements néogènes. Contrairement à ce qui a été observé vers Raqqa (BESANÇON et SANLAVILLE 1982), celui-ci n'affleure nulle part. Il semble avoir été défoncé, inégalement, par des chenaux fluviatiles avant la principale phase quaternaire de remblaiement alluvial (Q_{II}), ce qui inégalise l'épaisseur de l'aquifère.

En fait, compte tenu de la composition des alluvions, il faudrait distinguer trois types d'aquifères phréatiques, entre lesquels les transferts sont plus ou moins faciles : d'une part, les alluvions holocènes (limons, sables et graviers) qui incorporent des apports éoliens et des évaporites (sel et gypse, ou calcaire pour le Khābūr) de provenance latérale ; d'autre part, des alluvions plus hétérométriques et, dans l'ensemble, plus grossières (sables gris, galets de roches métamorphiques, silex patinés), appartenant au membre inférieur de la formation Q_{II} (cf. p. 36), qui se trouvent généralement sous les alluvions holocènes, mais affleurent parfois en buttes surbaissées ; enfin, les alluvions très minoritaires du Q_{I} qui n'affleurent elles aussi qu'exceptionnellement (cf. p. 39 *sq.*). Ces dernières n'en existent pas moins localement, intercalées entre les deux séries susdites, et possèdent une granulométrie intermédiaire.

C'est précisément la granulométrie et ses variations qui définissent la perméabilité des aquifères et leur transmissivité, donc la vitesse de filtration. La topographie intervient en suscitant un éventuel appel au vide. La terrasse holocène la plus ancienne (Q_{0a}, cf. p. 42 *sq.*) est topographiquement assez haute pour échapper à la submersion par les eaux de l'Euphrate, sauf lors de crues exceptionnelles, et pour s'égoutter, sauf en cas d'irrigation excessive ou au voisinage des versants où des linéaments de « gouttières » fonctionnent comme des dépressions quasi fermées et collectent les ruissellements latéraux. À ces exceptions près, pour la plus haute des terrasses holocènes, le niveau piézométrique de la nappe reste suffisamment éloigné de la surface pour ne pas alimenter les remontées capillaires. La surface de la basse terrasse holocène (Q_{0b}, cf. p. 44 *sq.*), inondable lors des très fortes crues, est par définition plus proche de la nappe phréatique, mais la texture souvent sableuse des matériaux constitutifs et la proximité du lit mineur assurent un drainage dans l'ensemble suffisant pour limiter les risques de salinisation.

Fig. 21 - Au pied de la falaise de Doura-Europos, les pompes mécaniques ont pris le relais de l'une des rares norias de l'Euphrate.

Ainsi, en dépit de son extension assez exceptionnelle et à cause de sa topographie et de la diversité des formations à l'affleurement, le plancher de la vallée de l'Euphrate présente des potentiels d'utilisation extrêmement variables (cf. chap. II, p. 72 *sq.*, et GEYER 1989), dans l'ensemble beaucoup moins avantageux que dans le cas de la vallée du Nil par exemple. La salinité de la nappe phréatique interdit en outre très généralement de s'en servir pour l'irrigation : d'où la rareté des puits et des appareils élévatoires (chadouf, sakieh) dans le paysage humanisé, sauf à proximité immédiate du fleuve ou, parfois, de ses anciens méandres.

On ne trouve guère d'eau douce que dans les lits de l'Euphrate et du Khābūr. Avant l'érection des grands barrages, les inondations avaient au moins l'avantage de laver régulièrement la tranche superficielle des lits majeurs, plus épisodiquement celle des terrasses holocènes. Dans les dernières décennies, les pompages opérés à partir de la berge du lit mineur (**fig. 21**) et l'édification d'un réseau d'irrigation par gravité fondé sur des canaux en remblai (cf. la carte de 1960) ont représenté une version moderne d'un très ancien mode de mise en valeur (cf. chap. V, p. 181 *sq.*). Mais la généralisation de leur mise en œuvre, la densité des réseaux, la pratique de deux récoltes annuelles et l'absence de moyens de drainage ont provoqué une élévation du toit de la nappe phréatique et, consécutivement, l'abandon forcé de nombreuses terres.

Certes, il existe aussi de l'eau douce dans les vallées des oueds approvisionnées par de fortes averses. Des efforts ont été faits, depuis longtemps, pour en tirer partie (talweg artificiel du W. Dheina, avec barrage amont ; autres barrages sur les oueds de rive gauche dans le secteur d'Es Sūsa...). On sait que les effets de chasse et les atterrissements les menacent à terme. En revanche, les inféroflux, nappes phréatiques dans les alluvions des lits mineurs, alimentent des puits bien connus des nomades, éventuellement utilisables pour arroser des jardins (W. er Radqa), ou assurant plus souvent l'alimentation en eau des hommes et des bêtes (**fig. 22**). En réalité, les planchers alluviaux sont minces (W. el Īsba') : les venues d'eau les plus productives y semblent liées à des remontées sous pression à la faveur de failles (d'où une certaine salinité) ou à la présence de seuils rocheux à faible profondeur (W. Dheina).

Conclusion

Au cœur d'une aire soumise à un climat de type saharien, la basse vallée de l'Euphrate syrien propose un large couloir de plaine aux sols meubles. Elle est assez facilement irrigable. Les dommages dus à l'instabilité chronique du lit mineur sont limités au lit des méandres qui, à l'Holocène, s'est lui-même rétréci. Il est en outre immobilisé sur un certain nombre de points fixes : môles-butoirs du Q_{II}, cônes-repoussoirs des oueds majeurs et du Khābūr. D'où la permanence, dans l'histoire, d'unités politiques organisées dans des alvéoles (cf. **fig. 17**) dont les potentialités agricoles ont été précocement perçues et durablement mises à profit.

Toutefois, outre les inconvénients liés aux vents du désert (apport de poussières salines et amas dunaires mobiles), la vallée de l'Euphrate souffre d'un handicap sérieux : le taux de salinité élevé de sa nappe phréatique, à partir de laquelle des irrigations excessives risquent, en remontant son niveau, d'amorcer les ascensions capillaires.

Fig. 22 - Puits ouvert dans les alluvions qui tapissent le lit mineur du Wādi Dheina.

LES HÉRITAGES GÉOMORPHOLOGIQUES DANS LA VALLÉE DE L'EUPHRATE

L'environnement climatique et les déplacements du fleuve ont longtemps été les facteurs qui imposèrent des modifications à l'écologie de la vallée. Aujourd'hui, les travaux des hommes interviennent à leur tour, avec une efficacité croissante. Il est relativement aisé de cartographier la mosaïque des unités géomorphologiques (*land units*) qui s'insèrent dans le cadre bien circonscrit du fond de la vallée.

Ces combinaisons des facteurs écologiques ne sont pas demeurées immuables tout au long du Quaternaire. Nous avons été amenés, dans les paragraphes qui précèdent, à évoquer la présence de formations sédimentaires différentes de celle qui constitue l'essentiel des berges du lit mineur et recouvre le lit majeur actuel (Q_{00}). Le fond de vallée est majoritairement occupé par les dépôts de modelés hérités : les deux basses terrasses (Q_{0a} et Q_{0b}) sur lesquelles nous reviendrons plus loin (cf. p. 42 *sq.*). Elles ont, certes, subi des retouches postérieurement à leur édification (ablation, sédimentations liées aux crues, apports éoliens, évolution pédogénétique, etc.), mais pour l'essentiel ces formes et formations holocènes témoignent de conditions paléoclimatiques et paléohydrologiques différentes de celles que nous connaissons actuellement. Des changements similaires, mais bien plus considérables, ont affecté le déroulement du Pléistocène et ont laissé des témoins sous forme de terrasses étagées ou emboîtées dans la vallée (**fig. 19** et **23**).

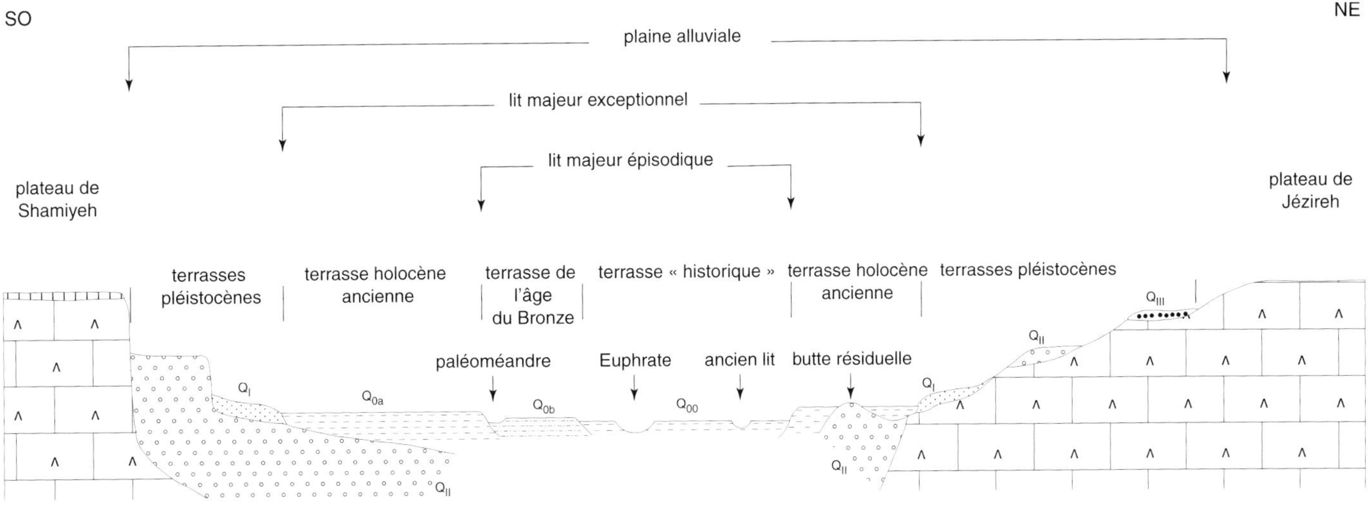

Fig. 23 - Coupe schématique de la vallée du bas Euphrate syrien.

Les glacis et les terrasses pléistocènes

À proximité immédiate de la vallée, il subsiste peu de restes du plateau originel. On le rencontre cependant en rive droite près de Deir ez Zōr et dans l'arrière-pays d'Abu Kemāl, en rive gauche à l'est du Wādi 'Ajij et dans le petit secteur d'Ersi (cf. **carte h.-t. V**). Il y apparaît sous la forme de lanières d'aplanissement qui s'allongent, dans le premier cas d'ouest en est, dans le second du nord au sud, et qui recoupent des affleurements variés : des couches du Miocène moyen au Pliocène terminal. Des failles et des charnières anticlinales sont arasées. Il s'agit donc bien d'une vieille surface d'érosion, peut-être imparfaite, polycyclique : moins une pénéplaine qu'un système dièdre composé de deux pédiplaines qui, accrochées l'une à la retombée des Palmyrénides, l'autre à celle des Jebels Abd el Aziz et Sinjar, convergeaient vers un drain collecteur, ancêtre de l'Euphrate.

Ces pédiplaines furent façonnées par des processus d'érosion aréolaire, propres aux régions arides, postérieurement à la dernière phase de déformations tectoniques, laquelle avait mis fin au régime lacustre du Pliocène. Les dépôts du N_2^b n'ayant pas été précisément datés, nous ne sommes pas en mesure de localiser dans le temps la période de pédiplanation : vers la fin du Pliocène ou au Villafranchien ?

À l'ouest de Deir ez Zōr, là où il s'approche le plus de la vallée, le témoin de la pédiplaine se tient à plus de 300 m d'altitude (au sud du couloir du W. el Jūra, hors cartes). Dans le sud-ouest de notre région subsistent trois étroites lanières, entre les Wādis el Haddāma, Bkīye et er Radqa : leur altitude s'abaisse lentement vers l'est, jusqu'à ± 250 m. En rive gauche, le seul témoin en deçà de la frontière, à Ersi, surplombe directement le fleuve à près de 230 m. Faute de temps, nous n'avons pas étendu nos recherches concernant l'état de surface de cette pédiplaine originelle. À Ersi, cependant, elle apparaît privée de formation superficielle : la roche (des bancs gypseux du Miocène moyen) affleure directement. Peut-être cet état de dénudation est-il la conséquence de la position et de l'exiguïté du secteur ?

Le glacis ancien (Q_V)

En lisière de la vallée, une nouvelle surface d'aplanissement s'est partiellement substituée aux deux pédiplaines ci-dessus évoquées, avec un emboîtement de l'ordre de 15 à 20 m. Compte tenu des niveaux ultérieurement développés à ses dépens, on peut estimer que son façonnement remonte au Quaternaire ancien, bien que nous ne disposions d'aucun autre indice susceptible de nous en assurer, ni *a fortiori* d'être plus précis.

Ce qui est clair, en tout cas, c'est que ce second niveau résulte lui aussi d'une planation par érosion aréolaire. En effet, la topographie reste indifférente à la nature des roches — quoiqu'il s'agisse le plus souvent des dernières strates du Pliocène — comme aux pendages ou aux accidents structuraux. Cette surface s'incline doucement vers la vallée en même temps qu'elle obéit à la pente générale vers le sud-est.

En rive droite, elle couronne souvent le sommet du versant actuel ou ne s'en tient guère éloignée (secteur de Buqras), sauf au sud (secteur d'Abu Kemāl - W. el Haddāma). En rive gauche en revanche, la situation est inverse : à l'exception du secteur d'Ersi, on ne la retrouve qu'assez loin de la vallée (par ex. à plus de 10 km le long de la route Deir ez Zōr - Hassekeh). C'est donc à l'ouest de la vallée que l'on peut noter les variations de son altitude.

Près de Deir ez Zōr, les lambeaux disjoints du niveau Q_V se tiennent vers 250 m d'altitude absolue, soit plus de 50 m au-dessus du plan d'eau du lit mineur. Vers l'aval, devenu à peu près continu, compte non tenu des indentations dues aux ravins de versant, le rebord du glacis Q_V descend lentement jusque vers 227-230 m, au droit de Doura-Europos, tout en conservant la même altitude relative. L'inclinaison vers le sud-est s'accentue un peu à partir du Wādi Dheina, toujours sans modification notable de l'altitude relative, laquelle paraît croître à l'aval de Tell Hariri, encore que l'interposition de paliers plus récents entre le versant de la vallée et le rebord externe du glacis Q_V ne permette pas de l'affirmer.

En rive gauche, les témoins Q_V sont moins accessibles et, parce que dépourvus de dalle protectrice (cf. ci-dessous), dégradés par les têtes des oueds tributaires de l'Euphrate. Le secteur compris entre les Wādis el Īsba' et 'Omar se prête le moins mal aux comparaisons. Le niveau Q_V y semble perché à ± 250 m avant de s'abaisser plus rapidement qu'en rive droite : il se tient déjà au-dessous de 220 m dans les parages du Wādi 'Omar, soit environ 15 m plus bas qu'en face. Nous hésitons cependant à tenir compte de cette donnée tant la mesure est difficile s'agissant d'un niveau ancien qui a subi diverses atteintes parmi lesquelles des tassements d'origine karstique. L'absence de cartes au 1:25 000 en aval de Taiyāni nous contraint à laisser la question en l'état.

En ce qui concerne les caractéristiques superficielles, signalons qu'à l'amont des oueds installés entre les Wādis el Īsba' et el Hejna, nous avons observé (**fig. 24**) la présence d'une dalle gypseuse compacte, non calcaire, de couleur blanc crème, d'épaisseur indéterminée. À la surface, un mince reg discontinu de petits cailloux tauriques est accompagné d'une matrice limoneuse assez abondante. La topographie est doucement accidentée par des dolines en soucoupe atteignant 2 à 3 m de creux.

Le glacis Q_V de rive droite se distingue par la présence, dans les secteurs d'Er Rheiba, de Doura-Europos et jusqu'au Wādi Dheina, d'une dalle épaisse (1 m à 1,5 m), éventuellement dédoublée (**fig. 25**), dure et de couleur saumon foncé. Des fissures verticales la parcourent et peuvent la débiter en gros cubes métriques, lesquels parsèment le haut du versant de la vallée, par exemple près

Fig. 24 - Dalle conglomératique gypseuse scellant la terrasse Q_V en rive gauche : partiellement désagrégée, elle repose sur un encroûtement à matrice limono-gypseuse.

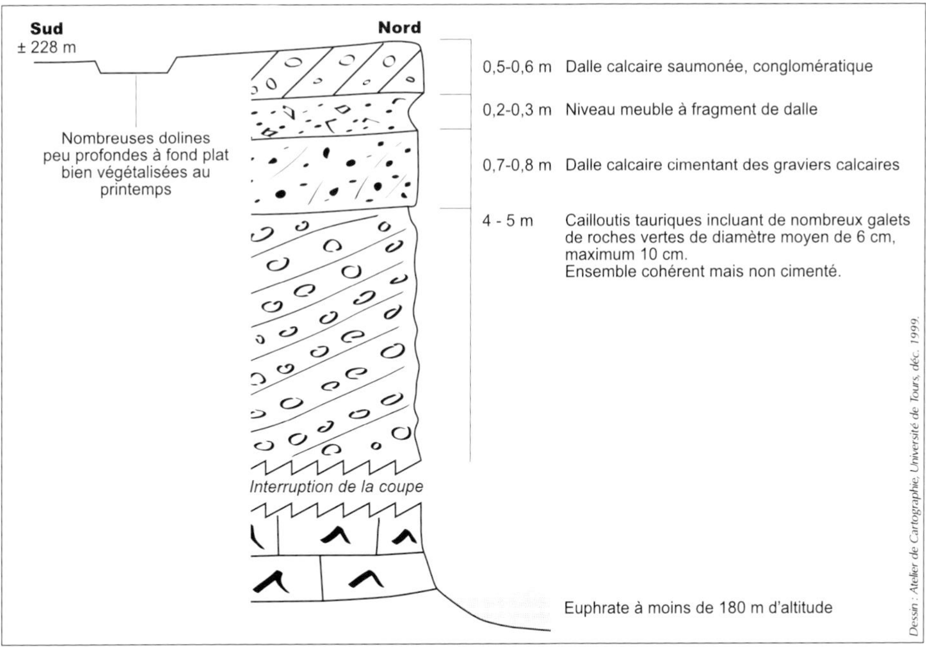

Fig. 25 - La double dalle calcaire Q_V à Doura-Europos.

de Mazār 'Ain 'Ali ou de Maqbarat Sitte (cf. **carte h.-t. II**). C'est une dalle conglomératique à ciment calcaire microcristallin qui contient un petit nombre de galets tauriques et très peu de silex. Ces galets, de dimensions médiocres, ont été empruntés au N_2^b. Sur sa surface repose un reg discontinu associant des limons, des sables (quartz rougi par des oxydes de fer et très petits fragments de silex) et de rares silex, généralement taillés et revêtus d'une patine brillante et foncée qui évoque un premier stade précédant l'acquisition du vernis désertique classique. La dalle est faiblement ondulée, en raison des nombreuses dépressions fermées et des vallonnements des têtes de réseau des oueds tributaires. Le long du Wādi Abu Shweima, elle descend jusqu'au tiers supérieur des versants dès lors que ceux-ci ne deviennent pas trop raides. Sous la dalle saumonée, on observe de place en place soit un horizon épais de limon encroûté de gypse, soit une véritable croûte gypseuse et, au-dessous, presque toujours, un niveau détritique : sablo-graveleux (secteur au nord de Mazār esh Shebli) ou cailloutis tauriques de calibre moyen (voir l'exemple de Hawījet el Mujāwda, **fig. 26**). Il est possible que la lentille de galets de « roches vertes », apparemment sans silex, qui sert de support

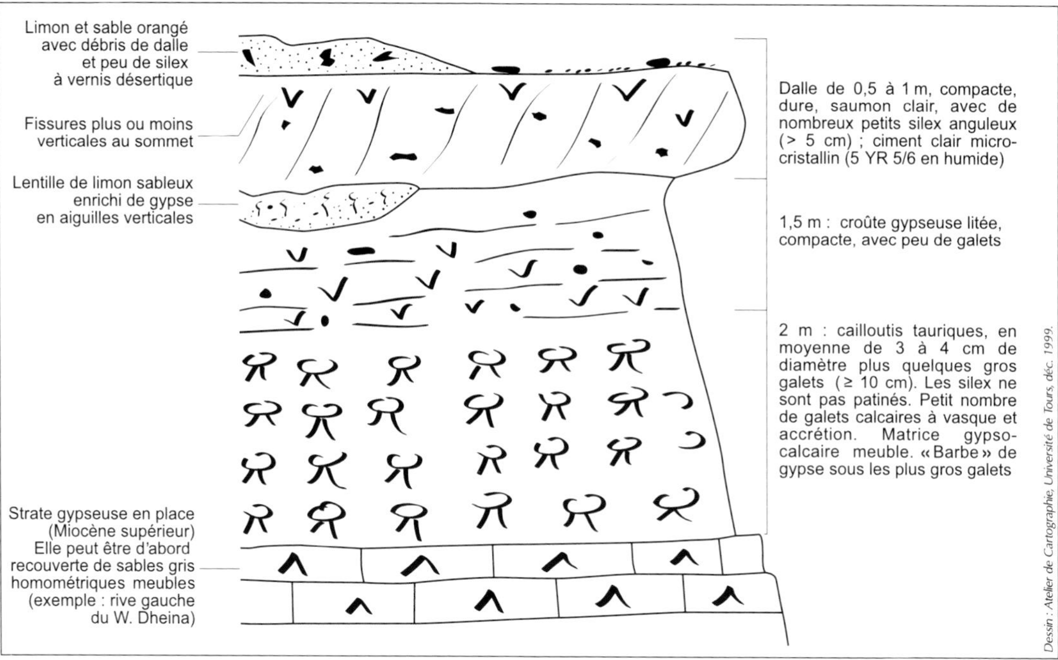

Fig. 26 - La formation Q_V à Hawījet el Mujāwda.

au vieux palais de la citadelle de Doura-Europos, fasse partie de cette formation détritique généralement insérée entre la dalle et le N_2^b arasé. Dans ce cas, elle témoigne peut-être d'un ancien cours (ou chenal) du Wādi Dheina à l'époque où le Wādi el Miyah le rejoignait encore ou, plus probablement, d'un ancien méandre de l'Euphrate.

Au sud du Wādi el Ward se trouve une autre dalle, guère moins épaisse et également calcaire (cf. **carte h.-t. IV** et **fig. 10**). De couleur gris clair, elle ne contient plus de galets et mesure 1,5 m au débouché du Wādi Bir el Ahmar, près de Tell el Khinzīr. Vient en dessous un niveau limono-caillouteux, cohérent mais non cimenté, qu'une nappe d'alluvions tauriques (sables gris, gravillons, graviers et galets de moins de 5 cm) sépare des gros bancs de gypse pliocènes. Ce double support disparaît dès le franchissement du ravin proche. Tout se passe donc comme si le Wādi Bir el Ahmar avait lui aussi remblayé sa vallée avant de participer, par sapement latéral, à la genèse du glacis Q_V.

Vers l'amont du Wādi el Haddāma, le glacis devient purement rocheux (N_2^a). Il présente à sa surface quelques assez gros galets épars (calcaires et calcaires gréseux), bien roulés, restes probables d'une couverture alluviale originelle assimilable au niveau 1, les niveaux 2 et 3 ayant totalement disparu par suite de la dissection avancée du secteur. Les silex, fort rares et de petites dimensions, parfois taillés, sont revêtus d'une double patine (une face rugueuse de couleur brique, l'autre lisse et noirâtre) comme ceux trouvés en surface à El Kowm.

Ainsi la dalle saumon de Doura-Europos est remplacée (cf. **fig. 10**) par une dalle grise au sud du Wādi Dheina, à peu près à l'endroit où s'amincissent les affleurements du N_2^b. La relation n'est pas simple puisque, au nord du Wādi Sfaïye, en dépit de l'extension encore considérable du N_2^b, le glacis Q_V, pourtant peu disséqué, n'est scellé par aucune dalle. Mieux, on n'en a pas trouvé trace non plus en rive gauche, sauf en un point où son état de désagrégation et la confusion des niveaux laissent à penser qu'il s'agit plutôt de la formation associée au Q_{IV} (cf. ci-dessous).

En tout cas, avec ou sans dalle calcaire, le glacis Q_V est bien foncièrement une surface d'érosion, la couverture allogène n'excédant pas 4 ou 5 m dans les meilleurs des cas, généralement moins de la moitié. Les alluvions n'y sont pas toutes de nature taurique ou bien celles-ci ne possèdent que des calibres modestes, inférieurs à 5 cm. Ces spécificités associées aux pentes douces vers le fleuve laissent à penser que celui-ci n'a guère contribué directement à la planation. Il a tout au plus servi de niveau de base à des ruissellements latéraux, volumineux et rapides, capables de s'étaler largement ou de balayer de vastes plans par diramation ou épandage. Les oueds, aujourd'hui canalisés au creux de vallons profondément incisés, ne sont que les héritiers débiles des cours d'eaux qui fonctionnaient à l'époque. Ceux-ci témoignent d'un climat beaucoup mieux arrosé, au moins saisonnièrement, durant une oscillation climatique qui inaugura la série des pluviaux quaternaires.

Les restes des glacis et replats Q_{IV}

Bien que ce second ensemble de formes emboîtées, actuellement haut perché au-dessus du fond des vallées (Euphrate, oueds majeurs et même gros ravins de rive droite, cf. **cartes h.-t.** et **fig. 27**), ne puisse être exactement daté en l'absence de fossiles et d'artefacts, nous sommes tentés d'en reporter la genèse à la fin du Pléistocène inférieur ou au début

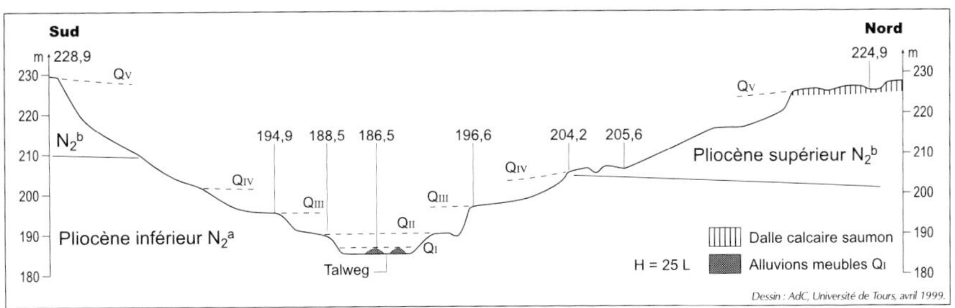

Fig. 27 - La basse vallée du Wādi Bir el Ahmar.

du Pléistocène moyen. Il est certain qu'entre les planations partielles du Q_V et du Q_{IV}, il n'y a aucune trace d'un cycle intermédiaire, car on peut observer en plusieurs endroits, en rive droite, le mode de raccordement du Q_{IV} au Q_V : une surface concave, faiblement imprimée (2 à 3 m) au départ, revêtue d'une dalle unique qui demeure soudée à celle du glacis antérieur. C'est le cas, par exemple, dans le large ravin, déjà évoqué dans une publication antérieure (Besançon 1983), mais mal interprété, lequel se situe entre le tombeau de Mazār esh Shebli et la mosquée de Sreij (**fig. 28**).

Les témoins de la phase Q_{IV}, doucement inclinés, sont largement conservés en rive gauche. Le long de la route Deir ez Zōr - Hassekeh, l'un d'entre eux mesure plus de 6 km du nord-nord-est au sud-sud-ouest. Sur son amont, des excavations dues aux bulldozers montrent en coupe 1,5 à 2 m de matériaux, soit de bas en haut :

— un niveau à sables gris, cimentés et diaclasés ;

— une épaisse couche de galets tauriques, sans silex, sous chacun desquels s'étirent des colonnettes de gypse cristallin ;

— enfin, une croûte gypseuse dure, beige clair, dont les fissures verticales sont enduites d'une pellicule rubanée de calcaire blanchâtre ;

— en surface, un reg grossier relativement dense, à matrice lœssoïde beige, atteignant 15 cm d'épaisseur. On y trouve de rares petits silex, aux arêtes émoussées, dont quelques-uns à patine chocolat.

La roche en place n'est pas loin, à moins de 2 m de profondeur.

À la tête du Wādi el Īsba', un puits envahi par les limons éoliens a livré, parmi les galets tauriques, quelques silex naturels dotés d'une mince patine (7,5 YR 4/4, en humide), parfois doublée par un cerne blanc de même épaisseur, et de plus rares éclats luisants à patine jaune (des artefacts ?). À la surface du sol, un reg mince à petits cailloux repose sur une dalle gypso-calcaire. Plusieurs puits abandonnés sont étayés par des blocs (30 ou 40 cm x 15 ou 20 cm) de dalle calcaire foncée. On ne saurait affirmer qu'il s'agit de fragments empruntés à une dalle Q_{IV} généralisée ou Q_V.

Au sud-est de Buseire, à hauteur de Darnaj, une piste damée par les engins des pétroliers permet d'accéder, à 5,5 km de l'Euphrate, à une carrière ouverte dans le Q_{IV}. On y voit 6 m de matériaux dont la moitié supérieure est un limon brun rougeâtre clair (5 YR 4/6, en humide) enrichi de gypse au sommet (7,5 YR 5/4, en humide) ; il repose sur un banc de gypse lithifié et compact sous lequel apparaissent des lits horizontaux de galets tauriques encadrant un lit à galets ou une lentille de sable gris à stratification oblique (**fig. 29**). Il s'agit cette fois du Pliocène (N_2^b). Le glacis est « accordant », c'est-à-dire à pente topographique similaire au pendage des couches géologiques, sous une couverture essentiellement éolienne. Sur son rebord externe, au raccord avec le niveau Q_{III}, le talus est revêtu d'une formation de pente (1,5 à 2 m) : un limon, de plus en plus épais vers le bas, qui cache une ligne de gravats (débris d'une dalle de gypse) ; une croûte gypseuse lamellaire, dure, à débit prismatique ; des cailloux tauriques dont des silex à patine blanche dans un encroûtement farineux. Le Pliocène, représenté par un grès à sables grossiers et graviers tauriques, gris clair, compact comme du béton, apparaît au-dessous.

Sur la rive gauche du Feidat el Khashm, à un peu plus de 200 m d'altitude, la surface Q_{IV} montre, sous un reg très mince et discontinu, surtout limoneux, une dalle dure, gypseuse, dont les fissures organisées en polygones sont colmatées par une épaisse pellicule rubanée, calcaire, gris rose clair.

Fig. 28 - Mazār esh Shebli (rive droite) : profonde incision d'un ravin mettant en évidence le glacis Q_V et l'emboîtement d'un aplanissement partiel Q_{IV}, l'un et l'autre couverts par une puissante dalle calcaire saumonée (cf. fig. 5).

Fig. 29 - Coupe dans la formation Q_{IV} de rive gauche : dalle sur encroûtement gypseux sur cailloutis tauriques. À la base : sables gris lités.

Tout le long du versant de rive gauche, de Darnaj à El Kishma, le glacis Q_{IV} est particulièrement étendu (plusieurs kilomètres de largeur) et bien conservé, parce que les têtes des réseaux tributaires n'ont pu façonner que des vallons sinueux circulant entre de grandes dolines en soucoupe ou drainant celles-ci.

Plus au sud, le versant de la vallée de l'Euphrate se raidit en une véritable falaise qui devient de plus en plus haute. En arrière, le glacis Q_{IV} se morcelle et se rétrécit, constituant parfois le haut du versant pour l'essentiel sapé dans le Miocène. Près d'Ersi, enfin, les emboîtements attribuables au Q_{IV} apparaissent, comme les témoins antérieurs, purement rocheux (Tortonien).

En face, en lisière de la Shamiyeh et notamment sur la rive gauche du Wādi er Radqa, là où le substrat pliocène possède un faciès meuble à très gros galets, le niveau Q_{IV} est couronné par une croûte gypseuse de 80 cm, polygonée, sur laquelle des silex et des artefacts à double patine (brique et noirâtre) sont nombreux.

Il en va de même près du Wādi el Haddāma où même les colmatages des fissures polygonales sont gypseux. Plus à l'amont, le Pliocène, raboté à l'altitude relative du Q_{IV}, est formé de bancs de gypse, massifs et épais, résistants, qui s'allongent parfois jusqu'au sommet du versant de la vallée. Ils ont favorisé le dégagement des replats de part et d'autre des talwegs des affluents : mi-replats structuraux, mi-niveau Q_{IV}. L'accordance n'est pas parfaite, le pendage des bancs gypseux ne coïncidant pas partout avec la pente des replats. Lorsque le support géologique ne possède plus ce faciès, les épaulements attribuables au Q_{IV} demeurent recouverts d'une épaisse croûte gypseuse, assez résistante, polygonée, sans pellicule rubanée, souvent pénétrée d'endolithes vertes. Au sud du Wādi Bir el Ahmar, les lambeaux du glacis Q_{IV} sont exceptionnellement étendus.

À partir du ravin jumeau du Wādi el Ward, le niveau Q_{IV} est signalé visuellement par la présence d'une dalle conglomératique, calcaire et de couleur saumon, similaire à celle qui, dans le même secteur, chapeaute le glacis Q_V sus-jacent. Plus récente, cette seconde dalle est moins riche en galets tauriques, d'ailleurs plus petits, et n'a que 70 à 80 cm d'épaisseur. En outre, elle est visiblement karstifiée, parfois démantelée. Elle fournit des blocs plus petits que ceux qui tombent de la corniche Q_V (cf. **fig. 5**), bientôt divisés en « poupées » que l'on retrouve éparses sur les cônes de pied de versant. Ce genre de démantèlement avait été précédemment observé près de la frontière turque, en rive gauche, à Derbazine Tahtani (BESANÇON 1983), sur un glacis alors attribué au Q_{III}. Ici l'appartenance au Q_{IV} est pourtant indiscutable, non seulement en raison de la connexion ponctuellement préservée avec la dalle Q_V, mais aussi parce que le Q_{III}, topographiquement emboîté en contrebas, est, lui, daté par de l'industrie (cf. ci-dessous). La dénivellation Q_V-Q_{IV} passe de 2-3 m au raccord amont à 8-10 m le long des rebords externes.

Dans le sud du secteur où existe la dalle saumon Q_{IV}, celle-ci repose sur un encroûtement gypseux, mais on n'observe pas de troisième horizon foncièrement caillouteux comme dans le cas du Q_V. À l'intérieur de la vallée du Wādi Dheina, pauvre en replats pléistocènes, nous avons repéré, à 2,5 km de l'embouchure, sur le haut du versant nord, trois lanières, pentues, dont l'une ne possède plus que sa croûte gypseuse, les deux autres ayant conservé une partie de la dalle calcaire sous-jacente.

Au nord du plateau de Doura-Europos, les témoins Q_{IV} sont de nouveau bien présents jusque dans le grand ravin de Mazār Sheikh Anīs et sur le versant sud du Wādi el Khōr. Quelques fragments ont été repérés dans le fond de la vallée du Wādi Sfaïye, ainsi qu'une croûte gypseuse 20 m au-dessus du lit, en rive gauche du Wādi Abu el Kheder.

En remontant le versant de la vallée principale, en direction de Deir ez Zōr, le Miocène apparaît, le Pliocène N_2^a s'amincit, puis disparaît définitivement. Le versant de rive droite, de plus en plus raide, se complique de replats et ressauts foncièrement structuraux. Les témoins Q_{IV} sont indiscernables, sauf peut-être entre les Wādis Umm Gadāma et en Nīshān (cf. **carte h.-t. I**).

Ainsi la dalle calcaire ne scelle les glacis et replats Q_{IV} qu'en rive droite et dans un secteur déjà caractérisé par la présence de la dalle saumon sur le Q_V : s'y est-elle nourrie de celle-ci, par emprunt de calcite ? Il est toutefois curieux que dans le secteur à dalle grise sur Q_V, le Q_{IV} n'ait pas hérité, similairement, d'une dalle grise de substitution.

Par ailleurs, nous n'avons guère poussé nos recherches en ce qui concerne l'éventualité d'artefacts associés. Les éclats récoltés sur l'amont du Wādi el Īsba', en rive gauche dans les déblais d'un puits, pourraient évoquer l'existence d'une industrie sur éclats analogue à celle du Khattabien recueilli dans le Q_{IV} de l'Oronte (Besançon *et al.* 1978).

Les terrasses et les replats du Q_{III}

Avec la terrasse Q_{III}, nous détenons enfin un jalon utilisable pour caler la chronologie du Quaternaire. En effet, et contrairement à ce que nos travaux antérieurs nous avaient amenés à conclure (Besançon *et al.* 1980), il y a bien des trièdres et des bifaces dans les assemblages interstratifiés dans les alluvions euphratiennes du Q_{III}. Ceci a été simultanément corroboré à l'occasion des travaux menés en Turquie méridionale par une autre équipe de l'UMR 5647 (Minzoni-Desroche *et al.* 1988). Ainsi récupère-t-on le synchronisme, momentanément mis en doute, dans l'évolution des cultures paléolithiques inférieures sur l'Euphrate et sur l'Oronte (cf. Latamné : Besançon *et al.* 1978, Sanlaville *et al.* 1993).

C'est dans une gravière [19] (**fig. 30**) proche de la route Deir ez Zōr - Hassekeh, face à l'usine électrique de la zone industrielle de Deir ez Zōr-Nord, que nous avons enfin récolté un assemblage lithique comparable à l'industrie latamnéenne. La patine, luisante sur les éclats (7,5 YR 5/4 à 4/4), ne diffère pas foncièrement de celle qui revêt les artefacts du Q_{II} situé en contrebas, encore que certains éclats manifestement roulés soient dotés d'une patine plus sombre (7,5 YR 3/4) et constellés de mouchetures ferro-manganifères [20]. La coupe de Hāwi Maghārāt (cf. **carte h.-t. I**, carré C 2), de 6 à 7 m de hauteur, s'établit comme suit de haut en bas : 2 m de limons beiges avec une simple amorce de croûte gypseuse au sommet (biseautage ?), 4 m de cailloux grossiers tauriques dans une matrice sableuse grisâtre et meuble, au milieu desquels se trouvent des lentilles de sables gris bien classés, meubles.

Sous le niveau Q_{III}, la présence massive d'alluvions incontestablement apportées par l'Euphrate, à plus de 600 m du versant, est exceptionnelle. En effet, de part et d'autre du Wādi el Īsba' supérieur, pourtant tout proche, également aux alentours de 220 m, le glacis Q_{III} tronque le Miocène supérieur (N_1^3) tout juste caché par une croûte tuffeuse blanchâtre, gypso-calcaire et salée, polygonée, de 40 à 50 cm d'épaisseur, avec un mince niveau limoneux à la base. Par-dessus s'étale un reg discontinu, encore plus mince, à petits galets tauriques et débris de dalle.

Sur une piste de pétroliers, à hauteur de Darnaj, une gravière [21] montre le Pliocène (N_2^b) sous 2 m d'alluvions tauriques peu grossières que surmonte une croûte tuffeuse blanche, peu calcaire, mal voilée par un reg limoneux à cailloux de mêmes calibres. Quelques artefacts ont été ramassés en surface.

Dans la région des Feidats el Khashm et Abu Hasan et du Wādi Raiya, le Q_{III} couronne le versant de rive gauche vers 195 m d'altitude. Sa dalle gypseuse, grisâtre et dure, est parcourue par des polygones à épais revêtements calcaires. Le reg de cailloux tauriques (≤ 5 cm) est plus couvrant qu'à l'ordinaire.

Fig. 30 - Carrière sur la route Deir ez Zōr - Hassekeh, dans la formation Q_{III} : membre inférieur constitué de galets tauriques incluant des artefacts latamnéens (Acheuléen moyen), surmontés de limons gypseux coiffés par une dalle de même nature.

Au sud d'El Kishma, la falaise sectionne un replat Q_{III} purement rocheux (Miocène moyen). Mais, près des tours funéraires d'Ersi, une petite conque s'est développée à l'amont d'un gros ravin (W. el Masarin), en amont de la gorge qu'il a sciée par érosion régressive : une croûte gypseuse, tuffeuse et blanche, sans galets, y repose sur la roche en place.

En rive droite, entre les Wādis er Radqa et el Haddāma, le niveau Q_{III} est étendu, mais il demeure éloigné du versant de l'Euphrate. Il surplombe le Wādi er Radqa selon une dénivelée rapidement décroissante, recoupant les assises miocènes et pliocènes. À l'ouest d'Abu Kemāl, il porte un reg assez fourni de gros graviers tauriques (± 2 cm) par-dessus une croûte intégralement gypseuse (1 m) constituée de fines colonnettes verticales et qui incorpore un petit nombre de graviers. Dans ce secteur, une très vaste doline sépare

19 - Coordonnées : latitude 3.838, longitude 5.597.

20 - Cette observation a déjà été faite sur l'Acheuléen le plus ancien de Joubb Jannine (Besançon et Hours 1971).

21 - Coordonnées : latitude 3.372, longitude 5.978.

maintenant le rebord externe du niveau Q_{III} des témoins Q_{II} conservés près de la ville (cf. **carte h.-t. V**).

Au nord du talweg du W. el Haddāma et jusqu'au W. Bir el Ahmar, le Q_{III} demeure fort étendu, jusqu'au rebord du versant de la vallée de l'Euphrate dont la hauteur ne dépasse pas la vingtaine de mètres. En revanche, entre Tell el Khinzīr et le secteur du W. el Ward, la bordure occidentale de la vallée, jalonnée par de petits cônes de ravins, ne conserve plus de témoins de la phase Q_{III} (cf. **fig. 19**). Quelques modestes entablements ne sont peut-être que des replats structuraux liés aux gros bancs de gypse pliocènes (N_2^b). Toutefois, les alvéoles plus largement dégagées autour du W. el Ward ne peuvent être dues à la seule lithologie : accordance ou sub-accordance comme pour le niveau Q_{IV} du même secteur. La croûte gypseuse est moins épaisse que sur le niveau Q_{II} situé en contrebas, sans doute par suite de l'érosion que favorise le dessin semi-circulaire des alvéoles.

Comme pour les autres niveaux, il n'existe sur le versant sud du W. Dheina que des lambeaux Q_{III} très discontinus, le versant nord en étant à peu près dépourvu. Le W. Abu Shweima, près de son débouché, a proposé aux villageois trois ou quatre mamelons Q_{III} à croûte gypseuse. Plus au nord, sur 15 km, le versant de rive droite de l'Euphrate n'en porte plus aucune trace, mais quelques témoins réapparaissent dans la « conque » du W. el Khōr. La falaise raccorde ensuite directement le niveau Q_{IV} au plancher holocène pendant 7 à 8 km. On retrouve le Q_{III} dans le secteur de Buqras, où le glacis Q_V s'éloigne vers l'ouest de 1 à 5 km, grâce à l'efficacité de nombreux oueds mineurs et de grands ravins (W. Bel'ūm, ed Dib, el Kasar, el Hasyān, Sfaïye et Abu el Kheder). Autour du W. Bel'ūm, la planation Q_{III} a éliminé le niveau Q_{IV} et ce glacis s'emboîte directement dans le plateau Q_V.

Au-delà, la présence de témoins Q_{III} est très discrète, sauf dans le redent de Deir ez Zōr où de longues lanières accidentent le tiers amont des vastes cônes des W. Umm Gadāma et en Nīshān. Ils prennent naissance dans les courts rentrants où ils biseautent les niveaux résistants du Miocène supérieur. La surface montre un limon encroûté (gypse un peu calcaire) avec une enveloppe calcaire superficielle et des revêtements dans les fentes verticales des polygones. Les niveaux Q_{III} bien emboîtés à l'amont, plus pentu que le glacis principal, rejoignent celui-ci bien avant la limite de la plaine holocène.

Les cas de figures relatifs aux modelés Q_{III} montrent que, à l'instar de ceux façonnés au Q_{IV}, il s'agit de formes d'ablation généralement indifférentes à la nature et à la disposition des couches géologiques qu'elles tronquent. Le rôle de l'Euphrate dans leur genèse semble avoir été indirect, en tant que niveau de base local. Apparemment, ce tracé du fleuve collecteur s'inscrivait dans les limites de l'actuel couloir, sauf en rive gauche, en face de Deir ez Zōr où il a participé à l'édification du glacis Q_{III} en le prolongeant par une terrasse alluviale. Ainsi disposons-nous d'un indice quant à l'altitude à laquelle se tenait l'Euphrate à la fin de la phase de remblaiement : environ 16 m au-dessus du niveau actuel du lit mineur. Ailleurs affleure le substratum revêtu d'une croûte tuffeuse, principalement gypseuse et souvent enrobée de calcaire (sommet et fentes polygonales). L'extension des surfaces Q_{III} est moins inégalement répartie entre rive droite et rive gauche que celle du Q_{IV}.

Les modelés et les dépôts attribués au Q_{II}

La phase morphogénique suivante est celle qui aura laissé tout au long de la vallée syrienne de l'Euphrate la masse la plus volumineuse d'alluvions constituées pour l'essentiel de sables gris non cimentés et de galets tauriques et silex patinés. Les calibres grossiers prouvent que ces alluvions caillouteuses doivent peu aux apports latéraux ; la majeure partie a été déposée par le fleuve lui-même. Il s'agit de la formation 'Ain Abu Jemaa (Besançon et Sanlaville 1982) dont le site éponyme ne se situe qu'à 25 km en amont de Deir ez Zōr (**fig. 31**).

Les lits caillouteux du membre inférieur (Q_{IIa}) de cette accumulation du Quaternaire moyen semblent occuper toute la largeur du plancher holocène avec une épaisseur probablement variable, le remblaiement ayant commencé par fossiliser les chenaux profondément gravés dans la roche en place. Ce matériau alluvial très caractéristique, généralement couvert par des limons plus récents (**fig. 32**), affleure en de

Fig. 31 - Carrière dans la formation Q_{II}, en amont de Deir ez Zōr, près d'Abu Jemaa (rive droite). Le membre inférieur caillouteux apparaît faiblement raviné par le membre supérieur limoneux, encroûté et dallé au sommet.

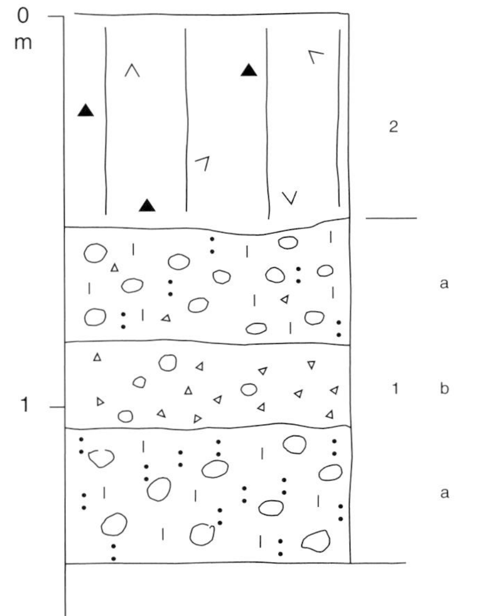

Formation Q_{II} enracinée dans le fond de la vallée holocène, fossilisée par des limons de débordement historiques. Rive droite, le long de la route à 4 km au nord d'Abu Kemāl

1 : horizon à galets (→ 7 cm) et quelques graviers dans une matrice limono-sableuse (a) incluant une lentille de graviers avec rares galets tauriques (b)

2 : horizon limoneux de couleur brune contenant de rares petits galets roulés. Traces de sel sur l'ensemble de l'horizon. Un fragment de céramique

La surface est cultivée

Formation Q_{II} enracinée dans le fond de la vallée holocène à ± 700 m du cimetière N (T5) de Es Saiyāl-Nord

1 : horizon à galets (→ 9 cm) dont galets tauriques, et graviers dans une matrice sableuse. Taches de sel nombreuses

2 : horizon à limons brun clair avec graviers et quelques galets. Quelques traces de sel

La surface est décapée

Formation Q_{II} enracinée dans le fond de la vallée holocène, à l'arrière de Ta'as el 'Ashaïr (T7)

1 : horizon à galets (→ 10 cm) et graviers dans une matrice sableuse

2 : horizon à galets (→ 5 cm) et graviers tauriques dans une matrice limono-sableuse. Des galets calcaires

3 : limons de débordement

Fig. 32 - La formation Q_{II} dans le fond de vallée.

nombreux endroits, émergeant de quelques décimètres jusqu'à 2 à 5 m au-dessus des terrasses holocènes, dans le lit des méandres, voire sur les berges du lit mineur. Dans ce dernier cas, il présente parfois un faciès très consolidé, en bancs minces et inclinés : par exemple à Er Rāshdi sur le bas Khābūr, à Taiyāni (OZER 1997) ou à Ta'as el 'Ashāir.

En rive gauche, à l'est d'Abu Hasan, les affleurements en « dos de baleine » du Q_{II} dessinent un réseau en arcs de cercle qui matérialisent les positions successives d'un méandre qui allait s'élargissant : le pavage grossier des lits successifs évoque celui, certes plus fin, des méandres holocènes. Le comportement du fleuve ne différait que par sa compétence de celui qui est encore le sien de nos jours.

Le Q_{II} permet souvent de récolter des artefacts : éclats, mais aussi choppers et bifaces. Tous sont revêtus de la patine caractéristique (10 YR 4/3 à 4/4) des assemblages de l'Acheuléen récent, ce qui est en cohérence avec la typologie. Ainsi la gravière ennoyée, située au pied de Tell Bani (**fig. 33**), a livré deux types d'assemblages : de l'Acheuléen récent incluant quelques trièdres de l'Acheuléen moyen (remaniés) dans les niveaux inférieurs accessibles, et du Paléolithique moyen dans les 20 à 30 cm de limons caillouteux (galets tauriques, silex non patinés) du sommet.

On peut aussi récolter de l'Acheuléen récent dans les coupes ouvertes par l'incision des oueds tributaires dans la partie aval, c'est-à-dire construite, des glacis Q_{II} : ainsi, en rive gauche, sur un petit oued intercalé entre le Shaib Abu Fasha et le Wādi el Īsba', ou encore, en surface, autour des carrières ouvertes entre Es Sabkha et Buseire. En rive droite, la gravière transformée en dépotoir qui se localise au sud-sud-est de Deir ez Zōr et à l'ouest du pont sur le Wādi es Sahl, excave l'aval du cône biréique. On y voit (**fig. 34**), au-dessus d'épais lits de galets, un niveau limoneux consolidé par du gypse (membre supérieur) dont l'épaisseur est plus faible que celle du Q_{IIb} observé sur l'Euphrate moyen (BESANÇON et SANLAVILLE 1982). Vers l'est, il a été biseauté par l'érosion, façonnant une terrasse Q_{II} en cône Q_{I}. Un certain nombre d'artefacts acheuléens récents y ont cependant été récoltés.

Les apports latéraux (alluviaux et colluviaux) ont probablement contribué à l'édification du remblaiement Q_{II}, mais on n'en trouve que rarement la preuve : en rive gauche, à hauteur de Darnaj, là où le canal Nahr Dawrīn (cf. p. 202) a été déplacé pour échapper aux destructions de l'Euphrate, le Q_{II} s'élève à une dizaine de mètres au-dessus du lit majeur actuel (cf. **fig. 19**). Aux galets euphratiens sont associés des fragments anguleux de calcaire ou de marne calcaire

Fig. 33 - Gravière à proximité de Tell Bani (rive droite) : môle caillouteux émergeant à la surface de la terrasse Q_{0a}. Sous un mince niveau incluant des artefacts du Paléolithique moyen (Q_I) apparaissent des dépôts Q_{II} incluant de l'Acheuléen moyen.

Fig. 34 - À la sortie sud de Deir ez Zōr : ancienne gravière convertie en dépôt d'ordures. Le Q_{II}, bimodal, a été biseauté par l'érosion.

d'origine proche. Au sommet, on retrouve le limon encroûté, fissuré et débité en prismes ou cubes métriques.

Les cartes hors-texte montrent que le niveau Q_{II} revêt généralement l'aspect de cônes, allongés parallèlement les uns aux autres, dont les apex le long des oueds générateurs s'enfoncent peu à l'intérieur de la surface Q_{III}, dans laquelle ils s'emboîtent 5 à 6 m en contrebas (par exemple, le W. el Īsba'). Dans leur partie amont, au moins, il s'agit toujours de surfaces d'érosion tronquant le Néogène. L'aval est parfois construit (**fig. 35**), le plus souvent avec des alluvions euphratiennes. Ces modelés n'ont pas intégralement conservé leur géométrie originelle. Sectionnés par les déplacements du fleuve, les cônes Q_{II} ont été raccourcis (de Deir ez Zōr-Nord à Buseire, dans les secteurs d'Abu Kemāl et du W. el Khōr) parfois jusqu'à totale élimination (secteur de Buqras), ou biseautés durant la phase Q_I (secteur d'Es Sabkha en rive gauche, aval du cône du W. es Sahl en rive droite). Dans le premier cas, l'agent destructeur a été l'Euphrate, soit au Q_I soit au Q_0 (cf. ci-dessous) : d'où des falaises terminales souvent tracées en arcs de cercle (**fig. 36**). Dans le second cas, ce sont les oueds mineurs qui, pour obéir à l'abaissement du plancher de l'Euphrate, ont raboté les dépôts Q_{II} : le membre supérieur (Q_{IIb}) de la formation 'Ain Abu Jemaa a été alors fortement réduit (≤ 2 m en rive gauche entre le W. el Īsba' et Es Sabkha, 3 m sur les bords ébouleux du W. es Sahl à l'aval du pont routier) ou a disparu (Rejem el Hijjāna).

Formation Q_{II} retaillée en forme de cône, piémont de rive gauche à Esh Sha'afa

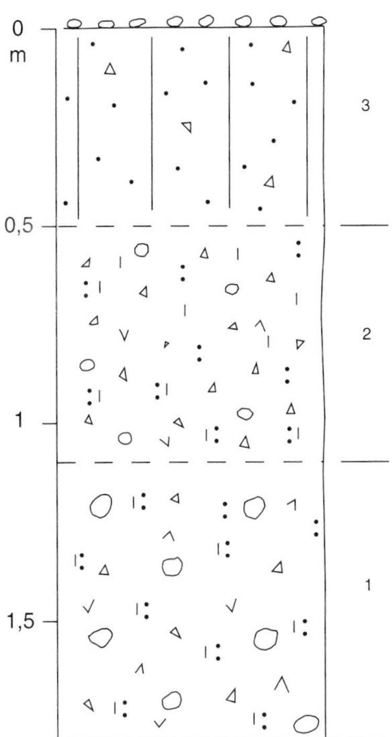

1 : horizon à galets (→ 10 cm) et graviers tauriques avec ébauche de litage. Matrice limono-sableuse. Nombreuses traces de sel

2 : horizon à graviers non lités et quelques galets (→ 3 cm) dans matrice limono-sableuse. Traces de sel

3 : horizon limono-sableux avec graviers épars, couleur brun clair, peu de sel

Fig. 35 - La formation Q_{II}, retaillée en forme de cône.

Comme les terrasses alluviales, les replats rocheux d'âge Q_{II}, mieux conservés, sont recouverts d'une croûte gypseuse dont l'épaisseur varie entre 0,5 et 1 m et sur laquelle repose un reg mince et discontinu. La matrice de ce reg est limoneuse, parfois sableuse, comme dans le cas du cône Q_{II} du W. 'Omar. La croûte, ordinairement tuffeuse, de teinte beige très clair, est gypso-calcaire dans la masse et polygonée avec une double pellicule rubanée, calcaire, grise, sur les parois des fissures verticales. Par exception, celle du Wādi 'Omar est dure, plus calcaire et à fissuration cubique. Dans l'ensemble, il n'y a apparemment pas de différences majeures entre les croûtes des niveaux Q_{III} et Q_{II}, si ce n'est que la contribution du calcaire paraît plus élevée dans la seconde. Celle-ci est souvent paradoxalement plus épaisse que la première, probablement parce qu'elle a été moins longtemps soumise à l'érosion.

Si l'on suit le versant de rive droite, les témoins du niveau Q_{II} se succèdent, ou disparaissent, à peu près de la même manière que ceux du Q_{III}. Ils sont nombreux et spatialement étalés entre les Wādis er Radqa et Bir el Ahmar, ainsi qu'entre les Wādis el Khōr et Abu el Kheder. Sauf à l'aval d'El Kishma, la rive gauche les a mieux préservés, mais les cônes Q_{II} y sont tronqués ou regradés, exception faite du Rejem el Hijjāna dont on s'explique mal la proéminence. Ce dernier évoque le vaste replat Q_{II} de Kasra, juste en aval de Zalabīya, lui aussi situé en rive gauche.

Il est clair, en tout cas, que le dernier tronçon syrien de la vallée de l'Euphrate ne présente pas cette spectaculaire terrasse Q_{II} qui, dans la moyenne vallée (Besançon et Sanlaville 1982), longe presque continûment le versant de rive droite et y retombe par une falaise d'une vingtaine de mètres de hauteur, dénivelée qui diminue notablement entre Deir ez Zōr et Abu Kemāl.

La fin du Pléistocène

Comme souvent dans la vallée de l'Euphrate syrien, les dépôts du Pléistocène le plus récent (Q_I) sont rarement visibles au-dessus du plancher holocène. Il en reste un peu dans les fonds des oueds latéraux et, très localement, au pied des falaises qui bordent la vallée.

L'aval du Wādi er Radqa possède, par exception, une basse mais assez large terrasse constituée par une accumulation de galets (calcaire cristallin et silex non patinés) de fort calibre, nourrie par un affleurement du N_2^b. D'autres alluvions plus modiques constituent le cône édifié

*Fig. 36 - Falaises découpées en arc de cercle dans les niveaux Q_{II} et Q_{III}, en rive gauche, tout en aval, à proximité d'Ersi. Au fond, une des tours funéraires du site de Bāqhūz 2 (**60**).*

par un de ses affluents de rive gauche, à 5 km de l'Euphrate. Le sapement récent y montre, sur environ 2,5 m, des galets plus petits et en partie tauriques, dans une abondante matrice terreuse, ocre (**fig. 37**). Le Wādi er Radqa nous propose ainsi une conjugaison exemplaire entre des alluvions longitudinales et latérales, dont les faciès sont bien distincts.

Une petite vallée, juste au nord du Wādi el Haddāma, possède un morceau de la terrasse-racine Q_I, d'une hauteur de 3 à 3,5 m, dans la concavité d'un méandre à 1,5 km du versant de l'Euphrate : à la base, sur la marne gris-vert néogène, 2 m de cailloux non tauriques (Q_{Ia}) sont surmontés d'un limon compact (Q_{Ib}) à débit cubique avec, au sommet, 15 cm de croûte gypseuse, feuilletée et onduleuse, englobant des galets et des silex, mais pas d'artefacts (**fig. 38**).

Il faut aller jusqu'au Wādi el Khōr pour observer un moignon de replat Q_I, taillé dans les dépôts Q_{II} de type euphratien. Le secteur de Buqras présente des restes de terrasses limoneuses sur les Wādis Bel'ūm, ed Dib, el Kasar, el Hasyān, en Nakhteb, Sfaïye : ils ont 2 à 3 m d'altitude relative, contiennent des galets tauriques et du sable gris provenant du N_2^b, mais ne possèdent ni croûte ni encroûtement.

La situation est similaire sur la rive gauche de l'Euphrate, notamment le long des oueds installés de part et d'autre de la route de Deir ez Zōr à Hassekeh. Le Wādi el Īsba' possède un Q_I limoneux, à petits cailloux et silex à patine blanche, qui a fossilisé des incisions en arête de poisson (**fig. 39**), en voie d'exhumation. La position ravinante du Q_I est également observable au nord du site de Darnaj (**86**) : la dissection préalable y avait affecté les poudingues à gros bancs du Q_{II}. Enfin, à hauteur d'Es Sūsa, plusieurs tributaires mineurs ont façonné, en amont de leurs cônes Q_I, des terrasses ou des replats.

En fait, ce n'est qu'après franchissement des versants que s'étalent un peu moins parcimonieusement les formes et les formations liées au dernier Pluvial. Leur position les a offertes aux dégradations holocènes, notamment par sectionnement de l'aval. C'est le cas des replats inférieurs occupés par certains quartiers d'Abu Kemāl et de Deir ez Zōr, ou des cônes qui s'égrènent d'Abu Kemāl au Wādi Bir el Ahmar, là où le contact avec l'alvéole de Tell Hariri s'opère par un talus convexe.

Plus au nord, les cônes de rive droite ont été retaillés à l'Holocène. Les formes sont purement rocheuses et sans dépôts de couverture, ou parsemées de débris tombés de la falaise, ou revêtues d'un encroûtement gypseux friable, non polygoné, de ± 20 cm d'épaisseur. Sur le cône tardif de Maqbarat el Mujāwda el Kebīre, une gravière permet d'observer une coupe d'environ 6 m (**fig. 40**), soit de bas en haut :

Fig. 37 - Coupe dans le cône Q_I, bimodal, sur les bords du Wādi er Radqa, dernier affluent syrien de rive droite.

Fig. 38 - Gravière ouverte dans la formation Q_I reposant sur les marnes pliocènes, au nord du W. el Haddāma.

— ensemble a : un cailloutis taurique à matrice sablo-limoneuse beige, surmonté d'un lit de limons compacts, beige clair, à débit polyédrique ;

— ensemble b : un autre cailloutis, dont la matrice est plus rougeâtre et qui ravine l'ensemble a ;

— ensemble c : un niveau sableux, grisâtre, reposant localement sur un lit de marnes fissurées et qui ravine l'ensemble b. Il est surmonté d'un niveau de limon clair, faiblement encroûté, en partie enlevé par les bulldozers.

Cet empilement discordant de matériaux variés, ni consolidés ni même encroûtés, évoque une coupe similaire et encore plus épaisse (15 m) observée à Abu Charhi (Besançon 1983), localité en rive droite à l'orée du défilé de Halabīya.

Près de Deir ez Zōr, à l'ouest du fleuve, on trouve en plaine deux ou trois lambeaux de Q_I, souvent plaqués sur du Q_{II} : l'entaille du Wādi es Sahl à l'aval du pont, les buttes surbaissées au sud-est du cône du Wādi en Nīshān (avec artefacts à patine blanche ou grise). On en connaît également en rive gauche : près d'Abu Hasan, à l'est de Dībān, etc. En revanche, de Deir ez Zōr-Nord à Es Sabkha, la petite falaise ne sectionne que du Q_{II}, encore que, dans le voisinage d'Es Sabkha, un réseau complexe de larges vallons plats soit tapissé par un sol brun (10 YR 3/4) assez argileux, étalé par les Wādis Bersham et el Hejna.

À 4 km en amont de Deir ez Zōr, dans une concavité de méandre en rive droite, a été conservé un petit témoin d'une terrasse moyenne (± 210 m, soit 8 à 9 m relatifs) taillé en falaise, protégé par une chape basaltique mince tardivement émise par le petit volcan de Hajif Shemali (cf. **fig. 12** et **fig. 41**). Celle-ci protège également, en contre-haut (± 25 m relatifs), une autre terrasse de cailloutis tauriques, dont l'empilement est visible dans l'entaille d'une gravière jouxtant la route. Enfin, une étroite terrasse inférieure constituée de sables gris complète ponctuellement le dispositif. M. Perves (1964) avait recueilli dans la terrasse moyenne, à la base des 6 m de limons lœssoïdes jaunâtres, au niveau de trois couches caillouto-sableuses ou caillouto-limoneuses, des artefacts amoudiens et levalloiso-moustériens supérieurs, outre l'Épipaléolithique éparpillé sur le sommet. Il s'agit donc bien de matériaux Q_I composant une série grossière à la base, limoneuse au dessus : terrasse bimodale, similaire quant à sa structure à la terrasse Q_{II} dans laquelle elle s'emboîte.

Enfin, les falaises qui dessinent des arcs de cercles au sud d'El Kishma sont frangées d'un étroit niveau Q_I, en forme de talus ou de cônes. Sur l'un de ceux-ci se localise le site d'époque Samarra de Bāqhūz 1 (**58**). Ces dépôts récents sont modiques.

En somme, la formation Q_I est principalement constituée de limons, plus ou moins encroûtés à son sommet

Fig. 39 - En rive gauche près de Darnaj : glacis Q_I en voie de destruction, avec exhumation des incisions préalablement opérées aux dépens du support Q_{II}.

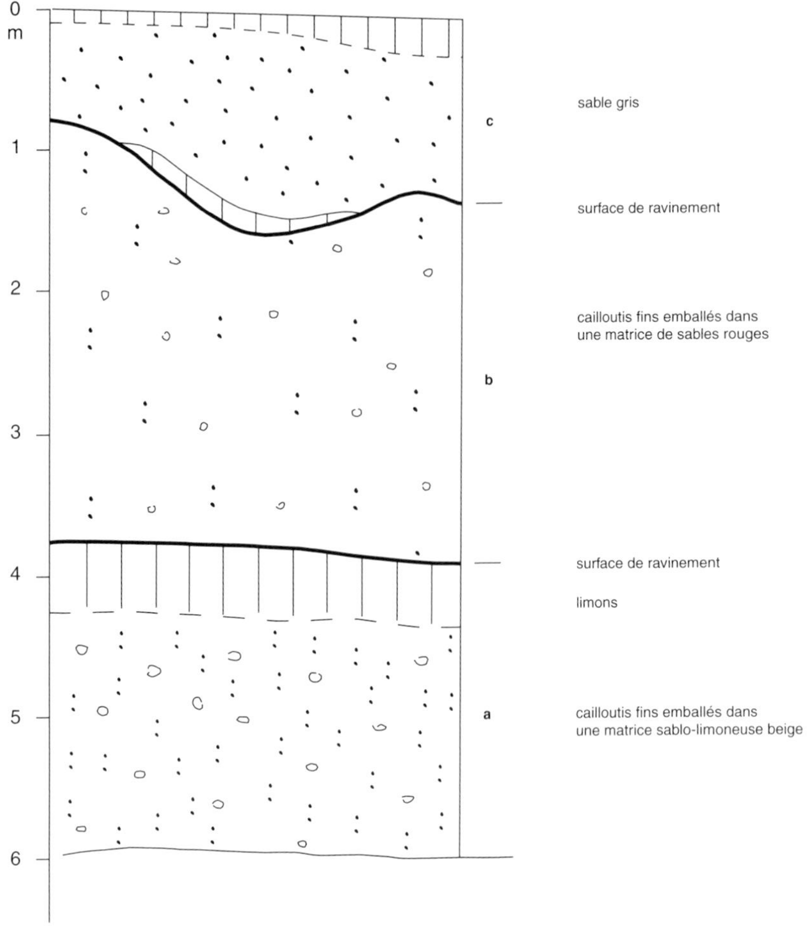

Fig. 40 - Le cône de Maqbarat el Mujāwda el Kebīre.

Fig. 41 - Épanchement volcanique tardif, issu du petit cratère du Hajif Shemali, recouvrant la terrasse Q_I. Rive droite peu en amont de Deir ez Zōr.

(**fig. 42**) ; son épaisseur reste modeste. C'est ce qui explique qu'en dépit du court laps de temps qui s'est écoulé depuis sa mise en place, elle n'a guère offert de résistance aux efforts de l'érosion, sauf là où cônes et replats avaient été rabotés dans le Néogène ou dans les cailloutis grossiers du Q_{II}. À l'aval de Deir ez Zōr, nous n'avons décelé aucune preuve que le dernier Pluvial ait été compliqué par une succession de stades et d'interstades, comme nous en avons ailleurs la preuve, par exemple à Abu Charhi (Besançon et Sanlaville 1982).

Les oscillations mineures enregistrées au cours de l'Holocène

Enserré par les plateaux de Jézireh et de Shamiyeh, encombré sur ses bordures par les formes et formations héritées du Pléistocène, le fond de vallée holocène apparaît, à première vue, comme assez uniforme. Deux grands ensembles s'y distinguent : d'une part, le couloir où se déplacent les méandres du fleuve, qui correspond au lit majeur épisodique (cf. **fig. 23** ; il est représenté, sur les cartes h.-t., en à-plats vert clair), d'autre part, un fond alluvial relativement plan, plus ou moins large selon les secteurs et qui correspond au lit majeur exceptionnel (cf. **fig. 23** ; en à-plats vert foncé sur les **cartes h.-t.**).

Propice à une mise en valeur agricole grâce à la fertilité de ses sols et aux facilités d'irrigation qu'il offre, ce fond de vallée a, en fait, connu une histoire mouvementée qui a laissé de nombreux témoins et qui est à l'origine d'un modelé plus complexe que ne le laisserait croire la dichotomie que nous venons d'évoquer.

La formation holocène ancienne Q_{0a}

C'est au début de l'Holocène que la vallée de l'Euphrate a connu son dernier « cycle » majeur d'évolution géomorphologique. En effet, le plancher de la plaine alluviale est

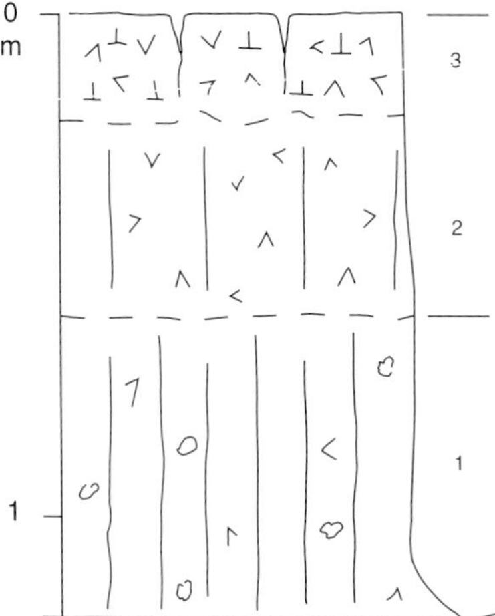

1 : horizon limoneux brun clair, légèrement gypseux, avec quelques nodules de gypse

2 : horizon limoneux à forte concentration de gypse pulvérulent, blanc

3 : croûte gypseuse, très dure en surface bien que partiellement démantelée

Fig. 42 - Dépôts Q_I biseautés en glacis, en rive droite, au sud-ouest de Tell Hariri.

constitué, pour l'essentiel, de sédiments fins déposés après la fin du dernier Pluvial, sur un plancher inégalement excavé dans les alluvions pléistocènes plus grossières (**fig. 43**).

La formation (Q_{0a}) qui se mit en place durant l'Holocène inférieur et qui vint ennoyer le fond de vallée, ne laisse plus pointer en surface que des buttes de galets surbaissées de la formation Q_{II}, nombreuses mais de petites dimensions. Elle est constituée principalement de sédiments fins (limons). Sa genèse, très probablement d'ordre climatique (Geyer et Sanlaville 1991), remonte vraisemblablement aux alentours de 10000 BP.

En effet, la transition entre le dernier maximum glaciaire et l'Optimum climatique holocène, lequel se serait déroulé de 10000 BP à 6000 BP (Sanlaville 1997), ne s'est pas effectuée progressivement, mais de manière assez chaotique [22]. Après le dernier maximum glaciaire, à la fois aride et froid, les conditions climatiques se sont peu à peu améliorées durant le Tardiglaciaire et ont atteint leur optimum entre 12500 BP et 11000 BP, au cours du Bölling-Alleröd. Au Dryas récent, entre 11000 BP et 10000 BP, se produisit un retour brusque, mais relativement bref, du froid et de la sécheresse, lequel prit fin dès le début de l'Holocène, caractérisé quant à lui par une recrudescence des précipitations [23]. C'est au cours de cette période de grande instabilité climatique que se manifestèrent les changements du régime de l'Euphrate, à l'origine du dépôt de la formation Q_{0a}. Malgré l'absence de datations absolues, on peut supposer que celle-ci s'est édifiée pendant les débuts de l'Optimum holocène, consécutivement à l'augmentation notable des précipitations, en amont, sur des environnements montagnards fragilisés à l'issue de la phase froide et aride du Dryas récent [24]. À l'appui de cette hypothèse, soulignons qu'aucun site antérieur au Néolithique à céramique n'a été retrouvé dans la plaine holocène (cf. ci-dessous, p. 239, et Geyer et Besançon 1997).

Les sédiments constitutifs de la formation Q_{0a} sont très majoritairement des limons bruns homogènes, compacts, à structure fréquemment prismatique (**fig. 44**), qui reposent localement sur des sables (**fig. 44 c**). Leur épaisseur dépend du plancher, très irrégulier, que constituent les formations pléistocènes sous-jacentes (cf. **fig. 43**) : au nord d'El Musallakha, une coupe permet de mesurer 3,5 m de ces limons bruns (**fig. 44 c**), alors qu'entre le site de Jebel Masāikh (**16**) et le plateau de Jézireh, les cailloutis tauriques ne sont recouverts que par 60 cm de dépôts holocènes.

Cette formation holocène ancienne témoigne donc d'une phase de sédimentation étalée sur une vaste plaine où se déplaçait un fleuve en chenaux tressés. L'incision ultérieure, consécutive à un renversement du sens de la morphodynamique fluviale, peut être attribuée au retour, durable, d'un climat relativement humide et au rétablissement de la phytostasie (Geyer et Besançon 1997), entre 7600 BP et 6000 BP, période qui correspond à la deuxième partie de l'Optimum holocène (Sanlaville 1997). Dans la section de la vallée du fleuve qui nous intéresse ici, cet effort de l'érosion linéaire aurait été effectif dès l'époque de Halaf puisque des fouilles effectuées sur le site du Jebel Masāikh (**16**) ont fourni de la céramique remontant à cette époque (Rouault 1998 b). Elle pourrait avoir été un peu plus précoce (dès le VIIe millénaire ?) sur le Wādi Menbij (Geyer et Sanlaville 1991). En revanche, la phase de

22 - Notons que les transformations paléoclimatiques dont il est fait mention ici semblent avoir été peu ou prou synchrones, depuis l'Anatolie jusqu'au sud de l'Arabie et à l'Égypte. Pour plus d'informations sur cette période charnière, on se reportera à la publication de synthèse coordonnée par P. Sanlaville, *Paléoenvironnement et sociétés humaines au Moyen-Orient de 20000 BP à 6000 BP*, parue dans le n° 23/2 de *Paléorient*, 1997.

23 - Ce schéma simplifié omet de prendre en compte le déroulement d'oscillations secondaires, fort brèves (quelques siècles probablement), mais clairement attestées : pulsations humides lors du maximum glaciaire (deux au minimum), sèches durant le Tardiglaciaire (autour de 12500 BP) et l'Optimum holocène (en particulier autour de 8000 BP) [Sanlaville 1997].

24 - Cette hypothèse prête à discussion. Ainsi, en Syrie du Nord, J. Cauvin *et al.* (1997) ne voient dans le Dryas récent qu'une période de dessèchement relativement atténué, tandis que E. Tchernov (1997) ne perçoit, au Levant sud, aucun indice d'aridité. La détérioration est cependant clairement attestée en Anatolie où les lacs régressèrent fortement ou s'asséchèrent (Kuzucuoglu et Roberts 1997). On peut penser qu'elle fut encore plus intensément ressentie dans les régions montagneuses du haut bassin de l'Euphrate.

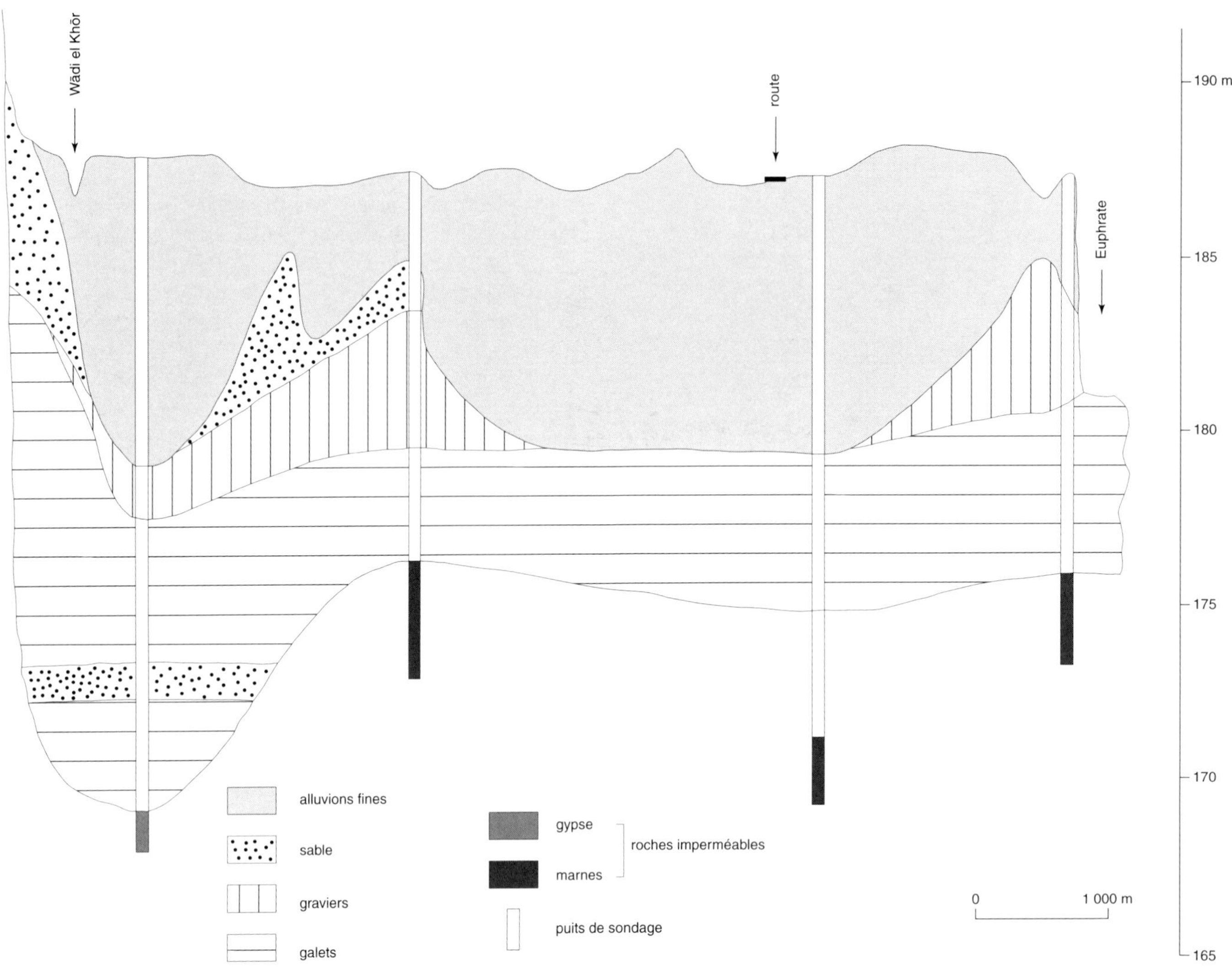

Fig. 43 - Les formations alluviales en fond de vallée (d'après GERSAR 1977).

sédimentation mise en évidence sur le bas Khābūr par P.-J. Ergenzinger (1991) ne peut être assimilée à l'épisode sédimentaire mentionné ci-dessus, car les datations y ont été effectuées sur des bivalves d'eau douce, ce qui les rend sujettes à caution [25] (GEYER 1992 b). Cet auteur admet d'ailleurs que les dates obtenues (7600 ± 115 BP et 5990 ± 100 BP) paraissent exagérément anciennes, puisque les observations de terrain le conduisent à une estimation moins haute, de l'ordre de 3 000 ans seulement. On peut dès lors se demander si un rapprochement avec la seconde des formations holocènes (Q_{0b}) repérées sur l'Euphrate ne serait pas plus judicieux.

La formation Q_{0b} : premier témoin des effets de l'anthropisme ?

Dans l'entaille qui a partiellement érodé la formation Q_{0a} est venu se loger un second remblaiement (Q_{0b}) qui résulte d'un nouveau renversement de tendance de la dynamique du fleuve, générateur d'une nouvelle phase de sédimentation. Ce dépôt a été bien moins volumineux que le précédent puisqu'il est resté emboîté dans celui-ci. La différence de niveau entre les deux formations est, dans tous les cas observés, inférieure à 1 m (**fig. 45**). Elle varie de 0,5 à 0,7 m entre El Musallakha et Er Ramādi, à hauteur d'Es Saiyāl,

25 - Nombre de bivalves terrestres fixent les carbonates (et plus particulièrement la calcite) dissous. Dans le cas évoqué ici, il s'agit d'eaux provenant des sources karstiques du Khābūr, ce qui vieillit inévitablement les datations effectuées par des méthodes recourant au ^{14}C.

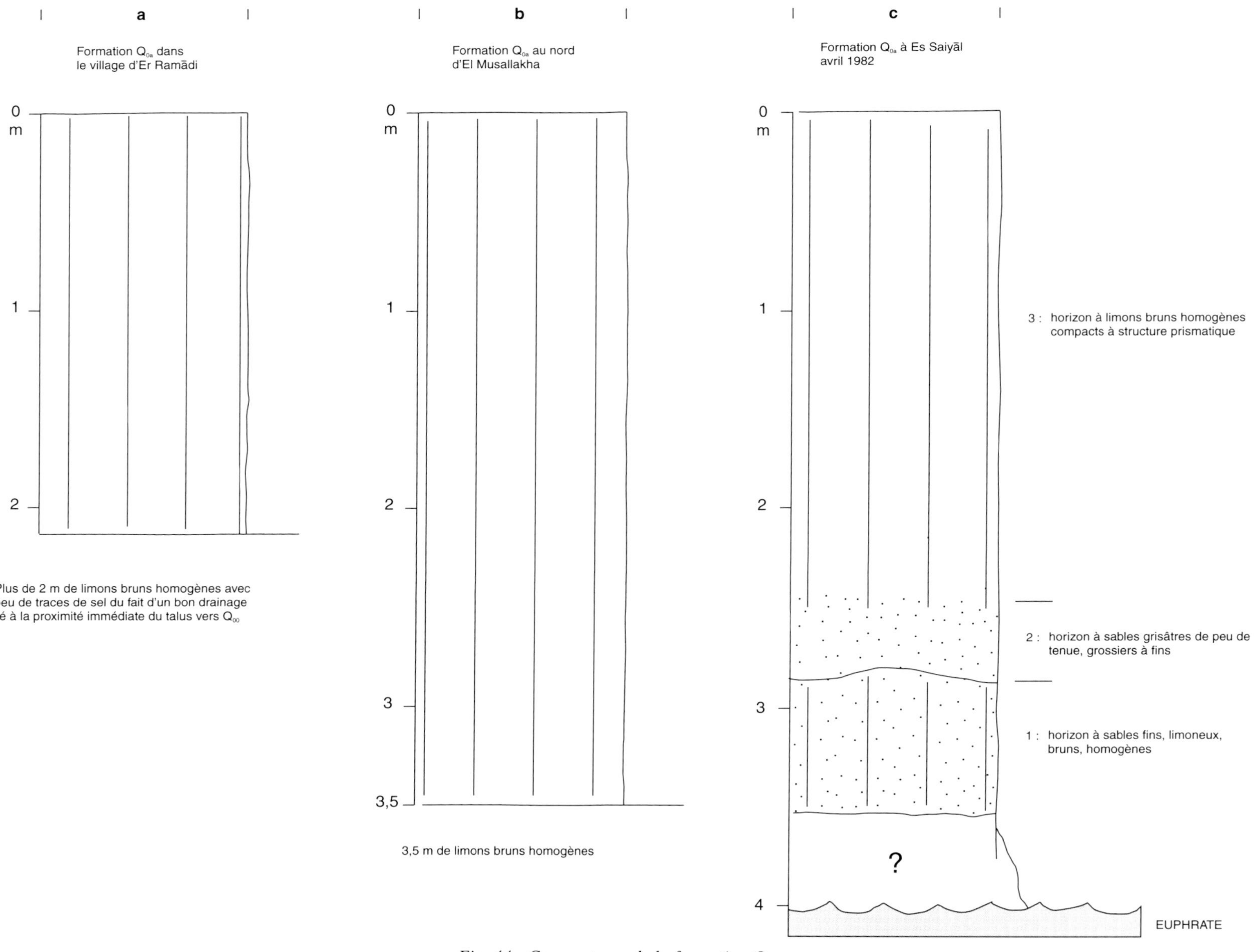

Fig. 44 - Coupes types de la formation Q_{0a}.

Fig. 45 - Le plancher holocène dans la vallée de l'Euphrate : emboîtement de la terrasse Q_{0b} dans la terrasse Q_{0a}, au sud d'El Kita'a, en rive droite.

entre Abu Kemāl et le fleuve ou encore en aval d'El Kita'a. Elle n'est que de 0,5 m à El Jurdi Sharqi.

Cette fois, les matériaux sont essentiellement sablo-limoneux à limono-argileux (**fig. 46** et **47**). Là encore, l'épaisseur est très variable en raison d'un plancher très inégalement raboté lors de la phase d'entaille évoquée ci-dessus. Partout où nous avons pu l'observer, la formation Q_{0b} contient des fragments de céramique. À El Jurdi Sharqi (**fig. 46**), les tessons recueillis dans la coupe (falaise vive) qui domine le fleuve ont pu être datés pour partie du Bronze ancien et surtout du Bronze moyen (cf. annexe 2, **pl. 121**). À proximité de Dībān 1 (**64**), des sédiments épais de seulement un mètre (**fig. 47**) ont fourni de la céramique des mêmes époques (cf. annexe 2, **pl. 120** : 1732 à 1739). Les recherches menées sur le site de Khirbet ed-Diniye (l'ancienne Haradum/Harada) sur le haut Euphrate iraqien permettent d'affiner les hypothèses, puisque nous sommes arrivés à la conclusion que la formation observée au pied du site, et qui contient de la céramique paléobabylonienne, s'est mise en place postérieurement à l'abandon du site de cette époque, mais antérieurement à sa refondation à la période néo-assyrienne (Geyer 1992 a). Cette fourchette plus étroite trouve une confirmation dans la céramique d'époque kassite (cf. annexe 2, **pl. 120** : 1741) récoltée dans une coupe de la formation Q_{0b} observée dans une petite gravière au nord-nord-ouest de Dībān 1 (**64**). Par ailleurs, l'étude du déplacement du site d'Émar (Geyer 1990 b), dans le coude de l'Euphrate près de Meskéné, nous a conduits à dater de la même époque la modification de la dynamique de ce fleuve. Signalons, à titre de comparaison, sur le Wādi Menbij, un remblaiement de plusieurs mètres d'épaisseur qui contient de la céramique du Bronze récent (Besançon et Sanlaville 1985).

Or il s'avère que, dans ces deux régions, le bas Euphrate syrien et le plateau de Menbij, comme dans d'autres également (**tableau 4**), le nombre des sites retrouvés lors des prospections diminue nettement durant l'époque du Bronze récent.

	Néol. pré Samarra	Samarra Halaf	Obeid	Uruk	Bronze ancien	Bronze moyen	Bronze récent	1er âge du Fer
Bas Euphrate syrien [cf. ci-dessous]	3	2 (2)	3 (2)	6	11 (2)	21 (6)	10 (3)	20 (5)
Sajour/W. Menbij [Sanlaville éd. 1985]	2	2	4	? (?)	10	27	1 (?)	1
Haut Euphrate syrien [Sanlaville éd. 1985]	2	2 (1)	3	? (?)	10	10	3	4
Moyen Khabour [Monchambert 1984]	0 (?)	3	3	4 (1)	17 (5)	8 (9)	4 (2)	19 (9)
Qoueiq [Sanlaville éd. 1985]	20	> 20	± 20	? (?)	> 43	35	17	30
Marges arides [Geyer *et al.* 1999]	13 (?)	0 (2)	? (2)	? (2)	92 (1)	54 (3)	3	31 (6)

Entre parenthèses, attributions chronologiques incertaines

Tableau 4 - Nombre de sites par périodes et par régions, d'après diverses prospections effectuées en Syrie.

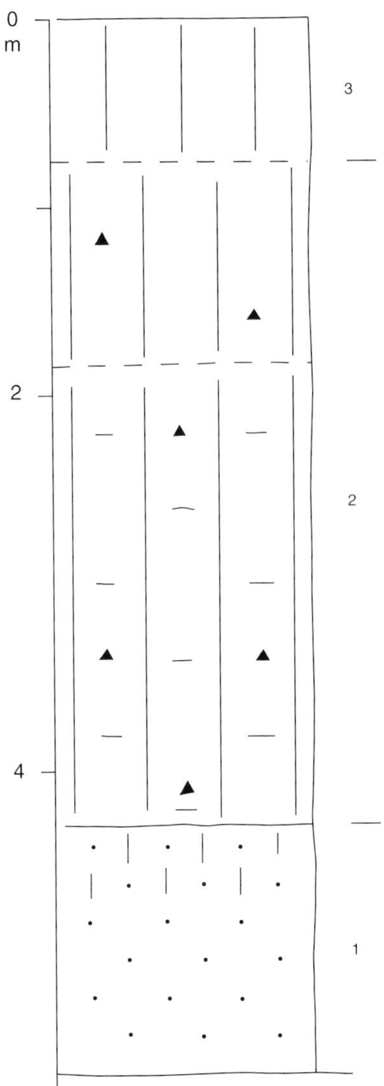

Fig. 46 - Coupe dans la formation Q_{0b} à El Jurdi Sharqi.

Les travaux relatifs aux paléo-environnements de ces régions ne mentionnent, à ce jour, aucune trace d'accident climatique pour la période correspondant à la fin du Bronze moyen et au Bronze récent. Pourtant, si une péjoration climatique semble de toute façon insuffisante à expliquer la faible représentation des sites attribuables au Bronze récent, une simple raréfaction du peuplement ne pourrait pas non plus fournir d'explication à la mise en place simultanée de ces dépôts alluviaux, d'autant que ceux-ci relèvent de processus de sédimentation dont la nature diffère selon les régions où ils ont été observés. En définitive, on se trouve peut-être confronté à la conjonction de deux phénomènes aux effets cumulatifs et redondants (Geyer et Sanlaville 1991) : le reflux de l'occupation sédentaire originellement sans rapport avec des causes naturelles et dont les effets se seraient combinés avec ceux d'une péjoration climatique. Le changement de régime des cours d'eau en serait une des conséquences. Reste à caractériser, et surtout à dater, l'hypothétique péjoration climatique du Bronze récent.

Les formations récentes (Q_{00})

Postérieurement à la mise en place des formations Q_{0a} et Q_{0b} qui restent, malgré leur déboîtement peu marqué, bien individualisables, plusieurs cycles de même nature, quoique de moindre efficacité, ont encore marqué l'évolution du fond de vallée. Ils sont à l'origine d'une série de terrasses dites « historiques » (Q_{00}). Celles-ci ont été cartographiées ensemble (cf. **cartes h.-t.**), car elles ne sont pas différenciables du fait d'une part des trop faibles dénivelées qui les séparent, d'autre part des nombreux déplacements et recoupements de méandres qui les morcellent.

Le matériau qui les constitue, toujours foncièrement limoneux, est cependant plus sableux que celui des formations Q_{0a} et Q_{0b}, probablement parce qu'il s'agit surtout de matériaux repris en charge par érosion des formations antérieures et ayant subi un tri avec dépôt rapide de la fraction la plus grossière et entraînement des fines plus en aval. La coupe relevée à El Kita'a (**fig. 48**) présente un exemple caractéristique de ce type de dépôt, mis en place très progressivement au cours d'épisodes de submersion répétés du lit majeur épisodique du fleuve (cf. **fig. 23**).

L'ACTIVITÉ DES PROCESSUS MORPHOGÉNIQUES COLLATÉRAUX OU SECONDAIRES

Nous avons noté que la dynamique « longitudinale », c'est-à-dire liée au comportement propre de l'Euphrate, s'est trouvée à la fois contrecarrée et confortée par la dynamique « latérale » qu'exercent, inégalement mais inéluctablement, les cours d'eau affluents, fussent-ils de simples ravins de versant. Inversement, la pente des tributaires, et donc leur potentiel morphogénique, a été réglée par les altitudes des confluences, c'est-à-dire par celles du lit du fleuve collecteur. Les creusements et les remblaiements de la vallée principale ont rythmé le Quaternaire et modifié, par rétroaction, le comportement des affluents eux-mêmes, mis en sommeil ou réactivés en fonction des oscillations du climat local. Or, ces affluents sont les artisans de l'évolution du relief aux abords de la vallée : sur les plateaux encaissants et le long du contact entre les plateaux et le fond de vallée.

Les oueds et les ravins affluents

Les ravins de versant ont tendu à découper le plateau de manière différente selon leur fréquence, leur pente et leur longueur. Rive droite, le versant est parfois découpé en

Formation Qob surmontée de limons de débordement, sur formation Q_{II}.
Nord-est de Dibān 1 (**64**)

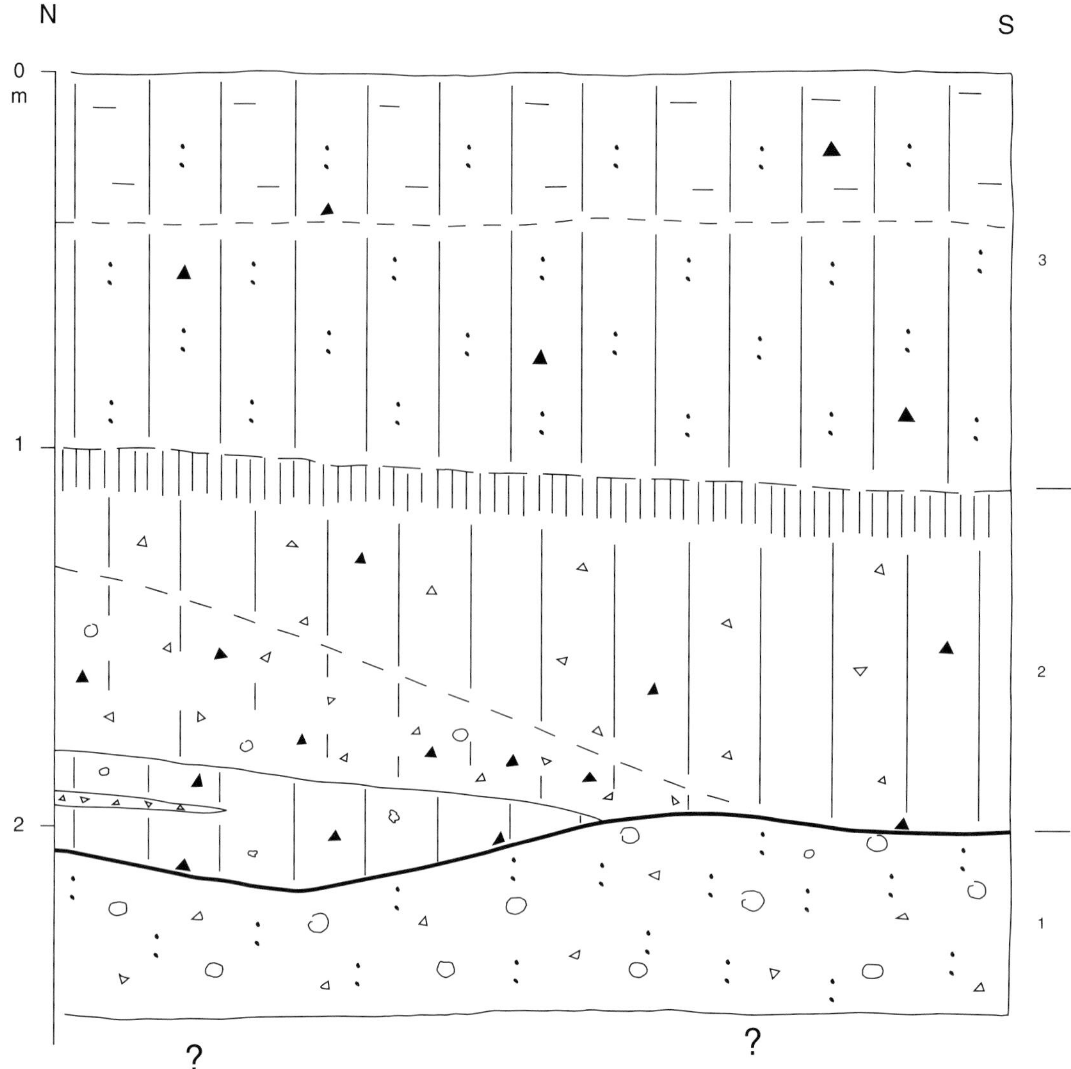

1 : formation Q_{II} enracinée dans le fond de la vallée

2 : probable formation Qob ravinant Q_{II}, de granulométrie assez grossière du fait de la proximité de la berge. Elle est surmontée d'un sol peu épais mais net, lui-même fossilisé

3 : limons alluviaux contenant de rares tessons

Le grand nombre de tessons présents dans la coupe s'explique par la présence, en amont, de plusieurs sites archéologiques en bordure du paléoméandre.

*Fig. 47 - Coupe dans la formation Q_{ob} à Dībān 1 (**64**).*

facettes trapézoïdales ou triangulaires par des bassins de réception auxquels, vers le bas, succèdent directement, sans interposition d'un chenal d'écoulement, des cônes de pied de versant. Là où le fleuve a tardivement encore longé son versant, il n'y a pas de cônes (secteur de Doura-Europos) et les petits ravins peuvent rester perchés en valleuse (au nord-ouest du débouché du W. Abu Shweima). À l'inverse, là où le fleuve est toujours demeuré à distance, les tronçons du versant entre ravins espacés sont accidentés par des replats structuraux qui soulignent la diversité des lithologies (est de Deir ez Zōr).

En rive gauche, le raccord entre le plateau Q_V et le fond de vallée est généralement étalé et progressif ; la falaise est absente ou fort réduite (par exemple, de Deir ez Zōr-Nord à Es Sabkha), de sorte qu'il n'y a pas de ravins de versant, mais des oueds mineurs peu pentus. Leurs vallons sont mal

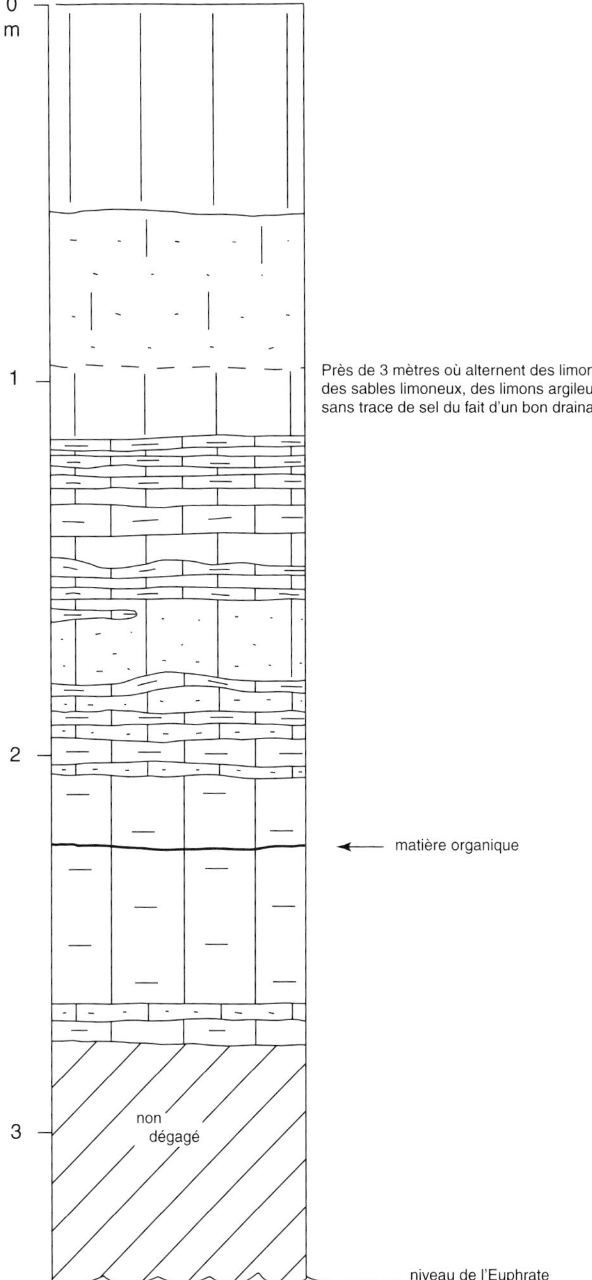

Fig. 48 - Coupe type de la formation Q_{00} à El Kita'a.

imprimés, allant jusqu'à s'effacer (W. Bersham), les cônes terminaux sont minuscules. Toutefois, à l'aval d'El Kishma, le paysage retrouve plus d'énergie et ressemble à celui qui règne généralement en rive droite.

Les basses vallées des oueds majeurs

À l'aval des réseaux hiérarchisés, inscrits sur les plateaux de Shamiyeh et de Jézireh, les oueds ont profondément et, surtout, largement alésé des vallées qui interrompent la continuité des versants de l'Euphrate sur 3 km pour le Wādi el Khōr, 1,8 km pour le W. Abu Shweima, 5 km pour les W. Dheina et Bir el Ahmar, et plus de 4 km pour le Khābūr.

Rive droite, plus on va vers le sud-est, plus le plateau originel apparaît morcelé et plus son rebord s'éloigne des limites de la vallée. À partir du Wādi Bir el Ahmar, les versants des oueds majeurs sont dotés de très larges replats pléistocènes : sur le W. Bir el Ahmar (cf. **fig. 27** et carte **h.-t. IV**), le Q_{IV} mesure plus d'un kilomètre de largeur, le Q_{III} étant mieux conservé sur le versant sud que sur son vis-à-vis. Le Q_{II} est présent de manière presque continue et son altitude relative croît rapidement vers l'est, jusqu'aux deux buttes situées sur l'apex du cône terminal, à + 5 m. Le Q_{I}, quant à lui, bosselle à peine un fond de vallée large de 300 à 500 m, sur lequel le talweg reste néanmoins fonctionnel. Partout la roche en place affleure qui fournit les cailloux du fond de vallée, gypseux, mais aussi des galets calcaires et tauriques, presque sans silex. Il n'y a de formation superficielle couvrante, une dalle calcaire grise, que sur le glacis Q_{V}, en rive gauche. Les croûtes gypseuses sur Q_{IV} et Q_{III} ont été généralement érodées. Le Q_{II} ne possède localement qu'une croûte tuffeuse peu épaisse emballant quelques silex à patine blanche.

La vallée du Wādi Dheina, assez semblable à la précédente par ses dimensions et son orientation, à peu près est-ouest, est plus systématiquement encadrée par le glacis Q_{V}, encore qu'au sommet de la rive droite sa corniche soit moins bien conservée qu'en rive gauche. C'est que le versant y est plus long et plus accidenté par des lambeaux de replats pléistocènes. Le fond de vallée, où le chenal naturel, au pied du versant nord, a été doublé par un canal creusé au pied du versant sud (cf. ci-dessous p. 197), est large de plus d'1 km et compliqué par des accumulations éoliennes modestes, en chapelet. La roche y pointe un peu partout, sauf à l'aval, là où les deux chenaux se rejoignent : on peut y observer au moins 4 à 5 m de lits limoneux et à graviers tauriques attribuables, pour partie, au Q_{I}. Sur les rares lambeaux Q_{IV} de rive gauche subsiste un couronnement de dalle saumonée, ceux du Q_{III} et du Q_{II} n'arborant que des croûtes gypseuses polygonées.

Le court segment cartographié du Wādi el Khōr se présente comme une vallée dont la largeur passe de 1,5 km dans l'ouest à 3 km dans l'est. La dissymétrie des versants résulte, ici encore, du développement des replats pléistocènes sur le versant sud : replats rocheux avec dalle ou croûte, sauf le niveau Q_{II} édifié avec des alluvions euphratiennes. Le replat Q_{I} qui tronque une partie de cette accumulation est mis en relief par l'incision du talweg holocène, elle-même commandée par le sapement du méandre Q_{0a} de l'Euphrate.

Les cônes aux débouchés des oueds et des ravins

Les cartes hors-texte soulignent la fréquence des modelés de ce type. À quelques exceptions près, ils sont présents tout au long des versants de l'Euphrate : cela se traduit sur la carte par une suite de segments de cercle allant jusqu'au demi-cercle.

Une double typologie, formelle et génétique, a été élaborée à partir de la Béqaa libanaise (Besançon 1985), ce qui nous dispense de rentrer ici dans les détails. Rappelons seulement que le développement des cônes est *grosso modo* proportionnel au débit de leurs générateurs. Dans le cas présent, ces cônes appartiennent majoritairement à la classe des modelés monoplans, les témoins de planations anciennes étant soit cantonnés dans la vallée en amont de leurs apex, soit effacés par biseautage (modelés polychroniques : $Q_0 + Q_I$ ou $Q_I + Q_{II}$, etc.). Si les profils transversaux sont convexes, ce dont témoignent le tracé rayonnant des ravins périphériques et le détournement du générateur vers l'une des lisières de chaque cône (en position liminaire), les profils longitudinaux ont une pente moyenne d'autant plus forte que le générateur est plus petit. Elle est normalement concave de sorte que le raccord avec la plaine holocène n'est perceptible que par le changement de la nature du sol. Toutefois, les interventions du fleuve (cône du W. Bir el Ahmar) ou le déversement en position liminaire d'un oued majeur adjacent (cône du W. el Ward) font apparaître un talus périphérique convexe qu'ébrèchent les ravins rayonnants. À l'inverse, l'éloignement persistant du cours de l'Euphrate peut avoir permis aux cônes de fusionner en un glacis de coalescence, comme entre le W. es Sahl et le W. Abu el Arj (**carte h.-t. I**). Nous avons déjà entrevu l'influence des très grands cônes en ce qui concerne la localisation du lit mineur et du lit des méandres, tantôt repoussé vers la rive droite (en face du cône du Khābūr), tantôt vers la rive gauche (en face des cônes des W. es Sahl-en Nīshān, du W. el Khōr, du W. Dheina et du W. Bir el Ahmar).

Les oueds majeurs sont les seuls capables d'avoir régressivement allongé leurs cônes par évasement du dernier segment de leurs vallées dans le plateau : ce sont donc des cônes rentrants. Le cas le plus net est celui du Wādi Dheina qui interrompt le versant de la vallée sur plus de 7,5 km entre le dernier « cap » de la falaise de Doura-Europos et celui du Maqbarat el Mujāwda el Kebīre. Le rentrant du Wādi el Khōr n'est guère qu'esquissé, mais celui du Khābūr prolonge un cône particulièrement peu pentu et transversalement presque plat : il s'agit là d'une forme spécifique façonnée par un générateur issu de sources karstiques.

Quoique ces cônes de l'Euphrate soient situés dans un contexte plus aride et soient privés d'un amont montagneux, toutes les observations rassemblées entre Deir ez Zōr et Abu Kemāl sont conformes à celles qui ont été antérieurement effectuées en Béqaa libanaise (Besançon 1985). Ce n'est que par certains détails que l'on décèle l'empreinte de processus favorisés par une sécheresse plus durable et plus marquée.

Les processus de mode aréolaire

Ils agissent et ont agi tout au long du Quaternaire, aussi bien sur les plateaux de Shamiyeh et de Jézireh que, surtout à l'Holocène, sur le fond même de la vallée. Certains sont pleinement actifs, voire favorisés par les travaux d'aménagement en cours.

Les modelés de nature géochimique

L'érosion n'est pas commandée par les seuls processus mécaniques. Même là où l'eau n'est présente que fugitivement, des phénomènes de dissolution suivis de reprécipitation peuvent se produire, notamment en ce qui concerne les minéraux les plus solubles : chlorure et sulfate de sodium, sulfate de calcium, carbonate de calcium, etc. Or, comme on l'a vu, les roches à l'affleurement tout autour du bas Euphrate syrien sont essentiellement constituées par des matériaux de ce type.

Fig. 49 - Conduits karstiques forés dans le Néogène, mis au jour par le recul de la falaise de rive droite, sur un petit oued peu au nord du Wādi Bir el Ahmar.

Les phénomènes de dissolution donnent naissance à des modelés karstiques. La prédominance du gypse, roche moins résistante que les calcaires francs, limite le calibre des conduits souterrains. Il en existe néanmoins sur les falaises de rive droite : ils ont au plus 1,5 à 2 m de haut (**fig. 49**). La perte de matière dont ils témoignent induit, par tassement, l'apparition à la surface de dépressions fermées, proches parentes des dolines du karst. En raison des modestes dimensions des cavités internes [26], la profondeur des dolines est faible : entre moins de 1 m et 2 à 3 m au maximum. Plus ou moins rondes ou ovales, elles appartiennent au type « en soucoupe ». Elles sont tapissées d'un limon plus épais que sur les plans environnants (rive gauche) ou de sable rouge orangé (rive droite). Elles apparaissent d'autant plus nombreuses et plus larges que le niveau pléistocène où elles s'épanouissent est plus ancien. En effet, c'est le glacis Q_{V} qui en possède le plus grand nombre, certaines pouvant dépasser 1 km de longueur. Sur le glacis Q_{IV} de rive gauche, moins nombreuses et plus modestes, elles peuvent, par suite de la coalescence de dolines alignées sur le fond d'un vallon, s'allonger et former des ouvalas : ainsi celle que l'on observe sur 4 km, à l'est de Hajīn. Il en existe aussi, incomplètement fermées, qui sont installées à la tête d'un vallon. Le glacis Q_{III} n'en possède que quelques-unes, par exemple à l'est d'El Hawāij. Elles sont absentes du niveau Q_{II}.

Comme certains oueds, les dolines suivent parfois des alignements, au-dessus de circuits souterrains eux-mêmes guidés par des accidents structuraux : ainsi en va-t-il des grandes dolines allongées du sud-est au nord-ouest de part et d'autre du Wādi el Khōr ou, sur le Wādi Dheina, de l'association d'un gros ravin du versant sud, de la rupture de pente convexe du talweg de l'oued et de la longue doline sur le plateau nord, le tout strictement aligné du sud au nord.

L'hétérogénéité lithologique du Néogène se fait sentir. Là où le Tortonien supérieur (N_{1}^{1b}) affleure, à l'ouest de Deir ez Zōr, dans le couloir dégagé par le Wādi el Jūra, la surface est perforée par de nombreux avens : pas moins de 70 *karstic craters* sont signalés sur la feuille de Jneina (I.37.XXIII.1.C.a.). Ils sont soit groupés par paquets de trois dans un rayon de 100 m, soit alignés comme les grains d'un chapelet le long d'un petit vallon et s'ouvrent par des bouches étroites de 2 à 3 m de diamètre (**fig. 50**). Ils présentent beaucoup plus de ressemblances avec les avens qu'avec les houets d'effondrement à l'emporte-pièce, observés ailleurs en Syrie (Besançon et Geyer 1995). Ils sont, dans ce cas précis, déterminés par l'évolution d'un crypto-karst dans les strates gypseuses sous-jacentes (Nicod 1992-1993).

Fig. 50 - Un des nombreux gouffres ouverts à la surface des calcaires tortoniens, lesquels reposent sur d'épais bancs de gypse soumis à la dissolution (Wādi el Jūra).

Aux modelés géochimiques d'ablation s'opposent les phénomènes d'accumulation par précipitation préférentielle ou ségrégation de l'un des minéraux solubles. En plaine alluviale, les remontées capillaires des eaux phréatiques trop proches de la surface des champs accumulent du sel, secondairement du gypse. Au stade initial, le sol acquiert une teinte foncée comme s'il était imbibé d'huile minérale (le « *Mobil soil* » des agronomes). Dans un deuxième temps apparaissent des efflorescences blanches en même temps que l'horizon A devient plus compact.

Sur les terrasses et les glacis pléistocènes, le drainage est mieux assuré. Les sels de sodium deviennent minoritaires dans les croûtes et les encroûtements gypseux. Ils sont absents des croûtes et des dalles calcaires. Croûtes et encroûtements gypseux sont présents jusque sous les dalles calcaires (cf. **fig. 26**). Leur épaisseur et leur compacité croissent, *grosso modo*, avec l'âge des surfaces qu'ils revêtent. Seuls les niveaux Q_{I} en sont dépourvus. Ceux du Q_{II} sont déjà affectés par une nette polygonation, avec des revêtements calcaires lités (pellicule rubanée), phénomène qui tend à être plus marqué dans les croûtes des Q_{III} et Q_{IV}. L'abondance du gypse dans ces formations originellement limoneuses à caillouteuses pose le problème des sources et du processus d'enrichissement. Des apports éoliens de limons et de pseudo-limons sont probables, mais les ruissellements pluviaux interviennent également, afin de répartir, imprégner, durcir un matériau de couverture qui échappe dès lors à la déflation.

26 - Un réseau de cavités beaucoup plus impressionnant a toutefois été exploré en rive droite, à proximité de Raqqa (Voigt et Schnadwinkel 1995).

Les retraits dus au réarrangement interne des cristaux et aux longues saisons ou phases d'aridité sont probablement à l'origine des « fentes de retrait » organisées en polygones. Les diamètres de ces derniers varient entre 0,5 et 1,5 m, sans qu'on puisse établir de corrélation avec les âges des niveaux pléistocènes concernés.

Les dalles calcaires qui scellent le plateau Q_V et les replats Q_{IV} de rive droite sont des formations plus difficilement explicables. On peut imaginer que la seconde se soit nourrie de la première, mais on conçoit mal alors qu'elle ait plus souffert des atteintes de la karstification que la dalle antérieure (cf. **fig. 5** et **28**). Quant à cette dernière, quel facteur fut responsable de sa teinte saumonée dans un secteur, grise dans l'autre ? Surtout, il faut bien que leur développement se soit produit sous un climat suffisamment humide pour interdire tout apport éolien de gypse. Dans ces conditions, quel a pu être le rôle d'une végétation nécessairement moins pauvre qu'aujourd'hui ? Les Palmyrénides sont-elles l'origine des volumineux apports de calcite ? Comment ces apports ont-ils été aussi bien étalés spatialement ? Qu'est-ce qui a provoqué leur précipitation ? En somme, s'agit-il d'un sédiment abandonné par des eaux d'épandage ou d'un ancien horizon B_{ca} réaménagé après décapage de l'horizon A ? Autant de questions auxquelles on ne peut fournir que des réponses souvent contradictoires.

Trois séries de faits méritent d'être retenues :

1. Les dalles saumonées n'existent, en lisière du plateau de Shamiyeh, que là où affleure le Pliocène (N_2^b), alors que la dalle grise du Q_V scelle partiellement, en rive droite, l'affleurement du N_2^a (cf. **fig. 10**). Cette relation n'existe plus au nord du parallèle de Buqras et jamais en rive gauche ;
2. La dalle saumonée du Q_{IV} n'apparaît que là où s'étale, en contre-haut, celle du Q_V ;
3. Les dalles calcaires des Q_V et Q_{IV} sont généralement posées sur une dalle gypseuse, elle-même installée au sommet d'un cailloutis alluvial, du moins à proximité des oueds majeurs. Cela implique une succession complexe de phases morphogéniques.

Rappelons que nous avons déjà observé ailleurs, quoique rarement, l'existence de dalles plus ou moins conglomératiques, calcaires et de couleur saumon : par exemple, face à Jérablous, à Derbazine Tahtani (Besançon 1983) et en Béqaa septentrionale près de Hermel (Besançon 1985). La première est lapiazée comme, ici, celle du Q_{IV}, la seconde renferme des Helix.

Les effets du vent

La part du vent dans la dynamique naturelle est particulièrement importante en raison de la fréquence et de la vitesse des déplacements de l'air, de la présence en surface de particules minérales de petit calibre (limon et sable détritiques, pseudo-limon et pseudo-sable formés de particules agrégées) et de l'absence de végétaux et d'eau susceptibles de s'opposer à la déflation.

L'incessant remodelage d'une mince nappe limoneuse ou limono-sableuse, parfois compliquée de rides parallèles (*ripple marks*), concerne peu le fond de la vallée de l'Euphrate, trop humide et végétalisé. Toutefois, en rive droite, au sud-ouest de Deir ez Zōr, sur l'aval du cône du Wādi es Sahl et le niveau Q_{0a} adjacent, récemment interdits aux pratiques culturales, le limon beige rosé se déplace librement. Il commence à tapisser les micro-pentes sous le vent des anciens sillons, canaux et drains.

Sur le plateau Q_V de rive droite, entre la mosquée de Sreij et le Wādi Bir el Ahmar, le sable rouge orangé ne recouvre qu'imparfaitement la surface et, *a fortiori*, ne comble pas les dolines en soucoupe. Il y est sans doute très fréquemment remis en mouvement, ce dont témoignent son invasion, par en haut, du versant de la vallée de l'Euphrate et l'empâtement des têtes de ravins de versant (cf. **fig. 6**). L'avant-garde migre déjà sur certains petits cônes (cf. **fig. 7**). Ces sables colorés, qui se distinguent des sables gris d'origine taurique, semblent provenir d'affleurements tertiaires, comme on peut en voir dans la région de Khneifess, le long de la route Damas - Deir ez Zōr.

Dans la vallée, les sables gris, encore apportés par le fleuve ou empruntés aux affleurements du Q_{III} et du Q_{II}, dans lesquels ils s'interstratifient avec des bancs de galets, sont dominants dans le lit des méandres, notamment sur les lobes convexes. Ils constituent des îles qui demeurent exondées durant de longs mois. Ils s'accumulent en amas informes, assez vastes, le plus souvent végétalisés, comme dans le Wādi el Halawa près d'Abu Hardūb, ou au centre du cône du Wādi Dheina. En revanche, les barkhanes de Sweidan Shamiye ainsi que celles qu'on voit au nord-est et au sud-est de Tell Hariri (Mari) sont principalement constituées de pseudo-limon et de pseudo-sable soufflés à partir des levées et des fonds asséchés des méandres recoupés. Ce matériau fin, beige jaunâtre, constitue également une nappe de couverture ou de petits amas linéaires à tamaris sur le large fond du Wādi Dheina.

Sur les plateaux, la relative rareté des sables grossiers explique peut-être l'absence de *dreikanters* [27] et de touchers savonneux sur les galets et les artefacts disséminés en surface.

Par grand vent, une partie des poussières éoliennes est définitivement exportée hors de la vallée. Elle a sans doute participé à la genèse des croûtes gypseuses qui scellent les glacis pléistocènes de rive gauche et le plateau de la Jézireh orientale.

Les grandes dépressions hydro-éoliennes

L'enlèvement des poussières et des sables par le vent est capable, avec le temps, de procéder à l'excavation de dépressions fermées beaucoup plus vastes que les dolines

27 - Dreikanter : caillou façonné par les vents de sable et présentant une forme pyramidale à trois faces (George 1993).

évoquées ci-dessus. Il s'agit de formes en creux d'échelle kilométrique ou décakilométrique, au fond desquelles se rassemblent les eaux de ruissellement pluvial. À celles-ci peuvent s'ajouter des remontées d'eaux profondes de type artésien. Ayant percolé au travers des strates néogènes, ces eaux détiennent une forte teneur en sel et en gypse, souvent aussi en fer et en soufre, minéraux qui s'accumulent aux griffons et sur le plancher des sebkhas. Ils sont associés aux pseudo-limons et pseudo-sables enlevés aux plateaux encaissants. Les sels concourent, lors de leur cristallisation, à la fragmentation des roches. En période sèche, dès que la nappe phréatique ne permet plus l'humectation de la surface, les produits de l'altération deviennent éolisables. Ainsi la conjonction d'une présence momentanée de l'eau, de l'haloclastie et de la déflation peut-elle contrebalancer les tendances accumulatives propres à toute dépression fermée et, *a contrario*, permettre leur excavation progressive.

Dans les limites du bassin-versant du bas Euphrate syrien s'épanouissent deux grands ensembles de dépressions hydro-éoliennes (cf. **fig. 16**).

Au nord-est, à cheval sur la frontière iraqienne, on en observe une série installée sur les vestiges du paléoréseau du Wādi 'Ajij. Elles s'alignent sur une centaine de kilomètres de longueur, selon un axe approximativement nord-sud. La première sebkha, à 80 km au sud du Jebel Sinjar, est la Feidat Barga (*ca* 6 km sur 3 km), sur l'aval du Wādi Khashm, ancien affluent de droite du Wādi 'Ajij. Dix kilomètres en aval commence de s'épanouir la sebkha de Rawda (25 x 8 km). Elle marque l'ancienne confluence du Wādi ej Juwef, d'orientation nord-nord-ouest - sud-sud-est. Huit kilomètres au sud commence la vaste Sabkhet el Barghūt (43 x 6,5 km) qui naît de la confluence d'un oued venu d'Iraq, lui-même interrompu par une sebkha secondaire, celle d'El Buwara (5 x 4 km), et se prolonge en une longue pointe (Sabkhet Shamtan) creusée en combe dans le Tortonien. Sur le flanc occidental du pli (Miocène supérieur) ou à son pied (Pliocène), un seul alignement de dépressions fermées, nettement moins creuses, accompagne le précédent : Feidat ej Jizeh, Suh ej Jazar, El Addad, Khadret Younes et la constellation des très vastes dolines organisée au sud de la sebkha d'Es Sab'a (2 x 6 km). L'ensemble se termine à moins de 4 km du versant de la vallée de l'Euphrate.

Sur le plateau de Shamiyeh, la sebkha la plus vaste est la Feidat ej Jub (22 x 5 km), terminal du Wādi el Miyah. Sur le même axe, 10 km au nord-ouest, on trouve la cuvette circulaire d'El Jafaf (5 km de diamètre). Elles mettent au jour le Pliocène inférieur (N_2^a) grâce à des creux de 10 à 15 m sur la charnière d'un anticlinal. Ce chapelet est doublé par un autre, parallèle et plus au sud-ouest, installé sur la flexure de Slubi, au pied du mont bordier (Ed Duwekhiye), vers 300 m d'altitude. Les petits oueds cataclinaux s'y perdent sans recours. Au pied méridional du Jebel Bichri, dans une position similaire, un autre groupe d'oueds cataclinaux rejoint une sebkha (5 x 4 km), située peut-être sur le prolongement de l'anticlinal de la Feidat ej Jub.

Il existe enfin au nord de Deir ez Zōr une dernière dépression, la Feidat el Zurab, née du barrage qu'oppose à l'écoulement fluviatile un placage volcanique (Himmat el Jazīra), probablement installé en coulée de vallée sur le cours moyen du Wādi el Baqara. Plutôt qu'une combe, c'est un *khabra* comme il en existe beaucoup dans le triangle sud-ouest de la Syrie (Abdul Salam 1966).

Les sebkhas du bassin-versant du bas Euphrate syrien devraient faire l'objet d'une étude géographique systématique, complémentaire des recherches archéologiques réalisées par R. Bernbeck (1993), dans la mesure où l'on sait que celles de Palmyre (Besançon *et al.* 1997) et d'El Kowm (Besançon et Sanlaville 1991), qui présentent de grandes similitudes, ont précocement et durablement attiré les hommes de la préhistoire.

La dynamique morphoclimatique au Quaternaire

Faute d'avoir pu prospecter les grandes sebkhas, dont le début du façonnement remonte au moins au Quaternaire moyen si l'on en juge par celles d'El Kowm (Besançon *et al.* 1982), il reste, au terme de notre analyse, à bâtir un modèle génétique capable d'expliquer les formes et formations étagées et/ou emboîtées qui caractérisent le paysage de la vallée de l'Euphrate.

Un mécanisme cyclique

L'approfondissement des vallées affluentes commandé par l'abaissement du plancher de l'Euphrate implique, sur le long terme, une efficace érosion des talwegs, érosion dite « linéaire » bien qu'elle affecte en réalité des couloirs larges de plusieurs centaines de mètres à plusieurs kilomètres. Ces fonds de vallées et, surtout, les glacis et les cônes pléistocènes rabotés aux dépens des affleurements tertiaires procèdent par ailleurs d'une érosion « latérale ». Dans le premier cas, on peut évoquer l'instabilité des lits mineurs, les phénomènes, fort peu incipients, de submersion et surtout la dynamique des méandres auto-déformants. Dans le second cas, ces processus paraissent insuffisants. Surtout, l'élaboration de surfaces d'aplanissement suppose que les eaux courantes qui les engendrent par sapement latéral, corrosion de type karstique, balayage par des chenaux multiples ou par déversements et *sheet flood* ne soient pas incitées au creusement du talweg, parce qu'elles agissent au moment où leur niveau de base, en l'occurrence le plancher de l'Euphrate, est lui-même stable, voire en cours de lent remblaiement.

On aboutit ainsi à un système à deux temps : à une phase de planation plus ou moins étendue succède une autre phase consacrée au creusement, le long des axes du réseau hydrographique. Suit une planation subséquente qui emboîte de nouveaux glacis et cônes en contrebas des précédents, etc.

Toutefois, il faut tenir compte de la présence de dépôts fluviatiles et de ceux, pour partie, éoliens, que l'on observe au sommet des stratigraphies les mieux conservées. Leur épaisseur totale peut atteindre plusieurs mètres, sinon plusieurs dizaines de mètres (ex. : Q_{II}). La puissance originelle de la formation Q_{II}, cas limite dans notre région, prouve qu'il faut évoquer un cycle à trois temps :

1. Creusement « linéaire », profondément imprimé dans les affleurements tertiaires ;
2. Remblaiement épais, d'abord essentiellement euphratien (galets tauriques) que surmontent des apports locaux (éoliens : membre supérieur limoneux du Q_{II}, ou/et alluvions des oueds latéraux, eux-mêmes souvent tauriques puisqu'empruntés aux affleurements du N_2^b) ;
3. Phase de stabilité de l'Euphrate (ou de remblaiement modéré ?) qui incite les affluents à des efforts de planation, à commencer par les abords des confluences. Ceux-ci travaillent ensuite régressivement : d'où les cônes rocheux « rentrants » des Wādis el Khōr, es Sahl, Dheina et du Khābūr.

Dans ces conditions, un système d'oueds mineurs suffisamment dense aboutit, par connexion des cônes individuels, à un glacis multiconvexe en rive gauche, tandis que les simples ravins de versants ne génèrent généralement que des petits cônes distincts de pied de versant en rive droite.

La coupe levée sur le versant nord du Wādi Bir el Ahmar, près de Tell el Khinzīr (cf. **fig. 19** et **27**), fournit un exemple de ce mode d'évolution : après creusement jusqu'aux bancs gypseux résistants du N_2^a, le Wādi Bir el Ahmar a remblayé sa vallée avec des alluvions sablo-caillouteuses, puis des matériaux limoneux peu caillouteux. Après quoi, il a attaqué la pédiplaine primitive et largement dégagé le glacis Q_V. Comme on le sait, celui-ci est maintenant scellé par une épaisse dalle calcaire saumonée ou grise. De la même manière, la dalle calcaire lapiazée du Q_{IV}, en rive droite, repose sur des cailloutis fluviatiles de part et d'autre du Wādi el Ward et du grand ravin jumeau. Le niveau Q_{III} de Deir ez Zōr-Nord (cf. p. 35) repose localement sur des alluvions euphratiennes que surmonte un horizon limoneux gypsifié (cf. **fig. 30**). Le replat Q_I au nord de Darnaj (cf. p. 40) résulte d'une dissection opérée aux dépens du Q_{II} suivie d'un remblaiement fossilisateur, actuellement en voie d'exhumation (cf. **fig. 39**), et d'une planation restreinte en contrebas du niveau Q_{II} originel.

La répétition de ce diptyque dans des dépôts appartenant à des époques différentes du Pléistocène souligne la récurrence d'un mécanisme triphasé. Il est peut-être nécessaire de compliquer le modèle afin de faire une place à la genèse des croûtes. En effet, sous un climat identique, mais dans un contexte endoréique, nous avons observé l'existence de croûtes gypseuses et de croûtes ou de travertins calcaires, largement étalés et chronologiquement distincts (Besançon et Sanlaville 1988). Ici il existe également des croûtes ou des encroûtements gypseux ainsi que des dalles calcaires. La similitude ne saurait être l'effet du hasard. En conséquence, il y a bien lieu d'envisager un processus quadriphasé (creusement linéaire + remblaiement fluviatile + planation latérale + encroûtement) commandé par les oscillations climatiques balançant entre phases pluviales et interpluviales. Soit (**tableau 5**) : 1. un stade plénipluvial ; 2. un stade catapluvial ; 3. un stade pléni-interpluvial ; 4. un stade anapluvial. Dans cet enchaînement, les encroûtements gypseux seraient élaborés au stade 3 et les dalles calcaires pendant l'épisode 4.

Phases	Végétation	Oueds	Croûtes
1 Plénipluvial	phytostasie généralisée	creusement linéaire des talwegs	pédogenèse
2 Catapluvial	rhexistasie : destruction des sols et régolites	remblaiement alluvial massif	décapage et destruction ± efficace des dalles anciennes (poupées)
3 Pléni-interpluvial	aridité maximale : végétation minimale mais relative stabilité des sols	planation latérale	apports éoliens, genèse d'encroûtement et/ou de croûte gypseuse
4 Anapluvial	développement lent du couvert végétal	début du creusement linéaire	dalle calcaire et pellicule rubanée calcaire dans croûte gypseuse polygonée

Tableau 5 - Cycle morphoclimatique.

De fait, les dalles saumonées du Q_V et du Q_{IV} sont séparées des cailloutis fluviatiles par une croûte gypseuse (W. el Ward) ou un niveau de limon fortement enrichi en gypse particulaire (Doura-Europos). Là où n'existe pas de dalle calcaire, notamment en rive gauche (niveaux Q_V, Q_{IV} et Q_{III}), on remarque que les flancs des fissures polygonales qui pénètrent dans les croûtes gypseuses sont eux-mêmes revêtus de pellicules rubanées calcaires (cf. p. 33).

Variantes

Si, durant le Pléistocène, la succession des Pluviaux a déclenché la répétition du cycle ci-dessus esquissé, cela n'implique nullement que la nature ait bégayé. Chaque cycle a possédé son individualité : durée globale, éventuels interstades, taux de la pluviométrie régionale, baisse de la température moyenne n'ont pas été nécessairement identiques.

Seuls les cycles Q_V et Q_{IV} ont bénéficié, *in fine*, de la mobilisation, localement massive, d'une grande quantité de calcite, au terme du façonnement d'aplanissements étendus. Il semble par ailleurs que les capacités de planation aient eu tendance à diminuer au cours du Quaternaire, surtout après la période Q_{III}. En revanche, le travail de dissection linéaire a atteint son apogée dans l'intervalle Q_{III}-Q_{II}, puisque le plancher contemporain de l'Euphrate reste encore caché aujourd'hui. De même, la phase Q_{II} de remblaiement a mis en place un volume inégalé d'alluvions fluviatiles, à tel point que si les niveaux pléistocènes antérieurs sont étagés, ceux qui l'ont suivi apparaissent emboîtés. Le cycle Q_I semble avoir été un des moins efficaces : modicité des dépôts, d'origine plus locale qu'euphratienne, et extension réduite des terrasses ou des replats afférents. Faut-il voir là une conséquence de la multiplication des interstades, bien attestée lors du dernier Pluvial dans les pays de latitude moyenne, ou d'une moindre abondance des pluies, qui pourrait expliquer la rareté des artefacts attribuables au Paléolithique supérieur ?

Chronologie

Sans l'appoint de données paléontologiques et de radiodatations, nous sommes contraints de ne proposer qu'une trame chronologique très lâche et pour partie hypothétique. Elle repose sur des critères géomorphologiques (stratigraphie des nappes quaternaires, étagement des modelés, caractéristiques des formations superficielles...) et sur la typologie des assemblages incorporés aux sédiments quaternaires. Nous tiendrons compte aussi des similitudes avec les dispositifs reconnus précédemment sur l'Euphrate moyen et supérieur et dans la dépression d'El Kowm.

Au-delà, on est tenté de s'interroger sur d'éventuelles corrélations avec l'autre grande vallée syrienne, celle de l'Oronte, ainsi qu'avec le Nahr el Kébir, deux ensembles qui ont naguère fourni de quoi bâtir un premier tableau du Pléistocène levantin, et, grâce au raccord avec le littoral, de caler celui-ci en liaison avec les variations eustatiques du niveau de la Méditerranée.

Pour lire le tableau de synthèse qui suit (**tableau 6**), il est important de se souvenir que les « Pluviaux » correspondent en fait aux phases catapluviales (cf. **tableau 5**) durant lesquelles, dans des conditions de rhexistasie généralisée, se produisirent les remblaiements fluviatiles majeurs.

La typologie des industries [28] associées aux différentes formations alluviales pléistocènes de l'Euphrate conforte les corrélations établies sur des critères géomorphologiques avec celles qui sont observables dans plusieurs autres grandes vallées levantines, notamment celle de l'Oronte moyen (SANLAVILLE *et al.* 1993) et du Nahr el Kébir septentrional (SANLAVILLE éd. 1979). On y retrouve, à quelques variantes près, l'Acheuléen moyen dans le Q_{III}, l'Acheuléen récent dans le Q_{II}, les Paléolithiques moyen et éventuellement supérieur dans le Q_I.

Grâce aux recherches géo-préhistoriques menées dans les régions littorales (SANLAVILLE 1977, BESANÇON *et al.* 1994), on sait que les remblaiements fluviatiles généralisés (ex. le Q_{II}) se sont déroulés au cours de régressions de la mer Méditerranée. Simultanément, en régions de latitudes plus basses, subtropicales, la pluviosité se trouvait améliorée. Au Proche-Orient, aux retraits marins ont donc correspondu des Pluviaux (compte non tenu des étages supérieurs des hautes montagnes) et aux transgressions un retour offensif de l'aridité.

Les analyses isotopiques opérées sur les sédiments stratifiés du fond des mers et des océans ont abouti à l'établissement d'un calendrier détaillé par lequel les oscillations climatiques quaternaires se trouvent assez précisément datées et regroupées en un certain nombre de stades (**tableau 6**) pour les Pléistocènes moyen et supérieur. Les stades 2 à 4 couvrent les fluctuations enregistrées entre ± 70000 et 12000 BP, c'est-à-dire durant le dernier Pluvial en ce qui nous concerne, les stades 5a à 5e l'Interglaciaire précédent, le stade 6 le Pluvial antérieur, etc.

Pour les sédiments continentaux pléistocènes, les datations absolues, rares en Syrie, apparaissent sujettes à caution sinon contradictoires. Toutefois, sur la base des données acquises à El Kowm (HENNING et HOURS 1982), il semble établi que le Levalloiso-moustérien, présent par exemple dans la formation Ech Chir 2, apparut dès 80000 BP et se prolongea durant la majeure partie des stades 5a, 4 et 3, soit jusque vers 25000 BP, laissant alors la place au Paléolithique supérieur, représenté par la formation Ech Chir 3. Les industries qui assurèrent la transition entre l'Acheuléen et le Paléolithique moyen s'étaient préalablement succédé dans l'ordre inverse suivant : l'Hummalien (stades 5 c et b, entre 80000 à 90000 et 100000), l'Acheuléen final et le Yabroudien (Ech Chir, stades 5 d à 7, entre 90000 et 200000 à 250000), l'Acheuléen récent évolué se localisant quant à lui autour de 250000 BP, ce dernier étant connu par le site de Gharmachi 1 b et la coupe de Karkour (MUHESEN 1993). Ces sites reposent sur les terrasses Q_{III} pour le premier, Q_{II} pour le second : cette dernière contient, quant à elle, des bifaces de l'Acheuléen récent.

28 - Communication personnelle de S. Muhesen. Les études portant sur le matériel lithique récolté dans les formations alluviales feront l'objet d'une publication ultérieure.

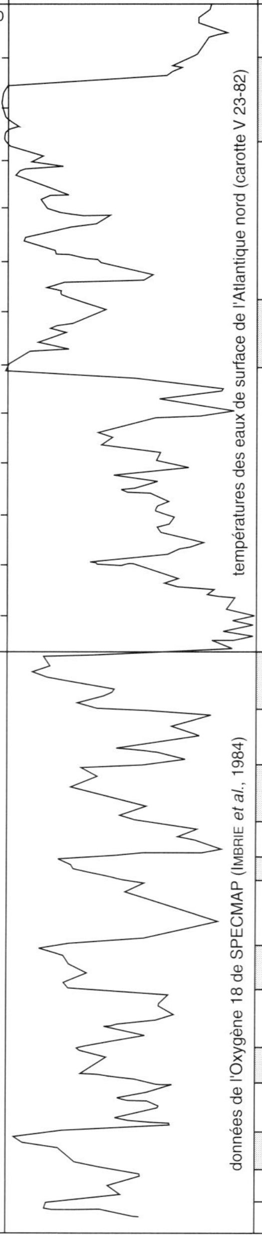

	ans BP x 000	carottes océaniques	stade isotop	rivages levantins	Formations alluviales et terrasses quaternaires: Nahr el Kébir	Oronte moyen	Euphrate supérieur et moyen	Euphrate inférieur	Industries	
HOLOCÈNE	10	températures des eaux de surface de l'Atlantique nord (carotte V 23-82)	1	± actuel	basse terrasse	basse terrasse	basse terrasse	$Q_{0a} \rightarrow Q_{0b} \rightarrow Q_{00}$	Néolithique et post.	Q_0
PLÉISTOCÈNE SUPÉRIEUR	20		2		Ech Chir 3	Nahr Sarout 3	Abu Charhi sup. amont de Deir ez Zōr en rive droite (sup.)	Maqbarat el Mujāwda el Kebīre	Épipaléolithique / Paléolithique sup.	Q_{Ic}
	30, 40, 50		3						Moustérien	
	60, 70		4		Ech Chir 2	Tahounien Nahr Sarout 2	Abu Charhi moyen amont de Deir ez Zōr en rive droite (inf.)	Wādi er Radqa W. el Īsba'- Darnaj	Moustérien	Q_{Ib}
	80		5a					vnsj	Moustérien	
	90, 100		5b, 5c					vnsj	Hummalien (El Kowm)	
	120		5d					vnsj	Hummalien (El Kowm)	
	130		5e	plage à Strombes + 6 - 8 m						
PLÉISTOCÈNE MOYEN		données de l'Oxygène 18 de SPECMAP (IMBRIE *et al.*, 1984)	6		Ech Chir 1	Emdanien Nahr Sarout 1	Abu Charhi inf. (?)		Acheuléen final Yabroudien	Q_{Ia}
	200		7	rivage 15 - 20 m		Karkour Gharmachi 1b			Acheuléen récent évolué	Q_I / Q_{II}
			8		Jinnderiyé	Jrabiyat	Abu Jemaa	Tell Bani Deir ez Zōr (dépotoir)	Acheuléen récent	Q_{II}
	300		9	Jbaïlien I (45-50 m)					Acheuléen récent	Q_{II}
			10						Acheuléen récent	Q_{II}
	400		11	Jbaïlien II (60 m)		Latamné: F. Arbaïn	Halabīya	Deir ez Zōr Nord	Acheuléen moyen (trièdres)	Q_{III}
			12			Latamné: F. Arbaïn	Halabīya	Deir ez Zōr Nord	Acheuléen moyen (trièdres)	Q_{III}
	500		13		Jebel Berzine	Latamné: ?	Halabīya	Deir ez Zōr Nord	Acheuléen moyen (trièdres)	Q_{III}
			14			Latamné: F. Miramil	Halabīya	Deir ez Zōr Nord	Acheuléen moyen (trièdres)	Q_{III}
	600		15						Acheuléen inférieur	Q_{IV}
			16		Sitt Markho	Rastane	Chiné ? Derbazine Tahtani	2e dalle calcaire	Acheuléen inférieur	
			17						Acheuléen inférieur	
	700					Khattab		1e dalle calcaire	Acheuléen inférieur	Q_V

F. = formation ; inf. = inférieur ; sup. = supérieur

Tableau 6 - Corrélations et hypothèses chronologiques.

Sur l'Euphrate comme sur l'Oronte, les sédiments de la formation Q_{II} sont constitués par des silex roulés, dont des artefacts de l'Acheuléen moyen manifestement remaniés. Le faciès de ces dépôts, fort épais mais installés en contrebas (plus de 10 m à Jrabiyat) du pied de la formation Q_{III}, ressemble beaucoup à celui du Q_{III} par sa couleur foncée qui résulte d'une décarbonatation prononcée et par la présence d'oxydes ferrugineux à ferro-manganifères qui revêtent les constituants. Cependant, la patine des artefacts de l'Acheuléen récent est plus claire et plus jaunâtre que celle des artefacts de l'Acheuléen moyen. En l'absence de datations absolues, la formation Q_{II}, qui recouvre les plages jbaïliennes sur la côte libanaise (SANLAVILLE 1977), paraît avoir été mise en place soit au stade 8, soit au stade 10.

Pour la formation Q_{III}, nous disposons de datations par thermoluminescence, sur des sables localisés au-dessus et au-dessous du niveau d'un site d'occupation découvert à proximité d'une gravière à Latamné. Quoique la stratigraphie soit exempte de tout ravinement, ces dépôts épais, de faciès homogène, paraissent résulter de la superposition de deux membres, parfois séparés par un niveau presque exclusivement caillouteux. Les galets et les silex du membre inférieur (ou formation Miramil, selon CLARK 1967) sont beaucoup plus nombreux que dans le membre supérieur essentiellement sableux (ou formation Arbaïn, selon CLARK 1967). Le site est interstratifié dans la partie inférieure de ce dernier. L'outillage qui y a été récolté, riche en bifaces, en pics triédriques et en sphéroïdes polyédriques, est similaire aux artefacts trouvés à divers niveaux du Q_{III}, autour de Latamné comme sur tout le cours moyen de l'Oronte, sur celui de l'Euphrate et même près de la côte comme à Tartous (BESANÇON *et al.* 1994). Seules les alluvions sous-jacentes à la terrasse Q_{III} de Rastan ne contiennent que des petits choppers (COPELAND et HOURS 1993) qui évoquent l'éventualité de dépôts antérieurs (stade 16 ?) préservés exceptionnellement.

Le membre inférieur de la formation de Latamné a livré une date (567 ± 42 Ka) qui n'est pas incompatible avec les déductions tirées des restes des grands mammifères recueillis sur le site éponyme (GUÉRIN *et al.* 1993), d'après lesquelles la phase de dépôt correspondrait au stade 14. Toutefois, la détermination des restes de micromammifères de Latamné, Arzé et Jrabiyat (MEIN et BESANÇON 1993) inciterait à vieillir la période : entre 0,7 et 0,9 million d'années, soit la fin du Pléistocène inférieur.

En réalité, c'est la datation de sables du membre supérieur (324 ± 65 Ka) qui pose un problème, car elle impliquerait une appartenance au stade 10, ce qui est contradictoire avec toutes les déductions précédentes. L'hiatus temporel qui séparerait les deux membres de la formation de Latamné est considérable, alors que la stratigraphie, la sédimentologie et la typologie des artefacts sont homogènes. Cette datation éveille donc la suspicion, à laquelle seules de nouvelles datations absolues pourraient mettre un terme. Celle des basaltes qui, à Halabīya, recouvrent indubitablement la formation Q_{III} de l'Euphrate, à Acheuléen moyen, devrait assez aisément y contribuer.

Au total, l'intérêt du secteur ici étudié réside dans le fait qu'il offre des traits similaires à ceux de toutes les grandes vallées (succession de terrasses fluviatiles ou de replats d'érosion assimilables) et d'autres que l'on observe dans les grandes dépressions endoréiques du désert nord-arabique (cônes ou glacis étagés, croûtes gypseuses, dalles calcaires et sebkhas). En tout cas, pour ce qui concerne la dynamique morphogénique, rappelons que les quatre temps forts des cycles quaternaires n'ont certainement pas occupé des durées égales : il faut beaucoup moins de temps pour remblayer les vallées que pour leur exhumation, *a fortiori* pour le recreusement de leurs lits dans la roche en place. Enfin, les opérations de planation nécessitent une longue durée pour engendrer des glacis de quelque extension. De même, la genèse d'une croûte gypseuse est vraisemblablement plus rapide que celle d'une dalle calcaire de même épaisseur, en supposant que les unes et les autres ne soient pas le produit d'une dynamique cumulative (formations polyphasées).

Dans ces conditions, un cycle court ou interrompu avant son achèvement (interstades) a peu de chances d'avoir laissé des traces identifiables. De même, les épisodes les plus anciens risquent beaucoup plus que les récents d'avoir été effacés. Il s'ensuit que les attributions et les corrélations proposées pour les formations étiquetées Q_{IV} et Q_{V} sont des plus hypothétiques.

CONCLUSIONS

— D'un point de vue géomorphologique, la basse vallée de l'Euphrate syrien ne diffère pas fondamentalement des secteurs situés plus en amont ou même au nord de la frontière syro-turque, comme par exemple en amont de Karkémish (MINZONI-DÉROCHE et SANLAVILLE 1988) : on y retrouve les vestiges de cinq cycles morphoclimatiques majeurs pour le Pléistocène et d'au moins trois cycles mineurs dans le cadre de l'Holocène.

Mis à part le glacis Q_{V} de rive droite, bien préservé par sa dalle calcaire, les terrasses et les replats quaternaires ne constituent plus des formes aussi spectaculaires qu'à l'amont (notamment la terrasse de 'Ain Abu Jemaa). Pourtant, la principale phase incipiente s'est bien produite dans l'intervalle Q_{III}-Q_{II} et le remblaiement fluviatile Q_{II} demeure le plus volumineux de tous. En outre, conformément aux lois ordinaires, la vallée est ici moins creuse : 50 à 60 m contre une centaine de mètres à Zalabīya et plus de 110 m à Jérablous. Simultanément, elle prend de l'ampleur, laissant ainsi beaucoup d'espace aux niveaux holocènes. Enfin, les calibres des matériaux de chaque série alluviale s'amenuisent sensiblement.

— Toutefois, la pente du fleuve s'accentue au lieu de s'adoucir.

— D'un autre côté, l'aridité climatique pèse ici plus lourdement que jamais sur les conditions de la morphogenèse et de la pédogenèse, de sorte que les remontées capillaires et les phénomènes d'encroûtement affectent toutes les surfaces (efflorescences salines, croûtes gypseuses ou dalles calcaires) avec des épaisseurs d'autant plus grandes que les surfaces sont plus anciennes. C'est un trait du paysage qui souligne le fait qu'ici l'Euphrate est un organisme allogène qui ne peut entièrement effacer l'empreinte du désert, laquelle s'épanouit sur la Shamiyeh et la Jézireh ainsi que le prouvent la multiplicité et les dimensions des dépressions endoréiques.

— Tout au long du Quaternaire s'est affirmée la tendance au creusement de la vallée, en dépit de l'intercalation de phases de remblaiement plus ou moins volumineux. Compte tenu de la localisation et de l'extension des terrasses les plus anciennes, on a l'impression que la largeur de la vallée a diminué à mesure qu'elle s'approfondissait : à l'époque Q_V, elle aurait atteint une quarantaine de kilomètres (Ponikarov 1966). Ce mode de calcul nous paraît surestimer la réalité, car durant les phases où le niveau altitudinal du fleuve est stabilisé (ni creusement, ni remblaiement), ce sont les affluents qui procèdent à des planations et non les divagations du lit mineur de l'Euphrate.

— L'extension inégale, entre rive gauche et rive droite, des niveaux quaternaires laisse à penser que le fleuve a eu, sur le long terme, tendance à migrer vers son actuel versant de rive droite, aujourd'hui le plus court et le plus pentu : obéissance à la loi de Coriolis ou intervention de déformations néotectoniques ? Les chercheurs qui ont traité de la vallée de l'Euphrate ont souvent cédé à la tentation qu'offre l'hypothèse néotectonique (Ponikarov 1967, Mirzaev 1982, Ozer 1997), confortés en cela par l'instabilité séismique et les preuves d'un volcanisme quaternaire.

Il est vrai que sur la bordure de la plate-forme arabique, qui dérive vers le nord-nord-est, des compressions ne peuvent manquer d'induire ou de faire rejouer les fractures et les déformations structurales. Pourtant, les variations de l'altitude relative des terrasses auxquelles ces auteurs ont fait référence résultent principalement de leurs erreurs d'attribution chronologiques. Les changements altimétriques des terrasses Q_{III} et Q_{II}, là où elles sont apparemment bien conservées, s'expliquent généralement fort bien si l'on tient compte, à côté de la pente générale de l'amont vers l'aval, des pentes propres aux glacis latéraux, en direction de l'axe médian de la vallée.

Néanmoins, il ne s'agit pas de réfuter absolument l'hypothèse néotectonique. Ainsi avons-nous constaté, en rive gauche, une faible dénivelée sectionnant le glacis Q_{II} entre Deir ez Zōr et Buseire : la « falaise » s'abaisse de 12-10 m à guère plus de 3 m au-dessus du lit mineur actuel. On peut certes invoquer les effets d'un biseautage à l'époque Q_I, lequel a réduit le membre supérieur, limoneux, du Q_{II} à moins d'1 m et même raboté le membre inférieur, caillouteux, dans le secteur d'Es Sabkha. Mais le rebord du niveau Q_{II} reprend de la hauteur à l'est du Khābūr. Autrement dit, le panneau compris entre la faille qui guide un segment du Khābūr et le Wādi el Hejna et celle qui a facilité la montée des laves du Himmat el Jazīra semble s'être quelque peu affaissé le long de la faille orthogonale qui court au pied du versant de la rive droite. Il n'est pas impossible que d'autres accidents, failles ou plis, aient modérément rejoué au cours du Quaternaire, notamment entre les phases Q_{II} et Q_I, ou après le Q_I, intervalles durant lesquels se sont produites, en plusieurs points du bassin-versant, des manifestations volcaniques. De fait, la lisière du niveau Q_{II} à proximité d'Abu Kemāl se tient à + 20 m, tout près du lit mineur de l'Euphrate, ce qui peut signifier une tendance à la surrection encore active postérieurement à la période Q_{II}.

— La composition bimodale des formations quaternaires mises en place dans la vallée de l'Euphrate résulte du recouvrement d'alluvions grossières allogènes par des matériaux, également lités, d'origine voisine : alluvions déposées par les affluents de droite et de gauche et/ou des dépôts éoliens.

Elle témoigne d'un décalage chronologique entre les phases rhexistasiques (catapluviales, cf. **tableau 5**) ayant exercé leurs effets sur les très hautes montagnes refroidies du Taurus avant de détruire la végétation xérophile des plaines méridionales.

Sur les éminentes falaises qui bordent la terrasse Q_{II}, allongée quasiment en continu, en rive droite, entre Raqqa et Deir ez Zōr, l'épais membre inférieur (Q_{IIa}) apparaît comme foncièrement caillouteux, avec une matrice sableuse peu abondante. Il se distingue visuellement par sa couleur sombre due à une patine foncée qui enrobe la grande majorité de ses constituants (galets de roches cristallines, de quartz, de « roches vertes », basaltes altérés, silex naturels et artefacts du Paléolithique inférieur dont les plus récents sont attribués à l'Acheuléen moyen).

À Abu Jemaa, ce Q_{IIa} est surmonté par d'épais limons lœssoïdes (Q_{IIb}), où s'intercalent un ou plusieurs lits plus sableux et que coiffe une dalle gypseuse de plus d'1 m d'épaisseur, à débit polyédrique. Le contact à la base de ce Q_{IIb} est faiblement ravinant et parfois souligné par quelques dizaines de centimètres de matériaux de transition, perturbés, où se mélangent les limons beiges, du sable gris et quelques cailloux patinés.

À l'aval de Deir ez Zōr, ce membre supérieur n'est généralement plus observable : la terrasse Q_{II} a perdu une bonne partie de son élévation relative de sorte que, dans l'ensemble, ses dépôts se retrouvent au-dessous de la surface du fond de vallée. Sur les lisières, elle a été ultérieurement amincie et biseautée, si bien que le Q_{II} n'y apparaît constitué que par des apports latéraux relativement grossiers, comme près de Darnaj ou au débouché du Wādi el Khōr (cf. p. 40).

Quant aux autres formations quaternaires, elles ne conservent, elles aussi, que de rares traces de leurs membres supérieurs. Ainsi les 2 m de limons beiges gypseux qui cachent le Q_{IIIa} de la gravière de Hāwi Maghārāt (cf. p. 35) peuvent représenter aussi bien les restes d'un Q_{IIIb} que des recouvrements éoliens sensiblement postérieurs.

Toutefois, sur le cours moyen du Khābūr, la coulée basaltique de Marqada scelle une formation alluviale, épaisse de 12 à 14 m, composée de limons abondamment gypsifiés (6-7 m), lesquels surmontent des cailloutis tauriques mélangés à des blocs de dalle calcaire et à des amas crayeux à cardiums, riches en galets de quartz. Au-dessous viennent des limons et des sables gris, et, enfin, un niveau terreux beige foncé. Aucun artefact n'y ayant été trouvé, on ne peut assimiler cet ensemble, qui a été déposé par le Khābūr et non par l'Euphrate, au Q_{III}. En revanche, le Q_{III} de Halabīya-Zalabīya, apparemment fort étalé, n'a conservé aucun reste d'un éventuel membre supérieur (cf. **fig. 11**).

Les dépôts appartenant à la phase Q_I sont beaucoup moins abondants. Ils fossilisent souvent des reliefs modérément disséqués ou constituent des cônes de pied de versant sévèrement biseautés ou sectionnés. Néanmoins, la coupe ouverte dans le cône de Maqbarat el Mujāwda el Kebīre (cf. **fig. 40**) montre plusieurs strates, caillouteuses en bas (Q_{Ia}), sableuses puis limoneuses en haut (Q_{Ib}).

Enfin, les terrasses Q_0, beaucoup moins épaisses et toujours emboîtées, sont généralement constituées de limons terreux, relativement argileux, qui reposent sur les cailloutis du Q_{IIa} par l'intermédiaire de sables gris, meubles, finement lités et généralement fins.

— En ce qui concerne le fond de vallée, les capacités morphodynamiques de l'Euphrate se trouvent depuis peu modifiées par les retenues syriennes et turques érigées en amont : les hautes eaux et surtout les pointes de crue sont écrêtées, sinon effacées. Or, c'est à ces moments-là que le fleuve rénovait son tracé, déformait ses méandres ou les recoupait, attaquait les berges ou les versants. C'est à un fleuve assagi (sauf lâchers impromptus) que l'on aura dorénavant affaire.

Les grands travaux d'aménagement hydro-agricole ont contribué à transformer encore plus profondément ce comportement, dans la mesure où une part considérable du débit sert à irriguer de vastes périmètres sur les plateaux. Le barrage sur le Khābūr affecte similairement l'efficacité morphogénique de cet affluent. En outre, sur le fond de la vallée, d'autres aménagements programmés à l'aval de Raqqa ont déjà commencé à transformer la topographie (canaux, drains, nivellement...). Ils font baisser le niveau de la nappe phréatique (pompages électriques). Le paysage hérité des oscillations morphoclimatiques holocènes, déjà affecté par la réinstallation des sédentaires au cours du dernier demi-siècle, subit donc une mutation radicale qui éliminera sans doute bon nombre de vestiges géomorphologiques et archéologiques. Notre présente contribution aura donc au moins servi à photographier un état des lieux promis à disparition.

Chapitre II. Éléments des cadres géographiques passés

Bernard Geyer

Les cycles morphoclimatiques pléistocènes permettent d'expliquer les formes et les formations qui constituent les paysages de la vallée de l'Euphrate et de ses abords.

Les processus qui ont régi l'évolution de la vallée durant l'Holocène n'ont pas été fondamentalement différents. Ils ont sûrement eu une moindre ampleur et, surtout, inclus une nouvelle variable de nature anthropique. Ils se sont déroulés sur une échelle de temps beaucoup plus courte (en général du séculaire au millénaire). Toutefois, certaines des composantes naturelles (géologie, orographie, traits climatiques majeurs, héritages paléoclimatiques) propres à la région considérée évoluent lentement, à une échelle de temps qui déborde largement la période holocène. Ils peuvent donc être considérés comme ayant été pratiquement statiques. Il en est d'autres (fluctuations climatiques mineures, hydrologie, pédologie) qui, sous certaines conditions, peuvent subir une évolution plus rapide, éventuellement scandée par des changements brusques : ils constituent de ce fait les moteurs de la dynamique de la vallée. Ce sont eux qui ont influé le plus directement sur l'occupation du sol et sur le peuplement.

LES PROCESSUS DE L'ÉVOLUTION HOLOCÈNE DE LA VALLÉE

Le rôle inhibiteur de l'aridité, gage de stabilité

Enclavée dans la zone aride inférieure, aux portes du désert, la région considérée est marquée depuis fort longtemps par l'aridité : elle le fut encore durant l'Optimum holocène. Ce dernier, favorisé par une amélioration des conditions climatiques, est considéré comme la phase la mieux caractérisée de tout l'Holocène. D'après D. Helmer *et al.* (1998), cette amélioration se serait traduite, dans la région de Jerf al Ahmar (haut Euphrate syrien), par un accroissement de l'humidité de l'ordre de 20 % environ par rapport à l'actuel, sans évidence d'une modification notable de la répartition saisonnière des pluies. Les auteurs soulignent à juste titre que la modicité de l'amplitude pourrait s'expliquer notamment par la persistance, au sud-est, de zones demeurées soumises à une profonde aridité, par une continentalité déjà bien affirmée et par une localisation relativement méridionale (entre 37° et 35° nord). Or, ce sont là des facteurs géographiques permanents : ils ont donc toujours atténué l'ampleur des variations climatiques, lesquelles n'ont pu être que moins marquées dans notre région, située à l'est de Jerf al Ahmar.

De nos jours, des pluies modiques (moins de 160 mm/an en moyenne) et une évapotranspiration potentielle élevée (ETP › 2 500 mm/an) sont à l'origine d'un déficit hydrique considérable. L'année climatique est coupée en deux, la période estivale étant privée d'eau. L'hiver est lui-même de moins en moins arrosé à mesure que l'on avance vers l'est. Le facteur thermique vient encore aggraver la sévérité des conditions climatiques. Si l'hiver est froid, inversement les températures élevées règnent durant la saison sèche.

Un des effets d'une telle sécheresse climatique est de ralentir les processus morphogéniques. Ces derniers sont par ailleurs inhibés par la platitude générale du relief (à l'exception des falaises bordières des plateaux qui encadrent la large vallée alluviale de l'Euphrate et des courtes incisions des oueds affluents) et par la présence fréquente à l'affleurement de substrats infertiles — formations gypseuses, dalles calcaires, croûtes gypseuses (**fig. 1**) — qui accentuent l'aridité et freinent encore l'évolution pédologique. Il s'agit là de composantes que l'on peut qualifier de statiques, qui déterminent le haut degré de stabilité du milieu et limitent ses possibilités de transformation. Si les formes évoluent quelque peu, leur nature ne change pas.

Les traits fondamentaux du relief n'ont donc guère varié depuis le début de l'Holocène. Ils ont été acquis durant le Pléistocène et n'ont plus subi depuis lors que des retouches. Ainsi, les falaises qui limitent les plateaux de Shamiyeh et de Jézireh n'ont plus guère reculé qu'aux rares endroits où le fleuve vient, ou venait naguère, buter contre la roche en place. L'exemple le plus frappant est celui de Doura-Europos (**22** [1], **carte h.-t. IV**) où le sapement de la falaise par l'Euphrate a entraîné l'effondrement d'une partie de la

1 - Les chiffres en caractères gras et entre parenthèses correspondent aux numéros d'identification des sites archéologiques (cf. chap. III et cartes h.-t.).

Fig. 1 - Croûte gypseuse dans la région du Wādi el Jūra.

compte les implantations et la mise en valeur, en même temps qu'il constitue la seule ressource en eau, donc l'élément vital par excellence (cf. ci-dessous, p. 71). Son régime est de type nivo-pluvial, ses eaux sont d'origine allogène. Bien que le débit du fleuve diminue entre son entrée en Syrie et sa sortie vers l'Iraq, les crues sont dévastatrices (KERBE 1979). Leur inconvénient tient autant aux risques de destruction encourus par les sites habités (même si ces derniers ont su, le plus souvent, s'en protéger) qu'aux problèmes qu'ils posent quant à l'utilisation des terres agricoles.

citadelle (cf. chap. I, **fig. 8** et GEYER 1988). En revanche, les limites et la taille des alvéoles (cf. chap. I, **tableau 2** et **fig. 17**) qui s'égrènent le long de la vallée n'ont guère varié. De même, les systèmes de cônes et de glacis qui frangent le pied des falaises et adoucissent le contact entre la plaine et le plateau n'ont que peu évolué. Seules leurs parties aval ont pu subir un remodelage, par érosion et/ou par accumulation. Les superficies concernées sont, de ce fait, restreintes, sauf dans quelques cas particuliers. Parmi ces derniers, on notera d'une part le plateau de Shamiyeh dans la région d'Es Sabkha (**carte h.-t. I**) où des dépôts holocènes sont venus couvrir une terrasse alluviale Q_1, d'autre part les débouchés de quelques grands oueds affluents (Wādi Dheina, W. Bir el Ahmar ; **carte h.-t. IV**) où des cônes récents ont pu se développer.

On est donc face à un système relativement stable, dont il convient d'excepter le fond alluvial holocène, affecté jusqu'à ce jour [2] par la dynamique propre au fleuve, ou encore certains modelés engendrés par les actions éoliennes.

LE RÔLE DÉTERMINANT DU FLEUVE

L'Euphrate fournit l'exemple d'une grande vallée alluviale qui évolue encore actuellement grâce à une dynamique fluviale toujours efficace [3]. Le fleuve représente incontestablement la contrainte principale dont doivent tenir

Le jeu des méandres

Comme tout fleuve doté de méandres divagants, l'Euphrate déplace ses boucles vers l'aval en un glissement progressif qui ronge les berges, recoupe les méandres, élargit peu à peu le lit majeur. Le report, sur les cartes hors-texte, des tracés du fleuve en 1922 (HÉRAUD 1922 a et b), en 1965 (cartes italiennes au 1:25 000) et en 1975 (d'après des mosaïques de photographies aériennes) permet de visualiser l'importance de ces déplacements au détriment des terrasses cultivables, sur une période d'un demi-siècle seulement. On perçoit clairement que la dynamique érosive du fleuve affecte avant tout, et de manière récurrente, l'ensemble de la zone de déplacement des méandres, s'y opposant à toute implantation durable. Cette dynamique a pour effet de faire reculer peu à peu les berges par sapement latéral (**fig. 2**), lequel attaque, de manière plus ou moins efficace en fonction de la cohérence ou de la granulométrie du matériau, aussi bien les formations alluviales que la roche en place. La conséquence en est une rétraction lente, mais inéluctable, des surfaces occupées par les terrasses Q_{0a} et Q_{0b}, les plus favorables à l'occupation humaine (**fig. 3**). Une autre conséquence est la possible, sinon probable, disparition de sites archéologiques localisés à proximité du train de méandres [4] et qui n'auraient pas été protégés des effets destructeurs du fleuve par un choix judicieux de leur lieu d'implantation.

La force destructrice de l'Euphrate peut en effet être contrecarrée, parfois définitivement, souvent partiellement

2 - La situation décrite, notamment en ce qui concerne l'Euphrate et son influence régionale, est celle qui prévalait avant la construction des nombreux barrages qui ont assagi le fleuve.

3 - Cette dynamique fluviale a fait sentir ses effets jusqu'à la fermeture des grands barrages turcs et syrien dans les années 1970. Depuis, le régime du fleuve est bouleversé, dépendant des besoins en énergie (électricité) et en eau d'irrigation. Sa dynamique s'en est trouvée profondément transformée.

4 - Si de telles disparitions sont certaines, elles ne sont ni attestées, ni quantifiables. Il ne nous semble donc pas utile d'épiloguer sur ce sujet. On peut cependant penser que le danger représenté par le fleuve s'est révélé très tôt et que les choix des sites d'implantations en ont tenu compte. Nous sommes donc enclins à penser que, hormis des sites de campagne (bourgs, villages ou hameaux), peu de sites majeurs ont disparu.

Fig. 2 - Recul de la berge par sapement latéral, au nord du village d'El Hasrāt.

ou temporairement. La localisation la plus sûre se trouve incontestablement sur les plateaux, même si, comme le montre le cas de Doura-Europos, tout danger n'était pas absolument écarté. Bien que ce choix ait eu des origines très diverses, nombre de sites installés en bordure de la Jézireh ou de la Shamiyeh nous ont ainsi été conservés : Er Rheiba (**52**) édifié pour d'évidentes raisons militaires, Doura-Europos (**22**), les mosquées de Mazār 'Ain 'Ali (**53**) et de Sreij (**47**), la nécropole de Bāqhūz 2 (**60**), les tumuli d'El Kita'a 2 et 3 (**78** et **79**), etc. Les formations pléistocènes étagées de part et d'autre de la vallée offrent d'autres possibilités très prisées, et presque aussi sûres, puisqu'elles sont constituées de matériaux grossiers, notamment des galets, dont la granulométrie excède la compétence du fleuve holocène et qu'elles sont, de plus, souvent plaquées sur des replats taillés dans la roche en place. Buqras 1 (**50**) et Tell es Sinn (**29**) furent ainsi, au Néolithique [5], implantés sur la bordure d'une terrasse ou d'un replat pléistocènes. Il en fut de même pour nombre de sites appartenant à des époques postérieures : Jedīd 'Aqīdat 1 (**92**), Es Sabkha 1 (**120**), la série des sites localisés à proximité du Nahr Dawrīn (parmi lesquels les sites **173** à **191**), Es Sūsa 4 (**157**), Haddāma 2 (**144**).

Mais c'est en fond de vallée, là où se trouvent l'eau et les meilleures terres, que les hommes ont surtout cherché à s'installer. Dans ce but, ils semblent avoir privilégié de petites éminences qui présentaient l'avantage d'être surélevées, et donc à l'abri des inondations, en même temps qu'elles étaient résistantes au sapement. Il s'agit en effet de buttes résiduelles de la formation pléistocène Q_{II} enracinée dans le fond de vallée, qui, mal arasées, pointent au travers des formations holocènes (cf. chap. I, **fig. 23**). Elles constituent autant de points de résistance potentiels au déplacement du cours du fleuve. Chaque fois qu'un méandre vient buter contre un de ces môles, il est plus ou moins durablement bloqué. Ce phénomène n'est pas récent puisque de tels môles-butoirs supportent quelques- uns des sites les plus anciens tels El Graiye 2 (**45**, **fig. 4** et **5**), Taiyāni 1 (**67**), Dībān 1 (**64**), Er Ramādi (**4**), ou des plus importants tels Buseire 1 (**75**), El 'Ashāra (**54**), Tell Abu Hasan (**9**). Ils ont même pu fixer le cours du fleuve dès lors que l'incision de la formation Q_{0a} (cf. ci-dessus, p. 43) s'est produite entre deux môles peu éloignés. L'Euphrate s'est trouvé alors littéralement pris au piège et n'a plus

Fig. 3 - Champ en cours de sapement par le fleuve, dans la région de Tell Hariri.

5 - Sur le cas particulier des implantations néolithiques, cf. ci-dessous p. 233.

Fig. 4 - Le tell d'El Graiye 2 (carte II, carré I10, n° 45) sur une butte résiduelle de la formation $Q_{II'}$

Fig. 5 - Méandre bloqué en amont du site d'El Graiye 2 (carte II, carré I10, n° 45).

pu changer de cours (GEYER et BESANÇON 1997). De tels points d'ancrage du lit fluvial sont observables entre les « doublets » d'El Graiye 2 (**45**) et Taiyāni 1 (**67**) d'une part, d'Er Ramādi (**4**) et Tell Abu Hasan (**9**) d'autre part. Ce n'est qu'entre ces points d'ancrage où le fleuve se trouve canalisé que les méandres ont pu se développer selon leur dynamique propre, par glissements progressifs, exagération des courbes et recoupements, abandonnant derrière eux des lacs en croissant peu à peu colmatés (**fig. 6**), des dépressions évoluant éventuellement en salines (**fig. 7**), des lambeaux de terrasses. Ces méandres ont d'ailleurs dû poser bien des problèmes pour une éventuelle navigation : les tours et détours effectués par le fleuve rallongent de 48 % le trajet par rapport à une ligne droite (178 km entre Deir ez Zōr et Abu Kemāl par la voie fluviale contre seulement 120 km à vol d'oiseau).

L'impact des crues

L'Euphrate impose à sa vallée une deuxième contrainte : la violence de ses crues. Rappelons que le fleuve connaît ses hautes eaux de mars à juin. Elles sont alimentées par les pluies de printemps, gonflées peu après par les eaux de fonte des neiges sur les massifs turcs. Des pointes de crue supérieures à 7 000 m³/s peuvent être enregistrées, qui sont susceptibles d'entraîner l'inondation de l'ensemble du lit majeur épisodique (terrasses Q_{00} et Q_{0b}, cf. chap. I, **fig. 23**). Ce dernier devient alors impraticable, sinon dangereux. Seules émergent les levées de berge sur lesquelles se dressent les rares agglomérations à s'être aventurées sur ces basses terres. L'inondation a présenté cependant deux avantages : — les sels présents dans les sédiments étaient aisément lavés dans la mesure où les apports en eau étaient importants et où le drainage était facilité par la texture assez grossière des alluvions ; — l'inondation tenait lieu d'irrigation naturelle, ce qui autorisait les cultures de décrues sans apports d'eau supplémentaires (D'HONT 1994). En revanche, le lit majeur souffre, en l'absence de môle-butoir, d'un grave inconvénient : il laisse libre cours aux déplacements des méandres qui ont tout loisir de s'attaquer aux fragiles terrasses, détruisant même les villages.

Signalons que, lors des étiages (été et automne), le fleuve peut se réduire à sa plus simple expression : les bancs de sable sont alors nombreux (**fig. 8**), qui gênent une éventuelle navigation (HÉRAUD 1922 a et b). L'Euphrate peut alors être traversé localement à pied sec et il n'est pas rare de voir des chevaux en profiter pour aller se nourrir sur les îles abondamment couvertes de végétation.

Mais le plus gros problème posé par les crues est celui de la discordance existant entre leur calendrier et celui des cultures. En effet, le débit atteint son maximum à Deir ez

Fig. 6 - Méandre recoupé à Et Ta'as el Jāiz.

Fig. 7 - Les salines de Ghabra, dans un méandre au sud de Tell Hariri.

Zōr en mai. À ce moment-là, la plaine est largement inondée. Les eaux peuvent alors recouvrir les plus basses terrasses et éventuellement la terrasse Q_{0a}. Or, le pic de la crue intervient à peu près à l'époque de la moisson, ce qui peut entraîner la perte d'une grande partie des récoltes.

Le lit majeur exceptionnel (incluant la terrasse Q_{0a}) n'est donc pas à l'abri des crues les plus volumineuses, lesquelles venaient s'étaler sur toute la largeur du fond de vallée, déposant les limons apportés par le flot. Ces limons ont, au fil des millénaires, engraissé les terrasses (Geyer et Monchambert 1987 b, Geyer et Sanlaville 1991). Des tranchées de drainage ouvertes dans la terrasse Q_{0a}, dans la région d'Abu Leil, nous ont permis d'observer les conséquences de ce phénomène d'aggradation. Ainsi, le site d'Abu Leil 3 (**106**), une fosse d'époque islamique creusée dans la formation Q_{0a}, a été recouvert par un sol épais de quelque 25 cm, lui-même enfoui sous 80 cm environ de limons de débordement (**fig. 9**). Certes, l'épaisseur de ces dépôts tardifs est variable ; elle dépend, entre autres, des conditions locales de sédimentation, parmi lesquelles la microtopographie (naturelle ou artificielle), et de la proximité du fleuve. À Tell Hariri/Mari (**1**), un sondage effectué à la base est du tell (carré III Z 21 NO) a révélé une différence de niveau de près d'un mètre entre le sol vierge recouvert d'une couche archéologique datant du Dynastique archaïque I (2900-2800 av. J.-C.) et la surface de la plaine actuelle (Margueron 1987 a). À El 'Ashāra/Terqa (**54**), cette différence de niveau serait même de 2,4 m (Ozer 1997), ce qui paraît beaucoup et doit correspondre à une particularité locale. S. Berthier et O. D'Hont (1994), qui ont observé le même phénomène dans la région de Tell Hrīm (**30**), estiment que l'épaisseur des dépôts mis en place durant les 1 200 dernières années varie entre 20 cm et 110 cm, ce qui correspond à nos propres observations.

En tout cas, ces limons ont fossilisé nombre de sites ou d'aménagements de faible élévation qui ont pu, de ce fait, disparaître totalement en surface, comme par exemple Abu Leil 3 (**106**), ou ne plus être perceptibles que par la céramique remontée par les labours, comme c'est le cas à Ghabra (**21**) ou à Dablān (**204**)[6]. Leur enfouissement a sans doute été d'autant plus rapide qu'ils avaient pu être partiellement laminés par les ondes de crues. L'hypothèse est en tout cas à retenir : l'imposant site de Tell Hariri (**1**) a lui-même eu à souffrir d'écoulements laminaires d'inondation dont le pouvoir érosif était augmenté par le passage forcé dans un « entonnoir » de décrue constitué

6 - Cette explication vaut certainement pour tous les sites mentionnés par K. Simpson (1983) comme étant des *scattered fields*.

Fig. 8 - Basses eaux de l'Euphrate sous Doura-Europos.

d'une part par la masse du site lui-même et d'autre part par les bourrelets de rive d'un méandre situé au sud-est du tell (**fig. 10**).

En conséquence, il faut bien admettre que la perception que nous pouvons avoir de l'occupation du sol et du peuplement passés de la vallée est faussée et qu'une partie non quantifiable des implantations et des aménagements nous restera à jamais inconnue. Même les sites qui sont bien visibles ne nous sont que partiellement connus dès lors qu'ils sont installés en fond de vallée, la partie basse de ces implantations pouvant se trouver, peu ou prou, masquée par les sédiments. C'est pourquoi nous n'avons pas jugé pertinent de mentionner les superficies des sites sur les fiches du catalogue présenté au chapitre III. Seules des estimations par classes de superficies ont été utilisées afin de mettre en évidence la relative modicité des sites et de mieux souligner les cas exceptionnels (cf. p. 133).

Le modelé de la terrasse Q_{0a}, façonné par les crues, intervient aussi, de manière non négligeable, dans l'occupation du sol et dans la mise en valeur. Bourrelets de crue, contrepente de la terrasse et dépression périphérique en sont les trois éléments les plus importants.

Les bourrelets de crue, sur lesquels se sont installées maintes agglomérations, se localisent sur la berge qui domine le lit majeur : ils en matérialisent les limites, actuelles ou passées. On les retrouve, disposés en arc, autour des anciens méandres. Leur exhaussement est dû au débordement des eaux chargées en matériaux fins dont la fraction la plus grossière (ici généralement des sables) se dépose immédiatement du fait de la rupture de charge provoquée par la berge et la végétation des rives (George 1993). La quantité de sédiments convoyée par les eaux de débordement diminue à mesure que l'on s'éloigne de la berge. Si l'on observe un transect perpendiculaire à l'axe du fleuve (**fig. 11**), on constate que le profil de la terrasse est affecté par une contrepente : les altitudes les plus élevées sont situées sur les berges à l'emplacement des bourrelets, elles diminuent ensuite à mesure que l'on se rapproche des plateaux adjacents à la vallée, le point le plus bas étant situé à proximité immédiate du bas de versant qui borde ces plateaux. Là court une dépression périphérique qui sert d'évacuateur naturel des eaux de la crue venue mourir dans ces points bas. Mais mal dessinée, incomplètement façonnée, cette dépression n'est ni régulière, ni continue : elle est donc mal drainée. On verra que les hommes ont cherché à remodeler ces creux afin d'améliorer l'efficacité du drainage.

Les crues brutales des oueds affluents ont également joué un rôle important. Les données les concernant sont rares. Une des seules crues qui a pu être mesurée s'est déroulée sur le Wādi Dheina au printemps 1976 : le débit de pointe y fut de près de 50 m^3/s (GERSAR 1976). Leur impact morphogénique n'est pas à négliger, notamment à leur débouché sur la plaine de l'Euphrate où elles sont susceptibles de tout emporter sur leur passage : la piste naguère, la route désormais qui traverse la confluence du Wādi Dheina en a souvent fait les frais. Nous verrons que ces crues ont également posé des problèmes, notamment pour les grands canaux gravitaires qui couraient soit sur la terrasse Q_{0a}, soit sur les glacis au pied du plateau.

Les phénomènes éoliens

Nous avons vu que l'aridité a des effets inhibiteurs sur la morphogenèse. Elle n'en est pas moins responsable d'un des mécanismes qui gouvernent l'évolution des modelés de la région : le vent. Celui-ci intervient de deux manières : par les érosions qu'il provoque et par les dépôts qu'il génère.

Les vents de poussière ou de sable (**fig. 12**) sont fréquents dans la vallée comme sur ses abords. Des limons sont mobilisés, sur le fond alluvial, à partir des champs soumis à des façons culturales répétées. D'autres éléments fins sont empruntés à la surface des plateaux, des glacis et des cônes, conséquence du surpâturage et du piétinement des troupeaux, avec pour résultat un pavage de blocs et de galets de plus en plus jointif et un appauvrissement biologique de ces étendues. Les vents mobilisent également des sables, de couleur rouge orangé lorsqu'ils viennent du désert, de couleur grise lorsqu'ils sont arrachés aux alluvions du lit mineur du fleuve. Les reprises en charge sont également

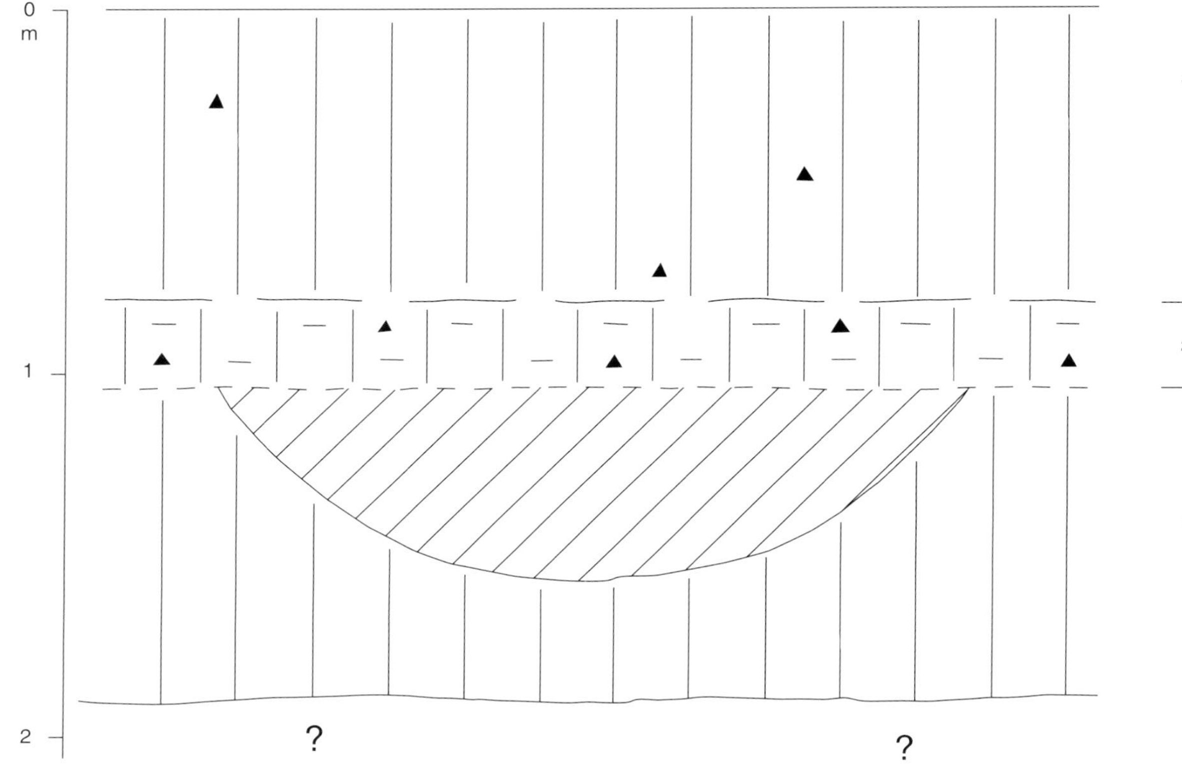

1 : limons alluviaux non compactés

2 : sol fossile, limono-argileux, de couleur brun foncé, contenant des tessons

3 : limons de débordement, structure à tendance prismatique, rares tessons

1 : limons alluviaux non compactés, creusés par une fosse (**106**) contenant de la terre archéologique (sable, cendre, tessons, etc.)

2 : sol fossile, limono-argileux, de couleur brun foncé contenant des tessons. L'horizon fossilise une fosse (**106**) et est lui-même fossilisé par des limons de débordement

3 : limons de débordement contenant de rares tessons

Fig. 9 - Coupes dans la terrasse Q_{0a} et phénomène d'aggradation tardive.

possibles, à partir d'anciennes dunes, d'amas dunaires ou de bourrelets de crue qui bordent d'anciens méandres. Dans le secteur de Tell Hariri (1), le phénomène est si réel que les cultivateurs ont planté des haies d'arbustes morts sur les dunes pour freiner la migration du sable menaçant les cultures.

Les transports ne se produisent, généralement, que sur de courtes distances. Dans la vallée se construisent des amas dunaires informes, parfois des barkhanes vives ou fixées, le plus souvent localisés dans les anciens méandres, mais aussi bien plaqués sur les terrasses holocènes, par exemple dans la région d'Abu Leil. Dans ce dernier cas, les formations éoliennes contribuent à l'enfouissement des sites et aménagements anciens et ce, d'autant plus facilement que ces derniers forment relief et font donc obstacle au vent. Les sables désertiques rouge orangé se retrouvent le plus souvent sous la rupture de pente sommitale du plateau de Jézireh, en placage ou en voile, plus rarement sous forme de dunes. Ils s'étalent aussi sur les glacis et cônes de bas de versant qu'ils nappent partiellement. Le phénomène est fréquent dans les régions d'El Kishma (Ard Tala'at Melhim) et d'El Musallakha (Hawījet el Mujāwda). Il ne concerne guère le plancher de la vallée où dominent les sables gris abandonnés par le fleuve.

LE POIDS DE L'ANTHROPISME

La question reste posée de savoir à partir de quel moment, ou plutôt de quel stade du développement des sociétés, l'anthropisme a commencé à peser au point de laisser des traces tangibles, éventuellement irréversibles. En milieu méditerranéen, tout au plus semi-aride, il est généralement admis que le couvert forestier n'a subi des modifications décisives qu'à partir de l'âge du Bronze (TREUIL *et al.* 1989) et dans un contexte naturel en cours d'évolution, où la végétation subissait déjà les effets cumulatifs d'une sélection favorable aux essences thermophiles aux dépens des caducifoliées (DALONGEVILLE et RENAULT-MISKOVSKY 1993). Toutefois, pour B. Bousquet

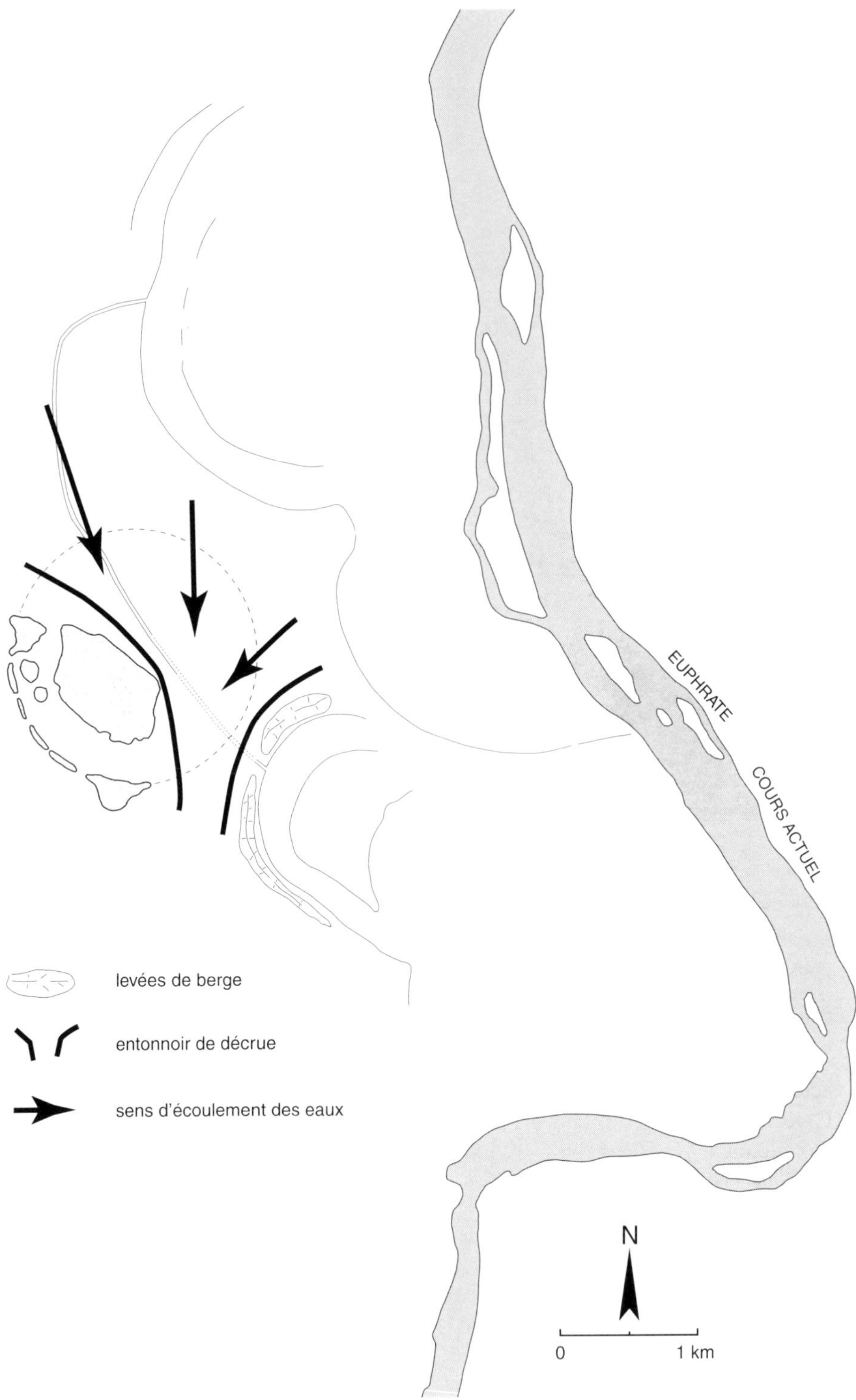

Fig. 10 - Processus d'érosion à Tell Hariri-Mari.

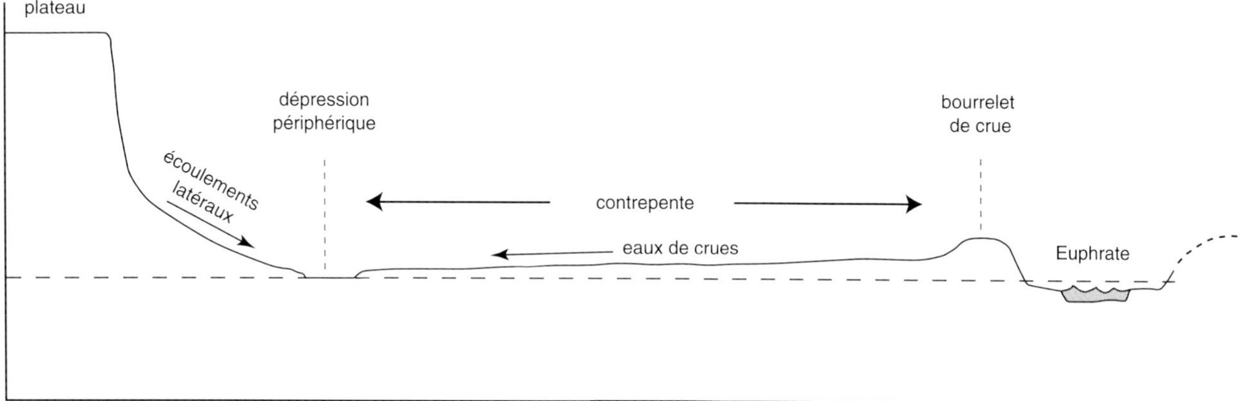

Fig. 11 - Profil transversal schématique de la vallée.

Fig. 12 - Vent de sable sur Tell Hariri.

et P.-Y. Péchoux (1980), dans le bassin oriental de la Méditerranée, la transformation morphogénique des versants, consécutivement aux activités humaines, pourrait avoir été déclenchée dès le VIIe millénaire.

Les territoires inclus dans des zones plus arides souffrent d'une plus grande fragilité intrinsèque de leurs équilibres écologiques et géomorphologiques. En Anatolie cependant, C. Kuzucuoglu et N. Roberts (1997) estiment que l'impact des premières communautés agricoles sur la couverture végétale ne s'est probablement fait sentir qu'à partir de l'Holocène moyen (vers 6000 BP). Dans les bassins du Tigre et de l'Euphrate, N. Miller (1997) ne reconnaît les effets négatifs des activités humaines, essentiellement l'élevage, qu'au IIIe millénaire avant notre ère. Elle souligne que la déforestation à grande échelle n'est avérée, grâce aux données de l'archéobotanique, qu'à partir de l'âge du Fer. Enfin, F. Hourani et M.-A. Courty (1997) ne font d'aucune manière intervenir l'homme dans les transformations qu'a pu subir la vallée du Jourdain jusque vers 5500 BP (soit aux alentours de 4350 av. J.-C.). Il ne faut certes pas sous-estimer l'impact des fluctuations climatiques, mais S. Cleuziou et M. Tosi (1997) rappellent à juste titre qu'il faut « s'interroger sur l'action de l'homme lui-même sur le milieu et son rôle dans la raréfaction, voire la destruction, des ressources naturelles ». Les régions sèches incluent une grande variété de micromilieux potentiellement utilisables, mais sensibles parce qu'instables. Leur exploitation par des groupes humains, même relativement peu nombreux et utilisant des techniques rudimentaires, les ont certainement fragilisés, en tout cas appauvris ; on ne peut exclure que certains de ces milieux aient même été détruits. C'est l'hypothèse que défend I. Köhler-Rollefson (1988) pour le Levant sud lorsqu'elle impute au système de production du Néolithique ancien (donc dès la fin du VIIe millénaire), fondé sur une économie villageoise mixte, agricole et pastorale, une responsabilité dans la dégradation du couvert végétal et des sols. Elle suggère que la baisse de la productivité agricole, consécutive à cette dégradation, a certainement joué un rôle dans l'abandon soudain de la plupart des villages PPNB, abandon jusqu'alors considéré comme dû à des facteurs externes, climatiques le plus souvent. Il y a peut-être lieu d'y voir une conjonction de plusieurs causes, climatique, anthropique, ou encore, comme dans le cas de l'Euphrate, une origine liée à des changements de dynamique du fleuve.

Quoi qu'il en soit, dans notre région, les transformations notables du milieu imputables à l'homme ne semblent guère s'être produites avant le début de l'âge du Bronze. Certes, l'extension des défrichements et la répétition des façons culturales dont on a vu qu'elles sont favorables aux remaniements éoliens et dont on sait qu'elles favorisent la dégradation des sols, sont probables dès le Néolithique. Mais leur incidence n'a pu qu'être très différente selon que l'on considère le plateau ou la basse plaine. Pour cette dernière, les bouleversements et les remaniements liés à la mise en place de la formation Q_{0a}, puis à son incision, ont été tels que les actions de l'homme n'ont pu avoir qu'un impact très secondaire — et dont les traces ont été gommées —, au moins jusqu'à la fin du Néolithique. Il en va tout autrement pour le plateau et les glacis-cônes qui le bordent. Même au cœur de l'Optimum holocène, qui bénéficia de conditions climatiques moins rudes qu'actuellement, la région souffrait de l'aridité. Le couvert végétal et les sols y étaient donc fragiles et n'ont pu qu'être dégradés par les activités humaines. Toutefois, il convient de rappeler que l'occupation du sol resta diffuse tout au long du Néolithique pour n'acquérir une réelle ampleur qu'au début du IIIe millénaire (cf. chap. I, **tableau 4** et chap. IV, **fig. 4**). En conséquence, l'impact des activités humaines ne devint sans doute déterminant qu'avec le développement économique de la vallée, c'est-à-dire avec la mise en œuvre d'une irrigation à grande échelle et l'aménagement des grands canaux. Nous reviendrons ci-dessous (chap. V) sur les différentes hypothèses proposées pour dater ces grands travaux, lesquels ont, en tout cas, débuté dès l'âge du Bronze.

Il est cependant incontestable qu'ils ont profondément bouleversé le fonctionnement naturel de la dynamique de fond de vallée. Les prises d'eau, les digues, les levées de terre, les chenaux ont perturbé l'écoulement des nappes d'inondation, ouvert de nouveaux chenaux de crue, dévié les chenaux de décrue. Ils ont nécessairement engendré des transformations importantes pour les conditions de mise en valeur et d'occupation du sol ainsi que, au moins localement, des modifications de la dynamique du fleuve et de ses méandres.

LES CONTRAINTES DE LA MISE EN VALEUR

La contrainte majeure a toujours résidé dans l'aridité, climatique et/ou édaphique, qui génère, plus ou moins directement, un ensemble de handicaps auquel les hommes, qu'ils soient sédentaires ou nomades, demeurent soumis.

La définition du niveau de l'aridité climatique est indispensable — et on a vu qu'elle est ici sévère — car c'est elle qui permet de fixer un cadre général ; elle est cependant insuffisante à rendre compte de la complexité des situations qui régissent les potentialités de mise en valeur d'une région sèche.

Découlant d'un ensemble de facteurs qui ne jouent pas tous forcément dans le même sens, l'aridité édaphique est encore plus difficile à cerner que l'aridité climatique. Elle n'en est pas moins essentielle. En effet, une des caractéristiques des régions arides du Proche-Orient tient au fait que s'y côtoient, depuis fort longtemps, différents systèmes de production, allant des exploitations d'agriculteurs sédentaires jusqu'aux divers types d'élevages nomades. Si l'aridité est un trait dominant, la répartition et la diversité des systèmes de production ne s'expliquent que partiellement par le gradient pluviométrique. Les facteurs géologiques, géomorphologiques, hydrologiques et pédologiques limitent ou accentuent localement le déficit hydrique et les aléas climatiques. La notion d'aridité édaphique est ici indispensable pour analyser les contraintes en matière de mise en valeur, d'exploitation des ressources et la dynamique de transformation de ces ressources consécutive aux effets des différentes formes d'exploitation.

LES RESSOURCES EN EAU

En dehors des eaux de surface (Euphrate, Khābūr et crues des oueds affluents) sur lesquelles nous reviendrons, les seules ressources disponibles sont celles fournies par trois aquifères principaux (GERSAR 1976).

Les aquifères

L'aquifère miocène

Profond, il est mal connu et ne semble pas être en relation avec la surface, ni même avec l'aquifère alluvial de la vallée (cf. ci-dessous). Il ne présente donc pas d'intérêt pour notre étude.

L'aquifère plio-miocène

Contenu dans les roches marno-gypseuses plus ou moins altérées et fissurées du plateau, il est alimenté par la percolation des précipitations et par les eaux de crues des oueds et des ravins. Il alimente quelques sources situées au pied de la falaise (ʿAin ʿAli, sous la mosquée du même nom ; une autre au droit du village d'Et Taʿas el Jāiz) et quelques puits bédouins sur les plateaux. Il fournit également de l'eau aux nappes contenues dans les alluvions des oueds latéraux. Il alimente enfin l'aquifère principal de la vallée, mais ces apports sont faibles, sauf peut-être au débouché des oueds latéraux. En tout cas, il n'a pu jouer qu'un rôle marginal dans l'occupation du sol, sauf pour les groupes bédouins et lors de déplacements (commerce, opérations militaires) dans la steppe.

L'aquifère de la vallée

Il est important, mais présente l'inconvénient majeur d'être salé et ce fait n'est pas récent, même si la salinité n'a pu qu'être augmentée par les irrigations. Les analyses chimiques effectuées par le GERSAR (1977) sur les eaux du fleuve et de la nappe ainsi que sur les solutions du sol ont montré que la salinisation était imputable pour l'essentiel aux apports (crues ou irrigation) à partir de l'Euphrate et, de manière très secondaire, aux apports latéraux. En effet, l'eau du fleuve, bien que considérée comme « douce », est assez lourdement chargée en minéraux.

Na^+	K^+	Ca^{++}	Mg^{++}	Cl^-	SO_4^-	Alcal.	SiO_2
1,005	0,072	1,270	0,725	0,875	0,701	2,634	0,115

Charge totale dissoute : 0,37 g/litre ; pH *in situ* : 7,6
Valeurs en millimoles/litre

Tableau 1 - Analyse de l'eau de l'Euphrate prélevée à Halabīya en juin 1975 (GERSAR 1977).

Ces minéraux, par un double mécanisme d'évaporation et de précipitation, se concentrent dans la nappe. Les sels dissous se combinent en deux associations (GERSAR 1977) :

— chlorures de sodium, de magnésium et de calcium, le chlorure de sodium pouvant être dominant (dans ce cas, le sol reste humide même en été, en raison de ses propriétés hygroscopiques et acquiert en surface un aspect huileux) : c'est le cas le plus fréquent ;

— chlorures et sulfates de sodium et de magnésium : ce cas représente moins de 20 % des sols salés.

Le processus de concentration, qui rend les eaux impropres à la consommation aussi bien qu'à l'irrigation, s'est enclenché il y a fort longtemps, peut-être dès la fin de l'Optimum holocène, plus probablement dès l'entaille de la formation Q_{0a}. Le problème se posait déjà au Bronze moyen, puisque J.-M. Durand propose de voir dans le terme *idrânu* la désignation de la nappe phréatique salée (Durand 1990 a, p. 139). Ainsi s'expliquerait d'une part l'absence de puits dans une ville de l'importance de Mari [7] (1), d'autre part les nombreux aménagements hydro-agricoles qui furent réalisés, sans doute dès le Bronze ancien (cf. ci-dessous chap. v) dans la campagne environnante. Au Bronze moyen, mention est faite de terres salées (*equel idrâni*) dans les textes cunéiformes retrouvés à Mari (Durand 1990 a).

Quelques lieux, rares et privilégiés, pouvaient cependant procurer une eau à peine saumâtre, propre à l'irrigation. Les pompages, toujours peu nombreux, pouvaient être effectués à partir de la terrasse Q_{00}, dans d'anciens lits du fleuve au matériel sableux situés en contrebas de la terrasse Q_{0a} [8], ou à partir de la terrasse Q_{0a}, dans des affleurements de la formation Q_{II}, notamment à proximité du débouché du Khābūr et de ses apports d'eau douce. Il faut d'ailleurs signaler que les eaux du Khābūr, en grande partie d'origine karstique et elles aussi pérennes [9], posent dans sa vallée moins de problèmes de salinisation des sols que dans celle de l'Euphrate.

Les eaux de surface

Les eaux de l'Euphrate

Il résulte de ce que nous venons de rapporter que, hors quelques cas particuliers et limités mentionnés ci-dessus, l'Euphrate constituait de loin la plus importante ressource en eau utilisable en permanence tant pour les besoins domestiques que pour les plantes ou les animaux.

En toutes saisons, le fleuve reste d'un accès facile. Les agglomérations, installées sur les bourrelets de crues en bordure des terrasses Q_{0a} ou Q_{0b}, ou des plus hautes des terrasses Q_{00}, n'étaient jamais éloignées de son eau. Dans quelques cas (Et Ta'as el Jāiz, Qrebi), les villageois puisèrent également dans les bras morts des anciens méandres, du moins lorsque les crues du fleuve les revisitaient régulièrement et que les conditions locales de drainage étaient bonnes.

Les eaux d'irrigation sont, pour l'essentiel, tirées du fleuve. Nasbas et gharrafs furent largement utilisés (Charles 1939), de même que les norias (Héraud 1922 a et b), ces dernières en nombre toutefois plus restreint. Au xxe s., l'introduction de pompes à moteur, notamment anglaises (**fig. 13**) [10], qui fonctionnent en permanence, est à l'origine

Fig. 13 - Moteur de pompe monocylindre à Taiyāni.

7 - Il en existe en fait un seul, situé près de l'entrée du grand palais royal, dit « Palais de Zimri-Lim » ; il ne pouvait évidemment pas subvenir à lui seul aux besoins de la cité.

8 - O. D'Hont (1994) en signale l'usage par des groupes 'agēdāt.

9 - Les très nombreux pompages effectués dans cette rivière et dans les sources qui l'alimentent ont eu pour effet de l'assécher temporairement en fin de période estivale. Seules les années humides permettent encore au Khābūr de demeurer pérenne.

10 - À titre de curiosité, on trouvera ci-après une liste des moteurs de pompe installés dans quelques localités. À Darnaj, rive gauche : 1 moteur Crossley Brothers LTD, 3 Ruston-Lincoln-England, 1 Tangye Patents Birmingham, 1 Blackstone Stamford England, 1 National, 1 Imperial Keichley. À Sweidan Jezire : 1 monocylindre Tangye (agents Amine Gazawoui — Beyrouth), 3 Ruston-Lincoln-England, 1 bicylindre Tangye. À Abu Hardūb : 5 Ruston-Lincoln-England dont une bicylindre, 1 National, 1 Tangye. À Abu Hammām : 8 Ruston and Hornsby, 2 National, 1 Crossley, 2 Blackstone Stamford England.

de la salinisation de vastes surfaces agricoles. Par le passé, une irrigation à grande échelle a été pratiquée, toujours à partir du fleuve ainsi que du Khābūr, grâce à de grands canaux gravitaires (cf. ci-dessous, chap. V).

Les eaux du Khābūr

Deuxième source d'eau pérenne de la région, le Khābūr a pour lui d'avoir une alimentation en partie karstique qui soutient les étiages et limite les fluctuations de niveau.

D'accès tout aussi aisé que l'Euphrate, la rivière fournit régulièrement une eau, calcique, de meilleure qualité et plus facile à utiliser. L'irrigation est largement pratiquée sur ses rives. Une partie des eaux a même pu être détournée au profit de la vallée de l'Euphrate, grâce à un canal gravitaire, le Nahr Dawrīn (cf. ci-dessous, chap. V, p. 199 *sq.*).

Les eaux des oueds affluents

Toutes les autres vallées qui débouchent dans la section de vallée qui nous intéresse ici ont des écoulements temporaires qui ne peuvent guère être mis à profit sans aménagements adéquats. Certes, les inféroflux, exploités par des puits, peuvent localement fournir de l'eau toute l'année, mais en quantités limitées. Seule la conjonction très particulière d'une structure géologique favorable et d'un inféroflux relativement important a permis l'implantation de quelques sites sur le Wādi Dheina, à un endroit où nous avons retrouvé, d'ailleurs, le seul aménagement hydraulique conséquent jamais réalisé sur ces oueds latéraux : le barrage de Wādi Dheina 7 (**77**) [cf. ci-dessous, chap. V, p. 225]. En dehors de ce cas particulier, les sites sont rares et seuls des petits barrages en terre ont été édifiés afin de bloquer l'écoulement des eaux de crue et de les contraindre à s'infiltrer dans les alluvions, autorisant ainsi une culture très localisée et aléatoire, d'orge sans doute destinée à être pâturée (GEYER et BESANÇON 1997).

LES SOLS DE PLAINE ET DES FONDS D'OUEDS

Facilement irrigables, développés sur un matériau fin essentiellement constitué de limons, les sols de plaine sont les seuls à offrir un potentiel de fertilité élevé. Mais leur mise en exploitation pose un certain nombre de problèmes liés pour l'essentiel aux risques de salinité engendrés par l'irrigation.

Les alluvions qui ennoient le fond de vallée ont une épaisseur moyenne d'une quinzaine de mètres (de 5 à 8 m pour les limons holocènes, de 6 à 10 m pour les graviers et les galets pléistocènes, étant entendu que les épaisseurs peuvent être très variables ; cf. chap. I, **fig. 43**). Ils constituent le réservoir d'une vaste nappe. En schématisant, on peut dire que l'eau de cette nappe circule verticalement dans les limons et horizontalement dans les graviers et galets, pour aboutir *in fine* dans l'Euphrate. Les écoulements sont d'autant plus lents que l'on est plus éloigné du fleuve ou du moins de la zone des méandres, actuels ou anciens, et que la texture est plus fine. Plus ces écoulements sont ralentis, plus la nappe aura tendance à s'élever jusqu'à n'être plus, dans la formation Q_{0a}, qu'à une profondeur de 1 à 2,5 m lorsque l'irrigation est excessive [11]. Alors s'enclenchent des processus de salinisation des horizons superficiels par remontées capillaires, évaporation et concentration des sels. Les études effectuées par le GERSAR (1977) ont révélé que, dans les années 1970, seules 20 % des eaux d'irrigation étaient réexportées vers l'Euphrate, et ce à partir des zones les plus proches du fleuve. La consommation des plantes cultivées représentait 70 % des apports, les 10 % restants correspondant aux pertes par évaporation. Il s'agit là bien entendu de chiffres moyens, mais ils montrent bien l'importance du phénomène à l'origine de la salure des sols mal drainés.

Les sols les plus fréquemment rencontrés dans la vallée, développés sur les alluvions fines holocènes, appartiennent à deux groupes principaux (GERSAR 1976). Sur les alluvions de la terrasse Q_{00} ne se trouvent guère que des sols peu évolués de type brun calcaire, soit des sols minéraux bruts d'apport alluvial (*Entisols-xeropsamments* de la classification américaine) ou éolien (*Entisols-xeropsamments lithic*), soit des sols peu évolués d'apport alluvial (*Entisols-torrifluvents*). Sur les alluvions de la terrasse Q_{0a} se sont développés des sols de climat aride (*Aridisols*) caractérisés par un horizon cambique, un faible taux de matière organique, la présence de calcaire et de sels solubles.

La situation telle que nous avons pu l'observer dans les années 1980, soit après plusieurs décennies d'irrigation intensive, permet de distinguer différents secteurs en fonction de la plus ou moins forte salinisation des sols consécutive à des apports en eau trop importants sur des terres au drainage déficient.

Les sols non salés se trouvent soit sur l'ensemble des terrasses dites « historiques » (Q_{00}), au matériau constitutif de texture assez grossière (proportion importante de sables), soit en bordure de la terrasse holocène ancienne (Q_{0a}), dominant des méandres, actuels ou anciens, du fleuve. Ils bénéficient d'un bon drainage naturel et ne présentent pas de risques de salinisation. Les sols des rares lambeaux conservés de la terrasse Q_{0b} sont généralement de qualité équivalente, mais ils concernent des surfaces restreintes et toujours situées à proximité d'un méandre.

Les rares sols salés des terrasses Q_{00} et Q_{0b} sont situés en position basse, en général en bordure d'anciens méandres incomplètement colmatés et qui peuvent être localement

11 - La période des basses eaux de la nappe dure de novembre à janvier, celle des hautes eaux d'avril à juin, avec un maximum fin avril, au moment du maximum d'irrigation des céréales.

exploités en salines [12] (Surāt el Kishma, paléoméandre au sud-sud-est de Tell Hariri). Ils sont le plus souvent voués au pâturage ou, lorsqu'ils sont recoupés depuis peu et encore largement ouverts vers l'aval, donc assez bien drainés, complantés de peupliers.

Sur la terrasse Q_{0a}, les sols légèrement salés ou salés uniquement en profondeur (GERSAR 1977) sont situés à proximité des zones non salées et profitent encore, quoique dans une moindre mesure, de la bonne qualité de drainage naturel qui caractérise ces dernières. Ils peuvent être mis en culture sans grand danger, à condition d'éviter les apports en eau inconsidérés, ce qui devait être le cas dans le cadre d'une irrigation traditionnelle.

Les sols modérément salés à salés se rencontrent dès que l'on pénètre plus avant sur la terrasse Q_{0a} (la distance minimale peut être estimée, de manière très approximative, à environ 2 km). Leur mise en culture est possible, mais les dangers de salinisation sont grands. Il est vrai que, du fait de l'éloignement de l'Euphrate, la mise en valeur à grande échelle n'y est guère envisageable qu'à partir d'aménagements lourds, canaux gravitaires ou pompes à moteurs. Ces dernières, utilisées trop souvent de manière excessive, ont provoqué des remontées rapides de la nappe et sont responsables de l'abandon de près de 12 000 hectares parmi les sols les plus lourds de la terrasse Q_{0a}, au terme de quelques années de culture seulement (**fig. 14**). En définitive, sur l'ensemble des surfaces irrigables gravitairement, seuls 37 % sont exemptes de sels et permettent donc des rendements normaux, 33 % voient leur rendement abaissé de 10 à 15 % du fait de la salure, 20 % subissent une baisse de rendement de 50 %, 10 % des terres sont perdues pour la culture (GERSAR 1976).

Le critère le plus favorable à la mise en valeur est donc la proximité du fleuve qui assure simultanément la fourniture en eau d'irrigation et le drainage. Le second critère est la texture des sédiments qui intervient sur l'efficacité du drainage. La largeur de la terrasse Q_{0a} est donc un des facteurs déterminants du risque de salinisation des sols ; il est de ce fait important de souligner que les alvéoles de rive gauche sont, à l'exception de celle d'Abu Hammām (**carte h.-t. III**), moins étendues que celles de rive droite. L'épaisseur des alluvions holocènes y est également beaucoup plus irrégulière et les pointements de formation Q_{II} plus nombreux (voir par exemple le secteur compris entre El Bahra et Abu Hasan, **carte h.-t. IV**). Or, ces derniers, du fait de leur texture grossière, accélèrent le drainage. De manière générale, les sols des alvéoles de rive gauche sont donc mieux drainés, la nappe y est moins salée et le recours à l'irrigation par puits possible localement. Ils se révèlent donc mieux adaptés à l'irrigation, surtout à la petite irrigation du fait du morcellement des surfaces et de leur étroitesse relative. À l'opposé, les alvéoles de rive droite, plus homogènes et plus larges, semblent mieux adaptées à la mise en œuvre d'une grande irrigation, sous réserve de limiter les apports en eau et de contrôler le drainage. Nous reviendrons sur ces questions.

La grande irrigation n'a pas été pratiquée continûment dans la vallée. Les vastes surfaces de la terrasse Q_{0a} situées à l'écart du fleuve ont sans doute été plus souvent laissées à l'abandon par les cultivateurs (elles pouvaient alors être pâturées) que défrichées. Or, en dehors des périodes d'irrigation, le drainage naturel était, semble-t-il, partout suffisant pour maintenir la nappe phréatique en dessous du niveau de remontée capillaire. Dès lors, le lessivage des horizons supérieurs était assuré par l'infiltration des eaux précipitées et des eaux de crues, ces dernières présentant l'avantage supplémentaire d'apporter des limons frais qui venaient engraisser la terrasse. Un endroit cependant a sans doute toujours posé problème : il s'agit de la dépression qui court le long des plateaux et qui, mal drainée, voyait stagner les eaux de crues, auxquelles s'ajoutent celles descendues des plateaux. Toute mise en valeur intensive de la terrasse Q_{0a} passait par la maîtrise de ce problème particulier : les aménageurs modernes l'ont bien compris qui ont creusé un

Fig. 14 - Salinisation des sols de la terrasse Q_{0a}, au sud de Deir ez Zōr.

12 - D'autres salines sont attestées sur l'ancien cours désorganisé du W. 'Ajij, notamment dans la sebkha d'El Buwara où elles sont encore exploitées de nos jours (Pfälzner 1984).

canal au pied du plateau de Shamiyeh pour évacuer ces eaux résiduelles tout en améliorant le drainage de la terrasse elle-même. Nous verrons que les anciens avaient déjà été confrontés à ce problème.

Les oueds affluents offrent également des planchers favorables à l'agriculture, du moins dans leurs sections aval. En effet, ils ont retenu une fraction des paléosols érodés depuis la surface des plateaux encaissants et ils bénéficient de bassins-versants importants qui, malgré leur désorganisation, sont toujours capables de fournir des eaux d'inféroflux en quantité notable. Les sols, certes peu évolués, mais notablement plus profonds que ceux des plateaux (cf. ci-dessous) et de texture plutôt grossière, sont assez bien lessivés et drainés. Ils contiennent de ce fait peu de sels toxiques. Les potentiels agronomiques ne sont donc pas négligeables. Ces oueds présentent cependant un inconvénient majeur ; ils sont souvent parcourus, du fait de l'étendue de leurs bassins-versants, par des crues d'automne ou de printemps qui peuvent être brutales et destructrices.

Dalles et encroûtements des plateaux et des terrasses pléistocènes

Les plateaux sont défavorisés à plus d'un titre. On a vu qu'ils étaient frappés de plein fouet par l'aridité climatique. Leur élévation par rapport au fleuve les met hors de portée de toute irrigation réalisable par des moyens traditionnels. Enfin, ils présentent, en surface ou à très faible profondeur, des dalles ou des croûtes, calcaires ou gypseuses qui augmentent singulièrement l'aridité édaphique. Mais la Shamiyeh et la Jézireh se révèlent assez différentes l'une de l'autre.

Le plateau de Shamiyeh, en rive droite, présente à sa surface supérieure (ou surface fondamentale Q_V) une dalle calcaire très dure qui s'oppose aux ravinements et préserve la planéité. Sa présence limite drastiquement le développement du couvert végétal et ses possibilités de régénération. De genèse très ancienne, la dalle a subi une longue évolution et, par karstification, a vu se développer à sa surface des dolines qui piègent les matériaux fins, apportés par les ruissellements de surface et le vent, de même qu'elles rassemblent l'eau des rares précipitations. Espaces de parcours, ces hautes surfaces ont toujours été pauvres. Seules les dolines, qui peuvent être nombreuses (El Garaje) et étendues (jusqu'à près de 100 ha), proposent des sols profonds et mieux alimentés en eau, permettant, les seules années humides, d'effectuer des emblavages en orge. Ces dépressions peuvent même parfois accueillir des mares intermittentes lorsque les précipitations s'avèrent suffisantes (D'Hont 1994).

Le plateau de Jézireh ne comporte pas de dalle calcaire. Les paliers quaternaires se succèdent et sont souvent fort étendus ; la transition plateau-plaine est relativement douce et les formes molles. Les plus hautes surfaces sont cependant couvertes d'une dalle gypseuse compacte, de couleur blanc crème, pouvant atteindre un mètre d'épaisseur. À sa surface, un mince reg discontinu de petits cailloux tauriques est accompagné d'une matrice limoneuse assez abondante. Les paliers intermédiaires, plus récents, ne présentent quant à eux que des encroûtements également gypseux. La présence de sels dans ces dépôts gypseux mal lessivés limite sévèrement les possibilités de développement du couvert végétal ; des emblavages ne peuvent y être tentés que localement et de manière très exceptionnelle, les années à la pluviosité particulièrement favorable [13]. La dalle qui couvre les plus hautes surfaces, quoique non calcaire, est très dure et a permis le développement de dolines qui, bien que moins favorisées que leurs correspondantes, de rive droite, sur calcaire, offrent des possibilités de mise en valeur à peu près équivalentes.

Seules les plus basses pentes des glacis et des cônes qui bordent les plateaux sont un peu moins défavorisées, car elles profitent des ruissellements venant de l'amont et peuvent, sous certaines conditions, être localement irriguées. On peut, très exceptionnellement, y pratiquer des cultures pluviales de blé (D'Hont 1994), quoique ce soit généralement l'orge, plus précoce et plus rustique, qui se trouve mieux à même de profiter des possibilités offertes par ces surfaces lors des trop rares années favorables.

13 - Rappelons que les précipitations, pour être favorables aux cultures (dans ce cas précis, il s'agit d'orge exclusivement), doivent certes être suffisamment abondantes, mais elles doivent également se produire au bon moment. Soulignons que le maximum de précipitations de printemps, quoique secondaire (cf. chap. i, **fig. 3**), est bénéfique pour peu que les pluies d'automne et d'hiver aient été assez abondantes pour assurer la germination.

Chapitre III. Catalogue des sites

Bernard Geyer et Jean-Yves Monchambert

Le catalogue qui suit contient 209 fiches. Elles présentent d'une part la totalité des « sites archéologiques » retrouvés dans la zone de prospection (sites d'habitat, sites funéraires et sites de type non déterminé) et traités dans le chapitre IV, d'autre part une partie des aménagements repérés (barrage, levée de terre, norias, *qanāt*), traités dans le chapitre V. En sont exclus les canaux, les digues et les puits.

Chaque fiche se présente selon le modèle suivant :

> **N° - NOM DU SITE**
> [**toponyme ancien** éventuel] (n° de terrain)
> *Carré de repérage sur les cartes hors-texte*, N° de carte hors-texte, localisation géographique - Coordonnées de latitude (Lat.) et de longitude (Long.)
> *Unité géomorphologique*
> **Type de site**. Dimensions : Longueur (L.), largeur (larg.), altitude relative, altitude absolue
> *Description* du site, *vestiges apparents* et *matériel* retrouvé
> *Datation*
> *Bibliographie*
> *Illustrations*

REMARQUES

N° du site : la numérotation des sites a été effectuée au fur et à mesure de l'avancée du travail de terrain, après chaque mission. Un certain nombre de ces sites se trouvent sur la liste publiée dans le rapport préliminaire (Geyer et Monchambert 1987 b). Afin de garder la correspondance avec cette publication, nous n'avons pas modifié la numérotation générale. Lorsque, dans de très rares cas, nous avons décidé, après étude, de supprimer l'un ou l'autre site, le numéro a été réattribué afin de ne pas entraîner de discontinuité numérique.

Nom du site : les noms sont ceux figurant sur les cartes topographiques italiennes au 1:25 000. À défaut, nous avons désigné les sites par le toponyme le plus proche, auquel nous avons, le cas échéant, affecté un numéro d'ordre (par exemple Shheil 5, Dībān 12, etc.).

Toponyme ancien : cette rubrique, rarement remplie, concerne les noms anciens, certains ou probables, des sites. Les hypothèses émises dans le chapitre IV ne figurent pas dans ces fiches.

N° de terrain : il s'agit du numéro d'enregistrement de terrain, attribué sur place à tout lieu remarquable ; il figure également dans les minutes de terrain.

Repérage sur les cartes hors-texte : le système de numérotation adopté, qui ne suit pas la disposition géographique des sites, rendait difficile leur repérage sur les cinq cartes hors-texte. Pour remédier à ce problème et faciliter les renvois à ces cartes, nous avons établi un carroyage pentakilométrique du NO (carré A1) au SE (carré Q22).

Localisation géographique : elle consiste en plusieurs indications sur la position du site par rapport à différents points de repère du paysage actuel (village, route, fleuve).

Coordonnées de latitude et de longitude : il ne s'agit pas des coordonnées géographiques, mais de celles se rapportant au carroyage kilométrique des cartes italiennes au 1:25 000.

Unité géomorphologique : cette rubrique permet d'indiquer, pour chaque site, l'unité géomorphologique majeure (terrasse, replat d'érosion, cône, glacis, etc.) sur laquelle il est implanté. Suit une description plus détaillée du contexte géomorphologique local, spécifique à chaque site.

Type de site : cette rubrique regroupe les diverses catégories de sites recensés : site d'habitat, site funéraire, site de type non déterminé, mosquée, barrage, noria, *qanāt*, levée de terre.

Dimensions : il s'agit, dans la plupart des cas, d'estimations au degré de fiabilité variable (cf. chap. IV). La longueur et la largeur sont données en mètres, en fonction à la fois des dimensions éventuellement mesurables sur la carte et des estimations faites sur le terrain d'après les zones d'épandage de céramique. L'altitude relative est une estimation généralement effectuée, pour les sites les plus élevés, d'après les courbes de niveau de la carte ou, pour les moins hauts, directement sur le terrain. L'altitude absolue est celle figurant sur la carte au 1:25 000, à défaut sur celle au 1:5 000.

Description : il s'agit d'une description rapide du site, de sa forme, des principaux éléments caractéristiques. Elle est précisée, le cas échéant, par la description des vestiges apparents et par l'indication du type de matériel trouvé en surface (céramique, outillage lithique, monnaies, etc.) ; la présentation du matériel lui-même et son étude se trouvent dans le volume II, en annexe ; dans ce cas, des renvois sont faits au catalogue regroupant le matériel archéologique.

Datation : plusieurs types de données, non exclusives les unes des autres, figurent à cette rubrique. La datation est généralement proposée d'après le matériel retrouvé en surface, le plus souvent à partir de la céramique (cf. annexe 2). Lorsque le site a fait l'objet d'une fouille, sont mentionnées les époques ainsi attestées ; dans le cas où le site a été visité par d'autres archéologues, nous faisons état des datations éventuellement mentionnées. Lorsque la terminologie employée est différente de la nôtre, une équivalence avec notre propre périodisation a été indiquée entre crochets (par exemple, site 41 : Simpson : médiéval [islamique]).

Bibliographie : cette rubrique regroupe toutes les publications qui mentionnent le site en fournissant des indications d'ordre descriptif, géographique ou archéologique. Elles peuvent être le fait de voyageurs, de géographes ou d'archéologues (fouilles, prospections).

Illustrations : sont indiquées ici les figures et les photographies illustrant les sites dans cet ouvrage. Le système retenu est une numérotation par chapitre. Sont donc précisés les chapitres et les numéros de figures ou de photographies à l'intérieur de ces derniers.

CATALOGUE

1 - TELL HARIRI [Mari] (93/1983/T)

Carré O20, carte V, rive droite. À 11 km NNO d'Abu Kemāl, E de la route. À 2,5 km de l'Euphrate. - Lat. : 2.948 - Long. : 6.245.
Unité géomorphologique - Terrasse holocène ancienne Q_{0a}. À 0,8 km du plus proche paléoméandre, donc en retrait sur la terrasse.
Site d'habitat et site funéraire.
L. : 1 700 m NO-SE, larg. : 1 000 m NE-SO, alt. relative : 14,5 m, alt. absolue : 186,9 m.
Description - Ville à l'origine circulaire (MARGUERON 1987 b), diamètre 1,8 km, actuellement en grande partie érodée par les ruissellements liés aux submersions en périodes de crues ; reliée au fleuve par un canal à prise amont (cf. chap. V, le canal de Mari).
Vestiges apparents - Nombreux vestiges découverts lors des fouilles effectuées depuis 1933 (cf. bibliographie). *Matériel* - Cf. bibliographie.
Datation - Matériel des fouilles (cf. bibliographie) : Bronze ancien, Bronze moyen, Bronze récent, néo-assyrien, classique (séleucide, parthe).
Bibliographie - ALBRIGHT et DOUGHERTY 1926 (Tell el-Ḥarîrī) ; BONATZ *et al.* 1998 ; GEYER et MONCHAMBERT 1983 (n° 44), 1987 b ; MÜLLER 1931 (englobé sous l'appellation Tell Medkouk) ; MUSIL 1927 (al-Ḥarîri). - Après deux premiers états (SPYCKET 1950 et PARROT 1974), l'ensemble de la bibliographie sur Mari a été rassemblée dans un volume spécifique (HEINZ *et al.* 1990), complété annuellement depuis lors (HEINZ *et al.* 1992, 1993, 1994, 1995, 1996, 1997). Un aperçu historique et archéologique, maintenant partiellement dépassé, a été publié dans « Mari sur l'Euphrate », *Histoire et archéologie, les dossiers*, n° 84, 1984. - Pour les résultats des fouilles archéologiques depuis 1979, voir les rapports préliminaires de J.-Cl. MARGUERON (1982, 1983, 1984 a et b, 1986, 1987 a, 1990 a, 1991 a, 1993, 1995, 1997, 1998 a). Les dernières avancées de la recherche sur ce site sont publiées dans la revue *MARI*. Pour des synthèses récentes, on pourra consulter, entre autres, MARGUERON 1988 a, 1990 b, 1991 b, 1994, 1996, 1998 b, 2000. - Catalogues d'exposition 1982, 1983, 1989, 1993 a, 1993 b, 1996.
Illustrations - Chap. II, fig. 10 et 12 ; IV, fig. 18 ; V, fig. 3.

2 - TELL MEDKŪK (47/1982/T)

Carré O20, carte V, rive droite. À 12 km NNO d'Abu Kemāl, O de la route. À 4 km de l'Euphrate, mais à moins d'1 km O de Mari (site 1). - Lat. : 2.948 - Long. : 6.230.
Unité géomorphologique - Terrasse holocène ancienne Q_{0a}. À 2,6 km du plus proche paléoméandre, donc loin en retrait sur la terrasse.
Site de type non déterminé.
L. : 170 m N-S, larg. : 160 m E-O, alt. relative : 19,0 m, alt. absolue : 191,4 m.
Description - Tell de forme conique, à pentes raides ravinées. *Vestiges apparents* - Dans les ravines, apparition de briques crues en place. *Matériel* - Céramique peu abondante, grossière [Cat. 1-9, pl. 1].
Datation - Céramique : Bronze moyen. - Parrot : basse époque [classique].
Bibliographie - ALBRIGHT et DOUGHERTY 1926 (Tell el-Madqûq) ; CZERNIK 1875 (Tel Metkub) ; GEYER 1985 ; GEYER et MONCHAMBERT 1983 (n° 43), 1987 b ; KIEPERT 1900 (Tell el Madkūk) ; MÜLLER 1931 (Tell Medkouk) ; MUSIL 1927 (Madḳûḳ) ; PARROT 1974 ; ROUSSEAU 1899 (Medkouk).
Illustrations - Chap. IV, fig. 46 et 47.

3 - TELL MANKUT (46/1982/T)

Carré O20, carte V, rive droite. À 10,5 km NNO d'Abu Kemāl, O de la route. À 4 km de l'Euphrate. - Lat. : 2.937 - Long. : 6.237.
Unité géomorphologique - Terrasse holocène ancienne Q_{0a}. À 2 km du plus proche paléoméandre, donc loin en retrait sur la terrasse.
Site de type non déterminé.
L. : 80 m E-O, larg. : 70 m N-S, alt. relative : 5,5 m, alt. absolue : 178,5 m.
Description - Petite butte subcirculaire. *Matériel* - Céramique peu abondante [Cat. 10-16, pl. 2].
Datation - Céramique : Bronze ancien ?
Bibliographie - GEYER et MONCHAMBERT 1983 (n° 45), 1987 b ; MUSIL 1927 (Rasûl, Ṭe'es Rasûl).
Illustrations - Chap. IV, fig. 49.

4 - ER RAMĀDI (10/1982/T)

Carré O17, carte IV, rive droite. Dans le village d'Er Ramādi. À 700 m de l'Euphrate. - Lat. : 3.055 - Long. : 6.230.
Unité géomorphologique - Terrasse holocène ancienne Q_{0a}. En bordure d'un promontoire de celle-ci, dominant la terrasse Q_{00} ou, localement, Q_{0b}. Présence probable, sous le site, d'un môle résistant Q_{II} qui forme avec celui d'Abu Hasan (site 9) un des points d'ancrage des méandres du fleuve. Bordé au NO, au N et à l'E par des paléoméandres qui ont sans doute rogné le site.
Site d'habitat.
L. : 300 m E-O, larg. : 250 m N-S, alt. relative : 10 m, alt. absolue : 186,6 m.
Description - Butte de forme plus ou moins ovale. Partie centrale occupée par un cimetière ; pente E entaillée par une piste et un canal d'irrigation ; basses pentes N, O et S couvertes par des bâtiments divers. Fouilles par D. Beyer (1991). *Vestiges apparents* - Murs et sols d'habitat visibles dans des coupes. *Matériel* - Céramique abondante [Cat. 17-72, pl. 2-6] ; artefacts lithiques dont fragments d'obsidienne ; objets divers : un sceau en stéatite [Cat. 1758, pl. 122] ; un fragment de bronze [Cat. 1759, pl. 122] ; un fragment de gypse avec une perforation [Cat. 1760, pl. 122].
Datation - Céramique : Uruk, Bronze ancien, Bronze moyen, classique (romain). - Sceau : Uruk. - Beyer : Obeid, Uruk, Bronze ancien, Bronze moyen.
Bibliographie - Beyer 1991 ; Buccellati 1990 b ; Chesney 1850, carte (« mound » sans nom) ; Czernik 1875 (Tel er Ramadi) ; Geyer 1985 ; Geyer et Monchambert 1983 (n° 32), 1987 b ; Héraud 1922 b (Tell Ramadi) ; Musil 1927 (ruines d'al-Ǧaḥaš occupées par le village d'ar-Rumâdi ou Rumâdi az-Zôr).
Illustrations - Chap. IV, fig. 24.

5 - ES SAIYĀL 1 (13/1982/T)

Carré P19, carte V, rive droite. Immédiatement au N d'Es Saiyāl Nord, en voie d'être englobé par le hameau. À 800 m de l'Euphrate. - Lat. : 3.000 - Long. : 6.263.
Unité géomorphologique - Terrasse holocène ancienne Q_{0a}. À 100 m de la bordure de la terrasse.
Site funéraire ?
L. : 130 m N-S, larg. : 100 m E-O, alt. relative : 2,5 m, alt. absolue : 177,1 m.
Description - Butte conique occupée par un cimetière. *Vestiges apparents* - Au sommet de la butte, ruines d'un petit bâtiment (tombeau ?) construit en blocs de croûte gypseuse. *Matériel* - Céramique très rare [Cat. 73, pl. 6] ; artefacts lithiques.
Datation - Céramique : Bronze ancien (?), Bronze moyen ?
Bibliographie - Geyer et Monchambert 1983 (n° 37), 1987 b.

6 - ES SAIYĀL 3 (15/1982/T)

Carré P18, carte V, rive droite. À 0,5 km N d'Es Saiyāl Nord. À 1,1 km de l'Euphrate. - Lat. : 3.005 - Long. : 6.262.
Unité géomorphologique - Terrasse holocène ancienne Q_{0a}. En bordure d'un paléoméandre, dominant une terrasse Q_{00}.
Site d'habitat.
L. : ?, larg. : ?, alt. relative : < 1 m, alt. absolue : 175,2 m.
Description - Site de très faible élévation, recouvert par des bâtiments abandonnés et en ruines. *Matériel* - Céramique [Cat. 74-95, pl. 7] ; artefacts lithiques ; fragment de basalte ; fragment de bracelet en pâte de verre bleue.
Datation - Céramique : classique (hellénistique, parthe).
Bibliographie - Geyer et Monchambert 1983 (n° 36), 1987 b.

7 - TA'AS EL 'ASHĀIR (27/1982/T)

Carré P20, carte V, rive droite. À 7 km N d'Abu Kemāl. À 1 km E de la route, dominant l'Euphrate. - Lat. : 2.912 - Long. : 6.272.
Unité géomorphologique - Terrasse holocène ancienne Q_{0a}. En bordure de la terrasse, dominant le fleuve. Sur un môle résistant Q_{II}.
Site d'habitat.
L. : 300 m N-S, larg. : 150 m E-O, alt. relative : 3,8 m, alt. absolue : 175,2 m.
Description - Tell composé d'une butte et d'une plateforme au S, partiellement réoccupé par un cimetière et un village. Tranchée due à un canal d'irrigation en limite S du tell. *Vestiges apparents* - Niveaux de destruction et sols d'habitat visibles en coupe dans la tranchée. *Matériel* - Céramique abondante [Cat. 96-132, pl. 8-10] ; artefacts lithiques ; objets divers (broyeur de basalte [Cat. 1761, pl. 122] ; valve de coquillage perforé [Cat. 1762]) ; éléments de coffrage de tombes.
Datation - Céramique : classique (hellénistique, parthe).
Bibliographie - Czernik 1875 (Tel Aschaïr) ; Geyer 1985 ; Geyer et Monchambert 1983 (n° 47), 1987 b ; Monchambert 1990 a ; Musil 1927 (al-'Ašâjer).

8 - TELL EL KHINZĪR (31/1982/T)

Carré N19, carte IV, rive droite. À 2 km NO du débouché du Wādi Bir el Ahmar, en bordure du plateau de Shamiyé. À 7,5 km de l'Euphrate. - Lat. : 2.986 - Long. : 6.161.
Unité géomorphologique - Replat d'érosion Q_{IV}. Sur un lambeau du replat, dominant le fond alluvial holocène.
Site de type non déterminé.
L. : ?, larg. : ?, alt. relative : -, alt. absolue : 216,8 m.
Description - Site sans élévation apparente, sur la pente d'une butte naturelle (butte témoin). *Vestiges apparents* - Murs très arasés. *Matériel* - Céramique rare [Cat. 133-137, pl. 11] ; artefacts lithiques.
Datation - Non daté.
Bibliographie - Geyer et Monchambert 1983 (n° 41), 1987 b.

9 - TELL ABU HASAN
[Ṣuprum (?), Ṣupru (?)] (36/1982/T)

Carré O17, carte IV, rive gauche. À 7 km en aval du bourg de Hajīn, à 500 m O de la route, en bordure du lit mineur de l'Euphrate. - Lat. : 3.063 - Long. : 6.237.
Unité géomorphologique - Terrasse holocène ancienne Q_{0a}. En bordure de la terrasse et dominant directement le fleuve. Sur un môle résistant Q_{II} qui forme avec le môle probable d'Er Ramādi (site 4) un des points d'ancrage fixe du lit du fleuve.
Site d'habitat.
L. : 300 m NNE-SSO, larg. : 250 m ONO-ESE, alt. relative : 13 m, alt. absolue : 189,5 m.
Description - Site sapé par le fleuve à l'O. Ville haute rectangulaire de grand axe NNE-SSO à surface tabulaire de 200 m de long sur 80 m de large environ, profondément ravinée dans la partie SO. Sondage Parrot/Lauffray encore bien visible dans la partie N. Cimetière au N du sondage. Ville basse, située à l'ESE, d'environ 200 m sur 150 m, réoccupée par un cimetière. Excavations au bulldozer au N et au S. *Vestiges apparents* - À l'angle NO, mur de briques crues de 5 m d'épaisseur (mur d'enceinte ?) profondément ancré dans la terrasse. Dans les coupes du ravin SO, nombreux murs de briques crues (dont 44 x ? x 9 cm) et installations de *juṣ* ; vers le sommet, éléments architecturaux en basalte et en gypse (montants de portes, linteaux). *Matériel* -

Céramique très abondante [Cat. 138-204, pl. 11-15] ; artefacts lithiques.
Datation - Céramique : Bronze ancien, Bronze moyen, Bronze récent (?), néo-assyrien, classique (hellénistique, romain), romain tardif. - Albright et Dougherty : « *founded in the Early Bronze (Copper) Age* ».
Bibliographie - Albright et Dougherty 1926 (Tell Abū'l Ḥasan) ; Bell 1910, 1924 (Tell Abu'l Ḥassan) ; Cans 1938 ; Geyer 1985 ; Geyer et Monchambert 1987 b ; Héraud 1922 b (Tell Abou Hassan) ; Herzfeld 1920 (Tell Abūl Ḥasān) ; Musil 1927 (Tell al-Bahasna) ; Parrot 1938.
Illustrations - Chap. iv, fig. 12 et 13.

10 - TELL JUBB EL BAHRA (37/1982/T)

Carré N16, carte IV, rive gauche. À 5,5 km NNO du bourg de Hajīn, E de la route, en bordure du lit mineur de l'Euphrate. - Lat. : 3.148 - Long. : 6.160.
Unité géomorphologique - Terrasse holocène ancienne Q_{0a}. En bordure de la terrasse, dominant directement le fleuve. Sur un môle résistant Q_{II}.
Site d'habitat.
L. : 250 m NE-SO, larg. : 200 m NO-SE, alt. relative : 14,5 m, alt. absolue : 193,2 m.
Description - Site sapé par le fleuve et traversé par la route. Butte de forme irrégulière avec une butte principale allongée (L. : 150 m, l. : 100 m) se rétrécissant vers le NO. Cimetière au SO sur la partie basse sub-tabulaire. *Vestiges apparents* - Couches archéologiques visibles dans une fosse. *Matériel* - Céramique peu abondante sur la butte principale, abondante au SO [Cat. 205-220, pl. 16-17] ; artefacts lithiques ; fragment de bracelet torsadé.
Datation - Céramique : Bronze moyen.
Bibliographie - Bell 1910, 1924 (sans doute Tell ech Cha'bî) ; Geyer 1985 ; Geyer et Monchambert 1987 b ; Musil 1927 (ac-Ca'âbi).
Illustrations - Chap. iv, fig. 30.

11 - TELL KHAUMAT HAJĪN (38/1982/T)

Carré N16, carte IV, rive gauche. À 2,5 km en amont du bourg de Hajīn. À 250 m E de la route. À 1,2 km E de l'Euphrate. - Lat. : 3.125 - Long. : 6.181.
Unité géomorphologique - Terrasse holocène ancienne Q_{0a}. En bordure de la terrasse, longé à l'O par un paléoméandre Q_{0b} ou Q_{00}. Sur un môle résistant Q_{II}.
Site d'habitat.
L. : 250 m E-O, larg. : 170 m N-S, alt. relative : 6,5 m, alt. absolue : 186,4 m.
Description - Tell formé d'une butte principale de forme ovale à l'O et d'une partie basse à l'E. Réoccupé par un cimetière. *Matériel* - Céramique [Cat. 221-264, pl. 18-21] ; artefacts lithiques.
Datation - Céramique : Bronze moyen, néo-assyrien.
Bibliographie - Bell 1910, 1924 (peut-être Tell Simbal) ; Geyer et Monchambert 1987 b ; Herzfeld 1920 (peut-être Tell Simbal) ; Musil 1927 (sans doute aṣ-Ṣafa').
Illustrations - Chap. iv, fig. 15.

12 - TELL HALĪM ASRA HAJĪN (39/1982/T)

Carré N17, carte IV, rive gauche. À 1 km en aval du bourg de Hajīn. À 500 m E de la route. À 500 m E de l'Euphrate. - Lat. : 3.093 - Long. : 6.187.
Unité géomorphologique - Terrasse holocène ancienne Q_{0a}. En bordure de la terrasse, longé à l'O par un paléoméandre. Sur un môle résistant Q_{II}.
Site d'habitat.
L. : 350 m OSO-ENE, larg. : 170 m NNO-SSE, alt. relative : 6,5 m, alt. absolue : 184,8 m.
Description - Tell de forme ovale avec une butte centrale. Cimetière sur presque toute la surface. *Vestiges apparents* - Briques cuites sur les tombes. *Matériel* - Céramique [Cat. 265-316, pl. 21-25] ; artefacts lithiques ; fragment de basalte.
Datation - Céramique : Bronze moyen (?), classique (hellénistico-parthe), romain tardif.
Bibliographie - Bell 1910, 1924 (Tell el Hajni) ; Geyer 1985 ; Geyer et Monchambert 1987 b ; Herzfeld 1920 (Tell al Hadjīn) ; Musil 1927 (sans doute al-Ma'êṣre).

13 - ES SAIYĀL 6 (40a/1982/T)

Carré O19, carte V, rive droite. À 1,7 km SO du hameau d'Es Saiyāl. À 3 km NE de la route. - Lat. : 2.984 - Long. : 6.250.
Unité géomorphologique - Terrasse holocène ancienne Q_{0a}. En bordure de la terrasse, à la jonction avec Q_{0b}, ici peu emboîtée (moins d'un mètre).
Site funéraire ?
L. : ?, larg. : ?, alt. relative : 2,5 m, alt. absolue : 172,5 m.
Description - Deux petites buttes arrondies de faible élévation (maximum 2,5 m) oblitérées par les pratiques culturales ; il s'agit peut-être de tumuli. Fosses de clandestins.
Datation - Non daté.
Bibliographie - Geyer et Monchambert 1987 b.

14 - ES SAIYĀL 5 (42/1982/T)

Carré P18, carte V, rive droite. À 1,5 km NNO du hameau d'Es Saiyāl, le long de la piste reliant Es Saiyāl à El Hasrāt. - Lat. : 3.010 - Long. : 6.256.
Unité géomorphologique - Terrasse holocène ancienne Q_{0a}. En bordure de la terrasse, dominant un paléoméandre situé au NO.
Site d'habitat.
L. : 150 m NO-SE, larg. : 150 m NE-SO, alt. relative : < 1,3 m, alt. absolue : 175 m.
Description - Quatre petites buttes de 0,5 à 1,3 m de haut et de 25 à 40 m de diamètre, réoccupées par des tombes. Site perturbé en 1982 par la construction de digues et d'un canal, totalement détruit en 1995. *Matériel* - Céramique [Cat. 317-367, pl. 25-28] ; artefacts lithiques ; fragments de meules en basalte ; plaque en basalte perforée [Cat. 1763].
Datation - Céramique : Halaf (?), Bronze ancien (?), Bronze moyen, classique (hellénistico-parthe).
Bibliographie - Geyer et Monchambert 1983 (n° 34), 1987 b ; Monchambert 1990 b.

15 - ES SAIYĀL 2 (45/1982/T)

Carré P18, carte V, rive droite. À 1,3 km NNO du hameau d'Es Saiyāl, le long de la piste reliant Es Saiyāl à El Hasrāt. - Lat. : 3.008 - Long. : 6.258.
Unité géomorphologique - Terrasse holocène ancienne Q_{0a}. À 0,2 km du plus proche paléoméandre.
Site d'habitat.
L. : 80 m NE-SO, larg. : 30 m NO-SE, alt. relative : 1,2 m, alt. absolue : 176,2 m.

Description - Petite butte peu élevée. *Matériel* - Céramique peu abondante [Cat. 368-376, pl. 29] ; artefacts lithiques ; fragments de meules en basalte.
Datation - Céramique : Bronze moyen, classique (parthe).
Bibliographie - Geyer et Monchambert 1983 (n° 35), 1987 b.

16 - JEBEL MASĀIKH (49/1983/T)

Carré I10, carte II, rive gauche. Entre les villages de Darnaj et de Taiyāni, O de la route. À 600 m du fleuve. - Lat. : 3.405 - Long. : 5.925.
Unité géomorphologique - Terrasse holocène ancienne Q_{0a}. En bordure de la terrasse, dominant un paléoméandre Q_{00} situé à l'O et qui a entaillé le site.
Site d'habitat.
L. : 500 m NNO-SSE, larg. : 450 m OSO-ENE, alt. relative : 9 m, alt. absolue : 197,6 m.
Description - Site à l'origine rectangulaire, entouré d'une levée (muraille ?) délimitant une partie centrale déprimée. Le site a été attaqué et partiellement détruit, à l'O et au NO, par un méandre. Une implantation secondaire, sans doute postérieure à l'attaque par le méandre, est à noter au NO du tell. Partie centrale attaquée au bulldozer : deux grandes excavations, la plus profonde de 3,5 m. Occupé par un cimetière moderne à l'E. *Vestiges apparents* - Dans les excavations dues au bulldozer, couches archéologiques visibles (en 1985). Restes de murs en briques crues vers le centre de la levée S (côté intérieur du montant E d'une porte ?). *Matériel* - Céramique abondante [Cat. 377-431, pl. 30-34] ; fragments de meules en basalte ; petit récipient en bronze [Cat. 1764, pl. 122].
Datation - Céramique : Bronze moyen, néo-assyrien, classique (parthe), islamique. - Rouault : Halaf, néo-assyrien, parthe, islamique. - Simpson : milieu du Ier millénaire av. J.-C. à parthe, médiéval [islamique].
Bibliographie - Bell 1910, 1924 (Tel Buseyih) ; Geyer et Monchambert 1987 b ; Musil 1927 (al-Msâjeḥ) ; Rouault 1998 b ; Simpson 1983 (KH 9 - Jabal Masaykh).
Illustrations - Chap. IV, fig. 3 et 23.

17 - SĀLIHĪYE 1 (50/1983/T)

Carré L16, carte IV, rive droite. En bordure S du plateau de Doura-Europos, à 2,5 km S de l'angle SO de la cité. - Lat. : 3.131 - Long. : 6.091.
Unité géomorphologique - Replat d'érosion Q_V du plateau. En bordure du plateau, dominant la vallée et le cône du Wadi Dheina.
Site funéraire.
L. : ?, larg. : ?, alt. relative : -, alt. absolue : 227,5 m.
Description - Champ de tumuli constitué d'environ 35 buttes circulaires de 2 à 10 m de diamètre, hautes de 0,5 à 1 m, formées de terre et de blocs de calcaire ; la plupart sont entourées d'une enceinte circulaire en gros blocs. Plusieurs tumuli sont perturbés, la plupart par des tranchées circulaires (récupération des blocs les plus gros de l'enceinte). Un tumulus est entièrement pillé ; il découvre une tombe creusée dans la croûte gypseuse. *Vestiges apparents* - Tombes. *Matériel* - Pas de céramique ; artefacts lithiques.
Datation - Non daté.
Bibliographie - Geyer et Monchambert 1983 (n° 29), 1987 b.
Illustrations - Chap. IV, fig. 39.

18 - ES SŪSA 1 (52/1983/T)

Carré Q21, carte V, rive gauche. À 2,3 km SE d'Es Sūsa, sur un bas niveau du plateau de rive gauche. À 400 m E de la route. - Lat. : 2.902 - Long. : 6.323.
Unité géomorphologique - Replat d'érosion Q_{II}. Sur une formation Q_{II} en placage peu épais sur un niveau de même période.
Site funéraire.
L. : ?, larg. : ?, alt. relative : ?, alt. absolue : 182,8 m.
Description - Tombeau-tour en ruines, situé en lisière d'une vaste nécropole (site 56). *Vestiges apparents* - Construction en moellons liés au mortier de chaux. Sept niches sont encore partiellement visibles, une à l'O, une à l'E et cinq au N. *Matériel* - Céramique ramassée dans les gravats au pied de la tour et à proximité immédiate, d'où un lot non homogène [Cat. 432-450, pl. 34-35].
Datation - Tombeau : romain. - Alentours : Bronze ancien, classique (romano-parthe), romain tardif.
Bibliographie - Geyer et Monchambert 1987 a et b.
Illustrations - Chap. IV, fig. 40.

19 - TELL BANI (82/1983/T)

Carré N18, carte IV, rive droite. À 4,4 km SO d'El Musallakha, au pied du plateau. - Lat. : 3.026 - Long. : 6.158.
Unité géomorphologique - Cône de déjection polychronique. En position liminaire d'un cône au pied du plateau de Shamiyeh.
Site de type non déterminé.
L. : 55 m, larg. : 40 m, alt. relative : 5 m, alt. absolue : 189 m.
Description - Butte constituée de briques crues visibles dans un trou de clandestins. *Vestiges apparents* - Briques crues. *Matériel* - Céramique très rare [Cat. 451-452, pl. 35].
Datation - Non daté.
Bibliographie - Geyer et Monchambert 1983 (n° 33), 1987 b ; Guide bleu Syrie-Palestine, 1932 ; Guide bleu Moyen-Orient 1965.
Illustrations - Chap. IV, fig. 48.

20 - EL KITA'A 1 (89/1983/T)

Carré M17, carte IV, rive droite. Village d'El Kita'a. À 600 m du château d'eau. À 50 m O de la route. - Lat. : 3.085 - Long. : 6.137.
Unité géomorphologique - Terrasse holocène ancienne Q_{0a}. À 0,5 km du plus proche paléoméandre, donc en retrait sur la terrasse.
Site d'habitat.
L. : 120 m N-S, larg. : 80 m E-O, alt. relative : 1,5 m, alt. absolue : 179,2 m.
Description - Site entièrement détruit par des bulldozers (pour la construction d'un canal). Réoccupé par un cimetière (d'après carte au 1:5 000). *Matériel* - Céramique ; fragments de briques cuites carrées ; fragments de crânes.
Datation - Céramique : islamique.
Bibliographie - Geyer et Monchambert 1983 (n° 31), 1987 b.

21 - GHABRA (91/1983/T)

Carré O20, carte V, rive droite. À 0,8 km S de Tell Hariri. À 300 m E de la route. - Lat. : 2.932 - Long. : 6.248.
Unité géomorphologique - Terrasse holocène ancienne Q_{0a}. À 0,9 km du plus proche paléoméandre.
Site d'habitat.
L. : 200 m, larg. : 200 m, alt. relative : 0 m, alt. absolue : 172 m.
Description - Site plan sans élévation, repérable uniquement à l'épandage de tessons en surface. Site sans doute fossilisé par des limons de débordement (cf. site 106). *Matériel* - Céramique [Cat. 453-463, pl. 35-36] ; artefacts lithiques ; un fragment de basalte.
Datation - Céramique : Bronze ancien, Bronze moyen.
Bibliographie - Geyer et Monchambert 1983 (n° 46), 1987 b.

22 - QAL'AT ES SĀLIHĪYE [Doura-Europos] (92/1983/T)

Carré L15, carte IV, rive droite. À 4,5 km NO du village de Sālihīye, en bordure du plateau. - Lat. : 3.160 - Long. : 6.091.
Unité géomorphologique - Replat d'érosion Q_V du plateau. Sur la dalle calcaire sommitale en bordure du plateau dominant l'Euphrate.
Site d'habitat.
L. : 900 m NNO-SSE, larg. : 700 m OSO-ENE, alt. relative : -, alt. absolue : 220 m.
Description - 22a : ville fortifiée. - 22b : nécropole. *Vestiges apparents* - Cf. bibliographie. *Matériel* - Cf. bibliographie.
Datation - Matériel des fouilles (cf. bibliographie) : classique (hellénistique, parthe, romain) ; romain tardif.
Bibliographie - AINSWORTH 1888 (Salahiyah, Rahabah el Malik ben Tauk) ; ALBRIGHT et DOUGHERTY 1926 (Sâlihîyeh) ; BELL 1910, 1924 (Salihiyeh) ; BONATZ *et al.* 1998 (Es-Salehiye) ; CHESNEY 1850, carte (Salahiyah) ; CZERNIK 1875 (Salahie) ; GEERE 1904 (Salahieh) ; GEYER 1988 ; GEYER et MONCHAMBERT 1983 (n° 28), 1987 b ; HÉRAUD 1922 a et b (Salayé) ; HERZFELD 1920 (Ṣâliḥiyyah) ; KIEPERT 1900, carte (Ṣaleḥije) ; MÜLLER 1931 (Salahié) ; MUSIL 1927 (aṣ-Ṣâlḥijje) ; ROUSSEAU 1899 (Sahélié). - Les résultats des fouilles récentes ont été publiés dans la collection *Doura-Europos. Études :* LERICHE (éd.) 1986, 1988, 1992 ; LERICHE et GELIN (éd.) 1997. Pour les fouilles anciennes, on se reportera à CUMONT 1926, aux rapports préliminaires et finaux des fouilles américaines (Série *The Excavations at Dura-Europos, Preliminary Reports* et *Finals Reports*) ainsi qu'à HOPKINS 1979, où l'on trouvera l'essentiel de la bibliographie. - Catalogues d'exposition 1982, 1983, 1989, 1993 a, 1993 b, 1996.
Illustrations - Chap. I, fig. 8 ; IV, fig. 26.

23 - TELL GUFTĀN (01/1984/T)

Carré C4, carte I, rive droite. Entre les deux hameaux d'El 'Abid, à 200 m du fleuve. - Lat. : 3.708 - Long. : 5.651.
Unité géomorphologique - Terrasse holocène ancienne Q_{0a}. En bordure d'un paléoméandre de l'Euphrate, très probablement sur un môle résistant Q_{II}.
Site d'habitat.
L. : 350 m E-O, larg. : 250 m N-S, alt. relative : 6 m, alt. absolue : 205 m.
Description - Tell de forme triangulaire sur le tracé du Nahr Sa'īd, subdivisé en trois parties par deux saignées à fond plat à mettre en relation avec d'anciens canaux (le Nahr Sa'īd vers le S, un canal en direction de Mōhasan 1 vers le SE). Au N, grande butte ovale, dont la partie la plus élevée (à l'O) recèle des traces d'habitat ; au SE, tell principal prolongé au NE par une plateforme et bordé au SO par une butte allongée correspondant à une digue (rive gauche du canal Nahr Sa'īd) ; au SO, butte ovale isolée (vestige de la digue de rive droite du canal Nahr Sa'īd). Ces buttes sont réoccupées au moins partiellement par des tombes. *Vestiges apparents* - Sondages 1988 : niveaux d'habitat (sondages II, IV, V) en relation avec le canal Nahr Sa'īd. Tranchées dans les digues et le chenal comblé (sondages I et III). *Matériel* - Céramique ; artefacts lithiques ; meules girantes en basalte ; briques cuites abondantes ; fragments de stucs à larges cannelures ; verre (fragments de vases) ; fragments de bracelets en pâte de verre ; un crochet en fer ; monnaies (33).
Datation - Céramique : islamique.
Bibliographie - BERTHIER *et al.* 2001 ; BERTHIER et D'HONT 1994 ; GEYER 1990 a ; GEYER et MONCHAMBERT 1983 (n° 1), 1987 b ; GUIBERT *et al.* 1998 ; MONCHAMBERT 1990 a ; MUSIL 1927 (sans doute Abu Nhûd) ; SACHAU 1883 (Abu Nuhûd).
Illustrations - Chap. V, fig. 5.

24 - MŌHASAN 2 (03/1984/T)

Carré D5, carte I, rive droite. À 2,4 km O de Mōhasan 1, E de la route. À 3,4 km du fleuve. - Lat. : 3.679 - Long. : 5.662.
Unité géomorphologique - Terrasse holocène ancienne Q_{0a}. À 1,6 km du plus proche paléoméandre, donc loin en retrait sur la terrasse.
Site d'habitat.
L. : 180 m NO-SE, larg. : 80 m NE-SO, alt. relative : 4,5 m, alt. absolue : 200,4 m.
Description - Petit tell de forme ovale sur le tracé du Nahr Sa'īd. *Vestiges apparents* - Bout de mur en moellons de gypse dans une excavation. *Matériel* - Céramique abondante en surface ; briques cuites ; fragments de meules en basalte ; monnaie (1).
Datation - Céramique : islamique.
Bibliographie - GEYER et MONCHAMBERT 1983 (n° 2), 1987 b ; MUSIL 1927 (peut-être Abu Nhûd).

25 - MŌHASAN 1 (04/1984/T)

Carré D5, carte I, rive droite. À 1 km S de Mōhasan. À 2,5 km du fleuve. - Lat. : 3.675 - Long. : 5.685.
Unité géomorphologique - Terrasse holocène ancienne Q_{0a}. À 1 km du plus proche paléoméandre, donc loin en retrait sur la terrasse.
Site d'habitat.
L. : 900 m N-S, larg. : 700 m E-O, alt. relative : 6 m, alt. absolue : 203 m.
Description - Tell sur le tracé du canal de Mōhasan, constitué de deux buttes principales et d'une levée artificielle à l'O. Cette dernière, partiellement occupée par un cimetière, est recouverte de petits galets et ressemble à celle de Mari (vestiges d'une digue-enceinte ?). *Vestiges apparents* - Dans une tranchée au bulldozer (1987) dans la butte NO, niveaux archéologiques en coupe : couche épaisse de vidange de four (charbon, cendres, rebuts de cuisson). *Matériel* - Céramique abondante [Cat. 464-510, pl. 36-39], mais absence sur la levée périphérique ; artefacts lithiques ; coquilles ; briques cuites ; verre (fragments de vases) ; fragments de bracelets en pâte de verre.
Datation - Céramique : Bronze moyen, islamique.
Bibliographie - GEYER 1990 a ; GEYER et MONCHAMBERT 1983 (n° 4), 1987 b ; MONCHAMBERT 1990 a ; MÜLLER 1931 (Mohagan) ; MUSIL 1927 (peut-être Ṭu'ûs al-Ḫubez et Umm Ḥasan).
Illustrations - Chap. IV, fig. 27 et 28.

26 - MŌHASAN 3 (05/1984/T)

Carré D5, carte I, rive droite. À 2 km SSO de Mōhasan 1, E de la route. À 4,5 km du fleuve. - Lat. : 3.657 - Long. : 5.678.
Unité géomorphologique - Terrasse holocène ancienne Q_{0a}. À 2,5 km au moins du plus proche paléoméandre, donc loin en retrait sur la terrasse.
Site d'habitat.
L. : 100 m E-O, larg. : 70 m N-S, alt. relative : 4 m, alt. absolue : 200,2 m.
Description - Petite butte ovale sur le tracé du Nahr Sa'īd, surmontée par un signal géodésique. Surface tabulaire, avec très peu de galets. *Vestiges apparents* - Dans une tranchée au bulldozer (1987), niveaux archéologiques en coupe : sol d'habitat en *juṣ* à vingt centimètres sous la surface, sur une couche cendreuse. *Matériel* - Céramique ; une tige de fer.

Datation - Céramique : islamique.
Bibliographie - Geyer et Monchambert 1983 (n° 5), 1987 b.

27 - EL HIRĀMI 1

Carré G10, carte II, rive droite. À 3 km SO de Meyādīn. À 800 m SO château d'Er Rheiba (site 52). - Lat. : 3.432 - Long. : 5.810.
Unité géomorphologique - Replat d'érosion Q_{III}. Sur un lambeau de la surface d'érosion dominant le fond alluvial holocène.
Site d'habitat.
L. : ?, larg. : ?, alt. relative : ?, alt. absolue : 231,4 m.
Description - Épandage de tessons sur les interfluves des oueds descendant du plateau. *Matériel* - Céramique rare.
Datation - Céramique : islamique.

28 - MŌHASAN 4 (08/1984/T)

Carré D6, carte I, rive droite. À 3 km NNO d'Abu Leil 1 (site 40), E de la route. À 4,5 km du fleuve. - Lat. : 3.644 - Long. : 5.692.
Unité géomorphologique - Terrasse holocène ancienne Q_{0a}. À 1,5 km minimum du plus proche paléoméandre, donc loin en retrait sur la terrasse.
Site d'habitat.
L. : 130 m N-S, larg. : 100 m E-O, alt. relative : 1,5 m, alt. absolue : 198,1 m.
Description - Petit tell sur le tracé du Nahr Sa'īd. Point de départ supposé d'un canal secondaire. Recouvert par les ruines d'un village en briques crues d'une dizaine de maisons, abandonné dans les années 1940. *Matériel* - Céramique rare ; quelques fragments de briques cuites.
Datation - Céramique : islamique.
Bibliographie - Geyer et Monchambert 1983 (n° 7), 1987 b.

29 - TELL ES SINN [Tell Marrāt] (09/1984/T)

Carré C3, carte I, rive gauche. À 1,5 km NE de Marrāt. - Lat. : 3.780 - Long. : 5.637.
Unité géomorphologique - Terrasse Q_{II}. En bordure de terrasse, dominant le fond alluvial holocène et un paléoméandre du fleuve.
Site d'habitat et site funéraire.
L. : 550 m E-O, larg. : 500 m N-S, alt. relative : 11 m, alt. absolue : 219 m.
Description - Site en forme de pentagone irrégulier, fermé au N, au NE et à l'E par une levée de terre (enceinte). Butte principale au SO. Fouilles par J. J. Roodenberg (niveaux néolithiques) et par A. Maḥmoud (tombes à hypogées). *Vestiges apparents* - Puits avec margelle en basalte. Tombes à hypogées au N de l'enceinte. *Matériel* - Céramique [Cat. 511-552, pl. 40-42] ; artefacts lithiques (dont obsidienne) ; objets divers : une perle en pierre [Cat. 1765, pl. 122] ; un fragment de tige en bronze [Cat. 1766] ; lot de 7 jetons en pierre [Cat. 1767] ; une hache polie [Cat. 1768, pl. 122] ; une hache (?) en pierre [Cat. 1769, pl. 122] ; deux fragments de vases en pierre [Cat. 1770-1771, pl. 122] ; deux fragments de vases en verre [Cat. 1772-1773, pl. 122].
Datation - Outillage : Néolithique (PPNB récent). - Céramique : classique (hellénistique) [?], romain tardif. - Roodenberg : PPNB, byzantin [romain tardif].
Bibliographie - Albright et Dougherty 1926 ; Geyer et Besançon 1997 ; Geyer et Monchambert 1987 b ; Hours *et al.* 1994 ; Maḥmoud (comm. pers.) ; Müller 1931 (Tell Cinn) ; Musil 1927 (Tell as-Sinn) ; Poidebard 1934 (As-Sinn) ; Roodenberg 1979-1980 ; Sachau 1883 (Tell Essinn) ; Sarre et Herzfeld 1911 (al-Sinn).
Illustrations - Chap. IV, fig. 2.

30 - TELL HRĪM (10/1984/T)

Carré E5, carte I, rive droite. À 3,5 km S de Mōhasan. À 1,5 km E de la route. À 1,2 km du fleuve. - Lat. : 3.651 - Long. : 5.719.
Unité géomorphologique - Terrasse holocène ancienne Q_{0a}. À proximité immédiate d'un paléoméandre aujourd'hui largement colmaté.
Site d'habitat.
L. : 370 m ENE-OSO, larg. : 320 m NNO-SSE, alt. relative : 6 m, alt. absolue : 202,2 m.
Description - Tell formé de deux buttes : une butte principale (L. : 400 m, l. : 230 m, h : 6 m) et une butte secondaire au SE (L. : 130 m, l. : 90 m, h. : 4 m) séparées par une dépression. Butte principale réoccupée par un grand cimetière. *Vestiges apparents* - Sondages 1986, I à IV : superposition de quatre niveaux d'habitat avec murs en briques cuites et en briques crues. *Matériel* - Céramique très abondante, concentrée dans des amas sur les tombes (tessons divers et nombreux fragments de cylindres d'enfournement) ; scories et rebuts de cuisson de céramique ; briques cuites ; fer ; verre (fragments de vases) ; monnaies (59).
Datation - Céramique : islamique.
Bibliographie - Berthier et Geyer 1988 ; Geyer 1990 a ; Geyer et Monchambert 1983 (n° 9), 1987 b ; Musil 1927 (al-Hrejm) ; Guibert *et al.* 1999.

31 - SAFĀT EZ ZERR 1 (11/1984/T)

Carré G7, carte II, rive gauche. Dans le hameau de Safāt ez Zerr, à 3 km S de Buseire, au bord de l'Euphrate. - Lat. : 3.570 - Long. : 5.802.
Unité géomorphologique - Terrasse holocène ancienne Q_{0a}. En bordure de la terrasse, dominant directement le fleuve. Sur un môle résistant Q_{II}.
Site d'habitat.
L. : 90 m, larg. : ?, alt. relative : -, alt. absolue : 195 m.
Description - Ruines d'une fortification construite directement en bordure du fleuve sur une assise de galets. Seule la partie proche du fleuve est visible. *Vestiges apparents* - Vestiges d'une construction en briques cuites rouges et jaunes (25-30 x ? x 5 cm) jointoyées au mortier de chaux contenant des graviers : trois tours et un quai (?) reliés par un long mur. Sept assises de tours rondes vues et signalées par Ch. Héraud. *Matériel* - Céramique peu abondante [Cat. 553-557, pl. 42] ; verre.
Datation - Céramique : romain tardif, islamique.
Bibliographie - Chesney 1850 (ancienne Dakia ?) ; Geyer et Monchambert 1987 b ; Héraud 1922 a et b (sans toponyme) ; Kiepert 1900, carte (« Röm. Ruine », sans nom).
Illustrations - Chap. IV, fig. 33, 34 et 35.

32 - SAFĀT EZ ZERR 2 (12/1984/T)

Carré G7, carte II, rive gauche. Dans le hameau de Safāt ez Zerr, à 3 km S de Buseire. À 100 m de l'Euphrate. - Lat. : 3.570 - Long. : 5.803.
Unité géomorphologique - Terrasse holocène ancienne Q_{0a}. À 0,1 km de la bordure de la terrasse et du fleuve.
Site d'habitat.
L. : 130 m NNE-SSO, larg. : 80 m ONO-ESE, alt. relative : 3 m, alt. absolue : 196,7 m.
Description - Petit tell partiellement recouvert par un village moderne. Épandage de tessons dans les champs. *Vestiges apparents* - Dans une coupe, couche d'incendie. *Matériel* - Céramique [Cat. 558-575, pl. 42-43] ; artefacts lithiques ; verre.

Datation - Céramique : Bronze moyen, néo-assyrien, classique (parthe), romain tardif, islamique.
Bibliographie - GEYER et MONCHAMBERT 1987 b ; MUSIL 1927 (Ḳerjet az-Zirr).
Illustrations - Chap. IV, fig. 33.

33 - HATLA 1 (13/1984/T)

Carré C2, carte I, rive gauche. À 4 km N de Marrāt, en bordure du plateau. À 300 m O de la route. - Lat. : 3.813 - Long. : 5.617.
Unité géomorphologique - Terrasse Q_{II}. En bordure de terrasse, dominant le fond alluvial holocène, à 1,4 km du plus proche paléoméandre.
Site d'habitat.
L. : 150 m N-S, larg. : 150 m E-O, alt. relative : 2 m, alt. absolue : 212,7 m.
Description - Petite butte avec quelques tessons épars aux alentours.
Matériel - Céramique [Cat. 576-591, pl. 43-44] ; artefacts lithiques ; fragments de meules de basalte.
Datation - Céramique : romain tardif.
Bibliographie - GEYER et MONCHAMBERT 1987 b.

34 - ET TĀBĪYE 1 (14/1984/T)

Carré D4, carte I, rive gauche. À 3,3 km SE de Mazlūm, en bordure du plateau. À 200 m SO de la route. - Lat. : 3.728 - Long. : 5.699.
Unité géomorphologique - Terrasse Q_{II}. En bordure de terrasse, dominant le fond alluvial holocène et un paléoméandre.
Site d'habitat.
L. : 120 m NNO-SSE, larg. : 40 m ENE-OSO, alt. relative : 2 m, alt. absolue : 207,3 m.
Description - Petit site de forme allongée, avec butte principale au SE. Entièrement recouvert par un cimetière. *Matériel* - Céramique [Cat. 592-603, pl. 45] ; artefacts lithiques.
Datation - Céramique : romain tardif.
Bibliographie - GEYER et MONCHAMBERT 1987 b ; MUSIL 1927 (peut-être al-Mzêbre).

35 - JAFRA (15/1984/T)

Carré B3, carte I, rive droite. À 6,5 km SE de Deir ez Zōr. À 1,2 km NE de la route. À 1,5 km du fleuve. - Lat. : 3.754 - Long. : 5.592.
Unité géomorphologique - Terrasse holocène ancienne Q_{0a}. À 0,4 km du plus proche paléoméandre.
Site d'habitat.
L. : 160 m ONO-ESE, larg. : 100 m NNE-SSO, alt. relative : 4 m, alt. absolue : 204,7 m.
Description - Site de forme ellipsoïdale, à surface tabulaire avec petite butte au SE. Très peu de graviers et de galets en surface. *Vestiges apparents* - Nombreux murs (28-30 cm de large) apparaissant dans les talus de bordure, construits en moellons de gypse ou blocs d'encroûtement gypseux liés au mortier de chaux, associés à des murs de briques crues et de briques cuites. *Matériel* - Céramique abondante ; bague en bronze ; crapaudine en basalte ; monnaies (de type islamique, illisibles).
Datation - Céramique : islamique.
Bibliographie - GEYER et MONCHAMBERT 1987 b ; KIEPERT 1900, carte (Tell Ğofra).

36 - TELL QARYAT MEDĀD (Tell Tob) (16/1984/T)

Carré E6, carte I, rive droite. À 2,5 km SE d'Abu Leil 1 (site 40). À 600 m NE de la route. À 4,5 km du fleuve. - Lat. : 3.606 - Long. : 5.727.
Unité géomorphologique - Terrasse holocène ancienne Q_{0a}. À 2,5 km du plus proche paléoméandre, donc loin en retrait sur la terrasse.
Site d'habitat.
L. : 300 m NE-SO, larg. : 160 m NO-SE, alt. relative : 6 m, alt. absolue : 201 m.
Description - Tell sur le tracé du Nahr Sa'īd, formé d'une butte principale et d'une butte secondaire plus basse au SE. Très peu de galets et de graviers en surface. Fouilles clandestines. *Vestiges apparents* - Sondages 1988 : massifs de briques cuites effondrés sur le flanc S en bordure du Nahr Sa'īd, peut-être une mosquée (sondage III) ; superposition de six niveaux d'habitat associés à des murs en briques cuites (sondages I et VI) ; tranchées dans le chenal colmaté du Nahr Sa'īd (sondages II, IV, V). *Matériel* - Céramique ; nombreux fragments de bracelets en pâte de verre ; meule girante en basalte ; verre ; fond de petit vase en bronze ; deux languettes et un anneau de cuivre ; briques cuites (± 25 cm de côté) ; monnaies (8).
Datation - Céramique : islamique.
Bibliographie - BERTHIER et D'HONT 1994 ; BERTHIER *et al.* 2001 ; GEYER et MONCHAMBERT 1983 (n° 11), 1987 b ; MÜLLER 1931 (Tell Taub) ; GUIBERT *et al.* 1999.

37 - ES SALU 1 (17/1984/T)

Carré E7, carte I, rive droite. À 4 km SE d'Abu Leil 1 (site 40). À 800 m NE de la route. À 4 km du fleuve. - Lat. : 3.593 - Long. : 5.739.
Unité géomorphologique - Terrasse holocène ancienne Q_{0a}. À 2,2 km du plus proche paléoméandre, donc loin en retrait sur la terrasse.
Site d'habitat.
L. : 100 m N-S, larg. : 100 m E-O, alt. relative : 4,5 m, alt. absolue : 199,5 m.
Description - Tell sur le tracé du Nahr Sa'īd, plus ou moins circulaire, à surface tabulaire sans graviers ni galets. Sans doute au départ d'un canal secondaire. *Matériel* - Céramique ; briques cuites abondantes ; fragments de bracelets en pâte de verre ; bord de vase en pierre.
Datation - Céramique : islamique.
Bibliographie - GEYER et MONCHAMBERT 1983 (n° 12), 1987 b.

38 - ES SALU 2 (18/1984/T)

Carré E7, carte I, rive droite. À 4,5 km SE d'Abu Leil 1 (site 40). À 700 m NE de la route. À 4 km du fleuve. - Lat. : 3.588 - Long. : 5.743.
Unité géomorphologique - Terrasse holocène ancienne Q_{0a}. À 2,2 km du plus proche paléoméandre, donc loin en retrait sur la terrasse.
Site d'habitat.
L. : 160 m E-O, larg. : 110 m N-S, alt. relative : 3 m, alt. absolue : 198,8 m.
Description - Site sur le tracé du Nahr Sa'īd, plus ou moins circulaire, à surface tabulaire sans graviers ni galets. Une butte au SO. Sans doute au départ d'un canal secondaire. *Vestiges apparents* - Dans une coupe (route moderne) à l'extrémité O du tell, niveaux archéologiques sur une hauteur de 1 m (couche détritique). *Matériel* - Céramique peu abondante ; briques cuites ; fragments d'enduit de *juṣ* ; fragments de bracelets en pâte de verre ; fragments de tiges de verre.
Datation - Céramique : islamique.

Bibliographie - GEYER et MONCHAMBERT 1983 (n° 13), 1987 b.
Illustrations - Chap. V, fig. 8.

39 - ES SALU 3 (19/1984/T)

Carré E7, carte I, rive droite. À 5,3 km SE d'Abu Leil 1 (site 40). À 650 m de la route. À 4 km du fleuve. - Lat. : 3.582 - Long. : 5.747.
Unité géomorphologique - Terrasse holocène ancienne Q_{0a}. À 2,3 km du plus proche paléoméandre, donc loin en retrait sur la terrasse.
Site d'habitat.
L. : 150 m NO-SE, larg. : 100 m NE-SO, alt. relative : 4,5 m, alt. absolue : 199,5 m.
Description - Tell de forme ellipsoïdale sur le tracé du Nahr Sa'īd, sans doute au départ d'un canal secondaire. *Vestiges apparents* - Dans une excavation (fouille clandestine), affleurement de murs en briques cuites, enduits de *juṣ*, à 0,50 m sous la surface ; en coupe, niveau cendreux au-dessus de ces murs. Nombreuses poches de cendres affleurant à la surface du tell. *Matériel* - Céramique ; fragments de bracelets en pâte de verre ; fragment de tige en pâte de verre ; pierre à aiguiser ; fragment de vase en pierre ; fragment de fer.
Datation - Céramique : islamique.
Bibliographie - GEYER et MONCHAMBERT 1983 (n° 14), 1987 b.
Illustrations - Chap. V, fig. 8.

40 - ABU LEIL 1 (20/1984/T)

Carré E6, carte I, rive droite. Sous un hameau d'Abu Leil, à 6 km OSO du village éponyme, E de la route. À 6 km du fleuve. - Lat. : 3.618 - Long. : 5.707.
Unité géomorphologique - Terrasse holocène ancienne Q_{0a}. À 2,8 km du plus proche paléoméandre, donc loin en retrait sur la terrasse.
Site d'habitat.
L. : 150 m N-S (?), larg. : 150 m E-O (?), alt. relative : 2,5 m, alt. absolue : 197,5 m.
Description - Sur le tracé du Nahr Sa'īd, sans doute au départ d'un canal secondaire. Site de forme allongée, réoccupé par un village moderne de quelques maisons désormais abandonnées (1987). *Matériel* - Céramique rare ; nombreuses briques cuites (25 x 25 x 4,5 cm), parfois réutilisées dans les maisons modernes.
Datation - Céramique : islamique.
Bibliographie - GEYER et MONCHAMBERT 1983 (n° 10), 1987 b.

41 - TELL ED DĀŪDĪYE (21/1984/T)

Carré F9, carte II, rive droite. À 5 km NO de Meyādīn, E de la route. À 1,5 km du fleuve. - Lat. : 3.495 - Long. : 5.796.
Unité géomorphologique - Terrasse holocène ancienne Q_{0a}. À 1,2 km du plus proche paléoméandre, donc loin en retrait sur la terrasse.
Site d'habitat.
L. : 200 m NNO-SSE, larg. : 90 m ENE-OSO, alt. relative : 5 m, alt. absolue : 198,1 m.
Description - Tell sur le tracé du Nahr Sa'īd, de forme allongée. Réoccupé par un cimetière. *Matériel* - Céramique très abondante ; nombreuses briques cuites ; fragments de basalte ; fragments de bracelets en pâte de verre ; fragments de bronze.
Datation - Céramique : islamique. - Simpson : médiéval [islamique].
Bibliographie - GEYER et MONCHAMBERT 1983 (n° 17), 1987 b ; SACHAU 1883 (sans doute site près de Bel'um) ; SIMPSON 1983 (KH 3 - Tall ad Dāwdīyah).

42 - TELL EZ ZABĀRI (22/1984/T)

Carré F7, carte II, rive droite. À 2,5 km O d'Ez Zabāri. À 600 m E de la route. À 3,5 km du fleuve. - Lat. : 3.562 - Long. : 5.765.
Unité géomorphologique - Terrasse holocène ancienne Q_{0a}. À 0,6 km du plus proche paléoméandre, donc en retrait sur la terrasse.
Site d'habitat.
L. : 150 m E-O, larg. : 100 m N-S, alt. relative : 4,5 m, alt. absolue : 197,4 m.
Description - Tell sur le tracé du Nahr Sa'īd. Site constitué de deux buttes plus ou moins circulaires lui conférant une forme d'ensemble allongée. Cimetière sur la butte O, plus élevée. *Vestiges apparents* - Deux *tannūr* sur la pente N. Arasements de murs de briques cuites liées au mortier de chaux. *Matériel* - Céramique ; fragments de basalte ; fragments de bronze ; fragments de fer ; fragments de bracelets en pâte de verre ; monnaies (2).
Datation - Céramique : islamique.
Bibliographie - GEYER et MONCHAMBERT 1983 (n° 15), 1987 b.

43 - EL HIRĀMI 2 (23/1984/T)

Carré G10, carte II, rive droite. À 1,7 km SO de Meyādīn. À 1,8 km du fleuve. - Lat. : 3.443 - Long. : 5.823.
Unité géomorphologique - Terrasse holocène ancienne Q_{0a}. À 1,2 km du plus proche paléoméandre, donc en retrait sur la terrasse.
Site d'habitat.
L. : 100 m N-S, larg. : 100 m E-O, alt. relative : -, alt. absolue : 188,8 m.
Description - Petit site sans élévation sur le tracé possible d'un canal (prolongement du Nahr Sa'īd ?). Matériel récolté dans les champs cultivés au pied d'une butte de galets (site laminé ?). *Matériel* - Céramique ; nombreuses briques cuites.
Datation - Céramique : islamique.
Bibliographie - GEYER et MONCHAMBERT 1983 (n° 19), 1987 b.

44 - EL GRAIYE 1 [Dāliya ?] (24/1984/T)

Carré I11, carte II, rive droite. À 5 km NNO d'El 'Ashāra. À 2,1 km NE de la route. En bordure de l'Euphrate, dominant le fleuve. - Lat. : 3.396 - Long. : 5.918.
Unité géomorphologique - Terrasse holocène ancienne Q_{0a}. En bordure de la terrasse, dominant le fleuve. Sans doute sur un môle résistant Q_{II}.
Site d'habitat.
L. : 300 m NO-SE, larg. : 100 m NE-SO, alt. relative : ?, alt. absolue : ?
Description - Tell presque entièrement occupé par un village actuel. *Vestiges apparents* - Sur la berge, en coupe : vestiges d'un rempart en gros blocs de pierres équarries renforcées à la base par un mur en briques cuites ; structures peu visibles (décharge publique), sans doute en bordure d'un ancien quai. - Dans le lit actuel du fleuve, à env. 3 m de la rive, vestiges d'un bâtiment (moulin ?) en briques cuites (25 x 25 x 5 cm) de plan carré, à deux niveaux, protégé en amont par une construction en éperon ; niveau supérieur : accès par la face SO (côté berge), deux ouvertures sur les faces NO et NE ; niveau inférieur comblé : ouverture en ogive sur la face SE (évacuation de l'eau ?). Sur la face SO et en plusieurs points des murs, plusieurs rangées de trous de section carrée (emplacement de poutres ?). *Matériel* - Sur le tell : fragments de stuc ; fragments de briques crues et de briques cuites.
Datation - Céramique : islamique.
Bibliographie - GEYER et MONCHAMBERT 1983 (n° 24), 1987 b ; HÉRAUD 1922 a et b (Greya) ; LE STRANGE 1966 (Ad-Dâliyah) ;

Musil 1927 (al-Ğzejre).
Illustrations - Chap. iv, fig. 23.

45 - EL GRAIYE 2 (25/1984/T)

Carré I10, carte II, rive droite. À 6 km NNO d'El 'Ashāra. À 2 km NE de la route. En bordure de l'Euphrate, dominant le fleuve. - Lat. : 3.402 - Long. : 5.909.
Unité géomorphologique - Terrasse holocène ancienne Q_{0a}. En bordure de la terrasse, dominant le fleuve. Sur un môle résistant Q_{II} qui forme avec celui de Taīyāni (site 67) un des points d'ancrage fixe du lit du fleuve.
Site d'habitat.
L. : 170 m NO-SE, larg. : 90 m NE-SO, alt. relative : 7,5 m, alt. absolue : 197,6 m.
Description - Butte de forme ovale en grande partie réoccupée par un hameau. Au NE, tranchée permettant le passage d'un canal alimenté par des pompes monocylindres anglaises. En 1996, la base NE du site était entaillée par une large tranchée ouverte à côté de ce canal en vue d'y installer une station de pompage moderne. - Fouilles américaines sur le flanc SE du site (cf. Reimer 1988).
Vestiges apparents - Niveaux d'occupation visibles dans la coupe de la tranchée. *Matériel* - Céramique (cf. bibliographie) ; artefacts lithiques ; un percuteur en silex [Cat. 1774].
Datation - Reimer : Uruk moyen et récent. - Simpson : Obeid, Uruk récent, milieu du IIe millénaire av. J.-C. [Bronze moyen].
Bibliographie - Bonatz *et al.* 1998 ; Buccellati 1979, 1983, 1990 b ; Geyer et Monchambert 1983 (n° 22), 1987 b ; Héraud 1922 b (Taès) ; Musil 1927 (Tell al-Ḳrejje, at-Tell) ; Reimer 1988 ; Simpson 1983 (Tall Qraya, Qurrayah).
Illustrations - Chap. ii, fig. 4 et 5 ; iv, fig. 21, 22 et 23.

46 - ABU LEIL 2 (26/1984/T)

Carré D6, carte I, rive droite. À 1,5 km NNO d'Abu Leil 1 (site 40), juste à l'E de la route. - Lat. : 3.631 - Long. : 5.698.
Unité géomorphologique - Terrasse holocène ancienne Q_{0a}. À 2 km du plus proche paléoméandre, donc loin en retrait sur la terrasse.
Site d'habitat.
L. : 100 m NO-SE, larg. : 30 m NE-SO, alt. relative : 1,5 m, alt. absolue : 197,6 m.
Description - Petit tell sur le tracé du Nahr Sa'īd, de forme inconnue, entièrement recouvert en 1987 par un village moderne abandonné, à l'exception d'une maison, en raison de la salinisation des terres agricoles dans ce secteur. *Matériel* - Céramique.
Datation - Céramique : islamique.
Bibliographie - Geyer et Monchambert 1983 (n° 8), 1987 b.

47 - SREIJ 1 (29/1984/T)

Carré G11, carte II, rive droite. À 7,5 km S de Meyādīn, sur un éperon du plateau. - Lat. : 3.383 - Long. : 5.841.
Unité géomorphologique - Replat d'érosion Q_V du plateau. En bordure du plateau, dominant la plaine holocène.
Mosquée.
L. : -, larg. : -, alt. relative : -, alt. absolue : 229,8 m.
Description - Mosquée détruite. *Vestiges apparents* - Vestiges d'un minaret octogonal en briques cuites. Vestiges de la salle de prière avec colonnade et colonnes encastrées. *Matériel* - Céramique très rare ; artefacts lithiques (silex).
Datation - Céramique : islamique. - Simpson : médiéval [islamique].
Bibliographie - Czernik 1875 (sans doute Ibn Malek) ; Geyer et Monchambert 1983 (n° 25), 1987 b ; Musil 1927 (aš-Šrejz) ; Sachau 1883 (Es-srêdj) ; Simpson 1983 (KH 4B - Kharāb Srij).

48 - MAQBARAT EL 'OWUJA (31/1984/T)

Carré H10, carte II, rive droite. À 6,5 km SSE de Meyādīn. À 600 m S de la route. - Lat. : 3.403 - Long. : 5.862.
Unité géomorphologique - Terrasse holocène ancienne Q_{0a}. En bordure de la terrasse, dominant au N un paléoméandre.
Site d'habitat.
L. : 300 m E-O, larg. : 100 m N-S, alt. relative : 2 m, alt. absolue : 190 m.
Description - Tell peu élevé formé d'une butte prolongée, au N, par une plate-forme entamée par un ancien méandre. Partiellement recouvert par des limons de débordement. *Matériel* - Céramique peu abondante concentrée sur la plate-forme ; briques cuites ; moellons de gypse.
Datation - Céramique : islamique. - Simpson : médiéval [islamique].
Bibliographie - Geyer et Monchambert 1983 (n° 21), 1987 b ; Simpson 1983 (KH 2 - Maqbarat al 'Awuja).

49 - EL GRAIYE 3 (32/1984/T)

Carré I11, carte II, rive droite. À 5,5 km NO d'El 'Ashāra. À 900 m NE de la route. - Lat. : 3.393 - Long. : 5.903.
Unité géomorphologique - Terrasse holocène ancienne Q_{0a}. À 0,4 km du plus proche paléoméandre, donc légèrement en retrait sur la terrasse.
Site d'habitat.
L. : 200 m ONO-ESE, larg. : 110 m NNE-SSO, alt. relative : 2,5 m, alt. absolue : 191,6 m.
Description - Butte de forme allongée avec quelques tombes. *Matériel* - Céramique [Cat. 604-620, pl. 45-46].
Datation - Céramique : Bronze moyen, néo-assyrien, postérieur ? - Simpson : parthe/sassanide, médiéval ancien ? [islamique ancien ?].
Bibliographie - Geyer et Monchambert 1983 (n° 23), 1987 b ; Simpson 1983 (TH 28 - Qrayat 'Aljaba).
Illustrations - Chap. iv, fig. 23.

50 - BUQRAS 1 (33/1984/T)

Carré F8, carte II, rive droite. À 0,3 km SO du village de Buqras sur le bord du plateau. À 200 m O de la route. - Lat. : 3.525 - Long. : 5.776.
Unité géomorphologique - Formation Q_{II}. En bordure de la terrasse, dominant le fond alluvial holocène à 0,3 km du plus proche paléoméandre.
Site d'habitat.
L. : 275 m NO-SE, larg. : 100 m NE-SO, alt. relative : 4,5 m, alt. absolue : 204,0 m.
Description - Site partiellement fouillé (cf. bibliographie). *Vestiges apparents* - Sondages : ruines de maisons. Architecture relevée en surface (cf. bibliographie). *Matériel* - Céramique ; mobilier en pierre ; artefacts lithiques ; outillage en os ; ossements (cf. bibliographie).
Datation - Matériel des fouilles (cf. bibliographie) : Néolithique (PPNB récent), pré-Hassuna, Hassuna.
Bibliographie - Akkermans *et al.* 1978-1979, 1981, 1982, 1983 ; Akkermans et Fokkens 1979 ; Boerma 1979-1980 ; Bonatz *et al.*

1998 ; CONTENSON (de) 1966 ; CONTENSON (de) et VAN LIERE 1966 ; GEYER et BESANÇON 1997 ; GEYER et MONCHAMBERT 1983 (n° 16), 1987 b ; HOURS *et al.* 1994 ; LE MIÈRE et PICON 1987 ; MUSIL 1927 (Borros) ; SACHAU 1883 (Bogrus) ; SIMPSON 1983 (Buqrus, Buqras, Bouqras) ; VOGEL et WATERBOLK 1967. - Catalogues d'exposition 1982, 1983, 1993 b.

51 - MEYĀDĪN [Raḥba] (34/1984/T)

Carré G9, carte II, rive droite. À 45 km SE de Deir ez Zōr - Lat. : 3.458 - Long. : 5.831.
Unité géomorphologique - Terrasse holocène ancienne Q_{0a}. En bordure de la terrasse, dominant directement le fleuve au N et un paléoméandre à l'E. Sans doute sur un môle résistant Q_{II}.
Site d'habitat et site funéraire.
L. : ?, larg. : ?, alt. relative : 3 m, alt. absolue : 193,9 m.
Description - Site recouvert par la ville moderne (édifiée à partir de 1868). Résultats des fouilles de la mission franco-syrienne (1976-1981) non publiés. *Vestiges apparents* - Cf. bibliographie. *Matériel* - Cf. bibliographie.
Datation - Simpson : médiéval [islamique].
Bibliographie - AINSWORTH 1888 (Mayerthin) ; BIANQUIS 1986 a, 1986 b, 1987, 1989, 1993 ; BIANQUIS et ROUSSET 1996 ; BONATZ *et al.* 1998 ; CHESNEY 1850 (Ma'den) ; CZERNIK 1875 (Mayadim) ; GEERE 1904 (Maydin) ; GEYER et MONCHAMBERT 1983 (n° 18), 1987 b ; HÉRAUD 1922 b (Mayadine) ; KIEPERT 1900, carte (Mejādīn) ; LE STRANGE 1966 ; MUSIL 1927 (al-Mijâdîn) ; OPPENHEIM 1900 (Mejādīn) ; ROUSSET 1996 ; SACHAU 1883 (Mejâdîn) ; SIMPSON 1983 (Mayādīn) ; TOUEIR 1979. - Sources arabes : voir BIANQUIS et HONIGMANN 1994. - Catalogues d'exposition 1989, 1996.

52 - ER RHEIBA
[Raḥba al-Ğadīda, Qal'at Raḥba] (35/1984/T)

Carré G10, carte II, rive droite. À 3,5 km SO de Meyādīn, sur un éperon détaché du plateau (forteresse) et sur le glacis (ville). - Lat. : 3.436 - Long. : 5.803.
Unité géomorphologique - Replat d'érosion Q_V du plateau. En bordure du plateau, dominant la plaine holocène.
Site d'habitat et forteresse.
L. : ± 400 m NE-SO, larg. : ± 300 m NO-SE, alt. relative : ?, alt. absolue : 244 m.
Description - Vestiges d'une cité construite en briques cuites dominée par une forteresse. Très nombreux trous de pillage (carrière de briques cuites). *Vestiges apparents* - Cf. bibliographie. *Matériel* - Cf. bibliographie.
Datation - Matériel des fouilles (cf. bibliographie) : islamique. - Simpson : médiéval [islamique].
Bibliographie - AINSWORTH 1888 (Rahabah) ; ALBRIGHT et DOUGHERTY 1926 (Raḥabah) ; BIANQUIS 1979, 1986 a, 1986 b, 1987, 1989, 1993 ; BIANQUIS et ROUSSET 1996 ; BONATZ *et al.* 1998 ; CHESNEY 1850 (Raḥaba) ; CZERNIK 1875 (Rahaba) ; ÉLISSÉEFF et PAILLET 1986-1987 ; GEERE 1904 (Rehaba) ; GEYER et MONCHAMBERT 1983 (n° 20), 1987 b ; HÉRAUD 1922 a et b (Rabah) ; HÜTTEROTH 1993 ; KIEPERT 1900, carte (Raḥaba) ; MONCHAMBERT 1990 a ; MÜLLER 1931 (Kalaat Rahba) ; MUSIL 1927 (ar-Rḥaba) ; NÈGRE 1980-1981 ; PAILLET 1983 ; ROUSSEAU 1899 (El-Rahébé) ; ROUSSET 1996, 1998 ; SACHAU 1883 (Ráhaba) ; SIMPSON 1983 (Qal'at Raḥbah, Raḥbat Mālik bin Ṭawk, Raḥbat ash Sham) ; TAVERNIER 1712 (Mached-raba) ; TOUEIR 1979. - Pour l'ensemble des sources concernant Raḥba, cf. BIANQUIS et HONIGMANN 1994. - Catalogues d'exposition 1989, 1996.

53 - MAZĀR 'AIN 'ALI (36/1984/T)

Carré G11, carte II, rive droite. À 9,1 km S de Meyādīn, sur un éperon du plateau. Source aménagée (*qanāt*) au pied du plateau (site 208). - Lat. : 3.367 - Long. : 5.842.
Unité géomorphologique - Replat d'érosion Q_{IV}. Sur un lambeau de la surface d'érosion dominant le fond alluvial holocène.
Mosquée.
L. : -, larg. : -, alt. relative : -, alt. absolue : 229,9 m.
Description - Bâtiment en briques cuites maçonnées, arasé au bulldozer. Ne subsiste que le minaret. Cimetières sur un replat à 300 m au S de la mosquée. - Musil : « 'Ali al-Ḥsejn se trouve au S d'un large champ de ruines caché dans un creux qui débouche au SE près d'une source (cf. site 208) abondante mais amère, dans la vallée d'al-Ḫôr (al Khōr). Les cabanes sont construites en bonne pierre, brique et terre, mais personne n'y vit. La mosquée, un petit bâtiment, est quadrangulaire à la base et passe à un octogone en haut, et est couronnée par un dôme. Au NE de la mosquée se trouve un minaret octogonal ». *Vestiges apparents* - Quelques arases de murs d'un bâtiment rectangulaire (mosquée) conservé sur ± 23 m de long et ± 5 m de large. Minaret octogonal de 4 x 4 m, conservé sur 10 m de haut. *Matériel* - Céramique très rare.
Datation - Céramique : islamique. - Simpson : médiéval [islamique]
Bibliographie - CZERNIK 1875 (M'Akam Imam Ali) ; GEYER et MONCHAMBERT 1983 (n° 26), 1987 b ; HÉRAUD 1922 b (Mosquée de l'Imam Ali) ; KIEPERT 1900, carte (Imām 'Ali) ; MÜLLER 1931 (Mosquée de l'Imam Ali) ; MUSIL 1927 (aš-Šejḫ 'Ali ou 'Ali al-Ḥsejn) ; SIMPSON 1983 (KH 4C - Mazār 'Ayn 'Alī, Mosque Īmām 'Alī).

54 - EL 'ASHĀRA [Terqa - Sirqu] (37/1984/T)

Carré I12, carte III, rive droite. À 61 km SE de Deir ez Zōr. - Lat. : 3.350 - Long. : 5.938.
Unité géomorphologique - Terrasse holocène ancienne Q_{0a}. En bordure de la terrasse, dominant le fleuve à l'E et un paléoméandre au N. Très certainement sur un môle résistant Q_{II}.
Site d'habitat.
L. : ± 440 m NO-SE, larg. : ± 230 m NE-SO, alt. relative : 17 m, alt. absolue : 201,1 m.
Description - Tell recouvert par une ville moderne. Fouilles américaines et françaises (cf. bibliographie). Dans le fleuve, piles d'un ancien système élévatoire (noria ?) signalées par Ch. Héraud. *Vestiges apparents* - Cf. bibliographie. *Matériel* - Céramique ; artefacts lithiques (cf. bibliographie).
Datation - Matériel des fouilles (cf. bibliographie) : Bronze ancien, Bronze moyen, Bronze récent, hellénistique, islamique. - Simpson : *idem* + Obeid ?
Bibliographie - AINSWORTH 1888 (al Ashar) ; ALBRIGHT et DOUGHERTY 1926 ('Ashârah) ; BONATZ *et al.* 1998 ; CHAVALAS 1996 ; CHESNEY 1850, carte (El Ashara) ; CZERNIK 1875 (Aschara) ; GEYER et MONCHAMBERT 1983 (n° 27), 1987 b ; HÉRAUD 1922 a et b (Achara, Acharat) ; HERZFELD 1911, 1920 ('Ishārah) ; HÜTTEROTH 1993 ; KIEPERT 1900, carte (El 'Ishāra) ; MAHMOUD 1978 ; MÜLLER 1931 (Acharat) ; MUSIL 1927 (al-'Ašhâra, Tell 'Ašhâra) ; SACHAU 1883 ('Ishâra) ; SIMPSON 1983 (Tall al 'Ashārah) ; THUREAU-DANGIN 1908. - Résultats des fouilles : THUREAU-DANGIN et DHORME 1924 ; fouilles américaines publiées dans deux séries : *TPR* (*Terqa Preliminary Reports*) et *TFR* (*Terqa Final Reports*), bibliographie générale dans BUCCELLATI et KELLY-BUCCELLATI 1983 ; fouilles françaises : ROUAULT 1991, 1993-1994, 1994, 1997 a et b, 1998 a. - Catalogues d'exposition 1983, 1993 b, 1996.
Illustrations - Chap. IV, fig. 23.

55 - ES SAIYĀL 4 (39/1984/T)

Carré P18, carte V, rive droite. À 0,5 km du hameau d'Es Saiyāl. À 1 km O de l'Euphrate - Lat. : 3.002 - Long. : 6.262.
Unité géomorphologique - Terrasse holocène ancienne Q_{0a}. En bordure de la terrasse, dominant un paléoméandre.
Site d'habitat.
L. : 50 m, larg. : 50 m, alt. relative : 1 m, alt. absolue : 176,1 m.
Description - Site sans élévation de 50 m de diamètre. *Matériel* - Céramique peu abondante [Cat. 621-628, pl. 46] ; fragments de briques crues et de briques cuites ; fragments de basalte.
Datation - Non daté.
Bibliographie - GEYER et MONCHAMBERT 1983 (n° 38), 1987 b.

56 - ES SŪSA 2 (41/1984/T)

Carré Q21, carte V, rive gauche. À 2,5 km SE du village d'Es Sūsa. À 500 m O de la route. - Lat. : 2.894 - Long. : 6.319.
Unité géomorphologique - Formation Q_{II}. Sur une formation Q_{II} en placage peu épais sur un replat de même période.
Site funéraire.
L. : 500 m NE-SO, larg. : 300 m NO-SE, alt. relative : -, alt. absolue : 183 m.
Description - Vaste nécropole en relation avec le site 18. *Vestiges apparents* - Une tombe. *Matériel* - Céramique [Cat. 629-647, pl. 47-48].
Datation - Céramique : Bronze ancien, Bronze moyen, classique (romano-parthe), romain tardif.
Bibliographie - GEYER et MONCHAMBERT 1987 a et b.
Illustrations - Chap. IV, fig. 37.

57 - ES SŪSA 3 (42/1984/T)

Carré Q20, carte V, rive gauche. À 1,7 km ESE du village d'Es Sūsa. À 400 m E de la route. - Lat. : 2.907 - Long. : 6.322.
Unité géomorphologique - Cône de déjection polychronique. En bordure des formations pléistocènes, dominant le fond alluvial holocène.
Site d'habitat.
L. : ?, larg. : ?, alt. relative : 2 m, alt. absolue : 175 m.
Description - Petite butte de forme ovoïde. *Matériel* - Céramique [Cat. 648-673, pl. 49-50] ; artefacts lithiques (silex et obsidienne) ; fragments de basalte.
Datation - Céramique : Obeid.
Bibliographie - GEYER et MONCHAMBERT 1987 b ; GEYER et BESANÇON 1997.

58 - BĀQHŪZ 1 (46/1984/T)

Carré Q21, carte V, rive gauche. À 2,2 km NE du village de Bāqhūz. À 1,3 km de la route. - Lat. : 2.866 - Long. : 6.328.
Unité géomorphologique - Cône de déjection polychronique. En position liminaire d'un cône au pied du plateau de Jézireh.
Site d'habitat.
L. : 100 m N-S, larg. : 100 m E-O, alt. relative : < 2 m, alt. absolue : 175,2 m.
Description - Cf. bibliographie. *Vestiges apparents* - Cf. bibliographie. *Matériel* - Céramique ; artefacts lithiques dont silex et obsidienne (cf. bibliographie).
Datation - Matériel des fouilles (cf. bibliographie) : Samarra. - Bernbeck : Hassuna (phase Sotto), Samarra.
Bibliographie - BERNBECK 1994 ; BRAIDWOOD *et al.* 1944 ; DU MESNIL DU BUISSON 1948 (Baghouz) ; GEYER et MONCHAMBERT 1987 a et b ; HOURS *et al.* 1994 ; KLEINDIENST 1960.

59 - ABU HASAN 2 (48/1984/T)

Carré O17, carte IV, rive gauche. À 0,5 km N d'Abu Hasan. À 200 m SO de la route. - Lat. : 3.069 - Long. : 6.236.
Unité géomorphologique - Terrasse holocène ancienne Q_{0a}. Implanté sur un vaste pointement arasé de formation Q_{II} dominant le fleuve.
Site funéraire.
L. : ?, larg. : ?, alt. relative : -, alt. absolue : 180 m.
Description - Le site et le môle sont sapés à l'O par le fleuve. Butte peu élevée occupée partiellement par un village. Une tombe récente au sommet. *Vestiges apparents* - 1) Une tombe (pillée) orientée à peu près E-O, constituée de deux jarres couchées ouverture contre ouverture (diam. : 57 cm, L. : 66 cm pour celle à l'E, 60 cm pour celle à l'O) ; la partie supérieure de la grande est cassée ; une petite coupe à l'intérieur de la grande jarre ; aucuns ossements. Briques crues à côté des jarres. 2) Une deuxième tombe en forme de « baignoire renversée » (H. : 28 cm, l. : 28 cm, L. cons. : 40 cm) ; en contrebas de la tombe, un crâne et un os long. 3) Traces de tombes anciennes en surface. *Matériel* - Céramique [Cat. 674-684, pl. 51] ; ossements.
Datation - Céramique : néo-assyrien, classique (romano-parthe), romain tardif ?
Bibliographie - GEYER et MONCHAMBERT 1987 b.
Illustrations - Chap. IV, fig. 12 et 38.

60 - BĀQHŪZ 2 (50/1984/T)

Carré Q21-Q22, carte V, rive gauche. Secteur de Bāqhūz sur plusieurs replats en bordure du plateau de Jézireh. - Lat. : ± 2.842 - Long. : ± 6.320.
Unité géomorphologique - Replats d'érosion quaternaires.
Site funéraire.
L. : 6 000 m, larg. : ± 200 m, alt. relative : -, alt. absolue : 209 m.
Description - Vaste nécropole qui s'étend sur près de 6 km sur la falaise d'Ersi, d'abord N-S, puis O-E. *Vestiges apparents* - Tombeaux-tours, caveaux, hypogées (cf. bibliographie). *Matériel* - Céramique (cf. bibliographie).
Datation - Matériel des fouilles (cf. bibliographie) : Bronze moyen, classique (romain).
Bibliographie - AINSWORTH 1888 (Irzah, Ezra, al Wurdi) ; BALBI 1597 ; BELL 1910, 1924 (Erzi) ; CHESNEY 1850 (Al Erzi) ; CZERNIK 1875 (El Baus) ; DU MESNIL DU BUISSON 1948 (Baghouz) ; GEYER et MONCHAMBERT, 1987 a et b ; HÉRAUD 1922 b (Oursi) ; HERZFELD 1920 (al-Wardī) ; MÜLLER 1931 (El Herri) ; MUSIL 1927 (al-'Erṣi) ; ROUSSEAU 1899 (Erdi) ; STEIN 1938-1939 (al-Ersi) ; TOLL 1946.
Illustrations - Chap. I, fig. 36 ; IV, fig. 41 et 42.

61 - MAQBARAT ET TĀME (51/1984/T)

Carré H8, carte II, rive gauche. À 5 km NNE de Meyādīn, O de la route. - Lat. : 3.503 - Long. : 5.853.
Unité géomorphologique - Terrasse holocène ancienne Q_{0a}. En bordure de la terrasse, dominant au S un paléoméandre, à 120 m à l'E du fleuve. Implanté à 0,3 km en aval d'un môle résistant qui lui assure une meilleure protection que s'il était lui-même sur un môle.
Site d'habitat.
L. : 280 m O-E, larg. : 150 m N-S, alt. relative : 5,5 m, alt. absolue : 197,7 m.
Description - Tell en forme de croissant composé de deux buttes. Butte orientale ovale, moins haute. Entaille au bulldozer sur le flanc E (route). Réoccupation partielle par un cimetière moderne (Mazar Muhammed Imām). *Matériel* - Céramique abondante ; briques

cuites ; fragments de basalte ; bronze (fragment de seau) ; verre (fragments de vases).
Datation - Céramique : islamique. - Simpson : médiéval ancien, médiéval et ottoman [islamique].
Bibliographie - Geyer et Monchambert 1987 b ; Musil 1927 (Tâmme, tombeau d'aš-Šejḫ Mḥammad) ; Simpson 1983 (KH 17 - Mazār Muḥammad Īmām, Maqbarat aṭ Ṭām).
Illustrations - Chap. iv, fig. 19.

62 - MAQBARAT SHHEIL (52/1984/T)

Carré G7, carte II, rive gauche. À 9,3 km N de Meyādīn, E de la route. - Lat. : 3.553 - Long. : 5.827.
Unité géomorphologique - Terrasse holocène ancienne Q_{0a}. À 0,1 km d'un paléoméandre aujourd'hui largement colmaté.
Site d'habitat.
L. : 160 m NE-SO, larg. : 90 m NO-SE, alt. relative : 3,5 m, alt. absolue : 196,5 m.
Description - Petite butte de forme ovale avec trois petits sommets individualisés. Réoccupation par un cimetière moderne. Séparé du site 122 d'une cinquantaine de mètres (sites inventoriés séparément, car non contemporains). *Vestiges apparents* - Dans une coupe à l'E, 2 niveaux de sols visibles et un mur. *Matériel* - Tessons de céramique abondants dans les champs avoisinants à l'E de la butte sur une cinquantaine de mètres ; fragments de briques cuites ; fragments de basalte (crapaudine) ; fragments de bracelets en pâte de verre ; monnaie (1).
Datation - Céramique : islamique.
Bibliographie - Geyer et Monchambert 1987 b ; Musil 1927 (peut-être Ḳrajet az-Zhejje).

63 - MAQBARAT GRAIYET 'ABĀDISH (54/1984/T)

Carré G8, carte II, rive gauche. À 3 km NNO d'El Hawāij. À 0,4 km NE de la route. À 1 km environ de l'Euphrate. - Lat. : 3.520 - Long. : 5.849.
Unité géomorphologique - Terrasse holocène ancienne Q_{0a}. Implanté sur un vaste pointement arasé de la formation Q_{II}.
Site d'habitat et site funéraire.
L. : ?, larg. : ?, alt. relative : ?, alt. absolue : 194,3 m.
Description - Site largement endommagé par une gravière en 1984 (disparu en 1987). *Vestiges apparents* - Deux tombes pillées en forme de « baignoire renversée » en terre cuite. Murs maçonnés en briques cuites visibles dans une coupe dans la gravière. *Matériel* - Céramique rare [Cat. 685-689, pl. 52] ; artefact lithique ; fragment d'anse en pâte de verre [Cat. 1775, pl. 122].
Datation - Céramique : classique (hellénistique/parthe). - Simpson : néo-assyrien, parthe ? [classique].
Bibliographie - Geyer et Monchambert 1987 b ; Simpson 1983 (KH 19 - Maqbarat Qrayat 'Abādīsh).

64 - DĪBĀN 1 (Tell Kraḥ) (55/1984/T)

Carré H9, carte II, rive gauche. À 5,8 km E de Meyādīn. À 250 m E de la route. - Lat. : 3.463 - Long. : 5.889.
Unité géomorphologique - Terrasse holocène ancienne Q_{0a}. En bordure de la terrasse, longé à l'O par un paléoméandre Q_{0b} (ou Q_{00}). Sur un môle résistant.
Site d'habitat.
L. : 190 m N-S, larg. : 160 m E-O, alt. relative : 6 m, alt. absolue : 196 m.
Description - Butte de forme ovale à surface sommitale relativement plane. Partiellement entamée par une gravière à la base NE. Réoccupation par un cimetière moderne. *Vestiges apparents* - Ruines d'un tombeau à coupole d'époque moderne, construit en briques crues. Dans une excavation au bulldozer, ossements humains. *Matériel* - Céramique très abondante [Cat. 690-736, pl. 52-56] ; fragment de figurine en terre cuite [Cat. 1776] ; briques cuites abondantes ; fragments de meules de basalte ; verre.
Datation - Céramique : Uruk, Bronze moyen, néo-assyrien (?), islamique. - Ergenzinger et Kühne : Bronze ancien, néo-assyrien - Simpson : parthe/sassanide [classique], médiéval et ottoman ? [islamique].
Bibliographie - Bell 1910, 1924 (Tel el Krah) ; Ergenzinger et Kühne 1991 (Tall Krah) ; Geyer et Monchambert 1987 b ; Musil 1927 (Tell Krâḥ) ; Simpson 1983 (KH 6 - Krāḥ).

65 - DĪBĀN 2 (56/1984/T)

Carré H9, carte II, rive gauche. À 5,7 km ENE de Meyādīn. À 1 km E de la route. - Lat. : 3.479 - Long. : 5.884.
Unité géomorphologique - Terrasse holocène ancienne Q_{0a}. En bordure de la terrasse, longé à l'O par un paléoméandre Q_{0b} (ou Q_{00}).
Site d'habitat.
L. : 160 m E-O, larg. : 120 m N-S, alt. relative : 2 m, alt. absolue : 192,2 m.
Description - Site en forme de croissant constitué de deux buttes, l'une allongée et aplanie, orientée E-O, l'autre, située au S, de forme circulaire. Réoccupation moderne avec quelques maisons. *Matériel* - Céramique peu abondante ; quelques briques cuites ; fragments de coquillages (*Unio*) ; perles en pâte de verre ; galets percés ; monnaies islamiques (2).
Datation - Céramique : islamique.
Bibliographie - Geyer et Monchambert 1987 b.

66 - DĪBĀN 3 (58/1984/T)

Carré I9, carte II, rive gauche. À 8 km ENE de Meyādīn. À 2,5 km E de la route. - Lat. : 3.477 - Long. : 5.907.
Unité géomorphologique - Glacis de pied de versant sur formation Q_{II} et Q_{I}. À 2 km du plus proche paléoméandre, sur le glacis. Implanté sur une butte résiduelle de formation Q_{II}.
Site d'habitat.
L. : 300 m NNO-SSE, larg. : 100 m OSO-ENE, alt. relative : 4 m, alt. absolue : 195,4 m.
Description - Site sur la rive O du Nahr Dawrīn, sur une butte allongée ; à l'O, surface plane s'étalant sur environ 200 m. *Vestiges apparents* - En 1984, site très dégradé : excavation au bulldozer dans la butte naturelle (coupe : sous 0,4 m à 1 m de colluvions, graviers : aucune trace anthropique) ; dans une autre tranchée de bulldozer, niveau cendreux. Épandage de tessons. En 1988, site détruit. *Matériel* - Céramique [Cat. 737-761, pl. 57-59].
Datation - Céramique : néo-assyrien, islamique.
Bibliographie - Geyer et Monchambert 1987 b ; Monchambert 1990 a.

67 - TAIYĀNI 1 (59/1984/T)

Carré I10, carte II, rive gauche. À 1 km N de Graiye Nord. Dans le village éponyme. - Lat. : 3.411 - Long. : 5.909.
Unité géomorphologique - Terrasse holocène ancienne Q_{0a}. En bordure de la terrasse, dominant directement le fleuve. Sur un môle résistant Q_{II} qui forme avec le môle de Graiye 2 (site 45) un des points fixes d'ancrage du lit du fleuve.
Site d'habitat.
L. : 230 m ONO-ESE, larg. : 130 m NNE-SSO, alt. relative : 9 m, alt. absolue : 198,2 m.

Description - Butte de forme ovale presque entièrement occupée par un cimetière. Quelques maisons modernes sur la partie occidentale. *Vestiges apparents* - Dans le lit du fleuve, à moins d'1 km en amont du tell, ruines d'un système élévatoire ancien (noria ?) signalées par Ch. Héraud. *Matériel* - Céramique [Cat. 762-769, pl. 59] ; fragment de bracelet en pâte de verre ; monnaie ; verre ; artefacts lithiques (silex, basalte) ; scories.
Datation - Céramique : Obeid (?), fin Uruk/début Bronze ancien, classique (romain), islamique. - Simpson : parthe [classique], médiéval [islamique].
Bibliographie - Geyer et Besançon 1997 ; Geyer et Monchambert 1987 b ; Héraud 1922 a et b (Tayana) ; Musil 1927 (Tell Ğemma) ; Simpson 1983 (KH 8 - Tall Tayyānah).
Illustrations - Chap. iv, fig. 20 et 23.

68 - JEBEL MASHTALA (61/1984/T)

Carré J12, carte III, rive gauche. À 3,5 km SE du village de Darnaj, O de la route. - Lat. : 3.320 - Long. : 5.974.
Unité géomorphologique - Terrasse holocène ancienne Q_{0a}. En bordure de la terrasse, dominant au S un paléoméandre partiellement colmaté.
Site d'habitat.
L. : 370 m NO-SE, larg. : 300 m NE-SO, alt. relative : 3,5 m, alt. absolue : 189 m.
Description - Site partiellement réoccupé par un cimetière et une école au SE. Un canal le traverse sur toute sa longueur dans sa partie SO (chenal orienté NO-SE, large d'environ 15 m). La partie NE est une surface plane qui représente la plus grande partie du site. Digues bien individualisées. *Matériel* - Céramique abondante [Cat. 770-800, pl. 60-63] ; fragments de briques cuites ; fragments de meules en basalte.
Datation - Céramique : Bronze moyen (?), Bronze récent, classique (romain). - Buccellati et Kelly-Buccellati : fin IIe millénaire, début Ier millénaire ? [Bronze récent, néo-assyrien ?]. - Rouault : fin cassite (Isin II) [Bronze récent]. - Simpson : cassite [Bronze récent], parthe ? [classique].
Bibliographie - Buccellati et Kelly-Buccellati 1983 (Meshteli) ; Geyer 1990 a ; Geyer et Monchambert 1987 b ; Musil 1927 (al-Meztele) ; Rouault 1998 b ; Simpson 1983 (KH 12 - Jabal Mashtāla, Mazār Bint ash Shaykh Jābir, Mazār Ḥajij Jabāra).
Illustrations - Chap. iv, fig. 14 ; V, fig. 13.

69 - EL JURDI SHARQI 1 (62/1984/T)

Carré K12, carte III, rive gauche. À 1 km NE de la route. À 3 km O de Jebel Mashtala (site 68). À 1,7 km de l'Euphrate. - Lat. : 3.319 - Long. : 6.006.
Unité géomorphologique - Terrasse holocène ancienne Q_{0a}. Implanté sur un vaste pointement arasé de la formation Q_{II}.
Site d'habitat et site funéraire.
L. : ?, larg. : ?, alt. relative : ± 1 m, alt. absolue : 185,7.
Description - Petit site d'habitat et cimetière implantés sur la butte de galets. Partiellement détruit par des travaux au bulldozer. Réoccupé par un cimetière. *Vestiges apparents* - Une tombe baignoire (52 x 40 [?] x 25 cm). *Matériel* - Céramique [Cat. 801-817, pl. 63-65] ; fragments de basalte ; ossements ; *juṣ*.
Datation - Céramique : néo-assyrien, classique (hellénistique). - Simpson : néo-assyrien.
Bibliographie - Geyer et Monchambert 1987 b ; Simpson 1983 (KH 22).

70 - MAQBARAT EL MA'ĀDI [Tell Abu Hammām] (63/1984/T)

Carré K14, carte III, rive gauche. À 3,5 km ENE d'Abu Hammām. E de la route, à un croisement avec une piste partant vers le NE. - Lat. : 3.245 - Long. : 6.044.
Unité géomorphologique - Terrasse holocène ancienne Q_{0a}. À 1,8 km du plus proche paléoméandre, donc loin en retrait sur la terrasse.
Site d'habitat.
L. : 200 m N-S, larg. : 150 m E-O, alt. relative : 4 m, alt. absolue : 186,3 m.
Description - Site entièrement réoccupé par un cimetière moderne, constitué d'une butte aplanie entourée d'une plateforme. *Matériel* - Céramique [Cat. 818-830, pl. 65-66] ; ossements.
Datation - Céramique : classique (hellénistique, romain). - Simpson : parthe/sassanide [classique].
Bibliographie - Geyer et Monchambert 1987 b ; Musil 1927 (Tell al-Ma'âdi) ; Simpson 1983 (KH 15 - Maqbarat al Ma'ādī).

71 - HASĪYET EL BLĀLI (64/1984/T)

Carré L13, carte III, rive gauche. À 6 km NE d'Abu Hammām. - Lat. : 3.260 - Long. : 6.063.
Unité géomorphologique - Terrasse holocène ancienne Q_{0a}. À 3,5 km du plus proche paléoméandre, donc très loin en retrait sur la terrasse, probablement sur un pointement arasé de formation Q_{II}.
Site d'habitat.
L. : 250 m NO-SE, larg. : 150 m NE-SO, alt. relative : 2,5 m, alt. absolue : 184,8 m.
Description - Butte allongée, peu élevée. Implanté en bordure gauche d'un probable canal d'irrigation (canal de Marwāniye). Peu de galets en surface. *Matériel* - Céramique [Cat. 831-870, pl. 66-67] ; fer ; fragments de basalte ; verre.
Datation - Céramique : classique (hellénistique, romano-parthe). - Simpson : néo-assyrien, séleucide [classique].
Bibliographie - Geyer et Monchambert 1987 b ; Simpson 1983 (KH 16 - Ḥasyān Sawāwīn).

72 - EL JURDI SHARQI 2 (65/1984/T)

Carré K12, carte III, rive gauche. À 5 km NE d'Abu Hardūb. - Lat. : 3.304 - Long. : 6.036.
Unité géomorphologique - Cône de déjection Q_{I}. À 4 km de l'Euphrate, donc très loin en retrait, en limite du système de piémont.
Site d'habitat.
L. : 80 m N-S, larg. : 80 m E-O, alt. relative : 2,5 m, alt. absolue : 185 m.
Description - Petite butte circulaire. Galets en surface. Probablement sur le tracé du Nahr Dawrīn. *Matériel* - Céramique [Cat. 871-879, pl. 68] ; fragment de basalte.
Datation - Céramique : néo-assyrien.
Bibliographie - Geyer et Monchambert 1987 b.

73 - TELL MARWĀNIYE [Marwāniyya] (66/1984/T)

Carré K13, carte III, rive gauche. À 3 km ENE d'Abu Hardūb. - Lat. : 3.291 - Long. : 6.026.
Unité géomorphologique - Terrasse holocène ancienne Q_{0a}. À 2,3 km du plus proche paléoméandre, loin en retrait sur la terrasse, implanté sur un pointement arasé de formation Q_{II}.
Site d'habitat.
L. : 340 m E-O, larg. : 250 m N-S, alt. relative : 6 m, alt. absolue : 189,84 m.

Description - Butte de forme parallélépipédique avec un replat au centre sous la butte sommitale occidentale. Gravière à l'extrémité O. Sur le tracé d'un canal d'irrigation en provenance de l'Euphrate (canal de Marwāniye). *Vestiges apparents* - Mur d'enceinte en briques cuites visible dans la gravière. *Matériel* - Céramique abondante [Cat. 880-897, pl. 68-69] ; un fragment de figurine en terre cuite [Cat. 1777, pl. 122] ; artefacts lithiques (silex) ; fragments de briques cuites ; verre, dont un fragment de vase [Cat. 1778] ; fragments de mortier en basalte.
Datation - Céramique : Bronze récent, néo-assyrien, islamique. - Simpson : sassanide [romain tardif], médiéval ancien [islamique].
Bibliographie - Bell 1910, 1924 (peut-être tell sans nom « *that looked like the side of an ancient village* ») ; Geyer et Monchambert 1987 b ; Musil 1927 (al-Merwânijje) ; Simpson 1983 (KH 14 - Tall Marwānī). - Pour les sources arabes médiévales mentionnant Marwāniyya, cf. Rousset, *in* Berthier *et al.* 2001.
Illustrations - Chap. iv, fig. 16.

74 - EL JURDI SHARQI 3 (67/1984/T)

Carré K13, carte III, rive gauche. À 2,5 km ENE d'Abu Hardūb. - Lat. : 3.287 - Long. : 6.023.
Unité géomorphologique - Terrasse holocène ancienne Q_{0a}. À 2 km du plus proche paléoméandre, donc loin en retrait sur la terrasse, implanté sur une butte résiduelle de formation Q_{II}.
Site d'habitat.
L. : 100 m, larg. : 100 m, alt. relative : ± 1,5 m, alt. absolue : 187,8 m.
Description - Site peu étendu et de faible élévation. Largement entamé par une gravière. *Vestiges apparents* - Couches d'incendie et sol d'habitat visibles dans la coupe de la gravière sur environ 1 m d'épaisseur. *Matériel* - Céramique [Cat. 898-912, pl. 70] ; fragment de figurine animale en terre cuite [Cat. 1779, pl. 122] ; basalte ; fragments de bracelets en pâte de verre.
Datation - Céramique : Bronze récent (?), néo-assyrien, perse ?
Bibliographie - Geyer et Monchambert 1987 b.
Illustrations - Chap. iv, fig. 16.

75 - BUSEIRE 1 [Korsoté (?), Circesium, Qarqīsiyya-al-Hābūr] (68/1984/T)

Carré G6, carte II, rive droite du Khābūr. À la confluence de l'Euphrate et du Khābūr. - Lat. : 3.605 - Long. : 5.802.
Unité géomorphologique - Terrasse holocène ancienne Q_{0a}. Implanté sur une butte résiduelle de formation Q_{II}.
Site d'habitat.
L. : 1 230 m NE-SO, larg. : 420 m NO-SE, alt. relative : 12 m, alt. absolue : 206,8 m.
Description - Grand site constitué de trois buttes étalées sur plus de 1 200 m du N au S. 1) Au S, une très grande butte de forme à peu près rectangulaire longue d'environ 600 m, s'élargissant vers le S (largeur : 260 m au N ; 420 m au S) et entourée d'une levée (enceinte) ; partiellement occupée par le village moderne qui s'étend au SO ; surface très accidentée (nombreux trous et fosses) ; parois orientale et occidentale entaillées par endroits au bulldozer. 2) À 100 m au N, butte triangulaire (H. : 7 m). 3) Plus au N, une autre butte de forme ovale est pourvue de trois sommets (H. : 5,5 m à 6 m). *Vestiges apparents* - Murs en briques cuites (épaisseur de 3 à 4 m) ; briques crues. *Matériel* - Céramique très abondante [Cat. 913-974, pl. 71-75] ; fragments de moules de potiers ; monnaie (1) d'époque romaine tardive (vi^e s.) provenant de la région de Buseire, donnée par un berger [Cat. 1780, pl. 122].
Datation - Céramique : classique (hellénistique (?), romano-parthe), romain tardif, islamique. - Ergenzinger et Kühne : Bronze ancien.
Bibliographie - Pour les sources arabes mentionnant Qarqīsiyya, cf. Rousset, in Berthier *et al.* 2001. - Ainsworth 1888 (Karkīsīya, Karkīsha, Abû Seraï) ; Albright et Dougherty 1926 (Buseireh) ; Bell 1910, 1924 (Buseira) ; Blunt 1879 (Bussra) ; Chapot 1907 (El-Bousera) ; Chesney 1850 (Abu Seraï) ; Czernik 1875 (A'Buseira) ; Ergenzinger et Kühne 1991 (Tall Buṣēra) ; Geyer et Monchambert 1987 b ; Héraud 1922 a et b (Bessiré) ; Le Strange 1966 (Ḳarḳîsiyâ) ; Monchambert 1999 ; Müller 1931 (Bessiré) ; Musil 1927 (Ḳarḳîsija', al-Bsejra) ; Rousseau 1899 (Bessayré) ; Sachau 1883 (Elbuṣêra) ; Sarre et Herzfeld 1911 (Buseirah).
Illustrations - Chap. iv, fig. 25.

76 - SĀLIHĪYE 2 (04/1987/N)

Carré M15, carte IV, rive droite. À 0,6 km E de Doura-Europos. - Lat. : 3.162 - Long. : 6.102.
Unité géomorphologique - Lit mineur du fleuve.
Noria.
L. : -, larg. : -, alt. relative : -, alt. absolue : -.
Description - Vestiges d'un aménagement hydro-agricole (noria) implanté dans le lit mineur de l'Euphrate, appuyé contre la berge droite et assurant l'irrigation d'un lambeau de terrasse Q_{00}. *Vestiges apparents* - Six piles en briques cuites (25 x 25 x ? cm) maçonnées (mortier à base de gravier, chaux et cendre donnant une meilleure étanchéité) délimitant cinq passes pour roues à godets.
Datation - Islamique (xxe s., et antérieur ?).
Illustrations - Chap. i, fig. 21 ; v, fig. 45.

77 - DHEINA 7 (11/1985/B)

Hors carte. À 15 km en amont du débouché du Wādi Dheina (appelé couramment Wādi es Souāb) dans la vallée de l'Euphrate. - Lat. : ? - Long. : ?
Unité géomorphologique - Fond alluvial holocène d'oued affluent. Dans le lit mineur.
Barrage.
L. : 250 m, larg. : ± 2,80 m, alt. relative : -, alt. absolue : ?
Description - Digue longue d'environ 250 m et large d'environ 2,80 m ; la hauteur maximale conservée est de 2,30 m. Retenue du barrage comblée par l'alluvionnement. *Vestiges apparents* - Ouvrage construit en blocs de conglomérat calcaire, maçonnés avec un mortier hydraulique à base de chaux, de cendres et de graviers, de facture soignée : lits de construction correspondant à des étapes de séchage. Plusieurs déversoirs laissent supposer que le barrage n'était guère plus élevé. Vers le centre de l'ouvrage, un de ces déversoirs a été dégagé sur une largeur de 4,5 m. *Matériel* - Céramique très rare [Cat. 975-976].
Datation - Céramique : romain ou romain tardif.
Bibliographie - Calvet et Geyer 1991, 1992 ; Geyer 1990 a ; Geyer et Monchambert 1987 b ; Müller 1931 (Dokhna).
Illustrations - Chap. v, fig. 38 à 41.

78 - EL KITA'A 2 (04/1985/T)

Carré M17, carte IV, rive droite. À 2 km SO d'El Kita'a. - Lat. : 3.066 - Long. : 6.131.
Unité géomorphologique - Replat d'érosion Q_V du plateau. En bordure du plateau, dominant la plaine holocène.
Site funéraire.
L. : 16 m, larg. : 16 m, alt. relative : 2 m, alt. absolue : 223,3.
Description - Butte artificielle d'environ 2 m de hauteur, très

légèrement ovale (diamètre env. 16 m), située directement en bordure de plateau. Butte constituée d'un amoncellement de blocs de conglomérat sommital ; absence de traces d'aménagement organisé. *Matériel* - Céramique très rare [Cat. 977, pl. 75] ; artefacts lithiques à proximité.
Datation - Céramique : Bronze ancien ou Bronze moyen.
Bibliographie - GEYER et MONCHAMBERT 1987 b.

79 - EL KITA'A 3 (05/1985/T)

Carré M17, carte IV, rive droite. À 3,4 km O d'El Kita'a. - Lat. : 3.075 - Long. : 6.112.
Unité géomorphologique - Replat d'érosion Q_V du plateau. En bordure du plateau, dominant la plaine holocène.
Site funéraire.
L. : 13 m, larg. : 13 m, alt. relative : 0,80 m, alt. absolue : 226 m.
Description - Butte artificielle d'environ 0,8 m de hauteur, très légèrement ovale (diamètre env. 16 m), située directement en bordure de plateau. Céramique notamment du côté E. *Vestiges apparents* - Des perturbations (fouilles clandestines ?) montrent une structure circulaire de blocs bruts de dalle, d'environ 3,3 à 3,5 m de diamètre ; traces de ciment à base de chaux ou de gypse.
Matériel - Céramique [Cat. 978-993, pl. 75-76].
Datation - Céramique : Bronze moyen.
Bibliographie - GEYER et MONCHAMBERT 1987 b.

80 - DHEINA 1 (06/1985/T)

Carré L16, carte IV, rive droite. À 2 km en amont du débouché du Wādi Dheina (ou Wādi es Souāb) dans la vallée de l'Euphrate. Rive gauche de l'oued. - Lat. : 3.128 - Long. : 6.069.
Unité géomorphologique - Formation alluviale Q_I (?) d'oued affluent. En fond de vallée.
Site d'habitat.
L. : 25 m, larg. : 20 m, alt. relative : 2 m, alt. absolue : 193,7 m.
Description - Petite butte, plus ou moins ovale. *Vestiges apparents* - Affleurement d'un mur en moellons de gypse. Sans doute une tombe sur le point culminant. *Matériel* - Céramique rare [Cat. 994, pl. 76] ; un outil en pierre [Cat. 1781].
Datation - Céramique : islamique ?
Bibliographie - GEYER et MONCHAMBERT 1987 b.

81 - DHEINA 2 (07/1985/T)

Hors carte. À 17 km en amont du débouché du Wādi Dheina (ou Wādi es Souāb) dans la vallée de l'Euphrate. En rive gauche. Près d'un étranglement de la vallée de l'oued favorisant la rétention de l'inféroflux. - Lat. : ? - Long. : ?
Unité géomorphologique - Formation alluviale Q_I (?) d'oued affluent. Sur terrasse alluviale dominant le lit mineur actuel de l'oued.
Site d'habitat.
L. : 200 m, larg. : 150 m, alt. relative : 2 m, alt. absolue : ?
Description - Site sans élévation avec épandage de tessons de céramique. *Vestiges apparents* - Dans deux excavations, affleurements de murs en moellons de conglomérat gypseux : dans la zone NNE du tell, mur visible sur 10 m env. (largeur inconnue) ; dans la zone OSO, restes d'une petite pièce avec un mur enduit de *juṣ* percé d'une porte. Fragments de stuc. *Matériel* - Céramique rare ; verre (2 fragments de vases) ; fragment de stèle en plâtre [Cat. 1782, pl. 122].
Datation - Céramique : islamique.
Bibliographie - GEYER et MONCHAMBERT 1987 b.

82 - DHEINA 3 (08/1985/T)

Hors carte. À 17 km en amont du débouché du Wādi Dheina (ou Wādi es Souāb) dans la vallée de l'Euphrate. Près d'un étranglement de la vallée de l'oued favorisant la rétention de l'inféroflux. En rive droite au bord d'un évasement du lit majeur. - Lat. : ? - Long. : ?
Unité géomorphologique - Formation alluviale Q_I (?) d'oued affluent. Présence d'une nappe d'inféroflux à 2 m de profondeur dans les alluvions du lit mineur.
Site d'habitat.
L. : -, larg. : -, alt. relative : -, alt. absolue : ?
Description - Site sans élévation notable. *Vestiges apparents* - Dans la berge de l'oued (H. : 0,8 m), niveau archéologique visible en coupe : couche détritique (cendres, nombreux ossements, quelques silex, nombreux fragments de *juṣ*, absence de céramique). À la surface du site, vestiges d'une construction : affleurements de murs en briques crues de 20 cm de largeur, reposant directement sur un niveau sableux ; le sol et les murs sont enduits de *juṣ*. Absence de céramique associée. À 300 m en aval, en surface, fonds de foyers creusés dans l'encroûtement gypseux. Présence de fragments de panses de céramiques. Épandage de tessons et arases de murs en blocs bruts de conglomérat à 150 m de l'oued. *Matériel* - Céramique peu abondante [Cat. 995-1009, pl. 76-77] ; fragments de vases en pierre [Cat. 1786-1791, pl. 123] ; vaisselle en plâtre [Cat. 1792-1793] ; artefacts lithiques (silex, obsidienne) ; outils en basalte [Cat. 1783-1784, pl. 123] ; fragments de meules en basalte ; crapaudine [Cat. 1785, pl. 123].
Datation - Vaisselle non céramique : néolithique (PPNB ?). - Céramique : Bronze ancien (DA I), islamique. - Outillage lithique : Bronze ancien ?
Bibliographie - GEYER et MONCHAMBERT 1987 b.

83 - DHEINA 4 (09/1985/T)

Hors carte. À 18,5 km en amont du débouché du Wādi Dheina (ou Wādi es Souāb) dans la vallée de l'Euphrate. En rive gauche. - Lat. : ? - Long. : ?
Unité géomorphologique - Formation alluviale Q_I (?) d'oued affluent. Sur terrasse alluviale dominant le lit mineur actuel de l'oued.
Site d'habitat.
L. : 150 m, larg. : 100 m, alt. relative : < 1 m, alt. absolue : -.
Description - Petite butte de faible élévation en limite de la terrasse. *Vestiges apparents* - Murs arasés d'un bâtiment à deux pièces rectangulaires avec une porte ouvrant vers l'oued. *Matériel* - Céramique [Cat. 1010-1026, pl. 77-78] ; artefacts lithiques.
Datation - Céramique : Uruk, Bronze ancien (DA I).
Bibliographie - GEYER et MONCHAMBERT 1987 b.

84 - DĪBĀN 4 (13/1985/T)

Carré I9, carte II, rive gauche. À 6 km ENE de Dībān. - Lat. : 3.470 - Long. : 5.923.
Unité géomorphologique - Cône de déjection polychronique. Sur une petite butte résiduelle de formation Q_I (?).
Site d'habitat.
L. : 50 m, larg. : 50 m, alt. relative : 2 m, alt. absolue : 191 m.
Description - Petite butte subcirculaire couverte de graviers. *Matériel* - Céramique rare [Cat. 1027-1033, pl. 78-79].

Datation - Céramique : Bronze ancien (?), Bronze moyen ?
Bibliographie - Geyer et Monchambert 1987 b ; Monchambert 1990 a.

85 - DĪBĀN 5 (14/1985/T)

Carré I9, carte II, rive gauche. À 9,5 km E de Meyādīn. Sur rive droite du Nahr Dawrīn, en aval du débouché d'un oued qui se déversait dans le canal. - Lat. : 3.457 - Long. : 5.926.
Unité géomorphologique - Glacis sur formation Q_{II}. À 4 km du plus proche paléoméandre.
Site d'habitat.
L. : 150 m, larg. : 150 m, alt. relative : < 1 m, alt. absolue : 192 m.
Description - Butte plus ou moins circulaire aplatie, en rive droite du Nahr Dawrīn, avec épandage de tessons tout autour. *Vestiges apparents* - Fouilles Berthier. Sondage I (1987) sur le sommet du tell : un niveau d'habitat (murs en briques crues et sols enduits de *juṣ*) ; sondage II (1988) : coupe transversale dans le chenal du Nahr Dawrīn. *Matériel* - Céramique abondante ; verre (éclats).
Datation - Céramique : islamique.
Bibliographie - Berthier *et al.* 2001 ; Geyer et Monchambert 1987 b ; Monchambert 1990 a.

86 - DARNAJ (17/1985/T)

Carré I11, carte II, rive gauche. À 3 km ESE d'El Graiye sur un promontoire dominant et commandant le fond alluvial holocène. - Lat. : 3.387 - Long. : 5.945.
Unité géomorphologique - Formation Q_{II}. Sur un lambeau de formation Q_{II} en placage sur la roche en place dominant d'anciens méandres du fleuve.
Site d'habitat.
L. : ?, larg. : ?, alt. relative : ?, alt. absolue : 192 m.
Description - Limites du site non déterminables en raison de l'implantation d'un hameau actuel. Implanté au contact de deux alvéoles majeures de rive gauche, en même temps qu'à proximité du Nahr Dawrīn. *Matériel* - Céramique [Cat. 1034-1054, pl. 79-80].
Datation - Céramique : classique (hellénistique, romain). - Simpson : médiéval [islamique].
Bibliographie - Bell 1910, 1924 (peut-être Jemma) ; Geyer 1990 a ; Geyer et Monchambert 1987 b ; Monchambert 1990 a ; Musil 1927 (peut-être Tell Ğemma) ; Simpson 1983 (KH 13 - Jamma).
Illustrations - Chap. IV, fig. 23.

87 - MAZĀR ESH SHEBLI (20/1985/T)

Carré G10, carte II, rive droite. À 1,7 km ONO de Ta'as el Jāiz. - Lat. : 3.421 - Long. : 5.817.
Unité géomorphologique - Replat d'érosion Q_{IV}. Sur une butte témoin du plateau dominant la vallée holocène.
Site funéraire.
L. : 14,5 m E-O, larg. : ?, alt. relative : -, alt. absolue : 229,6 m.
Description - Tombeau à coupole. *Vestiges apparents* - Vestiges d'un tombeau en briques cuites et pierres, de plan carré, à coupole, flanqué de deux pièces à coupole construites ultérieurement. Arases de murs vers le N. *Matériel* - Céramique (1 fragment).
Datation - Islamique. - Simpson : médiéval [islamique]
Bibliographie - Geyer et Monchambert 1987 b ; Kiepert 1900, carte (esch Schibli) ; Musil 1927 (aš-Šibli) ; Sachau 1883 (Esh-shiblî) ; Simpson 1983 (KH 4A - Mazār ash Shablī).
Illustrations - Chap. IV, fig. 43.

88 - MAZĀR SHEIKH ANĪS (21/1985/T)

Carré F10, carte II, rive droite. À 4 km O de Meyādīn. - Lat. : 3.448 - Long. : 5.790.
Unité géomorphologique - Replat d'érosion Q_{IV}. En bordure du plateau, dominant la basse plaine.
Site funéraire.
L. : ?, larg. : 8 m ENE-OSO, alt. relative : -, alt. absolue : 232 m.
Description - Tombeau à coupole et bâtiments annexes. *Vestiges apparents* - Vestiges d'un tombeau en briques cuites et pierres, de plan carré, à coupole. Vestiges d'une construction latérale en pierres. Vestiges arasés de murs en contrebas du bâtiment. *Matériel* - Céramique rare.
Datation - Islamique. - Simpson : médiéval [islamique].
Bibliographie - Chesney 1850, carte (Sheikh Hannes Tomb) ; Geyer et Monchambert 1987 b ; Kiepert 1900, carte (Schēch Ḥānnes) ; Sachau 1883 (Shekh Ḥannes) ; Simpson 1983 (KH 5 - Mazār esh Shaykh Ānīs/Shaykh Mālik).

89 - DEIR EZ ZŌR 1 (28/1985/T)

Carré A3, carte I, rive droite. Centre ville de Deir ez Zōr. - Lat. : 3.799 - Long. : 5.538.
Unité géomorphologique - Terrasse holocène ancienne Q_{0a}. À 0,2 km d'un bras du fleuve.
Site d'habitat.
L. : ?, larg. : ?, alt. relative : ?, alt. absolue : 202 m.
Description - Tell recouvert par la ville moderne et détruit par les bulldozers à la fin des années soixante-dix. Un canal nivelé traverse la ville (Héraud 1922 b).
Datation - Islamique.
Bibliographie - Ainsworth 1888 (Deir) ; Bell 1910, 1924 (Deir) ; Blunt 1879 (Deyr) ; Bonatz *et al.* 1998 ; Chesney 1850 (Deïr) ; Cholet 1892 (Dair-Elzor) ; Czernik 1875 (Deïr) ; Geere 1904 (Deir-es-Zor) ; Geyer et Monchambert 1987 b ; Héraud 1922 b ; Hütteroth 1993 ; Kiepert 1900, carte (Dēr ez Zōr) ; Musil 1927 (Dejr az-Zôr) ; Oppenheim 1899, 1900 (Dēr ez Zōr) ; Rousseau 1899 (El-Deïr) ; Sachau 1883 (Eddēr) ; Sarre et Herzfeld 1911 (Dair al-Zaur, Dair al-Sha'ārah).
Illustrations - Chap. V, fig. 6 et 7.

90 - EL JURDI SHARQI 4 (02/1986/T)

Carré J13, carte III, rive gauche. À 2,2 km N d'Abu Hardūb, à 0,4 km O de la route. - Lat. : 3.297 - Long. : 6.000.
Unité géomorphologique - Terrasse holocène ancienne Q_{0a}. En bordure de la terrasse, dominant un petit lambeau de terrasse Q_{0b} et un paléoméandre.
Site d'habitat.
L. : 100 m NNO-SSE, larg. : 70 m OSO-ENE, alt. relative : ± 1 m, alt. absolue : 186,7 m.
Description - Petit tell à 30 m environ de la prise d'eau du canal de Marwāniye. Épandage de tessons dans les champs alentour. *Matériel* - Céramique [Cat. 1055-1072, pl. 80-81] ; artefacts lithiques ; fragments de meules en basalte ; plaques de *juṣ*.
Datation - Céramique : néo-assyrien, classique (hellénistique, parthe ?).
Illustrations - Chap. V, fig. 14.

91 - ET TĀBĪYE 2 (03/1986/T)

Carré D4, carte I, rive gauche. À 2 km ENE d'Et Tābīye. - Lat. : 3.740 - Long. : 5.683.

Unité géomorphologique - Terrasse Q_{II}. En bordure de la terrasse, dominant le fond alluvial holocène à 150 m du plus proche paléoméandre.

Site d'habitat.

L. : 180 m ONO-ESE, larg. : 60 m NNE-SSO, alt. relative : ± 3,5 m, alt. absolue : 205,0 m.

Description - Tell tabulaire allongé séparé du plateau par un fossé peu marqué. Quelques tombes au SE. *Vestiges apparents* - Murs arasés en pierres. *Matériel* - Céramique [Cat. 1073-1092, pl. 82].

Datation - Céramique : Bronze moyen.

92 - JEDĪD 'AQĪDAT 1 (04/1986/T)

Carré E4, carte I, rive gauche. À 3 km N de Mōhasan. - Lat. : 3.719 - Long. : 5.712.

Unité géomorphologique - Terrasse Q_{II}. En bordure de terrasse, dominant directement le fleuve.

Site d'habitat et site funéraire.

L. : 120 m NO-SE, larg. : 60 m NE-SO, alt. relative : 4 m, alt. absolue : 204,9 m.

Description - Petite butte d'environ 4 m de hauteur. Dans des trous au S, blocs de grande taille provenant de la dalle, bien taillés, d'environ 15 cm d'épaisseur. À 200 m vers le S, cimetière moderne, sans tessons, avec blocs et meules de basalte. *Vestiges apparents* - Au S, puits (diam. intérieur : ± 1,4 m) en briques cuites (ép. : 6 cm, L. et l. variables). À l'E du puits, à la base de la butte principale, deux tombes pillées dont une avec coffrage en *juṣ* d'une épaisseur de 9 cm (L. : 2,10 m, l. : 0,65 m, H. : au moins 0,65 m). *Matériel* - Céramique [Cat. 1093-1113, pl. 83-84] ; fragments de meules en basalte.

Datation - Céramique : classique (romain), romain tardif.

Illustrations - Chap. v, fig. 46.

93 - SHHEIL 1 (11/1986/T)

Carré H8, carte II, rive gauche. À 5,5 km E de Shheil. À 2,7 km ENE de la route. - Lat. : 3.526 - Long. : 5.866.

Unité géomorphologique - Terrasse holocène ancienne Q_{0a}. À 2,7 km du plus proche paléoméandre, donc loin en retrait sur la terrasse.

Site d'habitat et site funéraire.

L. : 250 m NNO-SSE, larg. : 100 m OSO-ENE, alt. relative : 2,8 m, alt. absolue : 193,9 m.

Description - Ensemble de trois buttes allongées dont une butte centrale naturelle. Traces de deux dérivations du Nahr Dawrīn au N et à l'O du site. *Vestiges apparents* - Fouilles Berthier et Gardiol (1989). Sondages I, II : tombes parthes ; III, IV, V : dépotoirs domestiques umayyade et abbasside ; VI : unité d'habitat en brique crue à cour centrale d'époque abbasside. *Matériel* - Céramique, abondante surtout sur la butte S [Cat. 1114-1161, pl. 85-87] ; fragment de figurine animale en terre cuite [Cat. 1794, pl. 123].

Datation - Céramique : classique (parthe, romain), islamique. - Simpson : sassanide [romain tardif], médiéval et ottoman [islamique].

Bibliographie - Berthier *et al.* 2001 ; Simpson 1983 (KH 18 - 'Abādīsh al Dūlan).

94 - ALI ESH SHEHEL 1 (14/1986/T)

Carré G6, carte II, rive gauche du Khābūr. À 5 km ENE de Buseire. - Lat. : 3.627 - Long. : 5.847.

Unité géomorphologique - Replat d'érosion Q_{III}. En limite du replat, dominant la vallée du Khābūr.

Site funéraire.

L. : ± 30 m, larg. : ± 30 m, alt. relative : -, alt. absolue : 208,8 m.

Description - Butte artificielle de forme à peu près circulaire (diamètre environ 30 m), perturbée par des trous récents et une tranchée de bulldozer au S. Tombes sur le sommet, ainsi qu'à environ 80 m dans le chantier de construction d'un château d'eau (signalées par les ouvriers). *Vestiges apparents* - Tombes au sommet de la butte (2 visibles). Dans coupe au S, murs (?) de blocs de conglomérat enduits de *juṣ* et terre avec des tessons. Tessons assez abondants dans les déblais, très rares sur la surface non perturbée. *Matériel* - Céramique [Cat. 1162-1178, pl. 87] ; artefacts lithiques.

Datation - Céramique : romain tardif.

95 - TAIYĀNI 2 (17/1986/T)

Carré I10, carte II, rive gauche. À 1,2 km E de Taiyāni. - Lat. : 3.410 - Long. : 5.922.

Unité géomorphologique - Terrasse holocène ancienne Q_{0a}. En bordure de la terrasse, dominant un paléoméandre.

Site d'habitat.

L. : 80 m NO-SE, larg. : 50 m NE-SO, alt. relative : 1 m, alt. absolue : 190,0 m.

Description - Petite butte isolée. *Matériel* - Céramique [Cat. 1179-1197, pl. 88-89] ; broyeur en basalte [Cat. 1795, pl. 123].

Datation - Céramique : Bronze récent, néo-assyrien. - Simpson : parthe/sassanide [classique, romain tardif].

Bibliographie - Simpson 1983 (KH 10).

Illustrations - Chap. iv, fig. 3 et 23.

96 - TAIYĀNI 3 (18/1986/T)

Carré I10, carte II, rive gauche. À 1,2 km E de Taiyāni. - Lat. : 3.412 - Long. : 5.921.

Unité géomorphologique - Terrasse holocène ancienne Q_{0a}. En bordure de la terrasse, dominant un paléoméandre.

Site d'habitat.

L. : 60 m ONO-ESE, larg. : 40 m NNO-SSE, alt. relative : -, alt. absolue : 190,0 m.

Description - Petite butte isolée. *Matériel* - Céramique peu abondante [Cat. 1198-1206, pl. 89].

Datation - Céramique : Halaf (?), Bronze moyen ?

Bibliographie - Geyer et Besançon 1997.

Illustrations - Chap. iv, fig. 3 et 23.

97 - BUQRAS 2 (24/1986/T)

Carré F9, carte II, rive droite. À 1 km O de Tell ed Dāūdīye (site 41). Au débouché du Wādi el Kugār. - Lat. : 3.493 - Long. : 5.786.

Unité géomorphologique - Terrasse holocène ancienne Q_{0a}. À 1,5 km du plus proche paléoméandre, donc loin en retrait sur la terrasse, mais à 0,8 km du Nahr Sa'īd. Implanté sur une butte résiduelle de formation Q_{II}.

Site d'habitat ?

L. : 50 m, larg. : 50 m, alt. relative : 2 m, alt. absolue : 193,1 m.

Description - Petite implantation sur une butte naturelle. *Matériel* - Fragments de briques cuites.

Datation - Islamique ?

98 - EL BEL'ŪM (25/1986/T)

Carré F9, carte II, rive droite. À 4 km ONO de Meyādīn. À 1,3 km O de la route. - Lat. : 3.467 - Long. : 5.792.

Unité géomorphologique - Mi-pente du versant du plateau de Shamiyeh.

Site d'habitat.
L. : ?, larg. : ?, alt. relative : -, alt. absolue : 202 m.
Description - Épandage de tessons à concentration faible sur les interfluves des ravins descendant du plateau. À 300 m au SO, autre épandage de céramique sur une centaine de mètres. *Matériel* - Céramique ; monnaie (1).
Datation - Céramique : islamique.

99 - HADDĀMA 1 (28/1986/T)

Carré O20, carte V, rive droite. À 6,5 km O de Ta'as el 'Ashāir (site 7). - Lat. : 2.916 - Long. : 6.211.
Unité géomorphologique - Replat d'érosion Q_{II}. Sur le versant en pente douce du plateau de rive droite.
Site funéraire.
L. : -, larg. : -, alt. relative : -, alt. absolue : 184 m.
Description - Tombe pillée (L. : 2 m ; l. : 0,8 m à 0,9 m). *Vestiges apparents* - Tombe creusée dans la croûte gypseuse, avec une couverture en dalles de gypse. *Matériel* - Céramique peu abondante [Cat. 1207-1217, pl. 90].
Datation - Céramique : Bronze ancien (DA I).
Bibliographie - Musil 1927 (peut-être aš-Šejẖ Mišref).

100 - EL HAWĀIJ 1 (34/1986/T)

Carré H9, carte II, rive gauche. À 8 km NE de Meyādīn, à 3 km NO de la route. - Lat. : 3.501 - Long. : 5.897.
Unité géomorphologique - Cône de déjection Q_I. À 2,2 km du plus proche paléoméandre.
Site d'habitat.
L. : 120 m N-S, larg. : 100 m O-E, alt. relative : -, alt. absolue : 191 m.
Description - Site en rive droite du Nahr Dawrīn. Épandage de tessons de céramique : site laminé, entaillé par les oueds. *Matériel* - Céramique abondante ; briques cuites ; fragments de meules en basalte ; artefacts lithiques (silex) ; crochet en fer ; verre (fragments de vases).
Datation - Céramique : islamique.

101 - DĪBĀN 6 (49/1986/T)

Carré H9, carte II, rive gauche. À 200 m SSE de Dībān 1 (64). - Lat. : 3.462 - Long. : 5.891.
Unité géomorphologique - Terrasse holocène ancienne Q_{0a}. À 0,2 km du plus proche paléoméandre.
Site d'habitat.
L. : 75 m N-S, larg. : 60 m E-O, alt. relative : 2 m, alt. absolue : 191,8 m.
Description - Petite proéminence de forme à peu près circulaire, réoccupée partiellement par un cimetière moderne. *Matériel* - Céramique peu abondante [Cat. 1218-1225, pl. 90].
Datation - Céramique : Bronze moyen, islamique. - Simpson : parthe/sassanide ? [classique/romain tardif ?], médiéval [islamique].
Bibliographie - Simpson 1983 (KH 7).

102 - DHEINA 5 (38/1986/T)

Hors carte. À 24 km en amont du débouché du Wādi Dheina (ou Wādi es Souāb), en rive gauche. - Lat. : ? - Long. : ?
Unité géomorphologique - Fond alluvial holocène d'oued affluent.
Site d'habitat.
L. : -, larg. : -, alt. relative : 0 m, alt. absolue : ?
Description - Site sans élévation à 15 m au N d'un puits moderne. *Vestiges apparents* - Arases de murs en surface dessinant au moins cinq bâtiments construits en blocs bruts de conglomérat. Enduits de mortier.
Datation - Non daté.

103 - DHEINA 6 (48/1986/T)

Hors carte. À 24,6 km en amont du débouché du Wādi Dheina (ou Wādi es Souāb), en rive gauche. - Lat. : ? - Long. : ?
Unité géomorphologique - Formation alluviale Q_I (?) d'oued affluent.
Site d'habitat.
L. : 200 m, larg. : 200 m, alt. relative : 0 m, alt. absolue : ?
Description - Site sans élévation, sans doute site d'installation temporaire (campement ?). *Matériel* - Céramique ; artefacts lithiques.
Datation - Non daté.

104 - BUSEIRE 2 (01/1987/T)

Carré G7, carte II, rive gauche, vallée du Khābūr. À 100 m SE de Buseire. - Lat. : 3.600 - Long. : 5.804.
Unité géomorphologique - Terrasse holocène ancienne Q_{0a} ? En bordure du Khābūr.
Site d'habitat.
L. : 300 m NO-SE, larg. : 200 m NE-SO, alt. relative : 3 m, alt. absolue : 197,6 m.
Description - Site de forme triangulaire aux limites imprécises en raison de travaux d'aménagement et du sapement par la rivière. À l'angle NE, une butte principale aplanie occupée par un bâtiment et une installation moderne de potier (un atelier et deux fours). Grande dépression à l'O. Le reste du site est occupé par un champ labouré. *Vestiges apparents* - Niveaux archéologiques visibles en coupe sur deux mètres d'épaisseur environ à l'E dans la berge du Khābūr. *Matériel* - Céramique peu abondante (récoltée dans la coupe) [Cat. 1226-1232, pl. 91].
Datation - Céramique : romain tardif, islamique.
Illustrations - Chap. iv, fig. 25.

105 - ES SALU 5 (06/1987/T)

Carré E6, carte I, rive droite. À 4,7 km S d'Abu Leil. - Lat. : 3.610 - Long. : 5.743.
Unité géomorphologique - Terrasse holocène ancienne Q_{0a}. À 1 km du plus proche paléoméandre, dans une zone avec nombreux reliefs dunaires.
Site d'habitat.
L. : 200 m N-S, larg. : 150 m E-O, alt. relative : ± 1 m, alt. absolue : 194,2 m.
Description - Petit tell de forme ovale, constitué d'une butte principale un peu plus élevée, occupée en grande partie par un cimetière, et de buttes plus petites au SO. Coupé par la route sur le côté E. *Matériel* - Céramique [Cat. 1233-1251, pl. 91-92] ; artefacts lithiques ; fragments de meules en basalte ; fragments de briques cuites.
Datation - Céramique : Bronze moyen.

106 - ABU LEIL 3 (11/1987/T)

Carré E6, carte I, rive droite. À 0,8 km SSO de Tell Hrīm (site 30). - Lat. : 3.642 - Long. : 5.717.
Unité géomorphologique - Terrasse holocène ancienne Q_{0a}. À 0,8 km du plus proche paléoméandre.
Site d'habitat ?
L. : ?, larg. : ?, alt. relative : -, alt. absolue : -.
Description - Site (fosse) fossilisé par un sol, le tout enfoui sous des limons de débordement. *Vestiges apparents* - Dans une tranchée de bulldozer, à 0,8 m sous la surface, sol d'environ 20 cm d'épaisseur, scellant une fosse détritique (L. : 2 m, prof. : 0,6 m), creusée dans les limons alluviaux de la terrasse. Remplissage du

dépotoir : cendres, tessons, sable et limons. *Matériel* - Céramique peu abondante.
Datation - Céramique : islamique.
Bibliographie - GEYER 1990 a.
Illustrations - Chap. II, fig. 9.

107 - TAIYĀNI 4 (14/1987/T)

Carré I10, carte II, rive gauche. À 1,5 km NNO de Taiyāni 1 (site 67). - Lat. : 3.425 - Long. : 5.902.
Unité géomorphologique - Terrasse holocène ancienne Q_{0a}. En bordure d'un paléoméandre sur une levée de berge. Sans doute sur un môle résistant.
Site d'habitat.
L. : 140 m NO-SE, larg. : 40 m NE-SO, alt. relative : 3 m, alt. absolue : 192,9 m.
Description - Butte de forme allongée avec deux sommets, celui situé au N étant légèrement plus élevé. Site réoccupé par plusieurs maisons modernes et un enclos à bétail au S. Partiellement rogné par la route dans sa partie NO. *Matériel* - Céramique ; verre ; artefacts lithiques (silex).
Datation - Céramique : islamique.
Illustrations - Chap. IV, fig. 23.

108 - ES SALU 4 (25/1987/T)

Carré E7, carte I, rive droite. À 6 km SSO d'Abu Leil. À 1,7 km NE de la route. - Lat. : 3.599 - Long. : 5.745.
Unité géomorphologique - Terrasse holocène ancienne Q_{0a}. À 1,3 km du plus proche paléoméandre, donc en retrait sur la terrasse.
Site d'habitat.
L. : ?, larg. : ?, alt. relative : ?, alt. absolue : 195 m.
Description - Site sur une butte à peine marquée avec épandage de tessons de céramique concentrés dans les champs alentour. *Matériel* - Céramique abondante.
Datation - Céramique : islamique.

109 - DĪBĀN 7 (26/1987/T)

Carré H9, carte II, rive gauche. À 3,6 km NNE de Dībān. - Lat. : 3.472 - Long. : 5.887.
Unité géomorphologique - Terrasse holocène ancienne Q_{0a}. En bordure de la terrasse Q_{0b}.
Site d'habitat.
L. : ?, larg. : ?, alt. relative : -, alt. absolue : 190,6 m.
Description - Site de dimensions inconnues, occupé par un village, traversé par la route et partiellement nivelé au bulldozer. Tessons de céramique visibles sur une centaine de mètres. *Vestiges apparents* - Niveau d'occupation visible dans une coupe. *Matériel* - Céramique [Cat. 1252-1285, pl. 93-94] ; vase fragmentaire en albâtre [Cat. 1796, pl. 123] ; artefacts lithiques ; galet perforé [Cat. 1797] ; fragments de briques cuites (34 x 34 ou 17 x 6/8 cm).
Datation - Céramique : Uruk, Bronze ancien, Bronze moyen.
Bibliographie - GEYER et BESANÇON 1997.

110 - TAIYĀNI 5 (31/1987/T)

Carré I10, carte II, rive gauche. À 1 km ENE de Taiyāni. - Lat. : 3.413 - Long. : 5.919.
Unité géomorphologique - Terrasse holocène ancienne Q_{0a}. À 0,250 km du plus proche paléoméandre.
Site d'habitat.
L. : 30 m NO-SE, larg. : 20 m NE-SO, alt. relative : < 0,5 m, alt. absolue : 188,5 m.
Description - Petite butte de faible élévation de forme ovale. *Matériel* - Céramique peu abondante [Cat. 1286-1292, pl. 95].
Datation - Céramique : classique (hellénistique).
Illustrations - Chap. IV, fig. 3 et 23.

111 - TAIYĀNI 6 (32/1987/T)

Carré I10, carte II, rive gauche. À 800 m E de Taiyāni. À 500 m SO de la route. - Lat. : 3.414 - Long. : 5.916.
Unité géomorphologique - Terrasse holocène ancienne Q_{0a}. À 0,3 km du plus proche paléoméandre.
Site d'habitat.
L. : 30 m N-S, larg. : 30 m E-O, alt. relative : 1 m, alt. absolue : 190,7 m.
Description - Petite butte circulaire. *Vestiges apparents* - Alignements de murs en briques cuites et en briques crues affleurant à la surface. *Matériel* - Céramique rare [Cat. 1293-1299, pl. 95-96] ; briques cuites ; fragments de mortier de construction et d'enduit de *juṣ*.
Datation - Céramique : romain tardif, islamique ? - Simpson : parthe/sassanide [classique, romain tardif].
Bibliographie - SIMPSON 1983 (KH 11).
Illustrations - Chap. IV, fig. 20 et 23.

112 - EL FLEIF 1 (33/1987/T)

Carré G6, carte II, rive gauche. À 1,5 km NNE de Buseire. - Lat. : 3.621 - Long. : 5.810.
Unité géomorphologique - Glacis Q_{I}. En bordure d'un paléoméandre, implanté sur une butte résiduelle de formation Q_{II}.
Site d'habitat et site funéraire.
L. : ?, larg. : ?, alt. relative : ?, alt. absolue : 198,1 m.
Description - Site constitué d'une série de petites buttes pouvant correspondre à des unités d'habitation. Dépression centrale NO-SE qui pourrait correspondre au passage d'un canal. Cimetière au S. Céramique abondante dans la partie E. *Vestiges apparents* - Présence de tombes avec des briques cuites (44 x 44 x 4/5 cm) en bâtière ou en coffre. *Matériel* - Céramique [Cat. 1300-1312, pl. 96] ; briques cuites.
Datation - Céramique : romain tardif, islamique.

113 - EL FLEIF 2 (34/1987/T)

Carré G6, carte II, rive gauche. À 3 km NNE de Buseire. À 700 m E de la route. - Lat. : 3.627 - Long. : 5.813.
Unité géomorphologique - Glacis Q_{I}. À 0,8 km du plus proche paléoméandre.
Site d'habitat.
L. : ?, larg. : ?, alt. relative : ?, alt. absolue : 196 m.
Description - Site d'habitat sur une petite butte de faible élévation. Épandage de tessons sur 100 m à l'E, sur la surface en pente douce, jusqu'à la limite des champs. Entaille sur le flanc O. *Matériel* - Céramique [Cat. 1313-1319, pl. 97] ; briques cuites ; artefacts lithiques (silex).
Datation - Céramique : romain tardif (?), islamique.

114 - EL FLEIF 3 (35/1987/T)

Carré G6, carte I, rive gauche. À 4 km N de Buseire, traversé par la route. - Lat. : 3.644 - Long. : 5.805.
Unité géomorphologique - Glacis Q_{I}. En bordure d'un paléoméandre.
Site d'habitat.
L. : ± 100 m, larg. : ± 100 m, alt. relative : ± 1 m, alt. absolue : 196 m.

Description - Ensemble de petites buttes de part et d'autre de la route. Cimetière sur l'une d'entre elles à l'O. À l'E, extension dans les champs sur une centaine de mètres. *Matériel* - Céramique rare. *Datation* - Céramique : islamique.

115 - MAZLŪM 1 (36/1987/T)

Carré C3, carte I, rive gauche. À 2,5 km E de Marrāt. À 0,5 km SO de la route. - Lat. : 3.780 - Long. : 5.646.
Unité géomorphologique - Terrasse Q_{II}. En bordure de la terrasse, dominant la basse vallée holocène. À 0,5 km du plus proche paléoméandre.
Site d'habitat.
L. : 70 m, larg. : 70 m, alt. relative : ?, alt. absolue : 205,3 m.
Description - Site de faible élévation partiellement rogné par un léger recul de la falaise ; plusieurs tranchées de bulldozer. Céramique peu abondante sur la butte, éparse autour, plus abondante au N et à l'O. *Vestiges apparents* - Dans une tranchée (1987), vestiges d'un mur en briques crues enduit de *juṣ*. *Matériel* - Céramique [Cat. 1320-1341, pl. 97-98] ; artefacts lithiques (silex) ; tessères en terre cuite ; élément de harnachement ou de ceinture en bronze [Cat. 1798, pl. 123] ; fragment de plaque de *juṣ* [Cat. 1799] ; fragment de bracelet en pâte de verre [Cat. 1800] ; fragment de vase en verre [Cat. 1801] ; monnaie (1).
Datation - Céramique : romain tardif, islamique.

116 - MAZLŪM 2 (37/1987/T)

Carré C3, carte I, rive gauche. À 3 km ENE de Marrāt. - Lat. : 3.780 - Long. : 5.651.
Unité géomorphologique - Terrasse Q_{II}. En bordure de la terrasse, dominant la basse vallée holocène. À 0,3 km du plus proche paléoméandre.
Site d'habitat.
L. : 45 m, larg. : 30 m, alt. relative : ± 0,5 m, alt. absolue : 204 m.
Description - Épandage de tessons : site temporaire. Partiellement perturbé par des trous à *juṣ*. *Matériel* - Céramique [Cat. 1342-1348, pl. 98].
Datation - Céramique : romain tardif.

117 - EL FLEIF 4 (38/1987/T)

Carré G6, carte I, rive gauche. À 3,5 km N de Buseire, à l'E de la route. - Lat. : 3.637 - Long. : 5.805.
Unité géomorphologique - Glacis Q_{I}. À 0,2 km du plus proche paléoméandre.
Site d'habitat.
L. : ± 100 m, larg. : ± 100 m, alt. relative : 1 m, alt. absolue : 197 m.
Description - Ensemble de petites buttes peu élevées. Épandage de céramique dans les champs alentour sur une centaine de mètres. *Matériel* - Céramique rare [Cat. 1349-1356, pl. 98] ; fragments de briques cuites ; artefacts lithiques (silex) ; *juṣ* ; fragment de bracelet en pâte de verre [Cat. 1802].
Datation - Céramique : romain tardif (?), islamique.

118 - RWESHED 1 (41/1987/T)

Carré G6, carte II, rive gauche du Khābūr. À 2,6 km NE de Buseire. - Lat. : 3.619 - Long. : 5.822.
Unité géomorphologique - Terrasse holocène ancienne Q_{0a}. À 0,2 km du Khābūr, installé le long d'un chenal de décrue.
Site d'habitat.
L. : ± 100 m, larg. : ?, alt. relative : -, alt. absolue : 193 m.
Description - Site sans élévation, aux limites imprécises (champs cultivés). Épandage de céramique sur une centaine de mètres. Surface érodée par des ravines rejoignant le chenal. *Matériel* - Céramique peu abondante [Cat. 1357-1365, pl. 99] ; artefacts lithiques (silex) abondants.
Datation - Céramique : romain tardif, islamique.

119 - EL FLEIF 5 (42/1987/T)

Carré G6, carte II, rive gauche. À 2 km NNE de Buseire. - Lat. : 3.619 - Long. : 5.814.
Unité géomorphologique - Glacis Q_{I}. À 0,5 km du plus proche paléoméandre. Implanté sur une petite butte résiduelle de formation Q_{II}.
Site d'habitat.
L. : ?, larg. : ?, alt. relative : -, alt. absolue : 196,5 m.
Description - Petit site sur butte naturelle. Galets en surface. Occupation moderne (plusieurs maisons). *Matériel* - Céramique peu abondante [Cat. 1366-1372, pl. 99] ; artefacts lithiques (silex) ; briques cuites.
Datation - Céramique : romain tardif, islamique.

120 - ES SABKHA 1 (43/1987/T)

Carré F5, carte I, rive gauche. À 1 km O d'Es Sabkha. - Lat. : 3.653 - Long. : 5.788.
Unité géomorphologique - Terrasse Q_{II}. En bordure de la terrasse, dominant directement le fleuve.
Site funéraire.
L. : ?, larg. : ?, alt. relative : -, alt. absolue : 199 m.
Description - Cimetière moderne sur cimetière ancien. *Vestiges apparents* - Réutilisation sur les tombes modernes de fragments de « sarcophages-baignoires » en terre cuite de forme ovale à fond plat. *Matériel* - Céramique rare [Cat. 1373-1375, pl. 99] ; artefacts lithiques.
Datation - Céramique : néo-assyrien ?
Bibliographie - Kühne 1974-1977, Abb. 1 (peut-être T. Sabḫa).

121 - SHHEIL 2 (44/1987/T)

Carré G7, carte II, rive gauche. À 9 km N de Meyādīn, E de la route. - Lat. : 3.551 - Long. : 5.831.
Unité géomorphologique - Terrasse holocène ancienne Q_{0a}. À 0,4 km du plus proche paléoméandre, donc légèrement en retrait sur la terrasse.
Site d'habitat.
L. : 200 m N-S, larg. : 180 m E-O, alt. relative : 1 m, alt. absolue : 194 m.
Description - Petite surélévation du terrain. Maisons modernes. Tessons au N et à l'E de la butte sur une cinquantaine de mètres dans les champs avoisinants ; nombreux tessons dans les déblais des petits canaux modernes. *Vestiges apparents* - Fragments de briques cuites. *Matériel* - Céramique [Cat. 1376-1397, pl. 100-101] ; nombreux fragments de basalte, dont des meules dormantes ; broyeur en pierre [Cat. 1803, pl. 123] ; un objet fragmentaire en terre cuite [Cat. 1804, pl. 123].
Datation - Céramique : Bronze récent, néo-assyrien.
Bibliographie - Musil 1927 (peut-être Ḳrajet az-Zhejje).

122 - MAZĀR SHEIKH IBRĀHĪM (45/1987/T)

Carré G7, carte II, rive gauche. À 9,3 km N de Meyādīn, O de la route. - Lat. : 3.553 - Long. : 5.825.

Unité géomorphologique - Terrasse holocène ancienne Q_{0a}. En bordure d'un paléoméandre aujourd'hui largement colmaté.
Site d'habitat.
L. : 200 m (?), larg. : 200 m (?), alt. relative : < 1 m, alt. absolue : ?
Description - Butte de faible élévation réoccupée par un cimetière. Aucune trace dans les champs alentour. Éloigné du site 62 d'une cinquantaine de mètres (sites inventoriés séparément, car non contemporains). *Matériel* - Céramique ; briques cuites ; fragments de meules de basalte.
Datation - Céramique : islamique.

123 - DĪBĀN 8 (46/1987/T)

Carré H10, carte II, rive gauche. À 5,5 km ESE de Meyādīn. À 1,3 km SO de la route. - Lat. : 3.444 - Long. : 5.883.
Unité géomorphologique - Terrasse holocène ancienne Q_{0a}. En bordure d'un paléoméandre.
Site d'habitat.
L. : ± 100 m, larg. : ± 60 m, alt. relative : 1 m, alt. absolue : 191,1 m.
Description - Petite butte ovale partiellement réoccupée par des maisons modernes. Quelques tombes. Remontées de sel. *Matériel* - Céramique peu abondante [Cat. 1398-1404, pl. 101] ; briques cuites ; monnaie (1).
Datation - Céramique : préislamique non déterminé, islamique.

124 - EL GRAIYE 4 (47/1987/T)

Carré I11, carte III, rive droite. À 1,6 km N d'El 'Ashāra. À 1,2 km E de la route. - Lat. : 3.367 - Long. : 5.933.
Unité géomorphologique - Terrasse holocène ancienne Q_{0a}. En bordure d'un paléoméandre.
Site d'habitat.
L. : 100 m NO-SE, larg. : 50 m NE-SO, alt. relative : 1,5 m, alt. absolue : 187,9 m.
Description - Petite butte de forme ovale réoccupée partiellement par un cimetière. *Matériel* - Céramique [Cat. 1405-1409, pl. 102] ; fragments de briques cuites ; fragments (2) de vases en verre [Cat. 1805-1806, pl. 123].
Datation - Céramique : islamique. - Simpson : médiéval ancien ? [islamique].
Bibliographie - Simpson 1983 (TH 61).
Illustrations - Chap. IV, fig. 23.

125 - MAQBARAT FANDI (48/1987/T)

Carré J12, carte III, rive gauche. À 1,8 km NNO de Jebel Mashtala (site 68). À 3 km SE d'El 'Ashāra. - Lat. : 3.336 - Long. : 5.964.
Unité géomorphologique - Terrasse holocène ancienne Q_{0a}. À 0,3 km du plus proche paléoméandre.
Site d'habitat.
L. : 100 m N-S, larg. : 60 m E-O, alt. relative : 1 m, alt. absolue : 187,3 m.
Description - Butte partiellement détruite dans sa partie centrale. Quelques tombes modernes. *Matériel* - Céramique peu abondante ; fragments de briques cuites ; fragments de basalte.
Datation - Céramique : islamique.

126 - ABU HARDŪB 1 (49/1987/T)

Carré K13, carte III, rive gauche. À 5 km E d'Abu Hardūb. - Lat. : 3.273 - Long. : 6.047.
Unité géomorphologique - Terrasse holocène ancienne Q_{0a}. À 3,5 km du plus proche paléoméandre, donc très loin en retrait sur la terrasse.
Site d'habitat.
L. : 200 m, larg. : 150 m, alt. relative : ± 1,5 m, alt. absolue : 182,5 m.
Description - Site composé de plusieurs buttes, sans doute associé au canal de Marwāniye. *Matériel* - Céramique [Cat. 1410-1442, pl. 102-103] ; fragments de briques cuites ; fragments de meules en basalte.
Datation - Céramique : Bronze récent.

127 - ABU HARDŪB 2 (50/1987/T)

Carré K13, carte III, rive gauche. À 4,5 km E d'Abu Hardūb. - Lat. : 3.277 - Long. : 6.043.
Unité géomorphologique - Terrasse holocène ancienne Q_{0a}. À 3 km du plus proche paléoméandre, donc très loin en retrait sur la terrasse.
Site d'habitat.
L. : 50 m, larg. : 50 m, alt. relative : ± 1,5 m, alt. absolue : 182,9 m.
Description - Petite butte subcirculaire, sans doute associée au canal de Marwāniye. Très rares tessons sur la butte, un peu plus nombreux au NE dans les champs. *Matériel* - Céramique [Cat. 1443-1450, pl. 104] ; fragments de meules en basalte.
Datation - Céramique : Bronze récent.

128 - JĪSHĪYE (51/1987/T)

Carré L14, carte III, rive gauche. À 6 km ENE d'Abu Hammām - Lat. : 3.248 - Long. : 6.071.
Unité géomorphologique - Terrasse holocène ancienne Q_{0a}. À 2,6 km du plus proche paléoméandre. Implanté sur une butte résiduelle de formation Q_{II}.
Site d'habitat.
L. : 40 m, larg. : 40 m, alt. relative : ± 1 m, alt. absolue : 182,4 m.
Description - Site de faible élévation implanté sur une butte naturelle. *Matériel* - Céramique [Cat. 1451-1462, pl. 104] ; fragments de meules en basalte.
Datation - Céramique : Bronze récent (?), néo-assyrien (?), classique (parthe) ?

129 - DEIR EZ ZŌR 2 (05/1987/N)

Carré A2, carte I, rive droite. Sur l'île de Deir ez Zōr située entre le bras principal du fleuve et le bras secondaire passant en ville, sur le bras principal du fleuve. - Lat. : 3.808 - Long. : 5.537.
Unité géomorphologique - Lit mineur du fleuve.
Noria.
L. : -, larg. : -, alt. relative : -, alt. absolue : -.
Description - Vestiges maçonnés d'aménagement hydro-agricole permettant l'irrigation de l'île. *Vestiges apparents* - Mur s'avançant dans l'Euphrate, perpendiculaire au cours d'eau, construit en briques cuites (modules divers, la plupart 25 x 25 cm), avec reprise en blocs de basalte, flanqué en aval de 4 contreforts en demi-cercle ; percement secondaire de trois emplacements de roues (avec piles d'appui). Aménagement se prolongeant dans le lit du fleuve par un seuil en blocs de basalte.
Datation - Islamique (XXe s., et antérieur ?).
Bibliographie - Oppenheim 1899 ; Héraud 1922 a.
Illustrations - Chap. V, fig. 44.

130 - RWESHED 2 (39/1987/N)

Carré G6, carte II, rive droite du Khābūr. À 2,8 km NE de Buseire, le long de la rivière. - Lat. : 3.619 - Long. : 5.824.
Unité géomorphologique - Lit mineur de la rivière.
Noria.

L. : -, larg. : -, alt. relative : -, alt. absolue : -.
Description - Aménagement hydro-agricole permettant l'irrigation de la terrasse holocène. *Vestiges apparents* - Une noria en fonctionnement (remise en fonction en 1982). Deux passes à l'origine. Barrage-seuil en travers du cours partiellement détruit ; même barrage-seuil que les installations d'Er Rāshdi (site 132).
Datation - Islamique (xxe s., et antérieur ?).
Bibliographie - Calvet et Geyer 1992 ; Charles 1939 ; Delpech *et al.* 1997 ; D'Hont 1994.
Illustrations - Chap. v, fig. 42.

131 - EL BAGHDADĪ (39/1987/N)

Carré G6, carte II, rive gauche du Khābūr. À 3,4 km NE de Buseire. - Lat. : 3.623 - Long. : 5.828.
Unité géomorphologique - Lit mineur de la rivière.
Noria.
L. : -, larg. : -, alt. relative : -, alt. absolue : -.
Description - Vestiges d'aménagement hydro-agricole permettant l'irrigation de la terrasse holocène. *Vestiges apparents* - Trois passes sans roues (fonctionnement encore attesté au début des années 1960). Même barrage-seuil que les installations d'El Lawzīye 2 (site 135).
Datation - Islamique (xxe s., et antérieur ?).
Bibliographie - Calvet et Geyer 1992 ; Charles 1939 ; Delpech *et al.* 1997 ; D'Hont 1994.
Illustrations - Chap. v, fig. 42.

132 - ER RĀSHDI 1 (39/1987/N)

Carré G6, carte II, rive gauche du Khābūr. À 2,8 km NE de Buseire. - Lat. : 3.618 - Long. : 5.824.
Unité géomorphologique - Lit mineur de la rivière.
Noria.
L. : -, larg. : -, alt. relative : -, alt. absolue : -.
Description - Vestiges d'un aménagement hydro-agricole permettant l'irrigation de la terrasse holocène. *Vestiges apparents* - 3 passes pour roues de noria dont 2 réutilisées pour fixer des nasses à poisson (1987). Au moins deux moulins très ruinés installés dans le barrage-seuil, partiellement détruit, qui barre le cours d'eau ; même barrage-seuil que les installations de Rweshed 2 (site 130).
Datation - Islamique (xxe s., et antérieur ?).
Bibliographie - Calvet et Geyer 1992 ; Charles 1939 ; Delpech *et al.* 1997 ; D'Hont 1994.
Illustrations - Chap. v, fig. 42.

133 - EL MASRI (39/1987/N)

Carré G6, carte II, rive gauche du Khābūr. À 3 km NE de Buseire. - Lat. : 3.619 - Long. : 5.826.
Unité géomorphologique - Lit mineur de la rivière.
Noria.
L. : -, larg. : -, alt. relative : -, alt. absolue : -.
Description - Vestiges d'un aménagement hydro-agricole permettant l'irrigation de la terrasse holocène. *Vestiges apparents* - Trois passes sans roues. Ruines d'un moulin. Barrage-seuil réaménagé au début des années 1980.
Datation - Islamique (xxe s., et antérieur ?).
Bibliographie - Calvet et Geyer 1992 ; Charles 1939 ; Delpech *et al.* 1997 ; D'Hont 1994.
Illustrations - Chap. v, fig. 42.

134 - EL LAWZĪYE 1 (39/1987/N)

Carré G6, carte II, rive gauche du Khābūr. À 3,3 km NE de Buseire. - Lat. : 3.621 - Long. : 5.828.
Unité géomorphologique - Lit mineur de la rivière.
Noria.
L. : -, larg. : -, alt. relative : -, alt. absolue : -.
Description - Vestiges d'un aménagement hydro-agricole permettant l'irrigation de la terrasse holocène. *Vestiges apparents* - Trois passes sans roues. Ruines d'un moulin. Plusieurs arches du canal préservées. Barrage-seuil en très mauvais état.
Datation - Islamique (xxe s., et antérieur ?).
Bibliographie - Calvet et Geyer 1992 ; Charles 1939 ; Delpech *et al.* 1997 ; D'Hont 1994.
Illustrations - Chap. v, fig. 42.

135 - EL LAWZĪYE 2 (39/1987/N)

Carré G6, carte II, rive gauche du Khābūr. À 3,4 km NE de Buseire. - Lat. : 3.623 - Long. : 5.829.
Unité géomorphologique - Lit mineur de la rivière.
Noria.
L. : -, larg. : -, alt. relative : -, alt. absolue : -.
Description - Vestiges d'un aménagement hydro-agricole permettant l'irrigation de la terrasse holocène. *Vestiges apparents* - Trois passes sans roues. Ruines d'un moulin bien conservées. Deux arches du canal préservées. Même barrage-seuil que les installations d'El Baghdadī (site 131).
Datation - Islamique (xxe s., et antérieur ?).
Bibliographie - Calvet et Geyer 1992 ; Charles 1939 ; Delpech *et al.* 1997 ; D'Hont 1994.
Illustrations - Chap. v, fig. 42 et 43.

136 - EL BAHRA (52/1987/T)

Carré M15, carte IV, rive gauche. À 2 km N d'El Bahra. À 1,2 km NNE de la route. - Lat. : 3.177 - Long. : 6.138.
Unité géomorphologique - Terrasse holocène ancienne Q_{0a}. En bordure de la terrasse, dominant au S un lambeau de terrasse Q_{0b}. Sur un môle résistant Q_{II}.
Site d'habitat.
L. : 200 m N-S, larg. : 100 m E-O, alt. relative : ?, alt. absolue : 183,5 m.
Description - Site sur une petite butte naturelle. Épandage de tessons de céramique à mi-pente. *Matériel* - Céramique [Cat. 1463-1469, pl. 105] ; fragments de briques cuites.
Datation - Céramique : préislamique non déterminé, islamique.

137 - KHARĀIJ 1 [Tell el Zaatar] (53/1987/T)

Carré M14, carte III, rive gauche. À 4,5 km ENE de Kharāij. - Lat. : 3.221 - Long. : 6.119.
Unité géomorphologique - Terrasse holocène ancienne Q_{0a}. À 0,3 km du plus proche paléoméandre. Implanté sur une butte résiduelle de formation Q_{II}.
Site d'habitat.
L. : ?, larg. : ?, alt. relative : < 1 m, alt. absolue : 184,7 m.
Description - Site implanté sur une butte naturelle dont il se différencie peu. Céramique assez abondante au NO et au SE. Quelques maisons modernes. *Matériel* - Céramique [Cat. 1470-1481, pl. 105] ; fragments de briques cuites.
Datation - Céramique : classique (hellénistique/parthe).

138 - KHARĀIJ 2 (54/1987/T)
Carré M14, carte III, rive gauche. À 4,8 km NE de Kharāij. - Lat. : 3.233 - Long. : 6.113.
Unité géomorphologique - Terrasse holocène ancienne Q_{0a}. À 1,2 km du plus proche paléoméandre. Implanté sur une butte résiduelle de formation Q_{II}.
Site d'habitat.
L. : ?, larg. : ?, alt. relative : ?, alt. absolue : 183 m.
Description - Site implanté sur une butte naturelle dont il se différencie peu, peut-être associé à la section aval du canal de Marwāniye. *Matériel* - Céramique peu abondante [Cat. 1482-1490, pl. 105] ; artefacts lithiques.
Datation - Céramique : classique (romano-parthe) ?

139 - HASĪYET ʻABĪD (55/1987/T)
Carré L14, carte III, rive gauche. À 5 km NNE de Kharāij. - Lat. : 3.243 - Long. : 6.092.
Unité géomorphologique - Terrasse holocène ancienne Q_{0a}. À 1,8 km du plus proche paléoméandre. Implanté sur une butte résiduelle de formation Q_{II}.
Site d'habitat.
L. : 300 m E-O, larg. : 150 m N-S, alt. relative : ?, alt. absolue : 184,5 m.
Description - Site sans doute sur le tracé du canal de Marwāniye. Partiellement recouvert par un hameau et un cimetière moderne. Élévation non déterminable. *Matériel* - Céramique [Cat. 1491-1510, pl. 106-107] ; artefacts lithiques abondants [annexe 1, fig. 1-4] ; fragments de meules en basalte.
Datation - Outillage lithique : Obeid. - Céramique : Bronze moyen (?), Bronze récent, néo-assyrien (?), classique (hellénistique/parthe) ? - Geyer et Besançon : Obeid.
Bibliographie - GEYER et BESANÇON 1997.

140 - TELL ES SUFA (56/1987/T)
Carré M14, carte III, rive gauche. À 3,5 km NE de Kharāij. - Lat. : 3.222 - Long. : 6.105.
Unité géomorphologique - Terrasse holocène ancienne Q_{0a}. En bordure de la terrasse, dominant au S un paléoméandre. Sur un môle résistant Q_{II}.
Site d'habitat.
L. : 100 m, larg. : 50 m, alt. relative : -, alt. absolue : 182 m.
Description - Site implanté sur une butte naturelle dont il se différencie peu. *Matériel* - Céramique [Cat. 1511-1528, pl. 107-108].
Datation - Céramique : Bronze moyen (?), Bronze récent.

141 - HAJĪN 1 (117/1987/T)
Carré N16, carte IV, rive gauche. À 3,5 km N de Hajīn. - Lat. : 3.136 - Long. : 6.172.
Unité géomorphologique - Terrasse holocène ancienne Q_{0a}. En bordure de la terrasse, dominant directement le fleuve.
Site funéraire.
L. : ?, larg. : ?, alt. relative : ?, alt. absolue : 183 m.
Description - Semble être une nécropole (information des villageois : des bulldozers ont rasé le site qui se trouvait en grande partie sous l'école et auraient dégagé des ossements et de la céramique). Butte entièrement occupée par un village. *Matériel* - Céramique peu abondante [Cat. 1529-1534, pl. 108] ; ossements (?).
Datation - Céramique : néo-assyrien (?), perse ?

142 - HAJĪN 2 (13/1988/T)
Carré O17, carte IV, rive gauche. À 2,7 km SE de Hajīn. - Lat. : 3.084 - Long. : 6.203.
Unité géomorphologique - Terrasse holocène ancienne Q_{0a}. En bordure de la terrasse, dominant directement un ancien méandre du fleuve. Implanté sur une butte résiduelle de formation Q_{II}.
Site d'habitat.
L. : 100 m E-O, larg. : 100 m N-S, alt. relative : -, alt. absolue : 180 m.
Description - Petit site apparemment limité à la partie orientale de la butte naturelle, laquelle est intégralement couverte par le village. *Vestiges apparents* - Coupe avec niveaux d'occupation à l'E. *Matériel* - Céramique [Cat. 1535-1557, pl. 108-110].
Datation - Céramique : Bronze moyen, néo-assyrien (?), classique (hellénistique/parthe).

143 - BKĪYE (122/1987/T)
Carré O21, carte V, rive droite. À 5,3 km OSO de Taʻas el ʻAshāir. - Lat. : 2.884 - Long. : 6.223.
Unité géomorphologique - Formation Q_{II}. Sur le versant en pente douce du plateau de rive droite.
Site funéraire.
L. : -, larg. : -, alt. relative : 3,5 m, alt. absolue : 189 m.
Description - Deux buttes apparemment artificielles, de forme circulaire, situées sur les pentes S du Wādi Bkīye. Sur la butte principale (H. : ± 3,5 m, diam. : 45 à 50 m), très rares tessons atypiques. Sur la butte secondaire, en contrebas de la précédente (H. : 1,2 m, diam. : ± 15 m), tessons un peu plus abondants. *Matériel* - Céramique très peu abondante [Cat. 1558-1560, pl. 111] ; artefacts lithiques.
Datation - Non daté.

144 - HADDĀMA 2 (123/1987/T)
Carré O20, carte V, rive droite. À 5,3 km O de Taʻas el ʻAshāir. - Lat. : 2.909 - Long. : 6.217.
Unité géomorphologique - Glacis polychronique. Sur le versant en pente douce du plateau de rive droite.
Site funéraire.
L. : -, larg. : -, alt. relative : 2 m, alt. absolue : 179 m.
Description - Ensemble de 7 buttes apparemment artificielles, dont le diamètre varie de 15 à 30 m et la hauteur de 0,5 à 2 m. *Matériel* - Céramique très rare [Cat. 1561, pl. 111].
Datation - Céramique : Bronze moyen ?

145 - DHEINA 8 (127/1987/T)
Carré L16, carte IV, rive droite. À 3,2 km en amont du débouché du Wādi Dheina (ou Wādi es Souāb) dans la vallée de l'Euphrate. Dans le lit majeur de l'oued. - Lat. : 3.132 - Long. : 6.052.
Unité géomorphologique - Fond alluvial holocène d'oued affluent.
Site funéraire ?
L. : 50 m E-O, larg. : 25 m N-S, alt. relative : 2,5 m, alt. absolue : 196 m.
Description - Butte artificielle constituée de galets et de graviers mêlés à du gypse sédimentaire. *Matériel* - Pas de céramique ; artefacts lithiques.
Datation - Non daté.

146 - DĪBĀN 9 (129/1987/T)
Carré H9, carte II, rive gauche. À 3 km E d'El Hawāij. À 1,5 km E de la route. - Lat. : 3.487 - Long. : 5.885.

Unité géomorphologique - Terrasse holocène ancienne Q_{0a}. À 0,8 km du plus proche paléoméandre. Implanté sur une butte résiduelle de formation Q_{II}.
Site d'habitat.
L. : ± 300 m N-S, larg. : ± 130 m E-O, alt. relative : ?, alt. absolue : 193,2 m.
Description - Épandage de céramique. *Matériel* - Céramique abondante ; artefacts lithiques (silex).
Datation - Céramique : islamique.

147 - HASĪYET ER RIFĀN (18/1985/T)

Carré M14, carte III, rive gauche. À 4 km NE de Kharāij. - Lat. : 3.222 - Long. : 6.106.
Unité géomorphologique - Terrasse holocène ancienne Q_{0a}. À 0,2 km du plus proche paléoméandre. Implanté sur une butte résiduelle de formation Q_{II}.
Site d'habitat.
L. : ?, larg. : ?, alt. relative : ?, alt. absolue : 184 m.
Description - Site hypothétique, les rares tessons retrouvés l'ayant été sur les tombes d'un cimetière moderne. *Matériel* - Céramique [Cat. 1562-1566, pl. 111].
Datation - Céramique : classique (romano-parthe) ?

148 - ATOU AMMAYY (130/1987/T)

Carré G5, carte I, rive gauche. À 1,2 km E d'Es Sabkha. - Lat. : 3.653 - Long. : 5.814.
Unité géomorphologique - Glacis Q_{I}. À 0,9 km du plus proche paléoméandre. Implanté sur une butte résiduelle de formation Q_{II}.
Site d'habitat.
L. : -, larg. : -, alt. relative : -, alt. absolue : 199,2 m.
Description - Petite butte, réoccupée par des maisons modernes. *Matériel* - Céramique rare ; artefacts lithiques (silex).
Datation - Céramique : islamique.

149 - HATLA 2 (03/1988/T)

Carré C2, carte I, rive gauche. À 3 km N de Marrāt. - Lat. : 3.806 - Long. : 5.621.
Unité géomorphologique - Terrasse Q_{II}. En bordure de la terrasse, dominant le fond alluvial holocène, à 1,1 km du plus proche paléoméandre.
Site funéraire ? Site d'habitat ?
L. : ± 50 m NNO-SSE, larg. : ± 30 m ENE-OSO, alt. relative : -, alt. absolue : 210 m.
Description - Peut-être une petite nécropole installée, au bord de la falaise, sur une implantation elle-même de taille réduite. *Matériel* - Céramique rare [Cat. 1567-1569, pl. 111] dont fragments de sarcophages.
Datation - Céramique : classique (hellénistique/parthe).

150 - ES SABKHA 2 (07/1988/T)

Carré G5, carte I, rive gauche. À 300 m E d'Es Sabkha. - Lat. : 3.654 - Long. : 5.803.
Unité géomorphologique - Glacis sur formation Q_{II}. À 0,4 km du plus proche paléoméandre.
Site d'habitat.
L. : ?, larg. : ?, alt. relative : ?, alt. absolue : 201,3 m.
Description - Site composé de nombreuses petites buttes pouvant correspondre chacune à un bâtiment. Entailles au bulldozer. *Vestiges apparents* - Murs de briques crues et sols de *juṣ* visibles en coupe. *Matériel* - Céramique.
Datation - Céramique : islamique.

151 - EL HAWĀIJ 2 (08/1988/T)

Carré H9, carte II, rive gauche. À 1,1 km E d'El Hawāij. À 300 m NE de la route. - Lat. : 3.493 - Long. : 5.867.
Unité géomorphologique - Terrasse holocène ancienne Q_{0a}. En bordure de deux paléoméandres (Q_{0b} au S, Q_{00} à l'O) qui se recoupent, dominant la terrasse Q_{00}.
Site d'habitat ?
L. : ?, larg. : ?, alt. relative : 2 m, alt. absolue : 193,2 m.
Description - Petite butte de faible élévation, sans caractéristiques particulières. *Matériel* - Céramique très rare.
Datation - Céramique : islamique ?

152 - DĪBĀN 10 (09/1988/T)

Carré I9, carte II, rive gauche. À 4,1 km NE de Dībān. À 1,6 km NE de la route. - Lat. : 3.443 - Long. : 5.905.
Unité géomorphologique - Terrasse holocène ancienne Q_{0a}. Au contact du cône du Wādi el Ghaib avec la plaine.
Site d'habitat.
L. : ?, larg. : ?, alt. relative : -, alt. absolue : ± 189 m.
Description - À 1,3 km en rive droite du Nahr Dawrīn. Site laminé par le ruissellement et les pratiques culturales. Épandage de céramique. *Matériel* - Céramique peu abondante.
Datation - Céramique : islamique.

153 - SĀLIHĪYE 3 (11/1988/T)

Carré L15, cartes III et IV, rive droite. Sur le plateau au NO de Doura-Europos. - Lat. : 3.175 - Long. : 6.070.
Unité géomorphologique - Replat d'érosion Q_{V} du plateau. En bordure du plateau, dominant directement le fond alluvial holocène et le fleuve.
Levées de terre.
L. : ± 4 000 m NO-SE, larg. : ± 1 000 m NE-SO, alt. relative : -, alt. absolue : ± 222 m.
Description - Levées de pierres mêlées à de la terre délimitant trois grands enclos. Localement, ouvertures en forme de chicanes. Peut-être des parcs à animaux.
Datation - Non daté.
Bibliographie - Carte du Service géographique de l'armée avril 1936 ; Toll 1946.

154 - MAHKĀN 1 (10/1988/T)

Carré H10, carte II, rive droite. À 1,5 km SSE de Mahkān. À 300 m NE de la route. - Lat. : 3.403 - Long. : 5.885.
Unité géomorphologique - Terrasse holocène ancienne Q_{0a}. En bordure de la terrasse, dominant un paléoméandre de l'Euphrate. Très certainement sur un môle résistant Q_{II}.
Site d'habitat.
L. : 300 m, larg. : 150 m, alt. relative : ± 1 m, alt. absolue : 191 m.
Description - Butte en partie arasée. Site partiellement détruit par une route et un canal. *Matériel* - Céramique abondante ; briques cuites très abondantes ; fragments de *tannūr*.
Datation - Céramique : islamique. - Simpson : médiéval [islamique].
Bibliographie - Simpson 1983 (TH 29 - Al 'Raḥiya).

155 - HAJĪN 3 (12/1988/N)
Carré N17, carte IV, rive gauche. À 0,8 km SSO de Hajīn. - Lat. : 3.094 - Long. : 6.178.
Unité géomorphologique - Lit mineur du fleuve. Actuellement dans le fleuve suite au déplacement de l'Euphrate sur sa rive concave.
Noria.
L. : -, larg. : -, alt. relative : -, alt. absolue : -.
Description - Installation hydro-agricole, probablement de rive gauche, actuellement au milieu du fleuve. *Vestiges apparents* - Sept passes de roues sont visibles, perpendiculaires au courant. Construction en briques cuites. Six piles, dont une surmontée d'une petite tour, vues par Ch. Héraud.
Datation - Islamique (et antérieur ?).
Bibliographie - HÉRAUD 1922 a.

156 - EL MUSALLAKHA (17/1988/T)
Carré N18, carte IV, rive droite. À 5 km SO d'El Musallakha. - Lat. : 3.013 - Long. : 6.159.
Unité géomorphologique - Cône de déjection polychronique. À la coalescence de deux cônes de piémont du plateau de rive droite.
Site funéraire ?
L. : -, larg. : -, alt. relative : ± 0,50 m, alt. absolue : 182 m.
Description - Deux petites buttes circulaires sur le glacis, d'environ 20 m de diamètre et 0,5 m de haut. *Matériel* - Céramique très rare.
Datation - Non daté.

157 - ES SŪSA 4 (18/1988/T)
Carré Q21, carte V, rive gauche. À 2,2 km SE d'Es Sūsa. - Lat. : 2.899 - Long. : 6.320.
Unité géomorphologique - Cône de déjection polychronique. Sur la surface d'un cône de piémont du plateau de rive gauche dominant le fond de vallée holocène. À 0,8 km du plus proche paléoméandre.
Site d'habitat.
L. : -, larg. : -, alt. relative : -, alt. absolue : 177 m.
Description - Site partiellement détruit au bulldozer, à proximité immédiate du tracé probable du Nahr Dawrīn. *Vestiges apparents* - Niveau d'incendie visible dans une coupe. Arases de murs. *Matériel* - Céramique assez abondante [Cat. 1570-1585, pl. 111-112] ; fragments de briques cuites.
Datation - Céramique : Bronze moyen.

158 - MAQBARAT WARDI (20/1988/T)
Carré I11, carte II, rive droite. À 0,6 km SSO d'El Graiye. - Lat. : 3.190 - Long. : 5.914.
Unité géomorphologique - Terrasse holocène ancienne Q_{0a}. À 0,8 km du fleuve.
Site d'habitat.
L. : 300 m NNO-SSE, larg. : 40 m OSO-ENE, alt. relative : 3 m, alt. absolue : 189 m.
Description - Site formé de quatre buttes alignées peu marquées, sur le tracé d'un probable canal. Partiellement détruit par des cultures, un canal moderne et une route. Réoccupé par un cimetière (tombeau de Sheikh Wardi signalé par Charles). *Matériel* - Céramique peu abondante [Cat. 1586-1589, pl. 113] ; nombreux fragments de briques cuites, dont quelques-unes intactes (21 x 21 x 4,5 cm).
Datation - Céramique : préislamique (?), islamique.
Bibliographie - CHARLES 1939.
Illustrations - Chap. IV, fig. 23.

159 - MAHKĀN 2 (21/1988/T)
Carré H11, carte II, rive droite. À 1,5 km S de Mahkān. À 150 m SE de la route. - Lat. : 3.400 - Long. : 5.878.
Unité géomorphologique - Terrasse holocène ancienne Q_{0a}. À 0,5 km du plus proche paléoméandre.
Site d'habitat.
L. : ± 100 m, larg. : ± 50 m, alt. relative : < 1 m, alt. absolue : 192 m.
Description - Site partiellement arasé sur le tracé d'un probable canal. *Matériel* - Céramique peu abondante ; briques cuites (23 x 21 x 5 cm).
Datation - Céramique : islamique.

160 - ET TA'AS EL JĀIZ (23/1988/T)
Carré G10, carte II, rive droite. À 4,5 km S de Meyādīn. À 600 m S de la route. - Lat. : 3.413 - Long. : 5.833.
Unité géomorphologique - Terrasse holocène ancienne Q_{0a}. En bordure d'un paléoméandre.
Site d'habitat.
L. : ?, larg. : ?, alt. relative : ?, alt. absolue : 191 m.
Description - Butte sur le tracé d'un canal (prolongement du Nahr Sa'īd ?). Partiellement couvert par des maisons modernes abandonnées, dont plusieurs en ruines. *Matériel* - Céramique ; briques cuites.
Datation - Céramique : islamique.
Illustrations - Chap. IV, fig. 17.

161 - MAZĀR EL ARBA'IN (24/1988/T)
Carré L15, carte III, rive droite. À 4 km NO de Doura-Europos. - Lat. : 3.186 - Long. : 6.054.
Unité géomorphologique - Replat d'érosion Q_{II}. Ressaut rocheux dominant un lambeau de terrasse holocène et le fleuve.
Site funéraire.
L. : ± 4,5 m, larg. : ± 4,5 m, alt. relative : ± 5 m, alt. absolue : 188 m.
Description - Petit tombeau dominant un village traditionnel. *Vestiges apparents* - Vestiges d'un bâtiment quadrangulaire surmonté d'une coupole, le tout construit en pierres liées à la terre.
Datation - Islamique.
Bibliographie - CHARLES 1939, photographie (tombe de Sayyed).

162 - DĪBĀN 11 (262/1989/T)
Carré I9, carte II, rive gauche. À 2,6 km NE de la route. À 5 km NE de Dībān. - Lat. : 3.474 - Long. : 5.911.
Unité géomorphologique - Cône de déjection polychronique. Sur la partie amont d'un cône de piémont du plateau de rive gauche.
Site d'habitat.
L. : 400 m NNO-SSE, larg. : 200 m OSO-ENE, alt. relative : -, alt. absolue : 191 m.
Description - Épandage de tessons le long de la berge droite du Nahr Dawrīn. Site laminé par les pratiques culturales et le ruissellement, partiellement recouvert par des colluvions. *Vestiges apparents* - Fragments de briques cuites associés à un niveau d'habitat à 30/40 cm sous la surface dans une tranchée ouverte par un bulldozer (1989) : dépotoir domestique (ossements, céramique, terre rubéfiée, charbons de bois). *Matériel* - Céramique abondante [Cat. 1590-1609, pl. 113-114] ; artefacts lithiques (silex) ; fragment de meule en basalte ; verre (fragments de vases) ; coquillage (*Unio*).
Datation - Céramique : néo-assyrien, romain tardif (?), islamique.

163 - TELL BOUBOU (263/1989/T)

Carré H8, carte II, rive gauche. À 4,3 km NNE d'El Hawāij. À 2,7 km NE de la route. - Lat. : 3.531 - Long. : 5.867.
Unité géomorphologique - Cône de déjection polychronique. Sur la partie aval d'un vaste cône retaillant un replat Q_{II}.
Site d'habitat.
L. : 150 m E-O, larg. : 100 m N-S, alt. relative : -, alt. absolue : 194 m.
Description - Épandage de tessons au S d'une butte naturelle, à 0,8 km du Nahr Dawrīn, sur sa rive droite. Site laminé par le ruissellement. Quelques tombes modernes à l'E. *Matériel* - Céramique peu abondante ; fragments de briques cuites ; fragments de *juṣ* ; fragment de meule en basalte ; verre (fragments de vases) ; fragments de coquillages (*Unio*).
Datation - Céramique : islamique.

164 - ALI ESH SHEHEL 2 (264/1989/T)

Carré G6, carte II, rive gauche du Khābūr. À 4,5 km NE de Buseire. À 700 m E du Khābūr. - Lat. : 3.632 - Long. : 5.840.
Unité géomorphologique - Glacis polychronique. En lisière du fond alluvial holocène, sur une butte résiduelle de formation Q_{II}.
Site d'habitat.
L. : ± 800 m, larg. : ± 100 m, alt. relative : -, alt. absolue : 198 m.
Description - Site sur une butte naturelle longée par le Nahr Dawrīn. Site laminé par le ruissellement et des crues exceptionnelles (années 1930, d'après un informateur local). Surface remaniée au bulldozer. Trois zones d'épandage distinctes sur une longueur totale de 800 m, sur les berges du Nahr Dawrīn : 1) épandage de 100 m sur 100 m sur la berge gauche (164/1) ; 2) épandage de 100 m sur 50 m sur la berge droite (164/2) ; 3) épandage de 200 m sur 50 m en rive droite (164/3), à 500 m au S de 164/1. *Matériel* - Céramique peu abondante ; verre ; artefacts lithiques (silex) ; fragments de coquillages (*Unio*).
Datation - Céramique : islamique.

165 - SAFĀT EZ ZERR 3 (265/1989/T)

Carré H7, carte II, rive gauche. À 5 km E de Safāt ez Zerr. À 2,8 km E de la route. - Lat. : 3.578 - Long. : 5.854.
Unité géomorphologique - Cône de déjection polychronique. Implanté sur une butte résiduelle de formation Q_{II}.
Site d'habitat.
L. : 250 m, larg. : 80 m, alt. relative : 0,8 m, alt. absolue : 195 m.
Description - Site sur une butte peu élevée, en rive droite du Nahr Dawrīn. Laminé par le ruissellement, partiellement recouvert par des colluvions. *Vestiges apparents* - Fouilles Berthier (1989). Sondage VII : sur la butte, un niveau d'habitat ; sondage VIII : tranchée dans le chenal comblé du Nahr Dawrīn. *Matériel* - Céramique abondante ; fragment de brique cuite ; verre (fragments de vases).
Datation - Céramique : islamique.
Bibliographie - Berthier *et al.* 2001.

166 - SAFĀT EZ ZERR 4 (266/1989/T)

Carré H7, carte II, rive gauche. À 5,3 km E de Safāt ez Zerr. À 3,3 km E de la route. - Lat. : 3.572 - Long. : 5.857.
Unité géomorphologique - Glacis polychronique. Implanté sur une butte résiduelle de formation Q_{II}.
Site d'habitat.
L. : 200 m, larg. : 200 m, alt. relative : -, alt. absolue : 194 m.
Description - Site en rive droite du Nahr Dawrīn, épandage de tessons sur 200 m. Laminé par le ruissellement. *Matériel* - Céramique abondante ; verre (fragments de vases) ; coquillage (*Unio*).
Datation - Céramique : islamique.

167 - SAFĀT EZ ZERR 5 (267/1989/T)

Carré G7, carte II, rive gauche. À 4,7 km ENE de Safāt ez Zerr. À 2,3 km E de la route. - Lat. : 3.583 - Long. : 5.849.
Unité géomorphologique - Cône de déjection polychronique. Implanté sur une butte résiduelle de formation Q_{II}.
Site d'habitat.
L. : ?, larg. : ?, alt. relative : -, alt. absolue : 197,6 m.
Description - Site en rive droite du Nahr Dawrīn. Partiellement détruit par une tranchée. *Vestiges apparents* - Dans la tranchée, sous la surface, construction en briques cuites (24 x 24 x 4/5 cm) visibles sur trois assises et sur 0,6 m de long. *Matériel* - Céramique rare ; fragments de *juṣ*.
Datation - Céramique : islamique.

168 - SHHEIL 5 (268/1989/T)

Carré G8, carte II, rive gauche. À 4,2 km E de Shheil. À 1,5 km ENE de la route. - Lat. : 3.547 - Long. : 5.851.
Unité géomorphologique - Glacis polychronique. Sur les formations Q_I et Q_{II} retaillées en lisière du fond alluvial holocène.
Site d'habitat.
L. : 600 m NO-SE, larg. : 150 m SO-NE, alt. relative : -, alt. absolue : 194 m.
Description - Épandage de tessons à 1 km en rive droite du Nahr Dawrīn, à cheval sur deux buttes et sur la dépression qui les sépare. Cimetière moderne sur les buttes. Site laminé par le ruissellement, partiellement recouvert par des colluvions observées dans une tranchée. *Vestiges apparents* - Niveau d'occupation (charbon de bois, cendre, céramique) de 0,35 m d'épaisseur et fosse sous 0,5 m de colluvions, visible dans la tranchée. *Matériel* - Céramique abondante (dans la dépression) [Cat. 1610-1621, pl. 114] ; fragments de *juṣ* ; artefacts lithiques (silex) ; fragments de meule et mortier en basalte ; verre (fragments de vases) ; fragments de coquillages (*Unio*).
Datation - Céramique : classique (romain) [?], romain tardif (?), islamique.

169 - ER RWEIHA 1 (269/1989/T)

Carré G7, carte II, rive gauche. À 4,2 km E de Buseire. À 2 km E de la route. - Lat. : 3.598 - Long. : 5.846.
Unité géomorphologique - Cône de déjection polychronique. Implanté sur une butte résiduelle.
Site d'habitat.
L. : 200 m, larg. : 50 m, alt. relative : -, alt. absolue : 195 m.
Description - Épandage de tessons sur une basse butte en rive droite du Nahr Dawrīn. Site laminé par le ruissellement. *Matériel* - Céramique abondante ; fragments de briques cuites ; fragment de meule en basalte ; coquillage (*Unio*).
Datation - Céramique : islamique.

170 - ER RWEIHA 2 (270/1989/T)

Carré G7, carte II, rive gauche. À 4 km ESE de Buseire. À 1,5 km E de la route. - Lat. : 3.594 - Long. : 5.843.
Unité géomorphologique - Glacis polychronique. Sur un lambeau de formation Q_{II}.

Site d'habitat.
L. : ± 100 m, larg. : ± 100 m, alt. relative : -, alt. absolue : 196 m.
Description - Petit épandage de tessons sur la pente en rive droite du Nahr Dawrīn. Site laminé par le ruissellement. *Matériel* - Céramique rare ; fragment de brique cuite ; fragments de *juṣ* ; artefacts lithiques (silex).
Datation - Céramique : islamique.

171 - SHHEIL 6

Carré H8, carte II, rive gauche. À 5,4 km ESE de Shheil. - Lat. : 3.531 - Long. : 5.863.
Unité géomorphologique - Cône de déjection polychronique. Sur la partie aval d'un vaste cône retaillant un replat Q_{II}.
Site d'habitat ?
L. : 60 m, larg. : 50 m, alt. relative : -, alt. absolue : 192 m.
Description - Épandage de tessons dans les champs. *Matériel* - Céramique peu abondante [Cat. 1622-1626, pl. 115] ; coquillage (*Unio*).
Datation - Non daté.

172 - SHHEIL 7 (272/1989/T)

Carré G7, carte II, rive gauche. À 3,7 km ENE de Shheil. À 1,4 km NE de la route. - Lat. : 3.554 - Long. : 5.846.
Unité géomorphologique - Terrasse holocène ancienne Q_{0a}. À 1,8 km du plus proche paléoméandre, donc loin en retrait sur la terrasse.
Site d'habitat.
L. : 80 m, larg. : 50 m, alt. relative : -, alt. absolue : 191,8 m.
Description - Petit site de plaine sans élévation, à 1,6 km en rive droite du Nahr Dawrīn. Épandage de tessons dans le prolongement NO du site 168. *Matériel* - Céramique peu abondante.
Datation - Céramique : islamique.

173 - SHHEIL 8 (273/1989/T)

Carré H8, carte II, rive gauche. À 5 km E de Shheil. À 2,3 km ENE de la route. - Lat. : 3.549 - Long. : 5.858.
Unité géomorphologique - Glacis polychronique. Au pied d'une butte résiduelle taillée dans la formation Q_{II} (cf. site 174).
Site d'habitat.
L. : 300 m, larg. : 150 m, alt. relative : -, alt. absolue : 195 m.
Description - Épandage de tessons au SO d'une petite butte naturelle, à 700 m en rive droite du Nahr Dawrīn. Site laminé par le ruissellement : pas de niveau archéologique visible dans une coupe ouverte par un bulldozer (1989). *Matériel* - Céramique peu abondante ; fragments de briques cuites ; verre (fragments de vases) ; fragment de coquillage (*Unio*).
Datation - Céramique : islamique.

174 - SHHEIL 9 (274/1989/T)

Carré H8, carte II, rive gauche. À 5,3 km E de Shheil. À 2,5 km ENE de la route. - Lat. : 3.546 - Long. : 5.862.
Unité géomorphologique - Glacis polychronique. Implanté sur une butte résiduelle taillée dans la formation Q_{II} (cf. site 173).
Site d'habitat.
L. : 500 m, larg. : 50 m, alt. relative : -, alt. absolue : 196 m.
Description - Épandage de tessons sur le sommet d'une butte naturelle. Site laminé par le ruissellement. *Matériel* - Céramique peu abondante ; fragments de *juṣ* ; verre (fragments de vases).
Datation - Céramique : islamique.

175 - SHHEIL 10 (275/1989/T)

Carré H8, carte II, rive gauche. À 4,8 km E de Shheil. À 2,1 km E de la route. - Lat. : 3.545 - Long. : 5.858.
Unité géomorphologique - Glacis polychronique. Au pied d'une butte résiduelle de formation Q_{II}.
Site d'habitat.
L. : 50 m, larg. : 40 m, alt. relative : -, alt. absolue : 194 m.
Description - Épandage de tessons en bas de pente, au pied NE d'une butte naturelle, à 1 km en rive droite du Nahr Dawrīn. *Matériel* - Céramique peu abondante ; verre (fragment de vase) ; fragment de coquillage (*Unio*).
Datation - Céramique : islamique.

176 - SHHEIL 11 (276/1989/T)

Carré H8, carte II, rive gauche. À 6,2 km ESE de Shheil. À 3 km ENE de la route. - Lat. : 3.529 - Long. : 5.871.
Unité géomorphologique - Cône de déjection polychronique. Implanté sur une butte résiduelle, sur la partie aval d'un vaste cône retaillant un replat Q_{II}.
Site d'habitat.
L. : 60 m, larg. : 60 m, alt. relative : -, alt. absolue : 192 m.
Description - Épandage de tessons sur une butte peu marquée, à 600 m en rive droite du Nahr Dawrīn. Site laminé par le ruissellement. Aire moderne de fabrication de *juṣ* (1989). *Matériel* - Céramique peu abondante ; fragments de briques cuites ; fragments de *tannūr* ; artefacts lithiques abondants (silex) ; fragment de meule en basalte.
Datation - Céramique : islamique.

177 - SHHEIL 12 (277/1989/T)

Carré H8, carte II, rive gauche. À 6,2 km ESE de Shheil. À 2,6 km ENE de la route. - Lat. : 3.526 - Long. : 5.871.
Unité géomorphologique - Cône de déjection polychronique. Implanté sur une butte résiduelle, sur la partie aval d'un vaste cône retaillant un replat Q_{II}.
Site d'habitat.
L. : 60 m, larg. : 60 m, alt. relative : -, alt. absolue : 192 m.
Description - Épandage de tessons sur une butte peu marquée, à 900 m en rive droite du Nahr Dawrīn. Site laminé par le ruissellement. *Matériel* - Céramique rare ; artefacts lithiques (silex) ; rares fragments de brique cuite ; fragment de meule en basalte.
Datation - Céramique : islamique.

178 - SHHEIL 13 (278/1989/T)

Carré H8, carte II, rive gauche. À 6,3 km ESE de Shheil. À 2,9 km ENE de la route. - Lat. : 3.528 - Long. : 5.872.
Unité géomorphologique - Cône de déjection polychronique. Sur la partie aval d'un vaste cône retaillant un replat Q_{II}.
Site d'habitat.
L. : 40 m, larg. : 40 m, alt. relative : -, alt. absolue : 192 m.
Description - Épandage de tessons, à 700 m en rive droite du Nahr Dawrīn. *Matériel* - Céramique rare.
Datation - Céramique : islamique.

179 - SHHEIL 14 (279/1989/T)

Carré H8, carte II, rive gauche. À 4,4 km NE d'El Hawāij. À 3,3 km ENE de la route. - Lat. : 3.530 - Long. : 5.879.
Unité géomorphologique - Glacis polychronique.
Site d'habitat.
L. : ± 70 m, larg. : ?, alt. relative : -, alt. absolue : 194 m.

Description - Épandage de tessons, à 200 m en rive droite du Nahr Dawrīn. Site laminé par le ruissellement. *Matériel* - Céramique peu abondante ; fragments de *tannūr*.
Datation - Céramique : islamique.

180 - SHHEIL 15 (280/1989/T)

Carré H8, carte II, rive gauche. À 3,7 km NE d'El Hawāij. À 2,9 km NE de la route. - Lat. : 3.515 - Long. : 5.887.
Unité géomorphologique - Cône de déjection polychronique.
Site d'habitat.
L. : 180 m NO-SE, larg. : 80 m SO-NE, alt. relative : 1 m, alt. absolue : 192 m.
Description - Épandage de tessons sur une butte peu marquée, à 600 m en rive droite du Nahr Dawrīn. *Matériel* - Céramique abondante ; fragments de briques cuites ; artefacts lithiques (silex) ; *juṣ* ; fragment de meule en basalte ; verre (fragment de vase) ; coquillages (dont *Unio*).
Datation - Céramique : islamique.

181 - SHHEIL 16 (281/1989/T)

Carré H8, carte II, rive gauche. À 3,6 km ENE d'El Hawāij. À 2,8 km ENE de la route. - Lat. : 3.509 - Long. : 5.888.
Unité géomorphologique - Cône de déjection polychronique.
Site d'habitat.
L. : ± 70 m, larg. : ± 50 m, alt. relative : -, alt. absolue : 192 m.
Description - Épandage sur trois petites buttes, à 500 m en rive droite du Nahr Dawrīn. Site laminé. Lieu de campement moderne (1989). *Matériel* - Céramique peu abondante ; fragments de briques cuites ; fragment de meule en basalte ; fragment de bracelet en pâte de verre ; fragments de coquillage (*Unio*).
Datation - Céramique : islamique.

182 - SHHEIL 17 (282/1989/T)

Carré H8, carte II, rive gauche. À 4 km ENE d'El Hawāij. À 3,2 km ENE de la route. - Lat. : 3.508 - Long. : 5.892.
Unité géomorphologique - Cône de déjection polychronique.
Site d'habitat ?
L. : -, larg. : -, alt. relative : -, alt. absolue : 192 m.
Description - Sur la digue droite du Nahr Dawrīn. Éléments de construction remontés par les labours. *Matériel* - Nombreuses briques cuites carrées (25 x 25 x 4 cm).
Datation - Islamique ?

183 - DĪBĀN 12 (283/1989/T)

Carré I9, carte II, rive gauche. À 5,8 km ENE de Dībān. À 3 km NE de la route. - Lat. : 3.461 - Long. : 5.925.
Unité géomorphologique - Cône de déjection polychronique.
Site d'habitat.
L. : 600 m NNO-SSE, larg. : 250 m ENE-OSO, alt. relative : -, alt. absolue : 191 m.
Description - Épandage de tessons, sur la berge droite du Nahr Dawrīn. Site laminé par les eaux de ruissellement. *Vestiges apparents* - Fouilles Berthier (1989). Sondages IX et X : coupes transversales dans le chenal du Nahr Dawrīn ; sondage XI : décapage sur le site d'épandage de tessons. *Matériel* - Céramique abondante ; artefacts lithiques (silex) ; fragment de meule en basalte ; coquillage (*Unio*).
Datation - Céramique : islamique.
Bibliographie - BERTHIER *et al.* sous presse.

184 - DĪBĀN 13 (284/1989/T)

Carré I9, carte II, rive gauche. À 4,9 km ENE de Dībān. À 2,1 km NE de la route. - Lat. : 3.459 - Long. : 5.916.
Unité géomorphologique - Glacis polychronique. Implanté sur une butte résiduelle.
Site d'habitat.
L. : 200 m, larg. : 150 m, alt. relative : -, alt. absolue : 190,9 m.
Description - Épandage de tessons sur le sommet d'une butte naturelle, à 1 km en rive droite du Nahr Dawrīn. *Matériel* - Céramique rare.
Datation - Céramique : islamique ?

185 - DĪBĀN 14 (285/1989/T)

Carré H9, carte II, rive gauche. À 4,3 km E d'El Hawāij. À 2,4 km NE de la route. - Lat. : 3.484 - Long. : 5.898.
Unité géomorphologique - Cône de déjection polychronique. Implanté sur une butte résiduelle de formation Q_{II}.
Site d'habitat.
L. : 60 m, larg. : 30 m, alt. relative : -, alt. absolue : 192 m.
Description - Épandage de tessons sur une butte naturelle, à 600 m en rive droite du Nahr Dawrīn. Lieu de campement moderne (1989). *Matériel* - Céramique peu abondante.
Datation - Céramique : islamique.

186 - DĪBĀN 15

Carré H9, carte II, rive gauche. À 3 km E d'El Hawāij. - Lat. : 3.495 - Long. : 5.887.
Unité géomorphologique - Glacis polychronique. Sur une butte résiduelle de formation Q_{II}.
Site d'habitat.
L. : 80 m, larg. : 60 m, alt. relative : -, alt. absolue : 192,1 m.
Description - Site à 1 km en rive droite du Nahr Dawrīn, se distinguant mal de la butte sur laquelle il est implanté. *Matériel* - Céramique abondante [Cat. 1627-1636, pl. 115] ; fragment de brique cuite ; fragment de meule en basalte.
Datation - Céramique : néo-assyrien.

187 - DĪBĀN 16 (287/1989/T)

Carré H8, carte II, rive gauche. À 3,6 km NNE d'El Hawāij. À 2,4 km ENE de la route. - Lat. : 3.522 - Long. : 5.871.
Unité géomorphologique - Cône de déjection polychronique. Sur la partie aval d'un vaste cône retaillant un replat Q_{II}.
Site d'habitat.
L. : 500 m, larg. : 200 m, alt. relative : -, alt. absolue : 192 m.
Description - Épandage de tessons, à 1,1 km en rive droite du Nahr Dawrīn. *Matériel* - Céramique peu abondante.
Datation - Céramique : islamique.

188 - DĪBĀN 17

Carré H8, carte II, rive gauche. À 4,2 km NE d'El Hawāij. À 3,2 km NE de la route. - Lat. : 3.522 - Long. : 5.881.
Unité géomorphologique - Glacis polychronique.
Site d'habitat.
L. : ± 200 m, larg. : ± 50 m, alt. relative : -, alt. absolue : 191 m.
Description - Épandage de tessons en plaine cultivée, à 400 m en rive droite du Nahr Dawrīn. *Matériel* - Céramique peu abondante [Cat. 1637-1642, pl. 115].
Datation - Céramique : néo-assyrien ?

189 - DĪBĀN 18 (289/1989/T)

Carré H9, carte II, rive gauche. À 3,5 km E d'El Hawāij. À 2,5 km NE de la route. - Lat. : 3.494 - Long. : 5.892.
Unité géomorphologique - Glacis polychronique. Sur une butte résiduelle de formation Q_{II}.
Site d'habitat.
L. : 50 m, larg. : 50 m, alt. relative : -, alt. absolue : 192 m.
Description - Épandage de tessons, à 500 m en rive droite du Nahr Dawrīn. *Matériel* - Céramique peu abondante [Cat. 1643-1648, pl. 116].
Datation - Céramique : préislamique (?), islamique.

190 - SHHEIL 18 (290/1989/T)

Carré H8, carte II, rive gauche. À 4,2 km E de Shheil. À 1,4 km E de la route. - Lat. : 3.542 - Long. : 5.853.
Unité géomorphologique - Glacis polychronique. Sur une formation Q_{I} en lisière du fond alluvial holocène.
Site d'habitat.
L. : 200 m, larg. : 150 m, alt. relative : -, alt. absolue : 193 m.
Description - Épandage de tessons au pied d'une butte naturelle, à 1,5 km en rive droite du Nahr Dawrīn. Le secteur SO du site est perturbé. *Matériel* - Céramique abondante ; artefacts lithiques (silex) ; verre (fragments de vases).
Datation - Céramique : islamique.

191 - SHHEIL 19 (291/1989/T)

Carré H8, carte II, rive gauche. À 5 km E de Shheil. À 2,2 km E de la route. - Lat. : 3.541 - Long. : 5.859.
Unité géomorphologique - Cône de déjection polychronique. Implanté sur l'apex du cône.
Site d'habitat.
L. : 80 m, larg. : 40 m, alt. relative : -, alt. absolue : 193 m.
Description - Épandage de tessons à 1 km en rive droite du Nahr Dawrīn. Site laminé par le ruissellement. *Matériel* - Céramique rare ; verre (fragments de vases) ; coquillage (*Unio*).
Datation - Céramique : islamique.

192 - ALI ESH SHEHEL 3 (292/1989/T)

Carré G6, carte II, rive gauche, vallée du Khābūr. À 4,7 km NE de Buseire. - Lat. : 3.636 - Long. : 5.841.
Unité géomorphologique - Terrasse holocène ancienne Q_{0a}. À 1 km du Khābūr.
Site d'habitat.
L. : 100 m, larg. : 100 m, alt. relative : -, alt. absolue : 198 m.
Description - Épandage de céramique en plaine, en rive droite du Nahr Dawrīn. Site laminé par le ruissellement et en partie détruit par une excavation ouverte au bulldozer. *Vestiges apparents* - Dans l'excavation, sur la digue en rive droite du Nahr Dawrīn, fragments de buses d'irrigation en céramique. *Matériel* - Céramique abondante ; fragments de briques cuites.
Datation - Céramique : islamique.

193 - SHHEIL 20 (293/1989/T)

Carré H8, carte II, rive gauche. À 5,6 km E de Shheil. À 2,5 km E de la route. - Lat. : 3.530 - Long. : 5.865.
Unité géomorphologique - Glacis polychronique. Sur la partie aval d'un vaste cône retaillant un replat Q_{II}.
Site d'habitat.
L. : 50 m, larg. : 30 m, alt. relative : -, alt. absolue : 192 m.
Description - Épandage de céramique sur bas de pente à 1 km en rive droite du Nahr Dawrīn. Site laminé par le ruissellement.
Matériel - Céramique rare.
Datation - Céramique : islamique.

194 - ER RĀSHDI 2 (294/1989/T)

Carré G6, carte II, rive gauche, vallée du Khābūr. À 3,7 km ENE de Buseire. - Lat. : 3.614 - Long. : 5.840.
Unité géomorphologique - Cône de déjection polychronique. À moins de 0,2 km du fond alluvial holocène.
Site d'habitat.
L. : 80 m, larg. : 80 m, alt. relative : -, alt. absolue : 196 m.
Description - Épandage de tessons en rive gauche du Nahr Dawrīn. Secteur perturbé par la construction d'un canal moderne (1985).
Matériel - Céramique peu abondante ; bord de récipient en stéatite ; fragment de meule en basalte ; verre (fragment de vase) ; coquillage (*Unio*).
Datation - Céramique : islamique.

195 - ER RĀSHDI 3 (295/1989/T)

Carré G6, carte II, rive gauche, vallée du Khābūr. À 3,4 km E de Buseire. - Lat. : 3.610 - Long. : 5.840.
Unité géomorphologique - Cône de déjection polychronique. En lisière du fond alluvial holocène.
Site d'habitat.
L. : 50 m, larg. : 30 m, alt. relative : -, alt. absolue : 195 m.
Description - Épandage de tessons sur une butte mise en culture, sur la berge droite du Nahr Dawrīn. *Matériel* - Céramique peu abondante [Cat. 1649-1651, pl. 116] ; verre (fragments de vases) ; coquillages (*Unio*).
Datation - Céramique : néo-assyrien, islamique.

196 - ER RĀSHDI 4 (296/1989/T)

Carré G6, carte II, rive gauche, vallée du Khābūr. À 3,5 km ENE de Buseire. - Lat. : 3.613 - Long. : 5.837.
Unité géomorphologique - Terrasse holocène ancienne Q_{0a}. Implanté sur une butte résiduelle probablement de formation Q_{II}.
Site d'habitat.
L. : 50 m, larg. : 50 m, alt. relative : -, alt. absolue : 194 m.
Description - Épandage de tessons sur une petite butte naturelle en rive droite du Nahr Dawrīn. *Matériel* - Céramique rare.
Datation - Céramique : islamique.

197 - DĪBĀN 19 (297/1989/T)

Carré H9, carte II, rive gauche. À 4,9 km NNE de Dībān. À 2 km NE de la route. - Lat. : 3.481 - Long. : 5.897.
Unité géomorphologique - Terrasse holocène ancienne Q_{0a}. À 1,3 km du plus proche paléoméandre, donc en retrait sur la terrasse. Implanté sur une butte résiduelle probablement de formation Q_{II}.
Site d'habitat.
L. : 80 m, larg. : 50 m, alt. relative : -, alt. absolue : 191,4 m.
Description - Épandage de tessons sur une petite butte naturelle, à 1 km en rive droite du Nahr Dawrīn. *Matériel* - Céramique peu abondante.
Datation - Céramique : islamique ?

198 - WĀDI EL BALĪN (298/1989/T)

Carré E7, carte I, rive droite. À 4 km S d'Abu Leil 1 (site 40). À 2,6 km SO de la route. - Lat. : 3.575 - Long. : 5.703.
Unité géomorphologique - Replat Q_{III} retaillé. Versant du plateau de rive droite.

Site d'habitat.
L. : 1 500 m, larg. : ± 300 m, alt. relative : -, alt. absolue : ± 215 m.
Description - Zone avec nombreuses dépressions alvéolaires (comptage à titre d'exemple : 32 alvéoles sur un secteur de 215 m de long). Épandage de tessons et dépressions alvéolaires sur les interfluves situés entre le Wādi el Balīn et le Wādi Abu el Arj. À 3,2 km du Nahr Sa'īd. *Vestiges apparents* - Dépressions de 0,7 m de profondeur, de forme rectangulaire avec entrée centrale. Plusieurs modules : simple (4 m x 3 m), double (8 m x 3 m), triple (12 m x 3 m), quadruple (16 m x 3 m). *Matériel* - Céramique abondante ; fragments de briques cuites ; verre (fragments de vases).
Datation - Céramique : islamique.

199 - DĪBĀN 20 (299/1989/T)

Carré I9, carte II, rive gauche. À 5,7 km ENE de Dībān. À 2,6 km NE de la route. - Lat. : 3.452 - Long. : 5.926.
Unité géomorphologique - Cône de déjection polychronique.
Site d'habitat.
L. : 100 m, larg. : 50 m, alt. relative : -, alt. absolue : 191 m.
Description - Épandage de tessons à 200 m en rive droite du Nahr Dawrīn. Site laminé par le ruissellement. *Matériel* - Céramique rare ; verre (fragments de vases).
Datation - Céramique : islamique.

200 - DĪBĀN 21 (300/1989/T)

Carré I10, carte II, rive gauche. À 4,6 km E de Dībān. À 1,3 km NE de la route. - Lat. : 3.444 - Long. : 5.918.
Unité géomorphologique - Terrasse holocène ancienne Q_{0a}. À 1,6 km du plus proche paléoméandre, donc loin en retrait sur la terrasse. Implanté sur une butte résiduelle de formation Q_{II}.
Site d'habitat.
L. : 200 m, larg. : 100 m, alt. relative : -, alt. absolue : 190,5 m.
Description - Épandage de tessons sur une butte très peu marquée, à 1 km du Nahr Dawrīn en rive droite. Tombes modernes dispersées (1989). *Matériel* - Céramique abondante [Cat. 1652-1705, pl. 116-118] ; fragments de meules en basalte ; verre (fragment de vase).
Datation - Céramique : classique (parthe), islamique.

201 - ZABĀRI 2 (301/1989/T)

Carré F8, carte II, rive droite. À 3 km ONO de Buqras. À 1,4 km SO de la route. - Lat. : 3.543 - Long. : 5.753.
Unité géomorphologique - Versant du plateau de rive droite.
Site d'habitat.
L. : 300 m, larg. : 200 m, alt. relative : -, alt. absolue : ± 205 m.
Description - Zone d'épandage de céramique sur la pente, longée par un oued, à 2,2 km du Nahr Sa'īd. Lieu de campement saisonnier moderne (1989). Trois autres zones d'épandage moins importantes sur les oueds en amont du site, sur une distance de 3,8 km, et jusqu'à environ 1 km au-delà du Wādi Abu el Kheder. *Matériel* - Céramique peu abondante ; artefacts lithiques (silex).
Datation - Céramique : islamique.

202 - EL GRAIYE 5

Carré H11, carte II, rive droite. À 3 km OSO d'El Graiye. - Lat. : 3.379 - Long. : 5.891.
Unité géomorphologique - Terrasse holocène ancienne Q_{0a}. À 0,4 km du plus proche paléoméandre.
Site d'habitat.
L. : 60 m N-S, larg. : 45 m E-O, alt. relative : < 1 m, alt. absolue : 188,2 m.
Description - Site non retrouvé. D'après K. Simpson, site perturbé par les labours et les canaux d'irrigation modernes. D'après la localisation indiquée, le site se trouverait à moins de 200 m à l'E d'un ancien canal. *Matériel* - Céramique (cf. bibliographie).
Datation - Simpson : médiéval [islamique].
Bibliographie - Simpson 1983 (KH 1).

203 - EL KISHMA

Carré J14, carte III, rive droite. À 2 km SO d'El Kishma. - Lat. : 3.223 - Long. : 5.968.
Unité géomorphologique - Versant du plateau de rive droite. Au débouché du Wādi Abu Shweima.
Site funéraire.
L. : -, larg. : -, alt. relative : -, alt. absolue : 215 m.
Description - Site non retrouvé. D'après K. Simpson, ensemble de huit cavités peu profondes à la base de la falaise, dont deux ont été identifiées comme des tombes par les habitants qui auraient trouvé quelques vases à l'occasion de travaux. *Matériel* - Céramique (5 vases et quelques tessons) ; ossements (cf. bibliographie).
Datation - Simpson : DA III [Bronze ancien].
Bibliographie - Simpson 1983 (KH 21 - Al Qashma).

204 - DABLĀN

Carré I13, carte III, rive droite. À 2,4 km S de Qrebi. À 900 m O de la route. À 2 km O de l'Euphrate - Lat. : 3.287 - Long. : 5.925.
Unité géomorphologique - Terrasse holocène ancienne Q_{0a}. À 1,6 km du plus proche paléoméandre, donc loin en retrait sur la terrasse.
Site d'habitat.
L. : 300 m, larg. : 300 m, alt. relative : -, alt. absolue : 185,1 m.
Description - Site non retrouvé. D'après K. Simpson, site sans élévation, épandage de tessons dans les champs labourés. *Matériel* - Céramique (cf. bibliographie).
Datation - Simpson : sassanide [romain tardif], médiéval ancien [islamique].
Bibliographie - Simpson 1983 (KH 23 - Wadi Assur).

205 - EL GRAIYE 6

Carré H11, carte II, rive droite. À 4,5 km SO d'El Graiye. À 2,5 km SSO de la route. À 6 km O de l'Euphrate. - Lat. : 3.371 - Long. : 5.876.
Unité géomorphologique - Terrasse holocène ancienne Q_{0a}. À 1,6 km du plus proche paléoméandre, donc loin en retrait sur la terrasse.
Site d'habitat.
L. : 120 m NE-SO, larg. : 60 m NO-SE, alt. relative : 2,3 m, alt. absolue : 189,6 m.
Description - Site non retrouvé. D'après K. Simpson, petite butte très dégradée avec épandage de tessons dans les champs labourés. *Matériel* - Céramique (cf. bibliographie).
Datation - Simpson : parthe/sassanide [classique/romain tardif], médiéval ancien ? [islamique].
Bibliographie - Simpson 1983 (TH 27 - Umm al 'Athum).

206 - EL GRAIYE 7

Carré H11, carte II, rive droite. À 6,3 km SO d'El Graiye. - Lat. : 3.364 - Long. : 5.864.
Unité géomorphologique - Terrasse holocène ancienne Q_{0a}. À 3 km du plus proche paléoméandre, donc très loin en retrait sur la terrasse.
Site d'habitat.

L. : 150 m, larg. : 150 m, alt. relative : 0,5 m, alt. absolue : 186,7 m.
Description - Site non retrouvé. D'après K. Simpson, petite butte de faible élévation en partie réoccupée par un hameau. *Vestiges apparents* - D'après K. Simpson, trois « structures » au sommet de la butte, deux au S. *Matériel* - Céramique (cf. bibliographie).
Datation - Simpson : pré-médiéval (séleucide ou parthe ?) [classique].
Bibliographie - SIMPSON 1983 (TH 30 - 'Aghna)

207 - HATLA 3

Carré C3, carte I, rive gauche. À 2,5 km N de Marrāt. - Lat. : 3.799 - Long. : 5.625.
Unité géomorphologique - Terrasse Q_{II}. En bordure de la terrasse, dominant le fond alluvial holocène, à 0,7 km du plus proche paléoméandre.
Site d'habitat.
L. : ?, larg. : ?, alt. relative : ?, alt. absolue : 210 m.
Description - Petit site de forme ovale sur le rebord de la falaise, partiellement détruit au bulldozer. *Vestiges apparents* - Sol et enduits de murs en *juṣ*. Niveau de cendre visible dans une coupe.
Matériel - Céramique [Cat. 1706-1712, pl. 118] ; une monnaie (Édouard VIII).
Datation - Céramique : romain tardif.

208 - SREIJ 2

Carré G11, carte II, rive droite. Bas de pente du plateau, en contrebas de la mosquée de Mazār 'Ain 'Ali (site 53). - Lat. : 3.366 - Long. : 5.844.
Unité géomorphologique - Cône de déjection Q_{I}. Source à la rupture de pente entre le versant et le cône.
Qanāt.
L. : 300 m, larg. : -, alt. relative : -, alt. absolue : 198 m.
Description - Galerie drainante souterraine (*qanāt*) de 300 m de long, partant au NE et débouchant par un canal dans un petit réservoir d'irrigation. Eau visible dans l'un des puits. La *qanāt* est alimentée par une petite source jaillissant au pied de Mazār 'Ain 'Ali (cf. site 53). *Vestiges apparents* - Construction maçonnée, détruite lors d'un réaménagement récent de la source.
Datation - Islamique ?

209 - SĀLIHĪYE 4

Carré L15, carte III, rive droite. À 750 m NNO de Doura. - Lat. : 3.168 - Long. : 6.088.
Unité géomorphologique - Replat d'érosion Q_{V}. Sur un promontoire du plateau, dominant directement le fleuve.
Site funéraire.
L. : -, larg. : -, alt. relative : -, alt. absolue : ± 221 m.
Description - Tombeau à coupole. *Vestiges apparents* - Ruines d'un bâtiment quadrangulaire surmonté d'une coupole.
Datation - Islamique ?
Bibliographie - Carte du Service géographique de l'armée avril 1936 (Qaṣr el-Béder) ; CHESNEY 1850, carte (Shibbelik Tombs ?) ; CUMONT 1926 (tombeau de Shibelik ?) ; MUSIL 1927 (aš-Šejḫ Beḏr).

Chapitre IV. Les sites archéologiques

Jean-Yves Monchambert

Malgré son caractère inhospitalier, la vallée a été occupée par l'homme, vraisemblablement de façon à peu près continue, depuis environ dix mille ans. Attiré par un fleuve aux effets à la fois bénéfiques et néfastes, l'homme y a fixé son habitat. Les traces qu'il a laissées de son implantation sont nombreuses.

Près de 200 « sites archéologiques » (**fig. 1**) ont été repérés dans ce secteur de la vallée. Ils se répartissent en deux grandes catégories : des sites d'habitat pour l'essentiel et des sites funéraires. S'y ajoutent quelques sites de fonction indéterminée et deux mosquées [1]. Une dizaine d'autres « sites » ont été retrouvés (norias, barrages, levée de terre, *qanāt*), mais ils s'apparentent davantage à des aménagements, essentiellement de type hydro-agricole, qu'à des lieux où l'homme a établi sa demeure, qu'elle soit des vivants ou des morts ; ils seront traités dans le chapitre suivant.

Les sites d'habitat

Sont regroupés sous l'expression « site d'habitat » tous les sites sur lesquels les hommes se sont installés plus ou moins durablement. Cette expression générique regroupe en fait deux catégories bien distinctes d'installations qu'il n'est cependant pas toujours possible de différencier dans le cadre d'une prospection : habitat permanent et habitat temporaire. Chacune de ces deux catégories regroupe elle-même des sous-catégories difficiles à cerner avec précision : villes, villages, bourgs, hameaux, places fortes, etc., mais aussi habitat rural isolé pour la première, campements nomades ou semi-nomades pour la seconde.

Délimitation du champ d'étude

Habitat permanent/habitat temporaire

Dans le cadre d'une prospection, en l'absence de fouilles permettant de reconnaître formellement le type d'installation, la distinction primaire entre habitat permanent, généralement considéré comme abritant des sédentaires, et habitat temporaire, souvent inhérent au mode de vie nomade ou semi-nomade, n'est pas évidente. Certes, un habitat saisonnier laisse des traces beaucoup plus ténues qu'un habitat permanent. En conséquence, l'altitude relative d'un site est un critère important. Aussi, lorsque celle-ci est faible, voire nulle, l'identification du site comme campement nomade est une des hypothèses vraisemblables. Toutefois, l'élévation d'un site est étroitement liée à sa localisation : implanté en fond de vallée, il risque d'être soumis à un alluvionnement qui masquera sa base et diminuera d'autant son élévation ; en revanche, un site de bordure de vallée sera à l'abri de ce phénomène. Par ailleurs, une ferme isolée construite en briques crues ne laissera guère plus de vestiges qu'un campement nomade, le ruissellement étant susceptible d'entraîner la disparition complète de la butte résultant de la destruction de la maison.

D'autres critères sont donc à prendre en considération. Le lieu d'implantation du site est sans doute l'un des plus importants : un habitat permanent ne peut s'envisager que si un approvisionnement en eau suffisant et pérenne est assuré. Aussi des installations repérées en des endroits éloignés d'un cours d'eau ou d'un réseau d'amenée d'eau alimenté en continu pourront être rangées *a priori* dans la catégorie des sites saisonniers. Mais cet indice n'est pas suffisant. À partir de quelle distance doit-on en effet considérer qu'un site est trop éloigné d'une source d'eau pérenne pour pouvoir être un site d'habitat permanent ? Par ailleurs, il est courant que des nomades établissent leur campement à côté d'un cours d'eau permanent.

La superficie du site et la densité du matériel présent en surface sont d'autres critères qui peuvent être pris en compte. Mais, pris isolément, l'un comme l'autre ne permettra guère d'identifier le type de site. Le ruissellement peut donner naissance à de vastes épandages de tessons, surtout sur les bordures de la vallée. Il en va de même des labours et du travail des champs dans le fond de vallée. La densité de tessons provenant d'une ferme isolée dont l'occupation n'aurait duré qu'une génération ne sera guère différente de celle laissée par un campement. Il peut même arriver que les tessons de céramique ne marquent pas l'emplacement d'un site ; c'est le

1 - Ces mosquées (sites **47** et **53**) ne sont pas étudiées dans cet ouvrage consacré aux périodes préislamiques. On se reportera à Berthier *et al.* 2001.

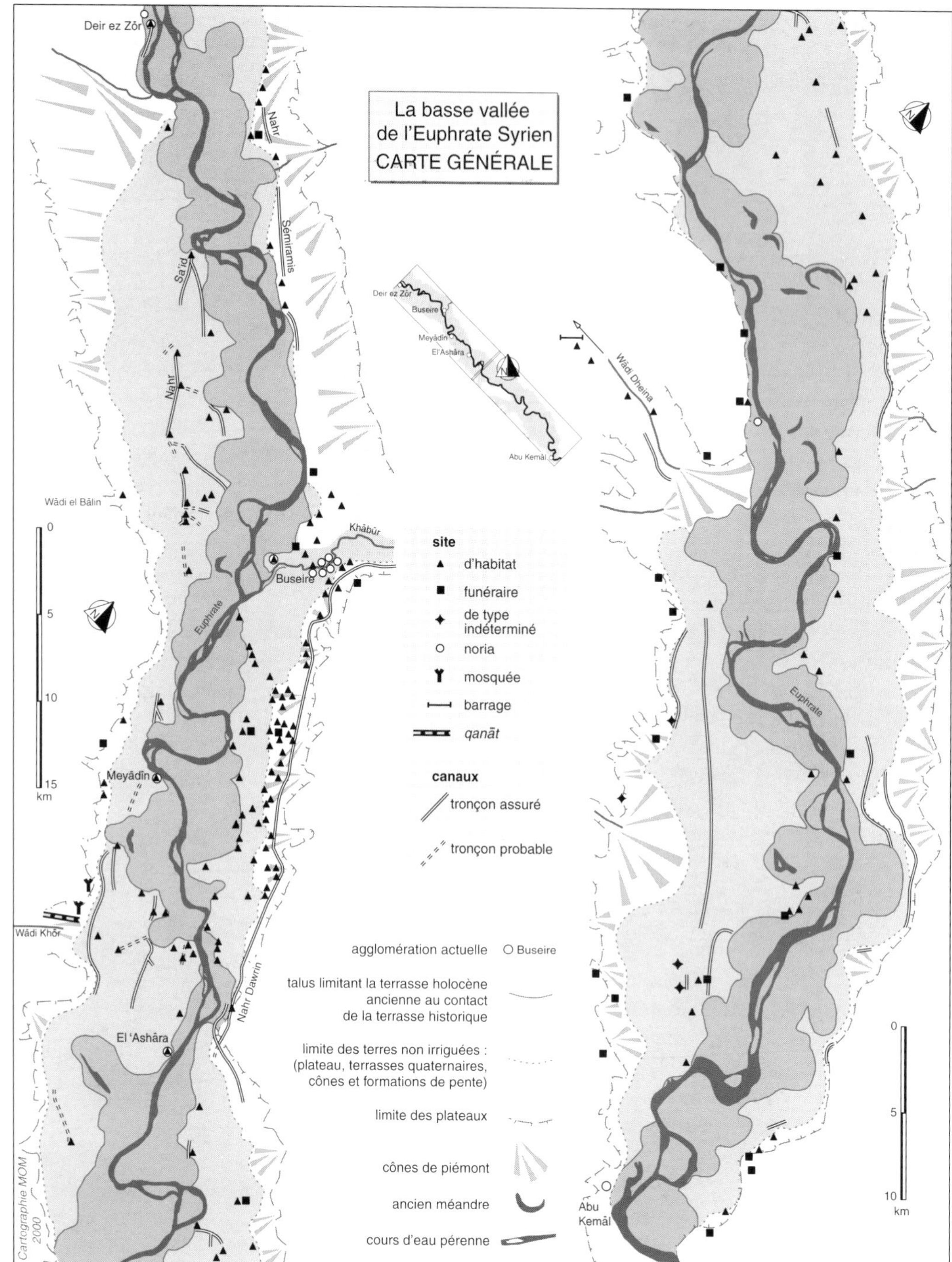

Fig. 1 - Carte générale des sites archéologiques.

cas à Maqbarat es Salu (sur une dérivation du Nahr Sa'īd partant d'Es Salu 2, **38**), où ils ont été apportés par les habitants du village voisin pour couvrir des tombes ; la question se pose pour Hasīyet er Rifān (**147**), où les seuls tessons retrouvés l'ont été sur les tombes d'un cimetière moderne.

En fait, la combinaison de ces critères est sans aucun doute plus pertinente. Il faudrait donc pouvoir les prendre en compte dans leur totalité pour chaque site, ce qui, dans la réalité, est loin d'être le cas. Nous l'avons vu, les cultures, l'alluvionnement, le ruissellement ou encore le passage répété des troupeaux sont autant d'obstacles à une évaluation précise de ces critères. On peut y ajouter la présence d'un habitat moderne, les travaux de génie civil, l'exploitation de carrières, quand ce n'est pas le passage d'archéologues [2].

2 - Nous avons pu constater, sur certains des sites de la région d'El 'Ashāra prospectés par K. Simpson, des concentrations de tessons en un seul point.

Dans leur grande majorité, les sites repérés sont manifestement des sites d'habitat permanent. Leur superficie, leur élévation, leur lieu d'implantation, la présence d'un matériel, sinon abondant, du moins en quantité non négligeable, vont dans ce sens. Mais nous ne pouvons prétendre que le doute ne subsiste pas pour certains d'entre eux. Nous pouvons signaler, à titre d'exemple, El Graiye 7 (**206**) et El Kita'a 1 (**20**), deux sites de petite taille, tous deux dans le fond de vallée, au débouché d'un oued, en des lieux qui ne semblent pas répondre aux critères d'implantation de sites d'habitat permanent. Le premier est apparemment éloigné de toute source d'eau pérenne et au débouché du Wādi el Khōr, le second à plus de 600 m du plus proche paléoméandre, en aval du débouché du Wādi Dheina ; que ce dernier fût un site d'habitat temporaire permettrait d'expliquer ce qui semble être une anomalie : El Kita'a 1 est le seul site d'époque islamique attesté dans ce secteur de la vallée.

Il est vraisemblable aussi que certains sites, une fois abandonnés par les sédentaires, ont été occupés, à certaines époques et de façon sporadique, par des populations semi-nomades. Mais une telle situation est encore plus difficile à reconnaître dans le cadre d'une prospection. Il est dès lors possible que certaines des périodes d'occupation que nous avons déterminées ne correspondent pas à un habitat permanent, mais semi-nomade.

Un autre cas est envisageable, celui de sites qui, comme Tell es Sinn (**29** ; **fig. 2**) ou Jedīd 'Aqīdat 1 (**92**), sont implantés sur des terrasses anciennes donnant directement sur la steppe. Des puits y sont présents, qui peuvent avoir attiré des nomades ou des semi-nomades qui s'y seraient temporairement installés, seuls, lors de périodes d'abandon du site par les sédentaires, mais aussi, peut-être, parallèlement à un habitat sédentaire fortement réduit.

De telles incertitudes, inhérentes à toute prospection, résultent aussi des conditions dans lesquelles s'est effectuée

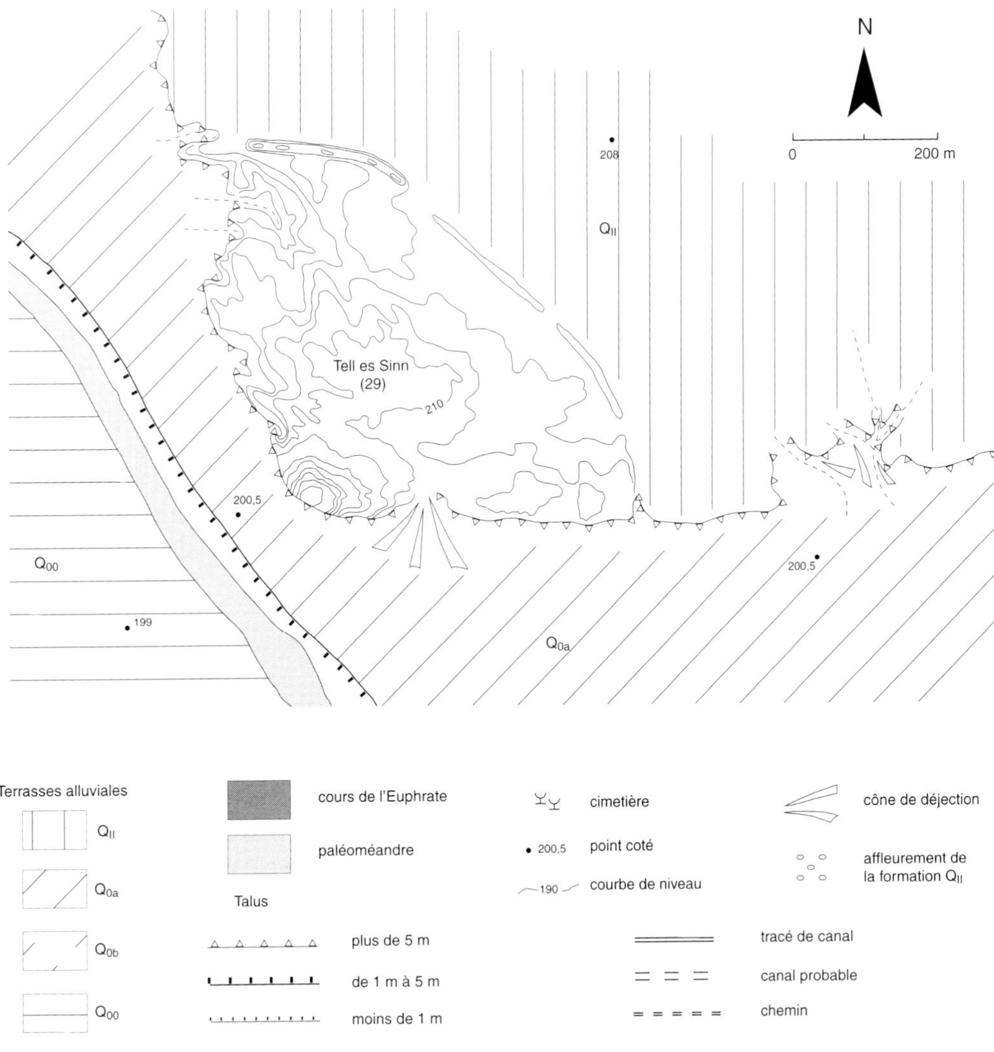

Fig. 2 - Tell es Sinn (carte I, carré C3, n° 29).

la nôtre et de la méthode qui a été adoptée [3]. Il ne nous a pas été possible de rechercher pour chaque période d'occupation d'un site son extension ni de relever toutes les traces d'occupation ténue qui, seules, peuvent permettre, dans certains cas, d'identifier les sites d'habitat saisonnier liés au pastoralisme.

Les quelques exceptions concernent la partie septentrionale de notre zone de recherche, à hauteur et en aval de la confluence Khābūr/Euphrate. Elles sont le fruit de la prospection plus systématique effectuée par S. Berthier dans ce secteur, qui a permis de mettre en évidence plusieurs de ces habitats saisonniers. Ils sont, pour leur quasi-totalité, d'époque islamique ; seuls l'un ou l'autre d'entre eux sont d'époque préislamique [4], mais leur nombre infime rend cette distinction inopérante ; nous n'en tiendrons donc pas compte pour les périodes préislamiques.

Le nombre de sites

Il est sûr que le nombre de sites d'habitat répertoriés (171 sites catalogués) est inférieur au nombre réel de sites habités au fil des siècles et même à celui des sites encore préservés. Cela s'explique bien sûr à la fois par la méthode de prospection, déjà évoquée, et par la présence d'un fleuve qui opère à la fois un travail de sape et d'alluvionnement.

Ainsi, l'Euphrate, par le jeu de ses méandres et par l'action de ses crues, a pu faire disparaître, totalement ou partiellement, des sites [5]. En témoignent par exemple les observations que l'on peut faire à Jebel Masāikh (**16** ; **fig. 3**) ou à El 'Ashāra [6] (**54**) pour le premier phénomène, à Tell Hariri (**1**) pour le second ; dans les deux premiers cas, une partie du site a été emportée par le fleuve, environ un cinquième pour Jebel Masāikh, un tiers peut-être pour El 'Ashāra ; à Tell Hariri, les eaux des crues, guidées par un ancien canal qui passait à l'intérieur de la ville ancienne, ont peu à peu fait disparaître plus de la moitié du site (cf. chap. II, **fig. 10**). Il est donc évident que des sites de moindre importance ont pu être totalement détruits sans laisser de traces.

Par ailleurs, plusieurs fouilles effectuées sur des sites de la région ont montré que les couches d'occupation sont largement masquées par des alluvions récentes, par exemple à Tell Hariri (**1**), à El 'Ashāra (**54**), à El Graiye 2 (**45**), à

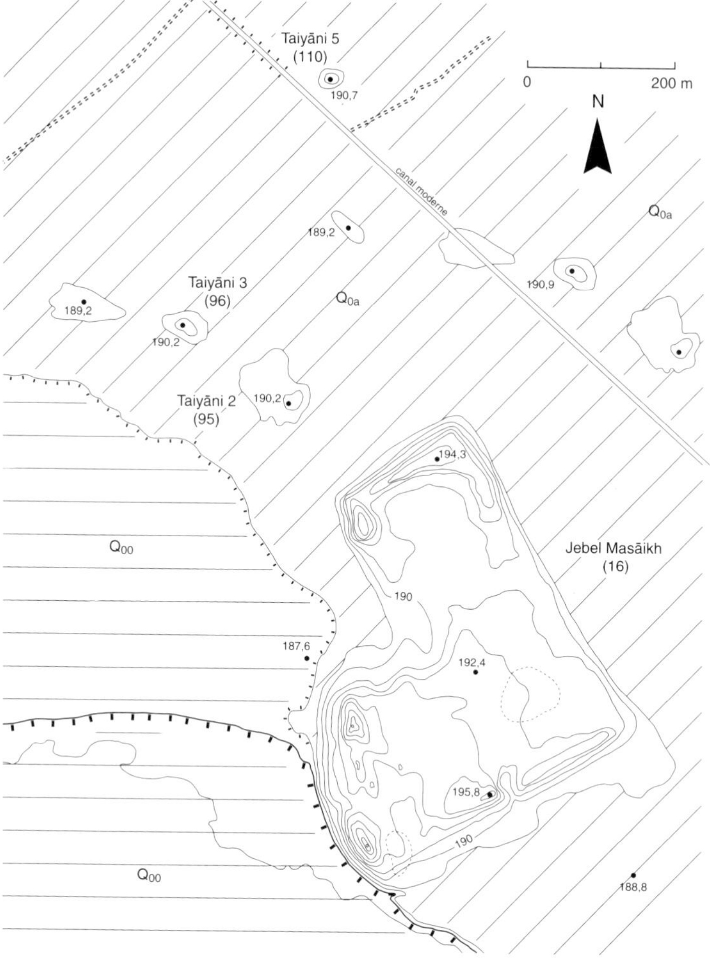

Fig. 3 - Jebel Masāikh (carte I, carré 110, n° 16) et ses satellites (n°s 95, 96 et 110) [pour la légende, voir fig. 2].

Tell Guftān (**23**), à Tell Qaryat Medād (**36**) [7] ; un cas de disparition totale a même été relevé à Abu Leil 3 (**106** ; cf. chap. II, **fig. 9**) grâce à une tranchée.

De plus, les travaux d'aménagement de la vallée, déjà entrepris au moment de notre prospection, ont pu faire disparaître de petits sites. L'exemple de Dībān 3 (**66**) l'illustre bien : fortement dégradé en 1984, il était détruit en 1988.

Le cas du site ancien de Deir ez Zōr (**89**) est particulier : recouvert par la ville moderne, il a été détruit par les bulldozers à la fin des années soixante-dix pour permettre la construction de bâtiments publics.

Ce total de 171 sites se décompose de la façon suivante :

— 85 sites d'habitat permanent préislamiques, dont 31 ont connu une réoccupation (probable) par un habitat d'époque islamique (sites soulignés dans la liste suivante) :

3 - Voir ici même l'introduction. Pour des problèmes de méthodes appliquées à des prospections récentes, voir Lyonnet 2000, p. 7-17.

4 - Pour les époques anciennes, l'habitat temporaire est d'autant plus difficile à repérer qu'à la faible densité du matériel de surface vient s'ajouter le temps passé depuis lors, qui en a facilité la dispersion. Il faut y adjoindre notre ignorance du type de matériel utilisé par les nomades.

5 - Voir ci-dessus, chap. II, p. 62.

6 - Illustrations dans Chavalas 1996, p. 91 et Ozer 1997, fig. 23 et 30b.

7 - Pour Tell Hariri : Margueron 1987 a, p. 20-22 et 1995 ; pour El 'Ashāra : Ozer 1997, p. 118 ; pour El Graiye 2 : Buccellati 1979, p. 16 ; pour Tell Guftān et Tell Qaryat Medād : Berthier et D'Hont 1994, p. 170.

1, 4, 6, 7, 9, 10, 11, 12, 14, 15, 16, 21, 22, 25, 29, 31, 32, 33, 34, 45, 49, 50, 51, 54, 57, 58, 63, 64, 66, 67, 68, 69, 70, 71, 72, 73, 74, 75, 82, 83, 84, 86, 90, 91, 92, 93, 95, 96, 101, 104, 105, 109, 110, 111, 112, 113, 115, 116, 117, 118, 119, 121, 123, 126, 127, 128, 136, 137, 138, 139, 140, 141, 142, 147, 149, 157, 162, 168, 186, 188, 195, 200, 205, 206, 207 ;

— 72 sites d'habitat permanent uniquement islamiques — ou présumés tels —, dont 13 semblent avoir connu après leur abandon une occupation sous forme d'habitat saisonnier [8] (sites soulignés dans la liste suivante) :
20, 23, 24, 26, 28, 30, 35, 36, 37, 38, 39, 40, 41, 42, 43, 44, 46, 48, 52, 61, 62, 65, 80, 81, 85, 89, 97, 100, 106, 107, 108, 114, 122, 124, 125, 146, 148, 150, 151, 152, 154, 158, 159, 160, 163, 164, 165, 166, 167, 169, 170, 172, 173, 174, 175, 176, 177, 179, 180, 181, 182, 183, 185, 190, 191, 192, 193, 194, 197, 199, 202, 204 ;

— 9 sites d'habitat saisonnier uniquement islamiques (information communiquée par S. Berthier) :
27, 98, 178, 184, 187, 189, 196, 198, 201 ;

— 5 sites dont l'époque d'occupation n'a pu être déterminée :
55, 102, 103, 143, 171.

Nous ne tiendrons pas compte des deux dernières catégories et notre étude portera sur les 157 sites d'habitat sédentaire identifiés ou tenus pour tels.

Époque préislamique/époque islamique

Par ailleurs, nous laisserons de côté à plusieurs reprises dans les pages suivantes les sites occupés uniquement à la période islamique qui font l'objet d'une étude spécifique [9] ; nous ne prendrons en compte que les sites préislamiques, y compris ceux d'entre eux qui attestent une réoccupation à l'époque islamique.

La datation

La datation des sites a été effectuée à partir du matériel ramassé en surface, c'est-à-dire presque exclusivement de la céramique. Si les problèmes de datation sont difficiles à résoudre [10], il n'en demeure pas moins que nous nous sommes attaché à les résoudre systématiquement, sans le moindre *a priori*. Nous avons préféré dans plusieurs cas reconnaître notre incapacité à dater un site, quand son matériel était en trop petite quantité ou trop peu significatif.

Nous comprenons la déception qu'ont pu engendrer les premières datations publiées dans notre rapport préliminaire [11], qui ne permettent nullement au « lecteur des documents anciens [de retrouver] les dizaines de toponymes dont il a établi les listes » [12]. Les textes des archives paléobabyloniennes de Mari mentionnent en effet l'existence d'un certain nombre de localités qui sont associées à de grands canaux d'une façon qui reste malheureusement imprécise. Notre enquête de terrain nous a permis de retrouver les traces de grandes structures d'irrigation : l'une d'entre elles, située dans l'alvéole de Mōhasan et couramment appelée Nahr Sa'īd, est bordée de loin en loin par des sites, qui se sont tous révélés remonter à l'époque islamique ; une autre, en revanche, dans l'alvéole de Tell Hariri, n'a pas le moindre site adjacent.

L'existence de sites le long de ces canaux d'irrigation ne peut guère se concevoir que si ces derniers fonctionnaient de façon permanente et leur apportaient l'eau dont ils étaient privés du fait de leur éloignement de l'Euphrate. Or, il semble bien que les canaux du Bronze moyen n'étaient pas en eau toute l'année. Ils ne fonctionnaient vraisemblablement qu'au printemps, au moment où les cultures réclament un complément d'alimentation en eau, et peut-être au début de l'été. Les cultures d'été, qui nécessitent une irrigation pendant les mois de juillet, d'août et même de septembre, ne semblent pas avoir été pratiquées à cette époque ; en effet, les archives ne mentionnent aucune céréale ni plante d'été [13] et la documentation archéologique contemporaine n'en fournit aucun exemple [14]. En revanche, une telle pratique existe à l'époque islamique, pour laquelle les travaux de S. Berthier sur le Nahr Sa'īd ont mis en évidence la présence de coton et de millet [15]. Les périodes de fonctionnement des canaux d'irrigation à l'époque islamique différaient donc très probablement de celles du Bronze moyen. Dès lors, les conditions d'implantation sur leur cours étaient aussi

8 - Ces informations sur les habitats saisonniers nous ont été communiquées par S. Berthier.

9 - S. Berthier, qui a réalisé cette prospection complémentaire de la nôtre, en publie les résultats pour l'époque islamique (Berthier *et al.* 2001). Elle nous a fait part de ses trouvailles concernant les sites préislamiques.

10 - Voir annexe 2.

11 - Geyer et Monchambert 1987 b. Les datations fournies à cette occasion ont suscité la perplexité (Durand 1990 a, p. 123 ; 1998, p. 574).

12 - Durand 1998, p. 574.

13 - La mention du sésame que l'on trouve fréquemment dans les traductions des textes de Mari est loin d'être assurée ; le terme habituellement traduit ainsi (par exemple, Durand 1990 a, p. 116 et 117 ; 1998, p. 649 et 653) désignerait en fait du lin (Durand 1997, p. 353). De fait, après la controverse suscitée par les travaux de H. Helbaek (1966) à Nimrud, la plupart des spécialistes s'accordent désormais sur le fait que les termes que l'on considérait comme désignant le sésame « *denote "oil plant" in general and do not provide clear evidence for the cultivation of Sesamum indicum in 2nd millenium* BC *in Mesopotamia* » (Zohary et Hopf 1993, p. 133). Précisons que le sésame, qui est une culture d'été, est en fait une plante relativement précoce : elle est récoltée dès les mois de juin-juillet, avant complète maturité (Weullersse 1946, p. 151).

14 - Miller 1991, p. 153 : « *despite possible early textual references to sesame, the first certain Near Eastern finds come from Iron Age sites in regions peripheral to Mesopotamia* » ; Zohary et Hopf 1993, p. 133 : « *undisputed remains are available in this region only from the 1st millenium* BC » ; pour ces derniers, l'introduction tardive du sésame est confirmée par la botanique.

15 - Berthier et D'Hont 1994, p. 173.

différentes. Dans la mesure où le grand canal de l'alvéole de Mōhasan fonctionnait en continu à l'époque islamique [16], il n'est pas surprenant d'y trouver des sites contemporains ; en revanche, et à supposer que ce canal existait déjà au Bronze moyen, il ne pouvait, s'il ne fonctionnait que temporairement, permettre à un habitat permanent de s'y implanter ; il est donc vain d'y chercher des sites paléobabyloniens. Quant à l'absence de sites islamiques le long du canal de l'alvéole de Tell Hariri, elle s'expliquerait par le fait que ce secteur de la vallée n'a pas été réaménagé à cette époque.

De fait, aucun des sites qui se trouvent sur le Nahr Sa'īd n'atteste une occupation au Bronze moyen. L'étude de leur matériel par S. Berthier [17] valide l'attribution chronologique que nous avions déjà proposée : tous ces sites datent de la période islamique. De plus, deux sondages [18] effectués sur deux sites de ce canal, l'un à Tell Guftān (**23**), l'autre à Tell Qaryat Medād (**36**), le confirment ; menés jusqu'au sol vierge, ils n'ont pas révélé le moindre indice d'une occupation préislamique, les couches les plus anciennes remontant au début de la période abbasside. Pourtant, on se serait attendu à ce que Tell Guftān atteste une occupation au Bronze moyen : il est en effet installé sur le site de prise d'eau d'un autre canal qui se dirige vers le site de Mōhasan 1 (**25**) dont l'occupation principale date manifestement du début du IIe millénaire et qui, *a priori*, ne fut réoccupé, sur une petite partie de sa surface, qu'à l'époque islamique. L'absence de traces d'occupation à date ancienne sur les deux sites ne résulterait donc pas d'un phénomène d'alluvionnement.

Il convient sans doute de voir dans cette absence de sites paléobabyloniens le long des canaux l'indice qu'au Bronze moyen l'habitat ne se trouvait pas sur l'axe majeur des grands canaux d'irrigation. Aussi, lorsqu'un texte des archives de Mari associe une localité et un canal, il faut se garder d'en conclure que le canal passe par ce site lui-même ; il est sans doute plus satisfaisant de considérer qu'il passe sur le territoire de cette localité.

Il n'en reste pas moins vrai que, sur certains sites, des périodes d'occupation, en général les plus anciennes, peuvent ne pas être détectées par la prospection, en raison principalement des réoccupations postérieures et des phénomènes d'alluvionnement qui ont entièrement occulté les niveaux inférieurs. Les cas les plus flagrants sont ceux d'Er Ramādi (**4**) et de Jebel Masāikh (**16**), où aucun tesson de céramiques pourtant très facilement reconnaissables (Obeid pour le premier, Halaf pour le second) n'a été vu — et n'est visible — en surface, même à la base du tell, alors que des sondages effectués récemment en ont révélé la présence [19].

Les témoignages écrits, tablettes cunéiformes, annales assyriennes, inscriptions grecques ou latines, récits d'historiens ou de chronographes grecs, latins ou byzantins, ne sont pas d'un grand secours, puisque leur utilisation comme critères de datation d'un site suppose que l'on connaisse déjà l'identité du site en question. Deux exceptions sont à noter : elles concernent El 'Ashāra (**54**) et Buseire 1 (**75**). Dans les deux cas, les textes attestent, semble-t-il, des périodes d'occupation qui ne le sont ni par les fouilles archéologiques (cas d'El 'Ashāra) ni par le matériel que l'on peut trouver en surface (cas des deux sites).

Pour El 'Ashāra (**54**), les fouilles n'ont pas mis au jour de vestiges de la fin du IIe millénaire ni de la première moitié du Ier millénaire et aucun indice de surface ne permet d'envisager une occupation pendant cette période. Or, les annales assyriennes [20] mentionnent très clairement la ville de Sirqu pour le IXe s. av. J.-C., sur la rive droite de l'Euphrate, et attestent l'existence d'un palais. Si la filiation Terqa/Sirqu que l'on s'accorde généralement à reconnaître est avérée, il faut en conclure que toute trace de la ville du Ier millénaire a disparu, soit que, bâtie à l'est de ce qui subsiste du tell principal, elle ait été emportée peu à peu par l'Euphrate, soit qu'elle ait été entièrement détruite lors de la construction de la ville islamique, dont les vestiges ont été retrouvés sur une profondeur de plusieurs mètres sous le bourg actuel. La seule autre explication envisageable n'est guère satisfaisante : Sirqu serait située ailleurs en rive droite ; d'après les itinéraires décrits par les rois assyriens, ce site ne pourrait être que légèrement en amont ou en aval d'El 'Ashāra, ce qu'aucun élément résultant de la prospection ne permet d'envisager.

Pour Buseire 1 (**75**), les dates déduites du matériel que nous avons retrouvé en surface ne remontent pas au-delà de l'époque romaine, peut-être l'époque hellénistique [21]. Or, d'après le récit de Xénophon, il semble bien que ce site corresponde à l'ancienne Korsoté [22], lieu d'étape de l'expédition des Dix Mille en 401 av. J.-C. En l'absence de fouilles, seule la description fournie par Xénophon permet de proposer une occupation de Buseire 1 à l'époque perse achéménide. Les témoignages ultérieurs, comme ceux d'Ammien Marcellin, de Zosime, et surtout la description détaillée faite par Procope, qui concernent la Circesium romaine et romaine tardive ne font quant à eux que confirmer les dates résultant de la prospection. Mais de telles indications nous manquent pour les époques plus anciennes ; pour le Bronze moyen par exemple, elles auraient peut-être permis

16 - Berthier et D'Hont 1994, p. 172. Ce fonctionnement en continu semble aussi attesté au XIVe s. par Abulféda, cité par Cumont 1926, p. XIII, n. 1 : « ses habitants [du château de Raḥaba] reçoivent leur eau par un aqueduc dérivé du canal de Saïd, qui sort lui-même de l'Euphrate » (*Géographie d'Aboulféda*, trad. Reinaud, t. II, p. 56).

17 - Berthier *et al.* 2001.

18 - Berthier et D'Hont 1994, p. 170-171.

19 - Beyer 1991 ; Rouault 1998 b.

20 - Voir ci-dessous, p. 140-144 et annexe 3.

21 - Une occupation au Bronze ancien est signalée par P. J. Ergenzinger et H. Kühne (1991, Abb. 139, p. 182).

22 - Voir ci-dessous, p. 144-146.

de trancher sur la localisation ou non en ce lieu de la Saggarâtum des textes de Mari.

La répartition des sites par époques

L'évolution du nombre de sites par époques

L'occupation de la vallée de l'Euphrate telle que nous la révèle la prospection ne s'est pas développée de façon régulière depuis le Néolithique jusqu'à l'époque moderne, mais a connu des variations importantes : périodes de prospérité alternent avec périodes de régression. La **figure 4** retrace, dans ses grandes lignes, l'évolution de la densité de l'occupation sédentaire de la vallée au cours des siècles (en sont donc exclus les 9 sites exclusivement temporaires de l'époque islamique).

L'occupation de la vallée a été progressive depuis le Néolithique acéramique (3 sites au PPNB) jusqu'au Bronze ancien, où l'on observe que le nombre de sites a plus que doublé par rapport à la période précédente, l'époque d'Uruk (13 au Bronze ancien pour 6 à l'époque d'Uruk).

C'est au Bronze moyen que se produit le premier pic de croissance, avec une densité de l'occupation qui augmente fortement (+ 200 %), avant une baisse sensible au Bronze récent, où le nombre d'établissements retombe au niveau de celui du Bronze ancien.

Le premier millénaire voit un nouveau développement de la vallée : le nombre de sites double à l'époque néo-assyrienne et atteint un nouveau pic à l'époque classique. Trois remarques importantes sont toutefois nécessaires :

— il convient de relativiser les données chiffrées en fonction de la durée de chaque époque d'une part, de son antiquité d'autre part. Le Bronze récent dure environ 400 ans, l'époque néo-assyrienne plus du double ; la probabilité que la seconde ait connu un plus grand nombre de sites est donc importante ; ramenées à une même unité de temps, les données chiffrées présentent une variation moindre ; il serait dès lors peut-être nécessaire d'appliquer un coefficient de pondération qui en tienne compte. Il en irait sans doute de même pour l'antiquité de la période, puisque la probabilité de disparition d'un site augmente avec son ancienneté ;

— pour les périodes néobabylonienne et perse achéménide, aucun site n'a pu être reconnu. Seul Buseire 1 (**75**) peut toutefois être attribué à l'époque perse, d'après le texte de l'*Anabase* de Xénophon qui nous permet de l'identifier avec vraisemblance avec l'ancienne Korsoté [23]. La vallée était-elle abandonnée à cette époque ? S'il est vrai que d'autres indices peuvent donner à penser que l'occupation était alors très réduite [24], il est peu vraisemblable qu'elle ait été presque nulle ; il convient en effet de prendre en compte le fait que le matériel de cette époque se distingue fort mal de celui des époques néo-assyrienne et hellénistique qui lui sont immédiatement antérieure et postérieure [25]. Néanmoins, une nette régression à la période perse achéménide est fort vraisemblable, qui rend d'autant plus important le regain de l'époque classique ;

— la période classique regroupe à la fois les périodes d'occupation hellénistique, parthe et romaine, bien distinctes sur le plan historique, mais beaucoup moins en ce qui concerne le matériel archéologique [26]. S'il est possible de faire la distinction pour plusieurs sites, le trop grand nombre d'incertitudes de datation n'a pas permis de procéder à un comptage différencié par période : le décompte global est donc surévalué par rapport à la réalité de chacune de ces trois sous-périodes.

Dans ces conditions, la diminution du nombre de sites que l'on observe à l'époque romaine tardive perd une partie de sa signification et n'est peut-être pas aussi importante qu'il y paraît.

Le nombre de sites d'époque islamique semble très élevé, mais il convient, là encore, de le relativiser, car ils appartiennent en réalité à plusieurs périodes bien distinctes

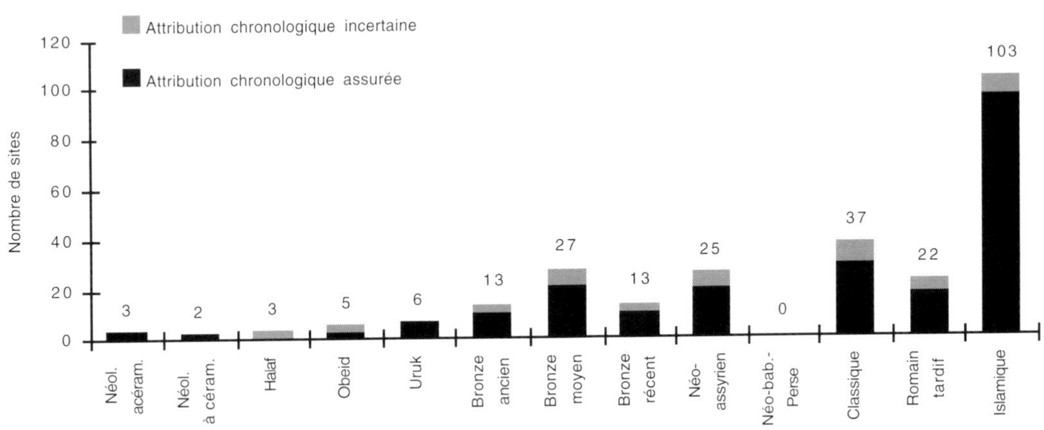

Fig. 4 - Nombre de sites par époque.

23 - Voir ci-dessous, p. 145.

24 - Voir ci-dessous, p. 145-146. Voir aussi Monchambert 1999.

25 - Voir annexe 2.

26 - Voir annexe 2.

(umayyade, abbasside, ayyubide, ...) [27], qui sont ici cumulées.

Liste des sites par époques

Le tableau 1 indique, pour chaque grande période, les sites pour lesquels une occupation correspondante est assurée ou possible. La présence d'un « ? » dans la deuxième colonne indique que l'occupation à l'époque considérée est possible, mais non assurée ; pour l'époque islamique, un « T » indique une occupation exclusivement temporaire [28]. Dans la quatrième colonne, la présence d'un « + » indique que ce site a été occupé à plusieurs périodes ; son absence signifie que le site n'a été *a priori* occupé qu'à cette époque.

Néolithique acéramique (PPNB)

29		Tell es Sinn	+
50		Buqras 1	+
82		Dheina 3	+

Néolithique à céramique (Proto-Hassuna, Hassuna, Samarra)

50		Buqras 1	+
58		Bāqhūz 1	

Halaf

14	?	Es Saiyāl 5	+
16		Jebel Masāikh	+
96	?	Taiyāni 3	+

Obeid

4		Er Ramādi	+
45		El Graiye 2	+
54	?	El 'Ashāra	+
57		Es Sūsa 3	
67	?	Taiyāni 1	+
139		Hasīyet 'Abīd	+

Uruk

4		Er Ramādi	+
45		El Graiye 2	+
64		Dībān 1	+
67		Taiyāni 1	+
83		Dheina 4	+
109		Dībān 7	+

Bronze ancien

1		Tell Hariri	+
4		Er Ramādi	+
9		Tell Abu Hasan	+
14	?	Es Saiyāl 5	+
21		Ghabra	+
54		El 'Ashāra	+
64		Dībān 1	+
67		Taiyāni 1	+
75		Buseire 1	+
82		Dheina 3	+
83		Dheina 4	+
84	?	Dībān 4	+
109		Dībān 7	+

Bronze moyen

1		Tell Hariri	+
4		Er Ramādi	+
9		Tell Abu Hasan	+
10		Tell Jubb el Bahra	
11		Tell Khaumat Hajīn	+
12	?	Tell Halīm Asra Hajīn	+
14		Es Saiyāl 5	+
15		Es Saiyāl 2	+
16		Jebel Masāikh	+
21		Ghabra	+
25		Mōhasan 1	+
32		Safāt ez Zerr 2	+
45		El Graiye 2	+
49		El Graiye 3	+
54		El 'Ashāra	+
64		Dībān 1	+
68	?	Jebel Mashtala	+
84	?	Dībān 4	+
91		Et Tābiye 2	
96	?	Taiyāni 3	+
101		Dībān 6	+
105		Es Salu 5	
109		Dībān 7	+
139	?	Hasīyet 'Abīd	+
140	?	Tell es Sufa	+
142		Hajīn 2	+
157		Es Sūsa 4	

Tableau 1 - Liste des sites par époques (1/4).

27 - Sur la datation de l'époque islamique, voir BERTHIER *et al.* 2001.

28 - D'après les indications de S. Berthier.

Bronze récent

1		Tell Hariri	+
9	?	Tell Abu Hasan	+
54		El ʻAshāra	+
68		Jebel Mashtala	+
73		Tell Marwāniye	+
74	?	El Jurdi Sharqi 3	+
95		Taiyāni 2	+
121		Shheil 2	+
126		Abu Hardūb 1	
127		Abu Hardūb 2	
128	?	Jīshīye	+
139		Hasīyet ʻAbīd	+
140		Tell es Sufa	+

Époque néo-assyrienne

1		Tell Hariri	+
9		Tell Abu Hasan	+
11		Tell Khaumat Hajīn	+
16		Jebel Masāikh	+
32		Safāt ez Zerr 2	+
49		El Graiye 3	+
54		El ʻAshāra	+
63		Maqbarat Graiyet ʻAbādish	+
64	?	Dībān 1	+
66		Dībān 3	+
69		El Jurdi Sharqi 1	+
71		Hasīyet el Blāli	+
72		El Jurdi Sharqi 2	
73		Tell Marwāniye	+
74		El Jurdi Sharqi 3	+
90		El Jurdi Sharqi 4	+
95		Taiyāni 2	+
121		Shheil 2	+
128	?	Jīshīye	+
139	?	Hasīyet ʻAbīd	+
142	?	Hajīn 2	+
162		Dībān 11	+
186		Dībān 15	
188	?	Dībān 17	
195		Er Rāshdi 3	+

Époque classique

1		Tell Hariri	+
4		Er Ramādi	+
6		Es Saiyāl 3	
7		Taʻas el ʻAshāir	
9		Tell Abu Hasan	+
12		Tell Halīm Asra Hajīn	+
14		Es Saiyāl 5	+
15		Es Saiyāl 2	+
16		Jebel Masāikh	+
22		Qalʻat es Sālihīye	
29		Tell es Sinn	+
32		Safāt ez Zerr 2	+
49	?	El Graiye 3	+
63		Maqbarat Graiyet ʻAbādish	+
64		Dībān 1	+
67		Taiyāni 1	+
68		Jebel Mashtala	+
69		El Jurdi Sharqi 1	+
70		Maqbarat el Maʻādi	
71		Hasīyet el Blāli	+
75		Buseire 1	+
86		Darnaj	
90		El Jurdi Sharqi 4	+
92		Jedīd ʻAqīdat 1	+
93		Shheil 1	+
110		Taiyāni 5	
128	?	Jīshīye	+
137		Kharāij 1	
138	?	Kharāij 2	
139	?	Hasīyet ʻAbīd	+
142		Hajīn 2	+
147	?	Hasīyet er Rifān	
149		Hatla 2	
168	?	Shheil 5	
200		Dībān 21	+
205		El Graiye 6	+
206	?	El Graiye 7	

Époque romaine tardive

9		Tell Abu Hasan	+
12		Tell Halīm Asra Hajīn	+
22		Qalʻat es Sālihīye	
29		Tell es Sinn	+
31		Safāt ez Zerr 1	+
32		Safāt ez Zerr 2	+
33		Hatla 1	
34		Et Tābīye 1	
75		Buseire 1	+
92		Jedīd ʻAqīdat 1	+
104		Buseire 2	+
111		Taiyāni 6	+
112		El Fleif 1	+
113	?	El Fleif 2	+
115		Mazlūm 1	+

Tableau 1 - Liste des sites par époques (2/4).

Époque romaine tardive

116		Mazlūm 2	
117	?	El Fleif 4	+
118		Rweshed 1	+
119		El Fleif 5	+
162	?	Dībān 11	+
168	?	Shheil 5	+
207		Hatla 3	

Époque islamique

16		Jebel Masāikh	+
20		El Kita'a 1	
23		Tell Guftān	
24		Mōhasan 2	
25		Mōhasan 1	+
26		Mōhasan 3	
27	T	El Hirāmi 1	
28		Mōhasan 4	
30		Tell Hrīm	
31		Safāt ez Zerr 1	+
32		Safāt ez Zerr 2	+
35		Jafra	
36		Tell Qaryat Medād	
37		Es Salu 1	
38		Es Salu 2	
39		Es Salu 3	
40		Abu Leil 1	
41		Tell ed Dāūdīye	
42		Tell ez Zabāri	
43		El Hirāmi 2	
44		El Graiye 1	
46		Abu Leil 2	
48		Maqbarat el ʻOwuja	
49	?	El Graiye 3	+
51		Meyādīn	
52		Er Rheiba	
54		El ʻAshāra	+
61		Maqbarat et Tāme	
62		Maqbarat Shheil	
63		Maqbarat Graiyet ʻAbādish	+
64		Dībān 1	+
65		Dībān 2	
66		Dībān 3	+
67		Taiyāni 1	+
73		Tell Marwāniye	+
75		Buseire 1	+
80	?	Dheina 1	
81		Dheina 2	

Époque islamique

82		Dheina 3	+
85		Dībān 5	
89		Deir ez Zōr 1	?
93		Shheil 1	+
97	?	Buqras 2	
98	T	El Belʻūm	
100		El Hawāij 1	
101		Dībān 6	+
104		Buseire 2	+
106		Abu Leil 3	
107		Taiyāni 4	
108		Es Salu 4	
111	?	Taiyāni 6	+
112		El Fleif 1	+
113		El Fleif 2	+
114		El Fleif 3	
115		Mazlūm 1	+
117		El Fleif 4	+
118		Rweshed 1	+
119		El Fleif 5	+
122		Mazār Sheikh Ibrāhīm	
123		Dībān 8	+
124		El Graiye 4	
125		Maqbarat Fandi	
136		El Bahra	+
146		Dībān 9	
148		Atou Ammayy	
150		Es Sabkha 2	
151	?	El Hawāij 2	
152		Dībān 10	
154		Mahkān 1	
158		Maqbarat Wardi	?
159		Mahkān 2	
160		Et Taʻas el Jāiz	
162		Dībān 11	+
163		Tell Boubou	
164		Ali esh Shehel 2	
165		Safāt ez Zerr 3	
166		Safāt ez Zerr 4	
167		Safāt ez Zerr 5	
168		Shheil 5	+
169		Er Rweiha 1	
170		Er Rweiha 2	
172		Shheil 7	
173		Shheil 8	
174		Shheil 9	
175		Shheil 10	

Tableau 1 - Liste des sites par époques (3/4).

Époque islamique

176		Shheil 11	
177		Shheil 12	
178	T	Shheil 13	
179		Shheil 14	
180		Shheil 15	
181		Shheil 16	
182	?	Shheil 17	
183		Dībān 12	
184	T	Dībān 13	
185		Dībān 14	
187	T	Dībān 16	
189	T	Dībān 18	
190		Shheil 18	
191		Shheil 19	
192		Ali esh Shehel 3	
193		Shheil 20	
194		Er Rāshdi 2	
195		Er Rāshdi 3	+
196	T	Er Rāshdi 4	
197	?	Dībān 19	
198	T	Wādi el Balīn	
199		Dībān 20	
200		Dībān 21	+
201	T	Zabāri 2	
202		El Graiye 5	
204		Dablān	?
205		El Graiye 6	+

Tableau 1 - Liste des sites par époques (4/4).

La continuité d'occupation des sites

Dans l'ensemble, les sites révèlent rarement une occupation sur deux périodes consécutives : une petite dizaine seulement pour les époques où cette continuité est la plus fréquente (**fig. 5**), l'ensemble de ces sites représentant un peu moins du cinquième du total. La proportion d'installations nouvelles (**fig. 6**) est globalement élevée, avec plus de la moitié des sites pour chaque période ; en revanche, le taux d'occupation continue sur deux périodes est toujours inférieur à 50 % ; il est même en général plus près de 33 %. Le Bronze récent fait figure d'exception, puisque près d'un site sur deux était déjà occupé à la période précédente.

L'absence de continuité d'occupation des sites est particulièrement marquée dans les périodes les plus anciennes. Pendant les phases finales du Néolithique, deux sites seulement semblent avoir fixé l'habitat et avoir des durées de vie très longues : Buqras 1 (**50**) se prolonge après le PPNB tout au long du VIIe millénaire pendant le Proto-Hassuna et le Hassuna, Bāqhūz 1 (**58**) vit pendant les époques de Hassuna et de Samarra. Pendant le Chalcolithique, les ruptures d'occupation sont presque systématiques. Un seul site continue à être occupé pendant la période de Samarra, Bāqhūz 1 (**58**). Aucun des trois sites pour lesquels une occupation est probable à l'époque de Halaf ne semble avoir été occupé antérieurement. Il en va de même pour l'époque d'Obeid, où aucun des six sites sur lesquels une occupation à cette époque est vraisemblable n'était occupé à la période précédente.

Ces remarques sont toutefois à nuancer légèrement, compte tenu d'un certain nombre de réoccupations incertaines qui peuvent être dues à l'incertitude concernant l'occupation pendant la période en question ou celle de la période précédente.

Cette faible proportion de réoccupation est confirmée par le grand nombre de sites « monopériodes », c'est-à-dire occupés à une seule période : il est de l'ordre des deux tiers. Toutefois, si l'on exclut les sites uniquement islamiques, la proportion de sites monopériodes diminue fortement (**fig. 7**).

De toutes les périodes historiques, l'époque islamique est en effet la seule à avoir une forte prédominance de sites monopériodes (**fig. 8**). On constate donc une originalité de cette époque, où la logique d'implantation est manifestement

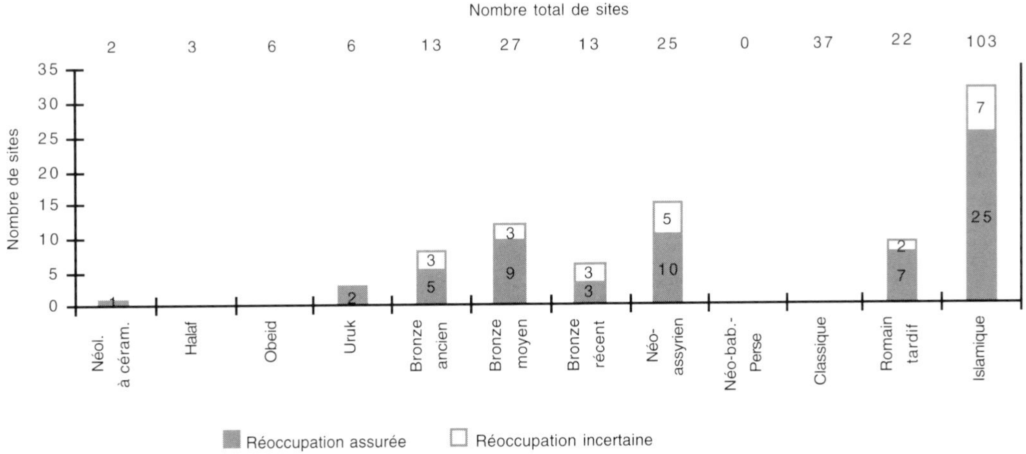

Fig. 5 - Nombre de sites sans hiatus d'occupation par rapport à la période précédente.

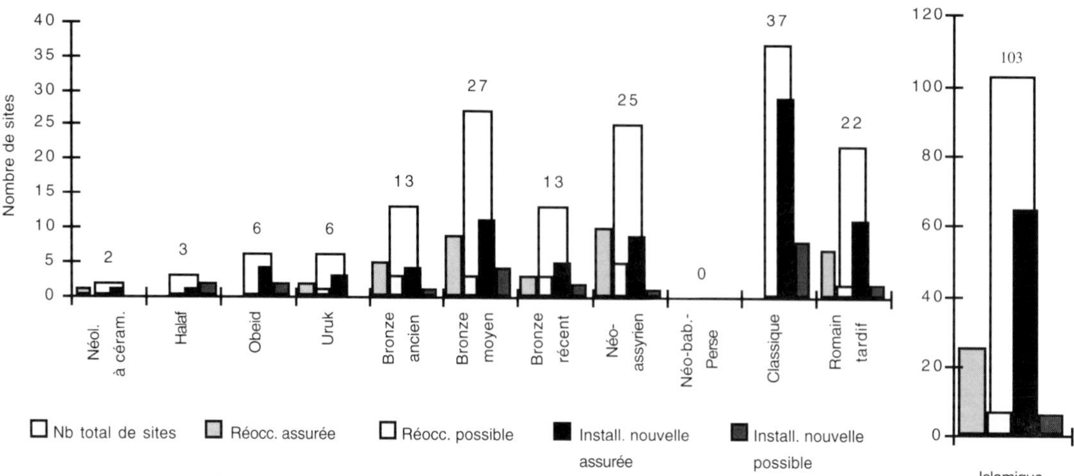

Fig. 6 - *Sites sans hiatus d'occupation et installations nouvelles par époque.*

différente : les installations se font majoritairement sur des sites nouveaux, pour l'essentiel implantés le long d'infrastructures hydrauliques lourdes permettant une mise en valeur de l'ensemble du territoire. Ces aménagements, canaux nouvellement créés ou remis en état, constituent des axes de développement importants, propres à fixer l'habitat, dans la mesure où ils sont fonctionnels toute l'année [29]. La prospérité économique qui résulte de cette mise en valeur entraîne, semble-t-il, un essor démographique sans précédent et une véritable colonisation d'une partie de la vallée.

L'époque de première occupation

En réalité, le nombre de sites occupés pour la première fois (**fig. 9** et **10**) est, en général, peu important pour chaque période. En effet, à l'exception des toutes premières installations (néolithiques et chalcolithiques) et à celle, notable, de la période islamique, pour laquelle 71 sites (hors sites exclusivement temporaires) sont occupés pour la première fois, la majorité des implantations se fait sur des sites ayant déjà connu une occupation. En fait, à partir du Bronze ancien, c'est tout au plus la moitié des sites d'une période, et souvent moins, qui sont alors créés.

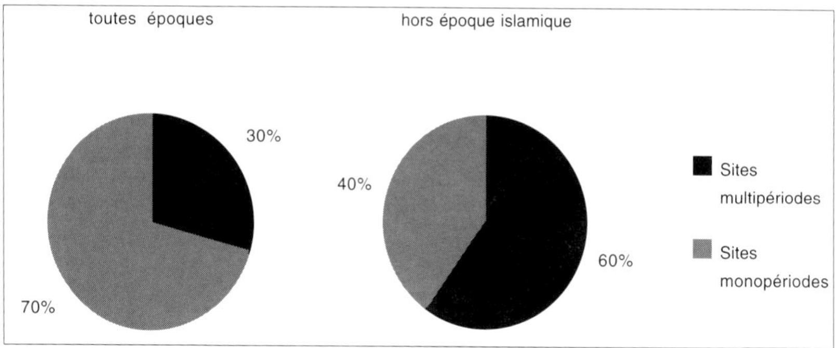

Fig. 7 - *Sites multipériodes/sites monopériodes.*

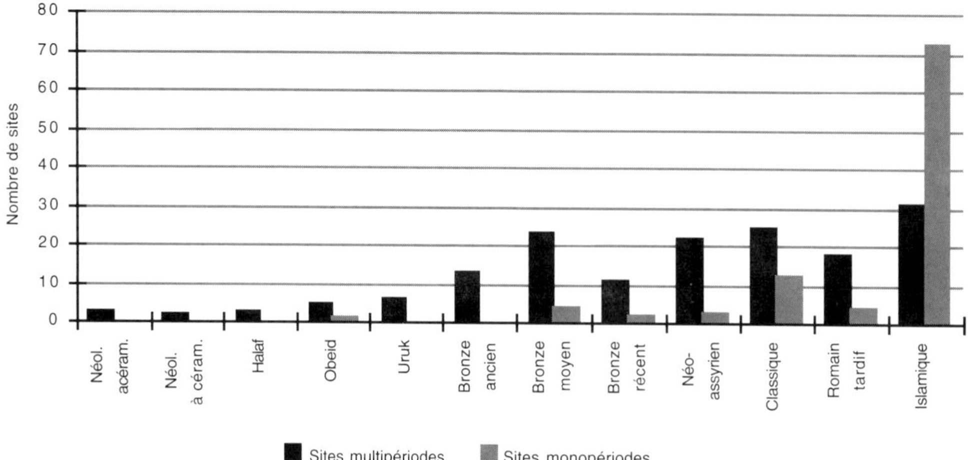

Fig. 8 - *Nombre de sites multipériodes/monopériodes par époque.*

29 - Voir ci-dessus, p. 112.

D'une façon générale donc, l'habitat se fixe assez rapidement. Les sites propices, peu nombreux, sont occupés très tôt et le seront généralement à nouveau ultérieurement. Nous en trouvons confirmation si nous comptabilisons le nombre de sites multipériodes par époque (**fig. 11**). En effet, pour chaque période, à l'exception de l'époque islamique, ce sont au moins les deux tiers, et souvent les trois quarts, des sites qui sont multipériodes. En fait, les sites attestant

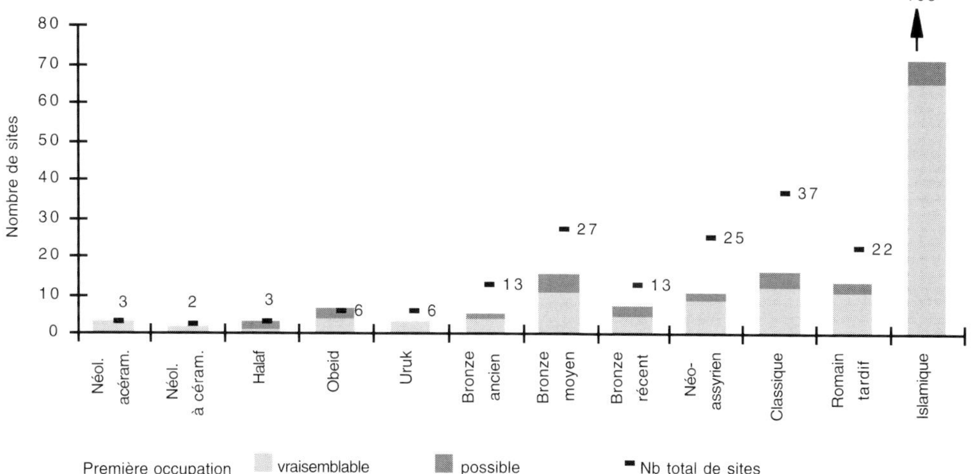

Fig. 9 - Nombre de premières occupations par époque.

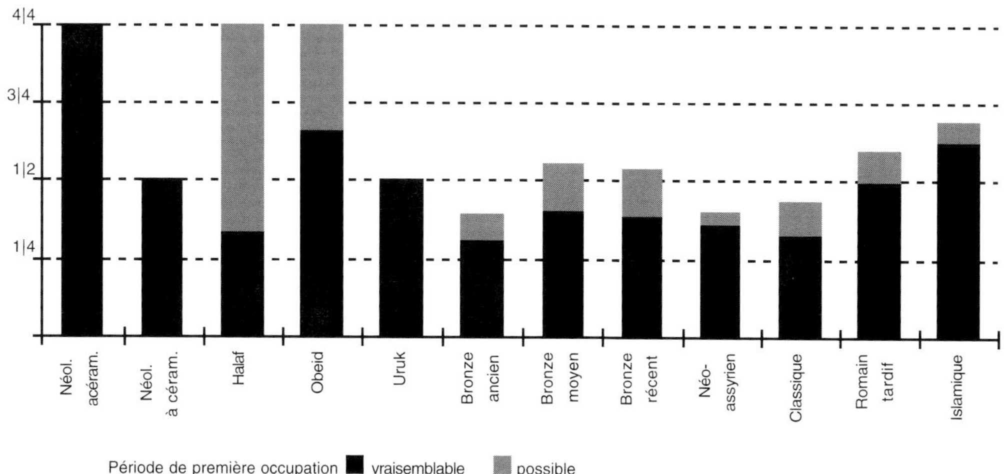

Fig. 10 - Proportion de sites occupés pour la première fois à une époque donnée.

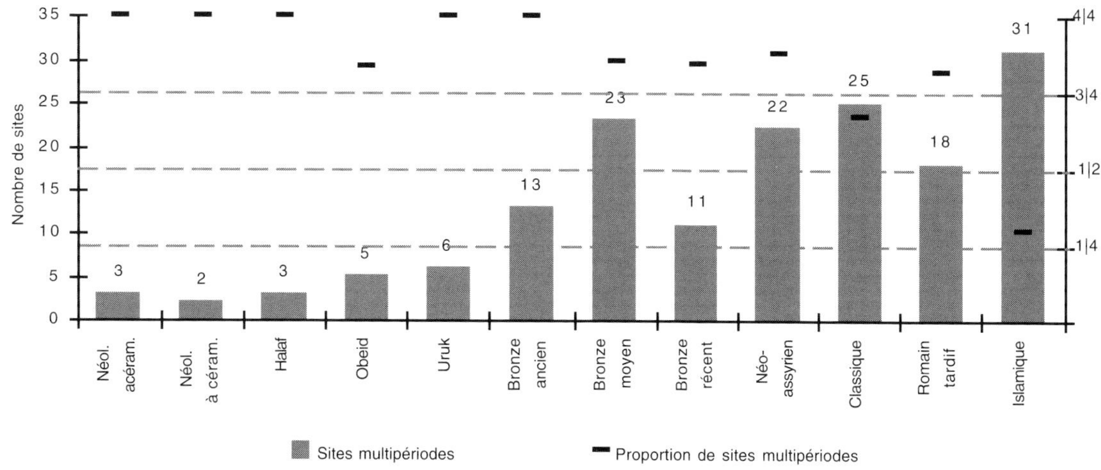

Fig. 11 - Nombre et proportion de sites multipériodes par époque.

une occupation très ancienne seront presque tous réoccupés par la suite. Cela est particulièrement vrai pour les sites des époques Uruk et Bronze ancien, qui seront tous réoccupés.

Le **tableau 2** ci-dessous regroupe, par période, les sites occupés pour la première fois.

Époque	Sites	Vraisemblable	Possible	Nombre total
Néol. acéram.	29, 50, 82	3		3
Néol. à céram.	58	1		2
Halaf	14 ?, 16, 96 ?	1	2	3
Obeid	4, 45, 54 ?, 57, 67 ?, 139	4	2	6
Uruk	64, 83, 109	3		6
Bronze ancien	1, 9, 21, 75, 84 ?	4	1	13
Bronze moyen	10, 11, 12 ?, 15, 25, 32, 49, 68 ?, 84?, 91, 101, 105, 140 ?, 142, 157	11	4	27
Bronze récent	73, 74 ?, 95, 121, 126, 127, 128 ?	5	2	13
Néo-assyrien	63, 66, 69, 71, 72, 90, 162, 186, 188 ?, 195	9	1	25
Classique	6, 7, 22, 70, 86, 92, 93, 110, 137, 138 ?, 147 ?, 149, 168 ?, 200, 205, 206 ?	12	4	37
Romain tardif	31, 33, 34, 104, 111, 112, 113 ?, 115, 116, 117 ?, 118, 119, 207	11	2	21
Islamique	20, 23, 24, 26, 28, 30, 35, 36, 37, 38, 39, 40, 41, 42, 43, 44, 46, 48, 51, 52, 61, 62, 65, 80 ?, 81, 85, 89 ?, 97 ?, 100, 106, 107, 108, 114, 122, 124, 125, 146, 148, 150, 151 ?, 152, 154, 159, 160, 163, 164, 165, 166, 167, 169, 170, 172, 173, 174, 175, 176, 177, 179, 180, 181, 182 ?, 183, 185, 190, 191, 192, 193, 194, 197 ?, 199, 202	65	6	112
	habitat exclusivement temporaire : 27, 98, 178, 184, 187, 189, 196, 198, 201	9		

NB : C'est le nombre de sites par période qui est ici significatif, plus que le détail des sites (donné pour information). En effet, en dehors de quelques rares cas pour lesquels des fouilles ont atteint le sol originel et permettent de connaître les premières installations, la détermination de la période de première occupation d'un site est seulement vraisemblable. Le point d'interrogation qui suit certains numéros de sites indique que l'attribution de la première occupation à la période en question a un degré d'incertitude plus élevé.

Tableau 2 - Sites « nouveaux » par période.

L'implantation

Le choix précoce de certains sites résulte avant tout des avantages de leur emplacement. Dans la vallée de l'Euphrate en effet, un site favorable doit répondre à deux critères primordiaux : la proximité d'une source d'approvisionnement en eau d'une part, la sécurité quant aux dommages que peut provoquer le fleuve d'autre part (crues, sapements liés au déplacement des méandres).

Il s'avère que la quasi-totalité des sites anciens de ce segment de la vallée de l'Euphrate répond à ces deux critères [30].

La proximité de l'eau

La meilleure source d'approvisionnement en eau est l'Euphrate lui-même. De fait, nombreux sont les sites implantés en bordure du fleuve ou à proximité immédiate. Compte tenu de l'instabilité du lit fluvial, cette situation n'est plus nécessairement évidente de nos jours, mais elle est attestée grâce aux traces laissées dans le paysage par les anciens méandres ; toutefois, la localisation d'une installation ancienne en bordure d'un paléoméandre ne signifie pas forcément qu'elle était originellement implantée à côté du fleuve, car le lit a pu s'en rapprocher postérieurement à l'abandon du site.

Quelques sites se sont vraisemblablement toujours trouvés en bordure de l'Euphrate en raison d'une situation géomorphologique spécifique : tels sont les cas, par exemple, de Taiyāni 1 (**67**), El Graiye 2 (**45**) et Tell Abu Hasan (**9** ; **fig. 12** et **13**), édifiés sur des môles résistants qui assuraient leur protection. Des sites comme Safāt ez Zerr 1 (**31**) et 2 (**32**), El Graiye 1 (**44**), El 'Ashāra (**54**), Tell Jubb el Bahra

30 - Il est vrai que dans les cas où le second critère n'a pas été initialement pris en compte, la probabilité de disparition du site est élevée.

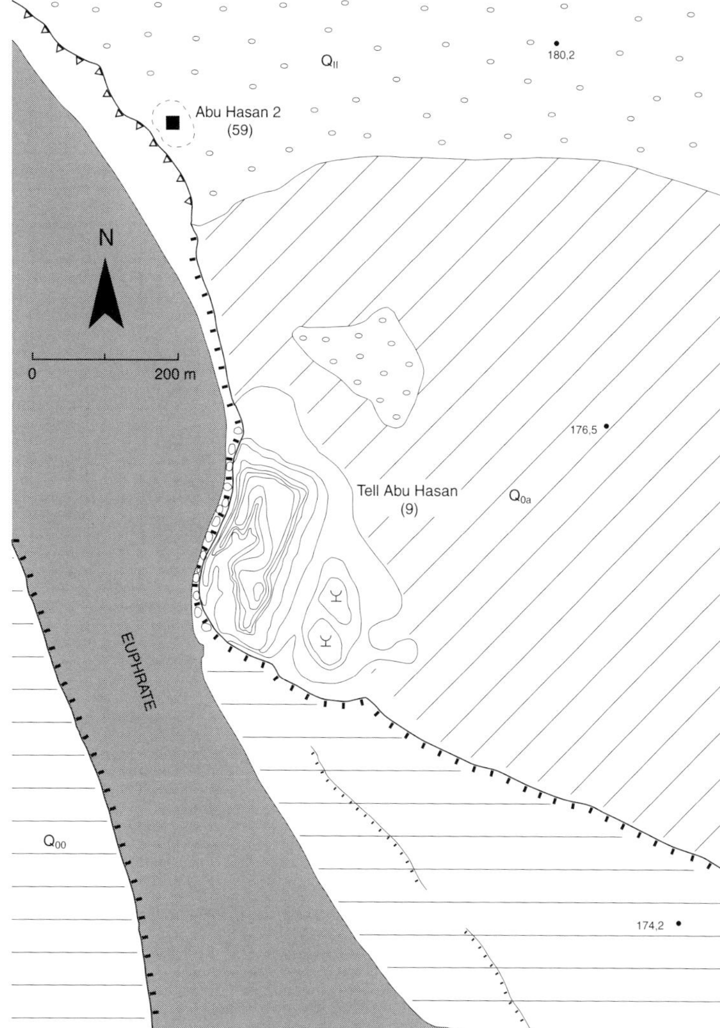

Fig. 12 - Tell Abu Hasan (carte IV, carré O17, n° 9) et Abu Hasan 2 (n° 59) [pour la légende, voir fig. 2].

Fig. 13 - Tell Abu Hasan, vu depuis la rive droite du fleuve.

(**10**), Ta'as el 'Ashāir (**7**) ont dû longtemps dominer l'Euphrate, comme ils le font encore aujourd'hui. D'autres comme Tell Hrīm (**30**), Mazār Sheikh Ibrāhīm (**122**), Maqbarat Shheil (**62**), Dībān 1 (**64**) et 8 (**123**), Taiyāni 4 (**107**), Jebel Masāikh (**16** ; **fig. 3**), El Graiye 4 (**124**), Jebel Mashtala (**68** ; **fig. 14**), Tell Khaumat Hajīn (**11** ; **fig. 15**), Tell Halīm Asra Hajīn (**12**), Es Saiyāl 5 (**14**) et 3 (**6**), actuellement en bordure de paléoméandres, devaient être longés par l'Euphrate au moment de leur occupation. Jebel Masāikh (**16**) a fini par être sapé par le fleuve. Quant à Dībān 1 (**64**), Jebel Mashtala (**68**) ou Mazār Sheikh Ibrāhīm (**122**) par exemple, ils étaient, à l'époque, vraisemblablement moins éloignés du fleuve qu'ils ne le sont actuellement.

D'une façon générale en effet, la distance entre un site d'habitat et le fleuve ne devait guère être supérieure à quelques centaines de mètres. Au-delà, l'approvisionnement en eau, effectué avec des moyens rudimentaires, devient problématique, notamment en raison du temps nécessaire au déplacement. À titre d'exemple, sont ainsi implantés à faible distance de l'Euphrate ou d'un possible tracé contemporain, marqué par un paléoméandre, les sites d'Es Saiyāl 2 (**15**) — 200 m —, Dībān 6 (**101**) — 200 m —, Taiyāni 5 (**110** ; cf. **fig. 3**) — 250 m —, Taiyāni 6 (**111**) — 300 m —, El Graiye 3 (**49**) — 400 m — ou Shheil 2 (**121**) — 400 m.

Lorsque l'éloignement par rapport à l'Euphrate est plus important, on constate souvent que les sites sont implantés sur ou à proximité d'un canal. C'est le cas en particulier pour toute une série de sites le long du Nahr Dawrīn en rive gauche, du Nahr Sa'īd en rive droite, ou de leurs dérivations. C'est aussi le cas de plusieurs sites établis en bordure du canal d'El Jurdi Sharqi.

Les sites liés au Nahr Dawrīn sont nombreux : Ali esh Shehel 2 (**164**) et 3 (**192**), Er Rāshdi 2 à 4 (**194-196**), Er Rweiha 1 (**169**) et 2 (**170**), Safāt ez Zerr 3 à 5 (**165-167**), Shheil 1 (**93**), 5 (**168**), 8 (**173**), 10 à 20 (**175-182**, **190**, **191**, **193**), Tell Boubou (**163**), Dībān 3 à 5 (**66**, **84**, **85**), 10 à 21 (**152**, **162**, **183-189**, **197**, **199**, **200**), El Hawāij 1 (**100**), El Jurdi Sharqi 1 (**69**) et 2 (**72**), Kharāij 2 (**138**), Es Sūsa 4 (**157**), soit un total de 45 sites. Si la très grande majorité d'entre eux se trouve dans l'alvéole de Dībān (cf.

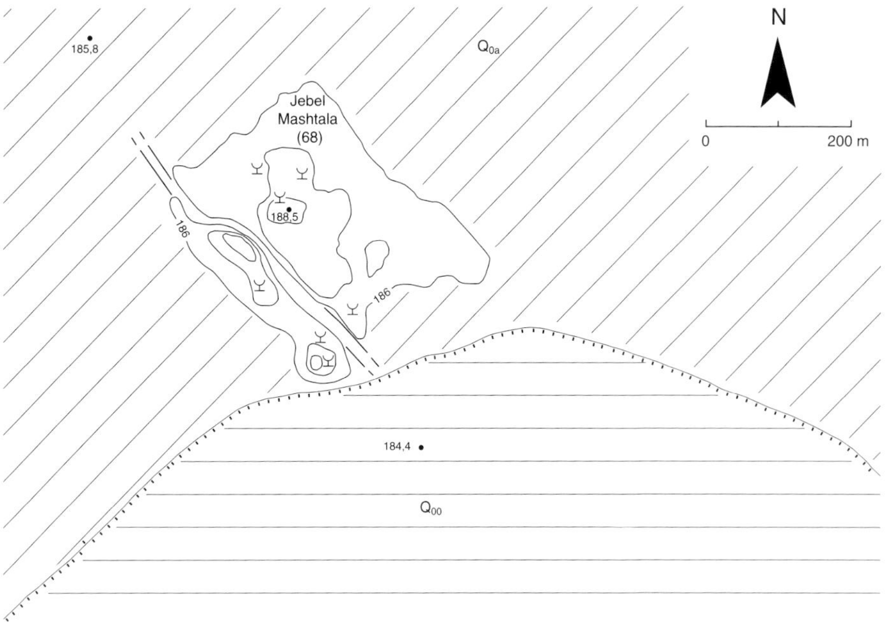

Fig. 14 - Jebel Mashtala (carte III, carré J12, n° 68) [pour la légende, voir fig. 2].

carte h.-t. II), il est intéressant de noter que l'on en trouve encore quelques-uns dans celle d'Abu Hammām. Dans la partie la plus méridionale de la vallée, le cas d'Es Sūsa 4 (**157**) est moins clair, car ce site est à 800 m du plus proche paléoméandre ; cette distance était-elle encore compatible avec un approvisionnement régulier en eau ? Ou l'apport du Nahr Dawrīn était-il nécessaire ? La question est importante, car de la réponse dépend en partie la datation du canal, du moins celle de son fonctionnement. Il est malheureusement difficile d'y répondre.

Un site n'a sans doute qu'un rapport secondaire avec le canal comme source d'approvisionnement en eau : Darnaj (**86**). En bordure d'anciens méandres du fleuve, à proximité duquel il s'est toujours trouvé, il ne dépend pas du fonctionnement du canal pour son alimentation en eau. Son lien éventuel avec le Nahr Dawrīn est d'un autre ordre, il aurait pu en assurer le contrôle [31].

D'autres sites sont liés au canal d'El Jurdi Sharqi : Tell Marwāniye (**73** ; **fig. 16**), El Jurdi Sharqi 3 (**74** ; **fig. 16**), Abu Hardūb 2 (**127**) et 1 (**126**), Hasīyet el Blāli (**71**), Hasīyet ʻAbīd (**139**), Kharāij 2 (**138**). Ce dernier est d'ailleurs également proche du Nahr Dawrīn.

D'autres sont liés au Nahr Saʻīd : Mōhasan 2 (**24**), 3 (**26**) et 4 (**28**), Abu Leil 2 (**46**), Abu Leil 1 (**40**), Tell Qaryat Medād (**36**), Es Salu 1 à 3 (**37-39**), Tell ed Dāūdīye (**41**), Tell ez Zabāri (**42**), ou à ses dérivations : Abu Leil 3 (**106**), Es Salu 4 (**108**), soit 13 sites. El Hirāmi 2 (**43**) est situé à côté d'un canal qui fut peut-être le prolongement du Nahr Saʻīd ; il en va de même pour Et Taʻas el Jāiz (**160** ; **fig. 17**), situé en bordure d'un paléoméandre qui pourrait s'être développé postérieurement à l'époque d'occupation du site.

Enfin, certaines implantations sont liées à d'autres canaux. Maqbarat Wardi (**158**) est sur un ouvrage de rive droite, partant des alentours d'El Graiye 2 (**45**) ; Mahkān 2 (**159**) et El Graiye 5 (**202**) sont sur un canal de rive droite, au sud du village actuel de Mahkān, El Graiye 6 (**205**) sur une possible dérivation.

Si, dans la plupart des cas, c'est le fonctionnement d'un canal qui a généré l'implantation de l'habitat sur ses rives (Nahr Dawrīn, Nahr Saʻīd), il semble bien que, dans deux cas, le creusement du canal ait été conçu, au moins partiellement, dans le but d'approvisionner en eau le site que l'on voulait aménager. L'exemple le plus net est celui

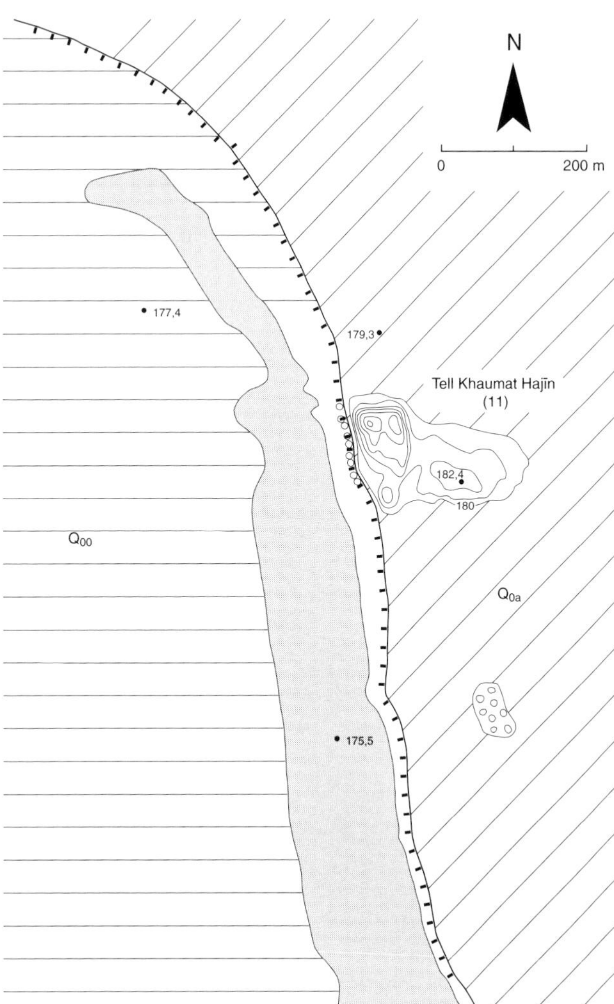

Fig. 15 - Tell Khaumat Hajīn (carte IV, carré N16, n° 11) [pour la légende, voir fig. 2].

31 - Voir ci-dessous ; p. 127.

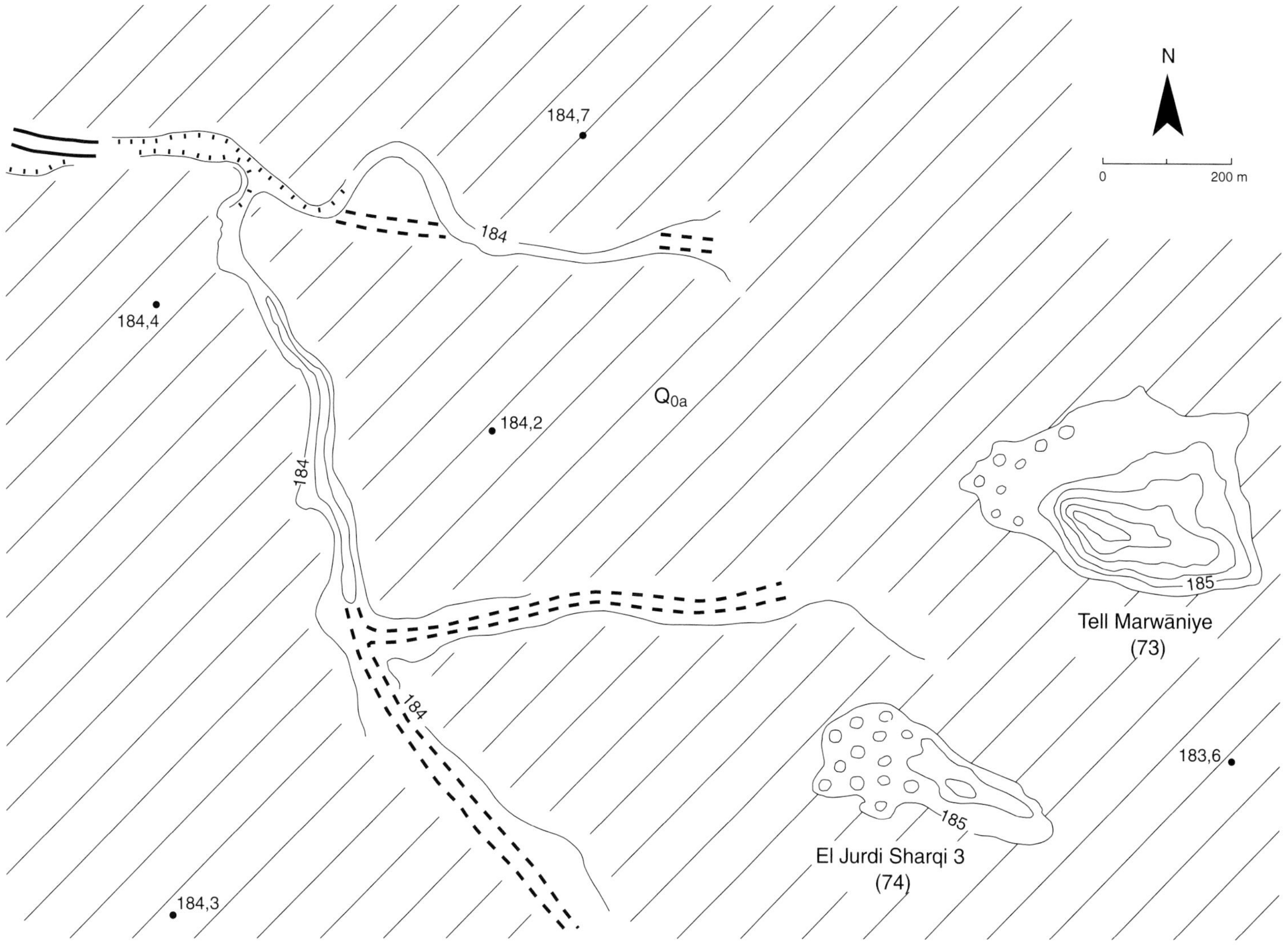

Fig. 16 - Tell Marwāniye (carte III, carré K13, n° 73) et El Jurdi Sharqi 3 (n° 74) [pour la légende, voir fig. 2].

de Tell Hariri (**1** ; **fig. 18**), où un canal branché sur l'Euphrate, à environ 2,5 km en amont, traversait l'ancienne ville de Mari avant de rejoindre le fleuve peu en aval [32]. Si les secteurs situés au nord-est et au sud-est de la ville étaient relativement proches du fleuve, à une distance avoisinant 400 à 600 m si l'on restitue une forme circulaire à la ville, le centre de cette dernière et les zones occidentales en étaient éloignés de plus d'un kilomètre. Cette distance est trop importante pour avoir permis d'assurer le ravitaillement en eau nécessaire à cette partie de la ville : s'y trouvait notamment le Palais, dont les besoins devaient être considérables. En l'absence quasi totale de puits et compte tenu de l'importance de la ville, c'est le canal qui devait en assurer l'approvisionnement en eau.

Il en va vraisemblablement de même pour Mōhasan 1 (**25**), implanté à un kilomètre du plus proche paléoméandre, mais relié par un canal à l'Euphrate (cf. ci-dessous **fig. 27**).

Le fleuve et les canaux sont donc les deux principales sources d'approvisionnement en eau et déterminèrent l'emplacement de la majeure partie des sites d'habitat. Mais ils ne sont pas les seuls. D'autres ressources en eau existent, dont les hommes ont su tirer profit pour implanter leur habitat.

Dans deux cas, des installations, d'époque islamique, ont été édifiées à proximité de sources : à Sreij 1 (**47**), une source est signalée par A. Musil [33] ; une mosquée se trouve sur la falaise qui la domine. À Mazār 'Ain 'Ali (**53**), une source aménagée est alimentée par une *qanāt* (**208**) ; une

32 - Le plus proche paléoméandre est à environ 500 m.

33 - Musil 1927, p. 8.

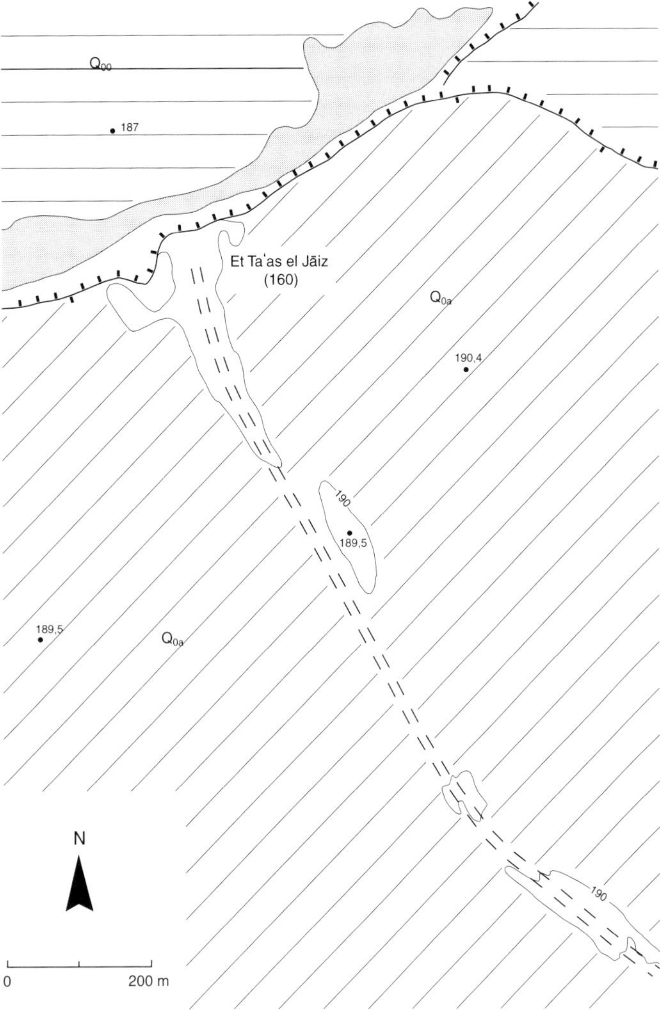

Fig. 17 - Et Ta'as el Jāiz (carte II, carré G10, n° 160) [pour la légende, voir fig. 2].

mosquée y a été érigée, ainsi que, d'après le témoignage d'A. Musil [34], quelques maisons.

Les fonds d'oueds latéraux peuvent aussi convenir à des implantations humaines, grâce à la présence de nappes d'inféroflux. Cependant, les contraintes climatiques, édaphiques et hydrologiques y sont plus sévères encore que dans la vallée de l'Euphrate. Ce sont plutôt les nomades qui ont été amenés à s'adapter à de telles conditions. La nappe phréatique ne se trouve en effet jamais à une très grande profondeur, de sorte que le creusement de quelques puits leur permet, au moins saisonnièrement, d'abreuver les troupeaux. En revanche, pour que des sites d'habitat aient pu être fondés dans un tel contexte, il faut des conditions de milieu très particulières. Tel est le cas dans un secteur situé à 17 km environ en amont de l'embouchure du Wādi Dheina (ou W. es Souāb). Là, c'est une structure géologique particulière qui a permis implantations et aménagements. En effet, une barre rocheuse y rétrécit le lit de l'oued, barre dont on devine qu'elle se poursuit sous les alluvions, créant une poche naturelle où l'eau reste piégée [35]. En mai 1985, la nappe n'était qu'à deux mètres de profondeur dans les alluvions accumulées en amont de la barre rocheuse. Très tôt, des hommes ont compris le profit qu'il y avait à tirer de cette situation particulière : c'est dès le Néolithique qu'un site s'y est développé (Dheina 3, **82**) ; l'endroit a continué à être occupé, apparemment de manière discontinue, mais en tout cas régulièrement puisque d'autres implantations y ont été retrouvées, datant de l'époque d'Uruk (Dheina 4, **83**), du Bronze ancien (**82** et **83**), des époques romaine tardive et islamique (**82**). S'agissait-il d'installations sédentaires ou semi-sédentaires ? Il n'est pas possible de le préciser. Un barrage (Dheina 7, **77**) érigé juste en aval de la barre rocheuse permettait d'augmenter les capacités de rétention de l'eau en cet endroit et d'y pratiquer des cultures irriguées ; il suggère une présence continue ou au moins récurrente de l'homme. De nos jours, bien que le barrage soit ruiné, les bédouins viennent toujours s'approvisionner en eau dans le puits creusé en amont de la barre rocheuse (cf. chap. I, **fig. 22**).

Un ancien méandre peut aussi procurer un approvisionnement en eau aisé. Il ne doit cependant pas être entièrement coupé de l'Euphrate, afin que les crues de ce dernier le réalimentent et le purifient. S'il est possible que des villages actuels ou sub-actuels soient établis sur leur rive, ce type d'implantation est cependant difficile à reconnaître pour les installations anciennes : le colmatage des méandres et les nombreuses modifications du lit du fleuve ne permettent pas de préciser l'époque de fonctionnement du paléoméandre.

La protection par rapport au flot

L'autre facteur favorable à l'implantation d'un site est l'aptitude d'un lieu à protéger les habitants des débordements du fleuve. Aussi nombre de villages sont installés sur des points hauts ponctuant le fond de vallée holocène.

Il s'agit le plus souvent de buttes résiduelles qui, sans être très élevées, permettent néanmoins d'être à l'abri des inondations et offrent une plus grande résistance au lent travail de sape effectué par le flot. Le nombre de sites installés sur des buttes résiduelles est important : une trentaine ont été repérés, soit environ un cinquième des sites d'habitat, mais ce total est probablement inférieur à la réalité, puisque le repérage du substrat sur lequel est établi le site n'est pas systématiquement possible. Dix-neuf d'entre eux sont en bordure de l'Euphrate ou d'un paléoméandre, sur un môle résistant : Tell Guftān (**23**), Safāt ez Zerr 1 (**31**), Maqbarat

34 - Musil 1927, p. 8.

35 - Voir chap. II, p. 72.

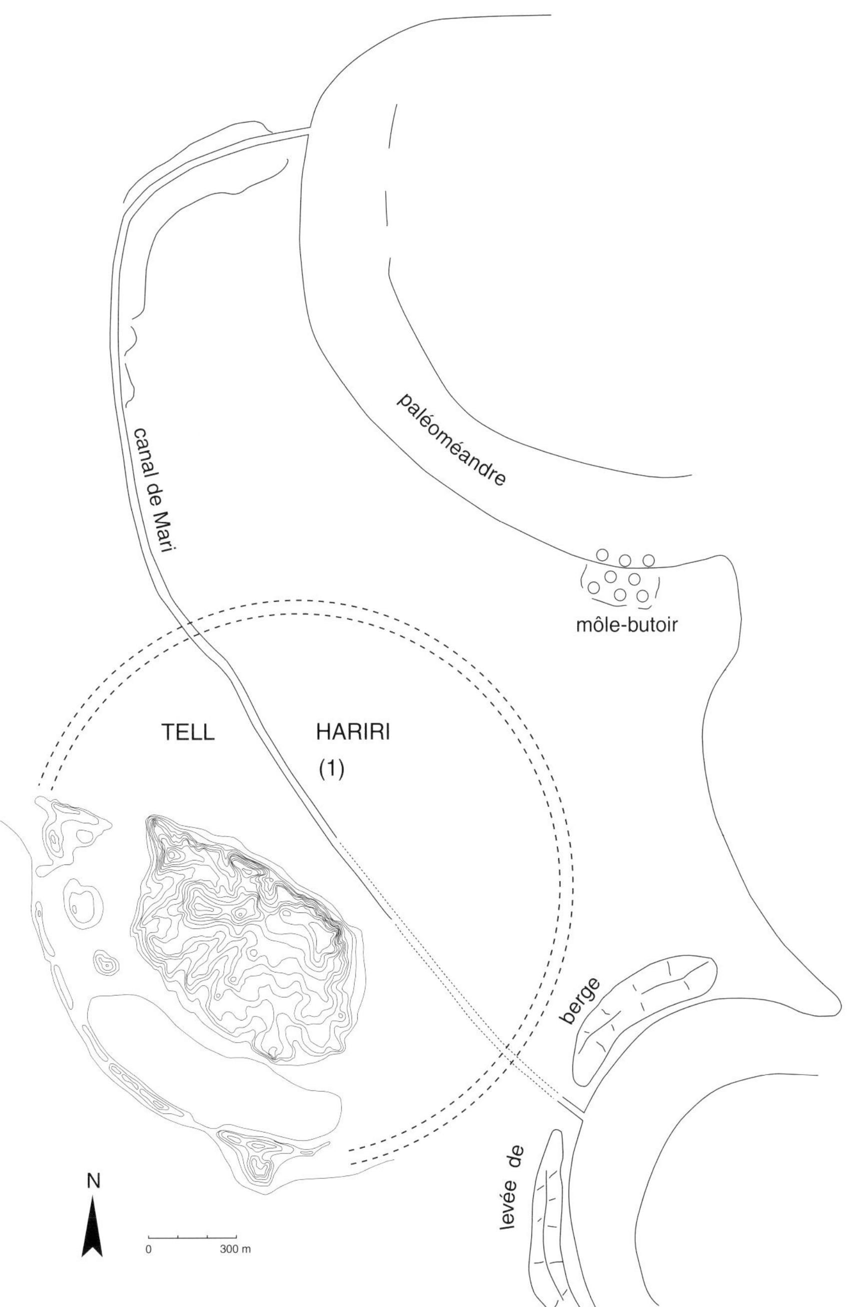

Fig. 18 - Tell Hariri (carte V, carré O20, n° 1) et son canal d'amenée d'eau.

Rāshdi 4 (**196**), Dībān 9 (**146**), 19 (**197**) et 21 (**200**), El Jurdi Sharqi 3 (**74** ; cf. **fig. 16**), Jīshīye (**128**), Hasīyet 'Abīd (**139**), Hasīyet er Rifān (**147**), Kharāij 2 (**138**) et 1 (**137**).

Les terrasses pléistocènes, au pied du plateau ou de ses pentes, ont également accueilli un nombre assez important de sites. C'est le lieu naturel d'implantation des sites du PPNB (Tell es Sinn [**29** ; cf. **fig. 2**] et Buqras 1 [**50**]), la terrasse holocène ancienne n'étant alors pas encore construite.

Dans la partie nord, en amont de l'embouchure du Khābūr, les sites de rive gauche sont installés sur la bordure de la terrasse ancienne, d'où ils dominent le fond alluvial. Aucun ne se trouve sur la terrasse holocène ancienne, certes réduite à une peau de chagrin en aval de Tell es Sinn (**29**). Seule l'implantation de ce dernier, qui remonte au PPNB, paraît *a priori* pouvoir être justifiée. Les autres sites, à l'exception d'Et Tābīye 2 (**91**) qui date du Bronze moyen, ne sont pas antérieurs à l'époque classique, peut-être même à l'époque romaine tardive. On peut s'étonner de cette implantation systématique sur les terrasses anciennes et de l'absence quasi totale de sites des périodes antérieures, notamment de l'âge du Bronze et du Fer, dont on s'attendrait à ce qu'elles soient mieux représentées, comme elles le sont sur la rive droite ainsi que, plus en aval, sur la rive gauche. Cette situation peut s'expliquer par l'absence de buttes résiduelles sur la terrasse holocène ancienne, qui auraient permis à l'habitat de se fixer dans le fond de vallée. On peut aussi expliquer la présence, sur la terrasse pléistocène, de sites des époques classique et romaine tardive par le fonctionnement du Nahr Sémiramis [36] ; mais l'absence quasi totale de sites de l'âge du Bronze et du Fer reste inexpliquée. Peut-être l'Euphrate a-t-il fait disparaître, vers la fin du Ier millénaire av. J.-C., les sites anciens (Bronze et Fer) établis sur la terrasse holocène

et Tāme (**61** ; **fig. 19**), Dībān 1 (**64**), Meyādīn (**51**), Taiyāni 4 (**107**), Taiyāni 1 (**67** ; **fig. 20**), Mahkān 1 (**154**), El Graiye 2 (**45** ; **fig. 21** et **22**) et 1 (**44**), El 'Ashāra (**54**), Tell es Sufa (**140**), El Bahra (**136**), Tell Jubb el Bahra (**10**), Tell Khaumat Hajīn (**11** ; cf. **fig. 15**), Tell Halīm Asra Hajīn (**12**), Hajīn 2 (**142**), Tell Abu Hasan (**9** ; cf. **fig. 12** et **13**), Ta'as el 'Ashāir (**7**). Dix autres sont installés sur des buttes résiduelles situées en retrait sur la terrasse holocène : Er

36 - Ce fonctionnement est attesté par le témoignage d'Isidore de Charax (annexe 3, texte 41).

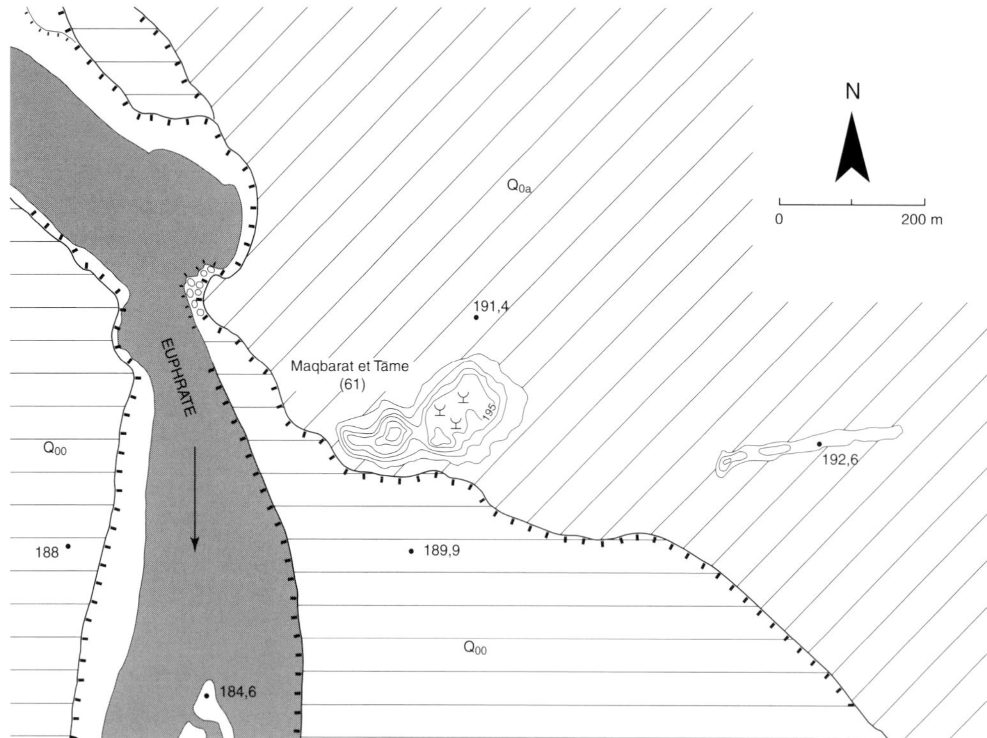

Fig. 19 - Maqbarat et Tāme (carte II, carré H8, n° 61) [pour la légende, voir fig. 2].

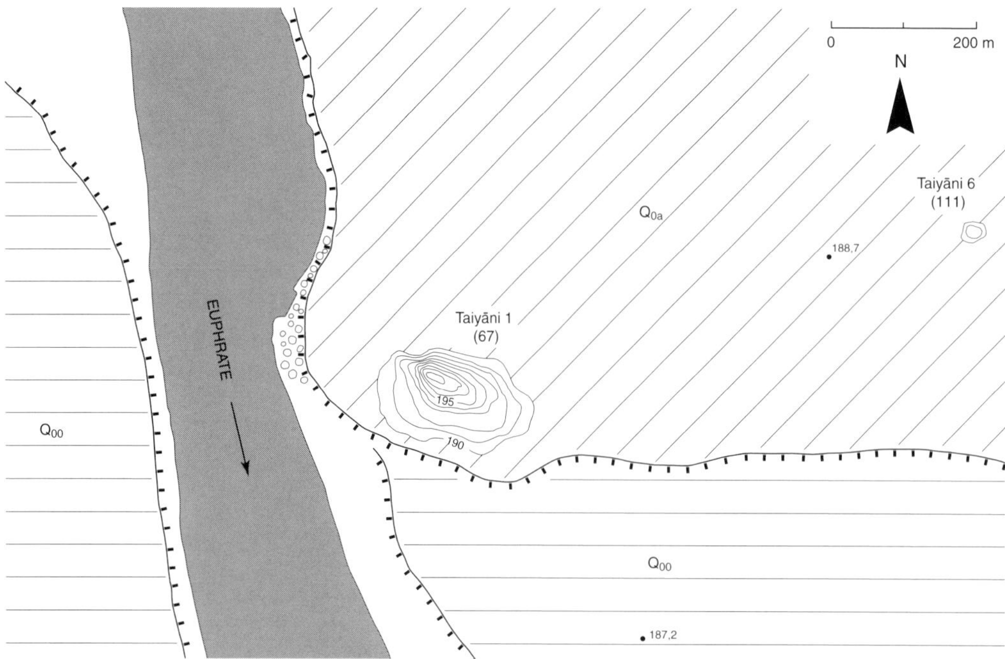

Fig. 20 - Taiyāni 1 (carte II, carré I10, n° 67) et Taiyāni 6 (n° 111) [pour la légende, voir fig. 2].

ancienne, incitant alors les occupants de la vallée à remonter sur les terrasses plus anciennes, réinvestissant Tell es Sinn [37] (**29**) et créant de nouvelles installations, peut-être en profitant de l'existence du Nahr Sémiramis.

37 - Une description générale assez précise en a été faite par E. Herzfeld (1911, p. 171-172) : « *sie ist ein Castrum von fünfeckiger Form. Drei Seiten liegen am Flusstal, um die beiden anderen zieht sich ein Graben. An den Landseiten sind die Mauern noch gut kenntlich, sie sind heute etwa 5 m breite Lehmwälle, mit rechteckigen Türmen in 45 bis 50 Schritt Abstand versehen* ».

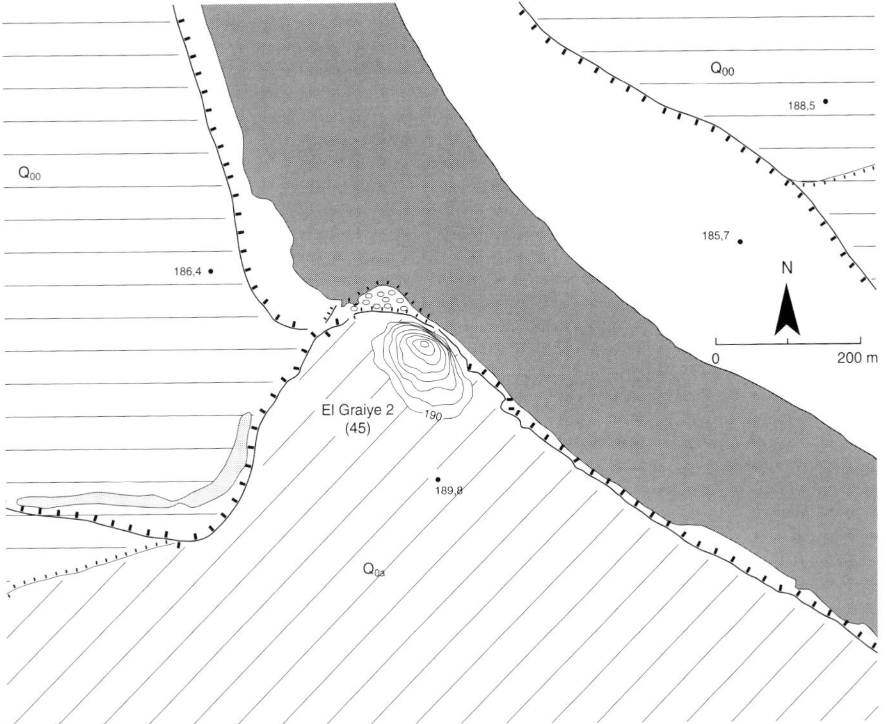

Fig. 21 - El Graiye 2 (carte II, carré I10, n° 45) [pour la légende, voir fig. 2].

Plus en aval, le village ancien de Darnaj (**86** ; **fig. 23**) est établi lui aussi sur la bordure de la terrasse ancienne, mais cette implantation n'est pas surprenante, puisque ce promontoire de rive gauche n'a jamais été très éloigné de l'Euphrate. Le cours de ce dernier, en effet, est bloqué en amont par les deux môles résistants de Taiyāni et d'El Graiye qui le canalisent. Le fleuve passe de ce fait au pied de ce promontoire qui constitue la limite de deux alvéoles majeures de rive gauche. Il s'agit donc d'une position importante, que renforce aussi le passage obligé en cet endroit du Nahr Dawrīn, qu'il est facile de contrôler. Malgré tous ces avantages et contrairement à Jebel Masāikh (**16**) un peu en amont, ce lieu ne paraît pas avoir exercé un attrait particulier, puisque la première installation qui y est attestée, apparemment de taille modeste, ne remonterait qu'à l'époque classique. Toutefois, le village actuel et la configuration des lieux ne permettent de préciser ni l'extension de l'habitat ni sa densité ni sa durée.

Les pentes descendant du plateau (glacis, cônes de déjection) ont, elles aussi, accueilli un certain nombre d'installations. Ce choix semble avoir été privilégié à certaines périodes, notamment en rive gauche, à l'est du Khābūr et en aval de sa confluence avec l'Euphrate ; le phénomène est particulièrement frappant à l'époque islamique, mais on l'observe déjà à l'époque néo-assyrienne, avec les sites de Dībān 3 (**66**), 11 (**162**) et 15 (**186**). Ils sont implantés loin, voire très loin du fleuve, à une distance pouvant dépasser cinq kilomètres, hors d'atteinte de toute inondation. Toutefois, cette protection pourrait présenter un inconvénient du fait de l'éloignement du fleuve et des difficultés d'approvisionnement en eau qui en résultent. En fait, ce handicap n'est qu'apparent, puisque ces sites ont très probablement bénéficié des apports du Nahr Dawrīn. Une vingtaine d'entre eux sont établis sur des buttes résiduelles qui les protègent des ruissellements, parfois importants, voire dangereux, provoqués par les pluies locales.

Les rebords d'anciens méandres, outre leur proximité éventuelle avec l'eau [38], constituent aussi des points hauts, favorables à l'implantation de villages ; l'exhaussement dû au bourrelet de crue les protège des inondations, bien qu'ils ne soient pas établis sur un socle résistant. Un certain nombre de villages actuels, notamment en rive gauche, sont ainsi installés sur ces bourrelets, dont ils ont acquis la forme longiligne. Cette caractéristique morphologique devrait permettre de

Fig. 22 - Le site d'El Graiye 2 vu depuis la rive gauche.

38 - Voir ci-dessus, p. 124.

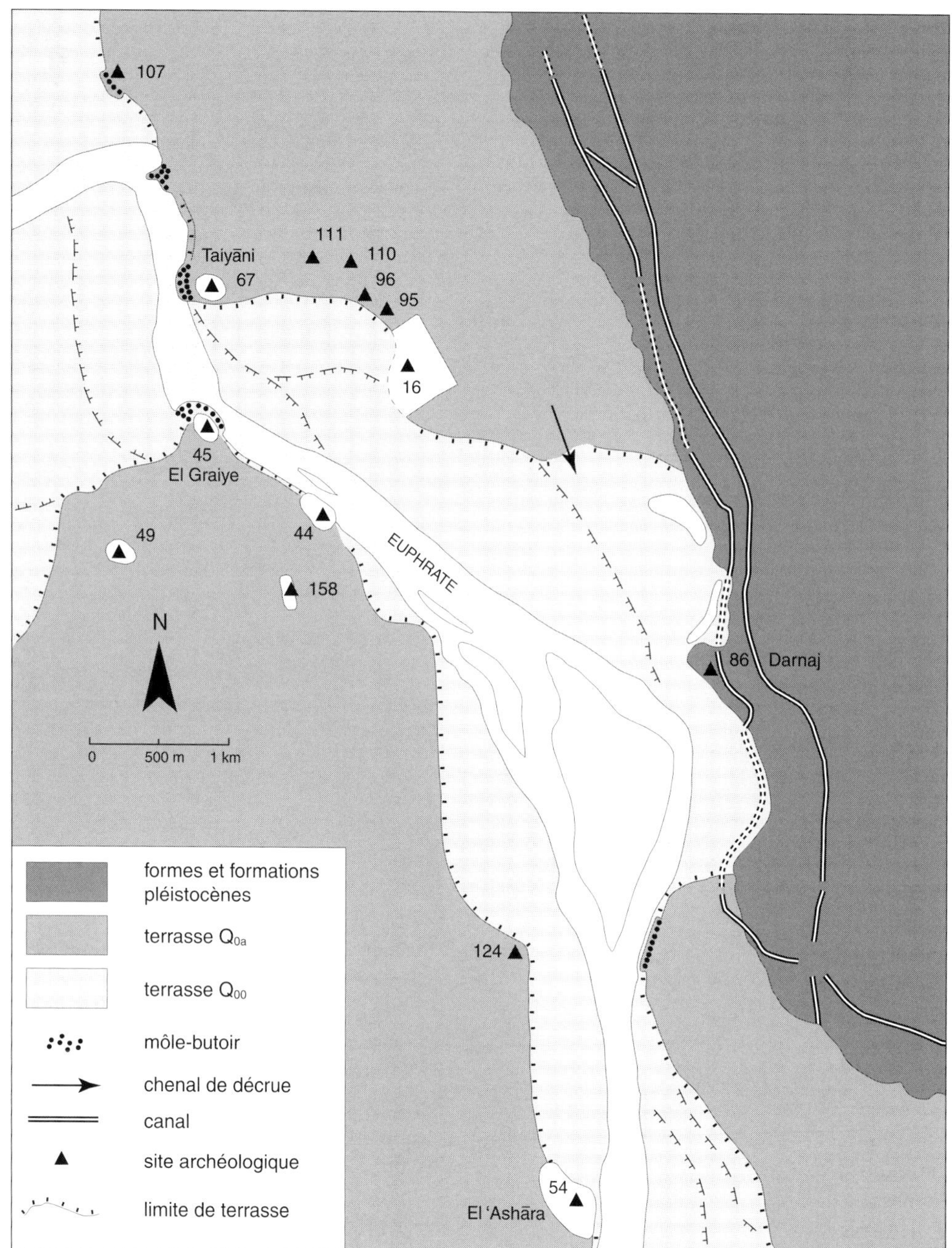

Fig. 23 - Darnaj (carte II, carré I11, n° 86) et ses environs.

reconnaître les sites anciens qui répondent à ce type d'implantation. En fait, le nombre et l'étendue des villages actuels installés sur ces bourrelets en masquent les traces éventuelles qui, par ailleurs, ne peuvent être importantes ; en effet, la nature longiligne de ces levées est plus propice à un habitat éparpillé, qui laisse peu de vestiges, qu'à un habitat dense dont les ruines successives, en s'accumulant, auraient pu finir par former un tell. En fait, il semble que ce type d'implantation soit récent et lié en partie à la mécanisation du pompage de l'eau pour l'irrigation.

La taille des villages est partiellement liée à celle de la butte sur laquelle ils sont implantés. Ces buttes sont en général de taille réduite et suffisent à des installations villageoises modestes. Les points les plus sûrs (plus hauts et plus résistants) et les mieux placés (à proximité d'une ressource en eau) ont été occupés très rapidement, dès le Chalcolithique. Ainsi Taiyāni 3 (**96** ; cf. **fig. 3**) est-il vraisemblablement occupé à l'époque Halaf, El Graiye 2 (**45** ; cf. **fig. 21** et **22**) et Er Ramādi (**4** ; **fig. 24**) à l'époque d'Obeid, Taiyāni 1 (**67** ; cf. **fig. 20**) peut-être à l'époque d'Obeid, sûrement à celle d'Uruk, Dībān 1 (**64**) à l'époque d'Uruk. Pour plusieurs des autres sites occupés à ces périodes, Es Saiyāl 5 (**14**), Jebel Masāikh (**16** ; cf. **fig. 3**), Dībān 7 (**109**), l'existence d'une butte résiduelle n'a pu être déterminée. Il n'est pas impossible

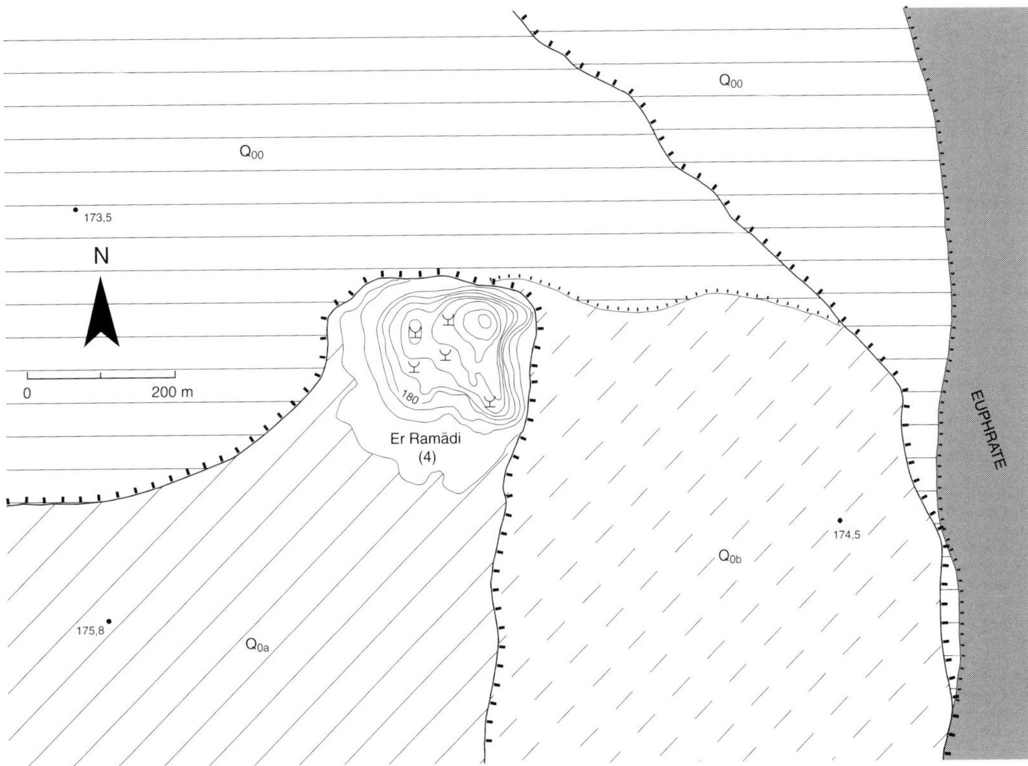

Fig. 24 - Er Ramādi (carte IV, carré O17, n° 4) [pour la légende, voir fig. 2].

que certains sites, bien placés sur des môles résistants et au contact du fleuve, aient connu une occupation antérieure à celle que laisse supposer le matériel retrouvé en surface. Ainsi, une installation comme Tell Abu Hasan (**9** ; cf. **fig. 12** et **13**), située sur un important môle résistant face à Er Ramādi (**4**), pourrait remonter au Chalcolithique, notamment à l'époque d'Uruk, comme son voisin de l'autre rive, alors que le matériel de surface n'est pas antérieur au Bronze ancien [39] ; le sondage [40] qui y a été effectué en 1938 n'est pas allé jusqu'à la base du tell ; celle-ci se trouvait encore à environ 5 à 6 mètres sous le niveau alors atteint, qui correspondait, semble-t-il, aux couches du Bronze moyen.

Le développement d'un habitat plus étendu est plus problématique. Il existe certes de grandes buttes, sur lesquelles ont pu s'implanter de gros bourgs, exceptionnellement des villes : Meyādīn (**51**) a vu se développer l'important bourg de Raḥba, El Graiye 1 (**44**) probablement celui de Dāliya, El 'Ashāra (**54**) ceux de Terqa, puis de Sirqu, Tell Abu Hasan (**9**) ceux de Ṣuprum et de Ṣupru. Le plus important de ces sites est Buseire 1 (**75** ; **fig. 25**). Situé sur un vaste pointement de terrasse ancienne [41] qui le protège des inondations normales, il correspond à la ville romaine et romaine tardive de Circesium et à la ville islamique de Qarqīsiyya-al-Hābūr, après avoir été vraisemblablement la Korsoté de l'époque perse. Sa position clé à la confluence du Khābūr et de l'Euphrate, malgré les risques importants qu'elle entraîne en matière d'inondations lors de crues exceptionnelles, a contribué à donner de l'importance aux villes qui s'y sont succédé, probablement dès la plus haute antiquité [42]. Les deux sites de Jebel Mashtala (**68** ; cf. **fig. 14**) et de Jebel Masāikh (**16** ; cf. **fig. 3**), qui ont abrité des localités importantes au moins dès le Bronze récent pour la première, l'époque néo-assyrienne pour la seconde, sont peut-être installés sur des buttes résiduelles, dont l'existence n'a pu être prouvée. Le second a cependant pu profiter de l'exhaussement consécutif à l'occupation halafienne.

Si toutes ces buttes sont en bordure de l'Euphrate, il en existe d'autres, elles aussi de grande taille, qui sont éloignées du fleuve et par conséquent des ressources en eau ; tout au plus ont-elles été occupées par de petites installations. C'est le cas, par exemple, de Maqbarat Graiyet 'Abādish (**63**), à 1 km environ de l'Euphrate. La seule exception concerne Tell Marwāniye (**73** ; cf. **fig. 16**), situé à 2,5 km du plus proche paléoméandre, distance trop importante pour permettre un développement conséquent de l'habitat. Or, avec une superficie d'au moins 8 hectares, ce site représente un bourg d'une certaine importance : le canal qui passe à proximité lui est de toute évidence directement lié. Il a été

39 - On notera que le matériel Obeid d'Er Ramādi n'était pas visible en surface ; il provient de sondages (Beyer 1991).

40 - Cans 1938 ; Parrot 1938.

41 - Le site semble implanté dans sa totalité sur ce pointement, mais des sondages seraient nécessaires pour en vérifier l'étendue.

42 - Cf. ci-dessus note 21. L'importance stratégique de ce site incite en effet à penser qu'il a été occupé au moins depuis le Bronze ancien et que l'habitat s'y est ensuite maintenu sans grande interruption.

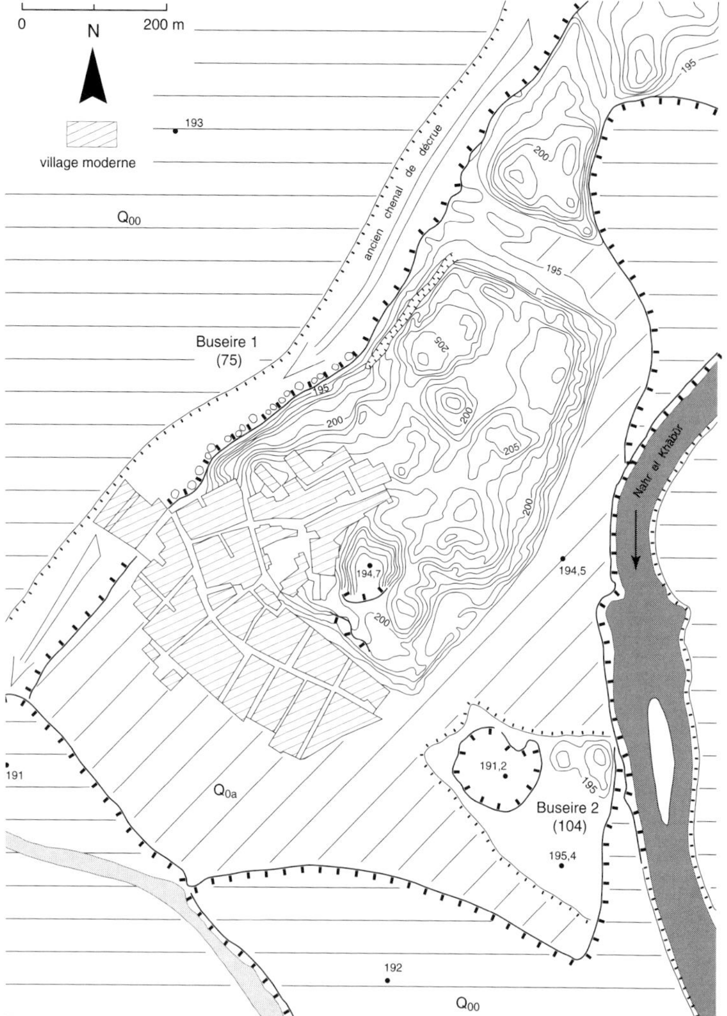

Fig. 25 - Buseire 1 (carte II, carré G6, n° 75) et Buseire 2 (n° 104) [pour la légende, voir fig. 2].

creusé, non seulement pour permettre l'irrigation de l'alvéole, mais aussi pour alimenter l'agglomération.

Si tel est le cas, cet exemple montrerait que la volonté d'implanter un habitat d'une certaine importance passe par la réalisation d'aménagements particuliers ou par des choix de sites spécifiques. Nous en avons trois autres exemples, qui concernent les trois plus grands sites de la vallée : Qal'at es Sālihīye, l'ancienne Doura-Europos (**22**), environ 70 ha ; Mōhasan 1 (**25**), 60 ha actuellement visibles ; Tell Hariri, l'ancienne Mari (**1**), 110 ha de nos jours, environ 250 ha restituables à l'origine.

Doura-Europos (**22**) a été créée *ex nihilo* à la fin du IVe s. av. J.-C. sur le plateau de rive droite qui domine le fleuve d'une quarantaine de mètres (**fig. 26**). Il s'agit alors, dans un premier temps semble-t-il [43], d'une importante colonie militaire fondée par Nicanor, sur le rebord du plateau. Plusieurs raisons [44] ont pu conduire à choisir ce site :
— la remarquable protection naturelle, procurée à l'est par la falaise, au nord par un profond ravin et à l'ouest par un autre à peu près parallèle au fleuve ;
— sa position dominante au-dessus de la vallée et du fleuve, d'où pouvaient être contrôlés le trafic fluvial et, vraisemblablement aussi, le trafic terrestre de rive gauche ;
— sa position en bordure de la route de rive droite qui devait emprunter l'oued occidental ;
— la proximité du Wādi Dheina (ou W. es Souāb), par où devait passer une partie du trafic en provenance de Palmyre qui pouvait ainsi être contrôlé ;
— la proximité immédiate du fleuve, qui coule au pied de la falaise et permet d'assurer le ravitaillement en eau ; il est d'ailleurs vraisemblable que l'habitat devait se grouper sur les pentes, au pied de la citadelle.

Par la suite, vers le milieu du IIe s. av. J.-C., la grande surface plane située en arrière de l'oued occidental et protégée au nord et au sud par deux profonds ravins fut mise à profit pour édifier une ville sur le modèle hippodamien cher aux architectes hellénistiques ; le côté occidental, qui n'était pas protégé naturellement, le fut alors par un rempart.

L'ancienne ville de Mari, située à Tell Hariri (**1** ; cf. **fig. 18**), présente apparemment deux handicaps majeurs, dans la mesure où son implantation ne répond *a priori* à aucun des critères propres à un site naturellement favorable :
— elle est loin de l'Euphrate, donc de la source d'eau ;
— elle ne bénéficie apparemment pas, à l'origine, d'une surélévation [45] et est donc menacée par les inondations.

En fait, le choix du site d'implantation répond à la volonté de construire, sans doute *ex nihilo*, une ville étendue, digne d'être la capitale d'un royaume ; la vaste surface plane de la terrasse holocène permettait d'élaborer un plan d'envergure, celui d'une ville circulaire au cœur de laquelle pourraient être érigés palais et temples et où pourrait vivre une population nombreuse. Mais, pour résoudre les deux problèmes posés par ce choix, il a fallu procéder à des aménagements importants :

43 - Jusqu'au milieu des années 1990, on considérait, à la suite de M. I. Rostovtzeff, que la citadelle et la ville de plan hippodamien avaient été créées en même temps dès la fin du IVe s. av. J.-C. C'est à l'occasion de nettoyages et de sondages que la nouvelle équipe de fouilleurs a été amenée à réévaluer complètement le problème de la fondation de la ville (LERICHE et AL-MAHMOUD 1997 ; LERICHE 1997).

44 - Voir aussi GEYER 1988.

45 - On ne peut effectivement parler de surélévation, mais de simple ondulation de la terrasse. La surface d'origine de la première implantation au centre de la ville (sondage dans l'espace central de l'Enceinte sacrée, au cœur du Palais) est située à environ 40 cm au-dessus du niveau d'origine retrouvé au chantier B (MARGUERON 1995). Cette surface originelle est constituée d'un limon argilo-sableux.

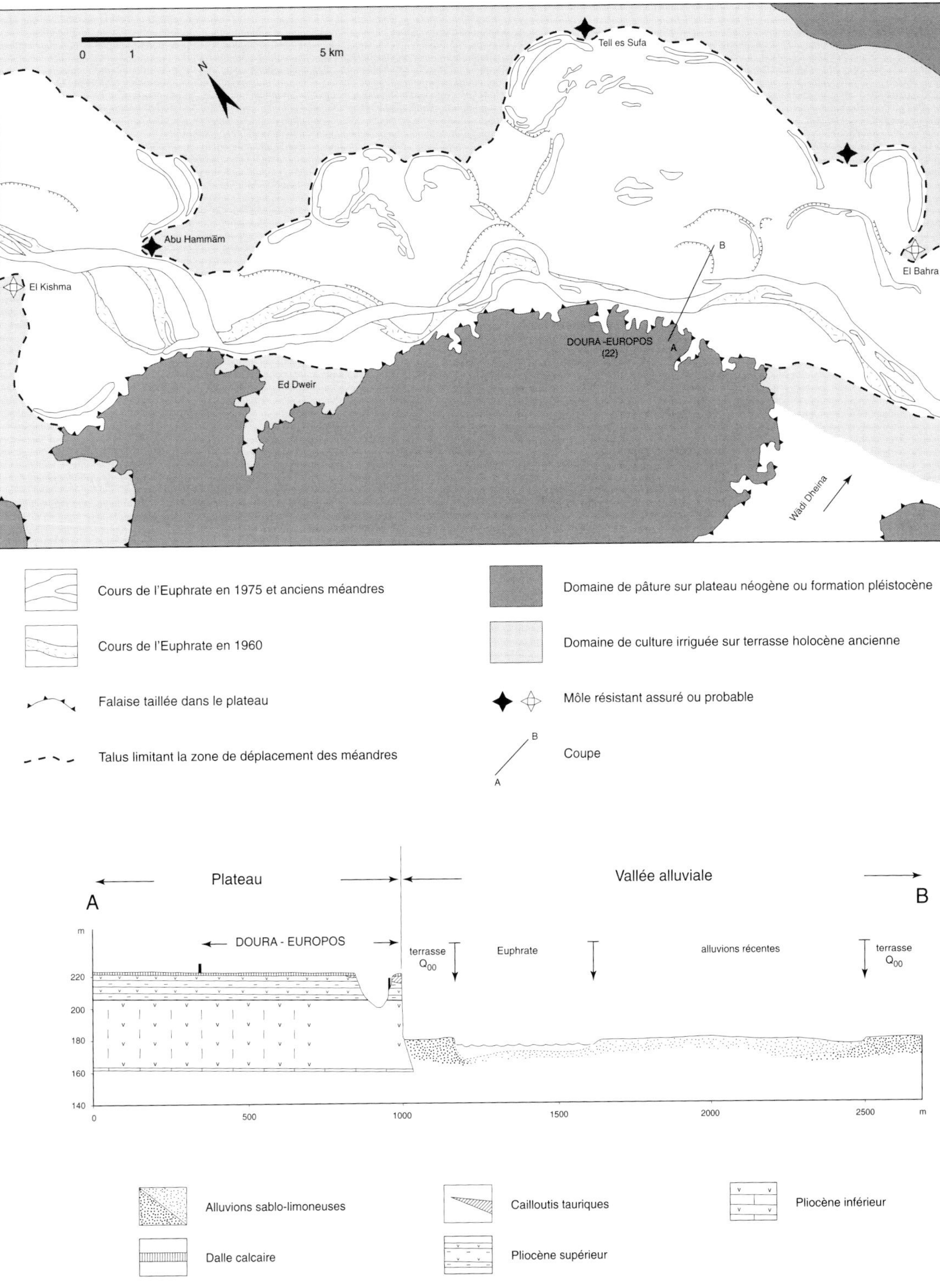

Fig. 26 - Qal'at es Sālihīye/Doura-Europos (carte IV, carré L15, n° 22) et ses environs (d'après GEYER *1988).*

— le creusement d'un canal reliant la ville au fleuve pour permettre l'approvisionnement en eau [46] ;

— la construction d'une digue-enceinte pour la protéger des inondations. Cette dernière a aussi pu servir de support à un rempart permettant de protéger la ville des attaques [47].

Il s'agit donc probablement d'une ville construite dans le cadre d'un projet d'ensemble, qui aurait été conçu dans sa totalité avant sa réalisation, selon un « schéma directeur » où chaque composante permettait de répondre aux différents problèmes soulevés par le choix, inhabituel, du lieu d'implantation.

Mōhasan 1 (**25** ; **fig. 27**) semble être une reproduction, en plus petit, du cas de Mari. On y constate les mêmes handicaps, liés au choix du lieu d'implantation du site, le cœur de la terrasse holocène, et les mêmes solutions : l'éloignement de l'Euphrate est résolu par la construction d'un canal ; le risque d'inondation dû à l'absence probable de butte naturelle semble pallié par l'aménagement d'une digue-enceinte [48] (**fig. 28**).

Fig. 27 - Mōhasan 1 (carte I, carré D5, n° 25) [pour la légende, voir fig. 2].

Il semble donc bien qu'en dehors de Buseire 1 (**75**), l'aménagement de villes de grande taille corresponde à d'ambitieux projets urbanistiques qui ont poussé leurs concepteurs à s'affranchir, volontairement, des contraintes liées à l'environnement. Ces sites ont été créés de toutes pièces, sur des terrains vierges, et ce malgré les travaux considérables que ce choix nécessitait. De telles opérations ne peuvent être liées qu'à des décisions politiques, avec toutes les implications historiques qui en découlent.

LES CARACTÉRISTIQUES DES SITES D'HABITAT

Les dimensions des sites d'habitat (hauteur, superficie) sont généralement difficiles à mesurer, et même, pour un bon nombre d'entre eux, à évaluer. Celles que nous proposons ci-dessous ne sont que des ordres de grandeur, destinés à illustrer la relative modicité des sites d'habitat de la vallée et à mettre en valeur les exceptions. Elles ne sont à considérer que comme tels.

Dans leur majorité, ces données chiffrées sont vraisemblablement sous-estimées, car elles ne correspondent en général qu'à ce qui est repérable et mesurable sur le terrain au moment de l'observation.

En ce qui concerne les élévations, l'alluvionnement a pu jouer un rôle important, en venant masquer la partie inférieure des implantations. Par ailleurs, lorsque le site est sur une butte résiduelle, la limite entre les couches archéologiques et le sol originel est parfois difficile à établir. Toutefois, le risque de sous-estimation ne saurait guère dépasser un à deux mètres.

Pour les superficies, le calcul est encore plus délicat. L'extension des épandages de tessons par exemple peut être fort trompeuse, du fait de l'étalement de la céramique par les pratiques culturales. Pour les sites qui ont été attaqués par l'Euphrate ou ceux qui ont été érodés par ses crues, il est impossible, à quelques exceptions près, de connaître *a priori* la superficie de ce qui a disparu ; quant aux sites qui ont subi un alluvionnement, il n'est pas possible d'en restituer la surface réelle. Les valeurs proposées sont donc là aussi à considérer comme des estimations, avec un degré d'erreur plus grand que pour les élévations.

Les données utilisées ci-dessous sont des données chiffrées absolues qui prennent en compte les sites dans leur plus grande extension perceptible, sans qu'il ait pu être fait de distinction, le cas échéant, entre les différentes périodes d'occupation. Il n'est pas tenu compte non plus des sites d'époque islamique exclusivement temporaires.

46 - Voir ci-dessus, p. 123.

47 - La campagne de fouilles 1997 a confirmé que le bourrelet périphérique est bien une digue, sur laquelle ont été érigés d'abord un mur léger, puis un rempart puissant (MARGUERON 1998 a).

48 - C'est ainsi que nous proposons d'identifier les buttes périphériques.

Fig. 28 - Buttes périphériques (digue-enceinte ?) de Mōhasan 1, vues depuis le sud-ouest.

Ramādi (**4** ; cf. **fig. 24**) avec 10 m. Deux autres avoisinent les dix mètres, Jebel Masāikh (**16** ; cf. **fig. 3**) et Taiyāni 1 (**67** ; cf. **fig. 20**).

En revanche, 69 sites, soit près de la moitié, mesurent moins de 5 m de haut ; parmi eux, la moitié n'atteint pas 1,5 m, auxquels il faut vraisemblablement ajouter les 73 sites dont la hauteur relative n'est pas calculable, mais pour lesquels la topographie ne permet pas de restituer une hauteur supérieure à 1 m ou 1,5 m. Ce sont donc environ les deux tiers des sites d'habitat qui ont moins de 1,5 m de haut.

Cette faible élévation est à mettre en rapport avec la proportion relativement faible de sites multipériodes. Tous les sites dépassant les cinq mètres attestent en revanche plusieurs niveaux d'occupation.

L'élévation

Si l'on considère la dénivelée entre leur point culminant et la surface de la terrasse qui les porte, les sites d'habitat de la vallée sont, dans l'ensemble, peu élevés (**fig. 29**). Sept sites seulement font plus de dix mètres de haut. Le plus élevé d'entre eux, El 'Ashāra (**54**), n'a que 17 m, soit beaucoup moins que les grands sites de la vallée ou du triangle du Khābūr. Deux autres sont un peu en dessous de 15 m : Tell Hariri (**1** ; cf. **fig. 18**) et Tell Jubb el Bahra (**10** ; **fig. 30**) ; par ordre décroissant, nous trouvons ensuite Tell Abu Hasan (**9** ; cf. **fig. 12** et **13**) avec 13 m, Buseire 1 (**75** ; cf. **fig. 25**) avec 12 m, Tell es Sinn (**29** ; cf. **fig. 2**) avec 11 m et Er

La superficie

Bien qu'il soit encore plus délicat que celui des élévations, le calcul des superficies permet de confirmer la modicité des implantations de la vallée (**fig. 31**). En faisant abstraction des sites pour lesquels la superficie n'est pas calculable, plus de la moitié ont une superficie inférieure à 2 ha et 84 % font moins de 5 ha. L'occupation de la vallée est donc caractérisée par des petits sites, qui ont dû correspondre à des villages ou à des hameaux. Les bourgs semblent rares, les « villes » encore plus. Vingt sites ont une superficie supérieure à 5 ha, parmi lesquels six seulement dépassent les 20 ha : Jebel Masāikh (**16** ; cf. **fig. 3**), ± 22 ha ;

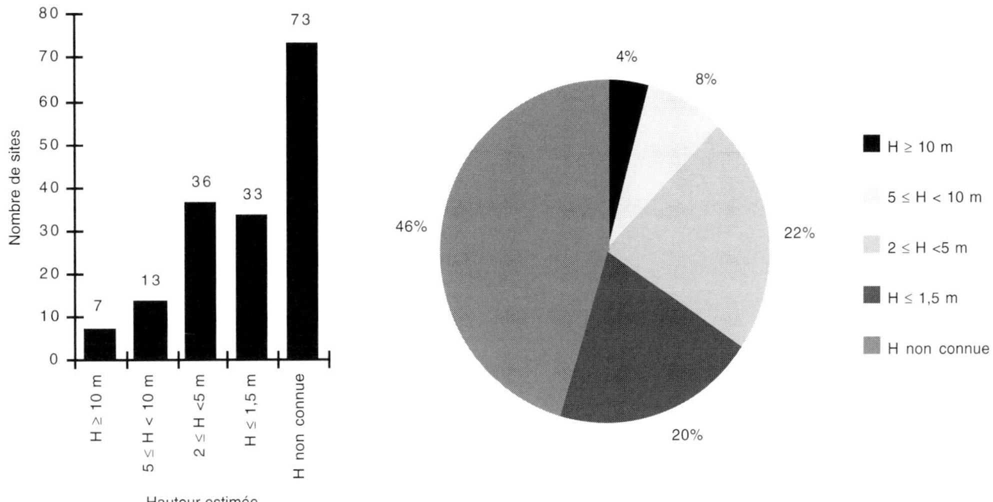

Fig. 29 - Répartition des sites en fonction de leur élévation estimée.

Fig. 30 - Tell Jubb el Bahra (carte IV, carré N16, n° 10) vu de l'est.

Tell es Sinn (**29** ; cf. **fig. 2**), ± 27,5 ha ; Buseire 1 (**75** ; cf. **fig. 25**), ± 52 ha ; Mōhasan 1 (**25** ; cf. **fig. 27**), ± 60 ha ; Qal'at es Sālihīye (**22**), ± 70 ha ; Tell Hariri/Mari (**1** ; cf. **fig. 18**), ± 110 ha. Plusieurs de ces sites étaient incontestablement plus grands à l'origine, avant qu'une partie plus ou moins importante n'ait disparu, soit dans le lit de l'Euphrate comme à Jebel Masāikh (**16**), soit sous l'action répétée de ses crues, comme c'est probablement le cas de Mōhasan 1 (**25**). Il en va de même pour El 'Ashāra (**54**), l'ancienne Terqa, dont les 10 ha visibles de nos jours ne sont que ce qui subsiste d'une ville qui aurait pu avoir une superficie d'environ 25 ha si nous admettons les restitutions proposées par G. Buccellati [49].

Tell Hariri/Mari (**1**), avec une superficie deux fois plus importante que celle des plus grands sites de la vallée, fait manifestement exception ; sa taille était sans aucun doute encore plus exceptionnelle à l'origine, si l'on restitue, comme cela semble devoir être le cas [50], une forme circulaire à la ville ancienne ; elle aurait alors atteint environ 250 hectares.

Tous ces sites représentent en fait les implantations majeures de la vallée, dont ils ont été, à un moment ou un autre, des centres importants, souvent des centres politiques.

DE QUELQUES IDENTIFICATIONS

Si la prospection nous a permis de retrouver une centaine de sites d'habitat, les sources anciennes, qui font allusion à plusieurs reprises au secteur de la vallée qui fait l'objet de notre étude, apportent des éléments d'information supplémentaires. Les archives paléobabyloniennes de Mari, les annales des rois néo-assyriens, plusieurs historiens grecs et latins ou encore des chronographes byzantins mentionnent un certain nombre de toponymes. Bien que l'exercice soit éminemment périlleux, il était dès lors tentant d'essayer de confronter les deux types de données, sources écrites et observations de terrain, pour proposer des identifications.

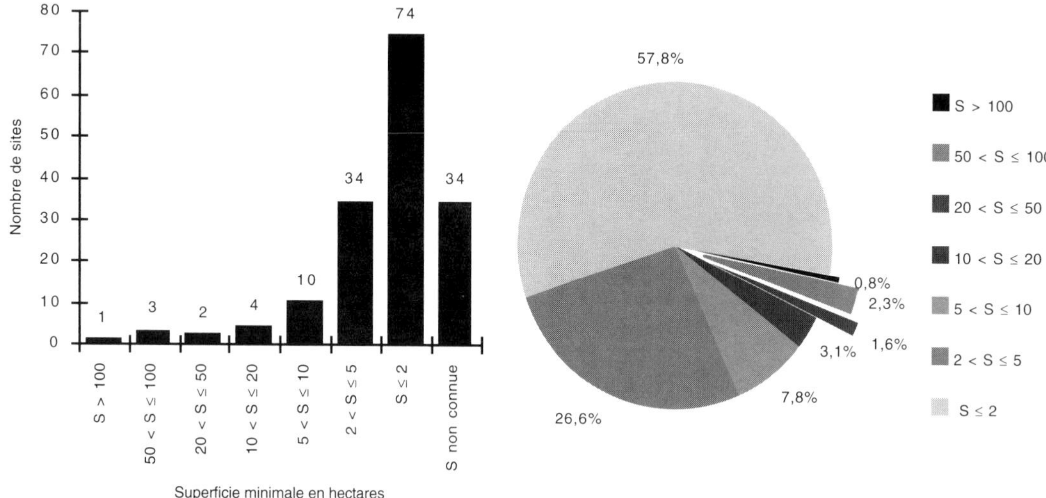

Fig. 31 - Répartition des sites en fonction de leur superficie estimée.

49 - BUCCELLATI et KELLY-BUCCELLATI 1978, p. 21-22. M. Chavalas propose une circonférence d'au moins un mile (1996, p. 93 et schéma p. 91).

50 - MARGUERON 1987 b, p. 491 et fig. 3.

Les toponymes dans les archives de Mari

Onze sites attestent une occupation au Bronze ancien, vingt et un au Bronze moyen ; s'y ajoutent quelques sites pour lesquels une occupation à ces époques est vraisemblable, deux pour la première, six pour la seconde.

Seuls deux d'entre eux sont formellement identifiés : Tell Hariri (**1**) est l'ancienne Mari, El 'Ashāra (**54**) l'ancienne Terqa. Or les archives retrouvées sur le premier citent, pour le début du IIe millénaire [51], un certain nombre de toponymes qui témoignent de la vitalité de la région à cette époque. La dernière liste publiée [52] recense 114 localités. Leur identification et leur localisation sur le terrain permettraient de mieux comprendre l'organisation de la région centrale du royaume de Mari, appelée « les Bords-de-l'Euphrate » et de cerner plus précisément le cadre géographique dans lequel évoluait sa population.

En fait, l'identification des toponymes paléobabyloniens et leur localisation posent des problèmes très délicats, qu'il est particulièrement difficile de résoudre. D'une façon générale, les textes ne sont pas très explicites : ils précisent rarement la rive, la position relative d'un lieu par rapport à un autre ou même le statut du lieu cité, lieu-dit, hameau, village, bourg, etc. Lorsqu'ils mentionnent plusieurs toponymes, la logique qui préside à l'ordre d'énumération n'est pas toujours perceptible. De plus, les documents anciens paraissent manquer parfois de cohérence ; à titre d'exemple, c'est ce qui ressort de la liste publiée par M. Anbar, où une même localité peut être située dans des districts différents selon les documents. À ce propos, on ajoutera aux toponymes qu'il signale dans son commentaire celui de Ṣuprum, cité dans les districts de Mari et de Terqa. Le cas le plus étonnant est celui de la capitale elle-même, Mari, qui, en une occasion, serait localisée dans le district de Terqa. Comme le souligne l'auteur, il convient donc d'« utiliser (ces listes) avec une certaine prudence [53] ».

Par ailleurs, la comparaison entre la liste de toponymes établie par M. Anbar et celle des sites qui attestent une occupation au Bronze moyen montre manifestement une telle distorsion qu'il est impossible de les faire coïncider. Il n'y a cependant pas lieu de s'en étonner. Nous avons déjà évoqué que certains sites ont dû disparaître, emportés par l'Euphrate, recouverts par ses alluvions ou détruits à l'occasion de travaux ; de plus, certains niveaux d'occupation peuvent ne pas avoir été détectés lors de la prospection. Mais il faut aussi considérer que certains toponymes ne se rapportent vraisemblablement qu'à de petits hameaux ou à des lieux-dits, voire à de simples fermes isolées qui n'ont pas dû laisser beaucoup de traces. La mention de ces toponymes dans un texte n'implique pas forcément qu'ils aient correspondu à des agglomérations importantes. L'image d'un « peuplement en villages, assez dense », qui a été proposée [54], est sans doute à nuancer.

À cela s'ajoutent pour le lecteur non spécialiste de la langue akkadienne les difficultés à appréhender une documentation fondée uniquement sur des traductions, donc sur des interprétations qu'il n'a pas la compétence de vérifier. Les renseignements qu'il peut glaner au fil des publications sont souvent difficiles à interpréter ; il lui est encore plus difficile de les mettre en relation les uns avec les autres en raison des nombreux extraits d'inédits [55], cités hors contexte ou simplement évoqués [56], sur lesquels s'appuient les commentaires qui accompagnent les traductions.

Il nous est donc très difficile de proposer des identifications de sites, *a fortiori* une reconstruction de la « carte » toponymique de la vallée à cette époque. Elle ne serait qu'un échafaudage théorique, facile à démonter à l'aide de nouveaux textes. Faute de disposer de tous les éléments nécessaires à une telle reconstitution, nous ne ferons qu'évoquer quelques points particuliers.

Des identifications et des localisations ont été proposées pour un certain nombre de toponymes [57]. On recensera ainsi, entre autres, les identifications suivantes :

— en rive droite, Deir ez Zōr 1 (**89**)/Dûr-Yahdun-Lîm (Durand 1990 a, p. 123), Meyādīn (**51**)/Samânum (Durand 1990 a, p. 115, n. 46), Mōhasan 1 (**25**)/Zibnâtum (Durand 1990 a, p. 123, n. 81) ou Dûr-Yahdun-Lîm (Geyer et Monchambert 1987 b, p. 325), pied de la falaise de Doura-Europos en rive droite/Zurrubân (Durand 1990 a p. 120, n. 69), Qal'at es Sālihīye (22)/Ilum Muluk (Durand 1990 a, p. 115, n. 46), Er Ramādi (**4**)/Mišlan (Durand 1990 a, p. 115), Es Saiyāl (**5**, **6**, **14**, **15** ou **55**) [58]/Appân [59]

51 - Les archives de Mari du milieu du IIIe millénaire ne mentionnent aucun toponyme (Durand 1997, p. 42).

52 - Anbar 1987, p. 642-643. Cette liste énumère, pour chacun des trois districts (Mari, Terqa et Saggarâtum), les localités qui en dépendent. Voir aussi Groneberg 1980.

53 - Anbar 1987, p. 642.

54 - Durand 1990 a, p. 118.

55 - Contrairement aux inscriptions des souverains néo-assyriens, aux récits des historiens grecs et latins et des chronographes byzantins, qui ont été publiés (mais pas toujours traduits) et que tout un chacun peut consulter, les textes provenant des archives de Mari sont encore largement inédits. Une grande partie de ceux qui ont été publiés se trouve dans la collection *ARM* (*Archives royales de Mari*). On regrettera cependant une certaine dispersion dans les publications qui rend difficile leur consultation.

56 - À titre d'exemples, nous pouvons relever les mentions suivantes : « l'inédit A.4012 l'atteste » (Durand 1990 a, n. 47) ; « d'après une tablette inédite » (*ibid.* n. 60) ; « des inédits amènent à modifier la situation de Zurubbân » (Durand 1997, p. 202, n. c). Certains textes sont cités partiellement, comme A.607 (Durand 1990 a, n. 69), A.454 (*ibid.* p. 124) ; par ailleurs, des extraits sont parfois cités sans références (*ibid.* p. 131 et 138).

57 - Geyer et Monchambert 1987 b, p. 325 ; Durand 1990 a, en particulier p. 114-119 et 122-123 ; Durand 1997 et 1998, *passim.*

58 - En fait, les sites **5** et **6** sont sans doute à éliminer, le premier étant vraisemblablement un site funéraire, le second n'attestant qu'une occupation à l'époque classique. Chacun des deux sites **14** et **15** est très petit, mais ils n'en forment peut-être qu'un seul.

59 - On notera toutefois qu'à l'occasion, Appân, comme Humsân, est implicitement situé en rive gauche (Durand 1998, p. 598, n. b).

(Durand 1990 a, p. 116), région d'Abu Kemāl ou Abu Kemāl/Dêr (Durand 1990 a, p. 115 et 117, n. 60), Tell Medkūk (**2**)/Šehrum (Lafont 1992, p. 105), Tell Mankut (**3**)/Humsân (Lafont 1992, p. 105) ;

— en rive gauche, Tell Khaumat Hajīn (**11**)/Dunnum ? (Durand 1990 a, p. 123), Tell Abu Hasan (**9**)/Ṣuprum proposée, indirectement, par W. F. Albright et R. P. Dougherty (1926, p. 19), qui situaient sur ce site la Ṣupru de l'époque néo-assyrienne, Bāqhūz 2 (**61**)/Hindân (Durand 1990 a, p. 117, n. 60) ;

— sur le Khābūr, l'ancienne Saggarâtum a fait l'objet de plusieurs propositions : Tell Seğer (Goetze 1953, p. 58), Suwwar (Dossin 1938, n. 2, p. 185-186), Tell Feddeïn (Dossin 1970, p. 19, n. 3), Tell Abu Ha'it (Kühne 1974-1977, p. 253).

Les résultats de la prospection ne vont pas à l'encontre de la plupart de ces identifications. Dans le cas de Tell Abu Hasan (**9**), les observations que nous avons pu faire renforcent même son identification avec Ṣuprum, importante place forte de rive gauche entourée d'un rempart [60] : d'importants travaux de terrassement ont mis au jour sur plusieurs mètres de hauteur, dans la paroi nord-ouest du site, les vestiges d'un mur de briques crues d'une épaisseur de 5 m que l'on peut, avec vraisemblance, interpréter comme un rempart.

Notons toutefois que deux de ces identifications sont relatives à des sites dont on ignore tout, Deir ez Zōr et Meyādīn [61], deux autres avec des sites hypothétiques : aucun site n'a été repéré à Abu Kemāl pour Dêr ni au pied de la falaise de Doura pour Zurrubân, site qui semblerait en fait s'être trouvé en rive gauche [62]. On rejettera par ailleurs celles de Šehrum avec Tell Medkūk et de Humsân avec Tell Mankut proposées par B. Lafont [63] en raison de la nature même des sites proposés, qui ne peuvent avoir été des sites d'habitat [64] ; de plus, le deuxième, Tell Mankut, n'a pas fourni de matériel paléobabylonien. Toutefois, comme nous l'avons déjà précisé, la prospection ne suffit pas à attester toutes les périodes d'occupation d'un site et nous n'avancerons cet argument *a silentio* qu'avec prudence.

D'autres identifications nous paraissent vraisemblables, même si elles peuvent susciter quelques réserves, comme celle de Mišlan avec Er Ramādi, en raison de la quinzaine de kilomètres séparant ce site du débouché du Wādi Dheina (ou W. es Souāb), identifié à l'oued « de Mišlan » [65]. Il en va de même pour l'identification d'Ilum Muluk avec Qal'at es Sālihīye (Doura-Europos) [66] : jusqu'à maintenant, les fouilles n'ont révélé aucune installation du Bronze moyen [67]. En outre, la présence d'un relais de transmission de signaux lumineux, attestée à Ilum Muluk [68], n'implique pas l'existence d'une ville. S'il est vrai enfin que le promontoire où fut érigée par la suite la citadelle hellénistique d'Europos est éminemment stratégique, — car il permet non seulement le contrôle du fleuve, mais aussi celui de la route de rive droite qui devait passer par le plateau et emprunter l'oued à l'ouest de la citadelle —, l'emplacement d'un éventuel habitat paléobabylonien, ainsi que (néo-) assyrien, nous semble devoir être à envisager plutôt au pied de la citadelle, pour des raisons stratégiques (contrôle du fleuve et de la piste) et alimentaires (approvisionnement en eau).

En revanche, l'identification de Hiddân/Hindân(um) avec Bāqhūz [69] nous semble improbable ; nous préférons situer à 'Anqa, plus en aval et en rive droite, cette localité qui est vraisemblablement la même que la Ḫindānu d'époque néo-assyrienne et que l'on associe à Giddan et Eddana de l'époque romano-parthe [70]. De plus, ce toponyme est peut-être à identifier avec celui de Šahiddân, qui peut signifier littéralement « la région de Hiddân » et qui est clairement situé en rive droite [71].

60 - Durand 1987 b, p. 212.

61 - Les rares indications fournies à propos des sondages effectués à Meyādīn n'évoquent rien d'antérieur à l'époque islamique (Bianquis 1986 a, 1987, 1989 ; Toueir 1979).

62 - Durand 1997, p. 202, n. c *vs* Durand 1990 a, p. 120, n. 69. Cette nouvelle localisation, sur la rive gauche, est surprenante, car le district de Terqa est réputé ne pas franchir l'Euphrate (Durand 1990 a, p. 116).

63 - Lafont 1992, p. 105. Toutefois, un commentaire la situe en rive gauche (Durand 1998, p. 598, n. b).

64 - Voir ci-dessous p. 171-173.

65 - Durand 1990 a, p. 114. On notera en revanche qu'Er Ramādi est à peu près à hauteur du débouché du Wādi Bir el Ahmar dont il est éloigné de moins de 8 km.

66 - Durand 1990 a, p. 115, n. 46.

67 - À notre connaissance, aucun vestige antérieur à l'occupation séleucide n'a été retrouvé *in situ*. Les trouvailles de céramique plus ancienne, de sceaux (paléo- et néobabyloniens) et même, dans une brique du temple d'Atargatis, d'une tablette cunéiforme datant de l'époque du royaume de Ḫana (Stephens 1937, p. 187), sont jusqu'à présent apparemment toutes hors contexte ; il en va de même pour « les tessons d'époque assyrienne ou néo-assyrienne » trouvés en 1987 dans le secteur du palais du Stratège (Leriche et Mahmoud 1988, p. 278), matériel dont les fouilleurs envisagent finalement qu'il « ait été contenu dans des terres rapportées au moment de la mise en place des remblais accumulés à l'arrière de la façade nord du palais » (Leriche et Mahmoud 1992, p. 10). L'origine de ce matériel plus ancien reste donc problématique : il peut provenir de la citadelle dont l'emplacement stratégique est évident, mais on ne peut rejeter complètement l'hypothèse que ces objets aient été apportés accidentellement à Doura depuis un site de la vallée dans de la terre à briques, comme F. J. Stephens le suggérait à propos de la tablette du temple d'Atargatis (construit entre 31 et 35) ; il pensait qu'elle avait été ramassée avec l'argile qui avait servi à la fabrication des briques et que les Grecs et les Romains auraient prise non pas sur le site lui-même de Doura, mais dans la plaine où aurait pu se trouver l'ancienne Dawara du pays de Ḫana ; il propose pour ce site une localisation au village de Duweir [Ed Dweir], situé quelques kilomètres au nord de Doura, voyant de plus dans ce toponyme une possible réminiscence du nom ancien de ce territoire. Les nouvelles fouilles en cours à Doura-Europos permettront peut-être de résoudre définitivement cette question.

68 - Dossin 1938, p. 178.

69 - Durand 1990 a, p. 117, n. 60.

70 - Voir ci-dessous p. 140 et 151.

71 - *ARM* XXVI 158.

Mōhasan 1, Deir ez Zōr et Dûr-Yahdun-Lîm

Dans notre rapport préliminaire [72], nous avions proposé l'identification de Mōhasan 1 (**25**) avec Dûr-Yahdun-Lîm (appelée dans les traductions récentes « Forteresse de Yahdun-Lîm »), sur la base de plusieurs arguments d'ordre archéologique qui nous semblaient concorder avec une inscription du roi Yahdun-Lîm, dans laquelle ce dernier relatait la construction de cette forteresse [73]. Nous pouvons reprendre brièvement les arguments que nous avions mis en avant :

— le fait qu'aucune occupation antérieure à celle du Bronze moyen n'est attestée par le matériel de surface semble être l'indice de la création d'une ville neuve, construite au début du IIe millénaire, ce qui s'accorde avec la notation « en un lieu où (aucun roi) n'avait construit de ville » ;

— cette même notation suggère l'idée d'un désert humain à laquelle la mention « dans les terres brûlées, en un lieu de soif » ajoute celle d'un désert géographique ; l'absence presque complète de sites du Bronze moyen dans ce secteur soulignerait la réalité du désert humain correspondant au désert géographique qu'offre la terrasse holocène, lorsqu'elle n'est pas irriguée ;

— le canal dérivé de l'Euphrate qui passe en bordure nord-est de la butte principale de Mōhasan 1 peut correspondre au canal que Yahdun-Lîm disait avoir creusé ;

— il est possible de constater une certaine similitude avec le cas de Mari : la configuration de Mōhasan 1, avec sa butte principale et une série de buttes périphériques, est comparable à celle de Mari, comme l'est son implantation en retrait sur la terrasse holocène, implantation qui, comme à Mari, a nécessité le creusement d'un canal d'amenée d'eau (cf. **fig. 27**). Ces ressemblances pourraient témoigner de la volonté de Yahdun-Lîm de créer, dans la partie amont des Bords-de-l'Euphrate, une ville qui fût une copie, en plus petit, de la capitale.

Plusieurs éléments nous incitent à reprendre cette identification, les uns d'ordre archéologique, les autres d'ordre épigraphique ; ces derniers reposent toutefois en partie sur des informations indirectes qu'il n'est pas possible de confronter aux sources elles-mêmes [74].

La ressemblance de Mōhasan 1 avec Tell Hariri/Mari est manifeste. Seul le site de Mōhasan 1 est installé à l'écart du fleuve et alimenté par un canal d'amenée d'eau et seul celui-ci est limité par une levée de terre artificielle, que l'abondance de graviers à sa surface et l'absence de tout matériel permettent vraisemblablement d'identifier à une digue-enceinte comparable à celle de Mari. Mais la configuration de Mari a été conçue au début du IIIe millénaire, lors du premier aménagement du site, comme l'ont montré les fouilles de ces dernières années. Faut-il y voir l'indice d'une fondation plus ancienne de Mōhasan 1, contemporaine de celle de Mari ? Le matériel de surface ne va pas dans ce sens, mais on peut constater que les couches archéologiques ont une épaisseur minimale de six mètres [75], ce qui pourrait laisser envisager une occupation antérieure au Bronze moyen. Dans cette hypothèse, Mōhasan 1 serait à considérer comme le site majeur de cette partie de la vallée de l'Euphrate au Bronze ancien, implanté volontairement, dans le cadre d'un projet global d'aménagement de la vallée, au cœur d'une alvéole irrigable, à l'instar de Mari ; situé à proximité de la confluence de l'Euphrate et du Khābūr — une dizaine de kilomètres —, il aurait pu en assurer le contrôle, même si cette localisation est moins propice que ne l'est celle de Buseire 1 (**75**). Dès lors, les paroles de Yahdun-Lîm seraient à considérer comme de la pure phraséologie royale, comme le pense J.-M. Durand [76] : le roi n'aurait fait que re-fonder la ville et réaménager le canal, c'est-à-dire rétablir son autorité sur cette partie de la vallée après une période trouble, en remettant en état les canaux laissés à l'abandon. L'œuvre qu'il dit avoir accomplie à Mari et à Terqa va dans le même sens.

Par ailleurs, les textes *ARM* III 79 et A.454 [77] signalent que le canal Išîm-Yahdun.Lîm dessert le territoire de Terqa ; cela interdit de l'identifier avec celui qui alimente Mōhasan 1, lequel ne se prolonge pas en direction d'El 'Ashāra/Terqa. En revanche, il n'est pas impossible qu'il corresponde à celui qui passe à un peu plus d'un kilomètre à l'ouest du site ; la trace actuellement visible est celle d'un canal de l'époque islamique, le Nahr Sa'īd, qui, dans cette hypothèse, aurait repris, au moins partiellement, un tracé antérieur.

À partir de l'étude des textes, J.-M. Durand a proposé d'une part que Mōhasan 1 soit l'ancienne Zibnâtum, d'autre part que Dûr-Yahdun-Lîm soit située « à peu près là où se trouve de nos jours Deir ez Zōr ». Si Zibnâtum « marque régulièrement le milieu de la route entre Dûr-Yahdun-Lîm et Terqa [78] », sa localisation à Mōhasan 1 nous semble peu plausible, car les distances que l'on peut mesurer diffèrent notablement : par voie terrestre, Mōhasan 1 est à 18 km de Deir ez Zōr et à 42 d'El 'Ashāra, par voie fluviale respectivement à environ 25 et 55 km. Zibnâtum est à localiser quelque part entre Mōhasan 1 et El 'Ashāra, sans que l'on puisse préciser le lieu.

La seconde proposition s'appuie sur deux types d'arguments. Le premier concerne des indications d'itinéraires : « située d'après plusieurs sources à deux

72 - Geyer et Monchambert 1987 b, p. 325.

73 - Cf. annexe 3, texte 5.

74 - On notera que la mention de « la Forteresse de Yahdun-Lim d'amont » (Durand 1998, p. 601) ajoute à la confusion, puisqu'elle semble impliquer qu'il en existe une seconde en aval.

75 - Il semble bien que le site n'ait pas connu d'occupation postérieure à celle du Bronze moyen, si ce n'est de façon partielle et modeste à l'époque islamique.

76 - Durand 1998, p. 576.

77 - Cf. annexe 3, textes 9 et 12.

78 - Durand 1990 a, p. 123, n. 81.

journées pleines de route de Terqa et trois de Mari, en navigation descendante »[79], « il y a plusieurs attestations qu'il faut, pour gagner la Forteresse de Yahdun-Lîm soit la région de Deir ez Zōr [...] 3 jours depuis Mari, et 2 depuis Terqa »[80]. En l'absence de références précises à ces sources, le seul document retrouvé (*ARM* XXVI 16, qui concerne le voyage que doit effectuer la future reine Šibtum) répartit l'itinéraire depuis Dûr-Yahdun-Lîm jusqu'à Mari en un peu plus de trois jours de navigation descendante, mais il ne précise ni la longueur ni la durée des étapes. En fait, les distances entre les sites ne permettent pas d'affirmer que le trajet Dûr-Yahdun-Lîm - Terqa nécessite 2 jours pleins et Dûr-Yahdun-Lîm - Mari 3 jours pleins. Les deux étapes dont nous pouvons calculer la longueur sont les deux dernières : Terqa-Ṣuprum (Tell Abu Hasan, **9**) et Ṣuprum-Mari. La première est longue d'au moins 65 km, distance calculée en suivant le fleuve ; sa transposition en amont de Terqa nous amène entre Mōhasan 1 et Deir ez Zōr (El 'Ashāra-Mōhasan 1 : 55 km ; Mōhasan 1-Deir ez Zōr : environ 25 km) ; une deuxième étape équivalente mène donc très au nord de Deir ez Zōr, à près de 40 km par le fleuve. Il conviendrait dans ce cas de localiser Dûr-Yahdun-Lîm beaucoup plus en amont. Toutefois, cette hypothèse est incompatible avec les indications qui concernent le canal Išim-Yahdun.Lîm, lequel concerne à la fois les territoires de Dûr-Yahdun-Lîm et de Terqa : à 6 km en amont de Deir ez Zōr, la topographie rend peu vraisemblable le passage d'un tel canal qui arriverait du nord (cf. ci-dessous, chap. v, **fig. 6**).

Force est donc de constater que le découpage par étapes n'est pas très significatif et qu'on ne saurait s'appuyer sur lui pour localiser les différents sites. En revanche, la grande disparité des étapes est manifeste, et les raisons peuvent en être multiples. Il n'est pas impossible que les deux premières étapes soient assez courtes et que les voyageurs s'arrêtent de bonne heure dans les villes étapes de Zibnâtum et de Terqa, surtout si l'on considère que la région n'est pas sûre, comme le laisse entendre le texte ; Sûmû-Hadû aurait jugé préférable de prévoir deux petites étapes qu'une seule, longue, avec le risque de s'exposer à une attaque des rebelles Benjaminites. Les deux dernières étapes sont nettement disproportionnées : le trajet fluvial Terqa-Ṣuprum (Tell Abu Hasan) mesure 65 km, celui entre Ṣuprum et Mari est de l'ordre de 16 km. Cette courte étape, effectuée au petit matin, doit permettre à Šibtum d'arriver reposée à Mari, après avoir passé la nuit à Ṣuprum. Le trajet Terqa-Mari aurait peut-être pu être accompli en une seule étape d'environ 80 km. Il en va de même pour le trajet Dûr-Yahdun-Lîm - Terqa, et cela, quelle que soit la localisation retenue pour Dûr-Yahdun-Lîm : la distance entre Deir ez Zōr et El 'Ashāra est, elle aussi, de 80 km, celle entre Mōhasan 1 et El 'Ashāra de 55 km. Si l'on considère désormais la voie terrestre, les distances, bien que plus courtes, sont proportionnellement les mêmes : El 'Ashāra est à environ 60 km de Deir ez Zōr et de Tell Hariri, et à 48 km de Mōhasan 1[81].

Un second argument concerne la position stratégique de l'emplacement de Deir ez Zōr : Dûr-Yahdun-Lîm « gardait l'arrivée d'une des routes de Qaṭna à l'Euphrate moyen et surveillait l'aval de la passe de Halabît[82] ». Toutefois, le site de Deir ez Zōr ne nous semble guère être propice pour contrôler l'étranglement de Halabît, que l'on peut identifier avec vraisemblance au défilé de Halabīya-Zalabīya, dont il est éloigné de près de 60 km. Le contrôle d'une route reliant l'Euphrate à Qaṭna ne constitue pas un argument plus convaincant. Un texte[83] mentionne la possibilité d'emprunter trois routes au départ de l'Euphrate, une route « haute » à partir d'Abattum, aux alentours de l'actuelle Raqqa ; une route « moyenne » à partir de Halabît ; une route basse, dont le point de départ n'est pas spécifié, mais qui consiste pour Yasmah-Addu à partir « tout droit devant » ; cette dernière route est interprétée par J.-M. Durand[84] comme partant de Deir ez Zōr, ce qui n'est pas impossible, mais nullement prouvé. De fait, aucune des routes caravanières de l'époque romaine, invoquées à l'appui de cet argument, n'aboutissait à Deir ez Zōr ; les deux voies les plus proches arrivaient, d'après les travaux d'A. Poidebard, ou en amont, à Qreiyé, ou en aval, face à la confluence Khābūr/Euphrate[85]. Dès lors, le point d'aboutissement de cette dernière route se trouve à proximité de Mōhasan 1, conférant ainsi à ce site un possible rôle de contrôle. Notons d'ailleurs que le point de départ de cette route « basse » pourrait être Mari elle-même ; dans ce cas, l'armée aurait emprunté la route passant par le Wādi Dheina (W. es Souāb), comme les caravanes le feront à l'époque palmyrénienne.

Aucun de ces deux arguments ne nous semble donc décisif pour localiser Dûr-Yahdun-Lîm à Deir ez Zōr.

Par ailleurs, outre qu'aucun site d'importance n'a été repéré dans les environs de cette ville, il semble bien que le site archéologique, aujourd'hui disparu, qui s'y trouvait n'avait pas la taille que l'on attendrait d'un site important comme a dû l'être Dûr-Yahdun-Lîm. Il ressort effectivement

79 - Durand 1990 a, p. 123.

80 - Durand 1998, p. 79, n. d.

81 - Le texte *ARM* XXVI 26 n'apporte pas d'objection. Asqudum part de Terqa et arrive le lendemain à Dûr-Yahdun-Lîm : « je me suis mis en route et le lendemain, je suis arrivé à Dûr Yahdun-Lim ». Qu'il mette plus d'une journée pour parcourir les 48 km séparant Mōhasan 1 et El 'Ashāra est normal. Son temps de parcours est logiquement plus long par la voie terrestre, même si la distance est plus courte, qu'avec un bateau descendant le courant comme celui de la reine Šibtum.

82 - Durand 1997, p. 120.

83 - I 85 + A.1195 (Durand 1987 a, p. 159 *sq.* ; 1998, n° 449).

84 - Durand 1987 a, p. 161 ; 1998, p. 22.

85 - Poidebard 1934, p. 87 (Qreiyé est à 15 km de Deir ez Zōr) et p. 91. À l'époque médiévale, et peut-être romaine, une autre route arrivait de Palmyre un peu plus en aval, à hauteur de Meyādīn.

des textes qu'il s'agissait d'une forteresse importante, ce que confirme le fait qu'elle fut renommée Dûr-Yasmah-Addu à l'époque du royaume de Haute-Mésopotamie, lorsque Yasmah-Addu était installé à Mari. Elle devait être protégée par des remparts, à l'abri desquels la population de plusieurs villages voisins pouvait trouver refuge [86]. Or, le site de Deir (**89**) n'est pratiquement pas visible sur les photographies aériennes du début du XXe siècle, antérieures à sa disparition. De plus, les témoignages des voyageurs du XIXe s. et du début du XXe sont peu éloquents, voire contradictoires : ceux qui y ont séjourné le plus longtemps comme E. Sachau, G. Bell et A. Musil ne mentionnent pas de ruine ancienne ; d'autres, tels F. R. Chesney, W. F. Ainsworth, M. F. von Oppenheim ou E. Herzfeld [87], parlent d'une éminence ou d'une butte, mais n'en indiquent pas la dimension. Il semblerait donc, sans que nous en ayons la certitude, qu'il s'agissait d'un site de taille modeste, difficile à identifier avec Dûr-Yahdun-Lîm. En revanche, les traces encore visibles de Mōhasan 1 se prêtent assez bien à cette identification : les dimensions actuelles du site, alors que l'on peut penser que toute la partie orientale a pu être emportée par les crues de l'Euphrate, et les grandes buttes périphériques, qui peuvent être interprétées comme un rempart, plaident en faveur de son identification avec Dûr-Yahdun-Lîm.

En outre, à en juger par les textes, Dûr-Yahdun-Lîm semble avoir été au cœur d'un riche terroir agricole. Les soucis que pose le fonctionnement du canal Išîm-Yahdun.Lîm en témoignent : les gouverneurs rappellent fréquemment qu'ils font le nécessaire pour que le canal soit en état et que les champs des alentours de Dûr-Yahdun-Lîm puissent être irrigués. La position de Mōhasan 1 dans la zone de plus grande extension d'une alvéole nous semble mieux correspondre à ces indications que celle de Deir ez Zōr, située dans une zone resserrée.

Enfin, l'hypothèse de la localisation de Dûr-Yahdun-Lîm à Deir ez Zōr implique que le Išîm-Yahdun.Lîm corresponde au canal qui a été repéré dans cette ville et dont la prise probable est à 6 km en amont [88]. Or, une telle identification est loin d'être assurée. En effet, la trace de ce canal se perd au bout de quelques kilomètres et il n'est pas sûr qu'il s'agisse du même canal que celui que l'on retrouve en aval et qui va en direction d'El 'Ashāra : le franchissement du grand cône du Wādi el Jafra constituerait une difficulté importante.

Au terme de cette analyse, nous maintenons notre proposition d'identification de Mōhasan 1 avec Dûr-Yahdun-Lîm. La forme et la taille du site, son emplacement au cœur d'une alvéole et à proximité d'une des routes possibles vers Qaṭna, la présence d'un canal plaident en cette faveur, tandis que la distance par rapport à El 'Ashāra/Terqa ne constitue pas un obstacle. La localisation proposée par J. D. Safren, bien qu'imprécise, « *somewhat inland from the banks of the Euphrates* », « *on the south bank of the Euphrates, above but not far from its confluence with the Ḫabur* » [89], est très proche de la nôtre. Enfin, il faut probablement tenir ce site pour plus ancien que nous ne l'avions fait, avec une fondation remontant peut-être au début du IIIe millénaire.

Saggarâtum

Un des sites clés de la vallée est celui qui se trouve à la confluence du Khābūr et de l'Euphrate, à l'emplacement actuel du village de Buseire 1 (**75** ; cf. **fig. 25**). Sa position stratégique, largement exploitée à des époques postérieures, notamment pendant les premiers siècles de notre ère avec la place forte de Circesium, n'a sûrement pas manqué d'attirer très tôt l'attention. Notre prospection ne nous a pas permis d'y retrouver de matériel du Bronze moyen. L'épaisseur des couches byzantines et islamiques, nous l'avons vu, peut avoir occulté les niveaux les plus anciens, ce que tendrait à prouver la carte de P. J. Ergenzinger et H. Kühne qui indiquent une occupation au Bronze ancien à Buseire [90], sans plus de précisions. Il nous semble dès lors vraisemblable que ce site a été occupé au moins depuis le Bronze ancien et que l'habitat s'y est ensuite maintenu sans grande interruption.

Il serait tentant d'y situer Saggarâtum, ville entourée d'un rempart et dont le district couvrait la partie inférieure de la vallée du Khābūr et les deux rives de l'Euphrate dans le secteur de la confluence. Mais les indications fournies par les archives ne permettent pas de trancher. Les deux textes *ARM* XXVI 158 et 183 pourraient aller dans le sens de cette identification : le premier situe Saggarâtum sur la rive gauche de l'Euphrate, le second pourrait indiquer que Saggarâtum est sur la rive droite (occidentale) du Khābūr, mais rien n'implique que la route dont il est question, même si elle est importante, se trouve sur la même rive. On sait aussi, d'après *ARM* XIV 115, que Saggarâtum est éloignée de Terqa d'une journée de marche au maximum ; en ligne droite, Buseire 1 et El 'Ashāra sont séparés de 28 km. D'autre part, des textes comme *ARM* I 7 et XIII 127 inciteraient à situer Saggarâtum plus en amont sur le Khābūr, vers la prise d'eau du Nahr Dawrīn. On pourrait alors envisager le hameau d'Es Sijr, dont l'une des variantes toponymiques, Tell Seğer, incitait

86 - Texte A.3550, partiellement cité dans Durand 1988, p. 125.

87 - F. R. Chesney (1850, p. 49) parle d'une ville d'environ mille maisons, « *covering an elevated, conical hill, which rises from the right bank, opposite of the eastern extremity of an island* » ; W. F. Ainsworth qui fait partie de l'expédition de F. R. Chesney a vu quant à lui une petite ville d'environ 500 maisons, construite sur « *an eminence or extensive mound of debris* » (Ainsworth 1888, p. 333) ; M. F. von Oppenheim (1899, p. 329) signale un assez grand tas de décombres et des restes de murs, notamment sous la ville actuelle ; enfin, E. Herzfeld (1911, p. 170) précise que la vieille ville se trouve « *auf einem ziemlich beträchtlichen Wohnschutthügel* ».

88 - Cf. chap. V, **fig. 6**.

89 - Safren 1984, p. 140 et 1989, p. 27.

90 - Ergenzinger et Kühne 1991, p. 182.

A. Goetze à établir un rapprochement avec Saggarâtum, ou mieux, à l'instar de H. Kühne, le site de Tell Abu Ha'it, à 5 km en aval [91]. La distance depuis El 'Ashāra, d'environ 40 à 45 km, est encore réalisable en une journée. En revanche, les deux propositions de G. Dossin, Suwwar et Feddeïn, ne peuvent être retenues, en raison de l'éloignement du débouché du Khābūr pour le premier, de l'absence de céramique paléobabylonienne pour le second [92].

Il reste aussi possible d'envisager une localisation de Saggarâtum sur un autre site de ce secteur de confluence ; deux seulement attestent une occupation au Bronze moyen, mais Safāt ez Zerr 2 (**32**) semble de trop petite taille et Dībān 1 (**64**) paraît trop éloigné du Khābūr et trop proche d'El 'Ashāra/Terqa. La localisation de Saggarâtum et l'identification de Buseire 1 restent encore à trouver.

Les expéditions des rois assyriens

Trois souverains assyriens ont laissé des documents retraçant leur itinéraire le long de l'Euphrate, Adad-nīrārī II qui descend la vallée en – 896/5, Tukultī-ninurta II qui la remonte en – 885 et Aššurnasirpal II qui la descend à son tour en – 878 [93]. L'intérêt de ces documents qu'un court laps de temps sépare (moins de vingt ans), réside dans la liste des étapes successives et des toponymes qu'ils contiennent et qui constituent les seuls renseignements directs que nous ayons sur ce secteur de la vallée à cette époque. Nous déborderons de notre zone de prospection et considérerons le trajet entre 'Anqa (Ḫindānu), en aval de notre zone d'étude, et Tall Šēḫ Ḥamad (Dūr-katlimmu), en amont, sur le Khābūr (**fig. 32**).

Le témoignage de Tukultī-ninurta II est le plus détaillé. Le roi parcourt ce trajet en 9 ou 10 jours : arrivant de Ḫindānu, il campe successivement à Nagiatu, à Aqarbānu, peut-être à Ṣupru [94], puis à Arbatu, en un lieu sans nom dans la plaine, à Sirqu, près de Rummunina et à Sūru de Bīt-Ḫalupê avant d'arriver à Dūr-katlimmu deux jours plus tard.

Ce témoignage peut être mis en parallèle avec celui d'Aššurnasirpal II. Ce dernier descend la vallée plus rapidement : de Dūr-katlimmu, il ne lui faut que cinq étapes pour arriver à Ḫindānu après des haltes à Bīt-Ḫalupê, Sirqu, Ṣupru et Naqarabānu. Les toponymes de leurs itinéraires respectifs se recoupent, comme le montre le **tableau 3**.

Tukultī-ninurta II	**Aššurnasirpal II**
Ḫindānu	Ḫindānu
Nagiatu	
Aqarbānu	Naqarabānu
Ṣupru	Ṣupru
Arbatu	
lieu sans nom dans la plaine	
Sirqu	Sirqu
près de Rummunina	
Sūru de Bīt-Ḫalupê	Bīt-Ḫalupê
Usala	
Dūr-katlimmu	Dūr-katlimmu

Tableau 3 - Expéditions de Tukultī-ninurta II et Aššurnasirpal II : liste des étapes.

La confrontation des textes et les données recueillies à l'occasion de la prospection nous permettent de confirmer — ou de proposer — un certain nombre de localisations.

Ḫindānu est vraisemblablement situé sur la rive droite de l'Euphrate, en Iraq, à quelques kilomètres en aval de la frontière syrienne. Ce toponyme a été rapproché du nom d'une localité d'époque romano-parthe appelée, selon deux documents différents, Giddan ou Eddana [95] et volontiers placée à 'Anqa [96], quelques kilomètres en aval de l'actuelle ville d'Abu Kemāl. C'est d'un point situé en face de 'Anqa que part le roi.

Un peu en amont, l'Euphrate traverse un resserrement de la vallée et vient lécher le plateau oriental, créant ainsi une falaise surplombant le fleuve et rendant difficile, sinon impossible, le passage en fond de vallée sur la rive gauche. De plus, le fleuve fait ici un coude important : d'abord orienté nord-ouest/sud-est, il suit ensuite un axe ouest-est. Le trajet emprunté par le roi s'éloigne donc naturellement de la rive du fleuve et coupe à travers le plateau, pour rejoindre la vallée en amont de cet obstacle. Dès lors, c'est dans les parages d'Es Sūsa et de Bāqhūz, soit à environ 12 à 16 km du point de départ sur la rive gauche, qu'il convient de situer Nagiatu, mais le site a très vraisemblablement disparu, à moins qu'Es Sūsa 4 (**157**) n'ait été occupé aussi à l'époque néo-assyrienne [97].

De la même façon, Aqarbānu/Naqarabānu [98] a sans doute disparu. Cette localité devait se trouver à peu près à mi-

91 - Goetze 1953, p. 58. Kühne 1974-1977, p. 253 : alors que Tell Seğer semble n'être qu'une colline naturelle sur laquelle aucune trace ancienne d'habitat n'a été repérée, Tell Abu Ha'it pourrait avoir connu une installation paléobabylonienne.

92 - Kühne 1974-1977, p. 252.

93 - Cf. annexe 3, textes 19-21.

94 - L'indication temporelle « parti à midi » remplace vraisemblablement la mention habituelle « j'ai établi mon campement et j'ai passé la nuit ».

95 - Le rapprochement de Ḫindānu avec Giddan, fait par J. V. Scheil (1909), est communément accepté. Sur la correspondance Giddan/Eddana, voir ci-dessous p. 151.

96 - A. Musil quant à lui situait Ḫindānu/Giddan à Tell al-Ğābriye, un site voisin (Musil 1927, p. 14, n. 12 et p. 203). Une localisation à Bāqhūz ne paraît guère vraisemblable, car elle réduirait sensiblement la distance de Ḫindānu à Ṣupru, et par conséquent les étapes intermédiaires ; et surtout, elle ne permettrait pas de comprendre la description du trajet au départ de Ḫindānu.

97 - Ce site est à environ 16 km à vol d'oiseau au N de 'Anqa. La seule occupation attestée par la céramique date du Bronze moyen. A. Musil (1927, p. 203) situe Nagiatu aux ruines d'aṭ-Ṭâwi, que nous ne savons localiser exactement.

98 - On notera une différence dans les toponymes malgré la proximité temporelle des deux textes. A. Musil place ce site à al-Bahasna, c'est-à-dire Abu Hasan (Musil 1927, p. 174, n. 86 et p. 204).

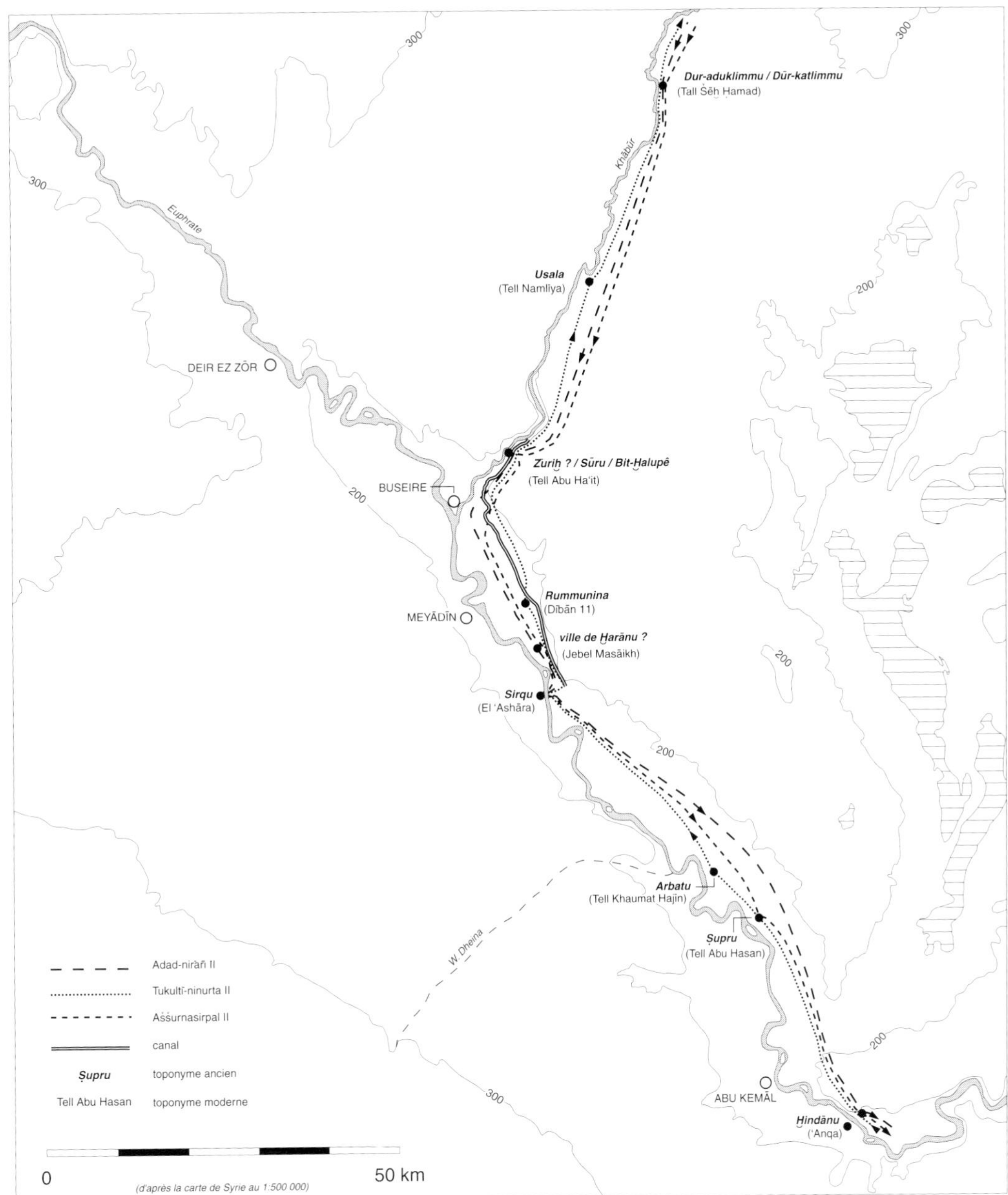

Fig. 32 - Les itinéraires des rois assyriens dans la vallée de l'Euphrate.

chemin entre Es Sūsa/Bāqhūz et Tell Abu Hasan (**9**), mais tout ce secteur a été fortement érodé depuis l'Antiquité, comme en témoignent les très nombreuses traces d'anciens méandres ; l'Euphrate a attaqué la terrasse holocène ancienne au point de n'en laisser qu'une étroite bande au pied du plateau.

Ṣupru que l'on peut identifier à la localité paléobabylonienne connue par les archives de Mari sous le nom de Ṣuprum est à localiser à Tell Abu Hasan (**9**), comme l'ont proposé W. F. Albright et R. P. Dougherty [99].

Arbatu est sans doute à une courte distance de Ṣupru, car Tukultī-ninurta II ne quitte cette dernière localité qu'en milieu de journée. Elle pourrait correspondre à Tell Khaumat Hajīn (**11**) [100], à 8,5 km de Tell Abu Hasan.

L'étape suivante est, semble-t-il, située en rase campagne, « dans la plaine ». Il faut sans doute la placer

99 - Albright et Dougherty 1926, p. 19. Repris par Durand 1990 a, p. 114 et n. 45, p. 117 et 123 ; A. Musil (1927, p. 174, n° 87 et p. 204) place Ṣupru aux ruines d'aṣ-Ṣafa', sans doute Tell Khaumat Hajin (**11**).

100 - A. Musil (1927, p. 204) propose ac-Ca'âbi, toponyme disparu qui semble correspondre à Tell Jubb el Bahra (**10**).

quelque part dans la vaste plaine à l'est des villages actuels d'Abu Hardūb et Abu Hammām, à mi-chemin entre Tell Khaumat Hajīn (**11**) et El 'Ashāra (**54**), et peut-être même aux deux tiers de ce trajet : les deux étapes ne sont sans doute pas de la même longueur, puisqu'au cours de la seconde, Tukultī-ninurta II reçoit deux tributs, avant, semble-t-il, de traverser l'Euphrate pour passer la nuit à Sirqu. La proposition d'A. Musil de placer ce camp au voisinage immédiat d'al-Meztele (Jebel Mashtala, **68**) paraît toutefois peu vraisemblable, car ce site est à la fois trop loin de Tell Khaumat Hajīn (28 km) et trop près d'El 'Ashāra (4,5 km).

L'étape suivante, en rive droite de l'Euphrate, est Sirqu, que l'on tient, sans toutefois avoir de preuve archéologique décisive, pour être la même ville que Terqa, localisée à El 'Ashāra (**54**) [101].

Les sites correspondant aux trois étapes suivantes sont plus difficiles à localiser. Il semble bien cependant que les souverains assyriens soient restés sur la rive gauche de l'Euphrate et du Khābūr [102] et n'aient traversé ce dernier que pour se rendre dans la ville étape, éventuellement située en rive droite.

Pour Rummunina, près de laquelle campe Tukultī-ninurta II, la proposition de H. Kühne [103] (Tell Mašiḫ [El Māshekh] sur le Khābūr) soulève deux questions délicates. La première réside dans la difficile compatibilité de cette localisation avec la mention figurant dans le texte, qui précise que le campement a été établi « dans la plaine de l'Euphrate ». Le tell d'El Māshekh est à une dizaine de kilomètres à vol d'oiseau [104] de la confluence Khābūr/Euphrate et se trouve indubitablement dans la vallée du Khābūr [105], en bordure de la rivière ; or, le texte des *Annales* ne fait aucune allusion à une telle configuration topographique alors qu'il prend bien soin, pour l'étape suivante, Sūru de Bīt-Ḫalupê, de préciser qu'elle « se trouve le long du Khābūr », indiquant de la sorte qu'il s'agit bien du premier site d'étape dans cette vallée. La seconde difficulté concerne la longueur de l'étape Sirqu-Rummunina, qui serait, d'après cette identification, d'environ 40 km, soit le double de la moyenne des autres étapes, à l'exception, comme le rappelle H. Kühne [106], de la dernière étape entre Kahat/Tell Barri et Naṣipīna/Nusaibin, dont la longueur est équivalente (39 à 40 km). Tirant parti d'une autre précision apportée par le texte (Rummunina « où se trouve le canal du Khābūr »), A. Musil [107] a proposé une localisation de cette localité à proximité de l'endroit où un important canal, le Nahr Dawrīn, part du Khābūr. Il semble effectivement que celui-ci s'embranche près du petit hameau d'as-Seğer (Es Sijr), à environ 20 km de la confluence Khābūr/Euphrate. Cette localisation, près de Tell Ḥeğna, est peu vraisemblable, car elle rallonge encore davantage le trajet depuis Sirqu ; de plus, ce site est en rive droite du Khābūr. La mention du « canal du Khābūr » ne nous semble donc pas signifier que le site est au départ de ce canal, mais plutôt qu'il est sur son parcours, et même en un endroit quelque peu éloigné de l'Euphrate (« dans la plaine de l'Euphrate ») où l'existence du canal est suffisamment significative pour mériter d'être indiquée. Nous la verrions dès lors dans l'un des sites qui ont été repérés le long de ce canal, effectivement dans la vallée de l'Euphrate, et non dans celle du Khābūr, et où sont attestées des occupations à l'époque néo-assyrienne : Dībān 11 (**162**), Dībān 15 (**186**), Dībān 17 (**188**) et Er Rāšdi 3 (**195**). Cependant, leur état de conservation rend difficile l'estimation de leur importance respective ; les trois derniers semblent néanmoins être réellement trop petits, leur superficie estimée étant inférieure ou égale à un hectare. Seul Dībān 11 (**162**), dont la superficie estimée est de 8 ha, pourrait avoir eu une taille satisfaisante. La difficulté réside alors dans sa relative proximité avec Sirqu/El 'Ashāra (14 km environ) et dans la longueur des trois étapes suivantes qui en résulte (près de 80 km jusqu'à Dūr-katlimmu). Il ne faut pas oublier cependant que Tukultī-ninurta II dit avoir passé la nuit à Sirqu, ce qui implique une traversée de l'Euphrate

101 - Aucun vestige de cette période n'y a été retrouvé. Les niveaux islamiques reposent le plus souvent directement sur ceux du IIe millénaire av. J.-C., sauf en certains secteurs où les deux niveaux sont séparés par une « importante couche de laminations d'argile » (ROUAULT 1998 a, p. 321) qui laisse penser à une longue période d'abandon. Les niveaux du Ier millénaire av. J.-C. ont-ils été entièrement laminés pendant cette phase ou bien Sirqu se trouvait-elle sur un autre site dans le voisinage ? Aucun des sites voisins de rive droite ne semble pouvoir être envisagé pour cette éventuelle localisation. Compte tenu de ce que nous pouvons observer sur d'autres sites, tel Mari où les bâtiments de la ville du Bronze moyen qui n'ont été ni incendiés ni scellés par la construction de nouveaux bâtiments peu de temps après leur abandon, ont totalement disparu, l'hypothèse du laminage intégral des couches néo-assyriennes nous semble la plus plausible.

102 - KÜHNE 1980, p. 60 et 61. Pour deux des sites-étapes que nous venons d'évoquer, Ḫindānu et Sirqu, Tukultī-ninurta II a bien pris soin de noter qu'ils se trouvaient sur l'autre rive.

103 - KÜHNE 1980, p. 61. Il semblerait cependant, d'après les publications plus récentes (ERGENZINGER et KÜHNE 1991, p. 183, Abb. 140 ; KÜHNE 1995, fig. 5), que Tell Mašiḫ n'ait pas connu d'occupation néo-assyrienne. Le seul site occupé à cette époque semble être Tell Abu Ha'it, à moins de 5 km en amont. Les deux problèmes soulevés à propos de Tell Mašiḫ ont plus d'importance si on les applique à Tell Abu Ha'it.

104 - Cette distance, ainsi que toutes les suivantes, est calculée à vol d'oiseau et reste donc approximative ; il y a sans doute lieu de les rallonger très légèrement, si l'on veut raisonner en termes d'itinéraires.

105 - Nous ne sommes guère convaincu par l'explication de H. Kühne (1980, p. 61) : *« diese an sich sehr genaue Beschreibung könnte dann nur so gedeutet werden, dass der Mündungsbereich des Ḫābūr, in dem Tall Mašiḫ bereits liegt, schon zur Flussaue des Euphrats gerechnet wurde, was dem Augenschein nach, wenn man am Rande der Flussterrasse des Euphrat entlang zieht, stimmt ».*

106 - Le parallélisme entre le début et la fin du parcours le long du Khābūr que met en avant H. Kühne pour justifier la longueur de l'étape, ne nous semble pas pouvoir être en soi une explication. Nous n'y voyons pas ce qui pourrait justifier une étape double.

107 - MUSIL 1927, p. 204.

avant de se mettre en marche. Que l'étape au départ de Sirqu soit plus courte ne semble dès lors pas surprenant [108].

Si cette identification est valable, la moyenne des trois étapes suivantes est de 26 km environ, ce qui reste tout à fait dans les normes des distances que peut parcourir une armée en marche.

Pour ces trois étapes, H. Kühne a proposé de localiser Sūru à Tell Fidēn et Usala à Tell Suwwar, tous deux en rive droite du Khābūr, la dernière, Dūr-katlimmu étant localisée avec certitude à Tall Šēẖ Ḥamad. Si la longueur des deux dernières étapes est ainsi d'environ 18 km chacune, celle entre Rummunina et Sūru est de plus de quarante. Il y a donc lieu de reconsidérer la localisation de Sūru et d'Usala. Deux tells de rive gauche attestant, d'après H. Kühne [109], une occupation néo-assyrienne pourraient répondre aux critères de distance. Ce sont Tell Namlīya et Tell Abu Ha'it. Le premier est approximativement à 27 km de Tall Šēẖ Ḥamad/Dūr-katlimmu et à 24 km de Tell Abu Ha'it, lequel est lui-même à environ 28 km de Dībān 11. On pourrait dès lors proposer d'identifier Usala à Tell Namlīya et Sūru à Tell Abu Ha'it. Ce dernier site est bien en bordure du Khābūr et à l'entrée de la vallée, comme semblent le préciser les *Annales* pour la localité de Sūru. Dans cette hypothèse, aucune des quatre étapes n'atteint une longueur démesurée.

Cette proposition relative à l'itinéraire de Tukultī-ninurta II peut trouver confirmation dans celui d'Aššurnasirpal II, l'équivalence Sūru de Bīt-Ḫalupê/Bīt-Ḫalupê étant vraisemblable. Certes, les distances sont considérables entre chaque lieu d'étape (± 51 km entre Tall Šēẖ Ḥamad/Dūr-katlimmu et Tell Abu Ha'it/Bīt-Ḫalupê d'une part, ± 42 km entre ce dernier et El 'Ashāra/Sirqu d'autre part [110]), mais le total du parcours de Dūr-katlimmu à Sirqu (± 93 km) implique de toute façon une moyenne minimum de 46 km, apparemment difficile à concevoir. Il y a sans doute lieu de rajouter une étape intermédiaire de part et d'autre de Bīt-Ḫalupê, non indiquée par les *Annales*, peut-être parce que le roi n'y a pas reçu de tribut. Dans cette hypothèse, les étapes doivent sensiblement ressembler à celles de Tukultī-ninurta II [111].

En fin de compte, il est possible de restituer, au moins en partie, les deux itinéraires (**tableau 4** et **fig. 32**).

Tukultī-ninurta II ↓	Localisation proposée	Aššurnasirpal II ↑
Ḫindānu	**'Anqa**	Ḫindānu
12 à 16 km		
Nagiatu	**Vers Es Sūsa/Bāqhūz**	*24 à 26 km*
10 à 12 km		
Aqarbānu	?	Naqarabānu
10 à 12 km		*10 à 12 km*
Ṣupru	**Tell Abu Hasan**	Ṣupru
8,5 km		
Arbatu	**Tell Khaumat Hajīn**	
16 à 20 km		*41 km*
lieu sans nom dans la plaine	?	
12 à 16 km		
Sirqu	**El 'Ashāra**	Sirqu
14 km		
près de Rummunina	**Dībān 11**	*42 km*
28 km		
Sūru de Bīt-Ḫalupê	**Tell Abu Ha'it**	Bīt-Ḫalupê
24 km		
Usala	**Tell Namlīya**	*51 km*
27 km		
Dūr-katlimmu	**Tall Šēẖ Ḥamad**	Dūr-katlimmu

Tableau 4 - Expéditions de Tukultī-ninurta II et Aššurnasirpal II : localisation des étapes.

Quelques années avant Tukultī-ninurta II, en – 896/5, un autre souverain assyrien, Adad-nīrārī II, est venu dans la vallée. D'après un texte de ses *Annales* [112], il a descendu les vallées du Khābūr et de l'Euphrate depuis Dūr-katlimmu (Dūr-aduklimmu) pour arriver, apparemment en quatre

108 - Une localisation à Dībān 1/Tell Kraḥ (**64**) pourrait aussi être envisagée compte tenu de la distance de ce site par rapport à El 'Ashāra qui est sensiblement la même qu'entre ce dernier et Dībān 11 (**162**), mais il est éloigné du canal d'environ 2,5 km. En revanche, il convient sans doute d'écarter la proposition de J. V. Scheil (1909, p. 48) de localiser Rummunina près de l'Euphrate, vers la confluence Khābūr-Euphrate ; il pensait reconnaître dans le mot assyrien *palgu* (« canal ») le toponyme d'Isidore de Charax, *Phaliga*. Or, ce dernier site est vraisemblablement à localiser à Buseire (voir ci-dessous p. 146-148), donc en rive droite du Khābūr, ce qui n'est pas précisé par les *Annales*. Il faudrait de plus envisager que le terme *palgu* a une autre signification que « canal » (par exemple, « embouchure »).

109 - Ergenzinger et Kühne 1991, p. 183, Abb. 140 ; Kühne 1995, fig. 5. Nous n'avons pas visité ces tells.

110 - Selon les propositions de H. Kühne, la disproportion entre les deux étapes est encore plus grande, avec un parcours d'environ 34 km de Tall Šēẖ Ḥamad à Tell Fidēn et de près 60 km de ce dernier à El 'Ashāra.

111 - On peut noter d'ailleurs que l'étape suivante, Sirqu-Ṣupru, est elle aussi bien longue, avec un peu plus de 41 km, à diviser vraisemblablement en deux.

112 - Cf. annexe 3, texte 19.

étapes, à Ḫindānu. En dehors de ces deux localités et de celle de Sirqu, les deux autres sites mentionnés (Zūriḫ et la ville dépendant d'un chef dénommé Ḫarānu) sont différents de ceux de ses successeurs (**tableau 5**).

Adad-nīrārī II	Tukultī-ninurta II et Aššurnasirpal II
Dūr-aduklimmu	Dūr-katlimmu
Zūriḫ	?
ville de Ḫarānu	?
Sirqu	Sirqu
Ḫindānu	Ḫindānu

Tableau 5 - Expédition d'Adad-nīrārī II : liste des étapes.

Les toponymes mentionnés par ce texte, en nombre encore inférieur à ceux d'Aššurnasirpal II, ne semblent pas correspondre aux sites d'étapes effectifs du souverain. Sinon, comment expliquer une unique étape de près de 80 km de Sirqu (El 'Ashāra) à Ḫindānu ('Anqa) ? Pour aucune des villes de la liste, le roi ne précise qu'il y a fait étape. En revanche, toutes lui ont versé tribut. Dans la perspective de glorification du roi, seule la mention de ces tributs importait. Ne sont donc citées, dans leur succession géographique, que les villes qui en ont versé un, qu'elles aient été ou non des sites d'étapes. Dès lors, l'évaluation des distances entre chaque localité citée n'est d'aucun secours pour identifier les deux sites non connus (Zūriḫ et la ville de Ḫarānu). On peut toutefois émettre l'hypothèse que Zūriḫ, dont le chef, Baratara, est dit être un homme de la tribu de Bīt-Ḫalupê, est la même ville que la Sūru de Bīt-Ḫalupê, et donc peut-être Tell Abu Ha'it ; quant à la ville qui dépend de Ḫarānu, aucun indice ne permet *a priori* de préciser sa localisation.

On peut s'étonner par ailleurs de ce que la ville correspondant au grand site de Jebel Masāikh (**16**) ne soit pas mentionnée. Il semble en effet, d'après la prospection, qu'elle avait une extension non négligeable à l'époque néo-assyrienne. Était-ce déjà le cas au début du ɪxᵉ s. ou l'occupation ne s'est-elle étendue que plus tardivement ? Peut-on y voir l'emplacement de la Rummunina signalée par Tukultī-ninurta II ? Si ce site est effectivement dans la plaine de l'Euphrate et à proximité du canal (environ 1,5 km), il est en revanche beaucoup trop près (6 km) de Sirqu/El 'Ashāra pour avoir constitué un site d'étape. Que la ville ait néanmoins versé un tribut à Tukultī-ninurta II n'est pas impossible, puisque le souverain assyrien précise avoir perçu une autre contribution que celle de la ville de Sirqu pendant qu'il était dans ce district, la deuxième versée par un dénommé Ḫarānu. Or, les *Annales* d'Adad-nīrārī II précisent que le roi est passé par la ville de Ḫarānu, manifestement sans y faire étape. Est-ce le fait du voisinage de cette ville avec Sirqu ? Dans l'affirmative, ce serait un indice allant dans le sens de son éventuelle identification avec Jebel Masāikh.

L'identification des toponymes mentionnés par Adad-nīrārī II pourrait être la suivante (**tableau 6** et **fig. 32**)

Étapes d'Adad-nīrārī II	Localisation proposée
Dūr-aduklimmu	Tall Šēḫ Ḥamad
Zūriḫ	Tell Abu Ha'it ?
ville de Ḫarānu	Jebel Masāikh ?
Sirqu	El 'Ashāra
Ḫindānu	'Anqa

Tableau 6 - Expédition d'Adad-nīrārī II : localisation des étapes.

Korsoté et l'expédition des Dix Mille

En 401 av. J.-C., le général grec Xénophon, qui accompagne Cyrus le Jeune dans son expédition contre Artaxerxès, descend la vallée de l'Euphrate. Le passage de l'*Anabase* qui relate le parcours dans la région [113] révèle plusieurs zones d'ombre quant à l'identification et à la localisation précise des toponymes et hydronymes qui y sont mentionnés. Des travaux récents ont remis en question les interprétations communément admises [114], pourtant déjà battues en brèche par les études réalisées par deux officiers, l'un français [115] dès 1913, l'autre anglais [116] en 1961. L'interprétation habituelle se fonde sur « une idée reçue qui localise Thapsaque vers le grand coude de l'Euphrate, c'est-à-dire peu en amont du Balikh » [117]. Or, si l'on accepte la proposition de M. Gawlikowski [118] qui situe Thapsaque à Tepe Balkis en Turquie, à proximité de la frontière actuelle avec la Syrie, à 12 km en amont de Birecik, c'est-à-dire à un endroit où l'Euphrate devient navigable, les données de Xénophon deviennent évidentes et les distances évoquées correspondent à la réalité géographique : les deux cours d'eau sont identifiables au Balikh pour l'Araxe et au Khābūr pour le Mascas [119] ; la distance entre Thapsaque et le Balikh, de

113 - Cf. annexe 3, texte 61.
114 - Gawlikowski 1992, p. 178-179.
115 - Boucher 1913, notamment les pages 41 et 45.
116 - Farrell 1961, p. 153-155.
117 - Gawlikowski 1992, p. 178.
118 - La démonstration de M. Gawlikowski est convaincante : reprenant et analysant les sources antiques, parfois contradictoires, il rejette toutes les identifications antérieures du site de Thapsaque et démontre la correspondance entre cette dernière et Zeugma (Gawlikowski 1996). A. Boucher (1913, p. 41) constatait déjà que Zeugma a, en grec, la même signification que Thapsaque en araméen (« point de passage ») et proposait de situer Thapsaque à Birecik, soit 12 km en aval de Tepe Balkis. W. J. Farrell (1961, p. 153), quant à lui, la localisait à Karkémish, soit un peu plus en aval encore. On peut constater que ces deux officiers étaient vraisemblablement plus proches de la réalité que ne l'est la localisation communément admise.
119 - Et non au Khābūr pour l'Araxe (Chapot 1907, p. 294, n. 5 ; Musil 1927, p. 221). Ces identifications sont reprises par M.-F. Baslez (1995, p. 80-81) et F. Joannès (1995, p. 175), mais ils ne précisent pas les bases sur lesquelles ils se fondent.

50 parasanges (environ 250 km), correspond assez bien aux 270 km jusqu'au Balikh [120], et les 35 parasanges (environ 175 km) entre l'Araxe et le Mascas aux 165 km entre le Balikh et le Khābūr. Il n'est plus besoin d'expliquer l'absence du Balikh dans le texte de Xénophon ni de rechercher un canal pour expliquer l'environnement de Korsoté [121]. À la suite de F. R. Chesney et d'A. Musil [122], le comte R. du Mesnil du Buisson avait voulu situer cette localité à Bāqhūz au débouché du canal Nahr Dawrīn, mais ses investigations ne lui avaient pas permis d'en donner la moindre preuve. Notre prospection le confirme : aucune trace d'installation de cette époque n'a été trouvée dans les environs de Bāqhūz et du débouché vraisemblable du canal Nahr Dawrīn [123], les sites repérés étant datés avec certitude d'autres époques. Comme le préconise M. Gawlikowski [124], Korsoté est bien à localiser à la confluence du Khābūr et de l'Euphrate, à l'emplacement de Buseire 1 (**75** ; cf. **fig. 25**), la Circesium romaine, dans une boucle du Khābūr, le Mascas de Xénophon [125]. Il s'agit du seul site qui, répondant à la description du général grec, soit de grande taille et corresponde donc à la notation μεγάλη (« de grande taille »). Toutefois, l'étude du matériel ramassé lors de notre prospection n'a pas mis en évidence une occupation de ce site à cette époque. Cela peut être dû à une lacune de la prospection, d'autant plus facilement explicable que les occupations postérieures ont été conséquentes.

Un terme fait toutefois problème : Xénophon parle de Korsoté comme d'une ville « abandonnée » [126] : la ville était-elle occupée et momentanément abandonnée par ses habitants qui auraient fui juste avant l'arrivée des Dix Mille ? Dans ce cas, il est étonnant que Xénophon ne l'indique pas plus clairement et que seule Korsoté ait été abandonnée par sa population avant l'arrivée des Grecs. Xénophon découvre-t-il alors les vestiges d'une ville plus ancienne et réellement abandonnée depuis longtemps ? Cette hypothèse semble plus plausible : elle expliquerait d'une part l'absence de matériel de cette époque sur le site et correspondrait d'autre part à la forte régression qu'a connue la région après l'époque néo-assyrienne et qu'a mise en évidence notre prospection [127].

De plus, cette hypothèse est conforme aux indications de Xénophon sur les régions traversées avant et après Korsoté : à proximité du précédent cours d'eau, le Balikh, il mentionne de « nombreux villages, pleins de blé et de vin » [128] ; cette dernière notation sur l'abondance du blé et du vin n'est pas répétée pour Korsoté. Entre l'Araxe et le Mascas, Xénophon ne signale aucune installation humaine, même s'il faut tenir compte de ce que l'itinéraire emprunté, en passant par le plateau [129], délaisse la vallée et, en conséquence, les éventuels villages ; il en est de même en aval, où le ravitaillement pendant les treize étapes jusqu'à Pylae [130] pose de graves problèmes, au point que « l'armée manqua de vivres » et que « beaucoup de bêtes de somme moururent de faim ». Même les quelques habitants rencontrés, vraisemblablement très en aval [131], ne peuvent subvenir directement à leurs propres besoins, échangeant sur le marché de Babylone les meules de pierre qu'ils taillaient [132] contre de la nourriture. Ariée le confirme indirectement lorsque, après la bataille de Counaxa, la question du retour se pose : il n'y aurait aucun moyen, dit-il, de se ravitailler sur la totalité du parcours jusqu'à Korsoté,

120 - La distance indiquée par Xénophon est inférieure d'une vingtaine de kilomètres à la distance entre Tepe Balkis et l'embouchure du Balikh. En fait, l'itinéraire emprunté par Cyrus et Xénophon ne longe peut-être pas l'Euphrate, mais, comme l'envisage l'officier W. J. Farrell — et son raisonnement, fondé sur son expérience militaire, est tout à fait crédible — Cyrus feindrait de prendre la route du nord pour rejoindre Babylone par le Tigre ; il avance donc d'abord vers l'est, avant de bifurquer plein sud et de longer le Balikh jusqu'à sa confluence avec l'Euphrate. Le point d'arrivée sur l'Araxe noté par Xénophon désignerait alors la confluence du Balikh et de l'Euphrate, repère géographique marquant, et non pas le premier point de contact de l'armée avec le Balikh, ce dernier n'étant qu'un petit cours d'eau souvent insignifiant. Cet itinéraire expliquerait la mention « à travers la Syrie » (διὰ τῆς Συρίας) et l'absence de référence à l'Euphrate, contrairement au trajet entre l'Araxe et le Mascas pour lequel Xénophon précise que l'armée descend la vallée « en ayant l'Euphrate à sa droite » (τὸν Εὐφράτην ποταμὸν ἐν δεξιᾷ ἔχων). La distance de 50 parasanges et les neuf étapes indiquées par Xénophon deviennent alors très plausibles.

121 - Dès lors, d'autres incohérences dues à ces identifications et dont étaient conscients leurs partisans disparaissent : ainsi les distances parcourues quotidiennement par l'armée de Cyrus (Musil 1927, p. 221-222).

122 - F. R. Chesney (1850, II, p. 215) situe Korsoté à El Erzi : « *in five marches (...) they accomplished a distance of thirty-five parasangs to the river Masca and the town of Corsote ; the position of which seems to correspond with the ruins of Al Erzi, whose site is sixty-three miles from the river Araxes* ». Il éprouve ensuite des difficultés à déterminer la succession des 90 parasanges suivants. A. Musil (1927, p. 222), outre une ressemblance qu'il voit entre les toponymes anciens et modernes, pense avoir la confirmation de la description de Xénophon dans la topographie, même s'il est obligé de l'adapter quelque peu.

123 - Il convient de noter que l'interprétation des photographies aériennes donnée par R. Du Mesnil du Buisson (1948) est erronée, le tracé du canal ancien n'étant en aucune façon identifiable dans les grandes courbes visibles sur le document.

124 - Gawlikowski 1992, p. 178.

125 - « Elle était arrosée par le Mascas qui l'encerclait » (*Anabase*, I, 5, 4).

126 - « Là était une ville abandonnée (πόλις ἐρήμη) » (*Anabase*, I, 5, 4).

127 - Le site de Buseire 1 (**75**) n'atteste toutefois aucune présence pour la première moitié du Ier millénaire av. J.-C. Il n'est pas impossible que l'épaisseur des couches tardives masque les occupations antérieures : une occupation au Bronze ancien est signalée par P. J. Ergenzinger et H. Kühne (1991, p. 182).

128 - « Il y avait là de nombreux villages, pleins de blé et de vin » (*Anabase*, I, 4, 19).

129 - Voir à ce propos Monchambert 1999. La présence de nombreuses autruches va dans le sens d'une faible occupation humaine (Joannès 1995, p. 187).

130 - Lors de son expédition, Alexandre délaissera à Thapsaque la route de l'Euphrate, préférant la route de la haute Mésopotamie par la Jézireh du Nord, vraisemblablement pour des problèmes de ravitaillement (Arrien, *Anabase d'Alexandre*, III, 7, 3).

131 - Il semble difficile d'imaginer que des villageois aillent se procurer leur nourriture à plusieurs journées de marche.

132 - *Anabase*, I, 5, 5.

située à dix-sept étapes [133]. Il ressort donc de ces données que la région autour de Korsoté est peu peuplée et que sa mise en valeur agricole est très limitée. Dans un tel contexte, il ne serait pas surprenant que Korsoté fût une (ancienne) ville quasiment vide dans une région peu habitée.

Reste cependant à expliquer comment les Dix Mille ont pu s'approvisionner, en quoi et auprès de qui. Xénophon fait état d'une halte de trois jours, au cours de laquelle les Grecs s'approvisionnèrent [134]. Le terme « ἐπεσιτίσαντο » a le sens particulier de « s'approvisionner dans les réserves des villages royaux » [135]. Ce fut le cas au passage de l'Araxe ; ce doit l'être encore à l'embouchure du Mascas, où la terminologie employée est identique [136] ; la seule différence, de taille, est l'absence de référence à des villages ou domaines royaux. S'agit-il d'une omission de Xénophon ? On peut le supposer : une ville du nom de « Apphadana » est localisée, quelques siècles plus tard, par Ptolémée [137] sur le Khābūr, à quelques kilomètres en amont de sa confluence avec l'Euphrate. Cette dénomination correspond à la transcription du terme perse *appadāna* qui désigne une demeure royale, résidence du souverain achéménide ou de son représentant, le satrape. Le site, non identifié avec certitude [138], aurait gardé son nom jusqu'au IIe s. apr. J.-C. à l'époque de Ptolémée, voire même jusqu'au Ve où l'on trouve un castellum du nom de « Apatna » dépendant du *Dux Osrhoenae* dans la *Notitia Dignitatum* [139], et témoignerait ainsi de l'existence de l'ancien domaine royal passé sous silence par Xénophon. L'armée de Cyrus prenant au plus court, le passage par Apphadana aurait rallongé le parcours inutilement, surtout avant plusieurs étapes longues et pénibles. Seuls les chariots qui suivaient l'armée de Cyrus y seraient allés depuis Korsoté pour s'approvisionner ; les trois jours de halte en laissaient amplement le temps. Xénophon n'aurait pas jugé utile de préciser les modalités du ravitaillement.

Les Étapes Parthiques

Ce texte bien connu [140] est un itinéraire datant de la première moitié du Ier s. de notre ère. Il décrit la route royale parthe reliant les deux Séleucies, celle de Piérie près d'Antioche et celle du Tigre, en mentionnant les étapes du parcours et les distances entre chacune d'elles. Nombreuses ont été les identifications proposées, parfois à l'aveuglette. Une traduction et une étude systématique de l'ensemble du texte ont été effectuées récemment par M.-L. Chaumont [141], qui a réexaminé les précédentes identifications. Un certain nombre de points ont été repris ensuite par M. Gawlikowski [142]. Pour la région qui nous concerne, nous suivrons plusieurs de leurs conclusions.

Ainsi, Basileia, qui est à identifier avec Aphphadana de Ptolémée, est à Zalabīya [143], d'où part effectivement le « canal de Sémiramis ».

Beonan est sans doute à situer à Tell es Sinn (**29**) [144], bien que la distance entre ce dernier et la confluence Khābūr/Euphrate (environ 28 km) soit inférieure aux 6 schoènes indiqués, quelle que soit l'équivalence retenue [145].

Doura (**22**) est bien connu depuis les fouilles menées dans les années 1930.

Trois points méritent cependant discussion. Il s'agit de Phaliga/Nabagath, d'Asikha et de Merrhan.

Phaliga/Nabagath

L'étape après Beonan, nous dit Isidore, est « le bourg de Phaliga sur l'Euphrate » distant de 6 schoènes. Et il ajoute : « à proximité de Phaliga se trouve le bourg urbain de Nabagath, le long duquel coule le Khābūr qui se jette dans l'Euphrate ». Ces deux sites sont donc à situer à proximité de la confluence Khābūr/Euphrate.

133 - *Anabase*, II, 2, 11 : « Si nous retournions par la route que nous avons prise à l'aller, nous mourrions de faim jusqu'au dernier, car aujourd'hui nous n'avons à notre disposition rien de ce qui nous est nécessaire. Pendant les dix-sept dernières étapes, en venant ici, nous ne trouvions même rien à prendre dans la contrée, et là où il y avait quelque chose, nous l'avons consommé à notre passage. » (Traduction Masqueray)

134 - « (Ils) y restèrent trois jours et s'approvisionnèrent » (*Anabase*, I, 5, 4).

135 - DESCAT 1995, p. 104.

136 - *Anabase*, I, 4, 19.

137 - Cf. annexe 3, texte 53 : PTOLÉMÉE V, 17, 7 : 'Απφαδάνα, οδ', λε' L" = Apphadana, 74°, 35° 30'. Cette localité est différente de Aphphadana (PTOLÉMÉE V, 17, 5 : 'Αφφαδάνα, οδ' L", λδ' L" ιβ" = 74° 30', 34° 35'), située sur l'Euphrate (voir ci-dessous).

138 - Il est généralement admis qu'il s'agit de Tell Fidēn/Fudein/Feddeïn (MÜLLER 1901 ; DUSSAUD 1927, p. 483 ; MUSIL 1927, p. 82, n. 46), mais nous resterons prudents sur cette identification.

139 - *Notitia Dignitatum*, Or. XXXV, 25 (annexe 3, texte 47).

140 - Cf. annexe 3, texte 41.

141 - CHAUMONT 1984. Signalons toutefois des erreurs dans les reports des distances (étape Beonan-Phaliga indiquée à 7 schoènes, p. 84, au lieu de 6 ; Merrhan-Giddan 4 schoènes au lieu de 5, p. 93) ou même dans leur traduction (6 schoènes pour cette même étape Merrhan-Giddan) ainsi qu'une reconstitution surprenante de l'itinéraire sur la carte 2 (p. 81) : Phaliga est placée en rive gauche du Khābūr, ainsi que Nabagath, pourtant identifiée à Kirkesion et à l'actuelle agglomération de Buseire/Besireh, et qui plus est en amont de Phaliga ! En aval, le bourg d'El 'Ashāra est localisé en amont de Miyadin (Meyādīn), tandis que Tell Hariri est plus près de Doura-Europos que d'Abu Kemāl !

142 - GAWLIKOWSKI 1988.

143 - Voir LAUFFRAY 1983 et 1991.

144 - Proposition faite par E. Herzfeld (1911, p. 171-172) qui réduit toutefois la distance de 6 à 4 schoènes ; par A. Musil (1927, p. 229), qui signale (p. 181) un petit sanctuaire : « *in the northwest corner of the ruins stand a small shrine with two slender marble columns, slabs of marble, and a few fragments of column heads inside* » ; et par A. Poidebard (1934, p. 90). G. Bell (1910, p. 150) situe Beonan plus en amont sur un site sans nom de la carte de B. Moritz (1889, p. 30), situé juste sous Deir. C. Ritter (1844, p. 690) la localise en face de Deir, mais nous n'avons pas vu de traces nettes de ruines dans ce secteur. Les distances (8 schoènes depuis Basileia/Zalabīya et 6 jusqu'à Buseire) inciteraient effectivement à proposer une localisation dans une zone en face de Deir ez Zōr.

145 - Sur le problème de l'équivalence du schoène, voir CHAUMONT 1984, p. 66-67 et ci-dessous p. 152, note du tableau 7. En l'occurrence, la distance est plus courte, dans une fourchette de 2 à 8 km.

Isidore précise d'autre part que le toponyme « Phaliga » signifie dans la langue locale « à mi-parcours » [146], ce qu'il confirme avec les distances qui séparent ce point des deux extrémités de la route, Antioche à l'ouest et Séleucie (du Tigre) à l'est. Nous laisserons de côté le problème posé par l'inégalité des deux distances (120 schoènes jusqu'à Antioche, 100 schoènes jusqu'à Séleucie-du-Tigre) et par leur incohérence par rapport à la somme des distances intermédiaires [147]. Nous ne retiendrons ici que la mention de ces deux distances, qui fait de Phaliga un point important de l'itinéraire [148]. Que les distances ne soient pas rigoureusement identiques importe moins que la situation de ce lieu, *grosso modo* à mi-parcours, en un endroit géographiquement identifiable, la confluence du Khābūr et de l'Euphrate. De ce fait, et contrairement à l'opinion générale, nous préférons son identification avec Buseire 1 (**75**), le lieu de la future Circesium, le site clé de la confluence [149]. Si, actuellement, l'Euphrate ne longe plus ce dernier, il n'en a pas toujours été ainsi, comme le démontre la géomorphologie [150]. Il ne nous a malheureusement pas été possible de reconstituer son cours au début du Ier s.

En revanche, nous écarterons la proposition d'A. Poidebard qui situe Phaliga sur un tell au nord de Buseire, car elle se heurte à notre incapacité à identifier ce dernier : nous n'avons rien vu de comparable aux traces que l'aviateur a repérées et mentionnées et qui, selon ses indications, doivent consister, comme à Tell es Sinn (**29** ; cf. **fig. 2**) ou à 'Anqa, en une « vaste enceinte fortifiée, de forme polygonale, formée d'un talus avec fossé extérieur » et en un « réduit central sur un tell à une des extrémités » [151]. De plus, cette localisation réduit encore davantage la distance qui séparerait Phaliga de Tell es Sinn/Beonan.

Nabagath quant à elle aurait été située sur la rive gauche du Khābūr. A. Poidebard signale un camp tête de pont sur la rive gauche du Khābūr à 2 km en amont de Buseire, très visible d'avion, mais qu'il n'a pu retrouver au sol [152] ; toutefois, sa situation en amont de Buseire rend peu probable son identification avec Nabagath.

Un site pourrait convenir sur le plan géographique, Safāt ez Zerr (**31** et **32** ; **fig. 33**). Il est situé à 3 km à vol d'oiseau au sud de Buseire, soit moins d'un schoène ; cette distance minime expliquerait fort bien qu'elle ne soit pas précisée par Isidore. Quant à la longueur de l'étape suivante, elle est d'environ 25 km, ce qui la rapproche davantage des 4 schoènes mentionnés par Isidore [153]. Certes, ce que nous en avons vu ne se trouve pas en bordure du Khābūr, mais juste en aval de sa confluence actuelle avec l'Euphrate, à environ 2 km au sud. Toutefois, le cours de l'Euphrate a connu des déplacements importants : il s'est trouvé à un moment donné plus à l'ouest que de nos jours ; le cours du Khābūr a donc pu se prolonger un peu vers le sud et avoir baigné Safāt ez Zerr. Si l'identification avec Nabagath est

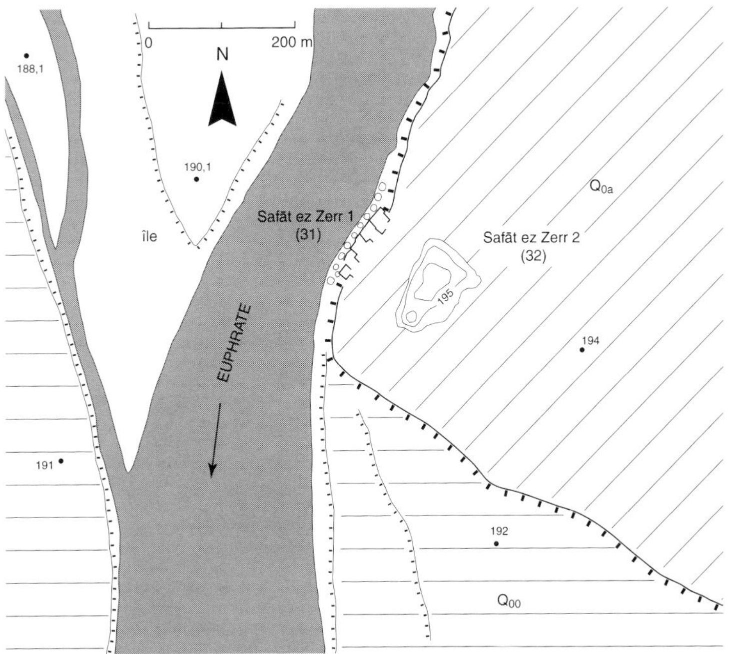

Fig. 33 - Safāt ez Zerr 1 et 2 (carte II, carré G7, nos 31 et 32) [pour la légende, voir fig. 2].

146 - Ce même lieu fut sans doute, d'après un fragment des *Parthica* d'Arrien cité par Stéphane de Byzance (cf. annexe 3, texte 27), une étape de Trajan lors de son expédition en Mésopotamie en 116. Sa localisation et son interprétation correspondent à celles d'Isidore : « "Phalga (Φάλγα) située à mi-distance de Séleucie de Piérie et de celle en Mésopotamie" (...) Phalga signifie le milieu dans la langue du pays ». Pour un aperçu sur les données étymologiques, voir Sturm 1938.

147 - Ces points sont soulignés par M.-L. Chaumont (1984, p. 85).

148 - Comme le souligne P. Arnaud (1986, p. 152), Phaliga est « le terme d'un itinéraire, puisque la mention de la ville fournit [à Isidore] l'occasion d'un comput » des distances.

149 - Pour la majorité des commentateurs, c'est Nabagath qui est située à l'emplacement de Buseire (voir entre autres Weissbach 1935, qui reprend C. Müller [1850, p. 248], et Chaumont 1984, p. 86, avec les références données n. 148). Quant à Phaliga, elle n'est en général pas localisée (par exemple, Sturm 1938). Seul M. Gawlikowski (1996, p. 131) propose de l'identifier avec le site de la future Circesium.

150 - La présence de terrasses Q_{00} à l'ouest et au sud du site (cf. **fig. 25**) implique une plus grande proximité du fleuve.

151 - Poidebard 1934, p. 89. Il semble qu'en réalité A. Poidebard ait commis une erreur de report de localisation ; le seul site au sud de Tell es Sinn correspondant à sa description est Jebel Masāikh (**16**), à une vingtaine de kilomètres en aval de Buseire. Cette erreur nous semble confirmée par sa référence à Doura comme lieu où il constate un changement de rive dans la répartition de ces « enceintes anciennes de type tout à fait particulier » : « sur la rive gauche jusqu'à Doura, puis sur la rive droite en aval de ce point ». Dans cette hypothèse, la localisation de Jebel Masāikh ne permet aucunement son identification avec Phaliga.

152 - Poidebard 1934, p. 89 et p. 134 : « il est presque invisible du sol dans les cultures ».

153 - La distance indiquée serait dès lors celle entre Nabagath et Asikha, et non celle entre Phaliga et Asikha.

correcte, nous aurions, dans le texte d'Isidore, un témoignage sur le cours du Khābūr au début du Ier millénaire de notre ère [154]. D'autre part, les dimensions exactes du site, en dehors de la butte principale (**32**) et de la fortification en bordure du fleuve (**31** ; **fig. 34** et **35**), ne nous sont pas connues en raison de son extension dans les champs environnants, mais il s'agit vraisemblablement du même site que celui vu par E. Sachau environ une demi-heure avant de parvenir au Khābūr et dont il pensait que c'était une très grande ville [155].

Ces localisations nous semblent corroborées par deux contrats de prêts provenant de Doura-Europos [156] : ils stipulent que les deux localités appartenaient à deux hyparchies différentes, Phaliga (sous la graphie Paliga) à celle d'Idraa, Nabagath à celle de Gabalein. Le Khābūr semble être la limite naturelle entre les deux hyparchies. Nous rejoignons ainsi la proposition de R. Dussaud qui localisait, sans toutefois avancer de site précis, Phaliga et Nabagath de part et d'autre du Khābūr [157].

En revanche, la proposition de P. Arnaud qui situe Phaliga sur la rive droite de l'Euphrate, à hauteur de la confluence du Khābūr, nous semble devoir être rejetée. D'une part, il met en doute la fiabilité du texte d'Isidore, en estimant que, lorsqu'un itinéraire suit un cours d'eau, comme c'est le cas pour l'Euphrate, la succession des étapes n'implique aucunement qu'elles soient situées sur la même rive, même en l'absence de mention de franchissement du cours d'eau. Aussi, souligne-t-il à propos des *Étapes Parthiques*, « on est en droit de se demander si les stations énumérées par Isidore ne se trouvent pas indifféremment en rive droite ou en rive gauche du fleuve », l'auteur ne décrivant pas « une rive de l'Euphrate en particulier, mais la vallée de l'Euphrate, dont il a décrit les agglomérations des deux rives »[158]. Ce point de vue implique que les communications dans la vallée de l'Euphrate se seraient faites essentiellement par voie fluviale. Nous préférons nous ranger à l'avis de M. Gawlikowski [159], selon lequel Isidore « signale des possibilités de navigation, plutôt qu'il ne fait état de communication fluviale régulière ».

D'autre part, P. Arnaud s'appuie sur les coordonnées fournies par Ptolémée pour localiser une agglomération dénommée Pharga, comptée parmi les villes de la rive droite de l'Euphrate, en Arabie déserte. Certes, des cartes latines placent Pharga à l'embouchure du Khābūr. Mais il semble bien en réalité que ce point ne corresponde pas à la confluence Khābūr/Euphrate, mais au débouché dans l'Euphrate du canal qui prolonge le Khābūr, à cent kilomètres plus au sud [160]. De ce fait, la position de la Pharga de Ptolémée est à reconsidérer ; située très en aval de la confluence réelle Khābūr/Euphrate et sur la rive droite, elle correspond sans doute à une autre localité.

Enfin, il ne subsiste dans le paysage actuel aucun indice de site en rive droite de l'Euphrate, en face de la confluence, à l'exception de Tell ez Zabāri (**42**) qui semble dater exclusivement de l'époque islamique.

Phaliga et Philiscum

Faut-il identifier Phaliga avec la place forte parthe dénommée Philiscum dont Pline [161] signale qu'elle est « très près de Sura » et « à dix jours de navigation de Séleucie et à peu près autant de Babylone » ? Il est difficile de l'affirmer [162] pour les raisons suivantes :

— cette mention de Philiscum est unique et ne se trouve confirmée par aucune autre source ;

— elle implique une double dénomination du site à la même époque (Philiscum et Phaliga), puisqu'il n'est guère possible de voir dans l'un des deux toponymes une déformation de l'autre ni de faire de rapprochement étymologique entre les deux ;

— les données de Pline sont imprécises (« très près », « dix jours de navigation ») et ne peuvent être reportées sur une carte ; elles semblent même difficilement pouvoir s'accorder entre elles : « très près de Sura » semble indiquer une étape, deux au maximum ; en les ajoutant aux « à peu près dix jours » de navigation entre Philiscum et Babylone, nous obtenons environ douze jours de Sura à Babylone ; or, la distance entre les deux est d'environ

154 - La précision d'Isidore à propos de « l'Aboras qui se jette dans l'Euphrate » est peut-être un indice supplémentaire pour la localisation du site exactement à la confluence. Sinon, on ne voit pas la raison pour laquelle il prend soin de le noter. On remarquera, à titre de comparaison, que cette mention n'est pas faite pour le Balikh.

155 - Sachau 1883, p. 286 : « *einer sehr grossen Stadt [...], denn sie erstreckt sich bis unmittelbar an den Khâbûr* ». Dès 1850, F. R. Chesney (1850, p. 52 et carte IV) mentionne, légèrement en aval de la confluence, les ruines d'un bâtiment romain et un site qu'il présume être l'ancienne « Dakia ».

156 - *P. Dura* 20, daté de 121 apr. J.-C. et *P. Dura* 25, daté de 180 apr. J.-C. (Welles *et al.* 1959).

157 - Dussaud 1927, p. 466. M. Gawlikowski (1997, p. 151) arrive à la même conclusion.

158 - Arnaud 1986, p. 155. Cette question mériterait d'être approfondie. Il est vrai qu'une telle hypothèse permettrait de résoudre deux points d'incertitude liés aux distances : Beonan pourrait être située à Deir ez Zōr ; quant à Asikha, une localisation en rive gauche, à Jebel Masāikh (**16**) où une occupation à l'époque parthe est attestée, correspondrait assez bien aux distances la séparant des deux étapes voisines (voir p. 150-151). Toutefois, le problème de l'évaluation des distances se pose de façon encore plus cruciale, en raison des innombrables méandres du fleuve. D'un autre côté, cela expliquerait les mentions du départ du canal de Sémiramis et d'un seuil sur l'Euphrate, qui ne se justifient guère dans le cadre d'un itinéraire terrestre.

159 - Gawlikowski 1988, p. 87.

160 - Cette localisation a été mise en évidence par M. Gawlikowski (1992, p. 176-178).

161 - *Hist. Nat.* V, xxi, 89 (annexe 3, texte 49).

162 - Ce rapprochement, envisagé par Th. Mommsen (1885 [1985], p. 797, n. 2), est tenu pour possible par M.-L. Chaumont (1984, p. 85) et pour probable par M. Gawlikowski (1988, p. 87 ; 1996, p. 132), qui semble cependant préférer une localisation à hauteur de Halabīya-Zenobia (1996, p. 133).

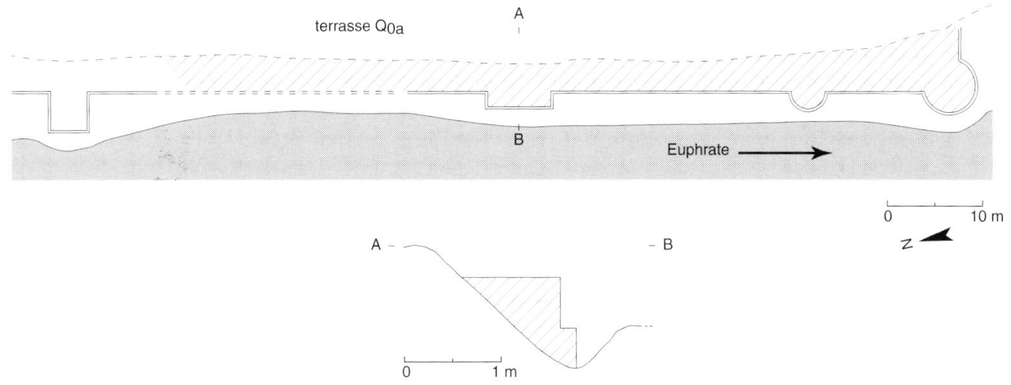

Fig. 34 - Safāt ez Zerr 1 (carte II, carré G7, n° 31) : vestiges de la fortification.

Fig. 35 - Le mur ouest et la tour d'angle sud de Safāt ez Zerr 1, vus de l'amont.

1 000 km par la voie fluviale [163], ce qui paraît difficile à envisager en douze jours ;

— une éventuelle identité des deux toponymes s'accorde mal avec la localisation de Phaliga à la confluence Khābūr/Euphrate : celle-ci se trouve à 180 km en aval de Sura par la voie terrestre et à 260 km par la voie fluviale, en contradiction apparente avec la proximité mentionnée par Pline entre Philiscum et Sura ; quant aux 800 km la séparant de Babylone, ils ne pouvaient non plus être parcourus en dix ou onze jours de navigation ;

— cette localisation à la confluence Khābūr/Euphrate impliquerait qu'il n'y ait aucune autre installation parthe importante le long des 150 km séparant cette confluence de celle du Balikh avec l'Euphrate, où se trouve Nicephorium ;

— Philiscum semblerait plutôt à localiser en rive droite ; Pline la mentionne dans un développement concernant la rive occidentale de l'Euphrate et les territoires situés en deçà [164].

163 - M. Gawlikowski (1992, p. 171) donne, d'après le *Handbook of Mesopotamia* de la Naval Intelligence Division de Grande-Bretagne datant de 1917, une distance de 838 km entre Suriyeh et Fallujah, ville elle-même distante de 110 km à vol d'oiseau de Babylone.

164 - Pline, *Hist. Nat.* V, xxi, 87-88.

Asikha

La localité d'Asikha, dont le nom est apparemment à rapprocher de celui d'un lieu de garnison appelé Gazica, mentionné dans un document militaire de Doura [165] daté de 208 apr. J.-C. et situé en amont de cette dernière, est habituellement identifiée avec El ʻAshāra (**54**). Cette localisation semble *a priori* assez vraisemblable et est généralement admise. Mais deux problèmes majeurs subsistent : d'une part, un important manque de concordance dans les distances (28,5 km à vol d'oiseau depuis Buseire ou 25 depuis Safāt ez Zerr 1 (**31**) pour 4 schoènes seulement et 28 km jusqu'à Doura pour 6 schoènes) ; d'autre part, l'absence de tout vestige d'habitation contemporaine, même si des tombes parthes ont été récemment mises au jour sur ce site [166].

Une autre localisation pourrait être envisagée, qui résoudrait ces deux difficultés : il s'agit du site de Jebel Masāikh (**16**), situé en rive gauche à quelques kilomètres en amont d'El ʻAshāra. D'une part, une occupation d'époque parthe y est attestée par le matériel récolté lors de la prospection et par la fouille ; d'autre part, il est éloigné vers l'amont de 22 km environ de Buseire (ou 19 de Safāt ez Zerr), de 34 environ de Doura-Europos vers l'aval, soit des distances très voisines de celles mentionnées par Isidore de Charax (respectivement 4 et 6 schoènes).

Cette localisation pose toutefois un nouveau problème : Jebel Masāikh est situé sur la rive gauche de l'Euphrate, alors que l'on s'attend à trouver Asikha sur la rive droite, d'après la phrase qui précède immédiatement : « ἐκεῖθεν διαβαίνει τὰ στρατόπεδα εἰς τὴν κατὰ τοὺς Ῥωμαίους πέραν ». La contradiction n'est peut-être qu'apparente. La traduction de cette phrase sibylline et controversée, sur laquelle butent traducteurs et commentateurs, est mot à mot : « de là (Phaliga ou Nabagath) les armées traversent vers la rive en face des Romains ». On constate d'une part que le texte grec ne précise pas le cours d'eau traversé. Or, on trouve généralement dans les traductions « l'Euphrate » après le verbe « traverser ». Il s'agit donc d'un ajout qui oriente la lecture du texte [167]. D'autre part, l'expression τὴν κατὰ τοὺς Ῥωμαίους πέραν signifie « la rive en face des Romains » et non « la rive sous la domination des Romains » [168] non plus que « la rive du côté des Romains » [169] : il ne peut donc s'agir que de la rive gauche de l'Euphrate qui, dans sa partie amont, fait face à l'empire romain. La phrase d'Isidore se comprend dès lors sans difficulté : elle concerne les armées parthes qui remontent la vallée : en effet, les armées romaines passeraient plutôt en territoire romain ; par ailleurs, la notation d'Isidore n'a guère de sens si l'on envisage la descente de la vallée, puisque les territoires romains s'arrêtent vers la confluence Balikh/Euphrate [170]. En amont de la confluence Khābūr/Euphrate, les armées parthes avancent donc en rive gauche de l'Euphrate. Pour se retrouver sur ce secteur, les armées peuvent avoir franchi indifféremment l'Euphrate ou le Khābūr ou encore l'Euphrate, puis le Khābūr, selon que leur position de départ en aval de la confluence se trouvait sur l'une ou l'autre rive. Le texte d'Isidore n'implique pas de traversée de l'Euphrate à la confluence Khābūr/Euphrate. Si une telle traversée n'est toutefois pas impossible, elle n'est de loin pas aussi évidente que pourraient le laisser croire les traductions. De plus, cela ne signifie pas pour autant que l'itinéraire décrit par Isidore change de rive à cet endroit ; sa notation, qui concerne des armées (στρατόπεδα), constitue une mention historico-pittoresque [171], en ce point précis de l'itinéraire, qui, dans son ensemble, n'est pas spécifique aux expéditions militaires. Route civile et route militaire peuvent avoir quelques variantes [172].

Dès lors, rien ne s'oppose catégoriquement à ce que le franchissement de l'Euphrate se fasse plus en aval à hauteur d'Asikha, ou après cette localité, en tout cas avant Doura. La localisation d'Asikha en rive gauche à Jebel Masāikh serait alors plausible.

Une seconde objection peut être soulevée : cette proposition s'accorde mal à l'assimilation d'Asikha avec la Gazica mentionnée dans le document militaire précédemment évoqué. Si cette dernière est correcte, Gazica devrait se trouver sur la rive droite, puisque ce texte qui énumère d'amont en aval cinq postes chargés, en 208, de recevoir une ambassade parthe se rendant auprès de Septime Sévère — ou en revenant —, semble ne concerner, de l'avis

165 - *P. Dura* 60B, l. 9 (Rostovtzeff 1933 ; Welles *et al.* 1959, p. 224 ; cf. annexe 3, texte 63). Ce document est la copie d'une lettre circulaire adressée par le gouverneur de la province de Coélé-Syrie, Marius Maximus.

166 - Rouault 1997 b. En dehors de ces quelques tombes, les deux seuls objets qu'il est possible de dater du Ier millénaire apr. J.-C. ont été trouvés hors contexte : une tête de petite figurine en plâtre (TQ3-121) à la base d'une décharge moderne et une jarre (TQ4-192) avec des décorations d'un type commun à Doura, dans une fosse sans doute médiévale. Ces trouvailles ne suffisent pas à attester un habitat du Ier millénaire apr. J.-C. (Buccellati 1979, p. 28).

167 - Ainsi, Chaumont 1984, p. 71 : « c'est de là que les armées traversent l'Euphrate en direction des territoires romains transeuphratéens ». R. Dussaud (1927, p. 457) commente même ce passage : « Isidore de Charax prend soin de nous dire que son itinéraire franchit l'Euphrate au confluent du Khābūr et du grand fleuve ».

168 - Parti qui semble retenu par F. H. Weissbach (1935, c. 1450 : Nabagath « *von der aus die Heere nach dem römischen Gebiete hinübersetzen* »).

169 - Contrairement à ce que comprenait F. Cumont (1926, p. xxvii, n. 1). C'est aussi le parti de M.-L. Chaumont (1984, p. 86) et de M. Gawlikowski dans la toute dernière étude (1997, p. 151).

170 - La frontière est établie depuis Pompée, en – 64, aux alentours de l'importante forteresse de Sura, un peu en amont de l'actuelle Raqqa, et le restera jusqu'aux expéditions de Trajan en 115-116, et même ensuite pendant une bonne partie du iie s. La rive gauche était parthe dans sa totalité.

171 - Dans le texte d'Isidore, cette mention, qui suit le nom de Nabagath, est mise sur le même plan que celle du temple d'Artémis après les noms de Basileia et de Beonan, ou, un peu plus loin, celle du trésor des Parthes après le nom de Thilabous.

172 - L'armée de Julien, au milieu du ive s., respectera la tradition militaire (voir ci-dessous p. 155 *sq.*).

général, que des sites de rive droite. En fait, là encore, rien ne s'oppose à ce que Gazica soit sur la rive gauche de l'Euphrate. Si les trois derniers postes — Dura, Eddana et Biblada — sont sûrement sur la rive droite, les deux premiers peuvent se trouver en rive droite comme en rive gauche. Gazica est le premier mentionné sur la liste, à l'extrémité amont. Or, cette liste ne représente elle-même qu'un tout petit tronçon d'un itinéraire qui mène l'ambassade parthe sans doute jusqu'en Europe occidentale — ou l'en ramène [173] — et dont nous ignorons le reste du parcours. La route suivie dans la vallée de l'Euphrate est vraisemblablement la route traditionnelle, identique à celle décrite par Isidore de Charax. La descente de la vallée s'effectue par la rive gauche, sans doute jusqu'en aval de la confluence Khābūr/Euphrate. L'itinéraire ne changerait de rive qu'à la hauteur de Gazica/Asikha, voire même après Appadana [174], en tout cas en amont de Doura.

Ainsi donc, nous pensons pouvoir localiser Asikha/Gazica à Jebel Masāikh (**16**).

Merrhan

Merrhan est une station intermédiaire entre Doura et Giddan, desquelles elle est éloignée de 5 schoènes, soit 24 à 30 km selon l'équivalence retenue. Elle est à la fois ὀχύρωμα et κωμόπολις, c'est-à-dire lieu fortifié et bourg, ce qui laisse supposer d'une part une forteresse pour une garnison, d'autre part une agglomération.

Doura est le seul site bien identifié (Qal'at es Sālihīye, **22**). Vers le Sud, Giddan n'est pas localisée avec certitude, mais il est vraisemblable que cette station, aussi appelée Eddana dans le document militaire de Doura déjà cité, se trouve à 'Anqa [175], à 50 km en aval de Doura, soit approximativement les 10 schoènes d'Isidore de Charax [176].

Merrhan devrait donc se trouver à mi-parcours. Le site qui se rapproche le plus de cet emplacement est Tell Hariri (**1**), situé à environ 26 km de Doura et à 25 km de 'Anqa. Son identification avec Merrhan a été proposée par F. Cumont, puis par G. Dossin, et reprise par A. Parrot et M.-L. Chaumont [177]. Elle se heurtait cependant à l'absence de vestiges archéologiques du début de notre ère : le site, exploré depuis 1933, n'avait livré qu'un vaste cimetière séleuco-parthe qu'on ne pouvait mettre en rapport avec aucun habitat [178] ; de plus, rien dans le matériel visible en surface ne permettait d'envisager une occupation à cette époque. La campagne de fouilles de 1999 redonne de la validité à cette identification : ont été mis au jour les vestiges très abîmés et arasés d'un bâtiment que l'on peut vraisemblablement dater de l'époque parthe [179]. Il reste néanmoins surprenant, même si le tell a été très fortement érodé et que toute la partie nord-est a disparu, que le « fortin » que l'on peut induire du texte d'Isidore n'ait laissé aucune trace. Nous ne croyons guère par ailleurs qu'il ait pu se dresser à l'emplacement de Tell Medkūk (**2**), comme l'a envisagé G. Dossin [180] : la forme très conique du tell ne s'y prête pas et les rares tessons qui ont été retrouvés sur ce site renvoient à des périodes nettement antérieures.

Une autre identification pourrait être proposée pour Merrhan, Ta'as el 'Ashair (**7**) : ce site, qui a fourni du matériel de l'époque parthe, est à 4 km en aval de Tell Hariri, en bordure de l'Euphrate dont il a toujours été plus près que le grand site voisin. Cette situation nous semble en tout cas avoir été propice à l'installation d'un comptoir, comme devait l'être Merrhan ainsi que les autres sites de cet itinéraire. Le principal obstacle à cette identification est la distance qui le sépare des deux stations voisines : Doura est à 30 km, 'Anqa à 22, soit respectivement 6 et 4 schoènes si l'on prend l'équivalence de 5 km environ pour un schoène.

173 - Welles *et al.* 1959, p. 223.

174 - Il n'est pas possible d'identifier cette localité, citée à plusieurs reprises dans les documents de Doura-Europos (Welles *et al.* 1959, p. 40). Si l'on considère les distances entre les différents postes, il est permis de se demander si Appadana se trouve vraiment entre Gazica et Doura et donc si la liste des postes correspond réellement à leur succession spatiale. La distance entre Giddan/Eddana (= 'Anqa) et Doura est d'environ 50 km, celle entre Doura et Asikha/Gazica (= Jebel Masāikh) n'est que d'environ 34 km, qu'il semble difficile de diviser en deux petits tronçons. Appadana pourrait alors être rapprochée de l'Apphadana de Ptolémée (V, 17, 7) sur le Khābūr. Notre ignorance du reste du parcours suivi par l'ambassade ne l'interdit pas.

175 - Cette identification, proposée par A. Poidebard (1934, p. 90) et par A. Stein (Gregory et Kennedy 1985, p. 159), est préférable à celle avancée par A. Musil (1927, p. 14), qui localise Giddan à Tell al-Ğābriye, un peu plus loin. L'hypothèse de R. Dussaud qui la situe à Abu Kemāl ne peut être retenue en raison de la trop courte distance entre cette bourgade et Doura-Europos (38 km, soit environ 7 schoènes).

176 - Cela donne, au moins pour ce tronçon, un schoène à 5 kilomètres. A. Stein donne effectivement une distance de 50 km entre Doura et 'Anqa, tandis que Poidebard l'évalue à 60 km. M.-L. Chaumont qui donne 54 km estime que cette distance est « bien inférieure aux 11 (!) schoènes » d'Isidore (Chaumont 1984, p. 93).

177 - Cumont 1926, p. xiv ; Dossin 1940, p. 158 ; Parrot 1974, p. 154 ; Chaumont 1984, p. 93. Cette localisation est aussi acceptée par M. Gawlikowski (1988, p. 84).

178 - Ont été recensées 132 tombes (Jean-Marie 1999, p. 67). Aucun habitat n'a été publié. Toutefois, une phrase dans *Mari, capitale fabuleuse*, donnait à penser que des vestiges d'habitations séleucides, en fait séleuco-parthes, auraient été découverts : « aucune construction méritant une mention spéciale. Ce sont des maisons en briques crues rappelant les installations assyriennes » (Parrot 1974, p. 154).

179 - Situé dans le chantier K, ce bâtiment était installé directement sur un bâtiment paléobabylonien, lui-même très arasé. Je remercie J.-Cl. Margueron de m'avoir autorisé à faire état de cette découverte.

180 - Pour rendre compte de la double appellation (lieu fortifié et bourg) de Merrhan, G. Dossin (1940, p. 158) pense que « le Tell Medkouk [...] pourrait recouvrir le *castellum* (ὀχύρωμα) parthe ; un village installé sur les ruines mêmes de l'ancienne ville [Mari] serait le κωμόπολις ». Il fonde son identification sur l'étymologie et la toponymie comparative : « il est remarquable que la station parthe de Merrhan ait conservé la forme rare *Mera* du code de Ḥammurapi au lieu de la forme courante *Mari* ». Sur Tell Medkūk, voir ci-dessous p. 171.

En conclusion, le **tableau 7** et la **figure 36** permettent de résumer l'ensemble de nos propositions :

Nom de l'étape	Nombre de schoènes	Correspondance en km selon la valeur attribuée au schoène *			Localisation proposée	Rive	Distance entre les étapes (en km)
		5 km	5,55 km	6 km (parasange)			
Basileia	0	-	-	-	**Zalabīya**	RG	-
Allan	4	20	22,2	24	**?**	RG ?	?
Beonan	4	20	22,2	24	**Tell es Sinn ?**	RG	47
Phaliga	6	30	33	36	**Buseire 1**	RG	28
Nabagath					**Safāt ez Zerr 1**	RG	3
Asikha	4	20	22,2	24	**Jebel Masāikh**	RG	19
Doura	6	30	33	36	**Qal'at es Sālihīye**	RD	34
Merrhan	5	25	27,75	30	**Tell Hariri**	RD	26
Giddan	5	25	27,75	30	**'Anqa**	RD	25
Total	34	170	188,10	204			182

* On notera que, d'après les distances retenues, évaluées à vol d'oiseau, la valeur du schoène oscille généralement entre 5 km et 5,5 km. Les distances réelles sont à rallonger quelque peu, mais *a priori* dans des proportions limitées, de l'ordre de quelques centaines de mètres tout au plus par schoène : la nature peu accidentée du terrain au fond de la vallée n'obligeait pas à faire de grands détours, sauf en période de crue. Toutefois, le calcul des distances devait être difficile à effectuer en raison du déplacement du cours de l'Euphrate qui pouvait entraîner des modifications des trajets. Il ne semble donc pas que l'on puisse accorder au schoène une valeur invariable. Il s'agit plutôt d'une estimation, n'indiquant pas de façon très précise la distance réelle entre deux points. Les distances sont d'ailleurs toujours arrondies au schoène le plus proche. Cette approximation semble avoir été calculée sur la base d'un schoène à 30 stades, soit 5,55 km, équivalence la plus répandue. L'équivalence adoptée par A. Musil (1927, p. 227-228) de 4,7 km pour un schoène ne peut être retenue ; il se base sur des distances manifestement sous-évaluées (47 km entre la confluence Khābūr-Euphrate et Doura, autant de cette dernière ville à Giddan).

Tableau 7 - « Étapes parthiques » : propositions de localisation.

Les listes de Ptolémée

Au IIe s. de notre ère, deux listes de Ptolémée se rapportent à la région qui nous intéresse [181] : l'une concerne la Mésopotamie et énumère « les villes et villages [de cette province] qui sont le long de l'Euphrate », l'autre documente l'Arabie Déserte et énumère de la même façon « les villes et villages [de cette province] qui sont le long de l'Euphrate ». Ces listes s'accompagnent, pour chaque localité, de ses coordonnées en longitude et en latitude [182], qui devraient *a priori* nous permettre de localiser chaque site sur le terrain. En fait, cette identification n'est pas aisée et peu de toponymes de ce secteur de la vallée de l'Euphrate peuvent être situés avec certitude.

Il s'avère que les coordonnées données par Ptolémée sont souvent difficiles à reporter sur une carte sans provoquer des distorsions importantes et parfois des incohérences. Nous avancerons deux explications. D'une part, le calcul des longitudes est une opération complexe que les moyens techniques de l'époque ne permettaient pas de maîtriser [183]. D'autre part, la méthode employée par le géographe grec reste empirique : elle consistait à reporter les distances entre deux points avec des segments de lignes droites approximativement orientés [184] ; ces données provenaient le plus souvent, non d'observations directes, mais de la compilation d'itinéraires et de cartes existants [185], eux-mêmes d'une précision toute relative. Les points sont donc avant tout le résultat de calculs de seconde main, effectués de façon à obtenir un ensemble homogène, les données dussent-elles parfois même être déformées [186]. Le fait que les valeurs des coordonnées soient indiquées de 5 en 5 minutes suffit à montrer qu'elles ne sont pas aussi précises qu'elles le paraissent. Il convient donc de les utiliser avec prudence [187].

181 - Annexe 3, textes 53 et 54.

182 - Ces coordonnées sont exprimées en degrés, calculés à partir du méridien des îles Fortunates, c'est-à-dire les Canaries, pour les longitudes et l'équateur pour les latitudes.

183 - Les appareils de visée sont encore très rudimentaires (dioptre, astrolabe ?), cf. NICOLET 1988, p. 107. P. Janni (1984, p. 74) résume ce problème et les distorsions qui en découlent : « *Tolomeo, che dall'estremo oriente aveva appreso tante notizie e tanti toponimi, non disponeva neppure di* una *misurazione fededegna di longitudine e si doveva fondare sulla stima dei percorsi [...] con uno "stiramento" progressivamente tanto più forte quanto più ei si allontanava verso est* ».

184 - Ce problème n'est pas spécifique à Ptolémée, mais concerne l'ensemble de la cartographie grecque : « *in mancanza di dati rigorosa, le carte dovevano essere tracciate sul fondamento di stime e valutazioni empiriche, invalidate da molte fonti di errore* » (JANNI 1984, p. 77).

185 - Comme le souligne C. Nicolet (1988, p. 107 et p. 117, n. 24), Ptolémée « est un compilateur » : « beaucoup de « coordonnées » proviennent non d'observations directes, mais de déductions ou de calculs faits d'après les données (plus sûres en chiffres *relatifs*, mais très difficiles à apprécier en termes absolus) des itinéraires, officiels ou officieux ». O. Cuntz (1923, p. 98 *sq.*) démontrait déjà à quel point rares sont les positions effectivement obtenues à partir d'observations. Pour les sources de Ptolémée, on se reportera à l'analyse d'E. Polaschek (1965), notamment les colonnes 753 à 764.

186 - Ptolémée le reconnaît lui-même indirectement dans son chapitre introductif.

187 - Il faut aussi compter avec les erreurs de copiage, depuis le IIe s., que favorisaient ces longues listes de noms plus ou moins inconnus et ces données numériques arides.

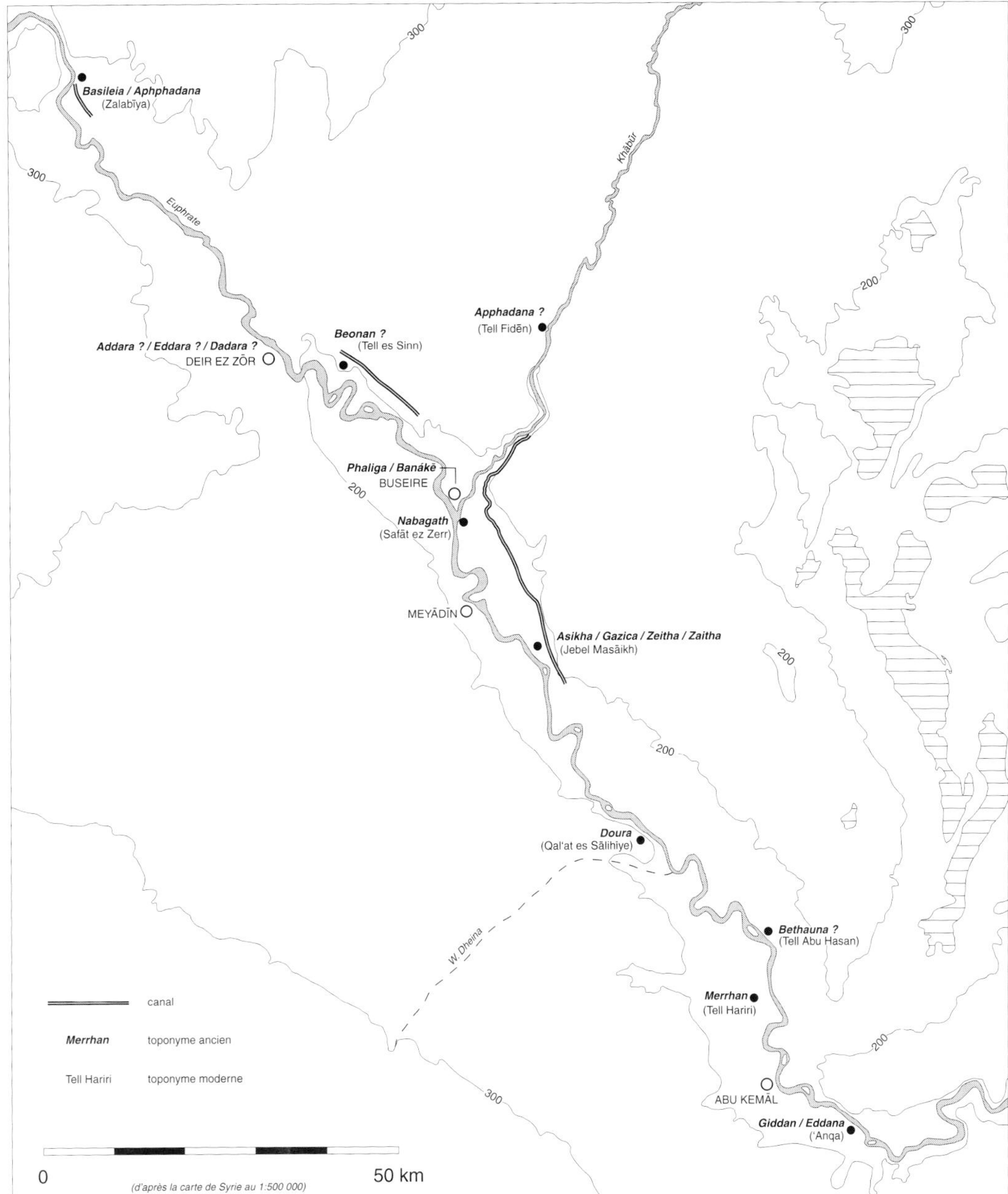

Fig. 36 - Les toponymes de l'époque classique : carte de localisation.

Les coordonnées géographiques données par Ptolémée ne peuvent pas être simplement reportées sur une carte pour déterminer leur localisation. En revanche, la succession des toponymes le long d'une rive de l'Euphrate est certainement plus fiable, puisqu'elle ne fait que reprendre des itinéraires bien établis sur le terrain, même si des réserves peuvent éventuellement être formulées au sujet d'itinéraires qui suivent un cours d'eau [188]. Le risque d'erreur quant à la rive semble donc, *a priori*, relativement faible.

Il faut aussi avoir présent à l'esprit que Ptolémée a pu commettre des erreurs et des confusions, comme celle qui, pour notre région, concerne le Balikh et le Khābūr et qu'a mise en évidence M. Gawlikowski [189] : selon ce dernier, le Haboras serait à identifier avec le Balikh, tandis que le cours d'eau dénommé Saokoras représenterait le Khābūr ou, plus précisément, un ensemble hybride composé, à l'amont, du Jaghjagh, son affluent le plus important, puis dans la partie médiane du Khābūr lui-même et enfin, en aval, du Nahr

188 - Sur ce point précis, voir ci-dessus, p. 148.

189 - Gawlikowski 1992.

Dawrīn. Ce canal se greffe en effet sur le Khābūr une vingtaine de kilomètres avant la confluence Khābūr/Euphrate et rejoint l'Euphrate plus en aval. C'est cette confluence canal/Euphrate qui serait localisée par Ptolémée et qui figurerait sur les cartes issues de la tradition byzantine. On le voit, la fiabilité des données fournies par Ptolémée reste relative.

Le petit nombre de recoupements possibles entre ces listes et les autres documents, notamment le texte des *Étapes Parthiques* d'Isidore de Charax, qui n'est pourtant antérieur que d'un siècle, ou les toponymes attestés par les textes contemporains trouvés à Doura-Europos, ne facilite pas le travail d'identification.

Même Doura ou Europos, selon que l'on prend ou non le toponyme grec, ne figure pas de façon manifeste chez Ptolémée. On admet habituellement, à la suite de R. Dussaud [190], que cette ville correspond à Addara/Eddara/Dadara en raison de la ressemblance des toponymes. Pour la même raison, Auzara devrait recouvrir l'actuelle Deir ez Zōr. Certes, les analogies existent, mais elles restent néanmoins fort lointaines, au point que R. Dussaud est obligé de faire appel à des explications linguistiques qui peuvent paraître artificielles. D'ailleurs, en adoptant la même méthode, ne pourrait-on reconnaître dans Eddara une forme de Eddēr, vocable par lequel plusieurs voyageurs [191] désignent Deir ez Zōr ? Le recours à la toponymie comparative, surtout moderne, nécessite donc lui aussi beaucoup de prudence.

Les positions données par les coordonnées ainsi que les cartes latines situent Auzara, Audattha et Dadara plus ou moins en face de Thelda et d'Aphphadana, que l'on identifie volontiers avec Thillada Mirrada et Basileia (Zalabīya) d'Isidore de Charax, donc nettement en amont de la confluence Khābūr/Euphrate. Si l'on suit les identifications proposées par R. Dussaud, il faut alors admettre une forte distorsion de l'espace entre les deux rives de l'Euphrate. Elle n'est pas impossible compte tenu des problèmes méthodologiques évoqués précédemment, tout comme il n'est pas impossible que ces toponymes recouvrent en réalité d'autres localités.

En nous fondant sur les propositions de M. Gawlikowski évoquées ci-dessus au sujet des débouchés respectifs du Haboras (en fait confluence Balikh/Euphrate) et du Saokoras (confluence Nahr Dawrīn/Euphrate à 100 km en aval de la confluence Khābūr/Euphrate), nous pouvons avancer les hypothèses suivantes pour la rive gauche :

— si l'identification habituellement proposée d'Aphphadana avec Zalabīya (la Basileia d'Isidore de Charax) est juste, ce qui semble vraisemblable compte tenu de la position relative entre les débouchés du Balikh et du Khābūr, le site localisé à la confluence Khābūr/Euphrate pourrait apparaître sous la forme Banákē dans la liste de Ptolémée [192] ;

— le site suivant, Zeitha, est sans doute à identifier avec Jebel Masāikh (**16**), en concordance avec la localité du même nom d'Ammien Marcellin et de Zosime [193] ;

— pour Bethauna, juste en amont du débouché du Saokoras, le seul site envisageable, à moins d'une erreur de Ptolémée ou d'un copiste, est Tell Abu Hasan (**9**), sur lequel a été retrouvé du matériel romano-parthe. On ne peut toutefois exclure que des sites aient été détruits par les divagations des méandres.

Pour la rive droite, les identifications proposées par R. Dussaud [194] nous semblent plus difficiles à admettre en raison de la distorsion très importante qu'elles impliquent avec la rive gauche. Si la position relative des sites concernés ne nous semble pas devoir être remise en question pour les raisons évoquées précédemment, il reste toutefois délicat d'étayer de nouvelles propositions. Nous pourrions néanmoins supposer que Addara/Eddara/Dadara serait plutôt à localiser à Deir ez Zōr ou à proximité [195], en tout cas un peu en amont de la confluence Khābūr/Euphrate ; Auzara et Audattha seraient deux localités à placer au Nord de Deir ez Zōr, la seconde peut-être à Ṭaboûs ou à Qreiyé [196]. Vers le Sud, deux sites sont mentionnés avant la confluence Nahr Dawrīn/Euphrate : Balagaia et Pharga. Le premier se trouve

190 - Dussaud 1927, p. 456.

191 - Dans l'identification d'Auzara avec Deir ez Zōr, R. Dussaud part de l'hypothèse que « la partie ancienne est ez-Zôr, plus exactement az-Zaur, qui recouvre exactement Auzara, si l'on admet que cette dernière est une déformation, par métathèse, de *Azaura ». Or, il nous semble que l'élément le plus ancien soit au contraire Deir, dans la mesure où le second élément n'apparaît pas toujours ou sous une autre forme : J.-B. Rousseau (1899, p. 139) parle à l'occasion de son voyage de 1808 de El-Deïr, W. F. Ainsworth et F. R. Chesney dans les années 1830 de Deïr (Ainsworth 1888, p. 333-335 : il fait remonter, en rapportant Idrisi, le toponyme Deir à un ancien monastère Deir Abūna qui aurait existé à cet endroit ; Chesney 1850, p. 49), J. Czernik (1875, p. 14) de Deïr, E. Sachau (1883, p. 263) de Eddēr/Ed Dēr et G. Bell (1910, p. 529) de Deir. Ce n'est qu'à partir de l'extrême fin du XIXe s. que l'on trouve Zor : chez le Comte de Cholet (1892, p. 353) dans Dair-Elzor, chez M. F. von Oppenheim dans Dēr ez Zōr (Oppenheim 1899, p. 329 ; il renvoie à un Dēr Basīr dans la chronique d'Abulféda de 1331, mais qui est peut-être situé plus en aval), chez E. Herzfeld (1911, p. 170) avec Dair al-Zaur ou Dair al-Sha'ārah et chez A. Musil (1927, p. 1) qui mentionne Dejr az-Zôr, mais aussi Dejr aš-Ša'ar.

192 - R. Dussaud proposait déjà une correspondance entre Banákē et Phaliga, à l'embouchure du Khābūr (Dussaud 1927, p. 466). On trouve dans certains manuscrits Banábē au lieu de Banákē ; cette forme pourrait correspondre à la localité mentionnée sous la forme Banabēl dans les comptes d'un marchand de Doura (*SEG* VII, 401).

193 - Pour l'emplacement de Zaitha, voir p. 157 ; cette proposition n'est pas très éloignée de celle de R. Dussaud, qui situait Zaitha « dans la région fertile de Boustan, de Tell Hidjanik et de Tell Afriya », c'est-à-dire quelques kilomètres en aval de Jebel Masāikh (Dussaud 1927, p. 466).

194 - Dussaud 1927, p. 456-457.

195 - Nous ne savons rien de l'ancien tell qui se trouvait à Deir ez Zōr (**89**), qui a été complètement rasé. Aucun élément ne permet de le dater.

196 - Ces propositions sont faites d'après les sites notés par A. Poidebard (1934, p. 85-88). Nous ne pouvons être plus précis, car nous n'avons pas parcouru cette région qui se trouvait en dehors de notre zone de prospection.

apparemment entre Banákē et Zeitha ; nous n'avons pas repéré de site de cette époque dans la région de Meyādīn [197], où pourrait se trouver ce point. Quant à Pharga, il s'agit manifestement d'une localité différente de la Phaliga [198] d'Isidore de Charax. Une identification avec Doura-Europos ne nous semble guère possible. On ne voit pas pourquoi cette ville, fort bien connue et attestée sans ambiguïté sous le vocable Europos au IIe s., aurait été dénommée différemment en cette unique occasion, que ce soit sous la forme Pharga ou, d'ailleurs, sous celle de tout autre toponyme de la liste. Le site de Doura-Europos a vraisemblablement été omis. En revanche, Pharga est peut-être à identifier avec Ta'as el 'Ashāir (**7**), situé un peu en amont du débouché du Nahr Dawrīn et où une occupation à cette époque est attestée. Deux autres sites contemporains un peu en amont, Es Saiyāl 5 (**14**) et 2 (**15**) [199], ne sont pas à écarter. Un autre site est aussi à envisager, quelques kilomètres en aval, l'actuel 'Anqa en Iraq, mais son identification vraisemblable avec Giddan/ Eddana [200] des documents contemporains rend cette hypothèse moins satisfaisante.

L'expédition de Julien

Cette expédition, qui vit passer l'empereur Julien dans la vallée de l'Euphrate en avril 363, est relatée par quatre auteurs anciens (Ammien Marcellin, Libanios, Malalas et Zosime) [201]. Malgré cette abondance des sources, son parcours exact en aval de Circesium reste l'objet d'interrogations et a donné lieu à de nombreux commentaires et études.

Rive droite ou rive gauche ?

De l'avis général, Julien a suivi la rive gauche [202]. Pourtant, le simple fait qu'il soit allé à Doura, comme le rapportent à la fois Ammien Marcellin et Zosime, implique un passage par la rive droite [203].

Le problème vient du silence des sources au sujet de la traversée de l'Euphrate. Malalas et Zosime mentionnent certes un embarquement de Julien [204], mais ne relatent pas de débarquement. Le rapport d'Ammien, le plus détaillé et *a priori* le plus fiable, puisqu'il émane d'un membre même de l'expédition de Julien, ne l'évoque même pas [205] ; il ajoute même à la confusion en introduisant une rupture chronologique importante dans le cours du récit. Dans un premier temps en effet, Ammien relate la destruction du pont sur le Khābūr aussitôt après son franchissement, puis le passage à Zaitha où Julien offre un sacrifice aux mânes de Gordien sur le lieu même de son tombeau [206] ; il narre enfin l'avancée en direction de Doura, au cours de laquelle l'empereur rencontre une patrouille qui lui rapporte les dépouilles d'un lion (XXIII, v, 5-8). Dans un deuxième temps, il fait un retour en arrière, reprenant son récit au moment de la destruction du pont après la traversée de la rivière par l'armée ; c'est aussitôt après cette destruction qu'il situe un discours de l'empereur à ses soldats. Celui-ci y évoque, au prix d'une forte contraction du temps, le tombeau de Gordien qu'ils viennent, dit-il, de voir (XXIII, v, 15 et 17). Après une très longue description de la Perse, Ammien reprend le cours de son récit : le discours de l'empereur terminé, l'armée entre en territoire perse et avance vers Doura, qu'elle atteint après une marche de deux jours (XXIV, I, 1 et 5). Cette interruption dans la narration, le retour en arrière et la contraction du temps qui l'accompagne provoquent une incertitude dans la chronologie réelle des faits et, par conséquent, sur la situation des différents lieux et sur les distances qui les séparent.

Cette reprise du récit a reçu des tentatives d'explication, qui sont essentiellement de deux ordres. Pour W. R. Chalmers, il n'y a pas de rupture dans le récit d'Ammien, qui ne fait que rapporter les faits : l'épisode situé avant le discours de Julien correspond à l'envoi d'une petite expédition de reconnaissance en direction de Doura, à

197 - On ne peut exclure le site de Meyādīn lui-même (**51**), qui n'est plus visible et dont les fouilles sont restées inédites. Toutefois, les mentions des sondages qui y ont été menés ne laissent rien entrevoir d'une éventuelle occupation à l'époque classique (Bianquis 1986 a, 1987, 1989).

198 - Voir p. 148.

199 - Ces deux sites sont *a priori* trop petits ; toutefois, vu leur très grande proximité, ils ne forment peut-être qu'un seul site, auquel on pourrait éventuellement ajouter Es Saiyāl 3 (**6**).

200 - Giddan dans les *Étapes Parthiques*, Eddana dans un document de Doura (cf. p. 151). On remarquera à cette occasion que les toponymes pouvaient fortement varier pour un même site, même si en l'occurrence il s'agit vraisemblablement d'un problème de transcription.

201 - Ammien Marcellin (annexe 3, textes 23 à 25), Libanios, Malalas (*ibid.*, texte 42), Zosime (*ibid.*, texte 62).

202 - C'est effectivement le parti adopté par la quasi-totalité des commentateurs, quitte parfois à passer sous silence certains problèmes ou à soupçonner les auteurs anciens d'erreurs ou de confusions. Pour une bibliographie plus détaillée, se reporter aux éditions d'Ammien Marcellin (Fontaine 1977 b) et de Zosime (Paschoud 1979). M. H. Dodgeon et S. N. C. Lieu (1991, p. 232) semblent opter pour la rive droite, mais se contredisent quelques lignes plus loin en situant Doura sur la rive gauche : « *the army marched southwards along the right bank of the Euphrates* [...], *passed the deserted city of Dura on the opposite bank* ».

203 - L'épisode des cerfs tel qu'il est relaté par Ammien (XXIV, I, 5 ; cf. annexe 3, texte 25) le confirme : « la plus grande partie, accoutumée à nager rapidement, pénétra dans le cours du fleuve, et sans qu'on pût l'arrêter dans sa course, s'échappa vers ses déserts familiers ». Dans l'hypothèse où seul un détachement aurait traversé l'Euphrate pour se rendre à Doura, comment expliquer que l'armée, restée en rive gauche, n'ait pu intercepter les cerfs à leur sortie de l'eau ?

204 - Zosime, III, XIII, 1 : il « emprunta la voie fluviale de l'Euphrate après s'être embarqué ». Cet embarquement est aussi mentionné par Malalas (*Chron.* 13, 5 : « ensuite il leur donna aussitôt l'ordre de prendre place dans les navires, puis l'empereur lui-même s'embarqua dans le navire qui avait été préparé pour lui »). Sur le type de navires, se reporter à Tardieu 1990, p. 95-102.

205 - Ammien ne le précise effectivement pas, mais il semblerait, selon L. Dillemann, que quelques détails « trahissent un observateur embarqué » (Dillemann 1961, p. 95-96).

206 - Sur ce tombeau, voir ci-dessous p. 157 *sq*.

laquelle s'est joint l'empereur lui-même [207]. Pour les tenants de la seconde explication, il y a bien une rupture, mais elle est d'ordre rhétorique et imputable à Ammien. Celui-ci, selon L. Dillemann [208], aurait voulu en effet « ne pas interrompre l'énumération des présages » dont l'accumulation ne laissait pas d'inquiéter l'entourage de l'empereur, mais que ce dernier s'obstinait à interpréter favorablement. Dans sa volonté de mettre en valeur le manque de discernement de Julien, Ammien aurait sacrifié une part de la vérité historique en créant cette petite distorsion chronologique. Dans ce contexte, la traversée de l'Euphrate, qui ne constituait pas un présage en elle-même et n'avait donc pas de signification particulière, ne présentait guère d'intérêt pour Ammien.

Rive droite ou rive gauche ? L'armée de Julien passe successivement à Circesium, à Zaitha et à Doura. Le premier site est bien identifié : il s'agit de l'actuel village de Buseire (**75**), en rive gauche de l'Euphrate, à sa confluence avec le Khābūr. Le dernier, Doura, est en rive droite, à près de soixante kilomètres en aval à vol d'oiseau, et est bien connu depuis les années 1930 (Qal'at es Sālihīye, **22**). Entre les deux, Julien a donc traversé l'Euphrate, sans qu'il soit possible de préciser où. Est-ce avant ou après Zaitha ? La localisation de ce dernier site, où (d'où ?) Julien voit le tombeau de Gordien, n'est précisée par aucune des sources et reste difficile à déterminer.

M. Gawlikowski s'écarte résolument des précédentes hypothèses et penche pour un passage de l'armée en rive droite peu après Circesium [209]. Il s'appuie d'une part sur la notation de Zosime, qui signale un embarquement de Julien après le franchissement du Khābūr [210]. Il montre d'autre part que les textes d'Ammien et de Zosime sont concordants et qu'ils indiquent clairement que l'armée avance en rive droite [211]. Rapprochant enfin le parcours de cette expédition de l'itinéraire suivi par la route royale des Parthes et décrit par Isidore de Charax, il situe le franchissement de l'Euphrate par l'armée de Julien juste en aval de la confluence avec le Khābūr, à l'endroit même où la route royale parthe changeait de rive [212]. Il place donc implicitement Zaitha en rive droite.

Zaitha et le tombeau de Gordien

Zaitha d'après les sources anciennes

Trois auteurs anciens mentionnent cette localité [213], sous trois formes légèrement différentes, mais suffisamment proches pour considérer qu'il s'agit de la même entité : Ptolémée (Zeitha), Ammien Marcellin (Zaitha) et Zosime (Zautha) [214].

Ptolémée la situe clairement en rive gauche de l'Euphrate, parmi « les villes et villages qui sont en Mésopotamie ». Si les coordonnées géographiques qu'il donne (75° 10' et 34° 20') pour Zaitha ne peuvent pas être simplement reportées sur une carte pour en déterminer la position précise, sa localisation sur la rive gauche semble relativement fiable [215].

La localisation, par Ptolémée, de Zaitha en rive gauche semble *a priori* en accord avec les données d'Ammien et de Zosime, qui, sans indiquer de façon explicite la rive, ne relatent toutefois aucune traversée de l'Euphrate depuis Circesium. L'argument n'est cependant pas décisif, car ces deux auteurs ne signalent pas non plus de traversée de l'Euphrate plus en aval pour rejoindre Doura, pourtant située sur l'autre rive. De plus, comme nous l'avons vu ci-dessus [216], une étude plus approfondie des textes d'Ammien et de Zosime montre que l'armée de Julien avance en rive droite et qu'en conséquence, Zaitha serait à placer sur cette rive.

En fait, même dans ce cas, les textes n'excluent pas une localisation de Zaitha en rive gauche si l'on considère que Julien descend, au moins partiellement, la vallée en bateau et qu'il peut donc passer facilement d'une rive à l'autre. Il semble bien, en tout état de cause, que l'armée a traversé l'Euphrate — l'infanterie et la cavalerie descendent la vallée en rive droite —, mais rien n'empêche l'empereur de s'arrêter dans sa descente fluviale à Zaitha en rive gauche, à tout le moins de s'y rendre en traversant le fleuve avec l'aide de la flotte qui l'accompagne, comme il le fera plus en aval pour rejoindre les villes fortifiées situées sur des îles. Il est donc difficile de trancher entre rive droite et rive gauche.

207 - Chalmers 1959. Mais outre que cette reconnaissance semble bien longue (deux jours jusqu'à Doura), on ne voit pas très bien pourquoi l'empereur y aurait participé lui-même ni dans quel but. D'ailleurs, cette mission n'est-elle pas effectuée par la petite troupe qui lui rapporte la dépouille d'un lion (XXIII, v, 8) ?

208 - Dillemann 1961, p. 133-135. Il est suivi par G. Sabbah (1978, p. 488-493) et par J. Matthews (1989, p. 130-132 et surtout p. 178).

209 - Gawlikowski 1997, notamment les pages 147 à 151. Déjà auparavant, Gawlikowski 1988, p. 89. Voir aussi Monchambert 1999.

210 - W. Klein (1914, p. 78) pose, sans le résoudre, le problème de la durée de la navigation de Julien ; pour M. Gawlikowski (1997, p. 150), dans sa brièveté, la notation de Zosime signifie que Julien n'embarque que pour traverser l'Euphrate.

211 - On ne peut comprendre les descriptions de l'ordre de marche de l'armée par Ammien et Zosime que si celle-ci avance en rive droite. Selon Ammien (XXIV, i, 2), Julien « commandait en personne l'infanterie qui formait au centre le point d'appui de toutes ses forces, cependant qu'à droite [...] quelques légions, avec Névitta, [longeaient] la ligne de crête (*supercilia*) de l'Euphrate. Pour l'aile gauche, [...] les troupes de cavalerie [avançaient] en formation serrée à travers des terrains plats, ou de faible relief » ; nous préciserons au sujet de ce récit que les *supercilia* ne sont pas, comme le traduit J. Fontaine (1977 a), les « hautes rives » de l'Euphrate dont nous ne savons pas ce qu'elles pourraient représenter, mais les « crêtes » de la vallée, c'est-à-dire la « ligne de crête » que forment les falaises qui la délimitent. Les légions de Névitta passent au pied de cette ligne de crête, le long des falaises. Quant au témoignage de Zosime (III, xiv, 1), il est limpide : l'empereur a « sur sa gauche la cavalerie qui s'avançait le long de la rive du fleuve et sur sa droite une partie de l'infanterie ». Il est manifeste que Zosime, contrairement à ce que tous les commentateurs ont prétendu, n'a pas commis, une nouvelle fois, une confusion.

212 - Voir ci-dessus la discussion sur les *Étapes Parthiques*.

213 - M. H. Dodgeon et S. N. C. Lieu (1991, p. 356, n. 12) sont les seuls à penser que Zaitha n'est pas une localité : « *Zaitha is probably the name of a region and not merely of a place* ».

214 - Ptolémée, V, 17, 5 (Ζεῖθα) ; Ammien Marcellin, XXIII, v, 7 (Zaitha) ; Zosime, III, xiv, 2 (Ζαυθὰ).

215 - Voir sur ces points l'analyse concernant Ptolémée, ci-dessus p. 153.

216 - Voir ci-dessus note 211.

Zosime apporte une donnée chiffrée : Julien « avança de soixante stades et parvint dans un endroit nommé Zautha » ; Zaitha serait donc située à environ 11 km [217] de Circesium et du Khābūr. Cette précision supplémentaire n'est toutefois guère plus décisive : la distance est indiquée en fait par rapport au franchissement non du Khābūr, mais de la frontière perse, distincte sans aucun doute du Khābūr et dont nous ne savons pas exactement où elle se trouvait [218]. Nous n'avons pas retrouvé de site à 11 km de Buseire.

La proximité de Zaitha et du tombeau de Gordien, signalée par Ammien Marcellin, est sans doute un élément qu'il convient de prendre davantage en compte, ainsi que les données chiffrées fournies par Eutrope et par Festus qui situent ce tombeau à vingt milles de Circesium, soit environ 29,5 km, distance qui a toutefois pu être arrondie. Si l'on combine ces données, Zaitha est à chercher à une bonne vingtaine de kilomètres de Circesium : à près de trente si le monument se trouve à Zaitha même [219], à une distance moindre si les deux sites sont différents.

Propositions de localisation de Zaitha

Un certain nombre de propositions ont été énoncées pour essayer de localiser le site.

Certains auteurs ont exploité la toponymie. Zaitha signifie en effet « olivier » comme le notait déjà Ammien Marcellin [220]. W. F. Ainsworth [221] la situe ainsi un peu avant Meyādīn en rive droite, à l'emplacement d'une oliveraie appelée Zait ! A. Musil et, à sa suite, A. Poidebard et J. Fontaine, l'identifient avec les ruines d'al-Merwânijje, l'actuel Tell Marwāniye (**73**), qui, d'après des sources arabes, se serait appelée autrefois az-Zejtûne [222]. Si la permanence du toponyme, tout au moins jusqu'au VIIIe s. de notre ère, peut sembler frappante, la distance qui le sépare du Khābūr (37 km à vol d'oiseau, et non 29 comme il le dit) ne correspond à aucune des indications des auteurs anciens.

L'hypothèse émise par C. H. Kraeling — il place Zaitha à Dībān [223] — ne peut être retenue : la distance depuis Buseire n'est que de 15 km ; de plus, la butte, située un peu plus au nord et fouillée en 1952, a fort peu de chances d'être le tombeau de Gordien [224].

G. Bell, identifiant Zaitha avec l'Asikha des *Étapes Parthiques*, contrairement à C. Müller [225], l'a située aux buttes de Jemma en rive gauche [226] ; ce toponyme n'existe plus, mais le lieu semblerait correspondre, d'après la description qui en est donnée, au replat de Mazār Sheikh 'Ali à 1,7 km au sud de Darnaj (**86**) ; nous n'y avons toutefois pas reconnu de site.

M. Fr. von Oppenheim [227], d'après la carte dressée par R. Kiepert en 1893, situe Zaitha à El Bistan, en rive gauche, un peu en aval d'El 'Ashāra, mais nous n'avons repéré aucun site dans le secteur où devrait se trouver ce lieu dont le toponyme a aujourd'hui disparu [228]. Une identification comparable est avancée par R. Dussaud [229] : Boustan, Tell Hidjanik ou Tell Afriya, toponymes aujourd'hui disparus, probablement situés au sud de Darnaj.

Récemment, M. Gawlikowski [230] a montré que, après la confluence du Khābūr, l'armée de Julien a suivi la rive droite de l'Euphrate, induisant de ce fait que Zaitha se trouve sur cette même rive droite. Mais il ne propose pas de localisation précise.

Au regard des données textuelles et de notre prospection, aucune de ces propositions ne nous paraît satisfaisante. En fait, l'identification de Zaitha est vraisemblablement à relier à celle du tombeau de Gordien, et la localisation de l'un devrait permettre celle de l'autre.

Le tombeau de Gordien

Le tombeau de Gordien est l'une des énigmes de la vallée. Si son existence ne semble guère faire de doute en raison de plusieurs témoignages écrits [231], dont deux émanent de participants — Ammien Marcellin et Eutrope —, à

217 - Soixante stades représentent 10,7 km.
218 - Voir ci-dessous, p. 161.
219 - Voir ci-dessous le commentaire sur le tombeau de Gordien.
220 - Ammien Marcellin, XXIII, v, 7 : « Zaitha, localité dont le nom se traduit olivier ».
221 - Ainsworth 1888, I, p. 369-370. Il est amusant de noter que sa progression a été si rapide qu'il en a « oublié de reconnaître au passage le tumulus de Gordien ».
222 - Pour le détail, voir Musil 1927, p. 237-238 et 337-339 ; voir aussi Poidebard 1934, p. 209 ; Fontaine 1977 b, p. 47, note 104. Le changement de nom serait basé sur la volonté d'honorer un membre de la famille du caliphe Merwân, Hišâm, qui, après avoir reçu en fief un district désolé, celui d'az-Zejtûne, l'aurait rendu florissant (Musil 1927, p. 339).
223 - C. H. Kraeling voit dans ce site, qui correspond probablement à Dībān 1 (**64**), « *the most likely location of ancient Zaitha* » (Kraeling 1952).
224 - Voir p. 158.
225 - Müller 1901 (V, 17, 6, note sur Ζείθα).
226 - Bell 1910, p. 531. Il faut noter toutefois que la localisation proposée par G. Bell est fondée sur des indices ténus. Elle décrit en effet le site où elle prétend placer Zaitha comme une grande surface entourée par un mur et un fossé profond, à proximité duquel le terrain est un peu plus accidenté ; en cet endroit, ajoute-t-elle, les habitants du lieu, en grattant la surface, ont fait apparaître quelque chose qui ressemble à un pavement d'asphalte. Mais elle signale l'absence de matériel archéologique (pas de briques et très peu de poterie), en dehors de quelques fragments de briques sur un cimetière arabe. A. Musil (1927, p. 177) passe à côté d'un lieu qui s'appelle Tell Ğemma, mais ne parle d'aucune ruine et n'y aperçoit rien d'autre que le petit tombeau d'aš-Šejḫ 'Amše, sur l'éperon est (probablement Mazār Sheikh 'Ali).
227 - Oppenheim 1900.
228 - G. Bell ne signale pas non plus de ruine à Bustan, village distant, à cheval, d'1 h 10' de Jemma et de 2 h de Jebel Masāikh (Tel Buseyih).
229 - Dussaud 1927, p. 466.
230 - Gawlikowski 1988, p. 89 ; 1997, p. 148-151.
231 - Eusèbe, *Chronique*, ann. 246 [Saint Jérôme, éd. Bareille, t. XII, p. 386] ; Ammien Marcellin, XXIII, 5, 7 et 17 ; Eutrope, *Breu.* IX, 2, 3 ; Zosime, III, 14, 2 ; *Histoire Auguste*, XXXIV, 2 ; Festus, *Abrégé des hauts faits du peuple romain* 22, 2 ; Orose, *Histoires (Contre les Païens)* VII, 19, 5 ; Ps. Aurelius Victor, *Epitome de Caesaribus* 27, 3. Pour toutes ces références, voir annexe 3.

l'expédition de Julien, qui passe sur les lieux un peu plus d'un siècle après la mort de Gordien, son emplacement reste une source d'interrogation. De nombreux commentateurs et voyageurs se sont penchés sur la question, avançant plusieurs hypothèses, sans aboutir toutefois à une identification et à une localisation indiscutables. Les raisons de ce mystère viennent des textes anciens eux-mêmes qui sont peu précis, et même contradictoires, quant à la nature du monument d'une part, à sa localisation d'autre part. Les diverses propositions traduisent d'ailleurs ces flottements : pour les uns, il est à Tell Medkūk (Parrot), pour d'autres à Doura-Europos (Chesney, Dussaud) ou juste à côté (Cumont), pour d'autres encore à Zaitha, site par ailleurs non localisé (Musil), voire même à Buseire (Czernik), ou plus prudemment « en rase campagne » (Paschoud) [232].

La nature du monument

Aucune description précise n'est donnée par les auteurs anciens. Le vocabulaire n'apporte guère de précisions.

En grec, le seul terme utilisé est « *taphos* » qui signifie simplement « tombe » (Zosime).

En latin, trois termes sont utilisés. Le plus employé est « *tumulus* », cité par Eusèbe, Ammien, Eutrope et Festus.

Faut-il donc y voir un « tumulus », c'est-à-dire un monticule de terre recouvrant la sépulture du défunt, comme le laisserait penser également l'étymologie du terme ? *Tumulus* désigne en effet à l'origine une élévation, un tertre et, dans ses emplois funéraires, le monticule de terre qui recouvre la tombe ; mais le terme a pris ensuite la valeur générale de « tombeau », de « tombe » qui en découlait. Au IVe s., c'est probablement plutôt ce sens générique qui était répandu.

De plus, si le tumulus est une forme fréquente de monument funéraire depuis la plus haute antiquité, du moins dans sa forme simple, il n'est pas dans la tradition monumentale romaine, surtout pour un empereur. Il n'est donc pas sûr du tout que ce soit cette forme de monument funéraire qu'il faille rechercher. Nous écarterons donc les tumulus retrouvés dans la vallée, et notamment la butte située près de Dībān qu'a fouillée C. H. Kraeling [233], en raison notamment de sa faible élévation — un peu moins d'un mètre avant la fouille, guère plus sans doute au moment de son édification — et de la grande simplicité de l'inhumation : il s'agit apparemment d'une simple fosse en pleine terre, ce qui ne peut se concevoir pour un empereur.

Dans l'*Histoire Auguste* est employé « *sepulchrum* », qui désigne une tombe ou un tombeau et a pris la valeur générale de « monument funéraire ». Le Ps. Aurelius Victor utilise ce même terme pour citer le toponyme du lieu où se trouve ce monument : Sepulcrum Gordiani [234].

Ammien utilise, à côté de *tumulus*, un deuxième terme : « *monumentum* » [235], terme générique servant à désigner tout ce qui évoque le souvenir et, dès lors, tout monument commémoratif. Un tumulus est-il suffisamment significatif en lui-même, et surtout permet-il au passant de faire une relation directe avec le défunt qui y est inhumé ? Ce terme « *monumentum* » semble en tout cas impliquer l'existence d'une inscription commémorative, caractéristique de la tradition funéraire romaine selon laquelle des épitaphes identifiant le défunt et rappelant aux passants ses faits et gestes sont placées au-dessus ou auprès de la tombe. Ce terme rendrait alors plus plausible la mention, dans l'*Histoire Auguste*, d'une inscription qui, même si son contenu semble quelque peu singulier [236], n'en devait pas moins exister sous une forme ou sous une autre.

Trois auteurs, Eusèbe, Eutrope et Festus, signalent, quant à eux, le fait que la dépouille de Gordien a été ramenée à Rome [237]. Ils laissent en conséquence supposer qu'il s'agirait d'un cénotaphe et non d'un tombeau [238].

232 - L'éditeur d'Ammien Marcellin ne prend pas position (FONTAINE 1977 b, note 105, p. 47-48).

233 - KRAELING 1952.

234 - PS. AURELIUS VICTOR, *Epit.* 27, 2-3 (annexe 3, texte 28).

235 - AMMIEN MARCELLIN, XXIII, 5, 17 (annexe 3, texte 24).

236 - L'*Histoire Auguste* mentionne une inscription écrite en cinq langues : « en y portant l'inscription suivante en grec, en latin, en perse, en hébreu et en égyptien afin qu'elle pût être lue par tous : "Au divin Gordien, vainqueur des Perses, vainqueur des Goths, vainqueur des Sarmates, briseur des séditions des Romains, vainqueur des Germains, mais non vainqueur des Philippes" » [titulum huius modi addentes et Graecis et Latinis et Persicis et Iudaicis et Aegyptiacis litteris, ut ab omnibus legeretur : « Diuo Gordiano, uictori Persarum, uictori Gothorum, uictori Sarmatorum, depulsori Romanorum seditionum, uictori Germanorum, sed non uictori Philipporum »] (trad. Chastagnol). Cette inscription, qui est dans la lignée des inscriptions royales perses, comme celle, trilingue, de l'adversaire de Gordien, Šāhpuhr, à Naqš-i-Rustem, semble toutefois fantaisiste, en raison notamment du jeu de mot final sur Philippe, tout à fait déplacé dans une épitaphe funéraire. L'explication donnée par l'auteur de l'*Histoire Auguste* ne la rend guère plus crédible : « Ces derniers mots paraissent avoir été rajoutés ; ils faisaient allusion à sa fuite après sa défaite infligée par les Alains au cours d'un combat confus dans la plaine de Philippes, et en même temps à son meurtre perpétré, semblait-il, par les Philippes » (voir les remarques de J. F. GILLIAM 1970, p. 103-104).

237 - EUSÈBE, *Chronique*, ann. 246 [Saint Jérôme, éd. Bareille, t. XII, p. 386] : « ses ossements ayant été rapportés à Rome » [ossibus eius Romam reuectis] ; EUTROPE, IX, 2, 3 : « le soldat (Philippe) rapporta sa dépouille à Rome » [miles exequias Romam reuexit] ; FESTUS, *Abrégé des hauts faits du peuple romain,* 22, 2 : « ils conduisirent sa dépouille à Rome avec les plus grands témoignages d'une respectueuse vénération » [exequias eius Romam cum maxima uenerationis reuerentia deduxerunt].

À l'inverse, Ammien (XXIII, v, 17) précise dans la bouche de Julien que Gordien a été assassiné « en ce lieu même où il est enseveli » [in hoc ubi sepultus est loco] et Ps. Aurelius Victor relate (*Epit.* 27, 3) que « son corps fut déposé près des frontières des empires romain et perse et donna au lieu le nom de "Sepulcrum Gordiani" » [corpus ejus prope fines Romani Persique imperii positum, nomen loco dedit Sepulcrum Gordiani].

238 - C'est notamment l'opinion de X. Loriot (1975, p. 771, n. 834 et p. 775). E. Hohl (1934, n. 4, p. 158-159) va même jusqu'à penser que le cadavre de Gordien fut brûlé sur le lieu de sa mort, ses cendres rapportées à Rome et que dans le tumulus se trouve un souvenir symbolique, l'« *os resectum* » (il s'agit d'une parcelle du corps du défunt, généralement un doigt, prélevée avant l'incinération, sur laquelle on jette de la terre, afin de respecter le rite de l'*humatio*, qui seul légitime la sépulture). M. J. Johnson (1995, p. 143), au contraire, sur la base des indications d'Ammien, rejette l'idée du cénotaphe.

Cette dernière indication n'est pas sans intérêt, car l'hypothèse d'un cénotaphe nous semble en fait s'accorder de la manière la plus satisfaisante avec les différentes sources et les usages romains. Elle a dès lors une incidence importante sur la nature même du monument. Il s'agirait en effet plutôt d'un monument érigé au-dessus du sol que d'un tumulus. Quel en était l'aspect ? Une tour funéraire comme celles de Palmyre ou celles de l'Euphrate [239] ? Un mausolée-tour ? Un mausolée-baldaquin [240] ? Rien ne permet de le préciser.

La localisation du tombeau

Où faut-il rechercher ce monument ? Là encore les indications des auteurs anciens sont contradictoires : l'*Histoire Auguste* signale simplement qu'il est « près de Circesium » ; Orose indique que Gordien fut tué « non loin de Circessos ». Les seules données chiffrées sont d'une part, celle d'Eutrope qui a participé à l'expédition de Julien et qui a donc vu le tombeau « que [Philippe] lui édifia à vingt milles de Circesium », et d'autre part celle, concordante, de Festus : « à vingt milles de l'actuel camp de Circesium », soit environ 29 à 30 km.

Zosime, quant à lui, le place à Doura [241], ce qui est incompatible avec les vingt milles d'Eutrope, la distance à vol d'oiseau entre Circesium et Doura étant de près de 60 km

Ammien Marcellin, qui est passé sur les lieux, nous a laissé un témoignage ambigu : on peut en effet comprendre de deux façons la phrase dans laquelle il mentionne ce tombeau. Elle peut signifier que ce dernier n'est pas visible avant Zaitha, mais que de ce lieu, il est « bien visible de loin ». C'est ce que comprend J. Fontaine dans la traduction qu'il propose : « nous y (à Zaitha) aperçûmes, bien visible de loin, le tombeau de l'empereur Gordien », ce qui implique que ce tombeau était situé à une certaine distance de Zaitha [242]. Mais il est tout aussi possible de traduire : « nous y (à Zaitha) vîmes le tombeau, bien visible de loin, de l'empereur Gordien », ce que l'on peut comprendre de la façon suivante : nous vîmes à Zaitha le tombeau de Gordien, que nous avions aperçu de loin, avant d'arriver dans cette localité. C'est ainsi que le comprend A. Musil, qui le situe à Zaitha [243].

Si ce tombeau est manifestement à chercher entre Circesium et Doura [244], la localisation que donne Zosime est sans aucun doute à écarter. Il est le seul à le localiser aussi loin de Circesium, alors que les autres sources, relativement concordantes, permettent de le situer à environ trente kilomètres en aval de cette agglomération, à proximité du site de Zaitha, sans doute entre ce dernier et Doura [245], ou à Zaitha même [246].

Pour être visible de loin, ce monument devait être de taille conséquente ou situé sur un point élevé, les deux critères pouvant d'ailleurs se combiner. Nous avons vu précédemment que l'hypothèse d'un cénotaphe permet de répondre au premier critère. Pour le second, nous pouvons constater actuellement l'existence sur le rebord du plateau de plusieurs tombeaux ou mosquées islamiques dans le secteur de Meyādīn ainsi que celle de tombeaux-tours d'époque romaine à Es Sūsa 2 et à Bāqhūz, les uns et les autres visibles de loin. Faut-il imaginer un tel emplacement pour le monument de Gordien ? C'est ce qu'a fait F. Cumont, qui situe le tombeau sur le plateau [247], mais trop en aval, quasiment à Doura. S'il était sur le rebord de la falaise, il semble préférable de le situer plus en amont, quelque part entre Meyādīn et El 'Ashāra [248] ; les monuments islamiques postérieurs auraient alors perpétué une tradition inaugurée par le tombeau de Gordien. En rive gauche, le promontoire de Darnaj (**86** ; cf. **fig. 23**) serait le lieu le plus opportun ; attestant une occupation à l'époque classique, il est situé dans les parages de l'emplacement supposé de Zaitha. La présence d'un village moderne ne nous a toutefois pas permis de repérer le moindre vestige de tombeau.

Il est possible aussi de songer à une édification au sommet d'un tell inoccupé. Une localisation plausible, que nous suggère M. Gawlikowski, serait le tell d'El 'Ashāra (**54**) [249]. S'il est vrai qu'aucune trace d'occupation romaine

239 - Dans la région concernée par notre étude, de telles tours se trouvent à Doura-Europos (**22**), à es Sūsa 2 (**18**) et à Bāqhūz 2 (**60**).

240 - Sur les différentes formes de mausolées que l'on trouve en Syrie, notamment du Nord, voir Will 1949.

241 - « On y [à Doura] montrait le tombeau de l'empereur Gordien ». F. R. Chesney (1850, p. 435) et R. Dussaud (1927, p. 466) adoptent ce parti.

242 - Ce que confirme la n. 105 de J. Fontaine (1977 b, p. 47) : ce tombeau « pouvait donc être visible de Zaithan ».

243 - Musil 1927, p. 237-238.

244 - L'hypothèse avancée par A. Parrot de le situer à Tell Medkūk (**2**) ne peut être retenue en raison de la distance considérable de ce site par rapport au Khābūr (près de 90 km) et de la contradiction avec tous les textes qui en résulterait.

245 - C'est finalement à cette localisation vague que s'en tient F. Paschoud (1979, p. 117), qui le met « en rase campagne ».

246 - C'est l'avis de M. J. Johnson (1995, p. 141). À l'inverse, H. Treidler (1967, c. 2288, *s. u.*) le situe près de Zaitha, « *bei dieser Stadt* ». J. Matthews (1989, p. 131) hésite entre les deux sans prendre parti, « *at or near the place named Zaitha* ».

247 - Cumont 1926, p. LX, n. 2 : « de ce que dit Ammien, il résulte que le tombeau devait être sur une éminence et comme la rive gauche de l'Euphrate est parfaitement plate, il n'a pu se trouver que sur la rive droite, c'est-à-dire sur le plateau qui domine le fleuve et dont Doura occupait un éperon. Si on l'apercevait dès qu'on avait quitté Zaitha, il a dû être placé en amont de Sâlihîyeh, peut-être à l'endroit où se trouve aujourd'hui la sépulture d'un santon musulman. On m'a dit qu'une tradition plaçait là la tombe d'un "roi de Doura" ». Il le place en effet à l'emplacement du tombeau de Shibelik, de l'autre côté de l'oued nord de Doura (*ibid.*, pl. IX, 1).

248 - Cette hypothèse est envisagée par C. H. Kraeling (1952, p. 258) : « *on top of the line of cliffs marking the edge of the desert plateau behind and above Mayadin* ».

249 - Il semble d'ailleurs qu'une tour y était visible au XIXe s., notamment d'après les indications de W. F. Ainsworth, qui précise que le toponyme Al Ashar vient du nom d'une tour ruinée encore debout au sommet (Ainsworth 1888, p. 377) ; elle est signalée aussi par F. R. Chesney (1850, carte) et E. Sachau (1880, p. 280).

n'y a été décelée [250], il est à noter que ce site est à vol d'oiseau à 28 km de Buseire, soit là encore à peu près les 20 milles d'Eutrope et de Festus [251].

Quoi qu'il en soit, que rien ne soit visible n'est pas très étonnant si l'on considère qu'il s'agit d'un monument érigé, car son éventuel effondrement n'aurait guère laissé de traces, tout au plus un petit monticule ; de plus, il a pu servir de carrière de récupération de pierres de taille. Il n'en sera vraisemblablement jamais rien retrouvé.

La localisation de Zaitha

L'impossibilité de déterminer l'emplacement du tombeau de Gordien laisse la localisation de Zaitha délicate à résoudre. Deux cas sont à considérer, selon que l'on place le monument de Gordien à Zaitha ou non.

1er cas : le tombeau de Gordien est à Zaitha

Zaitha est alors à chercher à environ 29,5 km de Buseire d'après les indications données par Eutrope et Festus.

En rive gauche, aucun site ne se trouve à cette distance. Deux sites sur lesquels une occupation à l'époque romaine a pu être décelée correspondent approximativement à ces données, mais ils sont respectivement trop près de Buseire (26 km à vol d'oiseau pour Darnaj [**86**]) et trop loin (32,5 km pour Jebel Mashtala [**68**]). Compte tenu de la difficulté à suivre un parcours absolument linéaire, il y a sans doute lieu de rallonger ces distances ; le premier site serait alors le plus vraisemblable. Son emplacement sur un promontoire dominant la vallée (cf. **fig. 23**) pourrait expliquer que le tombeau était visible de loin. De plus, son implantation à la jonction de deux alvéoles de la vallée lui conférerait un caractère stratégique. Cette localisation donnerait raison à G. Bell. Deux objections sont cependant à envisager, d'une part les dimensions apparemment modestes du site, d'autre part la distance depuis Buseire, dont nous avons vu qu'elle était inférieure de 3 km à la distance attendue ; malgré les aléas de la marche et l'éventualité que la mesure indiquée soit arrondie, il nous semble difficile d'ajouter ces 3 km aux 26 km qui séparent Buseire de Darnaj. Un troisième site, Jebel Masāikh (**16**), pourrait être envisagé : de dimensions non négligeables, il est implanté en bordure du fleuve [252], légèrement en amont du promontoire de Darnaj, où le plateau rejoint presque le cours de l'Euphrate (cf. **fig. 23**) ; cette situation pourrait conférer au site un rôle stratégique notable, en particulier pour le contrôle du trafic fluvial et terrestre de rive gauche. Mais, si une occupation romano-parthe y est attestée, la distance depuis le Khābūr n'est que de 22 km.

En rive droite, nous n'avons repéré aucun site habité à l'époque romaine dans tout ce secteur. Toutefois, à approximativement 29,5 km de Buseire se trouve le grand tell d'El ʻAshāra [253]. L'absence de vestiges d'époque romaine pourrait s'expliquer par la disparition vraisemblable d'une grande partie du site, sapé par l'Euphrate, ou par la présence de la ville islamique et moderne [254]. Le tombeau de Gordien y aurait été admirablement situé, « bien visible de loin », au sommet du tell [255].

En dehors de cette dernière proposition, rien dans l'examen de toutes les données ne permet de vérifier l'hypothèse selon laquelle le tombeau de Gordien se trouve à Zaitha.

2e cas : le tombeau de Gordien n'est pas à Zaitha

Le tombeau de Gordien étant à la fois situé à environ 29,5 km de Buseire d'après les indications d'Eutrope et de Festus, et visible depuis Zaitha, cette localité devrait se trouver un peu en amont du monument. Il faut donc identifier deux lieux, l'un, Zaitha, à un peu plus de 20 km de Buseire, l'autre le tombeau, à près de trente kilomètres.

En rive gauche, trois sites pourraient, par leur position géographique, être identifiés à Zaitha : Taiyāni 5 (**110**), Jebel Masāikh (**16**) et Darnaj (**86**). Le premier, à 21,5 km de Buseire, est trop petit (moins de 0,1 ha) et n'est daté que de l'époque hellénistique ; les deux autres sont à une distance tout à fait compatible (environ 22 et 26 km) et une occupation à l'époque romano-parthe y est attestée. Le tombeau quant à lui peut être localisé en rive gauche ou en rive droite. Sur la rive gauche, le seul emplacement concordant avec la distance indiquée est, nous l'avons vu, le promontoire de Darnaj. Dans ce cas, le site de Darnaj est à exclure comme localisation de Zaitha et seul celui de Jebel Masāikh peut être proposé. Sur la rive droite, visible depuis Jebel Masāikh et depuis Darnaj, se dresse la butte d'El ʻAshāra (**54**), sur laquelle aurait pu se trouver le tombeau. Plus étendu et mieux situé que Darnaj, Jebel Masāikh serait alors le site le plus approprié pour Zaitha, en concordance avec la Zeitha de Ptolémée [256].

En rive droite, trois sites peuvent être envisagés : El Graiye 1 (**44**), El Graiye 3 (**49**), tous les deux à environ 26 km de Buseire, et El Graiye 4 (**124**) à environ 28 km. Les dimensions de ce dernier (environ un demi-hectare) nous

250 - La présence d'un tombeau n'implique pas une occupation sédentaire sur le lieu et il serait tout à fait envisageable de le situer sur un site abandonné. D'autre part, l'absence complète de matériel archéologique contemporain, si elle est fort contrariante, n'en est pour autant pas rédhibitoire : le site tel qu'il se présente aujourd'hui a été largement rogné par l'Euphrate. De plus, il s'avère que les niveaux supérieurs ont été très bouleversés. L'époque parthe n'y est attestée que depuis peu par des tombes (Rouault 1997 b).

251 - Dans l'hypothèse où l'indication d'Ammien signifierait bien que le tombeau se trouvait à Zaitha même, cette dernière serait donc à identifier avec El ʻAshāra.

252 - Julien aurait donc pu s'y rendre facilement en bateau.

253 - À vol d'oiseau, la distance est de 28 km, mais il y a lieu de rajouter 1 à 2 km en raison du passage en rive droite.

254 - Des tombes de l'époque parthe y sont attestées bien qu'aucune trace d'occupation contemporaine n'ait été repérée.

255 - Voir ci-dessus le paragraphe consacré au tombeau de Gordien.

256 - Voir ci-dessus p. 154.

paraissent trop modestes pour qu'il ait été l'ancienne Zaitha. Sur aucun des trois, à l'exception peut-être d'El Graiye 3 [257], n'est attestée d'occupation à l'époque parthe/sassanide. En fait, le premier, El Graiye 1, répondrait le mieux, par sa position en bordure de l'Euphrate [258] et par ses dimensions, à une localité telle que devait sans doute être Zaitha ; une occupation préislamique peut être entièrement occultée par les vestiges d'époque islamique qui y ont été reconnus et qui sont probablement ceux de l'agglomération de Dāliya [259], ainsi que par le village moderne qui recouvre complètement le tell. Demeure le problème de la localisation du tombeau de Gordien, qui ne pourrait dès lors se trouver qu'à El 'Ashāra, comme nous l'avons évoqué précédemment.

De l'examen de toutes ces possibilités, il ressort que trois sites seulement pourraient correspondre à l'ancienne Zaitha, El Graiye 1 (**44**), El 'Ashāra (**54**) et Jebel Masāikh (**16**). Toutefois, seul le dernier atteste une occupation, qui plus est d'une certaine ampleur, à l'époque romano-parthe. De là, on pouvait voir le tombeau de Gordien, situé quant à lui à El 'Ashāra ou à Darnaj. De plus, cette localisation est la seule à être en accord avec les données de Ptolémée. L'identification de Zaitha à Jebel Masāikh nous semble donc être l'hypothèse qui prend le mieux en compte l'ensemble des données.

La frontière

La localisation de la frontière entre les deux empires reste, elle, imprécise. Est-elle très proche de Circesium et de l'embouchure du Khābūr ou à plusieurs kilomètres en aval [260] ?

Les données d'Ammien et de Zosime ne sont pas suffisamment précises et ne se recoupent pas. Il semble qu'Ammien localise la frontière par rapport à Doura (deux jours de marche) et Zosime par rapport à Zaitha (soixante stades), mais aucun des deux ne donne de distance entre ces deux sites [261].

Si l'on accorde crédit aux données de Zosime, la frontière serait à quelque distance de Circesium, puisque Julien, après avoir franchi le Khābūr, commence par descendre l'Euphrate en bateau. Ce n'est qu'ensuite qu'il s'adresse à ses troupes, juste avant de pénétrer en territoire perse. Il avance alors de soixante stades (soit environ 11 km) pour parvenir à Zaitha. Si cette localité peut effectivement être située à un peu plus de 20 km de Circesium, la frontière perse est à placer à dix kilomètres environ en aval de l'embouchure du Khābūr.

La reconstitution de l'itinéraire

La reconstitution de l'itinéraire de Julien, telle que l'a proposée M. Gawlikowski qui le situe sur la rive droite, nous paraît vraisemblable. Toutefois, une difficulté subsiste si, comme nous le pensons, Zaitha est sur la rive gauche, à Jebel Masāikh (**16**). Elle peut se résoudre simplement en tenant compte des informations fournies par Zosime et Malalas.

Nous proposerions donc la reconstitution suivante : Julien, reprenant la tradition militaire, fait franchir l'Euphrate à son armée un peu en aval de la confluence Khābūr/Euphrate en utilisant la flotte qui l'a rejoint à Circesium, sans qu'Ammien éprouve la nécessité de relater cette traversée. Il embarque donc lui-même et descend en partie l'Euphrate en bateau. Avant de pénétrer en territoire perse, l'empereur s'adresse à ses troupes ; son allusion à Gordien et à son tombeau peut fort bien avoir été ajoutée par Ammien lorsqu'il a réécrit le discours ou être le résultat de la contraction de plusieurs harangues. Il poursuit ensuite sa descente de l'Euphrate en bateau et fait escale au seul bourg d'importance dans ce secteur de la vallée, Zaitha, en rive gauche, d'où il voit le tombeau de Gordien, situé à Darnaj ou à El 'Ashārah. Dans le premier cas, il sacrifie à Gordien avant de rejoindre le gros de son armée sur la rive droite ; dans le second, il rejoint ses troupes, s'arrête au pied du tombeau où il sacrifie à Gordien. Il poursuit ensuite par voie de terre jusqu'à Doura.

LES SITES FUNÉRAIRES

LES TYPES DE SITES

Une trentaine de sites funéraires ou présumés tels ont pu être identifiés dans la vallée. Sont rassemblées sous cette appellation les tombes isolées hors sites d'habitat et les nécropoles hors les murs. Ce sont donc généralement des sites spécifiques, exclusivement réservés à un usage funéraire. Dans quelques cas toutefois, il peut s'agir de sites d'habitat abandonnés, sur les ruines desquels ont été installées des nécropoles, comme nous avons pu le constater pour les deux sites de Tell Hariri et d'El 'Ashāra [262].

Nécropoles

Près de la moitié de ces sites sont des nécropoles ; les trois principales étaient connues depuis longtemps et ont fait l'objet de fouilles et de publications au moins partielles :

257 - D'après Simpson 1983, p. 156. Pour notre part, le matériel que nous avons ramassé sur ce site ne permet pas de reconnaître une occupation à cette époque.

258 - Le site est sans doute installé sur un môle résistant en face de celui de Jebel Masāikh, bloquant le cours de l'Euphrate, qui n'a guère varié depuis l'Antiquité.

259 - Identification proposée par S. Berthier (Berthier *et al.* 2001).

260 - F. Paschoud (1979, p. 109, n. 34) opte pour la première hypothèse, J. Fontaine (1977 b, p. 132, n. 286) pour la seconde : « la frontière de l'"Assyrie" perse apparaît ici nettement au Sud du Khābūr, au-delà d'une "tête de pont" romaine au Sud de cette rivière », mais ce dernier ne précise pas les arguments sur lesquels s'appuie cette affirmation.

261 - Ammien, XXIV, i, 5 (annexe 3, texte 25) ; Zosime, III, xiv, 2 (annexe 3, texte 62).

262 - Cette observation n'a pu être faite que parce que ces sites ont été fouillés.

— à Tell Hariri (**1**), A. Parrot a fouillé une grande nécropole [263] postérieure à l'occupation principale du site ; elle recouvre les vestiges de l'ancienne Mari ;
— celle de Bāqhūz 2 (**60**) [264], qui n'est en rapport évident avec aucun site d'habitat, est la plus vaste, avec environ 6 km entre les deux points extrêmes délimités par deux tombeaux-tours, mais la densité des tombes semble inégale, avec des variations importantes selon les secteurs ;
— la nécropole de Doura-Europos (**22b**), située au sud-ouest de la ville, en avant du rempart, mesure près d'un kilomètre de long sur 350 à 500 m de large [265], avec une densité plus importante à proximité du mur de la ville ; un certain nombre de tumuli sont aussi disséminés au sud de la ville, de l'autre côté de l'oued.

Quatre autres nécropoles, *a priori* plus petites, ont été reconnues par des fouilles :
— à Tell es Sinn (**29**), des tombes à hypogée ont été fouillées [266] au nord de l'enceinte de la ville ;
— des tombes ont été dégagées à Shheil 1 (**93**) à l'occasion de sondages [267] ;
— une nécropole a été plus récemment identifiée et fouillée sur le tell d'El 'Ashāra (**54**) [268], recouvrant les vestiges du IIe millénaire av. J.-C ;
— à Es Sūsa 1 (**18**) et 2 (**56**), nous avons procédé à la fouille d'une petite tombe et au relevé des restes d'un tombeau-tour ; ils appartiennent à une nécropole [269] qui est peut-être à rattacher au groupe de Bāqhūz, en raison de leur proximité géographique.

Onze autres sites, que l'on peut interpréter comme des nécropoles, ont été repérés dans le cadre de notre prospection, soit d'amont en aval :
— Hatla 2 (**149**), petit site sur lequel plusieurs fragments de sarcophages en briques cuites ont été retrouvés ;
— Jedīd 'Aqīdat 1 (**92**), où deux tombes pillées ont été retrouvées à la base de la butte principale ;
— El Fleif 1 (**112**), où sont visibles plusieurs tombes marquées par des briques cuites disposées en bâtière ou en coffre ;
— Ali esh Shehel 1 (**94**), avec plusieurs petites tombes creusées sur une grande butte artificielle pouvant être un tumulus (voir ci-dessous) ; d'autres tombes nous ont été signalées à une petite centaine de mètres par des ouvriers, qui les ont repérées à l'occasion de la construction d'un château d'eau ;
— Es Sabkha 1 (**120**), site marqué par la présence, sur les tombes du cimetière moderne, d'une multitude de fragments de sarcophages en terre cuite ;
— Maqbarat Graiyet 'Abādish (**63**), site désormais disparu, sur lequel ont été repérées deux tombes, pillées, en forme de « baignoire renversée » en terre cuite.
— El Jurdi Sharqi 1 (**69**), avec une tombe baignoire et plusieurs fragments de parois de tombes ;
— Sālihīye 1 (**17**), à 2,5 km de Doura-Europos, avec un groupe d'une trentaine de tumuli ;
— Hajīn 1 (**141**), où, d'après les indications des villageois, les bulldozers, en rasant le site, auraient mis au jour de nombreux ossements et de la céramique ;
— Abu Hasan 2 (**59** ; cf. **fig. 12**), où deux tombes pillées ont été retrouvées et où d'autres sont visibles en surface ;
— Haddāma 2 (**144**), avec un groupe de sept tumuli.

Tombes isolées

Outre ces cimetières, plusieurs tombes isolées ont été retrouvées :
— El Kishma (**203**), deux tombes signalées par K. C. Simpson [270] ;
— Haddāma 1 (**99**), une tombe pillée ;
— une tombe dans la région de Dībān, fouillée en 1952 par C. H. Kraeling [271].

Quelques buttes isolées, manifestement artificielles et qui ressemblent à des tumuli, peuvent être des tombes, mais en l'absence de fouilles, un fort degré d'incertitude demeure :
— Dheina 8 (**145**), une butte ;
— El Kita'a 3 (**79**), une butte ;
— El Kita'a 2 (**78**), une butte ;
— El Musallakha (**156**), deux buttes ;
— Es Saiyāl 6 (**13**), deux buttes ;
— Es Saiyāl 1 (**5**), une butte ;
— Bkīye (**143**), deux buttes.

263 - Pour une description rapide, voir Parrot 1974, p. 146-151 (nécropole assyrienne), p. 151-152 (nécropole néobabylonienne) et p. 154-156 (nécropole séleucide). Pour une étude détaillée, voir Jean-Marie 1999.

264 - En dehors de G. Balbi en 1579 (Pinto 1962) qui, de loin, pense contempler les murs d'une très grande ville, la plupart des voyageurs qui sont passés à Bāqhūz ou ont aperçu le site l'ont interprété comme une nécropole. G. Bell a visité et décrit les tombeaux-tours (Bell 1910, p. 533), A. Musil a vu en outre « de nombreux restes de tumulus » ; il signale aussi la découverte, dans les tours, « de récipients en terre contenant des ossements humains, des vases en cuivre, différents ornements et de la monnaie » et, dans la tour de Ḳaṣr abu Zubbên, d'une cinquantaine de pots en terre contenant des restes de squelettes (Musil 1927, p. 172). Plus de 400 tombes ont été fouillées en 1934, 1935 et 1936 ; seules ont été publiées les tombes de l'âge du Bronze, qui se situaient presque exclusivement dans le secteur nord (Du Mesnil du Buisson 1948).

265 - N. P. Toll (1946) a recensé plus d'un millier de tombes individuelles ou collectives.

266 - Ces fouilles ont été réalisées par A. Maḥmoud (com. pers.), mais n'ont pas été publiées.

267 - Sondages effectués par S. Berthier (voir ci-dessous note 282).

268 - O. Rouault (1997 b, p. 79) signale que le secteur F a été utilisé comme nécropole pendant trois millénaires à partir du Ier millénaire av. J.-C.

269 - Ces deux sites (**18** et **56**) n'en constituent en fait qu'un seul, Es Sūsa. Nous gardons cependant le dédoublement, en cohérence avec la publication préliminaire qui en a été faite (Geyer et Monchambert 1987 a), Es Sūsa 1 correspondant au tombeau-tour d'époque romano-parthe, Es Sūsa 2 au reste de la nécropole (datant de l'âge du Bronze et des époques romano-parthe et romaine tardive).

270 - Simpson 1983, site KH 21.

271 - Kraeling 1952. Nous n'avons cependant pu retrouver ce site. De plus, les indications topographiques figurant dans la publication sont trop succinctes pour le localiser. Nous ne lui avons donc pas attribué de numéro d'inventaire.

Il n'est pas impossible que certains de ces tumuli soient en fait les seuls éléments encore visibles de nécropoles plus vastes. Le cas le plus vraisemblable est celui d'Haddāma 1 (**99**), proche de Haddāma 2 (**144**) [272] ; au même groupe sont peut-être à rattacher les deux tumuli de Bkīye (**143**) [273].

Trois buttes isolées aux formes beaucoup plus prononcées constituent des cas particuliers qu'il semble *a priori* difficile de classer dans la catégorie des sites funéraires : Tell Bani (**19**), Tell Medkūk (**2**) et Tell Mankut (**3**). Ils sont traités à part (sites de type non déterminé). Il en va de même pour un petit site, à la fonction énigmatique, localisé sur le rebord du plateau, Tell el Khinzīr (**8**).

Il convient enfin d'ajouter à ces tombes isolées les tombeaux à coupole de Mazār esh Shebli (**87**), Mazār Sheikh Anīs (**88**), Mazār el Arba'in (**161**) et Sālihīye 4 (**209**).

Autres sites funéraires

Ces sites funéraires ne représentent cependant pas les seuls lieux d'inhumation de la vallée. Il convient en effet d'ajouter ce qui a souvent constitué le mode habituel, les tombes sous le sol même des maisons, ou des palais pour les personnages les plus importants. Nous en connaissons un certain nombre, révélés par les fouilles effectuées dans la région, par exemple à Mari ou à Terqa pour le Bronze ancien et moyen, à Doura-Europos [274] pour l'époque classique. À Mari, plusieurs tombes monumentales ont été retrouvées [275].

Ce mode d'inhumation n'est cependant pas quantifiable et ne peut être mis en rapport avec les nécropoles, mais il est vraisemblable que la majeure partie des sites d'habitat recèle des tombes dans les niveaux d'habitation, même lorsque des nécropoles sont situées hors les murs [276].

La localisation

Les sites funéraires sont presque tous localisés sur des éminences dans la vallée ou sur ses marges : il peut s'agir de buttes naturelles comme des lambeaux de terrasses anciennes ou de buttes artificielles (tells) partiellement occupées ou non par un habitat contemporain ; dans d'autres cas, les tombes se trouvent sur le glacis descendant du plateau ou sur le plateau lui-même. Les sites sont ainsi à l'abri des inondations [277] et, dans le cas de quelques tombes monumentales, en position dominante [278] propre à faire valoir le prestige des personnages qui y sont inhumés et de leurs familles.

Plateau	Glacis	Butte naturelle	Butte naturelle ?	Butte artificielle *	Fond d'oued
17, 18/56, 22b, 60, 78, 79, 87, 88, 94, 112, 149, 161, 209	99, 143, 144, 156, 203	59, 63, 69, 92, 120	29, 93, 141	1, 5, 13, 54	145

* D'autres sites funéraires sont certainement installés sur des tells abandonnés, mais, en l'absence de fouilles, ils ne peuvent être identifiés.

Tableau 8 - Localisation des sites funéraires.

Les types de tombes

Les sites funéraires de la vallée offrent une grande variété de tombes, bien illustrée sur les sites fouillés de Tell Hariri (**1**), de Bāqhūz 2 (**60**) et de Qal'at es Sālihīye/Doura-Europos (**22b**).

Nous nous bornerons à présenter ici, dans leurs grandes lignes, les principales catégories, sans entreprendre une étude typologique exhaustive [279].

Tombes à fosse en pleine terre

Il s'agit du mode d'inhumation le plus simple : la tombe est constituée d'une fosse excavée en pleine terre, dans laquelle est enterré le corps. Ces tombes sont en général pauvres en matériel, parfois couvertes en surface de tessons de grandes jarres, de pierres ou de briques (ou fragments) crues ou cuites [280]. Une variante de ce type a été retrouvée sur le Tell Hariri (1), où plusieurs tombes en pleine terre étaient recouvertes de plâtre [281].

Deux tombes de ce type [282], sans doute d'époque parthe, ont été retrouvées à Shheil 1 (**93**).

272 - La distance entre les deux sites est d'environ 1,1 km, Haddāma 2 étant situé un peu plus haut sur le glacis (voir **fig. 44**).

273 - La distance est cependant plus importante que dans le cas précédent (2,5 km) ; de plus, les deux sites sont séparés par un oued.

274 - Toll 1946, p. 6.

275 - Les plus importantes sont les tombes royales situées sous le palais des *shakkanakku* (Margueron 1983, p. 13 ; 1984 b et 1990 d). On peut aussi signaler plusieurs tombeaux en pierre (Jean-Marie 1990), dont deux dans le secteur du temple d'Ishtar (Parrot 1956, p. 10-11).

276 - Le cas le plus flagrant est celui de Doura, où N. P. Toll (1946, p. 6) mentionne, en plus de l'immense nécropole hors les murs, l'existence de quelques tombes sous le sol des maisons.

277 - Cette situation est encore valable de nos jours, puisque les tombes sont presque exclusivement situées sur les points hauts que constituent les tells ou sur les pentes descendant du plateau.

278 - Cf. ci-dessous les tombeaux-tours.

279 - On se reportera très utilement à l'étude de M. Jean-Marie (1999) sur les tombes de Tell Hariri-Mari ; 907 ont été recensées, couvrant toutes les périodes depuis le Bronze ancien jusqu'à l'époque hellénistique.

280 - Toll 1946, p. 4-5, pl. XXVI. À Mari, 270 tombes de ce type ont été recensées (Jean-Marie 1999, p. 75), datées depuis le Bronze ancien jusqu'à l'époque hellénistique ; un grand nombre d'entre elles contenaient du matériel (Parrot 1974, p. 148 et 152 ; Jean-Marie 1999, p. 78).

281 - Mallet 1975.

282 - S. Berthier nous communique les renseignements suivants : « situé au sommet de la plus haute butte du site, le sondage II a livré une alternance de niveaux beiges et verdâtres plus ou moins cendreux, recoupés par deux tombes perpendiculaires. L'une d'elles, visible en coupe sur la paroi E du sondage, comporte une fosse d'accès, séparée de la fosse d'inhumation par quelques fragments de briques cuites, épaisses de 6 cm. Le corps, orienté O-E avec la tête à l'O, est au S de la fosse d'accès. Un animal (jeune chien ?) a été inhumé quelque 40 centimètres au-dessus du défunt, également tête à l'O, couché sur le flanc droit. La seconde tombe, une simple fosse creusée à la même profondeur, est coupée par la paroi sud du sondage. Le corps est orienté S-N, la tête au S ».

Tombes à ciste

Il s'agit de tombes simples à fosse, dont les parois latérales sont doublées d'un coffrage de dalles de pierre, de briques cuites ou de *juṣ*, empêchant la terre de s'ébouler.

Une tombe de ce type a été retrouvée et dégagée à Es Sūsa 2 (**56**) [283]. Des dalles de calcaire posées de chant délimitaient un coffre recouvert d'une dalle horizontale ; le fond de la tombe n'était pas aménagé, le squelette reposant directement sur un lit naturel de galets (**fig. 37**). Il n'est pas impossible qu'il faille restituer au-dessus de la dalle de couverture un tumulus, aujourd'hui disparu [284].

Des tombes de ce type sont probablement présentes à El Fleif 1 (**122**), avec un coffrage en briques cuites. À Jedīd 'Aqīdat 1 (**92**), une tombe à coffrage en *juṣ* a été retrouvée pillée.

Fig. 37 - Tombe à ciste d'Es Sūsa 2 (carte V, carré Q21, n° 56).

Tombes-« sarcophages »

Peu différentes des tombes à ciste, elles s'en distinguent par la présence dans la fosse d'un « sarcophage », protégeant le corps du défunt. Ce « sarcophage », en terre cuite en ce qui concerne ceux retrouvés dans la vallée, peut être constitué d'une grande jarre, éventuellement remplacée par deux jarres affrontées.

Grande jarre

S'agissant d'une grande jarre, ou pithos, l'ouverture en a été préalablement découpée pour permettre d'introduire le corps du défunt. Ce mode d'inhumation a été en vogue pendant toute l'Antiquité. À Tell Hariri (**1**), il représente un tiers de l'ensemble des tombes recensées, allant du Bronze ancien jusqu'à l'époque hellénistique [285].

Sarcophage en terre cuite

Le sarcophage a en général la forme d'une « baignoire », c'est-à-dire d'un grand récipient en terre cuite à fond plat, de forme allongée, aux extrémités arrondies.

Des sarcophages de ce type ont été retrouvés à Doura-Europos (**22b**) [286], à Abu Hasan 2 (**59**), à Maqbarat Graiyet 'Abādish (**63**), à El Jurdi Sharqi 1 (**69**), à Es Sabkha 1 (**120**) et à Hatla 2 (**149**).

Il peut s'agir exceptionnellement d'un coffre en terre cuite de grande taille, surmonté d'un couvercle. Deux exemplaires en ont été retrouvés à Doura [287].

Ces sarcophages peuvent revêtir parfois des formes originales, évoquant des « tortues » (deux exemplaires à Doura-Europos, plusieurs à Bāqhūz 2 [**60**]) ou des « chaussons » (à Doura) [288].

À Tell Hariri (**1**), le sarcophage se trouve dans près de 10 % des inhumations. Il y est fréquent à la fin du Bronze ancien et surtout à l'époque hellénistique, avec la moitié des attestations ; il se présente alors sous la forme de deux « coquilles de noix » posées l'une sur l'autre [289].

Jarres affrontées ou « double cloche »

Parfois, le cercueil peut être formé de deux grandes jarres identiques disposées ouverture contre ouverture, l'une où l'on place le squelette, l'autre servant de couvercle. Des exemplaires ont été retrouvés à Tell Hariri (**1**) [290], à Doura-Europos (**22b**) [291], à Bāqhūz 2 (**60**) [292] et à Abu Hasan 2 (**59** ; **fig. 38**). De semblables inhumations devaient se trouver

283 - Geyer et Monchambert 1987 a, p. 277-278.
284 - La tombe était partiellement détruite par les bulldozers qui arasaient tout le secteur au moment où nous l'avons repérée.
285 - Parrot 1974, p. 154 et fig. 94, p. 155 ; Jean-Marie 1999, p. 75.
286 - Toll 1946, p. 95 et fig. 3.
287 - Cumont 1926, p. 277, 472 et pl. CXVIII ; Toll 1946, p. 97-99 et pl. XXXIII.
288 - Pour Doura, Toll 1946, p. 7, 96 et pl. XXVIII, 1 (tortues) ; p. 96-97 et pl. XXVIII, 2 (chaussons). Pour Bāqhūz 2, *ibid.*, p. 96.
289 - Parrot 1974, p. 154 et fig. 95, p. 155 ; Jean-Marie 1999, p. 75.
290 - Parrot 1974, p. 148, 152 et fig. 92, p. 149. Elles représentent un peu plus du quart des tombes recensées (Jean-Marie 1999, p. 75), dont 217 médio-assyriennes (sur 386 de cette époque) et 25 hellénistiques (sur 132).
291 - Toll 1946, p. 96.
292 - Toll 1946, p. 7.

aussi à Es Sabkha 1 (**120**), où ont été découverts plusieurs bords de grandes jarres.

Fig. 38 - Tombe en « double cloche » à Abu Hasan 2 (carte IV, carré O17, n° 59).

Tombes sous tumulus

Le tumulus est de loin prédominant. Il s'agit d'une butte de terre recouvrant la tombe proprement dite. Sa circonférence et sa taille semblent en rapport direct avec le volume de la chambre funéraire, la masse de terre correspondant aux déblais provenant de la taille de la chambre [293]. La base du tumulus est souvent délimitée par un petit mur, de plan carré ou circulaire. Le sommet du tumulus, convexe, pourrait avoir été conique à l'origine et vraisemblablement laissé brut, sans ornementation architecturale [294].

Il correspond en fait à plusieurs catégories d'inhumations, allant de la simple tombe à fosse à l'hypogée.

Tombes à fosse

Ce type d'inhumation le plus simple — une fosse en pleine terre [295] — peut avoir été recouvert par un amoncellement de terre.

Nous en trouvons à Bāqhūz 2 (**60**), où R. Du Mesnil du Buisson [296] signale l'existence de fosses de forme ovale de dimensions très réduites (leur longueur n'excède pas 1 m à 1,25 m) ; elles étaient plutôt destinées à de jeunes personnes, dont le corps était installé en position accroupie.

Fig. 39 - Tombes à fosse sous tumulus à Sālihīye 1 (carte IV, carré L16, n° 17).

À Sālihīye 1 (**17**), une trentaine de petits tumulus, formés de terre et de blocs de calcaire, ont une hauteur comprise entre 0,5 et 1 m. Leur diamètre varie entre 2 et 10 m. Ils sont pour la plupart entourés d'un cercle de gros blocs de dalle calcaire (**fig. 39**). D'après un exemplaire retrouvé pillé, ces monticules recouvrent une tombe creusée dans la croûte gypseuse.

La tombe fouillée en 1952 par C. H. Kraeling dans la région de Dībān appartiendrait à ce type [297]. Une plate-forme était délimitée par un mur de pierres couchées formant un cercle de 13 m de diamètre environ. À l'est, ce mur circulaire était interrompu ; il se divisait en deux branches délimitant une rampe d'accès. Au centre de la plate-forme se trouvait une fosse circulaire, apparemment en pleine terre [298], d'environ 2,25 m de diamètre, descendant sur 0,9 m jusqu'à la surface rocheuse. Cette installation, retrouvée perturbée, n'a livré que des fragments, déplacés, d'un squelette. Aucun élément n'a permis au fouilleur de la dater.

293 - Ces observations ont été faites par N. P. Toll (1946, p. 7) à partir de l'étude du millier de tumulus de Doura.

294 - Le mieux préservé à Doura (tombe 36) ne montre pas d'essai d'embellissement architectural de son sommet (Toll 1946, p. 2).

295 - Cf. ci-dessus.

296 - Du Mesnil du Buisson 1948, p. 31.

297 - Kraeling 1952.

298 - Le rapport de C. H. Kraeling ne donne aucune précision sur la présence de parements.

« Dolmen » sous tumulus ou tombes à couverture en dalles de pierre

Près de 200 tombes de Bāqhūz 2 (**60**) relèvent de ce type. Elles ont été publiées par R. Du Mesnil du Buisson [299] qui les dénomme « tombes dolméniques » [300] en raison de leur forme semblable à une « allée souterraine couverte de très grandes dalles frustes ; à l'un des bouts, plusieurs pierres dressées dépassent les dalles et forment la porte ». Les parois de la chambre sont le plus souvent partiellement creusées dans le rocher et formées de grandes dalles ou de petits murs de pierre sèche ; elles peuvent aussi être taillées entièrement dans le rocher. Le plafond est formé de plusieurs grandes dalles de recouvrement, de 2 à 6 selon la taille de la tombe. En général, un cercle de pierres délimite le tumulus de terre qui la recouvre ; d'un diamètre de 7 à 8 m, il est constitué de pierres posées sur le côté. La hauteur maximale conservée d'un tumulus est de 1 m. Ces tombes, qui n'accueillaient qu'une seule sépulture, étaient « groupées au-dessus et au pourtour d'un mamelon naturel ». Leur orientation, variable, semble avoir répondu avant tout à une utilisation optimale du terrain.

Si les plus petites d'entre elles, d'une longueur inférieure à 2,3 m, présentent les mêmes caractéristiques de couverture (alignement de dalles), elles sont rarement pourvues d'une porte ; les tumulus qui les couvrent ne sont, le plus souvent, pas entourés d'un cercle de pierres [301].

Une tombe du même type a été retrouvée à Haddāma 1 (**99**). Creusée dans la croûte gypseuse, elle était recouverte de dalles de gypse.

Chambre construite

R. Du Mesnil du Buisson signale à Bāqhūz 2 (**60**) la présence de tombes de l'époque parthe, construites et recouvertes par un tumulus de cailloux. Il n'en fournit pas de description précise et l'on peut se demander s'il y a bien lieu d'établir une distinction avec la catégorie précédente. Il semble cependant qu'elles s'en distinguent par le fait qu'elles sont construites au-dessus du sol [302].

Il n'est pas possible de dire si la butte de Dheina 8 (**145**), repérée dans le Wādi Dheina et constituée elle aussi de galets et de graviers, correspond à ce type de tombe.

Hypogée sous tumulus

Très courant à Doura-Europos (**22b**) [303], également attesté à Bāqhūz 2 (**60**) [304], ce type de tombe collective est constitué d'un escalier étroit de 7 à 15 marches menant à une porte en forme de rectangle ou d'arche qui donne accès à une chambre sépulcrale. Des *loculi* sont creusés dans les murs de cette dernière. Dans les plus grands de ces hypogées, la chambre peut dépasser les sept mètres de longueur ; elle est parfois renforcée par un pilier central.

Les tombes à hypogée de Tell es Sinn (**29**) font partie de cette catégorie, même si la présence du tumulus est difficile à certifier. L'une d'entre elles est encore visible : cinq marches permettent de descendre jusqu'à un petit couloir qui débouche sur une chambre funéraire de forme à peu près carrée (environ 2 m de côté), située à près d'un mètre en contrebas ; sur chacun des trois autres côtés du caveau s'ouvre une niche disposée longitudinalement (L : env. 1,5 m, l. : env. 0,5 m).

Sites non différenciés

Plusieurs des buttes que nous avons retrouvées correspondent vraisemblablement à des sites funéraires, sans doute même à des tombes à tumulus, mais leur appartenance à l'une ou à l'autre des catégories précédentes ne peut être précisée.

Site	Nombre de buttes	Hauteur (en m)	Diamètre (en m)
Es Saiyāl 1 (**5**)	1	2,5	± 120
Es Saiyāl 6 (**13**)	2	2,5	?
El Kita'a 2 (**78**)	1	2	16
El Kita'a 3 (**79**)	1	0,8	13
Ali esh Shehel 1 (**94**)	1	?	30
Bkīye (**143**)	2	1,5 et 3	15 et 45
Haddāma 2 (**144**)	7	0,5 à 2	15 à 30
Dheina 8 (**145**)	1	2,5	25/50 (ovale)
El Musallakha (**156**)	2	0,5	20

Tableau 9 - Sites funéraires vraisemblables, avec tumulus.

Hypogées dans la falaise

On observe ce type d'inhumation à Bāqhūz 2. R. Du Mesnil du Buisson en a fouillé une dizaine, dont cinq sont publiés [305], mais aucune description détaillée n'en a été donnée. Il s'agit de salles creusées dans la falaise, avec un ou deux piliers, et abritant dans leurs parois un certain nombre de *loculi* (entre 11 et 21 selon les tombes publiées). On note aussi la présence d'une table et, parfois, d'un autel.

299 - Du Mesnil du Buisson 1948, p. 31-34. Ce sont sans doute ces tombes qui sont signalées par A. Stein (Gregory et Kennedy 1985, p. 171).

300 - Il réserve en fait cette appellation aux plus grandes d'entre elles, celles dont la longueur est supérieure à 2,4 m. La plus grande mesure 3,85 m de long.

301 - R. Du Mesnil du Buisson note aussi l'absence de tumulus. En fait, il existait peut-être un petit tumulus à l'origine, d'une taille en proportion avec celle de la tombe elle-même. Son absence ne serait alors que la conséquence actuelle de leur disparition au fil du temps, notamment sous l'effet du vent.

302 - Du Mesnil du Buisson 1948, p. 30. Trois sont inventoriées (Z 254 : 1,70 m x 1 m, H. : 0,80 m, épaisseur des dalles de recouvrement : 5 cm ; Z 282 : 2 m x 1,38 m, H. : 1,10 m ; Z 293 : pas d'indication de dimensions).

303 - Cumont 1926, p. 274-277 ; Toll 1946, p. 7 à 139.

304 - A. Stein signale une butte funéraire avec des traces de voûte et 12 *loculi* (Gregory et Kennedy 1985, p. 171).

305 - Du Mesnil du Buisson 1948, p. 13 : tombes ZZ 1, 2, 3 et 4 ; Z 26 est probablement un hypogée non terminé.

Tombeaux-tours

Ce type de tombe au caractère monumental était déjà connu à Doura-Europos (**22b**) [306] et à Bāqhūz 2 (**60**) [307]. Un autre tombeau de ce type a été retrouvé, très ruiné [308], à Es Sūsa 1 (**18** ; **fig. 40**), à proximité de Bāqhūz.

Implantation

L'implantation de ces tombeaux-tours semble répondre à la volonté, déjà évoquée par N. P. Toll [309], de les rendre visibles et de leur conférer un aspect spectaculaire. Ils sont donc situés de préférence sur des points hauts, « au sommet de montagnes ou de collines », d'où on peut les voir de loin : ainsi, ceux de Bāqhūz 2 sont-ils sur le rebord de la falaise (**fig. 41**), celui d'Es Sūsa 1 sur le glacis d'une terrasse ancienne, nettement surélevés par rapport au plancher de la vallée. Les tombeaux de Doura, eux, bien que situés sur le plateau, ne sont pas visibles depuis la vallée, car ils sont en retrait et, de plus, à l'ouest du mur occidental de la ville. Mais leur monumentalité a été préservée par leur localisation sur les routes d'accès à la ville, à quelques centaines de mètres du rempart [310].

Fig. 40 - Tombeau-tour ruiné à Es Sūsa 1 (carte V, carré Q21, n° 18).

Fig. 41 - Tombeau-tour en position dominante à Bāqhūz 2 (carte V, carrés Q21 et Q22, n° 60).

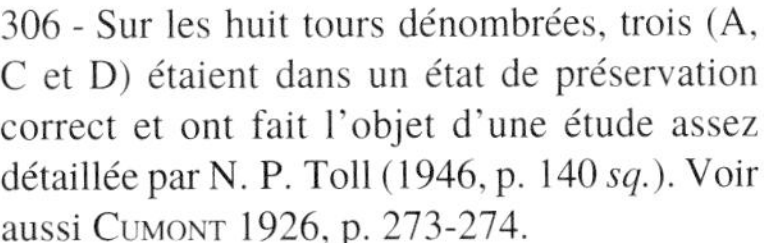

306 - Sur les huit tours dénombrées, trois (A, C et D) étaient dans un état de préservation correct et ont fait l'objet d'une étude assez détaillée par N. P. Toll (1946, p. 140 *sq.*). Voir aussi Cumont 1926, p. 273-274.

307 - Les tours de Bāqhūz sont simplement énumérées par le fouilleur du site, qui n'en fournit aucune description (Du Mesnil du Buisson 1948, p. 4 et 5). C'est N. P. Toll (1946, p. 146-147) qui, dans son étude comparative de celles de Doura, en donne les principales caractéristiques. Elles avaient déjà été visitées par G. Bell (1910, p. 533 ; site appelé « Irzi »), qui les décrit rapidement sans toutefois en faire le recensement précis. A. Musil (1927, p. 172) repère trois tours très bien conservées, avec des escaliers intérieurs, mais il les interprète comme les restes d'une ancienne forteresse. L'une d'entre elles est mentionnée par A. Stein, sans doute Abou Gelal (Gregory et Kennedy 1985, p. 171). Cinq tours ont été dénombrées par N. P. Toll, neuf par R. Du Mesnil du Buisson, qui descend plus en aval jusqu'à la frontière iraqienne ; elles sont en effet échelonnées sur une distance de 6 km : il s'agit, en partant de l'amont, de Ḳaṣr Abou Zembel (Toll : Abu Zimbel ; Musil : Ḳaṣr abu Zubbên), d'une tour anonyme située au sud de celle-ci et plus ruinée, de Ḳaṣr 'Ain el-Ḥağal (non mentionnée par N. P. Toll), de Ḳaṣr Abou Ğélâl (Abu Gelal), photographiée par G. Bell (1910, p. 526 en bas), de Ḳaṣr 'Erṣi (Erzi), de Ḳaṣr Shak el-Ḥamâm (Shaq el Hamam) et d'une autre presque entièrement détruite, à côté (non mentionnée par N. P. Toll). Cette série se termine près de la frontière, où R. Du Mesnil du Buisson signale deux tours rondes, d'un diamètre de 4 à 5 m, dites tours de Mardouka (non citées par N. P. Toll). Toutefois, en l'absence de description et de renseignement sur le mobilier, il ne nous est pas possible de classer parmi les monuments funéraires ces tours, que nous n'avons pu voir.

308 - Geyer et Monchambert 1987 a, p. 278-282.

309 - Toll 1946, p. 140.

310 - Faut-il attribuer à ce type de monument un rôle défensif, comme le fait F. Cumont ? Il parle de « fortins avancés » à propos de ceux de Doura, en se fondant sur le témoignage de Philon de Byzance : « il faut élever en forme de tours les tombeaux des hommes de bien ; ainsi on rendra la ville plus forte et, en même temps, ceux qui se sont distingués par leur vertu ou qui sont morts pour leur patrie y recevront une sépulture honorable » (éd. Graux, IX, 2).

Description

Ces tombeaux-tours (**fig. 42**) ont un plan à peu près carré, les dimensions à la base variant entre 6 et 11 m. Ils s'élèvent sur un socle à degrés (trois à cinq marches pour une hauteur pouvant atteindre 3 m), dans lequel sont percés des *loculi* à « voûte en échine » [311] s'ouvrant depuis l'extérieur ; ceux-ci sont inégalement répartis sur chaque face et sur une ou deux rangées [312]. Sur l'une des faces, une porte donne accès à un escalier intérieur tournant autour d'un pilier central, permettant d'accéder au moins à un deuxième étage. Aucune salle n'est aménagée dans les étages. Une décoration extérieure vient agrémenter les façades : elle se compose de deux à quatre colonnes engagées entre des pilastres d'angle ; au-dessus d'une corniche se trouvent de petites niches. Dans deux cas, à la tour D de Doura-Europos et à Erzi, une petite chambre voûtée en encorbellement se trouve à l'intérieur du socle et se substitue aux *loculi* ; on y accède par une entrée creusée dans les degrés. Une autre tour de l'ensemble de Bāqhūz, dénommé Shaq el Hamam, semble avoir eu de plus grandes dimensions [313] ; une grande chambre voûtée est aménagée dans le socle ; elle contient plusieurs *loculi* aménagés dans les murs pleins de la chambre.

Fig. 42 - Un exemple de tombeau-tour à Bāqhūz 2.

Tombeaux à coupole

Quatre tombeaux à coupole [314] ont été repérés dans la vallée : Mazār esh Shebli (**87** ; **fig. 43**), Mazār Sheikh Anīs (**88**), Mazār el Arba'in (**161**) et Sālihīye 4 (**209**). Situés sur le rebord du plateau de rive droite ou sur un ressaut rocheux (**161**), ils sont construits en briques cuites ou en pierres. Il s'agit vraisemblablement de tombeaux de cheikhs et datent de l'époque islamique.

Datation

Dater avec précision l'ensemble des sites funéraires de la vallée de l'Euphrate n'est guère possible en raison de nos difficultés à identifier clairement la catégorie à laquelle ils appartiennent, sans parler des problèmes que peut soulever la datation par la céramique [315] ou par le matériel retrouvé en surface, s'il y en a. De plus, les modes d'inhumation se sont perpétués durant de longues périodes, à l'exception de certaines formes plus évoluées, comme les tombeaux-tours, dont on sait qu'ils n'apparaissent qu'à l'époque hellénistique, encore que cette dernière forme architecturale ait perduré jusqu'à l'époque romaine tardive, comme l'attestent les tours de Halabiya plus en amont sur l'Euphrate. La tombe « dolménique », forme pourtant plus évoluée que la simple tombe à fosse en pleine terre, n'est pas non plus caractéristique d'une seule période. Si les tombes de Bāqhūz ont été aménagées à l'âge du Bronze, sans doute au Bronze moyen IIA [316], ce type de tombe est attesté sur une très longue durée, puisque sur le moyen Euphrate existent des tombes à couverture de dalles de pierres, apparemment sans tumulus au Bronze ancien, par exemple à Tawi [317], à Til Barsip [318] ou à Halawa [319], et sous tumulus à l'époque romaine tardive [320].

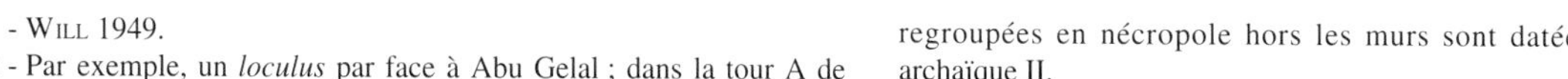

311 - Will 1949.

312 - Par exemple, un *loculus* par face à Abu Gelal ; dans la tour A de Doura, 5 *loculi* par face, sur deux rangs : 2 en bas et 3 en haut pour les faces SE et NO, 4 en bas et 1 en haut pour les faces SO et NE.

313 - Ces dimensions ne nous sont pas connues, la description de N. P. Toll ne les précisant pas.

314 - Voir Berthier *et al.* 2001.

315 - Voir annexe 2, introduction.

316 - Cette datation a été précisée par B. Hrouda (1990, p. 111). R. Du Mesnil du Buisson, quant à lui, les datait trop tardivement du xve s. av. J.-C.

317 - Kampschulte et Orthmann 1984, Grab T22, p. 39-41. Ces tombes regroupées en nécropole hors les murs sont datées du Dynastique archaïque II.

318 - Thureau-Dangin et Dunand 1936 : « hypogée », p. 96-97 et fig. 28 ; tombes 1, 2, 4, p. 108-109. Ces tombes doivent remonter à la fin du IIIe millénaire.

319 - Orthmann 1981, p. 51 *sq.*

320 - Voir A. Bounni (1980), qui mentionne entre autres les tombes de 'Anab as-Safinah (vaste nécropole romano-byzantine avec des cercles de pierres de 10 m de diamètre), Tell Salenkahiyé (datées du IIIe s. de notre ère, avec des cercles de pierres) ou encore Habouba Kabira Sud, Mumbaqah, Rumeila et Hajj Ali Issa.

Il n'est pas non plus dans notre dessein de présenter un tableau de l'utilisation des différentes nécropoles, notamment celles de Doura [321] et de Bāqhūz [322]. Des études ont déjà traité le cas des tombeaux-tours [323], qui fait intervenir d'autres critères, de type architectural ou architectonique, par exemple.

Nous pouvons dresser le tableau récapitulatif suivant relatif aux datations :

Époque	Sites
Bronze ancien	**1**, *5*, **56**, *78*, **99**, **203**
Bronze moyen	**1**, *5*, **56**, **60**, *78*, **79**, ***144***
Bronze récent	**1**
Néo-assyrien	**1**, *54* *, **59**, **63**, **69**, ***120***, ***141***
Classique (séleuco-parthe-romain)	**1**, **17** **, **18**, **22b**, **29**, *54* ***, **56**, **59**, **60**, **63**, **69**, *92*, **93**
Romain tardif	**56**, *59*, *92*, **94**, **112**
Islamique	**54**, **87**, **88**, **161**, **209**
Non daté	**13**, **143**, **145**, **156**

* LIMET et TUNCA 1997, p. 111 (ensemble II).
** Aucun matériel n'a été retrouvé permettant de dater ce site, mais sa localisation à proximité de Doura et la similitude des tombes avec celles de cette dernière incitent à le dater de la période d'occupation de cette ville, voire à en faire une partie de sa nécropole.
*** ROUAULT *et al.* 1997, p. 85 (couche 4) ; LIMET et TUNCA 1997, p. 111 (ensemble II).

Tableau 10 - Datation des sites funéraires par époques.

Fig. 43 - Mazār esh Shebli (carte II, carré G10, n° 87).

LIAISON AVEC LES SITES D'HABITAT ET IDENTIFICATION

Au problème de la datation de ces nécropoles est lié celui de leur identification. Deux cas méritent de retenir l'attention, d'une part les sites funéraires de la partie méridionale de la vallée, d'autre part la localisation du tombeau de Gordien. Cette dernière ayant déjà été évoquée à propos du site de Zaitha [324], seule la région de Tell Hariri sera traitée ici.

Les sites funéraires de la partie méridionale de la vallée

Si la nécropole qui est située devant Doura-Europos (**22b**, auquel il faut peut-être ajouter le site **17** [325]) est à mettre en relation avec cette ville, il est difficile d'associer les sites funéraires de Bāqhūz 2 (**60**) et d'Es Sūsa 1 et 2 (**18/56**) à des sites d'habitat. La question a déjà été évoquée [326] et la réponse reste en suspens. À quelle agglomération rattacher ces nécropoles, tant pour le Bronze ancien et le Bronze moyen que pour l'époque romano-parthe ? Aucune implantation antique ne se trouve à proximité immédiate, à l'exception de celle d'Es Sūsa 4 (**157**), datée du Bronze moyen, mais qui nous semble de taille trop modeste pour avoir généré une nécropole aussi importante. Il faut parcourir plus de cinq kilomètres et traverser l'Euphrate pour trouver des sites conséquents de ces époques : ce sont, d'amont en aval, Tell Hariri/ Mari (**1**) à 9 km à vol d'oiseau d'Es Sūsa et à 11,5 km du point le plus proche de Bāqhūz, Ta'as el 'Ashāir (**7**) à respectivement 5 et 7 km et 'Anqa (en Iraq) à 8,5 km de Bāqhūz, tous situés en rive droite.

Nous pouvons faire les propositions suivantes :

— pour l'âge du Bronze (**fig. 44**) : il semblerait que les nécropoles d'Es Sūsa 2 et de Bāqhūz 2 aient été en usage, la première au Bronze ancien surtout, son occupation se prolongeant

321 - L'utilisation de cette nécropole est limitée à la période d'existence de la ville, soit entre la fin du IVe s. av. J.-C. et le milieu du IIIe s. apr. J.-C.

322 - Les indications du fouilleur ne sont précises que pour le secteur de Ḳaṣr Abou Zembel ; pour le reste, elles sont relativement vagues, du fait de la publication incomplète de la nécropole. R. Du Mesnil du Buisson ne publie en effet pratiquement que les tombes du Bronze ; en dehors des réutilisations, il ne parle que de 11 tombes parthes, dont 5 hypogées (Z 26, ZZ 1 à 4). Il présente néanmoins une datation des grands secteurs qu'il a délimités : secteur de Ḳaṣr Abou Zembel : les tours sont parthes, le reste essentiellement de l'âge du Bronze, mais beaucoup de tombes ont été réutilisées à l'époque parthe ; Ḳaṣr Abou Ğelâl : tombes parthes sous tumuli ; Ḳaṣr 'Erṣi : surtout parthe ; Ḳaṣr Shak el-Ḥamâm : parthe ; tours de Mardouka : datation non précisée. En ce qui concerne la nécropole de l'âge du Bronze, elle a sans doute été aménagée au Bronze moyen IIA, à l'époque du roi Zimri-Lim (HROUDA 1990, p. 111).

323 - Pour une synthèse sur l'origine et la diffusion des tombeaux-tours, se reporter à WILL 1949. Voir aussi CUMONT 1917, p. 214 ; TOLL 1946, p. 148.

324 - Voir ci-dessus, p. 157 *sq*.

325 - Il n'est pas impossible en effet que cet ensemble de tombes (**17**) soit un autre secteur de la nécropole hors les murs de Doura, dont il est distant de 2,5 km. On peut aussi envisager qu'il corresponde au cimetière des assaillants parthes, qui ont certainement procédé à l'inhumation de leurs soldats tombés lors du siège de la ville.

326 - GEYER et MONCHAMBERT 1987 a.

au Bronze moyen, la seconde exclusivement au Bronze moyen. Servaient-elles de nécropoles pour les habitants de Mari, comme l'envisage B. Hrouda [327] à propos de Bāqhūz ? On peut l'imaginer, malgré la distance qui les sépare de cette ville [328], même si l'on ne doit pas exclure la possibilité que la nécropole ait été utilisée, au moins dans sa partie orientale, par les habitants d'une agglomération contemporaine qui a pu se trouver à 'Anqa, un peu en aval en rive droite, ou dans ses environs [329]. Elles n'étaient d'ailleurs peut-être que deux nécropoles parmi d'autres, situées aux alentours de la métropole, mais toujours à une certaine distance et sur les hauteurs : elles échappaient ainsi aux inondations qui menaçaient la terrasse holocène et surtout n'empiétaient pas sur le domaine cultivable. C'est ainsi que l'on peut envisager l'existence d'une autre (ou d'autres) nécropole(s) en rive droite, sur le glacis descendant du plateau, à une distance d'environ 6 km au sud-sud-ouest de Mari (sites **99** et **144** d'une part, site **143** d'autre part) ;

— pour l'époque romano-parthe (**fig. 45**) : il semble que les deux nécropoles aient été contemporaines, celle d'Es Sūsa continuant à être utilisée à l'époque romaine tardive.

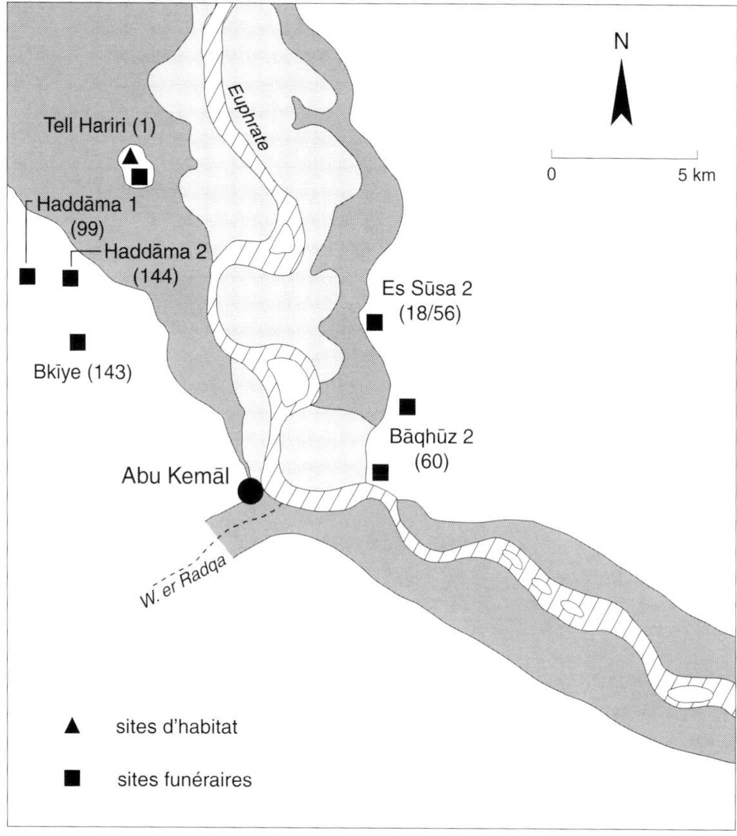

Fig. 44 - Sites funéraires et sites d'habitat de la région de Mari au Bronze ancien et au Bronze moyen.

La thèse de R. Du Mesnil du Buisson qui voit dans le site de Bāqhūz 2 la nécropole d'une ville réinstallée sur les ruines de l'ancienne Nagiaté (Nagiatu néo-assyrienne), en rive gauche [330], nous paraît peu plausible. Nous n'en avons retrouvé aucune trace et les témoignages écrits ne suggèrent l'existence d'aucune ville dans ce secteur. Pourtant, la présence de tombeaux-tours semble impliquer l'existence de familles riches et, par conséquent, d'une ville d'une certaine ampleur qui aurait vraisemblablement été mentionnée par les textes. En revanche, l'hypothèse d'A. Stein [331], pour qui Bāqhūz serait la nécropole de la ville située sous les ruines de 'Anqa, est beaucoup plus séduisante : le point le plus proche de la nécropole de Bāqhūz n'est distant que de 8,5 km de ce site, qui, nous l'avons vu, correspond [332] très vraisemblablement à Giddan, une étape sur la route royale des Parthes, et à Eddana, un poste militaire romain dépendant de Doura.

Cette explication pourrait aussi valoir pour Ta'as el 'Ashāir (**7**), dont les habitants pourraient avoir utilisé le secteur septentrional de Bāqhūz, éloigné de seulement 7 km, et pour Tell Hariri (**1**). Il est vraisemblable, en effet, que l'un de ces deux sites ait été la Merrhan d'Isidore de Charax [333]. Ville étape sur la route royale des Parthes, elle

327 - Hrouda 1990, p. 109.

328 - Cette hypothèse nous semble en tout cas préférable à celle que nous avons proposée dans le rapport préliminaire où nous suggérions de voir dans ces sites les nécropoles d'une ville qui aurait été située en rive gauche quelque part entre Es Sūsa et Bāqhūz (Geyer et Monchambert 1987 a, p. 284).

329 - Pour les ruines de 'Anqa, A. Stein (Gregory et Kennedy 1985, p. 159) signale, sans la préciser, une occupation antérieure à l'époque romaine, sur la base de plusieurs objets (un sceau, un sceau-cylindre portant des caractères cunéiformes et une petite plaque décorée en relief).

330 - Du Mesnil du Buisson 1948, p. 12. Il s'inspirait de G. Bell (1910, p. 533) qui suggérait qu'Irzi fût la nécropole d'une ville qui se serait trouvée dans la zone irriguée en contrebas, ville qui aurait réoccupé le site de l'ancienne Corsoté et que les inondations auraient ensuite détruite.

331 - *in* Gregory et Kennedy 1985, p. 171. Cette hypothèse est préférable à celle d'A. Musil pour qui il s'agit de la nécropole de la ville située aux ruines d'aš-Šejḫ Ğâber sur le Tell al-Ğâbrijje qu'il identifie à Giddan (Musil 1927, p. 14, 172 et 230) ; ce dernier site, plus en aval que 'Anqa, est trop éloigné de Bāqhūz.

332 - Pour ces identifications, voir. ci-dessus p. 151.

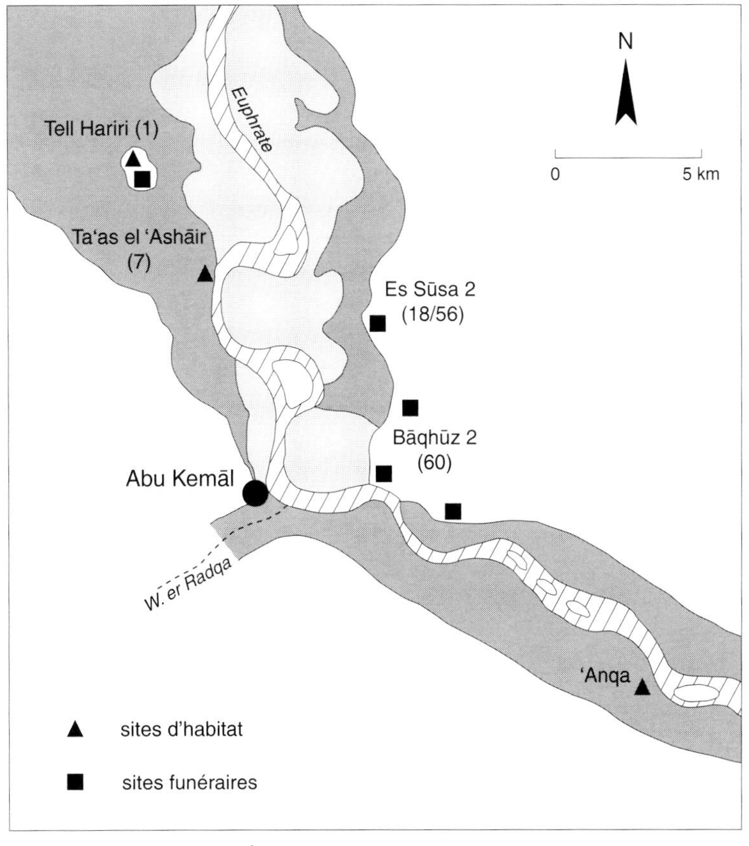

Fig. 45 - Sites funéraires et sites d'habitat de la région de Bāqhūz à l'époque romano-parthe.

aurait pu procurer, elle aussi, une certaine prospérité à une partie de sa population qui aurait édifié des tombeaux-tours. C'est en tout cas ce dont semble témoigner celui d'Es Sūsa, qui est vraisemblablement à mettre en rapport, comme l'ensemble de la nécropole dont il fait partie, Es Sūsa 1 et 2, avec ces deux sites, implantés juste en face, sur la rive droite de l'Euphrate. Un autre lieu d'inhumation de l'ancienne Merrhan est sans aucun doute à rechercher dans la nécropole d'époque séleuco-parthe retrouvée sur le Tell Hariri.

LES SITES DE TYPE NON DÉTERMINÉ

Trois sites en forme de tumulus, Tell Medkūk (**2**), Tell Bani (**19**), Tell Mankut (**3**) sont relativement atypiques du fait de leur forme et de leurs dimensions et sont difficiles à interpréter. Une quatrième butte, Tell el Khinzīr (**8**), située sur le plateau, ne semble pas être une tombe.

TELL MEDKŪK

Ce tell (**2** ; **fig. 46** et **47**) présente des dimensions et une forme atypiques [334]. Il a en effet une forme conique accentuée, avec une hauteur de 19 m et un diamètre à la base d'environ 160 m. Ses pentes sont raides, avoisinant les 30°. S'agit-il du tumulus d'une tombe ? S'il n'est pas possible d'y voir un site d'habitat (village, hameau), en raison de l'inclinaison de ses pentes et de l'absence quasi totale de matériel [335], il n'est guère plus vraisemblable d'y voir une tombe. En tout cas, ses dimensions, notamment sa hauteur considérable, et la présence de briques crues en place dans les ravines en font douter, à moins qu'il ne s'agisse d'une tombe monumentale en briques crues. De gigantesques tumulus funéraires sont attestés en Anatolie, à partir du VIIIe s. av. J.-C., par exemple au cimetière royal de Bin Tepe à proximité de Sardes en Lydie, où la tombe [336] du roi Alyattes a un diamètre de 355 m et une hauteur supérieure à 60 m, ou encore à Gordion en Phrygie, où trois tumulus dépassent les dix mètres de hauteur : le plus grand [337], attribué au roi Midas, s'élève à environ 53 m pour un diamètre proche de 300 m ; le tumulus W, avec une hauteur de 22 m et un diamètre de 150 m, a des dimensions tout à fait comparables à celles de Tell Medkūk. A. Parrot [338] s'appuie sur ces comparaisons pour interpréter ce dernier comme un tombeau et émet l'hypothèse qu'il s'agit de celui

333 - GEYER et MONCHAMBERT 1987 a, p. 283 et ci-dessus, p. 151.

334 - Ce site, aperçu par de nombreux voyageurs, n'a été décrit avec précision que par W. F. Albright et Dougherty (1926, p. 20 et photo p. 15) qui donnent pour Tell el-Madqûq une hauteur de 15 m et une circonférence à la base d'environ 100 m. Ils reconstituent une hauteur d'origine de 20 m environ et un diamètre d'environ 25 m. Ils soulignent la très petite quantité de poterie et la présence de nombreux fragments de briques cuites au sommet et sur les pentes.

335 - Ces deux raisons nous font aussi rejeter l'hypothèse avancée par G. Dossin (1940, p. 158), qui y voit l'emplacement d'un fortin parthe, Merrhan, dont l'existence dans la région est attestée par les *Étapes Parthiques* d'Isidore de Charax (voir ci-dessus p. 151).

336 - Deux autres tumulus ont des dimensions considérables, celui de Gygès (diamètre : env. 240 m, H. : près de 50 m) et celui de Tmolus (diamètre : env. 300 m). Une *crépis* en pierre en délimite la base. En dehors de ces trois tombes monumentales, la nécropole est composée d'environ 90 tumulus, dont la hauteur varie de 1 à 15 m et le diamètre de 10 à 40 m. Les monticules sont composés d'une alternance de couches de terre, d'argile, de sable et gravier et de pierres (voir RUSSIN et HANFMANN 1983).

337 - YOUNG 1981. Une dizaine d'autres tumulus ont des dimensions beaucoup plus modestes (H. : 0,5 à 7,5 m, diam. : 14 à 60 m) se rapprochant de celles des buttes de notre région (KOHLER 1995, p. 179).

338 - PARROT 1974, p. 156.

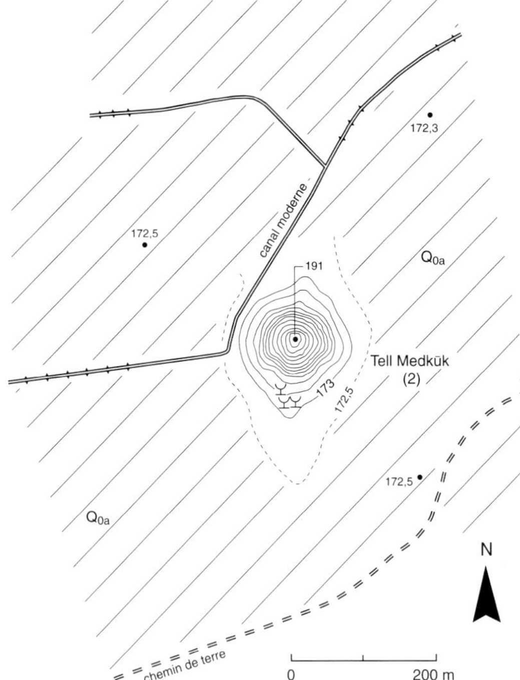

Fig. 46 - Tell Medkūk (carte V, carré O20, n° 2) [pour la légende, voir fig. 2].

de Gordien III ; nous avons vu précédemment que cette identification n'est pas plausible [339]. Par ailleurs, ce type de tombeau n'est pas attesté *a priori* en Mésopotamie.

En revanche, la grande proximité de Tell Medkūk avec le site de l'ancienne Mari (850 m de la digue-rempart et 1 600 m plein ouest du centre de la ville) et la présence de quelques tessons du Bronze moyen font plutôt penser à un monument en rapport avec cette dernière. A. Parrot a suggéré d'y voir un « observatoire ou [une] tour destinée à émettre des signaux de feux » [340] ; il nous semble cependant que des points hauts situés à l'intérieur même de la ville de Mari, comme le toit-terrasse du Palais ou d'un autre bâtiment public, auraient été mieux placés pour remplir une telle fonction.

Enfin, W. F. Albright et R. P. Dougherty y ont supposé la présence d'un temple hors les murs, sans toutefois expliciter leur proposition [341].

Tell Bani

Ce site (**19**), à peu près du même type que Tell Medkūk, a des dimensions plus modestes ; il est environ quatre fois plus petit, avec une hauteur de 5 m et un diamètre à la base d'une quarantaine de mètres, mais le rapport hauteur/diamètre est à peu près le même (1/8). Comme pour Tell Medkūk, des lits de briques crues sont visibles dans l'épaisseur de la butte. Son implantation au pied du plateau, loin de tout point d'eau, rend très peu vraisemblable une occupation sédentaire (**fig. 48**). La seule hypothèse envisageable serait un bâtiment isolé du type tour. En revanche, la hauteur de la butte est plus compatible avec une tombe sous tumulus. Il s'agirait dans ce cas d'une tombe construite sous la forme d'un massif en briques crues.

Fig. 47 - Tell Medkūk, vu du sud.

Tell Mankut

Cette butte (**3** ; **fig. 49**), voisine de Tell Medkūk, présente une hauteur de 5,50 m pour un diamètre à la base de 70 à 80 m. Si l'inclinaison de ses pentes est inférieure à celle des deux tells qui viennent d'être évoqués, le rapport hauteur/diamètre est plus important que pour la majorité des sites d'habitat. La rareté des tessons

339 - Voir ci-dessus, p. 159 *sq.*
340 - Parrot 1974, p. 156.
341 - Albright et Dougherty 1926, p. 20.
342 - Dossin 1938 ; Durand 1998, p. 303-304.

en surface nous incite à y voir plutôt un tumulus funéraire, à moins qu'il ne s'agisse là encore d'un bâtiment hors les murs dépendant de l'ancienne Mari.

Tell el Khinzīr

Situé sur le rebord du plateau de rive droite à 7,5 km de l'Euphrate et dominant la vallée, ce site (**8**) sans élévation apparente est installé sur la pente d'une butte naturelle. Des traces de murs, rectilignes, sont visibles en surface. Il ne semble donc pas s'agir d'un tumulus funéraire. Mais ces vestiges sont très arasés et ne permettent pas de reconnaître la nature de cette installation. L'éventualité d'un site d'habitat permanent en cet endroit paraît devoir être exclue, en raison de l'éloignement de tout point d'eau. Sa situation sur le rebord du plateau pourrait laisser envisager un ancien poste de guet, susceptible de contrôler tout le secteur en aval de la falaise de Doura-Europos en même temps que le débouché du grand Wādi Bir el Ahmar, ou, ce qui pourrait d'ailleurs être complémentaire, un relais de transmission pour des signaux lumineux, comme ceux que laissent entrevoir, pour l'époque paléo-babylonienne, certains textes de Mari [342]. Toutefois, les rares tessons retrouvés sur ce site ne permettent pas de le dater.

Fig. 48 - Tell Bani (carte IV, carré N18, n° 19), vu de l'est [pour la légende, voir fig. 2].

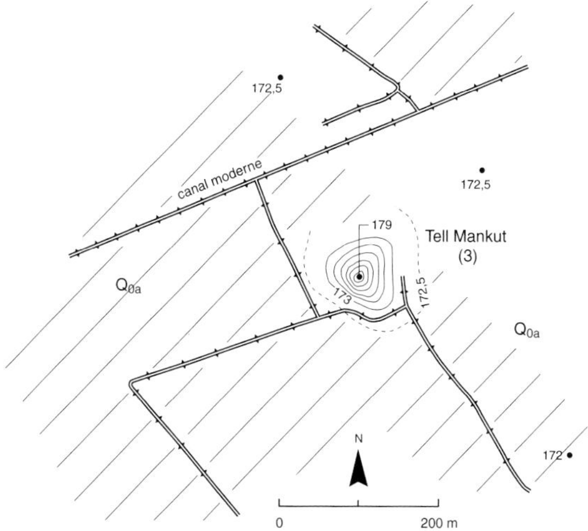

Fig. 49 - Tell Mankut (carte V, carré O20, n° 3).

Chapitre V. Les aménagements hydrauliques

Bernard Geyer et Jean-Yves Monchambert

La quasi-totalité des activités dans la vallée de l'Euphrate est commandée par le fleuve. Il représente simultanément l'unique ressource en eau douce pérenne et l'agent essentiel de la morphogenèse. Dispensateur de richesses et cause de désastres, il convenait donc, dans la mesure du possible, de le domestiquer. Il fallait en tout cas composer avec lui, se mettre à l'abri de ses fureurs et profiter ainsi au mieux de ses bienfaits. Durant certaines époques — l'âge du Bronze, l'époque néo-assyrienne ou encore l'époque islamique — l'homme a su remodeler la vallée de telle manière qu'elle put être mise en valeur sur une grande échelle : on peut, pour ces périodes fastes et dans le cadre spécifique de la vallée, évoquer la notion de « monde plein ». Alimentation en eau, irrigation, navigation et transport, telles ont été les principales contributions du fleuve.

L'essentiel des aménagements repérés dans la vallée et ses abords apparaissent destinés à l'irrigation. À partir de quand celle-ci y fut-elle pratiquée ? Les premières tentatives pourraient avoir été faites dès l'époque de Halaf [1], mais il ne s'agissait probablement que de petite irrigation, pratiquée avec des moyens limités qui n'ont laissé ni traces, ni vestiges. La grande irrigation, qui nécessite des techniques élaborées et des moyens importants, ne peut guère avoir été mise en œuvre avant les débuts de l'âge du Bronze lorsque se constituèrent des « cités-États » et que se développa, notamment, le royaume de Mari.

Petite et grande irrigations ont certainement coexisté, au moins temporairement. La première, facile à mettre en œuvre par l'intermédiaire d'aménagements hydro-agricoles légers (*chadouf*, *nasba*, *gharraf*, etc.) n'a probablement jamais totalement disparu, puisqu'elle a été pratiquée, non seulement par les sédentaires, mais également par les nomades [2], lesquels se procuraient ainsi un complément de produits alimentaires indispensable à leur survie. Les traces que ces aménagements auraient pu laisser ont été totalement effacées de la surface du sol. La pratique de la petite irrigation n'est donc guère détectable dans le cadre d'une prospection : nous ne l'aborderons pas ici. En revanche, la grande irrigation et, de manière plus générale, la mise en valeur agricole à grande échelle laissent des traces multiformes qui sont souvent encore interprétables.

Cependant, les conditions de la mise en valeur en rive gauche et en rive droite ne sont pas identiques [3]. La première se révèle par nature propice à la petite irrigation, avec des terroirs souvent fractionnés par des pointements de la formation Q_{II} et une largeur généralement restreinte, facteurs qui ont pour conséquences d'assurer un drainage plus efficace qu'en rive droite et donc de diminuer les risques de salinisation des sols. C'est sur cette rive orientale que se concentra l'essentiel du peuplement durant les époques de moindre occupation ou lorsque ne furent pas mis en œuvre de très gros aménagements hydro-agricoles, *a priori* mieux adaptés aux larges terrasses de la rive droite. Seules les périodes ayant connu des efforts de mise en valeur exceptionnels, comme le Bronze ancien, le Bronze moyen ou l'époque islamique ont vu le peuplement se répartir de manière plus équilibrée dans l'ensemble de la vallée.

Nous évoquerons, dans ce chapitre, les différents types d'aménagements que nous avons pu rencontrer, des plus imposants — les canaux — aux plus discrets — les norias ou les *qanāts* —, en passant par les plus fréquemment décrits — les barrages.

Les canaux

La prospection a révélé un système d'aménagements complexe et ingénieux, comprenant entre autres une série de canaux, différemment conçus selon leur fonction (**fig. 1**) et qui permettaient une mise en valeur maximale de la vallée [4]. L'alimentation en eau des villes, celle des vastes périmètres d'irrigation par des canaux gravitaires, le drainage et la navigation furent ainsi habilement assurés par ces ouvrages imposants.

1 - Cf. chap. vi, p. 241.

2 - Charles 1939, D'Hont 1994.

3 - Cf. chap. ii, p. 73.

4 - Plusieurs publications ont déjà concerné les aménagements hydro-agricoles de la vallée, en particulier Geyer et Monchambert 1983, 1987 b. On se reportera aussi à Berthier et D'Hont 1994 ; Durand 1990 a, 1998 ; Geyer 1984, 1985, 1990 a, 1995 ; Geyer et Monchambert 1989 ; Lafont 1992 ; Margueron 1991 b, 1998 b.

Type 1. Canal d'amenée d'eau (canal de Mari)

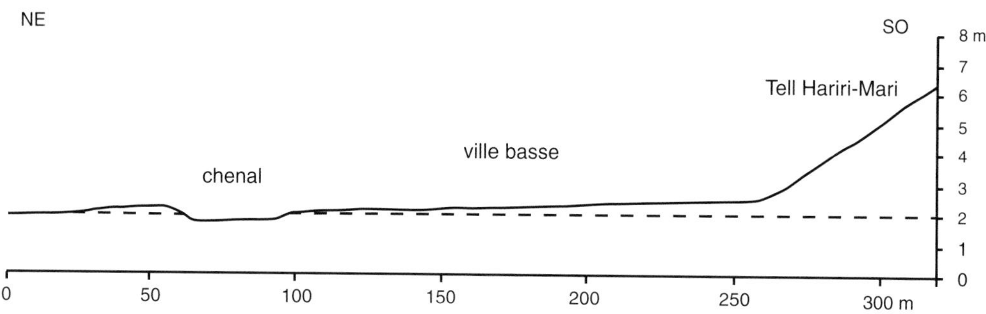

Type 2. Canal d'irrigation (canal principal d'irrigation)

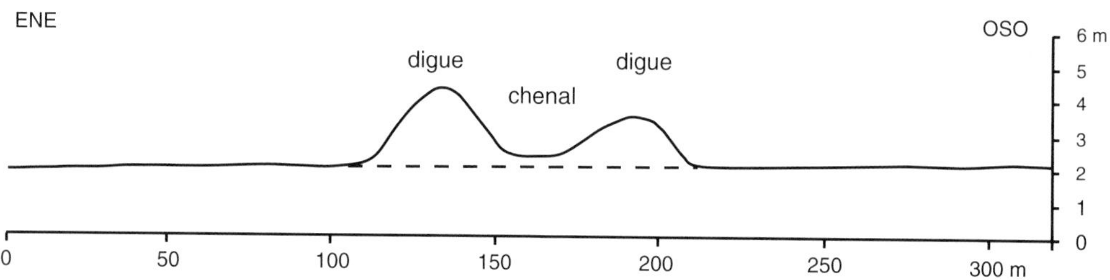

Type 3. Canal d'évacuation des eaux (canal périphérique de rive droite)

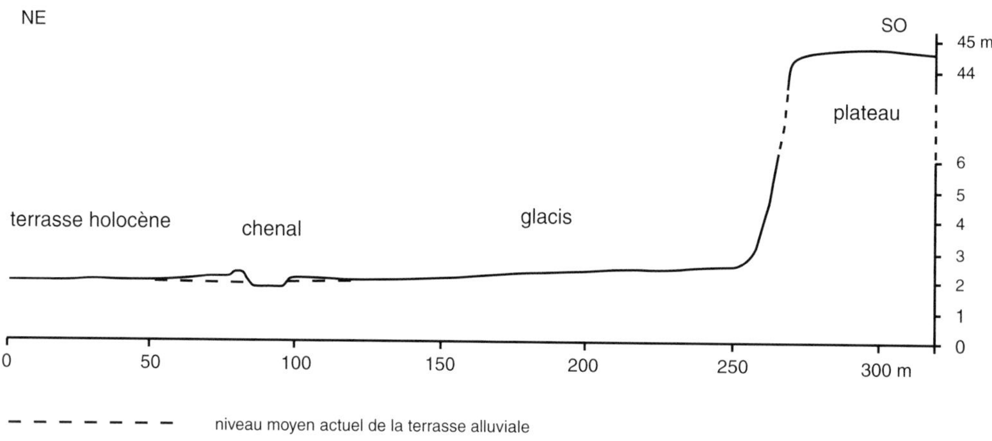

Type 4. Canal de navigation ? (Nahr Dawrīn)

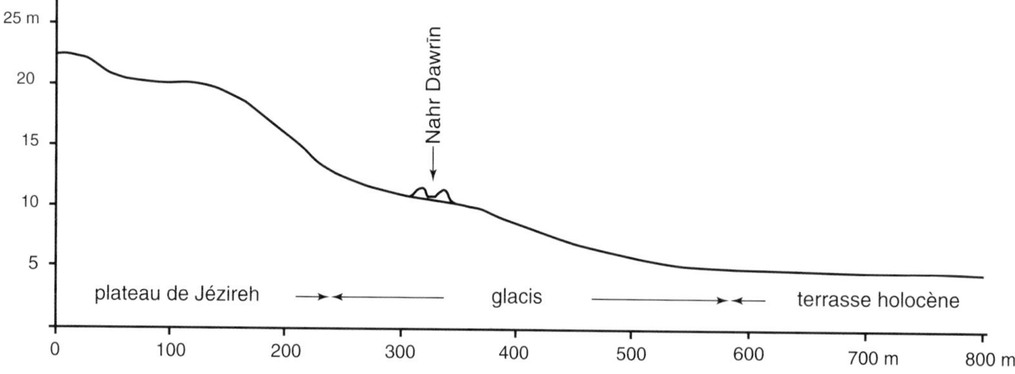

Fig. 1 - Les différents types de canaux repérés dans la vallée de l'Euphrate.

Les canaux d'amenée d'eau

Nous avons évoqué les dangers — sapements latéraux engendrés par la force érosive du flot et destructions dues à la violence des débordements — que couraient les installations humaines lorsqu'elles étaient situées à proximité immédiate du fleuve. Seuls les bourrelets de rive et, plus encore, les môles-butoirs offraient un minimum de sécurité. Mais leur taille, toujours restreinte [5], ne permettait guère aux agglomérations de se développer sans risque. Une cité pouvait certes s'étendre peu à peu en profitant de l'accumulation des déchets qu'elle générait pour rester hors de portée des crues, mais cette expansion ne pouvait qu'être lente. La fondation d'une ville, *ex nihilo*, n'était envisageable qu'à l'écart du fleuve, sur les surfaces planes et vastes proposées par les terrasses alluviales ou les plateaux : tel fut le cas notamment de Mari et de Doura-Europos. Dans ces cas se posait le problème crucial de l'accès à l'eau.

Le canal de Mari

Le problème posé par l'alimentation en eau de la cité de Mari, dont le centre (restitué) était à un peu plus d'1 km du plus proche méandre (cf. chap. IV, **fig. 18**), semble avoir été résolu, sans doute dès la fondation de la ville, grâce à l'aménagement d'un canal d'adduction.

Long de près de 4,5 km, creusé dans la terrasse Q_{0a} [6], il conduisait l'eau depuis un méandre situé à 2 km en amont du site, traversait ensuite ce dernier avant de rejoindre un autre méandre au sud-est.

La prise d'eau

Nous ne savons rien de l'aménagement de prise, détruit par le flot ou masqué par les alluvions. Seuls le modelé de la terrasse, à son emplacement supposé, et le dessin du tracé du canal nous permettent de dire que la prise se faisait dans la concavité d'un méandre aujourd'hui abandonné et partiellement comblé. Le choix de l'emplacement était judicieux puisqu'un môle-butoir, sur lequel est d'ailleurs venu s'implanter un des hameaux actuels d'Es Saiyāl, bloquait, non loin en aval, le développement du méandre, assurant ainsi la pérennité de l'ouvrage.

Le tracé

Le canal s'éloignait du fleuve quasiment à angle droit, puis, par une large courbure, s'orientait vers le sud-est, en direction de la cité. Seule cette section amont, courbe, est encore relativement bien conservée et parfaitement visible dans le paysage très plat du fond de vallée. Le chenal d'écoulement, raccordé au lit de l'Euphrate, fragilisé par son encaissement important dans la terrasse, était protégé par de puissantes digues, qui s'élèvent encore de près d'1 m au-dessus de la surface actuelle de la terrasse. L'envergure de l'aménagement, tel qu'il nous apparaît aujourd'hui, érodé et « fondu », est de l'ordre de 200 m (**fig. 2 a**). Ces dimensions impressionnantes ne pouvaient être dues qu'à l'impérieuse nécessité de protéger la voie d'eau contre des inondations auxquelles elle était potentiellement exposée de plein fouet.

Plus à l'aval, une fois sorti de sa courbure, le canal n'est plus visible que par une trace en faible creux, qui s'observe très bien après les pluies [7]. Le mauvais état de conservation de ce segment s'explique par le fait que, depuis son abandon, il a canalisé les flots lors des inondations, jouant le rôle d'évacuateur des eaux de crue. Il est cependant facilement discernable lors de sa traversée du site de Tell Hariri (**fig. 3**), où sa largeur — plus de 30 m — (**fig. 2 b**) est de toute évidence exagérée par l'érosion de ses berges lors des épisodes de crue.

Le débouché

Son débouché dans un ancien méandre situé à quelques centaines de mètres au sud-est du tell ne fait guère de doute. Le canal, toujours creusé (1 m environ) dans la terrasse, traverse la levée de berge du méandre, large de 35 à 40 m, par une percée d'environ 26 m de large, dont on ne conçoit pas qu'elle puisse être naturelle (**fig. 4**). De part et d'autre de l'ouverture, les berges sont surmontées de remblais, hauts encore de 0,8 m environ (**fig. 2 c**), qui proviennent probablement des curages du chenal, sinon de son creusement initial.

Fonction du canal et datation

Il est peu probable que la fonction première de ce canal, creusé sur toute sa longueur dans les alluvions de la terrasse holocène ancienne, ait été l'irrigation. Même si l'on admet, sans grand risque de se tromper, que des machines élévatoires simples, comme le *chadouf*, devaient exister et être couramment utilisées pour pratiquer une petite irrigation sur les berges du fleuve, aucune machine complexe (*gharraf*, noria) n'y est attestée pour l'âge du Bronze. L'hypothèse selon laquelle ce canal aurait servi avant tout à mettre la cité en relation directe avec le fleuve semble la plus probable. Il alimentait en eau la ville en même temps qu'il pouvait faciliter le transport des matières pondéreuses entre celle-ci et l'Euphrate. Dans cette hypothèse, il fallait qu'il fût

5 - Quelques exceptions existent : ainsi, à Buseire (**75**), lieu hautement stratégique de la confluence de l'Euphrate et du Khābūr, la bonne conservation de la formation Q_{II} a permis, à plusieurs reprises dans l'histoire, le développement de cités importantes : Korsoté/Circesium/Qarqīsiyya-al-Hābūr (cf. chap. IV).

6 - Nous n'avons pas pu y ouvrir de tranchée du fait de la proximité de la nappe phréatique.

7 - Sa trace est particulièrement bien visible sur la photo publiée dans le dossier *Éblouissante richesse de Mari sur l'Euphrate* de la revue *Histoire et Archéologie : les dossiers*, n° 80, 1984, p. 13.

a - Secteur de la prise d'eau

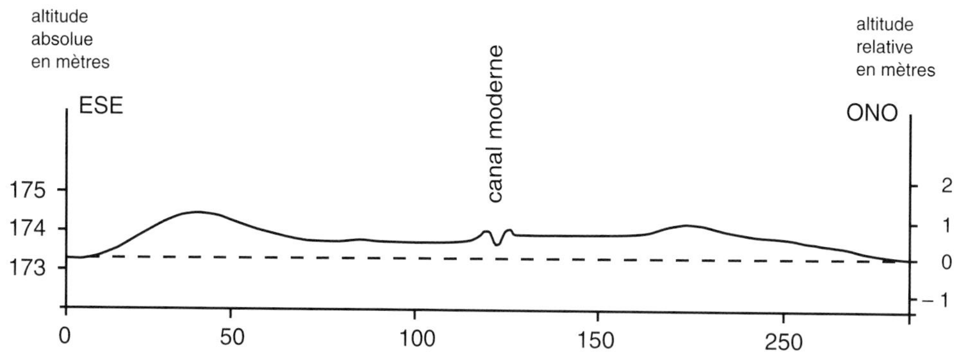

b - Section au droit du site de Tell Hariri-Mari

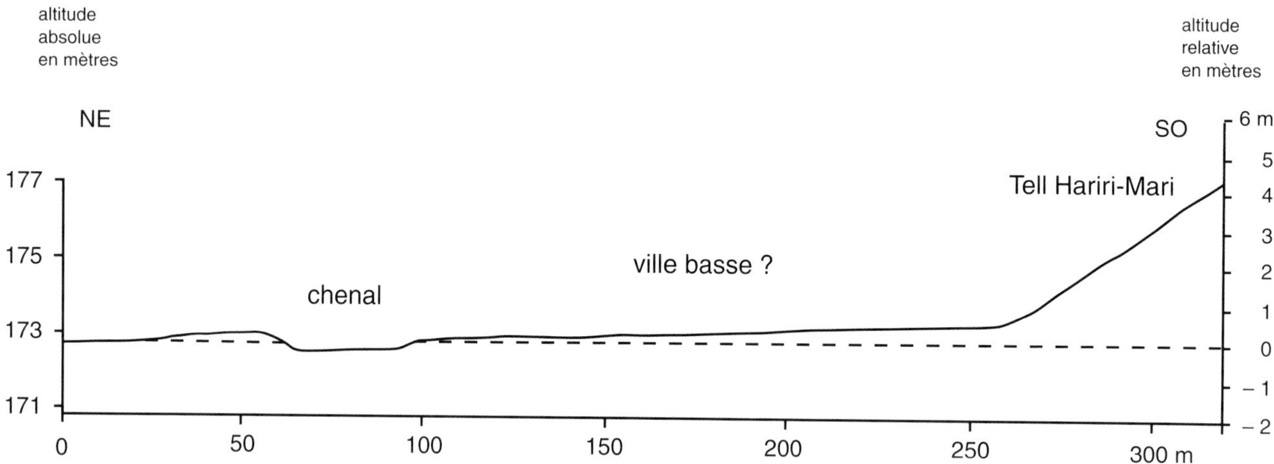

c - Section au débouché supposé dans le paléoméandre sud

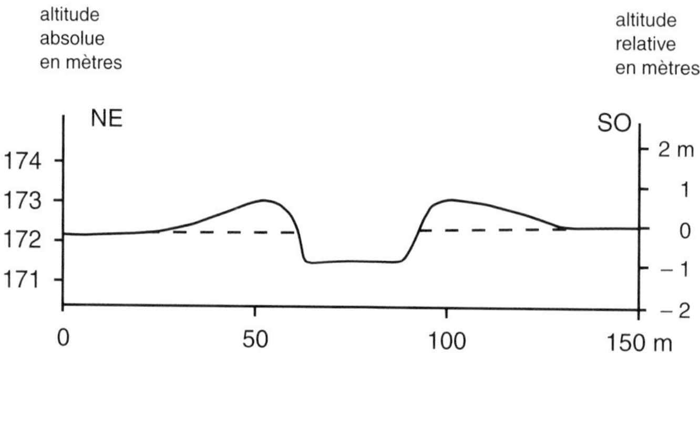

– – – – – – niveau moyen actuel de la terrasse alluviale

Fig. 2 - Profils du canal d'amenée d'eau à Mari.

Fig. 3 - Trace du canal de Mari lors de sa traversée du site de Tell Hariri, vue vers l'amont.

Fig. 4 - Débouché du canal de Mari dans un paléoméandre, vu vers l'aval.

fonctionnel toute l'année. Nous ne savons pas comment fut alors résolu le problème posé par son alimentation en période d'étiage : peut-être par un seuil semblable à celui que nous avons observé à la prise du Nahr Sémiramis (cf. ci-dessous, p. 217-219), dans le défilé d'Al-Khanouqa [8] (cf. **fig. 31**, p. 217). Les contraintes liées aux trop forts débits pouvaient éventuellement être atténuées par l'aménagement, dans la section amont du canal, d'un déversoir écrêtant les hautes eaux. Lors des débordements du fleuve, il faut imaginer un système de vannes permettant de fermer le chenal à hauteur de la digue qui protégeait la ville.

En relation directe avec Tell Hariri, ce canal est contemporain de l'ancienne cité de Mari, qui, comme nous l'avons vu, est implantée à l'écart du fleuve. Il permettait de résoudre le problème de son alimentation en eau. Il était donc indispensable à l'existence même de la ville. En conséquence, il nous semble probable qu'il ait été construit lors de la fondation de cette dernière, au début du IIIe millénaire et qu'il soit resté en usage jusqu'à la chute de Mari au XVIIIe s. av. J.-C.

Le canal de Mōhasan

Le site de Mōhasan 1 (**25** ; cf. chap. IV, **fig. 27**), dans l'alvéole du même nom, à environ 15 km en aval de Deir ez Zōr, semble avoir profité d'un aménagement du même type. Implantée comme Mari sur la terrasse Q_{0a}, à l'écart du fleuve, à au moins 1 km du plus proche méandre, l'agglomération devait être alimentée en eau par une voie artificielle (cf. **carte h.-t. I**). Sa trace, longue au minimum de 5 km, part d'un méandre proche du hameau d'El 'Abid et rejoint en ligne droite le tell avant de se perdre dans le dédale des amas éoliens informes qui parsèment la surface de la terrasse en aval du site.

La prise d'eau

Apparemment, seul le méandre situé en contrebas du site de Tell Guftān (**23** ; **fig. 5**) pouvait convenir à l'installation de prise d'eau de ce canal. L'endroit était propice, car la configuration très particulière des lieux laisse présager la présence, à proximité immédiate du tell, d'un môle-butoir. Il est, de plus, fort probable que Tell Guftān, qui interpose sa masse entre le canal et le fleuve, a été fondé postérieurement, à l'époque islamique ainsi que le révèlent les fouilles effectuées par S. Berthier [9]. Comme pour le canal de Mari donc, il n'y aurait pas eu d'installation importante à l'emplacement de la prise d'eau. Les aménagements ayant, là aussi, disparu, il ne nous est pas possible de préciser comment se faisait la dérivation de l'eau du fleuve vers le chenal artificiel. Nous reviendrons sur cette question à propos du Nahr Sémiramis.

Le tracé

Mal conservé, sans doute laminé par les crues, le canal n'est plus guère visible que grâce à une faible élévation du terrain due très probablement aux déblais de creusement ou de curage qui ont été rejetés de part et d'autre du chenal. Ce dernier apparaît cependant mieux après les pluies du fait de la légère dépression qui marque son emplacement. Un ancien méandre, la Surāt et Tābīye, a failli recouper son tracé. À hauteur d'un des hameaux de Mōhasan, au sud-sud-est d'El 'Abid, une dérivation du Nahr Sa'īd (cf. ci-dessous, p. 185 *sq.*) aboutit dans le canal.

Le débouché

La trace du canal disparaissant totalement après Mōhasan 1 (**25**), il nous est impossible de préciser où se trouvait son débouché. On peut supposer qu'il était relié à un paléoméandre aujourd'hui totalement colmaté, peut-être celui au bord duquel se situe le site islamique de Tell Hrīm (**30**).

Fonction du canal et datation

Si l'on considère la distance qui sépare la prise d'eau et le site de Mōhasan 1, seule l'hypothèse du canal d'amenée d'eau est envisageable. En effet, il est difficile d'admettre que l'eau dérivée du fleuve ait pu rattraper le niveau de la terrasse en seulement 4,5 km, sachant que la pente moyenne de celle-ci est de l'ordre de 0,35 ‰ et que la différence d'altitude entre le fleuve et la terrasse était de toute façon au moins supérieure à deux mètres (cf. ci-dessous, p. 182). L'hypothèse d'un usage pour l'irrigation serait envisageable en aval de Mōhasan 1, mais nous ne savons pas ce qu'il advient alors de l'aménagement.

Comme dans le cas de Mari, le canal est contemporain du site avec lequel il est en relation directe. Il permettait, ici aussi, de résoudre le problème de l'alimentation en eau posé par la situation de Mōhasan 1, à l'écart du fleuve. Il est dès lors vraisemblable qu'il ait été aménagé lors de la fondation de la ville, moment qui n'a pu encore être déterminé avec certitude [10]. D'après la céramique récoltée en surface lors de la prospection, le site a été occupé au début du IIe millénaire. Cette époque est la seule pour laquelle nous pouvons raisonnablement affirmer que le canal était en fonction. Mais une occupation à des époques antérieures, notamment au Bronze ancien, n'est pas à exclure. Le doute subsiste également pour l'époque islamique en raison de l'implantation apparemment modeste qui y est attestée par la céramique. Toutefois, une remise en fonction du canal à cette époque n'est pas impossible : elle n'aurait concerné que les sections médiane et aval, lesquelles auraient été alimentées à partir d'une dérivation du Nahr Sa'īd un peu en aval de Tell Guftān.

8 - Al-Khanouqa ou « l'étrangleur » (Lauffray 1983, p. 65) est aussi connu sous le nom de « défilé de Halabīya-Zalabīya ».

9 - Berthier et D'Hont 1994 ; Berthier *et al.* 2001.

10 - Voir chap. IV, p. 137.

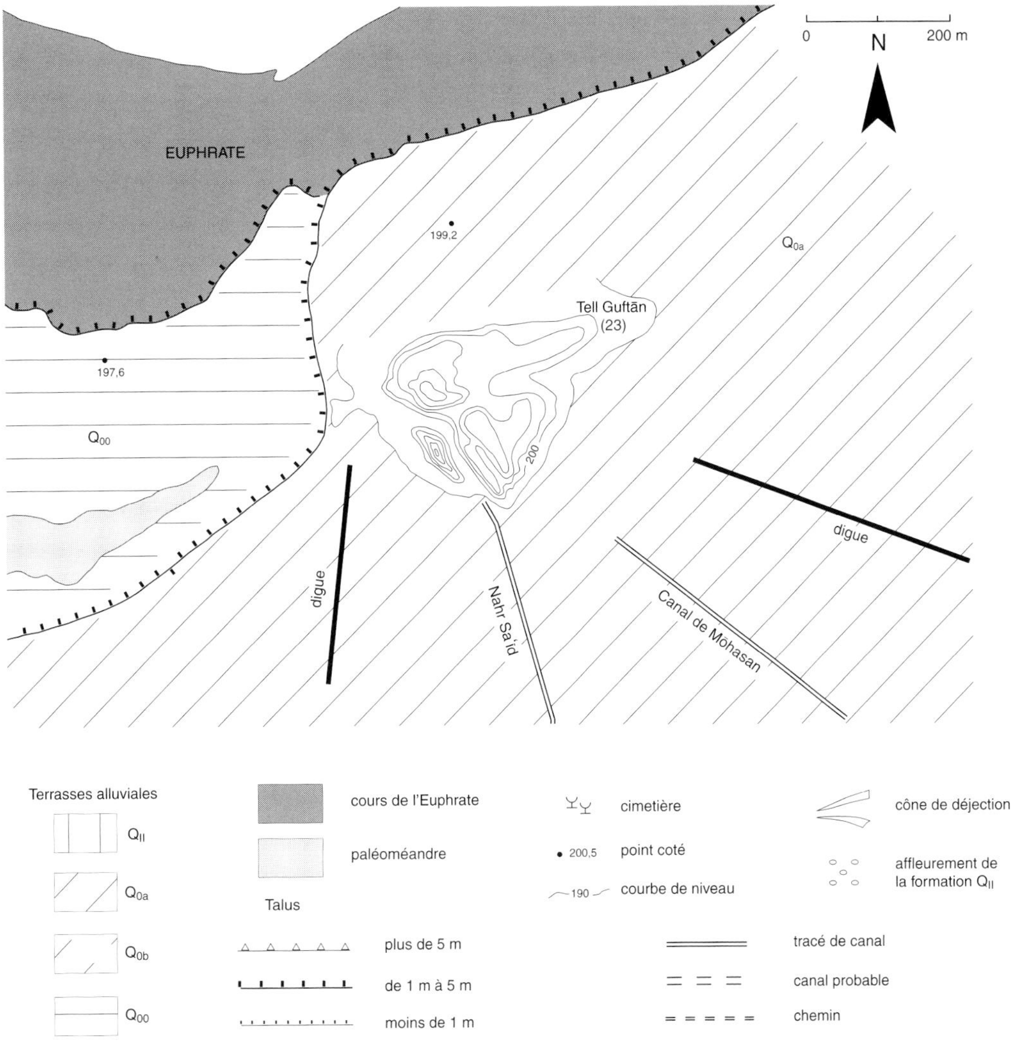

Fig. 5 - Tell Guftān (carte I, carré C4, n° 23) et les canaux de Mōhasan et du Nahr Sa'īd.

Les canaux d'irrigation

Nous avons vu que l'irrigation des cultures est une nécessité presque incontournable. Du fait de la salinité de la nappe phréatique et de la largeur de la terrasse holocène ancienne, qui peut atteindre voire dépasser les 3 km, cette dernière ne peut être mise en valeur qu'en recourant à des aménagements hydrauliques de grande taille branchés sur l'Euphrate. Certes, une petite irrigation pouvait assurer la mise en valeur des terres qui, proches du fleuve ou, à la rigueur, de paléoméandres bénéficiaient d'un bon drainage. Mais les techniques rudimentaires (*chadouf* ?, *nasba* ?) naguère utilisées ne devaient permettre d'irriguer que sur une largeur de quelques centaines de mètres au grand maximum. Des puits devaient exister dans quelques secteurs bien drainés de la basse vallée ou dans les oueds affluents [11] bien pourvus en eaux d'inféroflux, mais là aussi les surfaces concernées par l'irrigation ne pouvaient être que restreintes. Dès lors que l'on souhaitait mettre en valeur l'ensemble des terres de la vallée dotées d'un bon potentiel de fertilité, des aménagements lourds, à prise directe dans le fleuve, s'avéraient indispensables. Nous ne traiterons ici que de ces derniers, les canaux relatifs à la petite irrigation n'ayant évidemment pas laissé de traces repérables par la prospection.

Éléments techniques

Les prises d'eau

Dans tous les cas où l'emplacement de la prise d'eau nous est connu, celle-ci est située dans la concavité d'un méandre bien dessiné. Cette similitude avec les canaux d'amenée d'eau est compréhensible, le problème de la dérivation des eaux du fleuve se posant de la même manière dans les deux cas de figure. Il est vrai qu'une localisation dans la convexité d'un méandre était de toute façon

11 - L'irrigation par puits est attestée dès le Bronze moyen (Durand 1990 a, p. 128-129).

impossible : la prise aurait été sans cesse colmatée par les sédiments charriés par le fleuve et déposés dans ces zones de calme relatif. D'autres inconvénients existaient cependant en rive concave. En effet, le sapement latéral de la terrasse engendré par la force centrifuge du courant y menace tout aménagement. On comprend dès lors le choix, fréquemment attesté, d'un méandre dont le développement était bloqué par un môle-butoir. Pour autant, tout danger n'était pas écarté. C'est ce qui explique peut-être les très nombreux blocs de dalle calcaire retrouvés au sein de la formation Q_{0b} d'El Jurdi Sharqi (cf. **carte h.-t. III**, sous le site n° **90**), laquelle s'est mise en place durant le Bronze récent (cf. ci-dessus, p. 46), alors que le canal d'El Jurdi Sharqi était fonctionnel : on peut penser qu'ils ont été jetés là en nombre pour faire masse et protéger ainsi la prise de ce canal, située juste en aval.

Les tracés

Le détournement de l'eau d'un fleuve implique nécessairement un canal dont la section amont, au moins, est excavée dans la terrasse. Cela dit, deux types d'aménagements peuvent être envisagés :

— le canal a pour fonction de conduire l'eau vers les terres à irriguer, mais il reste en creux sur tout son tracé. Dans ce cas, l'irrigation ne peut se faire que par l'intermédiaire de machines élévatoires. Cela pourrait avoir été le cas du Nahr Sa'īd (cf. ci-dessous, p. 187), canal de rive droite dans l'alvéole de Mōhasan, du moins à l'époque islamique ;

— le canal a pour fonction d'irriguer par gravité. Dans ce cas, il devra d'abord rattraper le niveau des terres à arroser avant de circuler, au moins partiellement, en remblai, à leur surface. La dénivelée entre le fleuve et la terrasse est évidemment variable, en fonction du débit de celui-ci, mais aussi de sa dynamique — phase de creusement ou d'alluvionnement — : on peut proposer une valeur moyenne, de 3 m environ [12], sachant qu'elle était naguère, avant l'érection des grands barrages modernes, de près de 4 m dont 1 m correspondant à des limons de débordement « récents ». La pente moyenne de la terrasse étant de l'ordre de 0,35 ‰, ce n'est qu'au bout d'environ 8,5 km que le niveau de l'eau peut atteindre le niveau des terres à irriguer. Les terroirs situés le long de ce segment amont, en creux, pouvaient éventuellement bénéficier des eaux du canal par l'intermédiaire de machines élévatoires. Le segment aval permettait d'arroser les champs par simple gravité.

Les débouchés

Bien qu'aucune trace des sections terminales des canaux d'irrigation n'ait été préservée, il est logique de supposer qu'ils débouchaient dans le fleuve ou dans d'anciens méandres, de manière à assurer facilement l'évacuation de l'eau non utilisée. Dans plusieurs cas, la présence, dans le prolongement des canaux, de chenaux de décrue rejoignant l'Euphrate ou des paléoméandres (cf. ci-dessus le cas flagrant du canal d'amenée d'eau à Mari) donne à penser que ces chenaux matérialisent à présent ces anciens tracés.

L'alimentation

Hormis le Nahr Dawrīn, alimenté par le Khābūr (cf. ci-dessous, p. 199), les canaux de la vallée de l'Euphrate étaient alimentés directement par le fleuve. Les diverses hypothèses qui ont été formulées à propos d'une alimentation par des oueds affluents ne nous semblent plus recevables pour diverses raisons qui seront exposées cas par cas.

Il s'ensuit que le débit dans les canaux était dépendant d'une part des aménagements de prise dont nous savons peu de chose [13], d'autre part du débit du fleuve. Or, nous avons vu (cf. chap. I, p. 26) que les basses eaux durent de la fin juin à la fin février et les hautes eaux de mars à juin. Cette bipartition posait sans doute de nombreux problèmes. Les arrosages de début de printemps, indispensables pour les cultures céréalières d'hiver, devaient être facilement assurés, le débit étant soutenu par les précipitations tombées sur le haut bassin-versant. De plus, de simples seuils édifiés dans le cours du fleuve pouvaient permettre d'en relever le niveau (cf. ci-dessous le cas de la prise du Nahr Sémiramis, p. 217-219). Les hautes eaux, en revanche, se produisaient au moment où l'irrigation battait son plein. Mars et surtout avril connaissent des crues souvent brutales qui devaient gêner sérieusement le bon fonctionnement des canaux [14]. En ce qui concerne la région de Deir ez Zōr, le débit de l'Euphrate atteint son maximum en mai, au moment où commencent les moissons, ce qui représente évidemment un danger majeur pour leur bon déroulement. Dès juillet, l'étiage se creuse, les très basses eaux étant atteintes dès août. C'est sans doute à peu près à cette période de l'année que les canaux, du moins à l'âge du Bronze, cessaient de fonctionner. Ils n'étaient remis en état que pour la nouvelle saison agricole [15], peut-être dès la fin de l'automne. À l'époque islamique en revanche, l'attestation de cultures d'été [16] implique que les canaux demeuraient en

12 - Il est très difficile de proposer une valeur précise pour cette dénivelée. Nous pensons cependant que la présence, en plusieurs points du lit mineur actuel, de galets de gros calibre en très grand nombre (il s'agit très certainement de galets de la formation sous-jacente Q_{II}) implique que le fleuve n'a pu recreuser son lit durant l'Holocène.

13 - Pour les aménagements à l'âge du Bronze, on pourra se référer à Durand 1998, p. 578 *sq.*, pour l'époque islamique à Berthier *et al.* 2001.

14 - De tels accidents sont relatés dans les archives de Mari (Durand 1998, p. 614 *sq.*).

15 - *Ibid.*, p. 578.

16 - Berthier et D'Hont 1994, Berthier *et al.* 2001.

eau durant une période plus longue, ce qui n'exclut pas leur mise hors fonction momentanée pour des travaux d'entretien.

Les canaux d'irrigation de rive droite

Nous les décrirons en partant de l'amont vers l'aval, chaque alvéole ayant possédé, à un moment donné, un ou plusieurs aménagements de ce type.

Le canal de Deir ez Zōr

Bien que situé en grande partie en amont de notre secteur de prospection, nous avons intégré cet aménagement (**fig. 6**) dans notre étude, car sa trace, en aval de Deir ez Zōr (**fig. 7**), était encore impressionnante au début des années 1980 — elle a aujourd'hui quasiment disparu, ensevelie sous un quartier d'activités artisanales — et il nous a semblé nécessaire de le mentionner pour mémoire. Il nécessiterait cependant une étude de terrain plus détaillée.

La prise d'eau

L'emplacement exact de la prise ne nous est pas connu. D'après la carte au 1:25 000, et si l'on se réfère au témoignage de Ch. Héraud [17], elle se localisait probablement à un peu plus de 6 km en amont de Deir ez Zōr, en face du village de Safire Fōqāni, là où se déploie un vaste méandre bloqué par le plateau de Shamiyeh.

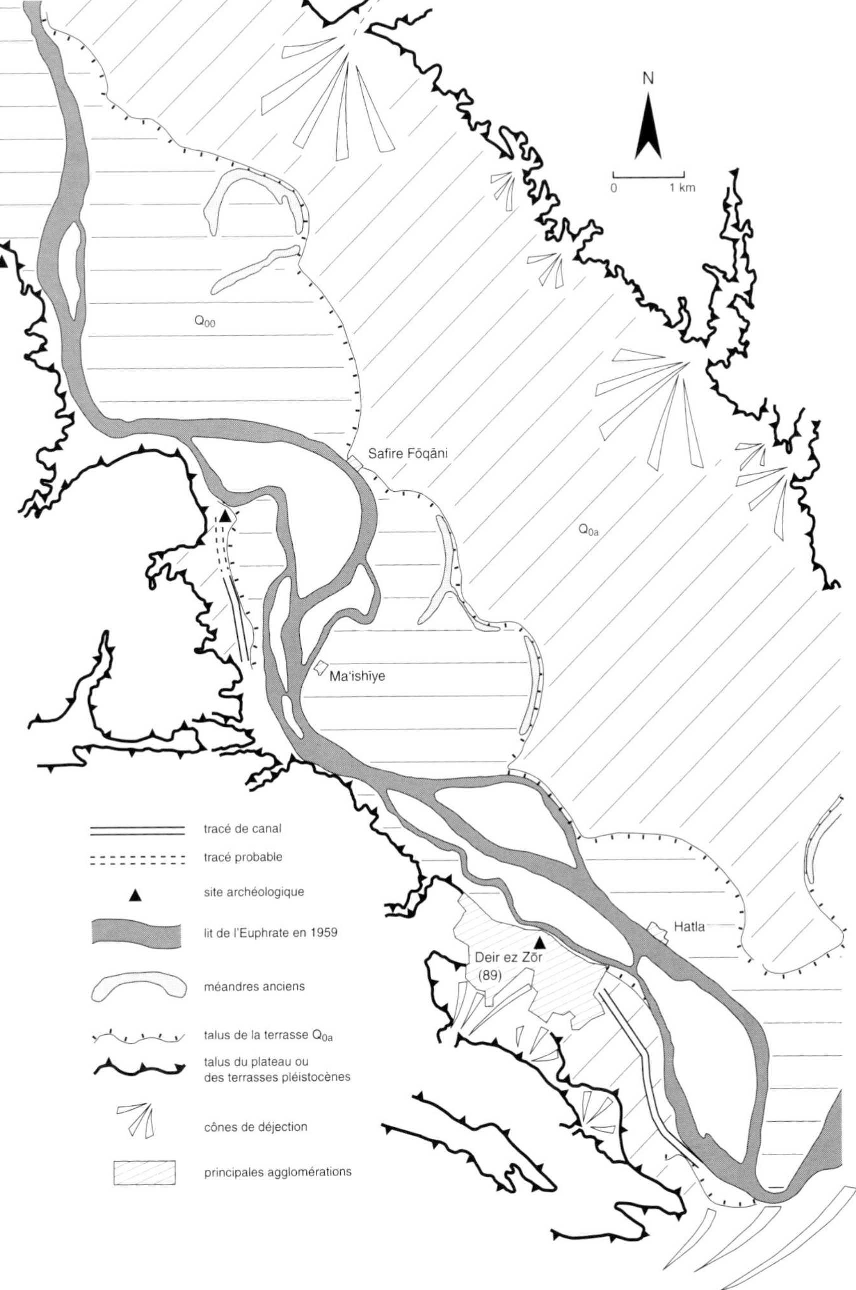

Fig. 6 - Le canal de Deir ez Zōr.

Le tracé

Le canal peut être suivi, par tronçons, sur une distance de 12 km. Sa section amont longe le pied de la falaise pendant un peu plus de 2 km avant de disparaître, détruite par le jeu d'un méandre. Il est encore décelable par endroits dans le relief très perturbé de la ville, notamment dans la dépression qui traverse un jardin public, anciennement le « cimetière français ». On le retrouve, implanté sur la terrasse Q_{0a}, à la sortie de Deir ez Zōr où se distinguent encore ses deux digues et son chenal. Interrompu par le développement d'un autre méandre, il disparaît avant d'aborder le grand cône du Wādi el Jafra.

Le débouché

Le secteur du Wādi el Jafra étant particulièrement difficile à prospecter (aéroport, fermes d'État, etc.), il ne

17 - Héraud 1922 b, p. 109 ; voir ci-dessous, témoignages.

Fig. 7 - Le canal de Deir ez Zōr en aval de l'agglomération. Cliché Armée du Levant, du 28 juillet 1938 (photothèque IFAPO).

nous est pas possible de savoir si le canal contournait ou non ce cône. Il nous semble donc préférable de ne pas formuler d'hypothèse quant à l'emplacement de son débouché.

Témoignages

— HERZFELD 1911, p. 171 : « *Die noch 8 m hohen parallelen Dämme eines langen und 20-25 m breiten Kanales sieht man noch heute im Süden der Stadt.* »

— HÉRAUD 1922 b, p. 109 : « le canal le plus nettement marqué bifurque de l'Euphrate à 6 kilomètres au nord-ouest de Deir ez-Zor [...], il est nivelé durant la traversée de la ville, puis reparaît à la sortie est où ses rebords, hauts de 12 à 15 m environ s'allongent en dunes parallèles sur près de deux kilomètres. »

— CUMONT 1926, p. XIII, n. 1 : « le canal de Saïd est peut-être celui dont on peut suivre à la sortie de Deir ez-Zor, sur près de 2 kilomètres, les deux berges parallèles surélevées de plus de 12 mètres. »

— LAUFFRAY 1983, p. 54, citant des notes de P. Hamelin [18] : « Un premier canal avait son point de départ à 5 km au moins en amont de la ville. Un second canal s'amorçait derrière l'hôpital national. On retrouve au bord du fleuve de gros blocs de basalte qui appartenaient à un barrage en épis. Il suivait entre la grand-rue et le fleuve le tracé d'une rue intermédiaire, qui jusqu'à une date récente s'appelait encore le Nahr, c'est-à-dire la rivière ou le canal. La trace de ce Nahr se voit encore nettement à droite et à gauche du cinéma d'été. On le retrouve en aval à la sortie de la ville. Long de 4 kilomètres, il atteignait le village de Djafra. Des traces d'un troisième canal sont bien visibles un peu en aval du bain militaire à 4 mètres de hauteur au-dessus du fleuve (ce qui suppose une noria élévatrice pour l'alimenter). Divers autres tronçons sont repérables, l'un coupait le cimetière militaire, un autre se retrouve dans l'angle ouest de la mission des Capucins. »

Fonction du canal et datation

La fonction la plus probable reste, malgré les nombreuses incertitudes relatées ci-dessus, l'irrigation, notamment du secteur de la vallée situé en aval de Jafra.

Nous n'avons par ailleurs aucun élément nous permettant de dater ce canal.

Le Nahr Sa'īd : grand canal de l'alvéole de Mōhasan

Le Nahr Sa'īd est sans conteste, avec le Nahr Dawrīn, l'aménagement qui aura fait couler le plus... d'encre ! Mentionné par les textes d'époque médiévale [19], décrit par les voyageurs (cf. ci-dessous), il a fait l'objet de quelques controverses relatives à son ancienneté et à son mode de fonctionnement. Nous y reviendrons. Repéré sur près de 35 km de longueur, ponctué de nombreux sites, il est le mieux préservé des canaux de la vallée. Nous n'en ferons qu'une description sommaire dans la mesure où il est amplement étudié dans l'ouvrage de S. Berthier [20].

La prise d'eau

Elle se situe à Tell Guftān (**23** ; cf. **fig. 5**), dans le même méandre que la prise du canal de Mōhasan, dont elle utilise ou réutilise sans doute l'emplacement [21]. Hélas, le méandre en se déplaçant a fait disparaître toute trace des installations construites à la diffluence. Après avoir traversé le tell, le canal se dirige vers le sud pour rejoindre peu à peu l'axe médian de la terrasse Q_{0a}.

Le tracé

Plus ou moins bien conservé selon les endroits, le canal se présente de nos jours sous forme de levées de terre massives, allongées, en faible relief sur la terrasse. Sauf rares exceptions, comme la traversée de Tell Guftān (**23**) ou celle de Tell Qaryat Medād (**36**), digues et chenal ne sont plus différenciables, le tout formant un volume d'une cinquantaine de mètres de large. Souvent, toute trace a disparu, effacée par des siècles d'inondations ; seuls quelques tronçons, pour la plupart préservés par la masse des sites qui les jouxtent, permettent de restituer son tracé, en pointillé.

La section amont, du fait de la dénivelée entre le fleuve et les terres à irriguer, devait être creusée dans la terrasse sur une distance d'au moins 8,5 km (cf. ci-dessus, p. 182). Particulièrement fragile, elle était protégée des crues d'une part par la masse de Tell Guftān, d'autre part par deux digues, levées de terre reliées au tell et qui formaient un angle de 90° environ dans lequel se trouvait le canal. C'est sans doute ce dispositif qui a permis la conservation de la trace en creux d'une probable dérivation du Nahr Sa'īd allant alimenter un second ouvrage, le canal de Mōhasan, qui, de fondation plus ancienne, aurait ainsi été remis en fonction (cf. ci-dessus, p. 180).

Tout le long du canal se sont implantées des installations humaines. À plusieurs reprises, nous avons pu repérer des levées de terre qui en partent, esquissant un système en arêtes de poisson. Il s'agit sans doute de canaux secondaires, plus nombreux sur la gauche de l'aménagement que sur sa droite, qui permettaient d'irriguer les terres de part et d'autre du chenal artificiel. Plus en aval, entre Buqras et Et Ta'as el Jāiz, des méandres du fleuve, en se développant, sont venus en trois endroits détruire le canal. Toutefois, les textes médiévaux et les récits des voyageurs sont explicites : le

18 - Ingénieur travaillant pour l'office des Céréales panifiables, P. Hamelin séjourna plusieurs années à Deir ez Zōr et parcourut la région ; il collabora aux travaux de J. Lauffray à Halabīya.

19 - On se référera à ce sujet à *EI* 2, *Nahr Sa'īd*, ainsi qu'à l'ouvrage de BERTHIER *et al.* 2001.

20 - BERTHIER *et al.* 2001.

21 - L'hypothèse avancée par T. Bianquis (1986 b, p. 126) qui situe cette prise à Deir ez Zōr ne nous semble guère envisageable.

Nahr Sa'īd se poursuivait jusqu'à Al-Dāliya, site certes non localisé avec certitude, mais qui pourrait correspondre au village d'El Graiye 1 (**44**).

Les canaux secondaires

Ils ne semblent pas avoir suscité des sites d'habitat, peut-être parce qu'ils n'étaient pas en eau continûment. Leur tracé était dicté par deux impératifs : d'une part, la nécessité de répartir l'eau sur l'ensemble des terres à irriguer, d'où une certaine régularité dans la succession des diffluences, et d'autre part, la prise en compte du relief préexistant, car la terrasse présente une légère contrepente qui impose au tracé un angle aigu avec le canal principal. De ce fait, ils étaient exposés de plein fouet aux crues, ce qui explique la massivité de leur construction. Ainsi, le canal secondaire d'Abu Leil (**40**), un des mieux préservés, se présente sous la forme d'une levée de terre large d'environ 75 m, mais peu élevée, continue et régulière. Le matériau constitutif, limoneux en surface, est argilo-limoneux dans la masse, ce qui est également le cas pour les canaux secondaires d'Es Salu (**fig. 8**).

Le débouché

Seuls les textes permettent de le situer, *a priori* près d'Al-Dāliya, plus probablement dans la région contrôlée par cette ville, sans doute dans la partie aval de l'alvéole d'El 'Ashāra.

Témoignages [22]

— AINSWORTH 1888, p. 371-372 : « *The level and well cultivated plain on which it [Mayerthin* (= Meyādīn)*] was situated was formerly separated from the cliffs in the background by a canal, or, from the physical aspect of things, this may have been the ancient bed of the river, and afterwards a canal. Idrisi notices such a canal as being derived from the Euphrates at Rahabah, and which divided itself into various branches in the interior. Some have even supposed this canal extended hence to the Pallacopas in Babylonia.* [...] *The cliffs above Rahabah which extend thence of the banks of the river at Salahiyah constitute a physical impossibility to a southerly prolongation of this canal.* »

— LE STRANGE 1905, p. 105 : « *Near [Raḥbah] stood the small town of Ad-Dâliyah (the Waterwheel) and both places lay near the bank of a great loop canal, called the Nahr Sa'îd, which branched*

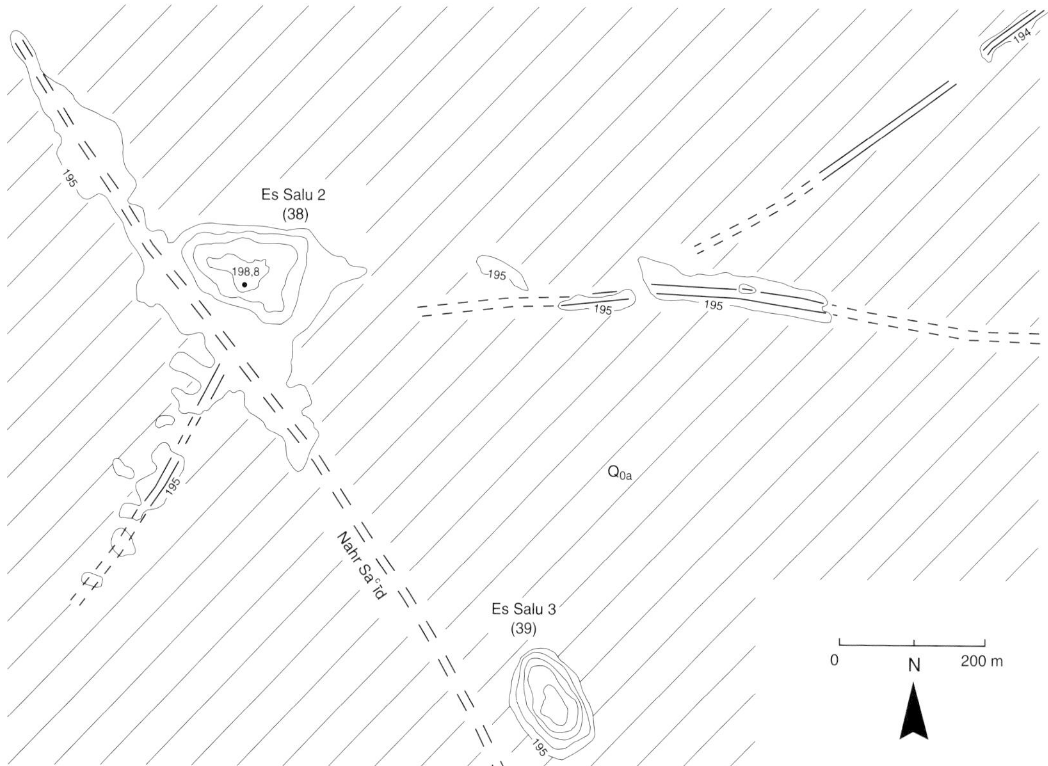

Fig. 8 - Le Nahr Sa'īd et ses canaux secondaires à Es Salu 2 et 3 (carte I, carré E7, n°s 38 et 39) [pour la légende, voir fig. 5].

22 - Pour les sources arabes concernant ce canal, voir BERTHIER *et al.* 2001.

from the right bank of the Euphrates some distance above Ḳarḳîsiyâ and flowed back to it again above Dâliyah [...]. *The canal had been dug by Prince Sa'îd, son of the Omayyad Caliph 'Abd-al-Malik* [...]. »

— Cumont 1926, p. xii-xiii : « Un canal y conduisait jusqu'au pied de la montagne les eaux de l'Euphrate. »

Ibid., p. xiii, n. 1 : « au xive s., Aboulféda dit que "ses habitants (du château de Raḥaba) reçoivent leur eau par un aqueduc dérivé du canal de Saïd, qui sort lui-même de l'Euphrate" (*Géographie d'Aboulféda*, trad. Reinaud, t. II, p. 56). Le canal de Saïd est peut-être celui dont on peut suivre à la sortie de Deir ez-Zor, sur près de 2 kilomètres, les deux berges parallèles surélevées de plus de 12 mètres. Cependant un fragment d'Ibn-Serabioun (cité par Hoffmann, *Auszüge aus Syr. Akten Persischer Märtyrer*, 1880, p. 165) dit qu'il partait de l'Euphrate au sud de Circésium (Besirâ) et qu'après avoir passé à Rahaba, il retournait au fleuve à Dâlijat-Malik-ben-Tauq. »

— Musil 1927, p. 198 : « *about thirteen kilometers northwest of the modern settlement of al-Bsejra (the ancient Circesium), the Sa'îd branched off from the right bank of the Euphrates.* » Le canal est représenté, sur la carte, entre Sa'luwa et al-Meḥkân.

Fonction du canal et datation

Une des controverses évoquées ci-dessus est relative au mode de fonctionnement du Nahr Sa'īd. S. Berthier et O. D'Hont considèrent que le canal, au moins dans son premier état islamique repéré (qui pourrait dater du xe-xie s.) devait être creusé dans la terrasse au moins jusqu'à Meyādīn (**51**)[23]. Les arguments qu'ils avancent pour affirmer que le chenal n'affleurait pas encore à Tell Qaryat Medād (**36**) sont recevables. Mais la raison n'en est certainement pas que la topographie imposait cette solution. Nous avons vu que moins de 10 km suffisent, théoriquement, pour amener les eaux de l'Euphrate au niveau des terres à irriguer ; or, plus de 13 km séparent Tell Qaryat Medād de la prise d'eau, Meyādīn en étant, quant à elle, éloignée de quelque 31 km. Si l'irrigation était organisée au moyen de machines élévatoires tirant l'eau d'un canal creusé dans la terrasse, il s'agissait alors d'un choix technique et non d'une nécessité liée à une contrainte naturelle. À la rigueur, si l'on admet que le chenal était creusé jusqu'à Tell Qaryat Medād afin de rattraper une différence de niveau un peu plus importante que celle que nous avons calculée, ce n'était plus nécessaire en aval. Les fragments de godets de machines élévatoires retrouvés sur les sites contigus au canal, et interprétés comme servant à l'irrigation des cultures de plein champ, ne proviendraient-ils pas plutôt d'engins utilisés pour approvisionner en eau les villageois eux-mêmes et éventuellement leurs jardins ? En effet, dès lors que l'irrigation par gravité était possible, est-il bien raisonnable de penser que l'on entretenait à grands frais les très nombreuses machines nécessaires à l'arrosage des champs quand l'eau pouvait couler tout naturellement vers eux ? En tout cas, la gravité jouait effectivement lors de la dernière période de fonctionnement du canal, lorsque les chenaux secondaires s'étiraient dans la campagne.

Il ne fait en tout cas aucun doute que l'ouvrage était destiné à l'irrigation des alvéoles de Mōhasan et d'El 'Ashāra et que celle-ci était pratiquée toute l'année ou presque ; seule la présence d'eau pérenne peut expliquer l'existence des nombreux sites (13 repérés) qui lui sont directement associés. Les fouilles réalisées par S. Berthier ont d'ailleurs permis de certifier la pratique de cultures de céréales vivrières d'été[24].

Jalonné de sites datant de l'époque islamique sur tout son parcours dans l'alvéole de Mōhasan, passant entre les villes médiévales de Raḥba (Meyādīn, **51**) et Raḥba al-Ğadīda (Er Rheiba, **52**), ce grand canal était de façon manifeste en usage à cette période. L'abondance des sites d'époque ayyoubide[25] que nous avions repérés le long de cet ouvrage nous avait amenés à le dater de cette époque, à la suite d'une vraisemblable remise en état d'un système plus ancien[26]. Nous pouvons désormais préciser son utilisation à l'époque islamique. Celle-ci a été évoquée par plusieurs auteurs médiévaux, qui dénommèrent ce canal le Nahr Sa'īd. Au xive s., l'un d'entre eux, le géographe Aboulféda attribua son aménagement aux Umayyades, sous le califat de Marwan vers le milieu du viiie s. D'après les sondages qu'ils ont effectués dans le canal à Tell Guftān (**23**) et Tell Qariyat Medād (**36**), S. Berthier et O. D'Hont datent un premier état des xe-xie s.[27], mais ils signalent que « en dessous, d'autres couches de curage confirment que l'usage du canal est antérieur ». L'occupation de ces deux sites remonte, quant à elle, au début de la période abbasside, soit au ixe s. Elle s'est prolongée jusqu'aux xiiie-xive s. On peut donc conclure à une utilisation vraisemblablement continue du ixe au xive s., peut-être même dès le viiie s. si l'on se réfère à la tradition.

Cet aménagement (du viiie ou du ixe s.) a-t-il repris un ouvrage préexistant ? Le problème est difficile à résoudre. Il semble certain qu'à l'avènement de l'islam, aucun canal ne fonctionnait dans l'alvéole de Mōhasan. Aux ve et vi[e] s. en effet, ce secteur de la vallée était manifestement peu occupé, sinon laissé à l'abandon, formant une sorte de *no man's land*. La frontière entre les empires romain et perse passait quelque part dans l'alvéole, en sorte que ce canal, d'après la trace qui en a été repérée, se serait trouvé à cheval sur les deux territoires. Une telle situation est à exclure.

23 - Berthier et D'Hont 1994.

24 - Berthier et D'Hont 1994.

25 - Les sites d'époque ayyoubide sont facilement repérables en raison de la présence d'un matériel très caractéristique (céramique de Raqqa).

26 - Geyer et Monchambert 1987 b, p. 328.

27 - Berthier et D'Hont 1994.

Peut-on considérer que l'aménagement du Nahr Sa'īd n'est pas une création *ex nihilo* et qu'il s'est fait sur une trame antérieure, abandonnée depuis plusieurs siècles, et partiellement estompée ?

Le seul ouvrage ancien dont l'existence soit attestée dans le secteur est le canal Išîm-Yahdun.Lîm, mentionné dans les archives de Mari du début du IIe millénaire av. J.-C. Plusieurs lettres adressées au roi de Mari [28] indiquent que ce canal était en étroite relation avec les deux villes de Dûr-Yahdun-Lîm et de Terqa. La première étant située dans l'alvéole de Mōhasan [29], la seconde dans celle d'El 'Ashāra, le canal devait donc courir sur les deux alvéoles, comme le fait celui dont nous avons suivi les traces. Dès lors, il n'est pas impossible que le canal de l'alvéole de Mōhasan corresponde au canal Išîm-Yahdun.Lîm, au moins sur une partie de son tracé. Il aurait été remis en état au début de l'époque islamique. L'absence de sites du Bronze moyen sur ses berges n'est pas contradictoire, puisque, comme nous l'avons vu [30], il apparaît qu'à cette époque le mode d'implantation de l'habitat était différent : les sites ne pouvaient s'installer le long d'un canal qui, ne fonctionnant pas toute l'année, ne pouvait assurer l'approvisionnement en eau continu indispensable à leur existence.

Les canaux de l'alvéole d'El 'Ashāra

Nous ne savons que peu de chose des canaux d'irrigation dans l'alvéole d'El 'Ashāra, à l'exception notable du Nahr Sa'īd, dont n'y subsiste d'ailleurs qu'un court tronçon d'un peu plus de 2 km, en tête duquel se trouve le site d'Et Ta'as el Jāiz. Les autres vestiges sont difficilement interprétables tant ils ont été laminés par les crues. Nous avons jugé bon de les reporter sur les cartes afin que soit conservée une trace de leur présence ; ils risquent en effet de disparaître à jamais, effacés par les pratiques culturales « modernes ».

Le grand canal de l'alvéole de Tell Hariri

L'alvéole de Tell Hariri est une des plus vastes de la région ; sa surface, plane et régulière, n'est que rarement ponctuée de pointements de la formation Q_{II}. Elle se prêtait donc bien à la mise en œuvre d'une irrigation à grande échelle.

Des témoignages d'une telle mise en valeur ont pu être mis en évidence sur la terrasse alluviale Q_{0a}, où subsistent les vestiges d'un canal d'irrigation, conservé sous forme de segments discontinus répartis sur près de 17 km (cf. **cartes h.-t. IV** et **V**). Conçu pour irriguer par gravité, il était probablement creusé dans la terrasse sur les premiers kilomètres, avant de se poursuivre, en remblai, sur la surface de celle-ci [31]. Sa prise et son débouché ne nous sont pas connus avec certitude.

La prise d'eau

Le problème de la localisation de la prise d'eau de ce canal n'est pas résolu. Elle se situait très probablement dans le secteur de Sālihīye-El Kita'a (cf. **carte h.-t. IV**), mais les actions érosives combinées des crues du Wādi Dheina et de l'Euphrate en ont effacé toute trace éventuelle.

Il est cependant très peu probable que cet aménagement puisse avoir été le prolongement d'un canal provenant de l'alvéole d'El 'Ashāra [32]. En effet, celui-ci aurait dû passer au pied de la falaise du plateau de Shamiyeh, entre les localités actuelles d'Abu Hammām et d'Ed Dweir (cf. **carte h.-t. IV** et chap. IV, **fig. 26**), en un lieu où le fleuve, depuis qu'il a entaillé la terrasse Q_{0a}, est contraint d'emprunter un étranglement qui, aujourd'hui encore, ne dépasse pas 1,5 km de largeur. La chose est manifestement impossible [33] : il n'y a donc pas lieu de retenir l'hypothèse.

Si l'on admet donc le fait que la prise d'eau se situait dans l'alvéole de Tell Hariri, trois éventualités s'offrent à nous. Elle pouvait être localisée sur un oued affluent, le Wādi Dheina, ou sur le fleuve, soit en amont de Sālihīye soit à El Kita'a.

Le Wādi Dheina

Sur l'amont de l'alvéole débouche un oued important : le Wādi Dheina (appelé aussi W. es Souāb). Son bassin versant, très vaste, engendre des crues remarquables (cf. chap. I, p. 14) malgré un cours passablement désorganisé par des phénomènes karstiques. Nous y avons découvert les vestiges d'un barrage et d'un canal, sans pouvoir établir de lien évident entre eux.

Le barrage, implanté à une vingtaine de kilomètres en amont de l'embouchure, est probablement plus récent (cf. ci-dessous, p. 227) que le canal d'irrigation de l'alvéole. Il n'en reste pas moins que le fait même de sa construction plaide en faveur de ressources en eau conséquentes qui auraient pu être exploitées pour l'irrigation de la vallée de l'Euphrate. Il y eût fallu un ouvrage, implanté au même endroit ou plus en aval [34], qui aurait permis le stockage de l'eau, puis son acheminement, par l'intermédiaire du canal du W. Dheina (**carte h.-t. IV**, carré L16, et **fig. 9**), jusque

28 - Par exemple, *ARM* III 5, III 79 et A.454. Voir aussi l'étude de Safren 1984.

29 - Sur cette localisation, voir chap. IV, p. 137 *sq.*

30 - Cf. chap. IV, p. 111.

31 - Le nom ancien (*râkibum*, « le chevaucheur ») est tout à fait évocateur ; cf. Durand 1990 a, p. 126-127.

32 - Durand 1990 a, p. 125 ; 1998, p. 578.

33 - Cette impossibilité avait déjà été notée au XIXe siècle par W. F. Ainsworth (1888, p. 372, cf. ci-dessus, p. 186, Témoignages).

34 - À l'emplacement même où aurait pu se trouver un tel ouvrage, c'est-à-dire à l'amont du canal du W. Dheina, des gravières ont totalement perturbé le plancher de l'oued, rendant à jamais impossible toute observation.

sur les terres situées en aval. Le problème est que, dans ces régions arides, les précipitations sont aléatoires, qu'années sèches et humides se succèdent sans périodicité et qu'il semble fort improbable que les récoltes aient pu être subordonnées à une telle variabilité climatique. De plus, les terres situées dans le nord-ouest de l'alvéole de Tell Hariri, proches du village de Sālihīye, auraient alors pu être, au moins en partie, irriguées. Or, elles étaient réputées être, à l'époque paléobabylonienne, des terres *daluwâtum*, c'est-à-dire des « prairies autour de puits »[35], ce qui correspond effectivement aux spécificités de ce secteur très particulier de la vallée où le drainage est efficace et la nappe phréatique très peu salée.

Il nous faut donc admettre que la prise d'eau du grand canal était directement branchée sur l'Euphrate, ce qui implique deux possibilités.

L'Euphrate en amont de Sālihīye

La diffluence aurait pu se trouver au pied des falaises de Sālihīye, non loin de l'emplacement où se dressent actuellement les ruines de Doura-Europos (cf. **carte h.-t. IV**). L'emplacement eût été relativement propice, la falaise bloquant partiellement les déplacements des méandres : il n'était pas pour autant idéal, car une telle localisation imposait au canal de traverser la zone du débouché du Wādi Dheina dont les crues sont réputées violentes et sont susceptibles de se produire à plusieurs reprises dans l'année. De plus, le canal, dans ce qui aurait été alors sa section amont, se devait d'être creusé dans la terrasse afin de compenser progressivement la différence de niveau existant entre le fleuve et les terres à irriguer, ce qui l'aurait rendu encore plus vulnérable. On peut cependant supposer, à titre d'hypothèse de travail, que les flots de l'oued

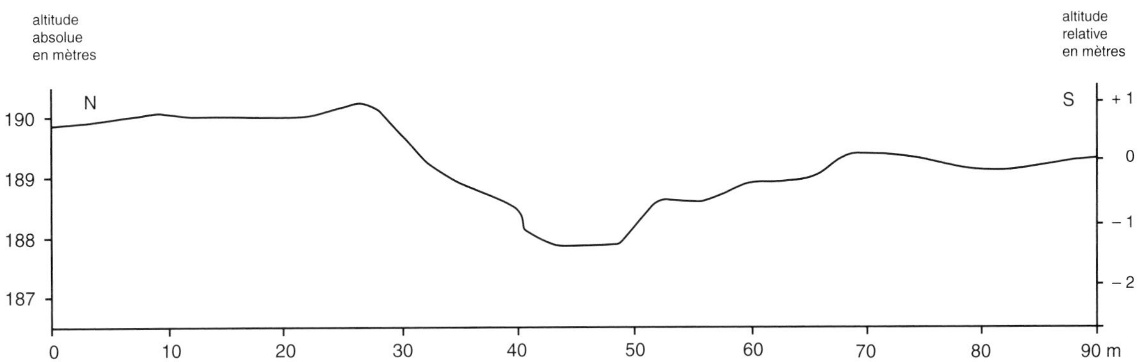

Section en amont du gué de l'ancienne piste

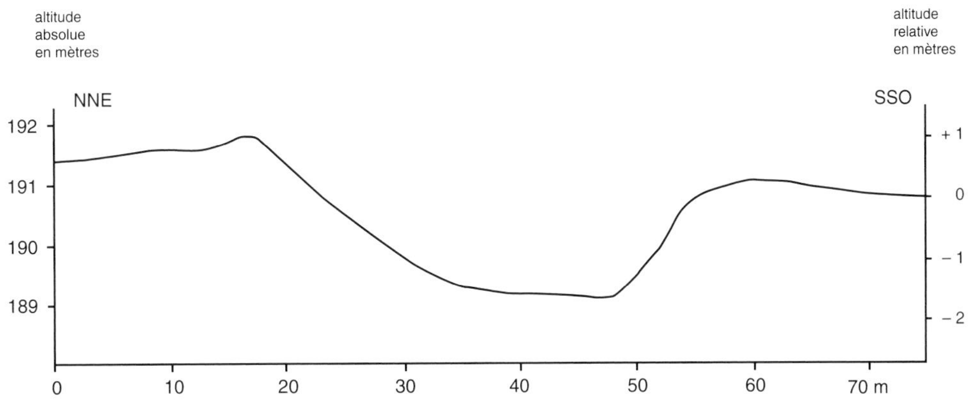

Fig. 9 - Coupes en travers du canal du Wādi Dheina.

35 - Durand 1990 a, p. 128-129.

auraient pu être détournés de cette zone sensible par un endiguement et dirigés vers le canal de capture (cf. ci-dessous, p. 197), en périphérie de l'alvéole, par l'intermédiaire du canal du W. Dheina. Mais c'eût été prendre le risque d'inonder, au moins partiellement, les terres emblavables situées au pied du plateau, à proximité du canal de capture. Le scénario est donc peu probable.

L'Euphrate à El Kita'a

L'hypothèse qui nous semble la plus probable est celle qui situerait la prise d'eau dans un vaste paléoméandre développé aux dépens de la terrasse Q_{0a} et du cône du Wādi Dheina, au nord-est d'El Kita'a. La configuration du terrain y est semblable à celles des prises du canal d'amenée d'eau à Mari ou encore du canal de Mōhasan : une zone de concavité d'un méandre bien enfoncé dans la terrasse et donc relativement stable. Cette solution semble la plus raisonnable, dans la mesure où se trouve ainsi résolu le problème des dangers que représente le débouché du W. Dheina. Un élément vient à l'appui de cette hypothèse : un chenal de crue creuse la berge du méandre, exactement dans l'axe du canal. Il n'est pas impossible qu'il marque l'emplacement de la prise. Dans ce cas de figure, le canal, nécessairement creusé dans la terrasse sur sa section amont, aurait atteint la surface de celle-ci après environ 8,5 km (cf. les calculs moyens proposés ci-dessus, p. 182), soit à la hauteur du village actuel d'El Musallakha, là où l'alvéole, en s'élargissant brusquement, présente une importante surface cultivable ; cette dernière observation conforte notre hypothèse.

Une deuxième prise ?

Ce canal pouvait-il tirer avantage d'une deuxième prise ? L'hypothèse est avancée par B. Lafont dans son commentaire d'une tablette paléobabylonienne relatant un incident grave sur un aménagement [36] que nous pouvons très vraisemblablement identifier avec ce canal de rive droite.

Située au maximum à six kilomètres de sa confluence supposée avec le canal principal, cette deuxième prise d'eau aurait été aménagée dans la rive de l'Euphrate, à proximité du village actuel d'Es Saiyāl. Même surélevé par un seuil sur le fleuve, le niveau de départ était nécessairement inférieur de plusieurs mètres au niveau du canal principal, lequel est, à cet endroit, construit en remblai sur la terrasse. Les estimations nous permettent d'envisager une différence de niveau d'au moins 3 m. Les six kilomètres entre les deux points, effectués non dans l'axe de la terrasse mais en diagonale, ne permettraient pas au canal secondaire de rattraper le niveau du canal principal. Le seul moyen d'élever suffisamment l'eau serait l'installation d'un *chadouf*, mais cette éventualité nous semble devoir être rejetée ici : le débit en serait insuffisant.

De plus, le schéma de B. Lafont propose une dérivation peu avant le site de Mari en branchant sur ce bras un autre canal, dont nous savons qu'il s'agissait d'un canal d'amenée d'eau à Mari (cf. ci-dessus, p. 177), creusé dans la terrasse. À cet endroit, le second bras aurait donc dû être lui aussi creusé dans la terrasse, ce qui ne lui laissait guère qu'un kilomètre pour rattraper le niveau du canal principal : la chose est impossible, la topographie excluant une telle configuration.

Le tracé

L'aménagement, érodé et laminé au fil du temps par les crues du fleuve, n'est plus perceptible qu'en cinq endroits (cf. **cartes h.-t. IV** et **V**), où il se présente sous la forme de segments longs de 100 m (El Kita'a, El Mujāwda el Kebīre) à 900 m (El Hasrāt), comportant une dépression axiale limitée par deux digues (**fig. 10**). Si l'on suit l'hypothèse, formulée ci-dessus, selon laquelle la prise d'eau était située dans un paléoméandre au nord-est d'El Kita'a, le canal devait être creusé dans la terrasse sur une distance de 8 à 9 km, soit jusqu'à la hauteur d'El Musallakha. Il était en tout cas construit en remblai peu en aval, ce qu'atteste la coupe réalisée dans le segment d'El Hasrāt (**fig. 10 c** et **11**). Construit de manière massive, il était susceptible de résister aux crues du fleuve, mais aussi à un débit important empruntant son chenal (cf. ci-dessous, p. 193), ce qui ne semble pas avoir empêché de nombreux incidents relatés par les tablettes d'époque paléobabylonienne [37]. Le segment d'El Hasrāt, le mieux conservé (**fig. 12**), a une largeur de 108 m. Les digues peuvent atteindre près de 50 m de large et 2,5 m de haut. La dépression axiale, qui constituait le chenal d'écoulement, possède jusqu'à 15 m de large à sa base. La pente moyenne est de 0,33 ‰ (calcul effectué à partir de la surface actuelle de la dépression axiale).

Sections entre les coupes	Dénivelée en m	Distance en m	Pente du canal en ‰	Pente de la terrasse en ‰
a et b	2,4	7 600	0,32	0,35
b et c	1,2	3 600	0,33	0,32
c et d	1,3	3 800	0,34	0,35
Total	4,9	15 000	0,33	0,34

Les valeurs de pente du canal, calculées d'après le niveau actuel de la dépression axiale du chenal, sont données à titre indicatif.

Tableau 1 - Pente par sections le long du canal d'irrigation de l'alvéole de Tell Hariri (cf. fig. 10).

36 - LAFONT 1992, notamment p. 105.

37 - DURAND 1990 a, p. 132 *sq.* ; 1998, p. 614 *sq.* ; LAFONT 1992.

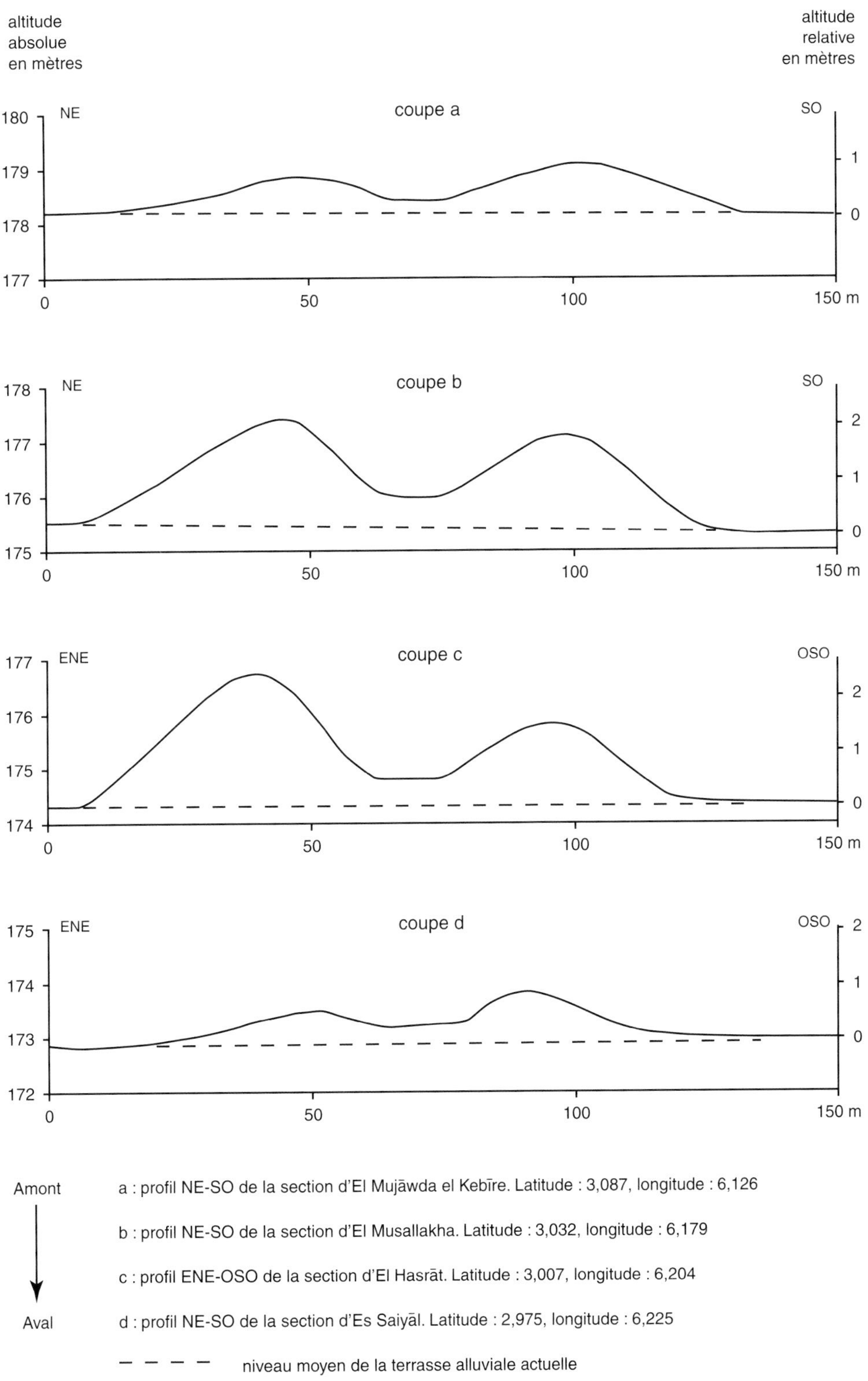

Fig. 10 - Coupes en travers du canal d'irrigation de l'alvéole de Tell Hariri.

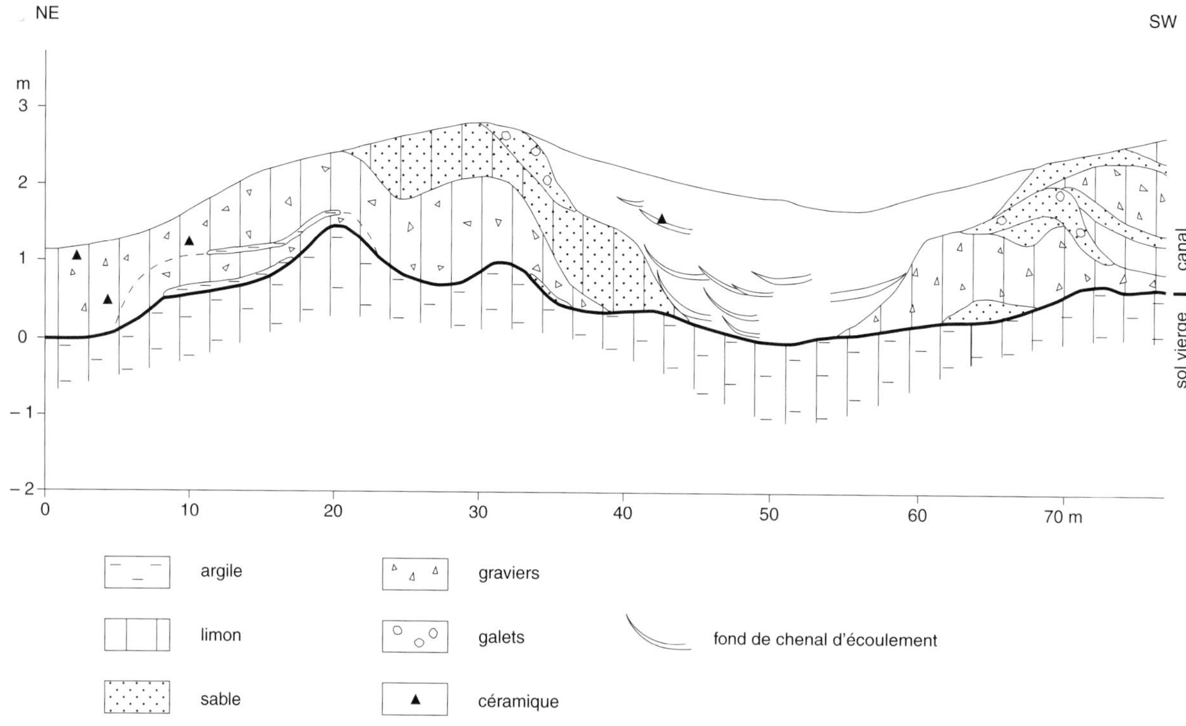

Fig. 11 - Coupe en travers du canal d'irrigation de l'alvéole de Tell Hariri près d'El Hasrāt.

Fig. 12 - Le canal d'irrigation de l'alvéole de Tell Hariri près d'El Hasrāt, vu vers l'amont (le groupe de personnes évolue dans la dépression qui marque le chenal, le personnage isolé est sur le bas de la digue orientale).

La trace du canal se perd peu en amont de Tell Hariri. Nous n'avons rien retrouvé en aval, ce qui ne signifie toutefois pas qu'il n'existait pas. En effet, le rétrécissement de la terrasse Q_{0a} comme du plancher holocène de la vallée, ainsi que la proximité du fleuve, implique des crues plus violentes dont on conçoit qu'elles aient pu faire disparaître totalement l'aménagement. Le tracé proposé par B. Lafont [38], qui voit le canal se poursuivre en direction d'Abu Kemāl, nous semble tout à fait cohérent.

Le chenal d'écoulement et les digues

Une tranchée (**fig. 11**) a pu être ouverte au bulldozer [39] dans la section d'El Hasrāt. Elle nous a permis de constater que l'ouvrage a été édifié par amoncellement de matériaux divers, tous plus grossiers que le matériau constitutif de la terrasse sous-jacente. Celle-ci offrait à l'origine une surface en pente légère du nord-est vers le sud-ouest, ce qui correspond à la contrepente naturelle de la terrasse, et accusant de légers reliefs, entre 50 cm et un peu plus d'1 m. Les digues ont, de toute évidence, souffert de l'érosion : elles étaient, à l'origine, plus hautes et plus massives. Le chenal d'écoulement a connu des réaménagements successifs : les traces repérées, sous forme de lentilles concaves, ne dépassent pas 6 à 7 m de large, ce qui peut indiquer des chenaux d'une dizaine de mètres au maximum des écoulements, sans doute moins en fonctionnement normal. Il est probable que la lame d'eau ne devait pas excéder 0,5 à 0,6 m d'épaisseur, sauf en cas de surcharge (cf. ci-dessous, p. 194), volontaire ou involontaire. Les dimensions imposantes du canal sont donc sans commune mesure avec les volumes d'eau qui pouvaient y transiter en temps normal. Le caractère massif de l'aménagement n'est pas lié à son mode de fonctionnement, mais à la nécessité de le préserver autant que possible des actions érosives des crues de l'Euphrate par sapement latéral, ainsi que des écoulements intempestifs que celles-ci pouvaient provoquer dans le chenal. Le remblai a probablement été conçu et réalisé dans ce but, le chenal d'écoulement étant recreusé dans la masse, au gabarit voulu.

Les canaux secondaires

Le mauvais état de conservation de cet aménagement rend difficile la perception d'éventuels canaux secondaires. Une trace, partant de la section de Hasrāt et se dirigeant vers le sud-sud-est, nous semble pouvoir être interprétée comme telle. Sa localisation, dans un segment assurément construit en remblai, rend l'hypothèse plausible. Il en va de même pour un tronçon orienté nord-ouest - sud-est, situé près de Tell Mankut (**3**).

Le débouché

Quelle était l'extrémité de ce canal dont nous perdons la trace, sur le terrain, peu en amont de Tell Hariri ? Se terminait-il en aval par un simple réseau de ramifications qui recevaient la juste quantité d'eau nécessaire à l'irrigation des terres adjacentes ou finissait-il par un exutoire, par lequel pouvait s'écouler l'eau excédentaire ?

La première hypothèse suppose une régulation parfaite des débits sur la totalité du parcours et un contrôle sans faille de la répartition de l'eau afin que les parcelles les plus éloignées puissent recevoir le volume d'eau adéquat, ce qui est peu vraisemblable. Dans la seconde hypothèse, le point d'aboutissement pourrait être l'Euphrate lui-même, un ancien méandre ou un oued.

Pour B. Lafont, qui fonde ses raisonnements sur le texte d'époque paléobabylonienne déjà évoqué ci-dessus, le canal « retrouvait l'Euphrate au niveau de Dîr » [40], c'est-à-dire près de l'actuelle ville d'Abu Kemāl [41], ce qui nous semble tout à fait plausible. Cependant, d'après ce même auteur, il « recevait en outre l'eau en provenance du Balih, nom sans doute donné dans l'Antiquité au wādi de Dîr (identifié au wādi d'Abu Kemāl) » [42], l'actuel W. er Radqa. Ce dernier point pose problème. Le débouché d'un oued est une zone difficile à aménager, en raison des crues dévastatrices qui s'y produisent, tout particulièrement lorsqu'il a l'importance du W. er Radqa. Les travaux à entreprendre sont considérables et ne peuvent se justifier que s'ils sont, en quelque sorte, « rentables ». Le prolongement du canal, au-delà de l'actuelle ville d'Abu Kemāl, ne pouvait dès lors s'envisager qu'à la condition que les superficies de terre à irriguer en aval aient été importantes, ce qui ne semble pas avoir été le cas [43]. Pour autant, cette hypothèse ne peut être rejetée. Il nous semble cependant que l'hypothèse d'un débouché du canal d'irrigation peu en amont d'Abu Kemāl, dans un chenal de décrue naguère encore fonctionnel (cf. **carte h.-t. V**), est plus plausible. Dans ce cas, l'incident relaté dans *Nuit dramatique à Mari* aurait pu se produire au débouché du Wādi Bir el Ahmar, aux crues moins violentes que celles du Wādi er Radqa.

Témoignages

— Oppenheim 1900, sur la carte dessinée par R. Kiepert, 1893 : entre Gaṭ'a [= El Kita'a] et Tell el Madkūk [= Tell Medkūk],

38 - Lafont 1992, p. 105.

39 - Nous remercions vivement M. Nabih Chawa, directeur du GOLD, qui a mis à notre disposition un engin de terrassement pour effectuer cette coupe.

40 - Lafont 1992, p. 100. Toutefois, le texte ne le dit pas explicitement, puisqu'il y est écrit : « on avait retenu l'eau en direction de Dîr ».

41 - Notre prospection n'a pas permis de retrouver de trace d'un site à Abu Kemāl ou à proximité. Il reste possible qu'il ait été détruit par le fleuve ou recouvert par la ville actuelle, comme cela s'est passé à Deir ez Zōr.

42 - Lafont 1992, p. 99.

43 - Nous resterons prudents sur ce dernier point, dans la mesure où nous n'avons pas eu l'occasion de parcourir ce secteur, trop proche de la frontière avec l'Iraq.

mention d'un « *Ant. Damm* » [digue antique] à l'emplacement d'un des tronçons du canal.

Fonction du canal et datation

Il ne fait guère de doute que cet ouvrage était dévolu à l'irrigation. Les conclusions des prospections sur le terrain et les interprétations des textes anciens vont bien dans ce sens. Il nous semble aussi que cette irrigation ne devait concerner que des cultures d'hiver et de printemps. En effet, les recherches archéobotaniques n'ont fourni aucun indice de culture d'été pour les époques du Bronze ancien et du Bronze moyen dans la région, et les textes cunéiformes n'en mentionnent pas [44]. De plus, l'absence de sites le long du canal plaide pour un fonctionnement non pérenne. Le témoignage des tablettes permet d'affirmer qu'il pouvait également être utilisé pour transporter le grain [45]. Il nous semble pourtant peu probable qu'il ait pu supporter une navigation commerciale. Les dangers que représentait un gonflement des eaux dans le canal, parfaitement illustrés par le texte commenté dans *Nuit dramatique à Mari*, plaident pour une utilisation très temporaire de l'ouvrage à cet effet. Le plus probable est que cette fonction de transport ait été limitée, et ce de façon exceptionnelle, à l'évacuation des récoltes céréalières, hypothèse qui semble convenir aussi bien à l'épigraphiste qu'au géographe [46].

Plusieurs éléments permettent de proposer une datation pour cet aménagement.

Le plus tangible est fourni par la céramique. Le ramassage systématique effectué sur la section de Hasrāt nous a permis de récolter 14 tessons : le seul que l'on puisse dater remonte au Bronze moyen [47]. Sur un probable canal secondaire qui se trouve près de Tell Mankut, cinq tessons « typiques » ont été ramassés ; les deux que l'on peut dater indiquent eux aussi le Bronze moyen [48]. Dans les deux cas, on peut supposer qu'ils correspondent à la dernière période de fonctionnement du canal, celle des derniers curages.

Un seul indice nous permettrait d'envisager son fonctionnement à une autre époque : il s'agit de la présence, juste en amont de l'alvéole, de Doura-Europos. Pour son approvisionnement, cette ville avait besoin d'un terroir qui ne pouvait produire qu'à la condition d'être irrigué. La documentation retrouvée sur le site n'est pas très explicite et ne permet pas de connaître les modalités de cette irrigation. Petite irrigation ? Ou système centralisé sous l'autorité du gouverneur ou d'un responsable spécialisé ? Les inscriptions et les papyri ne mentionnent pas une telle charge. Par ailleurs, les vestiges de ce canal, retrouvés en bien plus mauvais état que ceux du Nahr Sa'īd de l'alvéole de Mōhasan, plaident en faveur d'une dernière période d'utilisation beaucoup plus ancienne, antérieure à l'époque romano-parthe.

Le dépeuplement apparent à l'époque néo-assyrienne et, auparavant, au Bronze récent, de ce secteur aval de rive droite ne permet guère d'en envisager une mise en valeur à grande échelle. Il est donc vraisemblable que ce canal ne fonctionnait déjà plus.

Son utilisation au Bronze moyen, en revanche, ne fait guère de doute. Outre les tessons mentionnés ci-dessus, la documentation épigraphique paléobabylonienne fait état d'un canal (de canaux ?) dans l'alvéole de Mari, en particulier, semble-t-il, celui dont parle Sûmû-Hadû [49] et sur lequel survint l'incident évoqué ci-dessus. Certes, il nous est difficile de l'identifier avec certitude à la trace retrouvée, mais on peut penser que cette dernière, la seule repérable sur le terrain, pourrait lui correspondre.

À quel moment ce canal a-t-il été construit ? En l'absence de preuve archéologique irréfutable, nous sommes obligés de recourir à une argumentation d'ordre historique.

Comme le souligne J.-M. Durand [50], l'analyse des archives de Mari montre que le début du IIe millénaire n'est pas une époque de création d'un réseau de canaux. Sous Yahdun-Lîm, on restaure des canaux existants après une période d'abandon et, sous Zimrî-Lîm, on veille à entretenir ce réseau. Les incidents relatés par les gouverneurs et les travaux incessants qu'ils sont obligés d'entreprendre en divers points du réseau semblent témoigner de leur mauvais état général. L'aspect colossal de ces canaux, tel que les vestiges retrouvés permettent de le reconstituer, laisse penser que ces faiblesses sont dues plus à leur vétusté et à un entretien insuffisant qu'à l'éventuelle médiocrité de leur construction. On peut donc envisager que ce canal ait été construit au IIIe millénaire. Deux hypothèses ont été émises, l'une faisant remonter sa création au moment de la fondation de la ville au début du IIIe millénaire [51], l'autre la situant dans le dernier quart de ce millénaire, à l'époque des *shakkanakku* [52]. Cette seconde hypothèse semble avoir été abandonnée par son auteur qui envisage deux solutions contradictoires ; il réfute d'une part l'idée d'un grand réseau d'irrigation, ne voyant qu'une « série de structures discontinues, fragmentaires, fonctionnant de bric et de broc [53] », tout au plus l'amorce d'un système qui aurait été exploité à des périodes postérieures, néo-assyrienne ou islamique [54]. Il envisage d'autre part, bien que « rien ne nous

44 - La seule mention d'une culture d'été pourrait concerner le sésame, mais elle est loin d'être assurée (cf. chap. IV, p. 111 et notes 13 et 14).

45 - Durand 1990 a, p. 136-137 ; Lafont 1992 (cf. annexe 3, texte 11).

46 - Lafont 1992, p. 97 et p. 100, n. 27.

47 - Cf. annexe 2 et pl. 119 (**1716**).

48 - Cf. annexe 2 et pl. 119 (**1719-1720**).

49 - C'est ainsi qu'il a été identifié (Durand 1990 a, p. 136 ; 1998, n° 813 ; Lafont 1992).

50 - Durand 1990 a, p. 130-131 ; 1998, p. 576-577.

51 - Margueron 1988 a, 1990 b et 1991 b.

52 - Durand 1990 a, p. 132.

53 - Durand 1998, p. 625, n. j, ou p. 575 : « ces travaux devaient être d'une ampleur limitée et il ne faut pas les surestimer ».

54 - *Ibid.*, p. 575.

l'affirme », que les canaux de l'époque de Zimrî-Lîm peuvent « assurément avoir été la survivance (ou la reprise partielle) d'un système plus complexe mis en place au début du IIIe millénaire, à une époque antérieure de toute façon à l'époque des *Šakkanakku* »[55].

C'est effectivement au moment de la fondation de Mari qu'il nous semble le plus plausible de faire remonter le creusement de ce canal d'irrigation. Il serait assez invraisemblable que les concepteurs de cette ville n'aient pas pris le soin d'aménager son terroir agricole. Dans leur volonté de s'affranchir des contraintes d'implantation d'un site, ils furent capables de réaliser des travaux colossaux, comme le creusement d'un canal d'amenée d'eau et la construction d'une digue-enceinte longue de plus de 5,5 km. La construction de canaux d'irrigation était tout aussi indispensable, sinon vitale, pour cette cité : ils permettaient de subvenir, au moins partiellement, aux besoins en céréales d'une population sans doute déjà nombreuse.

Fig. 13 - Traversée du site de Jebel Mashtala (carte III, carré J12, n° 68) par le canal du même nom, vue vers l'amont.

Les canaux de rive gauche

Bien que les terres situées en rive gauche du fleuve soient moins propices à la grande irrigation que celles de rive droite (cf. chap II, p. 73), des aménagements très probablement liés à une mise en valeur agricole ont pu y être repérés. Ils sont situés, et ce n'est pas un hasard, dans la plus grande et la plus homogène des alvéoles de rive gauche, celle d'Abu Hammām (cf. **carte h.-t. III**).

Le canal de Jebel Mashtala

Cet aménagement pose un problème particulier, puisqu'il ne nous est guère connu que dans sa traversée du site de Jebel Mashtala (**68** ; **fig. 13** et chap. IV, **fig. 14**), en aval immédiat duquel il se jetait dans un paléoméandre du fleuve. Si l'on admet qu'il s'agit bien là de la trace d'un canal, ce qui est fort probable mais qui ne pourra être certifié que par une fouille[56], la configuration des lieux, la cohérence de l'aménagement, le contexte topographique local nous amènent à y voir un ouvrage relié en amont au Nahr Dawrīn, long canal prenant sa source dans le Khābūr et sur lequel nous reviendrons plus longuement ci-dessous (p. 199 *sq.*).

La céramique récoltée sur le site, aussi bien en prospection qu'en fouille, remonte au Bronze récent, plus précisément à la fin de l'époque kassite. L'hypothèse que l'on peut dès lors formuler est celle d'une remise en fonction du Nahr Dawrīn, au moins jusqu'à l'amont de l'alvéole — et vraisemblablement pas au-delà —, après une probable période d'abandon au début du Bronze récent.

Le peu de renseignements dont nous disposons rend délicate la formulation d'hypothèses concernant la fonction de ce canal. Certes, il approvisionnait le site en eau, ce qui peut laisser supposer que celui-ci, bien que situé en bordure d'un paléoméandre, n'était pas localisé à proximité immédiate du fleuve. Mais cette seule fonction ne semble pas pouvoir justifier un tel aménagement, surtout s'il était connecté au Nahr Dawrīn, déjà long de près de 40 km à son débouché sur l'alvéole. Une utilisation pour l'irrigation ne peut être exclue, d'autant qu'à la même période et dans la même alvéole, d'autres sites et un second canal attestent une grande activité agricole.

Le canal d'El Jurdi Sharqi

Situé à quelques kilomètres en aval du précédent, cet ouvrage est mieux conservé. Il n'est pour autant repérable de manière certaine que dans sa partie amont, là où il est creusé dans la terrasse Q_{0a} afin de rattraper la différence de niveau avec le fleuve.

La prise d'eau

Sa localisation ne pose pas de problème, la section amont du canal étant bien conservée malgré un fonctionnement, postérieur, en chenal de crue. La prise s'effectuait dans un

55 - Durand 1998, p. 576.

56 - La fouille réalisée en 1996 sur ce site n'a pas concerné le « canal » (Rouault 1998 b).

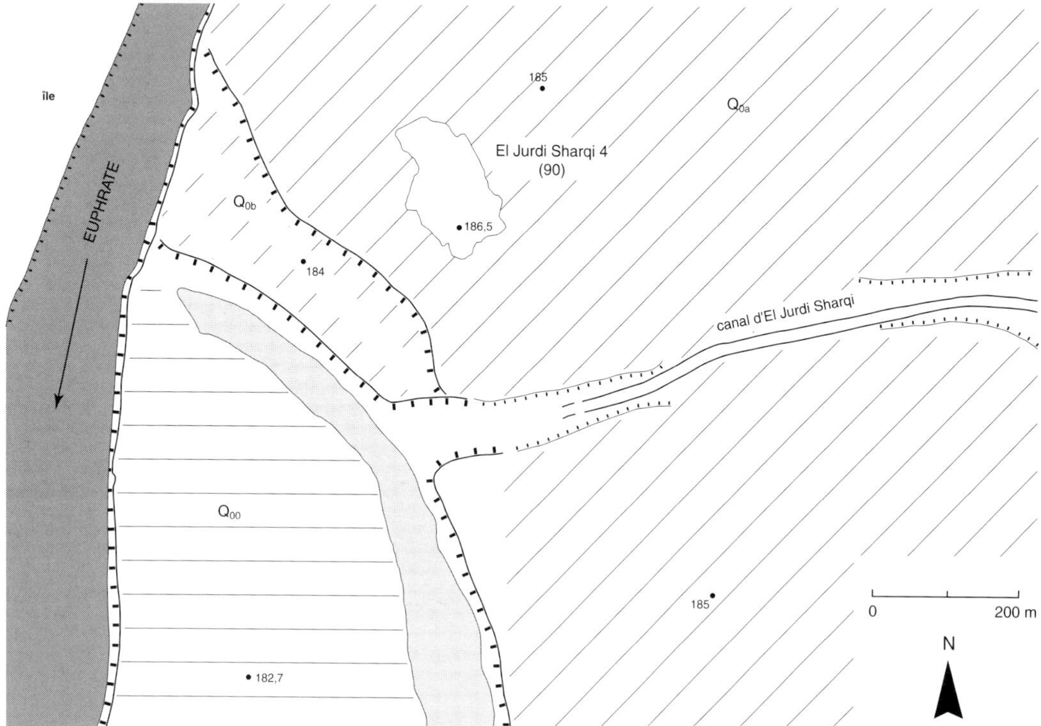

Fig. 14 - La prise d'eau du canal d'El Jurdi Sharqi et le site d'El Jurdi Sharqi 4 (carte III, carré J13, n° 90) [pour la légende, voir fig. 5].

paléoméandre du fleuve (**fig. 14**), un peu au nord du village actuel d'Abu Hardūb.

L'aménagement a sans doute connu quelques vicissitudes. En effet, des blocs de dalle calcaire conglomératique, jetés volontairement [57] peu en amont de la prise et fossilisés dans la formation Q_{0b}, laquelle est datable du Bronze récent, ne peuvent guère être interprétés que comme les témoins d'une très ancienne tentative de s'opposer au développement du méandre.

Le tracé

Comme pour les autres cas répertoriés dans la vallée, le canal s'éloigne à angle droit du méandre avant de prendre une orientation proche de l'axe de la terrasse. Le chenal, certainement élargi du fait des crues qui l'ont emprunté, est large d'une quinzaine de mètres et est encaissé de moins d'1 m. À un peu plus d'1 km de sa prise, il se divise en deux branches (cf. chap. IV, **fig. 16**) : celle de droite, plus nette et se subdivisant elle-même en deux autres branches, a peut-être eu une existence plus longue. Plus à l'aval, seuls l'alignement des sites, le fait que leur approvisionnement en eau ne pouvait être assuré que par un canal et la présence de quelques buttes, probables vestiges de ce canal, notamment entre les sites d'Abu Hardūb 1 (**126**) et de Hasīyet el Blāli (**71**), nous permettent de restituer son tracé.

Le débouché

Il ne nous est pas connu avec certitude, mais pourrait correspondre à un chenal de décrue bien marqué qui rejoint un paléoméandre du fleuve non loin des sites de Kharāij 2 (**138**) et de Tell es Sufa (**140**).

Fonction du canal et datation

Sa localisation au cœur d'une des principales alvéoles de rive gauche ne laisse guère de doute sur sa fonction qui était très probablement l'irrigation.

Plusieurs sites jalonnent ce canal : Tell Marwāniye (**73**), El Jurdi Sharqi 3 (**74**), Abu Hardūb 2 (**127**), Abu Hardūb 1 (**126**), Hasīyet El Blāli (**71**) et probablement Jīshīye (**128**) et Hasīyet 'Abīd (**139**). Leur éloignement de l'Euphrate fait du canal un élément indispensable à leur existence. On peut donc déduire de leurs datations respectives que ce canal fonctionnait au Bronze récent, à l'époque néo-assyrienne et sans doute à l'époque classique. Le site d'El Jurdi Sharqi 4 (**90**), à la prise d'eau, confirme cette dernière hypothèse. Le terroir qu'irrigue ce canal est très proche de Doura-Europos ; cette proximité renforce encore la probabilité de son fonctionnement à l'époque classique.

Un fonctionnement dès le Bronze moyen n'est pas impossible : un site, Hasīyet 'Abīd (**139**), semble attester, d'après la céramique [58], une occupation remontant au début

57 - Cette dalle n'existe pas en rive gauche (cf. chap. I, p. 32), les blocs ont donc été transportés depuis le plateau en rive droite du fleuve.

58 - Cf. annexe 2 et pl. 106-107.

du IIe millénaire. On rappellera cependant que l'implantation de sites le long d'un canal ne semble pas le mode en usage à cette époque. Par ailleurs, le Bronze récent, durant lequel le fonctionnement du canal est assuré, ne semble pas être une époque où l'on ait eu les moyens politiques de construire des canaux ; tout au plus dut-on maintenir en état certains de ceux qui existaient. Dès lors, compte tenu de l'important aménagement de la vallée à l'époque de Mari attesté par les textes, on ne peut rejeter l'hypothèse que ce canal fût déjà en usage au début du IIe millénaire, peut-être même dans le courant du IIIe, et qu'il ait été réutilisé ensuite.

Fig. 15 - Trace du canal d'évacuation des eaux de l'alvéole de Tell Hariri, après une pluie.

Les canaux d'évacuation des eaux

Les systèmes modernes d'irrigation mis en place dans la vallée de l'Euphrate depuis le début des années 1980 comportent un réseau de drainage doublant le réseau d'adduction. Cet aménagement complexe s'est révélé indispensable pour deux raisons principales : d'une part les quantités d'eau très importantes que nécessitent les pratiques culturales de type industriel (plusieurs récoltes annuelles), d'autre part la faible transmissivité de la nappe phréatique et les risques de remontées d'eau salée par capillarité. L'existence d'un réseau de ce type n'a pu être mise en évidence pour les époques anciennes, ce qui semble indiquer qu'il n'y eut pas alors suralimentation de la nappe. En revanche, dans les alvéoles d'El 'Ashāra et de Tell Hariri, au contact de la plaine holocène et du plateau, nous avons pu repérer les traces de chenaux larges de 8 à 10 m qui longeaient le pied des falaises, sans doute tout le long des alvéoles.

Ces traces, très nettes après les pluies (**fig. 15**), sont souvent peu visibles, localement effacées ou encore colmatées par de petits cônes de pied de versant. Elles empruntent la dépression périphérique longiligne, créée par la contrepente naturelle de la terrasse Q_{0a} à son point de jonction avec le bas de pente du plateau (cf. chap. II, **fig. 11**), là où se rassemblent les eaux de ruissellement engendrées par les précipitations ou par les crues.

Le canal de l'alvéole d'El 'Ashāra

Nous ne l'avons repéré qu'à proximité du Wādi el Khōr. En fait, sa trace, large d'une dizaine de mètres, est déjà visible peu en amont, à proximité du méandre d'Et Ta'as el Jāiz (cf. **carte h.-t. II**). Le canal est légèrement creusé dans la terrasse ; il contourne un des promontoires du Khōr Fagār Khōrān avant de recouper la zone du débouché du Wādi el Khōr qu'il traverse en ligne droite, marquant ainsi clairement son caractère artificiel. Sa trace se perd rapidement vers l'aval. Peut-être passait-il à proximité de Dablān (**204**) où nous avons repéré une trace en creux, très peu marquée, mais longue de près de 3 km (cf. **carte h.-t. III**).

Le canal de l'alvéole de Tell Hariri

Situé lui aussi à la périphérie de la plaine holocène, il suit le pied des falaises (**fig. 16**), encore bien visible entre Maqbarat el Mujāwda el Kebīre et le cône du Wādi Bir el Ahmar (cf. **carte h.-t. IV** et **fig. 17** et **18**), où il s'inscrit, en un léger creux large de 8 à 10 m, à la surface de la terrasse Q_{0a}.

Fonction et datation de ces canaux

Une tranchée réalisée dans le canal bordier de l'alvéole de Tell Hariri a révélé une trace peu profonde (environ 0,5 m), ce qui exclut toute possibilité de drainage de la nappe phréatique. On peut donc penser qu'il s'agissait d'ouvrages servant à évacuer les eaux résiduelles après les précipitations [59] ou après les crues, que celles-ci proviennent de l'Euphrate ou d'oueds affluents. Ces eaux avaient tendance à stagner dans ces secteurs bas de la vallée, ce qui empêchait la mise en culture et participait au relèvement des nappes. Les cartes hors-texte (par ex. **carte h.-t. IV**,

59 - Rappelons que ces dernières, bien que rares, peuvent être violentes.

Fig. 16 - Le canal d'évacuation des eaux de l'alvéole de Tell Hariri, longé par la piste, au pied des falaises du plateau de Shamiyeh.

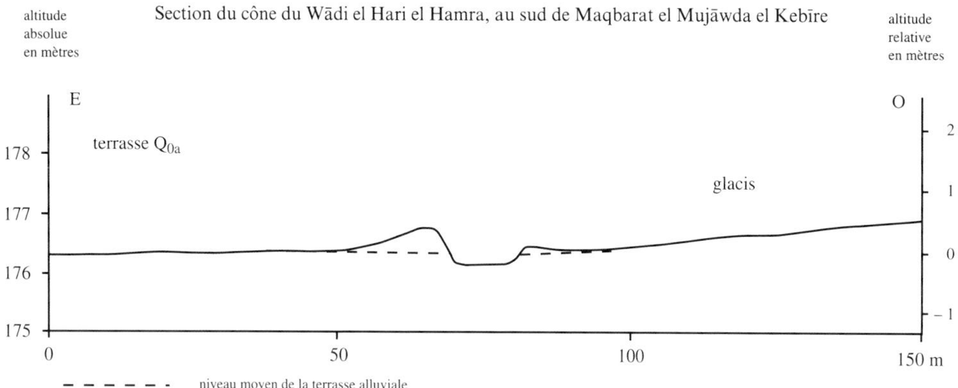

Fig. 17 - Coupe en travers du canal d'évacuation des eaux de l'alvéole de Tell Hariri.

Fig. 18 - Le canal d'évacuation des eaux de l'alvéole de Tell Hariri, au sud de Maqbarat el Mujāwda el Kebīre, vu vers l'amont.

carré N18) permettent de visualiser les chapelets de petites dépressions fermées qui s'égrènent le long des plateaux et entravent l'écoulement des eaux. Leur drainage par un canal, simple creux large de quelques mètres et peu profond, permettait la mise en valeur de ces secteurs trop longtemps inondés et insalubres, tout en autorisant simultanément l'évacuation d'éventuelles eaux d'irrigation excédentaires en fin de réseau.

Conçus dans le cadre d'un aménagement global de chacune des alvéoles, avec une fonction complémentaire de celle des canaux d'irrigation, ils ont vraisemblablement été creusés et utilisés en même temps que ces derniers.

Les canaux de navigation

Deux ouvrages, situés en rive gauche, se distinguent par leur longueur inhabituelle et par leur tracé très particulier. Issus l'un du Khābūr, le Nahr Dawrīn, l'autre de l'Euphrate, le Nahr Sémiramis, ils circulent le plus souvent sur les glacis et les terrasses pléistocènes qui bordent la vallée holocène, restant ainsi hors de portée des inondations qui y déferlent fréquemment. Le premier aurait eu près de 120 km de long, le second plus de 80 km. Tous deux sont des ouvrages hors normes pour la région.

Le Nahr Dawrīn

Le plus étonnant des aménagements de la vallée, le plus inattendu aussi, est le Nahr Dawrīn, un long canal courant en rive gauche, alimenté par le Khābūr et aboutissant à l'Euphrate sous les falaises d'Ersi, en face d'Abu Kemāl.

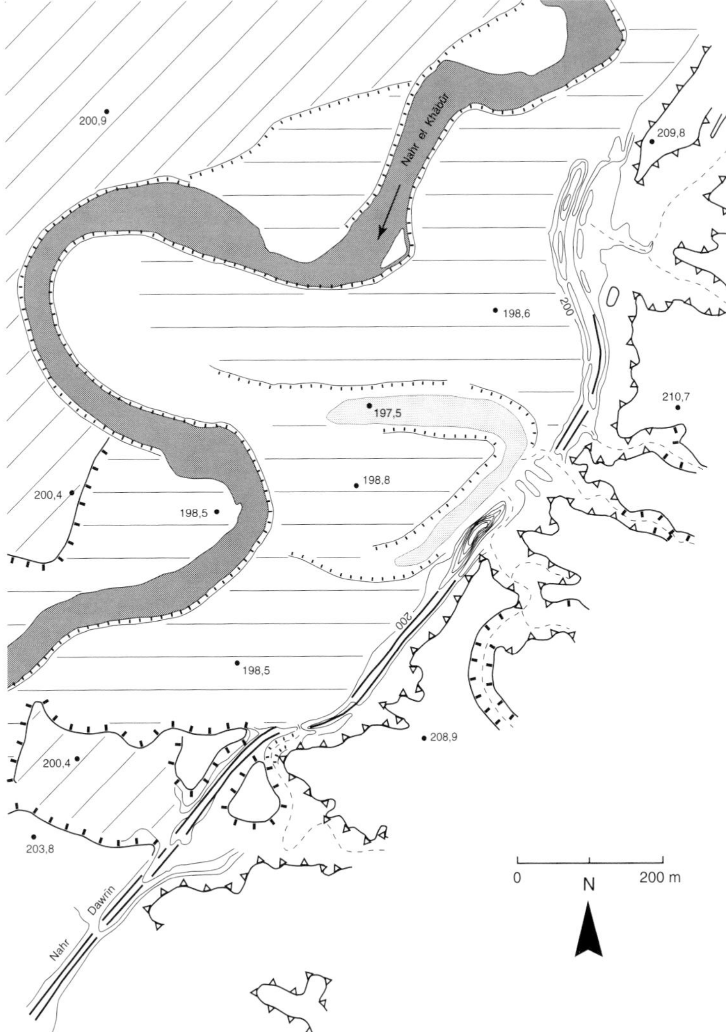

Fig. 19 - Le Nahr Dawrīn près du hameau d'Es Sijr (vallée du Khābūr) [pour la légende, voir fig. 5].

La prise

Celle-ci a sans doute pu se situer en différents endroits au cours de la longue histoire de ce canal (cf. ci-dessous, p. 215), mais elle a toujours été située sur le Khābūr, profitant ainsi des eaux d'une rivière à alimentation karstique. Notre prospection nous a amenés près du hameau d'Es Sijr, où l'on situe traditionnellement la prise d'eau [60]. À cet endroit, le canal se trouve sur la terrasse holocène, à proximité immédiate du cours d'eau (**fig. 19**), alors qu'en aval, il s'en tient toujours à distance. Certes, l'endroit exact de la prise ne nous est pas connu, mais la configuration du terrain se prête, là, particulièrement bien à un tel aménagement, alors qu'en amont d'Es Sijr, aucune trace de canal n'est visible sur la terrasse holocène.

L'hypothèse formulée par P. J. Ergenzinger et H. Kühne [61] selon laquelle ce canal aurait eu, du moins à l'époque néo-assyrienne, sa prise nettement plus en amont sur le Khābūr est envisageable, puisque ces chercheurs ont mis en évidence, pour cette période, un réseau d'aménagements hydro-agricoles important et complexe des deux côtés de la rivière. Selon eux, le canal de rive gauche, donc à l'est, qui serait venu se raccorder en aval au Nahr Dawrīn, aurait tiré son eau du Jaghjagh, un affluent de rive gauche du Khābūr.

60 - Cf. ci-dessous, Témoignages ; les deux hameaux de El Kheje/El Ḥöğne/Höjneh/Tell Ḥidjnah/Tall Heğna et de Es Sijr/as-Sicer/Secher/As-Siğr sont situés de part et d'autre du Khābūr, à environ 18 km à vol d'oiseau de la confluence avec l'Euphrate.

61 - Ergenzinger et Kühne 1991.

L'alimentation

Nous avons vu que le Nahr Dawrīn prenait son eau, du moins pour l'essentiel, du Khābūr. Il profitait ainsi des apports d'un cours d'eau au débit (**fig. 20 a**) régulé par ses sources karstiques. On conçoit aisément les avantages d'une telle alimentation. Certes, les débits mensuels les plus élevés (janvier et février) peuvent être relativement importants, mais, consécutifs à des averses, ils se produisent généralement sur des périodes courtes. Les variations saisonnières sont relativement limitées : à Es Suwar, c'est-à-dire non loin en amont de la probable prise d'eau, elles ne dépassent guère, en moyenne, le quintuple des débits des mois d'étiage (juillet et août). Ces derniers, toujours soutenus et constamment supérieurs à 20 m³/s (débit moyen mensuel), peuvent être considérés comme ayant été suffisants à assurer la pérennité de fonctionnement de l'ouvrage. Plus remarquable encore est la faible variabilité interannuelle des débits moyens de la rivière (**fig. 20 b**) qui ne fait apparaître que des variations du simple au double, ou guère plus, ce qui est notablement peu pour un cours d'eau de région aride ; rappelons à ce propos que, sur l'Euphrate, le rapport peut être de 1 à 6. Ce dernier fait permet de supposer une utilisation de l'ouvrage sur le moyen, sinon sur le long terme, beaucoup plus sûrement que si la prise s'était trouvée sur l'Euphrate.

Des calculs effectués sur les canaux du Khābūr [62], dont l'envergure est comparable à celle du Nahr Dawrīn, ont permis d'évaluer un débit d'environ 2 m³/s et une vitesse d'environ 0,3 m/s. Ces valeurs qui paraissent raisonnables, compte tenu du débit minimum de 20 m³/s, même en période d'étiage, sont probablement applicables au Nahr Dawrīn.

Le tracé

Nous avons pu reconstituer son tracé sur près de 116 km. La largeur du chenal, estimée d'après les vestiges visibles, atteignait entre 8 et 11 m. Sa pente était de l'ordre de 0,26 ‰ (**tableau 2**). Sur les neuf premiers kilomètres, elle n'est que de 0,12 ‰, alors que la pente générale de la vallée du Khābūr est plus forte que celle de la vallée de l'Euphrate. Ce fait peut s'expliquer par la nécessité de rattraper le niveau de la terrasse holocène et, dans le cas particulier de ce canal, le niveau des glacis développés sur les plus basses terrasses pléistocènes. Sur ces dernières, la pente de l'ouvrage s'établit à 0,30-0,31 ‰ sur plus de 60 km, avant de retrouver des valeurs plus faibles, de l'ordre de 0,22 à 0,24 ‰ en moyenne dès lors que le canal a retrouvé la surface de la terrasse holocène. Dans ce dernier cas, le résultat de nos estimations peut être assez largement faussé par le fait qu'un éventuel creusement du canal dans la terrasse peut nous échapper, suite à son comblement, ce qui réduit d'autant la pente.

Points	Altitude du point en m	Dénivelée en m par rapport au point précédent	Distance en km depuis l'origine	Distance en m par rapport au point précédent	Pente canal en ‰
1	200	-	0,08	80	-
2	199	1	8,7	8 620	0,12
3	196	3	18,2	9 500	0,31
4	192,5	3,5	29,2	11 000	0,31
5	188	4,5	44,1	14 900	0,30
6	180	8	70,7	26 600	0,30
7	175,2	4,8	89,5	18 800	0,26
8	172	3,2	107,2	17 700	0,18
Total	-	28	107,2	107 200	0,26

Les calculs des valeurs de pente ont été effectués d'après l'altitude actuelle du fond du chenal, donc sans considération de comblements éventuels.

Tableau 2 - Pente par sections le long du Nahr Dawrīn.

Le plus souvent, l'ouvrage était tracé sur les glacis aux pentes douces qui relient la basse plaine au plateau de Jézireh, limitant ainsi les travaux de terrassement tout en le mettant hors d'atteinte des crues du fleuve. Dans deux cas cependant, des méandres du fleuve, en venant lécher le plateau, ont imposé le passage dans les formations pléistocènes du Q_{II}. À Darnaj et à El Kishma, de véritables tranchées de plus de 10 m de profondeur ont dû être creusées sur plusieurs centaines de mètres de long pour assurer la continuité de l'aménagement.

Le chenal d'écoulement et les digues

En plusieurs points où l'ouvrage est remarquablement bien conservé, nous avons pu effectuer des mesures et faire des observations particulières. Il faut cependant souligner que le canal a été utilisé jusqu'à l'époque islamique [63], au moins sur le tiers amont de son cours, le mieux conservé. Les mesures que nous y avons effectuées se rapportent donc

62 - ERGENZINGER 1987, p. 35.

63 - Voir ci-dessous, p. 215. Cf. aussi BERTHIER et D'HONT 1994, BERTHIER *et al.* 2001.

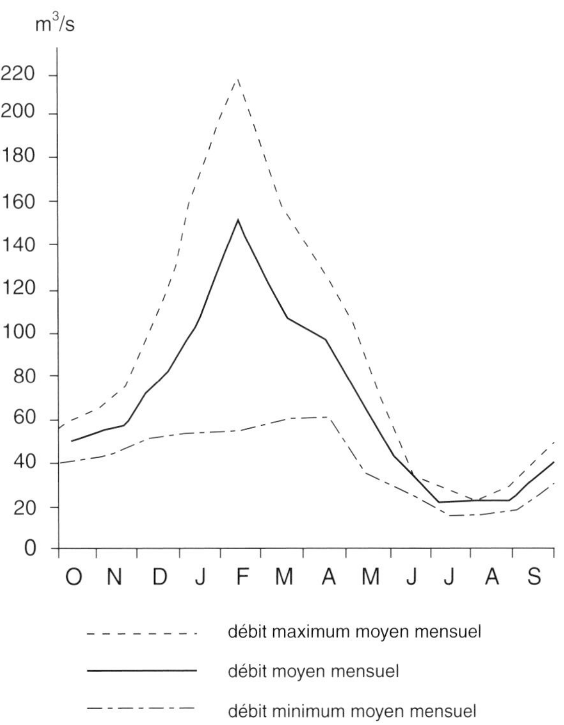

a - Débits moyens mensuels du Khābūr à Es Suwar

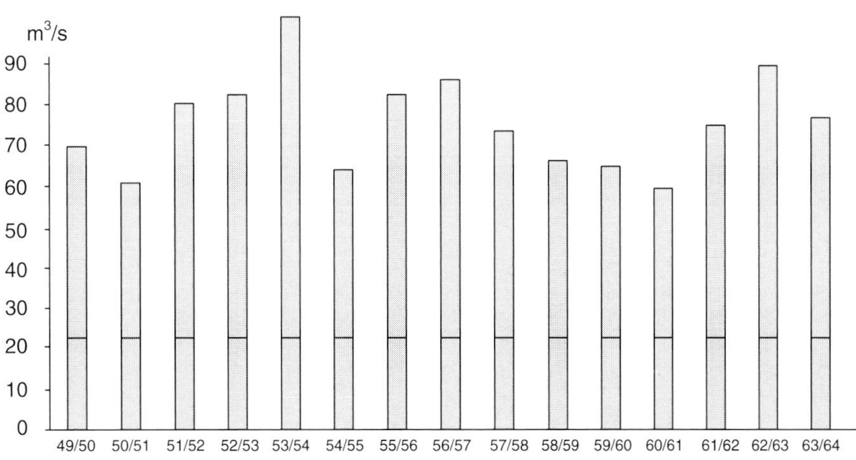

b - Variabilité interannuelle des débits moyens du Khābūr à Es Suwar

Fig. 20 - Débits moyens mensuels et variabilité interannuelle du Khābūr à Es Suwar pour la période 1949 à 1964 (d'après Kerbe *1979).*

plus probablement à son état à cette époque, même si, l'ouvrage étant incontestablement plus ancien, les grandes lignes sont également valables pour les phases de fonctionnement antérieures.

La section de Damana (Khābūr) : **hors cartes**

Cette section amont, située immédiatement en aval de la prise d'eau supposée du canal, est encore conservée sur plus d'1,5 km de long (**fig. 19**). Son envergure totale y est d'un peu plus de 55 m, pour une largeur de dépression axiale de 10 m environ (**fig. 21 a**). La hauteur inhabituelle des digues — entre 3 et 4 m — donne à penser que le chenal était ici creusé profondément, ce qui correspondrait bien à une section proche de la prise d'eau.

La section d'El Māshekh (Khābūr) : **hors cartes**

Le canal y est conservé sur près de 500 m de long, à la faveur d'un passage en tranchée dans une terrasse pléistocène (**fig. 22**). Son envergure totale y est d'environ 55 m, pour une largeur de dépression axiale de 14 à 15 m (**fig. 21 b**). Mais cette dernière a été élargie par les façons culturales, son plancher étant cultivé.

La section de Taiyāni (Euphrate) : **carte h.-t. II**

Peu avant d'aborder le secteur complexe de Darnaj, le canal, faiblement creusé dans les formations quaternaires, sinue sur le glacis qui frange le plateau de Jézireh. Son envergure y est d'environ 60 m, pour une largeur de dépression axiale d'une dizaine de mètres (**fig. 21 c**). Il présente là un aspect que l'on peut considérer comme caractéristique du Nahr Dawrīn dans la vallée de l'Euphrate.

La section de Darnaj ouest (Euphrate) ou tracé A : **cartes h.-t. II** et **III** et **fig. 23**

À hauteur du site de Darnaj (**86**), le canal présente deux états sans doute chronologiquement distincts. Cet endroit est marqué par un rétrécissement de la terrasse holocène, étranglée entre l'Euphrate et un promontoire du plateau. Pour pouvoir passer l'obstacle, l'ouvrage a dû être creusé dans les alluvions grossières de la terrasse Q_{II}. La dépression axiale y fait 5 à 6 m de large (**fig. 24**), mais elle est partiellement comblée par des colluvions et pouvait donc être un peu plus large. La tranchée qui l'accueille peut atteindre près de 10 m de haut. Elle rejoint le fond de vallée holocène peu en aval de Darnaj, une fois l'obstacle franchi.

La section de Darnaj est (Euphrate) ou tracé B : **cartes h.-t. II** et **III** et **fig. 23**

Il s'agit là de la section la plus impressionnante de ce grand canal de rive gauche. Il y est creusé dans la terrasse pléistocène Q_{II} (**fig. 25**), très probablement pour éviter un méandre qui avait détruit le premier tracé, évoqué ci-dessus. A. Ozer, qui a découvert des fragments de céramique islamique dans les alluvions qui comblent le canal du tracé A ainsi que dans celles du tracé B, suppose « que l'abandon du premier chenal et le creusement du second dateraient de l'époque islamique »[64]. Si un fonctionnement, à cette époque, du tracé B est certain (cf. ci-dessous), il est plus étonnant pour le tracé A. En effet, si l'on admet l'antériorité du tracé A sur le tracé B — ce qui semble logique —, comment expliquer la présence de céramique, certes en quantité restreinte, des époques du Bronze moyen à néo-assyrienne[65] sur les digues du canal B ? Il n'est pas impossible que la céramique retrouvée dans les alluvions du canal A provienne du site de Darnaj (**86**) dont K. Simpson[66] nous dit qu'il a fourni de la céramique d'époque médiévale.

La dépression axiale conserve, dans cette section, une largeur de 10 à 12 m, la tranchée qui l'accueille pouvant atteindre 15 m de haut (**fig. 26**). Le profil en long du plancher n'est pas régulier, mais entrecoupé de contrepentes[67]. Ce fait est clairement imputable au débouché, dans l'ancien chenal, d'oueds qui y ont déposé des sédiments.

Une coupe (**fig. 27** et **28**), ouverte par l'exploitation d'une gravière, dans la digue est du canal, dans la partie aval de cette section, permet de distinguer au moins deux unités différentes (a et c) séparées par une ligne de galets (b). La première (a), à la base de la digue, correspond à la phase de creusement du canal : le noyau central, ici décalé vers l'est, a probablement été constitué à partir des limons qui couvraient les galets et les graviers de la formation Q_{II}, lesquels sont venus couvrir partiellement le noyau. La deuxième unité (c) correspond très certainement à une phase de curage du chenal.

En amont de cette section, les traces laissées par les différents états de l'aménagement sont nombreuses et complexes (cf. **carte h.-t. II**, carré I10, et **fig. 23**). Il semblerait que l'on ait eu un premier tracé qui, abandonnant le glacis, pénétrait sur la terrasse Q_{0a} pour se diriger vers la tranchée de la section de Darnaj. Suite au développement du méandre qui est venu détruire ce premier tracé, un second aurait été réalisé qui partait du premier à 4 km environ en amont de la tranchée de Taiyāni, laissant ainsi au canal la possibilité de gagner un peu d'altitude pour éviter par l'amont la zone du méandre assassin. Mais cette solution ne devait

64 - OZER 1997, p. 123.
65 - Cf. annexe 2, pl. 119 : **1713** à **1715**.
66 - SIMPSON 1983, p. 124.
67 - OZER 1997, p. 123 et fig. 32.

a - Tronçon de Damana nord (prise d'eau ?)

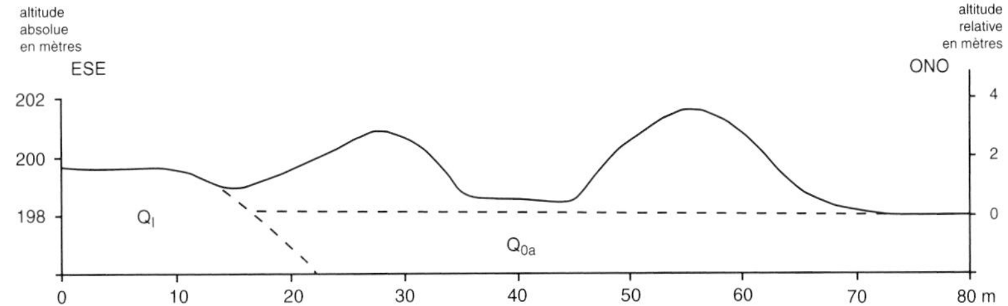

b - Tronçon d'El Mashekh

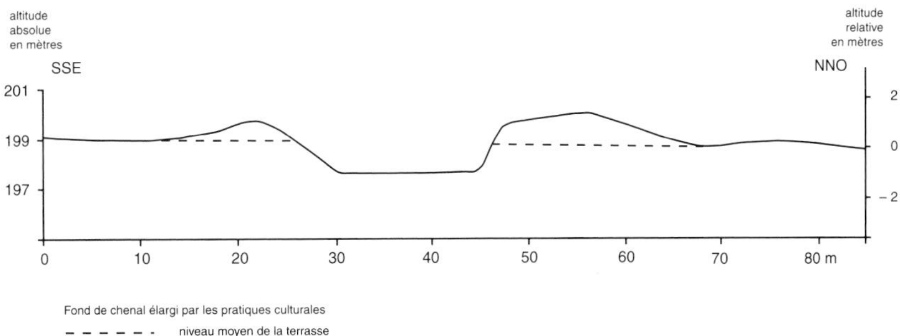

c - Section de Taiyāni

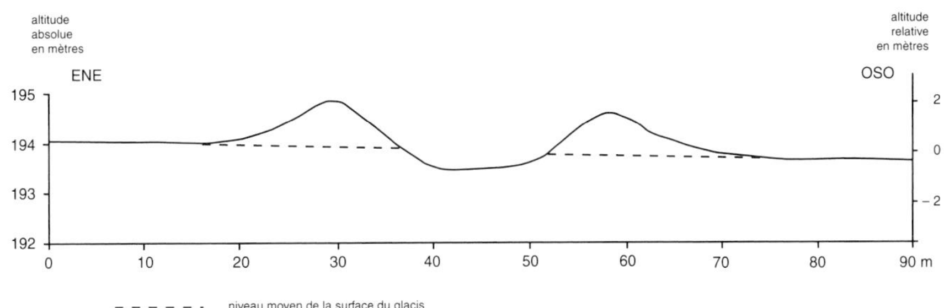

Fig. 21 - Coupes en travers du Nahr Dawrīn.

Fig. 22 - Le Nahr Dawrīn à El Māshekh (Khābūr), vu vers l'amont.

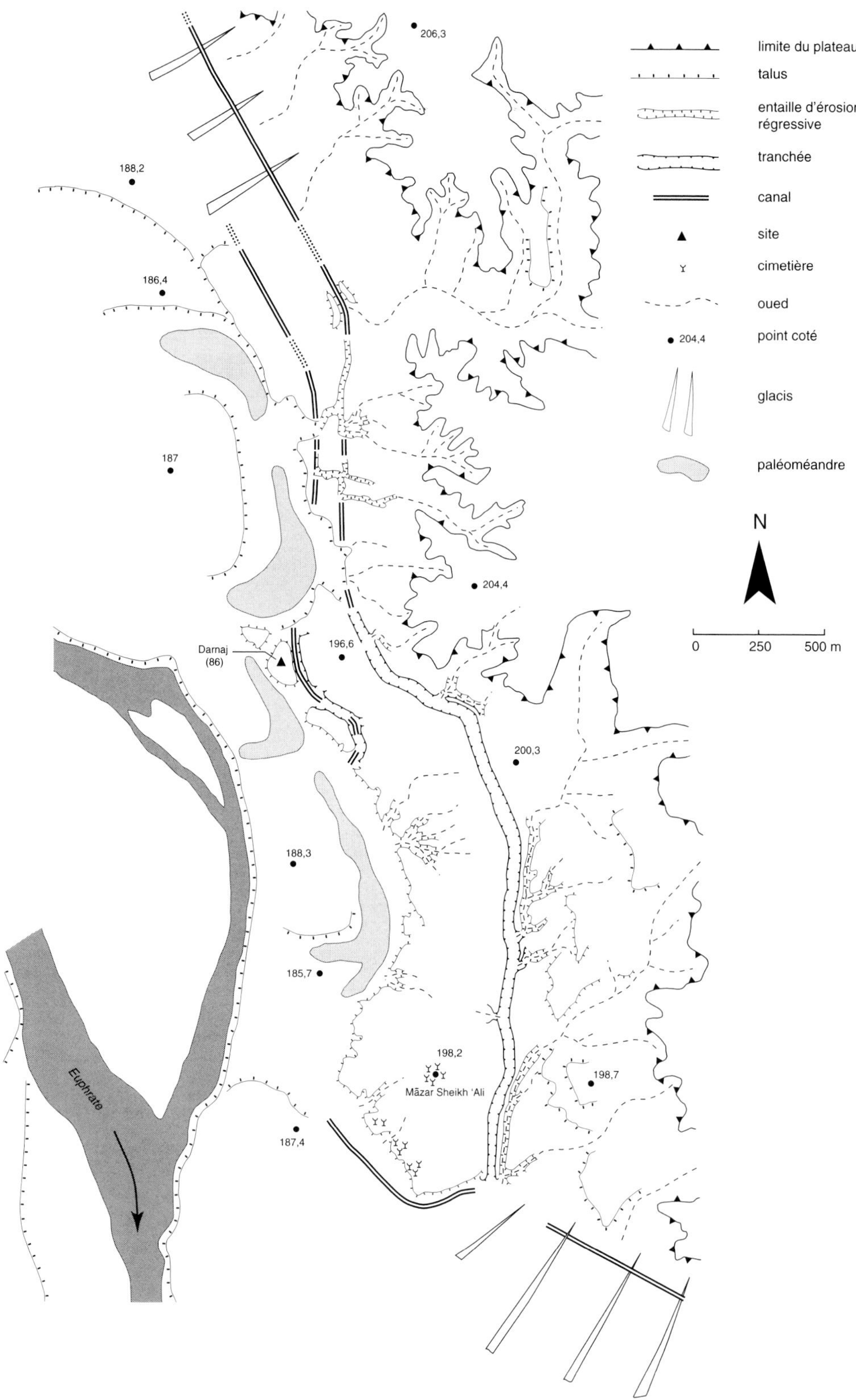

Fig. 23 - Le Nahr Dawrīn dans le secteur de Darnaj.

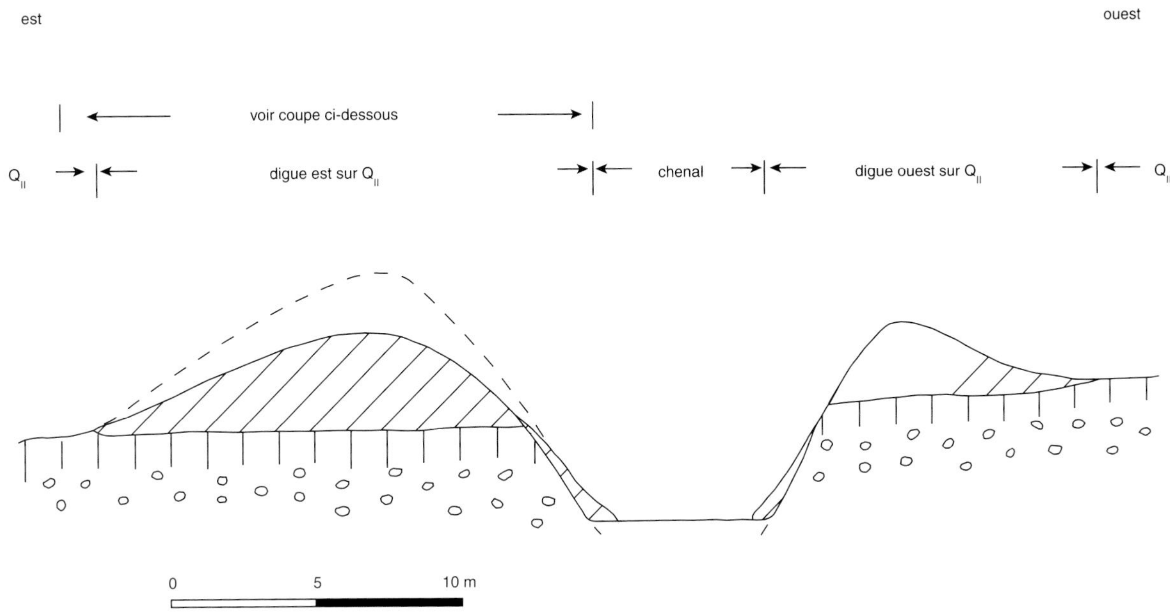

Digue est : coupe est-ouest

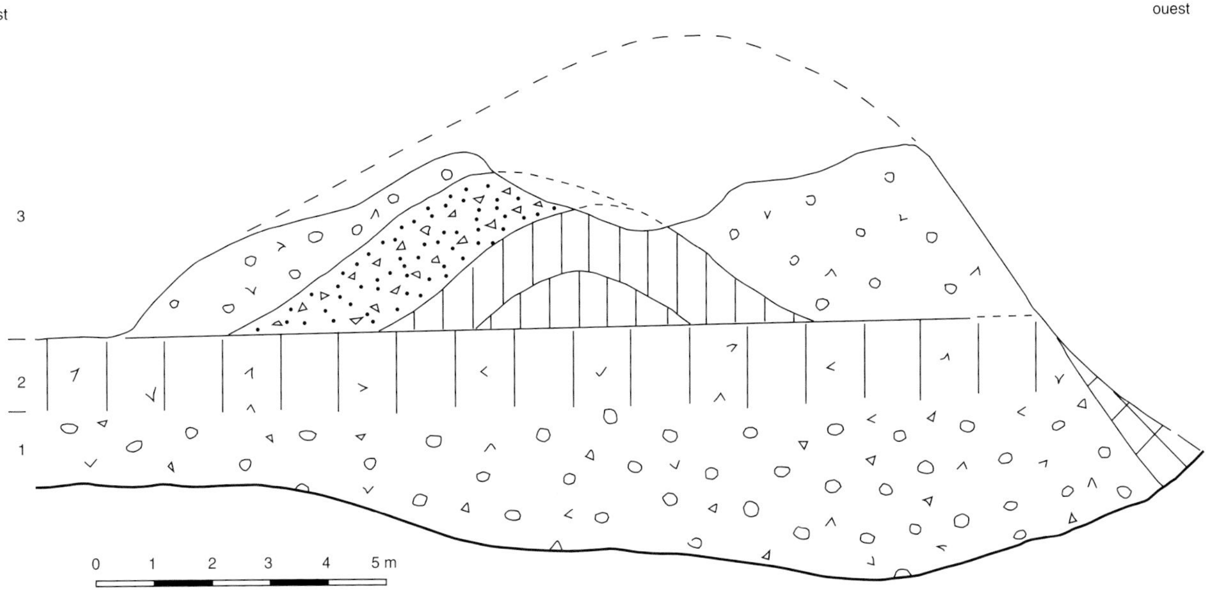

1 : galets et graviers de la formation Q_{II} surmontée par 2

2 : limons partiellement indurés par du gypse

3 : digue constituée des déblais de creusement du chenal

L'ensemble a été en partie détruit par une gravière.

Fig. 24 - Coupe en travers du tracé A du Nahr Dawrīn au pied du site de Darnaj (carte III, carré I11, n° 86).

Fig. 25 - Le Nahr Dawrīn entaillé dans la terrasse pléistocène à Darnaj, vu vers l'amont. L'affleurement de l'encroûtement sommital de la terrasse marque la limite entre la partie excavée et les digues, constituées des déblais de creusement et de curage.

Fig. 26 - Section de Darnaj est (tracé B) du Nahr Dawrīn, vue vers l'amont.

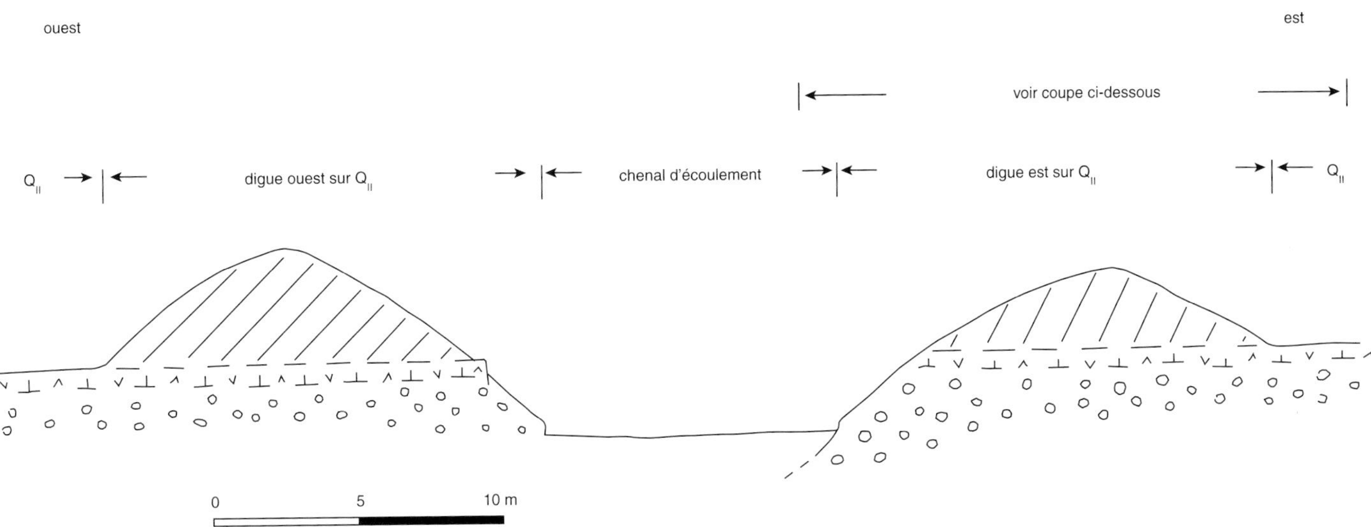

Digue est : coupe ouest-est

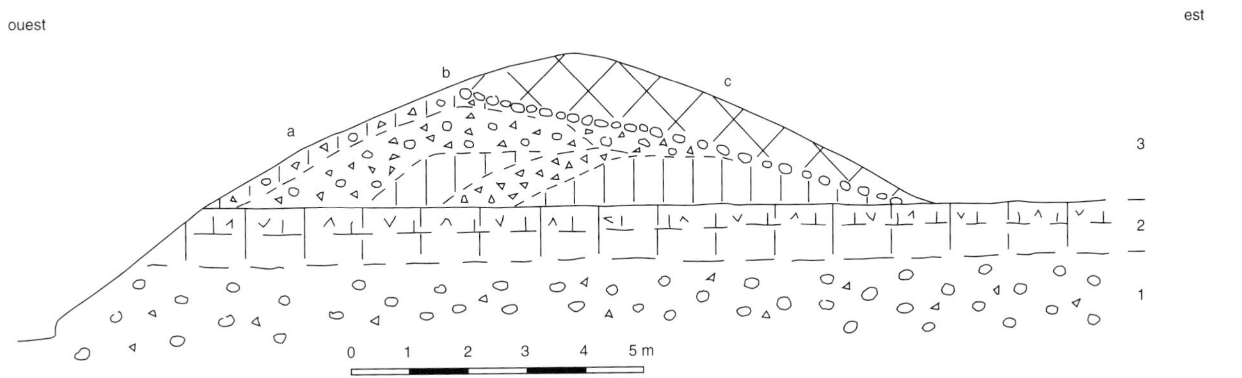

1 : galets et graviers de la formation Q_{II} surmontée par 2

2 : limons indurés par du gypse dans la partie supérieure de l'horizon

3 : digue constituée des déblais de creusement (a) et de curage (c) du canal, séparés par une ligne de petits galets (b)

La surface est pavée de galets et graviers du fait de l'ablation des particules les plus fines.

Le noyau central de la digue, limoneux, provient du décapage des limons qui recouvrent les galets de la formation Q_{II}.

Fig. 27 - Coupe en travers du tracé B du Nahr Dawrīn à Darnaj.

Fig. 28 - Coupe de la digue est du Nahr Dawrīn à Darnaj (tracé B), vue vers l'amont.

pas convenir, peut-être en raison d'un problème de pente, donc de débit ; aussi, dans un troisième temps, un nouveau tracé a été dessiné qui partait de plus loin en amont. Une tranchée, ouverte par un bulldozer, dans le chenal du dernier état du canal (**fig. 29**), peu en amont de Taiyāni, montre la stratigraphie suivante : à la base de la coupe, la formation alluviale Q_I a servi de plancher au chenal du Nahr Dawrīn. Celui-ci apparaît sous forme d'une accumulation, d'environ 60 cm d'épaisseur, de limons et de graviers incluant des passées de graviers, des coquilles et de rares tessons (non datables). L'ensemble est recouvert de près de 80 cm de colluvions qui sont venues fossiliser le chenal après l'arrêt de son fonctionnement.

En aval de la section de Darnaj subsistent les traces de deux branches différentes. Une gravière, ouverte à l'endroit même où elles devaient se raccorder aux tracés décrits ci-dessus, empêche d'établir des liens précis avec eux (cf. **carte h.-t. III**, carré J11). La première branche, sans doute la plus ancienne, car la moins bien conservée, part sur les glacis vers l'aval et l'alvéole de Hajīn. La seconde, qui pourrait correspondre à une phase plus récente de mise en valeur, se dirige droit vers la terrasse Q_{0a} et, peut-être, vers le site de Jebel Mashtala (**68**).

La section d'Abu Hasan : **carte h.-t. IV**

Peu en aval d'Abu Hasan (**9**), en un lieu où la terrasse Q_{0a} est une fois encore étranglée entre les méandres du fleuve et un promontoire issu du plateau de Shamiyeh, semble s'être posé le même problème qu'à Darnaj. Un premier tracé du canal, qui empruntait la terrasse en serpentant entre les buttes résiduelles de la formation Q_{II}, a été recoupé par un méandre, imposant un passage beaucoup plus difficile dans le promontoire, puis dans le plateau lui-même. Les travaux colossaux impliqués par ces tracés problématiques soulignent toute l'importance qui était accordée à cette voie d'eau, importance somme toute peu compatible avec l'exiguïté des surfaces emblavables à l'aval d'Abu Hasan (cf. **carte h.-t. V**).

Les sections d'Esh Sha'afa et d'Es Sūsa : **carte h.-t. V**, carré Q19 et carré Q20

Dans cette partie aval de l'alvéole de Tell Hariri, le canal est très mal conservé, ce qui témoigne en même temps de son ancienneté et de son exposition à une érosion aggravée par l'exiguïté de la vallée. Il n'est plus ici établi sur les glacis, mais sur la terrasse Q_{0a}, sans doute parce qu'à l'approche de son embouchure dans le fleuve, il se devait de perdre peu à peu de l'altitude. Nous ne l'avons retrouvé qu'à deux endroits, à la faveur de son passage dans des buttes résiduelles de la formation Q_{II} où la dépression axiale a une largeur de 12 à 15 m.

Le problème des oueds affluents

Le canal étant aménagé sur les glacis, entaillant localement le plateau, il était directement menacé par les crues des oueds dont il recoupait le tracé. Certains d'entre eux, plus importants, ont nécessité des aménagements spécifiques destinés à mieux les intégrer dans l'ouvrage et donc à minimiser les risques d'érosion qu'ils généraient.

L'oued d'Es Sijr (vallée du Khābūr)

Peu en aval de sa prise supposée, le Nahr Dawrīn longe les glacis qui frangent le plateau de Jézireh. À plusieurs reprises, des débouchés d'oueds ont imposé un renforcement des digues aval afin d'augmenter leur résistance à l'érosion. Dans un cas (**fig. 30 a**), le tracé a été choisi de façon à préserver, sous cette digue aval élargie, un lambeau de formation quaternaire offrant une meilleure résistance à l'érosion.

L'oued de Darnaj (vallée de l'Euphrate)

Lors de son passage dans le plateau, la branche B, dite de « Darnaj est », reçoit plusieurs oueds importants. À leur débouché dans le canal, les digues ont été renforcées, tout particulièrement celles qui sont opposées à l'embouchure. Dans l'exemple présenté **figure 30 b**, la digue amont,

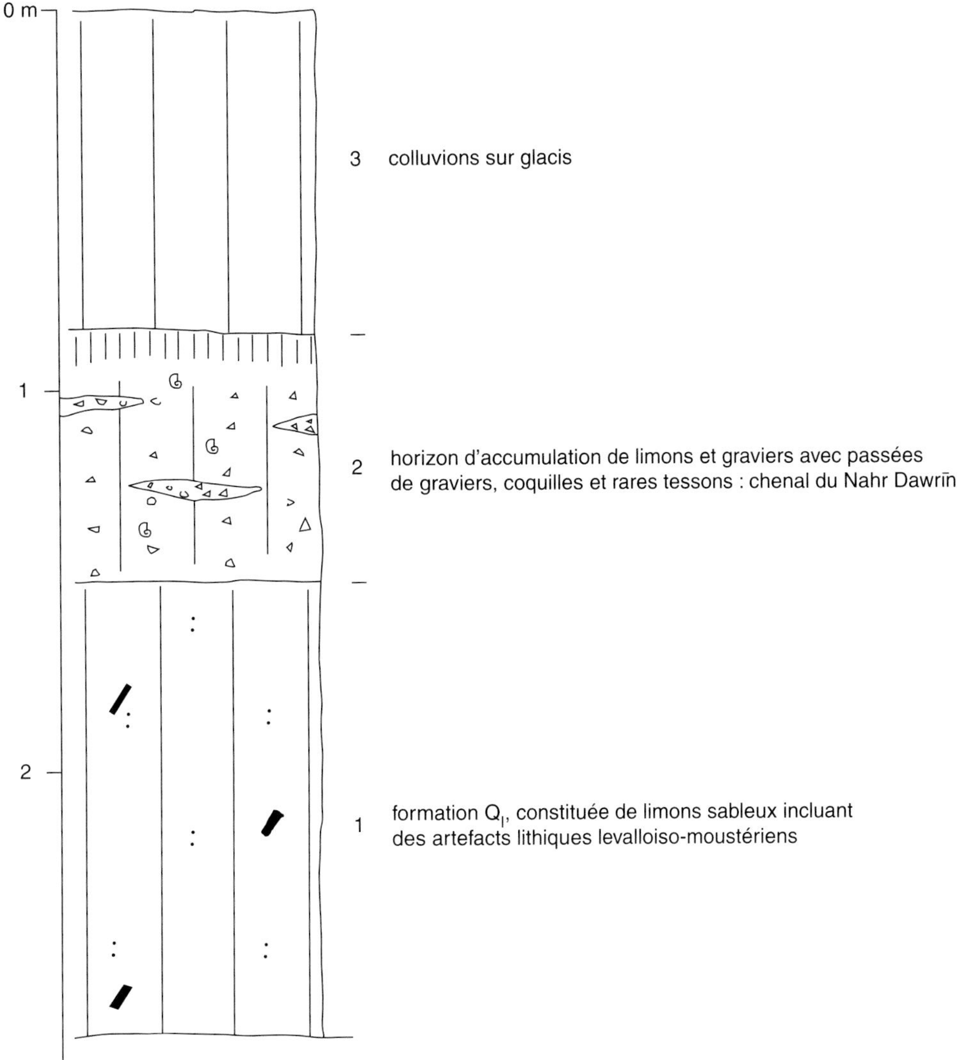

Fig. 29 - Coupe dans le chenal du Nahr Dawrīn dans la section de Taiyāni.

interrompue par le débouché de l'oued, englobe la section aval de ce dernier, dont le tracé en S est contraint. L'eau qui emplissait le Nahr Dawrīn noyait également la partie aval de l'oued, recreusée, formant une petite mare qui diminuait les effets des crues et jouait en même temps le rôle de bassin de décantation. Dans cet exemple, les dépôts accumulés en amont immédiat de l'embouchure sont donc probablement contemporains d'une phase de fonctionnement du canal. Ils ont été incisés postérieurement à l'abandon de l'ouvrage par une entaille d'érosion régressive qui a également attaqué les digues et défoncé le chenal du Nahr Dawrīn.

Le débouché

Nous savons peu de chose de l'embouchure du Nahr Dawrīn dans le fleuve, sinon que la tradition [68] la place le plus souvent à Bāqhūz, au pied des falaises d'Ersi, face à Abu Kemāl. Le dernier tronçon, repéré sur le terrain à Es Sūsa (cf. **carte h.-t. V**, carré Q20), semble confirmer cette localisation. Quoi qu'il en soit, l'étranglement de la vallée, entre le promontoire d'Ard el Bāqhūz et Abu Kemāl ne permettait en aucune manière au canal de poursuivre sa route vers l'aval. Son débouché se trouvait nécessairement entre Es Sūsa et Bāqhūz, soit sur une section de la vallée longue de 7 km seulement. D'après J.-M. Durand, les textes cunéiformes du début du IIe millénaire retrouvés à Mari procurent des informations qui vont dans le même sens, précisant ainsi que c'est bien à Dêr (Abu Kemāl) et non à Mari que se réunissent les armées avant leur départ vers la Haute Jézireh, que c'est dans cette localité que se trouve leur quartier général et que cette localisation particulière « ... se comprend très bien si la flottille prend ensuite le Nahr Dawrîn pour rejoindre le Habur... » [69].

68 - Cf. ci-dessous, Témoignages.

69 - Durand 1990 a, p. 136.

a - schéma des aménagements au débouché d'un oued latéral de rive gauche à Es Sijr (bas Khābūr)

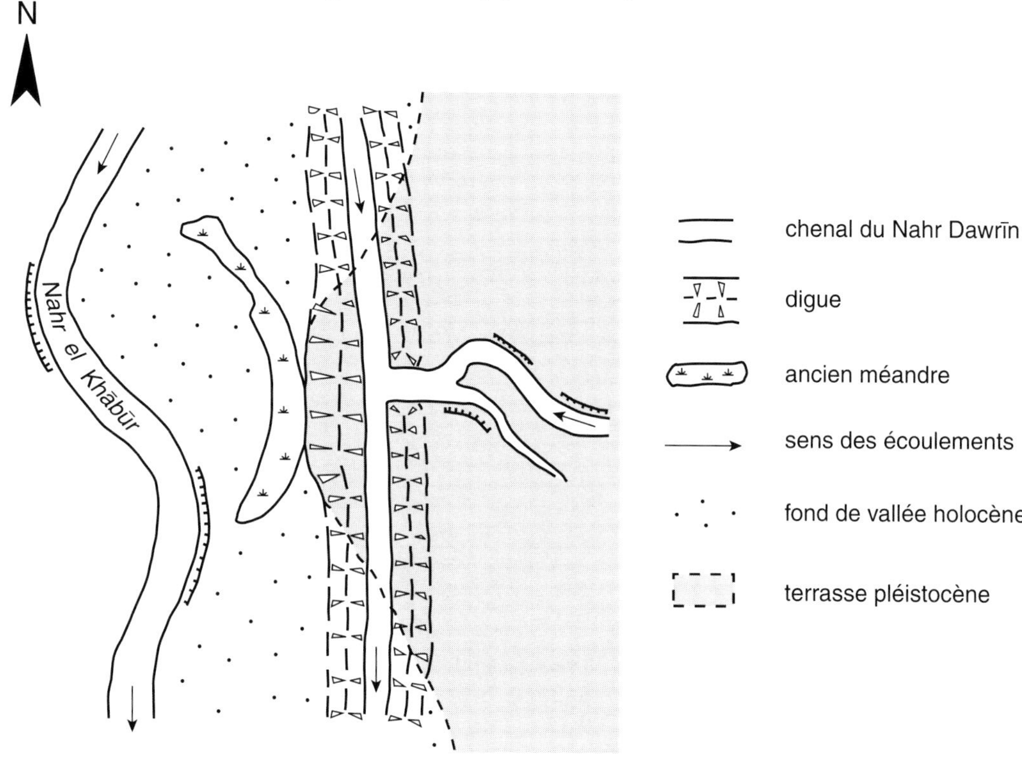

b - schéma des aménagements au débouché d'un oued latéral de rive gauche sur le tracé B (Darnaj est)

N

chenal du Nahr Dawrīn

digue

entaille postérieure par érosion régressive

dépôts de décantation

sens des écoulements

Fig. 30 - Exemples d'aménagements aux débouchés d'oueds latéraux dans le Nahr Dawrīn.

Témoignages

— Ainsworth 1888, p. 387 : à hauteur de Irzah/Ezra (Bāqhūz), « *the river itself took a south-westerly bend round the plain* [...] *whilst the plain itself was detached from the hills by a canal, called by the Arabs Musah, and it corresponds to the Masca of Xenophon, it must be of great antiquity.* »

— Kiepert 1900, carte : le tracé du canal Daurīn part d'El Ḥöğne sur le Khābūr et aboutit dans l'Euphrate en face de Saleḥije [= Sālihīye], en allant à peu près en droite ligne.

— Bell 1910, p. 530 : « *Between the Khabur and the Euphrates Kiepert marks an ancient canal, and names it the Daurin. According to the map, it leaves the Khabur at a point opposite to the village of Höjneh, and joins the Euphrates opposite Salihiyeh (Sachau travelled up the left bank of the Khabur, and should therefore have crossed the course of the canal, but he makes no mention of it). The existence of the canal cutting is well known to all the inhabitants of these parts (they call it the Nahr Dawwarin), but they affirm that its course is much longer than is represented by Kiepert, and that it touches the Euphrates at Werdi. My route on the first day lay between the canal and the Euphrates, at a distance that varied from an hour to half an hour from the river, and though I did not see the Dawwarin, its presence was clearly indicated by the lines of kanats (underground water-conduits) running in a general southerly direction—north-north-west to south-south-east, to be more accurate—across ground that was almost absolutely level.* »

p. 532 : « *Within the circuit of a great bend in the channel, the ground for 3 miles or so is extremely low and is partially submerged when the stream comes down in flood. On its eastern side the low ground is bounded by a rocky ridge which crosses the desert from a point a little to the south of the Khabur, passes behind what I suppose to be the course of the Dawwarin, and terminates in the bold bluffs of Irzi at the lower limit of the Werdi bend. When the river is exceptionally high it covers the whole area up to the hills ; my informant, an Arab of the Bu Kemal, remembered having once seen this occur ; but in ordinary seasons it merely overflows a narrow belt and fills a canal that lies close to the eastern hills. The canal is connected by two branch canals with the river, and joins the Euphrates under the bluff of Irzi. The river rises about the middle of April, but the big canal under the hills was still half full of water when I saw it in March, and the crops were irrigated from it by jirds. It is known locally as the Werdiyeh, but I was informed that it was in fact the lower end of the Dawwarin, which joins the Euphrates here and not at Salihiyeh (I looked carefully for any trace of a big canal opposite Salihiyeh, and saw none).* »

— Herzfeld 1920, p. 386 : « *Der Euphrat bespüllte immer den Westrand dieses Gebietes, am Ostrand war in frühislamischer Zeit und wahrscheinlich schon im hohen Altertum ein Kanal angelegt, der vermutlich beim Tell Ḥidjnah vom Khābūr abzweigte und sich bei al-Wardī, gegenüber von Albū Kamāl, mit dem Euphrat vereinigte (Abb. 370)* » (sur cette carte, le canal est tracé à peu près en droite ligne entre les deux points cités).

— Albright et Dougherty 1926, p. 16 : « *The Euphrates and Khabûr Valleys are here very fertile and water was distributed for irrigation by the Semiramis and the Khabûr Canals (Nahr Dawarîn)* [...]. *Other canals there doubtless were, but these two were the most important, constructed before the Assyrian period, as may be demonstrated from our literary sources.* »

— Cumont 1926, p. xx, n. 5 : « ce canal, appelé aujourd'hui Nahr-Dawarîn, partait du Khabour à une dizaine de milles en amont de son embouchure et venait lui-même déboucher dans l'Euphrate presque en face d'Abou-Kémal, à l'endroit où les hauteurs qui portent les ruines d'Irzi limitent la plaine vers le Sud. Ses traces sont encore bien visibles, mais il ne contient plus d'eau qu'à l'époque de la crue. Il est probable qu'il remonte à l'époque lointaine des rois de Tirqâ. »

— Musil 1927, p. 60, n. 44 : « *the Dawrîn of today, which branches off from al-Ḫâbûr at the settlement of as-Sukejr.* »

p. 82 : « *Near the last-named place (as-Sicer) the Dawrîn canal branches off.* »

p. 173 : [un peu avant Kishma] « *we observed on our right the ancient Dawrîn canal and thenceforth had to cross all its numerous branches which run off to the west. Dawrîn is said to end beneath the crag of al-'Erṣi by the Abu Raḳḳ ruins in the plain Ḥâwi al-Barûṭ.* »

p. 176 : « *The Dawrîn canal flows about one and a half kilometers to the northeast, but a side branch of it brought water as far as al-Merwânijje.* »

p. 178 : « *we had to the south-southwest the fields of Ḏîbân, to the north-northwest the Krâḥ ruins, and about three kilometers to the north, the Dawrîn canal.* »

p. 198 : « *From the river al-Ḫâbûr water was also led off through a canal to irrigate the fertile flood plain, here ninety kilometers long and in some places nearly six kilometers wide, on the left bank of the Euphrates. This canal, called Ḫabur-ibalbugaš, was constructed in the beginning of the second millenium before Christ by the Babylonian king Hammurabi. Tukulti Enurta (Tukulti Ninip) II also mentions the Pal-gu ša (Nâr) Ḫâbûr.* »

p. 222 : « *Both banks of the lower Ḫâbûr as well as the right bank of the Dawrîn canal are covered with ruins and are very fertile to this day.* »

p. 339 : « *The Dawrîn canal issues from al-Ḫâbûr below the settlement of as-Sicer, the ancient as-Sukejr.* »

— Du Mesnil du Buisson 1948, p. 3 : « On notera surtout les vestiges du canal d'irrigation de haute antiquité, dit Daoûrîn (fig. 4). Venant du Habour, il suivait le bord de la vallée de l'Euphrate au pied de la falaise, pour rejoindre le fleuve au-dessous de l'éperon rocheux d''Erṣi. La carte d'avion (pl. V), dans l'angle supérieur droit, montre l'embouchure de ce canal. La grande boucle que formait l'Euphrate à cet endroit est asséchée depuis des siècles, de sorte que l'ancien canal aboutit aujourd'hui à une plaine alluvionneuse, cultivée, et semble s'y jeter. »

— Lauffray 1983, p. 63 : « cet immense canal (le canal Dawwarîn) créé par Hamourapi est sans doute le plus fameux de toute la Mésopotamie. Sa prise d'eau se trouvait probablement à proximité du tell Secher, dont l'étymologie viendrait de Σαχάρη la digue. »

Fonction du canal et datation

Irrigation ou navigation : quelle était la fonction principale du Nahr Dawrīn ? L'hypothèse d'un canal creusé, dès l'origine, sur plus de 110 km à seule fin de répondre aux besoins de l'irrigation ne nous semble guère plausible. La lourdeur des travaux de mise en œuvre et d'entretien, la largeur que l'on entrevoit à peu près constante [70], la position sur les glacis vont elles aussi à l'encontre de cette hypothèse, d'autant que l'on connaît dans la vallée d'autres canaux d'irrigation, dont les caractéristiques sont très différentes. En revanche, le projet de doubler le fleuve par une voie d'eau plus facilement navigable et plus courte semble admissible. Quelques chiffres permettent de poser simplement le problème. Telle que nous l'avons restituée, la longueur totale du canal serait de près de 116 km. Le même trajet, effectué par voie fluviale, représente, essentiellement du fait des méandres, une distance de 154 km (dont 28 km sur le Khābūr et 126 km sur l'Euphrate). Le canal permet donc un gain équivalent au quart de la distance à parcourir, ce qui est loin d'être négligeable. Surtout, l'Euphrate, en raison des variations importantes de son débit, n'est pas navigable en toutes saisons, alors que le Khābūr doit à son alimentation principalement karstique un débit relativement régularisé. Enfin, les méandres du fleuve imposent, à la remonte, un halage pénible tandis qu'un simple chemin longeant le chenal artificiel facilite la tâche. Cette hypothèse, aussi osée qu'elle puisse paraître, a donc notre préférence. Que le Nahr Dawrīn ait pu, ultérieurement et notamment à l'époque islamique [71], servir, sur sa seule section amont, à l'irrigation est bien sûr tout à fait plausible.

Mais c'est vraisemblablement un canal de navigation qui a été construit à l'origine. Dès lors, il devient essentiel de savoir quand a été réalisé ce gigantesque ouvrage. Les travaux colossaux qui ont été mis en œuvre pour le construire — rappelons qu'il mesure près de 116 km de long et qu'en plusieurs endroits, il a été creusé dans le plateau — ne se justifient que si ce canal avait un caractère fondamental, voire vital pour ses concepteurs. À qui un canal de navigation a-t-il été à ce point indispensable ? En l'absence de témoignage écrit sur l'époque de sa construction, nous pouvons émettre des hypothèses qui prennent en compte les différents éléments à notre disposition :

— le canal n'est pas branché sur l'Euphrate, mais sur le Khābūr ; il n'a donc pas pour fonction de faciliter la navigation dans la seule vallée de l'Euphrate ni de mettre en relation deux régions situées sur ce fleuve ; il sert au contraire à relier, à longueur d'année, la région aval de l'Euphrate à cette rivière et, par delà, aux riches régions du haut Khābūr ;

— le tracé depuis le Khābūr jusqu'à Abu Kemāl implique que la puissance politique qui aménage cet ouvrage a une totale maîtrise de l'ensemble de la région [72] ; *a priori*, quatre époques, d'après ce que nous pouvons savoir de leur histoire, pourraient être concernées et avoir connu des pouvoirs suffisamment forts pour exercer leur domination sur l'ensemble de cette zone : l'âge du Bronze, hors le Bronze récent qui apparaît comme une période de régression ; l'époque néo-assyrienne ; l'époque classique ; l'époque islamique ;

— la jonction du canal et de l'Euphrate ne se situe pas n'importe où : le débouché, point important à contrôler, se trouve à hauteur du verrou de Bāqhūz ;

— un seul site d'envergure se trouve suffisamment proche de ce débouché pour avoir exercé ce contrôle et avoir pu y trouver un intérêt direct. Il s'agit de Tell Hariri/Mari, à une douzaine de kilomètres en amont ; en revanche, la ville de Doura-Europos, à près de 40 km, en est déjà fort éloignée.

Quand on met en relation ces différents points, seul l'âge du Bronze avec la cité de Mari paraît envisageable. À aucun autre moment de son histoire, la vallée n'a connu une agglomération aussi puissante, capable de dominer toute la région, et établie à proximité du débouché du canal.

Nous ajouterons un indice archéologique qui, en attestant un fonctionnement probable du Nahr Dawrīn au Bronze moyen [73], situe son creusement au plus tard à cette époque [74]. Nous le détaillerons plus loin, lorsque nous passerons en revue les périodes de fonctionnement.

Il convient alors de comprendre les raisons qui auraient poussé les gens de Mari à construire ce canal. Quelle peut avoir été la justification d'un tel ouvrage ?

La navigation sur l'Euphrate permet un trafic de marchandises pondéreuses entre la Mésopotamie centrale et méridionale en aval et la Syrie occidentale et le Khābūr en amont. Il est évident qu'un point de contrôle installé sur cet axe commercial en tirera un bénéfice, qui sera d'autant plus grand que le trafic sera lui-même important et permanent. À cette fin, l'aménagement d'un canal de navigation branché sur une rivière pérenne à débit à peu près régulier n'a pu que faciliter le trafic et en permettre l'augmentation. Pour J.-Cl. Margueron [75], le commerce qui est, avec l'agriculture, un des deux fondements du

70 - La constance des dimensions des canaux du Khābūr donne à penser à P. Ergenzinger qu'ils étaient aussi destinés à la navigation (ERGENZINGER 1987, p. 35).

71 - Cf. ci-dessous p. 215. Cf. aussi BERTHIER et D'HONT 1994.

72 - MONCHAMBERT 1990 a, p. 95 ; MARGUERON 1990 b, p. 174-176, 181-182.

73 - Un seul indice direct permettrait d'envisager son fonctionnement au Bronze ancien, l'existence sur la rive du Nahr Dawrīn du site de Dībān 4 (**84**), sur lequel une occupation est possible à cette époque.

74 - Nous ne pouvons donc souscrire à l'avis de J.-M. Durand (1998, p. 575) qui attribue cet aménagement à des périodes plus tardives, néo-assyrienne ou islamique. Il reconnaît cependant, pour l'époque paléobabylonienne, qu'« il est néanmoins certain qu'il y avait un canal qui partait du Habur et qui allait au minimum jusqu'à Ṣuprum (Abu Hassan) » (*ibid.*, p. 631).

75 - MARGUERON 1990 b, en particulier p. 177 *sq.* ; 1991 b, p. 87 *sq.* ; 1996, p. 15.

développement de Mari, est la raison d'être du canal, dont il fait remonter la construction au début du Bronze ancien, dès l'origine de la ville : « le canal de transport apparaît comme l'élément déterminant pour sa fondation » ; il en « donne la clef ». La création *ex nihilo* de cette ville en terrain inhospitalier ne peut se comprendre par la seule mise en valeur agricole de son terroir. Mari n'existe que parce qu'elle contrôle un axe commercial important qui relie la Syrie du Nord et de l'Ouest au pays sumérien par l'Euphrate et qui lui procure d'importants revenus grâce aux taxes qu'elle impose. Il est vrai que le fleuve, s'il autorise une navigation minimale et, par conséquent, l'exercice d'un certain commerce, ne permet pas à ce dernier de prendre réellement de l'ampleur, notamment en raison des importantes difficultés de remonte. En revanche, la construction d'un canal ne peut que favoriser la navigation : elle la rend possible en toute saison, contrairement à l'Euphrate, elle raccourcit le trajet, enfin et surtout, elle facilite un trafic à double sens.

Cependant, cet ouvrage est un investissement tel que le seul commerce de transit, même s'il est très lucratif, ne suffit peut-être pas à le justifier. Que celui-ci ait été nécessaire à Mari est indéniable et c'est à lui que la ville dut sa puissance. Mais il nous semble que la création de ce canal peut avoir une autre justification, plus fondamentale encore.

Mari, nous l'avons vu, est installée dans une grande alvéole, au potentiel agricole sans doute important, notamment après l'aménagement d'un grand canal d'irrigation. Ce terroir devait probablement suffire, en temps normal, à couvrir les besoins en céréales de la population, même s'il nous est difficile de les évaluer [76]. Mais dans cette région de cultures irriguées, les récoltes ont toujours été aléatoires et pouvaient varier considérablement d'une année à l'autre, pour de multiples raisons : année sèche, crue insuffisante pour alimenter correctement le canal d'irrigation ou invasion de sauterelles [77] qui détruit toute la production.

Mari devait parer de telles catastrophes et se mettre à l'abri d'éventuelles pénuries. Ce n'est alors pas un simple complément de blé que ses rois pouvaient en attendre. Il leur était indispensable de pourvoir rapidement à un approvisionnement massif en céréales, pouvant aller jusqu'à l'équivalent d'une récolte complète. La survie de la ville était en jeu. Dès lors, ce sont des quantités considérables qui devaient être importées.

Le grenier à blé le plus proche et le plus riche est la plaine du haut Khābūr. Dans cette région relativement humide et cultivable sans irrigation, les récoltes étaient moins aléatoires. C'est donc depuis cette zone que l'on pouvait acheminer d'énormes quantités de céréales jusqu'à Mari [78]. Un transport terrestre, envisageable ponctuellement pour des quantités limitées, ne l'était plus dans ce cas. On conçoit dès lors que ses souverains aient procédé au creusement de ce canal reliant directement Mari au Khābūr. Que cette ville soit située à proximité de son terminus n'est dès lors pas dû au hasard.

Il est possible d'ajouter une autre explication. Les fouilles récentes ont mis en évidence l'importance de la métallurgie dans la première ville de Mari [79]. Fondée sur la transformation du cuivre et de l'étain, cette activité qui pourrait avoir été un des facteurs clés de la naissance de la ville et de sa croissance nécessitait un approvisionnement abondant et régulier en matières premières ; dès lors, la construction du canal aurait permis l'importation, à longueur d'année, de minerai de cuivre depuis le Taurus, d'étain en provenance d'Iran depuis la région de la Diyala. Là encore, la position de Mari à proximité du débouché du canal est significative.

Indispensable à la survie de Mari, et — secondairement — nécessaire à sa puissance, le canal de navigation lui est étroitement associé. Doit-on dès lors faire concorder son creusement et la fondation de la ville ? Est-ce dès les premiers temps de la cité, voire dès sa conception, qu'il a été aménagé, ou plus tard, dans le courant du Bronze ancien ou au Bronze moyen ?

Une datation à l'époque paléobabylonienne nous paraît exclue. Sa construction ne serait pas passée inaperçue et apparaîtrait sous une forme ou sous une autre dans la documentation écrite qui a été retrouvée. En effet, l'aménagement d'un ouvrage aussi colossal, par la main d'œuvre nécessaire et par la durée des travaux, ne peut que marquer les esprits et son souvenir se serait perpétué, ne serait-ce que par un nom d'année ou par une quelconque autre allusion. Par ailleurs, nous avons déjà précisé à propos du canal d'irrigation de l'alvéole de Tell Hariri que, d'après les textes, le début du IIe millénaire n'est pas une période de construction de canaux, mais seulement de remise en état et d'entretien de ceux qui existaient. La situation politique de la vallée aux XXe et XIXe s. ne nous permet pas d'envisager la construction d'un tel aménagement qui suppose un pouvoir politique particulièrement puissant et bien établi sur la totalité du territoire traversé par le canal : en effet, la vallée semble avoir été alors sous le contrôle des tribus nomades et morcelée en plusieurs petits états. Lorsqu'un État fort est restauré par Yahdun-Lîm, et ensuite sous ses successeurs, aucun témoignage ne mentionne ces travaux. Yahdun-Lîm est le seul dont nous savons qu'il procéda à de grands travaux, dont le (re)creusement d'un canal, mais il s'agit du Išîm-

76 - Les renseignements que donnent les archives d'époque paléobabylonienne ne semblent pas très explicites : « il est certain que la production agricole du royaume n'était pas auto-suffisante » (Durand 1990 b, p. 86). Mais cette interprétation a été remise en question depuis lors (Durand 1997, p. 355).

77 - De tels phénomènes, attestés par les archives paléobabyloniennes, n'étaient sans doute pas rares.

78 - Margueron 1991 b, p. 97.

79 - Margueron 1996, p. 15.

Yahdun.Lîm, en rive droite. C'est donc au IIIe millénaire qu'il convient de faire remonter le creusement de cet ouvrage.

Nous avions déjà proposé [80] d'associer cet aménagement au développement de Mari dans le courant du Bronze ancien et à l'augmentation de ses besoins en céréales. Le transit commercial, qui assurait la prospérité de Mari, aurait ensuite bénéficié de l'existence de ce canal.

En fait, et bien que nous ne connaissions pas la situation politique au début du Bronze ancien, trois arguments majeurs nous incitent à dater le creusement du Nahr Dawrīn des tout premiers moments de la ville. D'une part, comme nous l'avons rappelé à la suite de J.-Cl. Margueron, Mari n'a guère de raison d'être si n'existe pas, sous son contrôle, une voie commerciale empruntant la vallée de l'Euphrate. D'autre part, si, selon l'hypothèse de J.-Cl. Margueron que nous avons également évoquée ci-dessus, « la cité de Mari des débuts [était] un centre métallurgique d'envergure [81] », le canal facilitait son approvisionnement en matières premières. Enfin, nous avons souligné précédemment le caractère vital de ce canal pour son approvisionnement en céréales en cas de crise. Or, on connaît désormais l'existence, dès le Dynastique archaïque 1, de nombreux silos [82] dans la moyenne vallée du Khābūr, où aurait été stockée la production céréalière (les surplus ?) destinée à approvisionner des régions déficitaires. C'est peut-être dans ces entrepôts que Mari venait chercher le blé qui lui était indispensable et il n'est pas impossible de penser, avec M. Fortin [83], qu'elle les contrôlait. Aussi peut-on imaginer que c'est en se fondant sur l'expérience que la construction du canal a été engagée, dans ce triple objectif commercial, « métallurgique » et « alimentaire ».

Il est par ailleurs indéniable que le canal a pu servir également, à certains moments, à transporter des compléments alimentaires à destination de Mari ou de régions plus méridionales ; de telles expéditions de grain sont attestées à l'époque d'Akkad et elles le sont encore au IIe millénaire, où l'on constate la « nécessité d'aller acheter du grain loin, surtout vers l'ouest (royaume d'Alep) ou dans le nord-est (Djéziré) » en raison de « l'instabilité et du mauvais rendement » de la production agricole [84].

Cette datation haute est contestée par J.-M. Durand qui nie l'existence d'une voie commerciale pérenne reliant la Babylonie et la Syrie. Les arguments avancés [85] ne nous semblent cependant pas convaincants, car ils s'appuient sur des textes du début du IIe millénaire, donc bien postérieurs à la fondation de Mari, à une époque où la situation pouvait être fort différente. Que l'axe de l'Euphrate n'ait pas connu une forte activité au XVIIIe s. av. J.-C. [86] est communément admis, mais cela n'implique pas qu'il en ait été de même au IIIe millénaire. Le siècle et demi d'anarchie politique qui semble avoir marqué le début du IIe millénaire peut avoir provoqué un démantèlement du réseau antérieur des échanges, que la période de renouveau, trop courte, n'eut pas le temps de restaurer. L'approvisionnement de la Mésopotamie méridionale en céréales du Khābūr peut fort bien avoir continué à emprunter d'autres voies mises en place lors de l'effondrement de la puissance mariote. En outre, les besoins de Mari peuvent avoir été moindres qu'au Dynastique archaïque ou qu'à l'époque d'Akkad, expliquant ainsi partiellement le silence des textes. Les sources d'approvisionnement, enfin, peuvent avoir changé et s'être déplacées de la haute Jézireh aux royaumes occidentaux comme ceux d'Alep ou de Karkémish, lesquels semblent avoir disposé d'un important potentiel d'exportation de céréales à l'époque de Zimrî-Lîm [87]. On notera à ce propos qu'il n'est fait appel à ces régions que dans des conditions de grave pénurie ; il est peut-être normal que la région du Khābūr ne soit pas mentionnée dans les archives si elle constitue une source d'approvisionnement de base au même titre que la région même de Mari.

Si Mari fut la principale bénéficiaire du canal de navigation, Terqa en tira probablement aussi profit et il est peu vraisemblable qu'elle ait été « court-circuitée [...] pour des raisons de déplacement ou de transport [88] » par Mari ; au contraire, située à proximité de ce canal, qui plus est à l'endroit où ce dernier se rapproche le plus de l'Euphrate, elle ne pouvait manquer de profiter, d'une façon ou d'une autre, du trafic qui l'empruntait.

Il est vrai que les textes retrouvés à Mari ne sont pas d'un grand secours pour démontrer l'existence d'une éventuelle navigation sur les canaux. La documentation écrite, bien que rare, n'est cependant pas totalement absente. Une lettre de Sûmû-Hadû [89], déjà mentionnée ci-dessus, relate un incident survenu sur le canal d'irrigation de l'alvéole de Mari au moment où il était utilisé pour le transport des céréales. Bien que cet événement se produise sur un canal

80 - GEYER et MONCHAMBERT 1987 b, p. 331-332.

81 - MARGUERON 1996, p. 15.

82 - Par exemple, à Tell 'Atij, à Tell Raqa'i, à Tell Mashnaqa ou encore à Tell Ziyada.

83 - FORTIN 1997, p. 68-70. Nous ne croyons guère que ces silos aient pu servir à stocker les récoltes de nomades, comme le soutient B. Lyonnet (2000, p. 18). Le nombre de ces silos et leur capacité semblent impliquer des productions importantes, qui sont plus le fait d'agriculteurs sédentaires que de nomades. En outre, leur concentration en un seul secteur du moyen Khābūr et leur position le long de la rivière plaident en faveur d'une zone de stockage centralisée avant redistribution. La localisation de cette zone au sud du bassin du haut Khābūr semblerait indiquer que cette redistribution était destinée aux territoires du sud plutôt qu'à ceux du nord.

84 - DURAND 1990 a, p. 108.

85 - DURAND 1998, p. 574-575 et p. 580.

86 - Le trafic devait cependant avoir une certaine densité, comme l'attestent un certain nombre de textes. Sinon, comment expliquer l'importance du port fluvial d'Imar ou la volonté, rappelée par F. Joannès (1996, p. 326), que manifestent à plusieurs reprises les royaumes de Babylone et d'Eshnunna de contrôler l'Euphrate ?

87 - MICHEL 1996, p. 393-394.

88 - DURAND 1998, p. 574.

89 - DURAND 1990 a, p. 136-137, LAFONT 1992.

dont la fonction première était l'irrigation, ce texte nous démontre que la navigation sur des canaux était pratiquée à l'époque. Le fait que cette attestation soit unique montre bien que la seule absence de documentation écrite relative à une possible navigation sur le Nahr Dawrīn n'est pas suffisante pour réfuter l'hypothèse.

Vraisemblablement construit au début du Bronze ancien, le Nahr Dawrīn a connu, au cours de l'histoire, des périodes d'abandon, suivies de remises en état, au moins partielles. Conçu pour la navigation, il a pu servir aussi, secondairement, à des fins d'irrigation. Son fonctionnement peut être retracé dans ses grandes lignes.

Bien que peu nombreux, les éléments de datation directs sont plus variés que pour les autres canaux de la vallée ; ils consistent en trois séries de données : le matériel récolté sur les digues, les sites implantés le long du canal, les analyses au ^{14}C.

Le ramassage effectué sur les digues ne nous a pas permis d'obtenir une datation indubitable. Le matériel qui y a été retrouvé est trop peu abondant et insuffisamment typique pour être toujours identifié et daté avec certitude.

Quelques rares tessons ont été récoltés sur les sections de Darnaj, sur les digues ou sur la surface des terrasses quaternaires, de part et d'autre du canal. Ils ne donnent aucune indication pour le tracé A ; quant au tracé B, les incertitudes sont à peine moindres, avec une large fourchette chronologique, qui couvre plus d'un millénaire depuis le Bronze moyen jusqu'à l'époque néo-assyrienne [90]. La seule certitude est que ce matériel est nettement antérieur à l'époque islamique. Il nous autorise à envisager un fonctionnement de ce deuxième tracé au moins dès le Ier millénaire av. J.-C. Nous nous écartons donc des conclusions d'A. Ozer, selon lequel « l'abandon du premier chenal et le creusement du second dateraient de l'époque islamique [91] ».

Deux des trois tessons retrouvés sur les digues du tracé B de la section d'Abu Hasan [92] peuvent être datés du Bronze moyen, mais, là aussi, la marge d'incertitude demeure assez grande. Ils ne fournissent en fait guère plus d'informations que pour la section de Darnaj.

Si nous pouvons observer une convergence en faveur d'une datation au Bronze moyen du tracé le plus récent, nous ne pouvons aller au-delà.

Plusieurs sites sont directement liés au canal, et leur période d'existence devrait correspondre à une de ses phases de fonctionnement. Si le tronçon amont, avant le défilé de Darnaj, était en eau à l'époque islamique comme l'indique une série d'implantations établies sur ses rives [93], quelques sites occupés antérieurement attestent d'autres périodes de fonctionnement. Nous n'avons cependant pu établir précisément la datation de chacun d'entre eux. Un de ces sites a été occupé à l'époque romano-parthe, Shheil 1 (**93**) ; Darnaj (**86**) l'a aussi été à cette époque, mais du fait de son implantation très particulière — il domine à la fois la branche A du canal et l'Euphrate —, il n'est pas certain qu'il ait été lié directement au canal, même si sa position est stratégiquement très intéressante. Cinq sites attestent une occupation à l'époque néo-assyrienne : Er Rāshdi 3 (**195**), Dībān 3 (**66**), Dībān 11 (**162**), El Jurdi Sharqi 1 (**69**), El Jurdi Sharqi 2 (**72**) ; on peut éventuellement y ajouter Dībān 15 (**186**), même s'il est un peu loin du canal pour lui devoir son existence, et Dībān 17 (**188**), dont la datation est incertaine. Dībān 4 (**84**) semble avoir été occupé antérieurement, au Bronze ancien et au Bronze moyen. Ces éléments nous permettent de proposer un fonctionnement du canal, du moins entre sa prise d'eau et l'alvéole d'Abu Hammām, en aval de Darnaj, de façon à peu près certaine au Bronze ancien, au Bronze moyen et à l'époque néo-assyrienne, et éventuellement à l'époque classique. Plus en aval, près du débouché dans l'Euphrate, le site d'Es Sūsa 4 (**157**) occupé avec certitude au Bronze moyen se trouve à côté du canal, mais il n'est pas sûr que son éloignement de l'Euphrate ait été suffisant pour rendre indispensable l'apport du Nahr Dawrīn (cf. chap IV, p. 122) ; on ne peut donc l'utiliser comme élément de datation du canal.

Le troisième élément de datation est fourni par des échantillons de charbons de bois prélevés dans le chenal près de Darnaj et analysés en laboratoire. Les dates obtenues se situent à l'époque islamique [94].

L'ensemble de ces données factuelles nous permet d'envisager un fonctionnement du Nahr Dawrīn au Bronze ancien, au Bronze moyen, à l'époque néo-assyrienne et à l'époque islamique. Qu'en est-il des périodes intermédiaires ? Et peut-on préciser sa fonction au cours de l'histoire ?

Aucun site du Bronze récent n'a été repéré le long du canal. En revanche, l'alvéole d'Abu Hammām en compte plusieurs, fixés sur le tracé d'un autre canal, celui d'El Jurdi Sharqi. Cette concentration de l'habitat en aval de l'éperon de Darnaj et la présence de deux autres sites dans l'alvéole

90 - Cf. annexe 2 et pl. 119 : tracé A (**1725-1726**), tracé B (**1713-1715**).

91 - Ozer 1997, p. 123. Voir également ci-dessus, p. 202.

92 - Cf. annexe 2 et pl. 119 (**1722-1724**).

93 - Pour le détail, voir Berthier *et al.* 2001.

94 - Nous avons pu effectuer deux prélèvements d'échantillons de charbons de bois sur le tracé du Nahr Dawrīn dans le secteur de Darnaj, tous deux sur la section de Darnaj est (tracé B). Le premier a été effectué dans les sédiments qui ont comblé le chenal d'écoulement dans son dernier état, juste en amont de son passage en tranchée dans la formation Q_{II} ; il est contemporain de la dernière période de fonctionnement du canal ou de son abandon. La date ^{14}C obtenue est de 1095 ± 75 BP (n° de comptage Ly-5151 ; LA-CNRS n° 11, université Lyon 1-CNRS) ; l'intervalle en années réelles après correction (courbe de calibration 1993) va de 756 apr. J.-C. à 1104 apr. J.-C. Le second échantillon a été prélevé dans un petit foyer, présent dans le chenal, à 1,5 m de profondeur, immédiatement en aval de la tranchée du tracé B, et devrait être postérieur à l'abandon du canal. La date ^{14}C obtenue est de 1020 ± 50 BP (n° de comptage Ly-7488 ; LA-CNRS n° 11, université Lyon 1-CNRS) ; l'intervalle en années réelles après correction (courbe de calibration 1993) va de 906 apr. J.-C. à 1154 apr. J.-C.

amont peuvent-elles nous permettre d'envisager que le Nahr Dawrīn était en eau jusqu'à Darnaj ? Bien qu'un peu risquée, d'autant que nous ne connaissons pas grand-chose du contexte historique et socio-économique de cette époque, cette hypothèse pourrait être corroborée par le canal de Jebel Mashtala (**68**) qui, nous l'avons vu, pourrait constituer une dérivation du Nahr Dawrīn. Après une probable période d'abandon, le Nahr Dawrīn aurait été remis en fonctionnement à l'époque kassite jusqu'à Jebel Mashtala, vraisemblablement à des fins d'irrigation. Peut-être pourrait-on voir dans ce réaménagement l'œuvre d'un roi de Terqa du nom de Hammurabi, dont on sait qu'il a « creusé le canal Ḫabur-ibal-bugaš depuis la ville de Dûr-Išarlim jusqu'à la ville de Dûr-Igitlim »[95].

Le fonctionnement du canal à l'époque néo-assyrienne semble mieux assuré. Il se situe dans le prolongement de plusieurs canaux qui doublent le Khābūr, sur tout son cours, depuis Hassekeh[96]. Une inscription du souverain Tukultī-ninurta II mentionne un « canal du Khābūr »[97] quelque part entre Sirqu (El 'Ashāra, **54**) et le Khābūr. Malgré l'absence de renseignements plus précis et compte tenu de la localisation approximative des toponymes cités[98], on peut penser qu'il s'agit du Nahr Dawrīn. Nous aurions là une confirmation de son fonctionnement à l'époque néo-assyrienne. Le tronçon en service allait, dans ce cas, au minimum jusqu'à l'éperon de Darnaj. On peut penser, compte tenu de la présence des deux sites d'époque néo-assyrienne d'El Jurdi Sharqi 1 (**69**) et 2 (**72**) dans l'alvéole d'Abu Hammām, que le canal la parcourait. Allait-il jusqu'à Ṣupru (= Tell Abu Hasan, **9**) ? L'inscription de Tukultī-ninurta II ne donne aucun autre renseignement. Elle ne nous précise pas non plus la fonction de ce canal. L'hypothèse qu'il ait servi à la navigation ne nous semble pas devoir être exclue. La vallée du Khābūr était alors soumise à la domination d'un pouvoir politique fort et bien structuré qui dynamisait la région et la rendait prospère en développant, de part et d'autre de la rivière, un grand réseau de canaux. Il n'est pas impossible que ce réseau, interprété comme un système régional d'irrigation[99], ait servi aussi à la navigation. L'existence, à l'aval, de centres locaux tels Sirqu (**54**), Ṣupru (**9**) et, plus loin, Haradu et 'Āna, peut avoir incité le pouvoir néo-assyrien à le prolonger vers l'aval, pour doubler un Euphrate moins facilement navigable. La puissance en place était, semble-t-il, en mesure d'assurer le fonctionnement d'un ouvrage aussi long, en s'appuyant, le cas échéant, sur des centres locaux comme celui situé à Jebel Masāikh (**16**) ou, si le canal allait jusque-là, Ṣupru (Tell Abu Hasan, **9**), les deux plus grands sites néo-assyriens de la rive gauche.

Il semble bien qu'à l'époque perse achéménide, le canal n'ait pas été en fonctionnement. Aucun site ne se trouve sur son parcours. La région paraît alors en importante régression ; le peuplement de la vallée semble réduit et l'on ne voit guère quelle autorité aurait pu gérer le fonctionnement du canal, même limité à l'irrigation. Confirmation en est donnée par Xénophon[100] : séjournant en – 401 à Korsoté (Buseire 1, **75**), à la confluence du Khābūr, il signale que la ville est « abandonnée », puis, alors qu'il parcourt la rive gauche de l'Euphrate, il ne fait état que d'un paysage de désolation : « il n'y avait ni herbe, ni arbre d'aucune sorte ; tout le pays était nu ».

Pour l'époque séleucide et romano-parthe, nous avons quelques données en faveur d'un fonctionnement du Nahr Dawrīn. Trois sites (Shheil 5 [**168**] et 1 [**93**] et Dībān 21 [**200**]), fort distants de l'Euphrate, mais peu éloignés du canal, pourraient en avoir dépendu pour leur approvisionnement en eau. Par ailleurs, un parchemin de Doura-Europos[101] mentionne sur le Khābūr un village, ou un lieu-dit, du nom de Sachare-da-hawarae, que l'on peut traduire par le « barrage blanc » ou la « digue blanche » et qui pourrait désigner la prise d'eau. Bien que les rapprochements phonétiques soient dangereux, on ne peut complètement passer sous silence la double ressemblance, d'une part du premier terme avec le toponyme de Seğer (Es Sijr), d'autre part des deux éléments « da-hawarae » avec Dawrīn, d'autant que ce nom est la transcription, peut-être mal maîtrisée, d'un toponyme local en grec ; on remarquera simplement qu'au début du XXe s., certains voyageurs ou archéologues parlent du Dawwarîn. Il n'est pas impossible aussi que le Nahr Dawrīn soit mentionné, au IIe s. apr. J.-C., par le géographe grec Ptolémée[102] ; il semble bien en effet que l'on puisse le reconnaître dans le cours inférieur du Saokoras[103]. Le canal pourrait n'avoir servi alors qu'à l'irrigation. En effet, la ville de Doura-Europos avait besoin de s'appuyer sur un terroir lui permettant de s'approvisionner en céréales ; elle devait donc gérer un réseau d'irrigation dont pouvait faire partie ce canal. Celui-ci arrosait l'alvéole de Dībān, et très probablement celle d'Abu Hammām, car l'approvisionnement en eau d'El Jurdi Sharqi 1 (**69**), en amont du canal d'El Jurdi Sharqi, pose problème si le Nahr Dawrīn ne se prolongeait pas dans ce secteur de l'alvéole.

95 - Thureau-Dangin et Dhorme 1924, p. 267.
96 - Ergenzinger 1987 ; Kühne 1990 a et b ; Ergenzinger et Kühne 1991.
97 - Cf. annexe 3, texte 20.
98 - Voir chap. IV, p. 140.
99 - Kühne 1990 b, p. 25-27 ; Ergenzinger et Kühne 1991.
100 - Cf. annexe 3, texte 61 et chap. IV, p. 144 *sq.*
101 - *P. Dura* 26 (Welles *et al.* 1959, p. 138).
102 - Dans la mesure où la *Géographie* de Ptolémée est en grande partie une compilation de documents plus anciens, il est possible que la situation transcrite ici soit antérieure à celle du IIe s. apr. J.-C. D'une façon générale, les indications de Ptolémée correspondent parfois à un état plus vieux de plusieurs siècles (Polaschek 1965, col. 759).
103 - Cf. annexe 3, texte 53. Sur cette identification, voir Gawlikowski 1992 et ci-dessus chapitre IV, p. 153.

En aval, les traces sont plus estompées et plaident pour un abandon ancien [104]. Il est peu probable en revanche qu'il ait servi de canal de navigation assurant un trafic commercial. Aucun témoignage ne vient à l'appui de ce type de fonctionnement : au Iᵉʳ s. de notre ère, Isidore de Charax qui mentionne en amont la prise d'eau du Nahr Sémiramis [105] ne signale aucun canal pour cette partie de la vallée [106]. Rien enfin ne permet d'entrevoir un commerce fluvial important reliant alors la haute Jézireh à la vallée de l'Euphrate.

Le canal ne paraît pas avoir fonctionné à l'époque romaine tardive ; en 363, lorsque la flotte de Julien passe par la région, c'est l'Euphrate qui lui permet de descendre la vallée, ainsi que le relate Ammien Marcellin [107] : « quant à la flotte, en dépit des méandres continuels, qui faisaient serpenter le fleuve sur lequel elle voguait, on ne la laissait prendre ni retard ni avance ». Le cours du canal est coupé par la frontière entre les empires perse et romain : la prise d'eau et une petite partie de son cours sont en territoire romain, la plus grande partie de l'ouvrage en territoire perse. L'absence d'habitat contemporain le long de ses rives tendrait à confirmer son abandon.

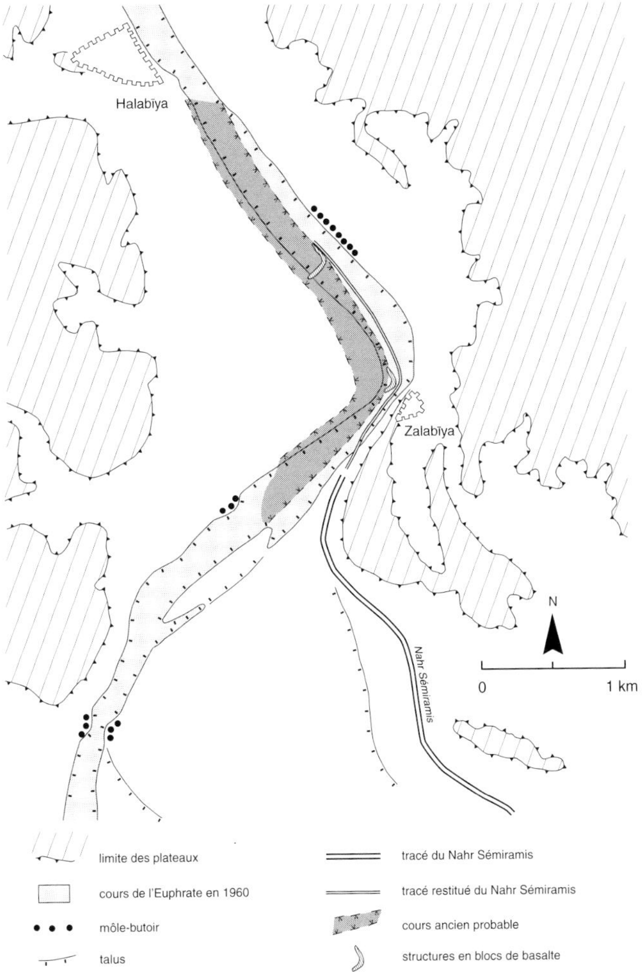

Le Nahr Sémiramis

Un second canal, comparable au Nahr Dawrīn dans sa conception (longueur, localisation, tracé), court, toujours en rive gauche, à la hauteur de Deir ez Zōr et jusqu'à proximité de Buseire. Désigné sous les noms d'al-Medschri par R. Kiepert et d'al-Masrân par A. Musil, identifié au canal de Sémiramis d'Isidore de Charax, il débute en fait loin en amont de notre secteur d'étude, dans le défilé d'Al-Khanouqa. Nous ne l'avons pas étudié sur la totalité de son trajet, concentrant nos efforts sur le secteur de prise et sur la section qui traversait notre région.

Fig. 31 - Restitution schématique de la prise du Nahr Sémiramis dans le défilé d'Al-Khanouqa.

La prise

C'est peu en aval de Zalabīya, au sud-sud-ouest du site, que l'on découvre un premier segment du canal, plus ou moins bien conservé sur une longueur de quelques kilomètres (**fig. 31**). Il est implanté sur la terrasse holocène. La différence de niveau avec le fleuve y est de plus de 5 m. Même si l'on admet que le chenal était ici creusé dans la terrasse, il est certain que la prise était située plus en amont et que le canal parcourait donc la partie aval du défilé d'Al-Khanouqa, où le resserrement de la vallée, entre deux nappes basaltiques, offrait des conditions quasi idéales de stabilité du cours pour implanter un aménagement de prise d'eau [108].

À cet endroit stratégique, peu en aval du site de Halabīya, subsistent des aménagements situés dans le lit du fleuve (**fig. 32**) ; ce sont en fait les seuls qui nous soient connus. Ils pourraient correspondre, avec une probabilité raisonnable,

104 - L'extrémité du tronçon utilisé à l'époque est difficile à préciser. Les coordonnées fournies par Ptolémée pour le débouché du Saokoras, difficiles à placer sur une carte, le situent en tout cas nettement en aval de la confluence Khābūr/Euphrate.

105 - Cf. annexe 3, texte 41.

106 - Ce point est à nuancer, car la prise du Nahr Dawrīn est assez loin sur le Khābūr et Isidore de Charax ne décrit que l'itinéraire le long de l'Euphrate.

107 - Cf. annexe 3, texte 25.

108 - Il est peu vraisemblable que la prise soit dans la partie amont du défilé, comme le pensent F. R. Chesney (1850, p. 47) et C. Ritter (1844, p. 687-688).

à des ouvrages de prise (**fig. 33**). Malheureusement assez mal conservés, en grande partie masqués par les eaux [109], ce qui empêche toute description de détail, ils se présentent sous la forme de deux structures constituées de blocs de basalte bruts, non maçonnés, simplement entassés sans qu'aucun appareillage ou parement ne soit discernable.

La première de ces structures, située entre Halabīya et Zalabīya, barre en partie le fleuve (**fig. 34**). Constituée de blocs de 0,5 à 0,6 m de long en moyenne, large encore de plus de 5 m par endroits, elle s'appuie sur la berge droite du cours d'eau où elle est d'ailleurs masquée par les alluvions d'une terrasse récente (Q_{00}), coupe perpendiculairement le lit

Fig. 32 - Le défilé d'Al-Khanouqa, vu de l'aval. Au fond, au pied de la mesa basaltique, le site de Halabīya ; au centre, une ligne blanche marque l'emplacement des vestiges du barrage qui alimentait le Nahr Sémiramis.

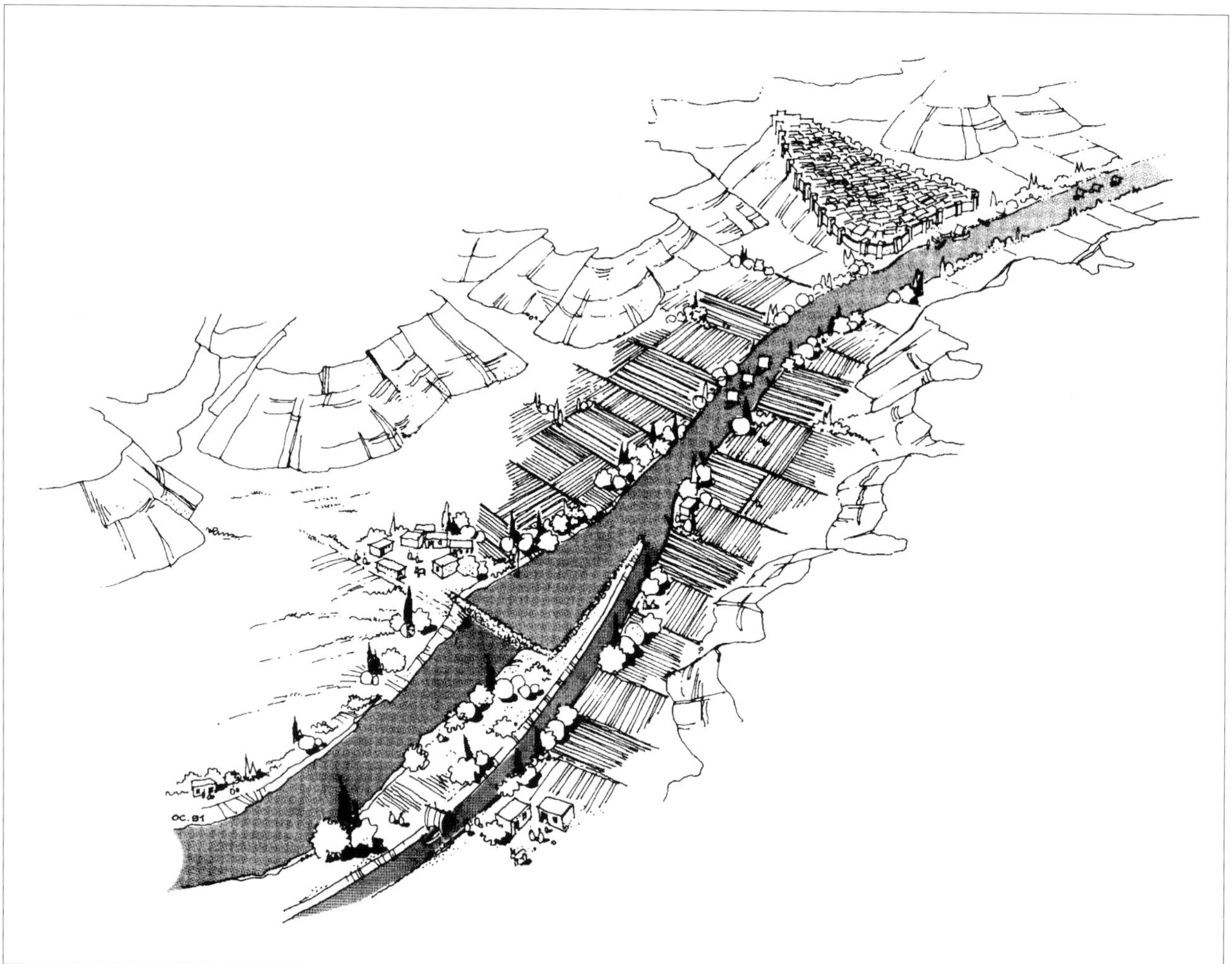

Fig. 33 - Proposition de restitution des aménagements hydrauliques du défilé d'Al-Khanouqa.

109 - Ils ne sont visibles que par très basses eaux, au moment des étiages. Est-ce l'un d'eux qui est signalé par F. R. Chesney (1850, p. 417) et qu'il interprète comme les vestiges d'un « *embankment* » ?

Fig. 34 - Vestiges du barrage à la prise d'eau du Nahr Sémiramis, vus de la rive droite.

mineur sur les deux tiers de sa largeur avant de s'incurver vers l'amont, presque à angle droit, pour remonter dans l'axe du lit sur au moins 100 m. Sur la rive gauche, une cinquantaine de mètres séparent l'aménagement de la berge. Ce recul est dû à un glissement du lit du fleuve vers sa gauche, conséquence normale d'un sapement de rive concave un peu en aval. Il pourrait s'agir là des vestiges d'un barrage-seuil ayant eu pour fonctions d'une part de régulariser la dérivation située à l'amont immédiat, d'autre part de relever quelque peu le niveau de l'eau, notamment lors des étiages, et donc de réduire la différence de niveau entre le fleuve et la terrasse alluviale qui le surplombe et qui accueillait le canal [110]. Dans ce cas précis, un barrage du type habituel, c'est-à-dire fermant totalement la vallée, ne se justifiait pas, le but n'étant pas de créer une réserve d'eau, mais de stabiliser le niveau d'eau à l'étiage pour assurer une certaine régularité à l'alimentation du canal par la dérivation d'une partie de l'eau du fleuve.

La seconde structure, située environ 1 km en aval de la précédente, au pied de la nappe basaltique de Zalabīya, est constituée de blocs pouvant avoir jusqu'à 1,2 m de long, et forme un V très ouvert, d'une centaine de mètres de long (**fig. 35** et **36**). Nous l'avons interprétée [111] comme étant les vestiges d'un enrochement (perré) qui aurait pu servir à protéger le canal de l'érosion en rive concave du fleuve, endroit particulièrement sujet à érosion. Elle est aujourd'hui proche de la berge droite du fleuve, du fait du glissement de ce dernier sur sa rive gauche dans la concavité.

Le tracé

La partie amont du canal devait donc passer au pied de la falaise de Zalabīya, en un endroit particulièrement exposé aux sapements du fleuve, coincé dans un espace forcément très restreint entre l'Euphrate et la falaise (cf. **fig. 31**), ce qui justifie pleinement l'aménagement de protection que nous pensons y avoir repéré. Bien visible au SSO du site de Zalabīya, au pied du versant couronné par une nappe basaltique, le canal contourne une partie du plateau, puis le Jebel Ma'azīla. Sur ce premier tronçon, la digue est à une altitude de 218,7 m et l'axe d'écoulement (chenal en l'état) à 217 m. N'ayant pas eu l'occasion de prospecter la région située entre le défilé d'Al-Khanouqa et Deir ez Zōr, nous nous sommes reportés à la carte au 1:25 000 pour suivre le tracé possible du canal. Apparemment, celui-ci traverse

Fig. 35 - La structure en forme de V au pied de la mesa basaltique de Zalabīya, vue vers l'amont (cliché A. Cuny).

110 - Calvet et Geyer 1992, p. 19-25.

111 - Geyer 1990 a, p. 76 ; Calvet et Geyer 1992, p. 22.

Fig. 36 - Détail de l'enrochement de la structure en forme de V, vu vers l'aval.

d'abord le promontoire du Jebel el Marūza par une tranchée qui devait ressembler fort à celle du Nahr Dawrīn à Taiyāni. Il longe ensuite, seul itinéraire possible, le paléoméandre de la Surāt el Kasra, avant de traverser un second promontoire, à l'extrémité duquel se trouve le site de Jebel el Kasra [112]. On le devine ensuite sur les glacis de l'Ard Hāwi Hāmmar, là aussi dans une position qui rappelle singulièrement celle, fréquente, du Nahr Dawrīn. Plus en aval, il gagne peu à peu de l'altitude par rapport au fleuve et aux terrasses holocènes pour se hisser, sans doute peu en amont de Hatla (cf. **carte h.-t. I**), sur la surface de la terrasse Q_{II}. C'est là que nous le retrouvons, encore partiellement excavé dans la formation Q_{II}, non loin de Tell es Sinn (**29**).

Entre l'amont, repéré au pied du plateau de Zalabīya, et la section à hauteur de Tell es Sinn (**29**), la pente du canal est d'environ 0,24 ‰, que nous pouvons rapprocher des 0,26 ‰ du Nahr Dawrīn [113] : l'ensemble apparaît donc altimétriquement cohérent.

Vers l'aval, le canal se poursuit, en tranchée aujourd'hui peu profonde, sur le rebord de la formation Q_{II} (**fig. 37**) avant de se perdre, 2 km après avoir longé le site de Jedīd 'Aqīdat 1 (**92**).

Le débouché

Nous n'avons pu le repérer avec certitude, car la seule trace qui pourrait y correspondre, et qui débouche dans le Khābūr, est trop oblitérée par les crues (chenal de décrue) pour pouvoir être interprétée correctement. À titre d'information, elle se situerait immédiatement au nord de Rweshed 1 (**118** ; **carte h.-t. II**, carré G6), mais n'a pas été reportée sur la carte.

Témoignages

— Isidore de Charax [114] : « Basileia, temple d'Artémis, fondation de Darius, bourg urbain ; là se trouve le canal de Sémiramis ; l'Euphrate est obstrué par des pierres en sorte qu'il se resserre et inonde les champs ; en été cependant, les bateaux font naufrage, <7 schoenes>. »

— Chesney 1850, p. 417 : « *a little below the walls (of Zenobiá), and opposite the ruined castles of Halebi on the left side, are the remains of an embankment, partly arched with bricks 15 or 16 inches square, but chiefly of solid stone.* »

carte IV : trace rectiligne partant juste en aval de « Zelebi », avec le commentaire « *Remains of an ancient canal said to extend to the Khábúr or Araxes of Xenophon Trench of Semiramis of Rennell.* »

Fig. 37 - Le Nahr Sémiramis à Mazlūm (carte I, carré D3).

112 - À propos de ce site, voir Lauffray 1983, p. 56 et 75. Contrairement aux hypothèses de ce dernier, il est impossible que de l'eau dérivée du Nahr Sémiramis ait pu alimenter les fossés de ce site.

113 - Tous ces calculs ont été effectués sans fouille.

114 - Cf. annexe 3, texte 41.

— Ainsworth 1888, p. 332 : « *There are also remains of an ancient canal, which taking its departure from below Riba (*= Halabīya*) passes in the rear of these ruins (Sur al Humar), on to Karkisha, and the river Khabūr.*

Isidorus of Charax has in the same district [...] *Basileia, with* [...] *a canal which he referred to the times of Semiramis—that is to say, to fabulous times.* »

— Bell 1910, p. 528 : « *Semiramidis Fossa was no doubt a canal, and Chesney saw traces of an ancient canal below Zelebiyeh.* »

— Herzfeld 1911, p. 168 : « *Auf dem linken Ufer liegen dann die Ruinen von Zalūbiyyah und am Ausgange der Euphratenge, wo zwischen dem steilen Uferfelsen und dem Strom kein Platz mehr bleibt, sind noch einige Reste einer Sperrmauer und eines festen Wachthauses erhalten, die den Weg vollständig abschnitten.* »

— Maresch 1920, p. 381 : « *Noch weiter südlich, dicht am Südabhange des Plateaus beginnend, zieht sich ein ca. 2 m breiter und stellenweise 1 m bis 1,5 m hoher Steinwall hin, der sich weit in die südlich Zalūbiyyah liegende Flussebene erstreckt und sich dem Euphrat in einem spitzen Winkel nähert. Sumpfiges Gelände und Hochwasser verhinderten mich leider diesen Steindamm genauer zu untersuchen. Vermutlich ist es eine ältere Kanalanlage, die möglicherweise identisch ist mit jener* "fossa Semiramidis", *die Ritter in seiner Erdkunde bei der Beschreibung dieser Gegend erwähnt.* »

— Héraud 1922 a, carte XXXIII, feuille Halebiye : l'aménagement est porté sur la carte avec la légende « seuil rocheux, tunnel ».

— Héraud 1922 b, p. 112 : « (dans le défilé de Halabiye) une sorte de barrage immergé traverse le fleuve aux deux tiers. »

— Albright et Dougherty 1926, p. 16 : « *The Euphrates and Khabûr Valleys are here very fertile and water was distributed for irrigation by the Semiramis and the Khabûr Canals (Nahr Dawarîn)* [...]. *Other canals there doubtless were, but these two were the most important, constructed before the Assyrian period, as may be demonstrated from our literary sources.* »

— Musil 1927, p. 183 : « *we sighted to the north-northwest the Ḥalebijje ruins and to the north-northeast the outlet of the ancient irrigation canal of al-Masrân, through which water was once led along the foot of the Ḥarmûšijje escarpment, which shut in the alluvial plain of al-Kebar on the east.* »

p. 184 : « *On the left bank south to the defile are the Zelebijje ruins, just below which the ancient canal of al-Masrân issued from the Euphrates and from which a patch of flood plains extends as far south as the outlet of this canal.* »

— Lauffray 1983, p. 56 : « En aval du Khanouqa et de Zalabiyya, le canal de Sémiramis d'Isidore de Charax demeure visible. Sur la carte de Chesney il est représenté très conventionnellement par un tracé rectiligne et une tradition locale lui attribue un prolongement jusqu'au Khabour. Kiepert le connaît sous le nom d'al-Medschri ; il lui donne un embranchement se dirigeant vers le sud et le prolonge au-delà sur quelques kilomètres. Musil le désigne sous le nom d'al-Masrân. Il apparaît nettement d'avion. Le point de départ se situe au pied du plateau, au point où la coulée basaltique s'écarte du fleuve et où la piste moderne commence à l'escalader en direction de Zalabiyya. Une levée de terre longe la prise d'eau. Actuellement cette prise est à plusieurs mètres au-dessus du niveau des basses eaux. Isidore de Charax indique que, pour y faire entrer l'eau de l'Euphrate, il avait fallu établir une digue. Des blocs de basalte qui s'avancent dans le lit du fleuve pourraient être un vestige de cette digue [...]. Le canal suit tout d'abord le Ḥamâd, puis s'en détache et contourne vers le sud un piton détaché du plateau d'Icharet al-'Abboud. Environ 2 km au sud-est, il se perd dans les cultures modernes, puis réapparaît par tronçons sur au moins 18 km. Il alimentait les cultures de plusieurs agglomérations antiques situées entre son tracé et le fleuve. La principale, Kasra [...], voisine ou correspond à la 'Oumm Redjeba de G. Bell. Ses fossés étaient alimentés par une dérivation du canal, notée par Kiepert. [...] Le canal devait donc être demeuré en usage au VIe siècle. »

p. 75 : « La prise d'eau de ce canal se trouve à environ 300 m en aval du mur sud de Zalabiyya. [...] Actuellement l'eau ne peut plus y pénétrer en période d'étiage et une digue, dont il subsiste des blocs de basalte dans le lit du fleuve, devait élever le plan d'eau dans l'antiquité. »

p. 75, n. 23 : « Des sondages ont permis de suivre la digue sur presque les trois quarts de la largeur du fleuve. Les bateliers se plaignaient de la gêne qu'elle constituait. À l'étiage les bateaux s'y échouaient. »

Fonction du canal et datation

Comme pour le Nahr Dawrīn se pose ici le problème de savoir quelle était la fonction première du Nahr Sémiramis. Les arguments évoqués à propos du premier sont ici valables, si l'on excepte celui relatif à l'alimentation en eau par le Khābūr. Encore faut-il souligner que la présence d'un seuil en tête du Nahr Sémiramis limitait l'impact des fluctuations de niveau de l'Euphrate sur le débit du canal. En revanche, la longueur du canal (environ 80 km), sa position fréquente sur les glacis ou les terrasses pléistocènes, le fait qu'il propose une voie d'eau aisée à emprunter et notablement raccourcie (80 km au lieu de 120 km par le fleuve) vont bien dans le sens d'un usage pour la navigation. Un autre argument est que la trace repérée dans notre secteur (notamment **carte h.-t. I**, carré D3) est creusée dans la terrasse pléistocène : les eaux canalisées dans le chenal ne pouvaient donc guère servir à l'irrigation, sauf si l'on suppose qu'elles étaient reprises par des machines élévatoires (*chadouf*, *nasba*, *gharraf*, etc.) dont nous n'avons retrouvé aucune trace, ou qu'elles étaient conduites vers l'aval, dans la région de Buseire. Cette dernière hypothèse est peu probable, sinon absurde, l'irrigation de ce dernier secteur étant plus facile et plus efficace à partir du Khābūr. Enfin, la présence, ici attestée, d'un seuil dans l'Euphrate, à la prise du canal, implique une impossibilité de la navigation sur le fleuve, au moins durant toute la saison des basses eaux, sinon en période d'eaux moyennes. Le témoignage d'Isidore de Charax au Ier s. apr. J.-C. le confirme. Ce constat nous permet d'affirmer que, durant la période de fonctionnement du canal, que l'on peut supposer avoir duré plusieurs siècles, la navigation sur le fleuve était soit interrompue pendant la majeure partie de l'année — ce qui est fort peu probable —, soit pratiquée sur le canal lui-même.

Nous n'avons que peu d'éléments directs pour dater le creusement et le fonctionnement de ce canal dont seul le tronçon aval se trouve dans la zone prospectée. Plusieurs sites se trouvent à proximité de son tracé. Mais ils sont aussi situés sur le rebord de la terrasse pléistocène qui domine directement la vallée de l'Euphrate. À l'exception de Hatla 1 (**33**) et 3 (**207**), ils ne sont pas très éloignés du plus proche paléoméandre et ne peuvent donc pas être considérés comme directement dépendants du canal pour leur approvisionnement en eau. Sur deux d'entre eux, un puits a été repéré. Il est donc difficile de lier automatiquement le fonctionnement du canal aux périodes d'occupation de ces sites.

Néanmoins, la forte implantation humaine dans ce secteur de la rive gauche de la vallée à l'époque romaine tardive, pendant laquelle sept sites au moins sont occupés, nous incite à penser que le canal fonctionnait à cette époque ; comme le dit J. Lauffray, « le vieux canal de Sémiramis était certainement encore en service et entretenu [115] ». Si aucun des auteurs des ve et vi^e^ s. ne fournit le moindre témoignage, il semble que le récit par Malalas de l'expédition de Julien [116] puisse nous donner un indice pour le ive s. ; il rapporte en effet qu'en 363, la flotte qui descendait la vallée « arriva dans l'Euphrate » à Circesium, laissant donc supposer qu'en amont de cette place forte la flotte ne naviguait pas sur le fleuve. La seule alternative est qu'elle emprunta le canal.

Auparavant, et c'est la seule certitude que nous pouvons avoir pour ce canal, son fonctionnement est attesté pendant l'époque classique, au i^er^ s. de notre ère. Sa prise est en effet citée et localisée par Isidore de Charax : « là (à Basileia = Zalabīya) se trouve le canal de Sémiramis » [117]. Cette mention pourrait toutefois attester un fonctionnement dès le iie s. av. J.-C., si, comme le pensent certains historiens [118], ce texte reprend effectivement un document parthe de cette époque.

La dénomination de ce canal renvoie à la reine Sémiramis. Y a-t-il un fondement historique et le canal serait-il de l'époque néo-assyrienne ? Sémiramis est en effet identifiée à Sammuramat, une reine assyrienne qui exerça la régence du royaume d'Assyrie à la fin du ixe s. av. J.-C. pendant la minorité de son fils. Aurait-elle réellement fait creuser ce canal ? Ou bien est-il l'un de ces ouvrages grandioses que la tradition gréco-romaine a attribués à cette reine légendaire parce qu'ils frappaient l'imagination par leur gigantisme et leur ancienneté réelle, mais indéterminée ? Peut-on dès lors penser, avec W. F. Albright et R. P. Dougherty [119], qu'il a été construit avant l'époque assyrienne ? C'est une éventualité, mais nous n'avons aucun élément concret pour en juger [120].

Le système des grands canaux du Bronze moyen

Les archives de Mari fournissent un certain nombre d'informations concernant les canaux qui fonctionnaient aux xixe et xviiie s. av. J.-C. et sur les soucis que leur entretien procurait aux gouverneurs des différents districts. Les rapports adressés au roi mentionnent ainsi l'existence de plusieurs aménagements, qui témoignent de l'ampleur du système qui existait alors.

Plusieurs propositions d'identifications [121] ont été faites ; les plus élaborées sont celles de J.-M. Durand, qui s'appuie sur la documentation textuelle et sur les premiers résultats publiés de notre prospection. Le premier constat est qu'il est très difficile de faire coïncider les textes et le terrain. Comme pour les sites, l'identification des canaux mentionnés dans les archives de Mari est un problème complexe.

La documentation dont nous disposons est lacunaire. Nous ne pouvons nous appuyer que sur les documents retrouvés, et publiés ; de plus, cette documentation écrite ne renseigne guère que sur les incidents qui affectent les aménagements, et non sur leur organisation et leur mode de fonctionnement, qui restent en fin de compte obscurs [122].

En outre, les indications données sont loin d'être explicites, rendant de ce fait nombreuses les interprétations possibles. On ne donnera ici qu'un exemple de la diversité des traductions possibles pour un même texte. Une lettre du gouverneur de Qaṭṭunân (*ARM* XIV 13) a été successivement traduite ainsi : 1) « le Habur, comme le canal Išim-Yahdun-Lim et comme le canal d'IGI-KUR irrigue (le pays) » ; 2a) « le Habur, comme le canal Išim-Yahdun-Lim et comme le canal d'IGI-KUR est en crue » et b) « ... est en état d'irriguer » ; 3) « le(s eaux du) Habur, que ce soit dans le canal Išîm-Yahdun-Lim ou que ce soit dans le Habur (^d^IGI.KUR) lui-même sont en crue » ; 4) « le Habur, tout comme le canal Išîm-Yahdun.Lîm et le canal de Hubur, fait partie de notre système d'irrigation » [123]. S'y ajoute la

115 - Lauffray 1983, p. 43, n. 13.
116 - Cf. annexe 3, texte 42.
117 - Cf. annexe 3, texte 41.
118 - W. W. Tarn (1984, p. 54-55) pense que l'original remonterait à la période faste du règne de Mithridate II, vers – 110/– 100. Cette datation est contestée par M.-L. Chaumont (1984, p. 66).
119 - Albright et Dougherty 1926, p. 26.
120 - De plus, nous n'avons pas fait de reconnaissance complète du tracé de ce canal, nous limitant au secteur aval et à la prise d'eau. Des informations intéressantes peuvent se trouver dans la zone inexplorée.

121 - Kupper 1952, 1988 ; Groneberg 1980 ; Klengel 1980 ; Durand 1990 a et 1998, chap. xi.
122 - Cf. Durand 1990 a, p. 102.
123 - 1) *ARM* XIV 13 (traduction M. Birot) ; 2a) Durand 1990 a, p. 125 et 2b) *ibid.*, n. 94 ; 3) Lafont 1992, n. 24 ; 4) Durand 1998, 804, p. 609. Les difficultés de lecture, de traduction et d'interprétation sont bien illustrées dans les commentaires de la nouvelle traduction publiée de certains textes, comme *ARM* VI 5 (Durand 1998, p. 597, n. a) ou *ARM* XIII 124 (*ibid.*, p. 617 n. c : « le sens ne m'est pas clair. Il serait excellent de trouver après íd-da un nom de canal ou de rivière »).

difficulté à traduire et à interpréter un vocabulaire technique ; il n'est pas toujours facile de discerner la réalité à laquelle correspond un terme, de comprendre le mode de fonctionnement d'une installation ni même de reconstituer le scénario d'un incident [124].

À ces difficultés vient s'ajouter le fait qu'un même canal semble avoir eu des noms différents selon les tronçons : « il est vraisemblable que le terme générique recevait des dénominations locales en fonction des endroits par où il passait » [125] ; ainsi, le canal d'irrigation de l'alvéole de Mari aurait eu le nom générique de « canal-de-Mari » et des appellations locales comme « râkibum de Zurmahhum [126] » pour sa partie la plus en amont et « râkibum du wadi de Dêr » pour sa partie la plus en aval ; ce même canal aurait aussi été appelé « canal d'IGI-KUR » [127]. Il semble aussi qu'un même toponyme pouvait recouvrir deux réalités différentes : ^{d}IGI-KUR serait à la fois le canal évoqué ci-dessus, nommé d'après « un lieu-dit de la rive droite de l'alvéole » de Mari, et le Habur lui-même [128]. Quant au canal de Zurmahhum, il serait aussi attesté en rive gauche.

On comprendra dès lors que nous resterons prudents dans nos propositions d'identification des canaux.

L'analyse des textes a permis à J.-M. Durand de reconnaître, pour l'époque paléobabylonienne, trois grands aménagements [129] : le « canal Išîm-Yahdun.Lîm [...] qui va de Dêr ez-Zor à Tell Ashara » ; le « canal-de-Mari » ou « canal de Hubur », « *rakibum* ayant sa prise dans la partie sud du district de Terqa, mais alimenté aussi par le Wadi es-Souab et celui d'Abu-Kemal » ; le « canal du Habur » ou « Habur », « *rakibum* qui va au moins jusqu'à la hauteur de Ṣuprum (Tell Abu Hassan) ».

Nous ne reviendrons pas sur le canal Išîm-Yahdun.Lîm dont nous avons proposé ci-dessus qu'il corresponde au canal de l'alvéole de Mōhasan. Nous ferons simplement part de quelques réflexions que nous suggère la lecture de plusieurs textes concernant le « canal-de-Mari ».

Le « canal-de-Mari »

Tel qu'il vient d'être présenté, ce canal-de-Mari serait à identifier avec le canal d'irrigation de l'alvéole de Tell Hariri ; la dénomination en serait logique en raison de la situation de ce canal, dont il convient toutefois de rappeler d'une part que la prise ne peut être que dans l'alvéole qu'il parcourt, et non dans l'alvéole amont, et d'autre part qu'il est peu probable qu'il soit alimenté aussi par les oueds latéraux.

À la lecture des textes, cette identification ne paraît cependant pas évidente. Une lettre de Sûmû-Hadû [130] pourrait fournir des indices en vue d'une autre localisation.

Sûmû-Hadû, dont on nous dit qu'il était gouverneur de Saggarâtum, nomme deux grands canaux : le canal Išîm-Yahdun.Lim qui arrose le district de Saggarâtum et alimente les villes de Samânum, Terqa, Rasayyûm, Kirêtum et Kulhîtum ; le canal-de-Mari qui arrose le district de Mari. Des villes mentionnées le long du premier, nous pouvons déduire que le canal Išîm-Yahdun.Lim arrosait le district de Terqa.

Nous connaissons par ailleurs les limites approximatives de chacun de ces trois districts [131] :

— le district de Terqa se limite à la rive droite et jouxte celui de Saggarâtum au nord et celui de Mari au sud ;
— le district de Mari s'étend sur les deux rives ; en rive gauche, il jouxte celui de Saggarâtum au nord ;
— le district de Saggarâtum s'étend lui aussi sur les deux rives ; en rive droite, il jouxte le district de Terqa, en rive gauche celui de Mari. La limite avec ce dernier n'est pas connue avec précision, mais doit se trouver quelque part sur la rive gauche, à un resserrement de la vallée, peut-être vers l'actuel village de Darnaj, un peu en amont de Terqa sur l'autre rive.

Dans sa lettre, Sûmû-Hadû proteste contre l'envoi, vers le canal-de-Mari, de ses hommes pendant que les gens de Terqa iraient s'occuper du canal Išîm-Yahdun.Lim. Cette protestation n'est pas simplement due au fait que ses gens ont déjà commencé à travailler sur ce dernier.

Si le canal-de-Mari est celui qui arrose l'alvéole de Mari en rive droite, la demande du roi paraît absurde et l'on comprend très bien la réaction de Sûmû-Hadû : pourquoi en effet faire aller les gens de Saggarâtum à plus de soixante kilomètres en aval [132] pendant que ceux de Terqa, qui sont nettement plus proches de Mari, iraient travailler au nord de chez eux sur un tronçon amont du canal Išîm-Yahdun.Lim ? De plus, ne serait-il pas plus simple de trouver à Mari même la main-d'œuvre nécessaire à ces travaux ? La population y est plus nombreuse et le lieu d'intervention en serait beaucoup plus proche, inférieur en tout cas à 20 kilomètres.

Une hypothèse nous semblerait pouvoir expliquer à la fois la demande du roi et la protestation de Sûmû-Hadû : que le canal-de-Mari soit sur la rive gauche et corresponde

124 - À ce titre, la reconstitution de la « nuit dramatique à Mari » (Lafont 1992 ; annexe 3, texte 11) soulève un grand nombre de questions relatives au lieu de l'incident, à la chronologie des faits rapportés, au contenu des actions effectuées et à leur enchaînement. Aucun des commentaires qui ont été consacrés à ce texte n'apporte de solution vraiment satisfaisante (Durand 1990 a, p. 136-137 ; Lafont 1992, 1993 ; Durand 1998, n°813).

125 - Durand 1990 a, p. 127.

126 - Durand 1998, 705, p. 455, n. k.

127 - Durand 1990 a, p. 125-127.

128 - Durand 1997, p. 246.

129 - Durand 1998, p. 578.

130 - Lettre A. 454, partiellement publiée (Durand 1990 a, p. 124 ; cf. annexe 3, texte 12).

131 - Durand 1990 a, p. 116.

132 - Nous avons vu précédemment (p. 188) que la prise du canal de l'alvéole de Mari ne peut se trouver sur le territoire de Terqa. Elle se situe obligatoirement dans l'alvéole de Mari.

au Nahr Dawrīn. Dans ce cas, le canal, avant de pénétrer dans le district de Mari, passerait effectivement par celui de Saggarâtum. Dès lors, le roi demanderait à Sûmû-Hadû d'aller travailler sur un secteur du canal-de-Mari situé dans son district, à une distance effectivement plus proche de Saggarâtum que de Mari. Sûmû-Hadû qui a déjà commencé les travaux sur le tronçon du canal Išîm-Yahdun.Lim situé dans son district protesterait quant à lui à juste titre : plutôt que de modifier le travail en cours, il lui semble plus efficace d'envoyer sur le canal-de-Mari les gens de Terqa, qui de toute façon doivent se déplacer et qui n'en sont guère éloignés, puisque ce canal passe juste en face de leur territoire. Quitte à se déplacer et à intervenir hors de leur juridiction, les gens de Terqa pourraient traverser l'Euphrate et aller sur la partie amont du canal-de-Mari. La protestation de Sûmû-Hadû serait donc guidée non tant par des raisons de compétences territoriales que par un souci de rationalisation et d'efficacité du travail.

Cette hypothèse semble corroborée par une lettre du gouverneur de Terqa qui mentionnerait, si la restauration proposée est exacte, une intervention commune des trois districts sur le canal-de-Mari [133]. S'il s'agit effectivement du long canal de rive gauche et que le lieu de l'opération est à proximité de Terqa, l'intervention des trois districts devient tout à fait logique.

Les contradictions évoquées ci-dessus au sujet de la double localisation de « ᵈIGI-KUR » et du « canal de Zurmahhum » nous semblent dès lors pouvoir être partiellement résolues : ce dernier serait bien un tronçon du canal-de-Mari, en rive gauche ; une autre dénomination de ce canal-de-Mari serait ᵈIGI-KUR, par ailleurs écriture idéogrammatique de Khābūr qui sert à désigner le Nahr Dawrīn [134].

Il est remarquable d'ailleurs que deux de ces textes (*ARM* XIV 13 et *ARM* XVIII 33) impliquent des gouverneurs de Qaṭṭunân, très en amont de Mari, sur le cours du Khābūr et donc plus près du Nahr Dawrīn.

Cette proposition reste toutefois, nous le rappelons, hypothétique, dans la mesure où nous ne pouvons nous appuyer que sur les traductions des textes publiés. Elle semblerait impliquer que le canal-de-Mari ou « canal de Hubur » et le « canal du Habur » ou « Habur » ne feraient qu'un. En attendant de nouveaux textes qui permettront d'aller plus loin dans la reconstitution du système des canaux au Bronze moyen, un réexamen des textes nous semble nécessaire.

LES AMÉNAGEMENTS MINEURS OU PONCTUELS

Les canaux représentent incontestablement les aménagements les plus communément réalisés dans la région. Cependant, de manière plus anecdotique, en tout cas plus ponctuelle, d'autres ouvrages ont pu être construits pour profiter de conditions ou de ressources particulières à tel ou tel secteur de la vallée.

LES BARRAGES

Ils sont peu nombreux dans la région étudiée, car ils sont mal adaptés aux contraintes particulières des grands fleuves, du moins avant que n'aient été acquises les techniques modernes qui ont permis l'érection des grands ouvrages hydrauliques. Les exemples sont donc rares, même sur les oueds affluents, où ce sont surtout les conditions particulièrement rudes de l'environnement local qui ont limité les implantations, donc les aménagements.

Les barrages sur l'Euphrate et le Khābūr

Ils représentent des cas à part puisque ceux qui nous sont connus s'apparentent plus à des seuils qu'à de véritables barrages. Il en va ainsi du celui du Nahr Sémiramis, évoqué ci-dessus, aussi bien que de ceux des norias (cf. ci-dessous) qui représentent les seuls autres exemples repérés sur les cours d'eau pérennes de la région. Les ouvrages que l'on peut être amené à restituer, hypothétiquement, à la prise des différents canaux évoqués ci-dessus, et notamment à la prise des canaux d'irrigation, devaient être peu ou prou du même type. Les déplacements des lits mineurs ne nous laissent que peu de chances de les retrouver, si tant est qu'ils n'aient pas été totalement détruits par le flot.

D'après C. Ritter, ces seuils, qui présentent un danger important pour la navigation en période d'étiage, semblent avoir été autrefois relativement nombreux. Il précise à propos de l'un d'entre eux, signalé au xviᵉ s. par L. Rauwolff sur l'Euphrate entre Deir ez Zōr et Buseire : « *hier war wieder eine Stelle, wo sie (die Arabern) Steine hineinversankt hatten, in der Absicht, daß die Schiffe da scheitern möchten. Dies war denn wol wiederum ein beim niederm Wasserstande gefährlicher Querdamm, oder Zifr, wie solche bei Zelebi und Tabuz, als diese noch reich bevölkert waren, und auf dem Euphrat weiter abwärts bis Hit an Zahl noch sehr zunehmen, wie dies die anliegenden antiken Reste entschieden zeigen.* » [135]

C'est à l'un de ces seuils que se trouva confrontée la flotte de Julien en 363 apr. J.-C. quelque part en aval de notre secteur d'étude : « le fleuve ayant en effet brutalement débordé, des cargos de blé sombrèrent, à la suite de la rupture des barrages édifiés en blocs de rochers pour servir à répandre et retenir tour à tour les eaux d'irrigation. Cet accident fut-il dû à la traîtrise ou au volume du débit des eaux courantes ? Il fut impossible de le savoir » [136].

133 - Durand 1998, nº 784, p. 583.
134 - Durand 1998, p. 578 et 631.
135 - Ritter 1844, p. 693.
136 - Ammien Marcellin XXIV, i, 11.

Les barrages sur les oueds affluents

Les vallées des oueds affluents de l'Euphrate offrent des planchers aux sols alluviaux, certes peu évolués, mais assez profonds. Surtout, ils contiennent peu de gypse, car ils sont assez bien lessivés et drainés. Leurs potentiels agronomiques sont loin d'être négligeables d'autant que le toit de la nappe phréatique est souvent peu éloigné de la surface et même, éventuellement, subaffleurant, du moins en saison humide. Ceci posé, il convient de rappeler que les plus importants de ces talwegs peuvent être parcourus, en automne et au printemps, par des crues brutales et destructrices. La circulation de l'eau de la nappe, en direction de l'aval, a le mérite de limiter la concentration en sel, mais elle entraîne une baisse rapide et importante du niveau de l'inféroflux dès que l'alimentation par l'amont se tarit. Aussi l'homme a-t-il cherché à pallier cet inconvénient en aménageant quelques ouvrages, certes rares, mais qui ont joué, au moins localement, un rôle certain dans la mise en valeur.

Le barrage du Wādi Dheina

Sur les oueds principaux, seuls des ouvrages de grande dimension, en maçonnerie, pouvaient permettre de limiter efficacement les écoulements de surface et ceux de la nappe elle-même. C'est ainsi que, sur le Wādi Dheina, fut construit un barrage (**77**)[137]. Il fut implanté juste en aval d'une barre rocheuse qui rétrécit le lit de l'oued, barre dont on devine qu'elle se poursuit sous les alluvions, créant une poche naturelle où l'eau reste piégée. En mai 1985, la nappe n'était qu'à 2 m de profondeur dans les alluvions accumulées à l'arrière de la barre rocheuse. C'est cette structure géologique qui, en augmentant les capacités de rétention de l'eau en cet endroit, a autorisé les premières implantations, probablement dès le PPNB (Dheina 3, **82**). Les bédouins continuent d'ailleurs à y venir pour chercher de l'eau (cf. chap. I, **fig. 22**).

Les dimensions précises du barrage, partiellement enfoui sous des alluvions, ne nous sont pas connues. Orienté SO-NE, l'ouvrage est visible sur une longueur de 250 m (**fig. 38 a** et **39**). Il s'appuie, en rive gauche, sur une butte de galets ; l'oued qui s'est déplacé vers sa rive droite l'a peu à peu sapé et en a détruit l'extrémité sud. La hauteur maximale visible est de 2,8 m ; elle est de 1,7 m à la cassure (**fig. 38 d**). L'alluvionnement est en effet important en amont du barrage et les sédiments ont comblé le lac de retenue. De plus, des dépôts éoliens masquent partiellement l'ouvrage. Celui-ci, large d'environ 2 m à la base (du moins à son extrémité droite, où nous avons pu l'observer), repose sur un lit de galets d'épaisseur non déterminée. Il est construit en blocs de dalle calcaire qui proviennent des surfaces du plateau encadrant ; ces blocs, grossièrement taillés, sont liés par un mortier à base de chaux très graveleux et très résistant, sans tuileau ni cendre (**fig. 40**). À 1,10 m au-dessus de la base, une assise de réglage correspond à un retrait sur la face aval : dans sa partie supérieure, la largeur du mur n'est plus que de 1,5 m.

Plusieurs aménagements spécifiques sont visibles. Sept contreforts ont été repérés, de taille et de forme différentes, et, pour ce qui a pu être observé, inégalement répartis le long de la face aval (**fig. 38 a**) : à 5 m de l'extrémité de rive gauche, un contrefort semi-circulaire de 2 m environ ; 55 m plus loin, un petit contrefort quadrangulaire de 2 m de long et 1,3 m de large ; à 22 m du précédent, un petit contrefort semi-circulaire de 1 m de diamètre ; trois autres identiques, à 35 m du précédent, puis à 30 m, enfin à 35 m ; 28 m plus loin, et à 40 m de l'extrémité de rive droite, un contrefort quadrangulaire de 4 m de long et 1,3 m de large. Entre les deux derniers contreforts, à environ 50 m de l'extrémité droite, un déversoir a été repéré et nettoyé en surface sur 4,5 m de large (**fig. 38 b, c** et **41**) ; il s'agit d'un plan incliné, constitué de ciment incluant de gros galets ; la partie amont conservée du déversoir présente une surface lissée. Sur ce déversoir, un massif de blocs, lui aussi revêtu de ciment, forme un second plan incliné, décalé vers l'aval. Il s'agit peut-être d'une réfection.

Le barrage est aujourd'hui ruiné et ne retient plus l'eau. Les conditions dans lesquelles se produisent les crues des oueds font que leur flot charrie un gros volume d'alluvions, d'où les atterrissements dans les retenues, la réduction de leur capacité de stockage et finalement la rupture des barrages établis sur leurs cours. On peut toutefois se demander s'il s'agissait bien d'un barrage de retenue. En effet, le danger de comblement devait être connu. De plus, il n'y avait pas, dans ce secteur, de raisons de construire un imposant ouvrage du type de celui de Harbaqa, dont on peut penser qu'il avait également pour raison d'être d'affirmer la puissance, que ce soit celle de Rome ou de Palmyre. Il lui manque d'ailleurs la monumentalité nécessaire à une telle démonstration. Peut-être faut-il imaginer des ambitions plus modestes, exprimées par un ouvrage destiné davantage à bloquer les écoulements et à favoriser l'infiltration des eaux dans les alluvions qu'à stocker cette eau à ciel ouvert avec tous les inconvénients — notamment l'évaporation — que cela peut représenter dans des régions au déficit hydrique important. Dans ce cas, l'aménagement aurait eu pour fonction de permettre la mise en culture des surfaces alluviales, situées en amont immédiat du barrage[138] et enrichies régulièrement par les apports terreux des crues. Il serait alors à rapprocher, dans sa conception du moins, des petits barrages de terre édifiés sur les plus petits oueds de la région.

137 - Geyer et Monchambert 1987 b, p. 324 ; Geyer 1990 a, p. 77 ; Calvet et Geyer 1992, p. 107-112. Ce barrage a d'abord été dénommé « barrage du Wadi es-Souab », du nom traditionnel de cet oued. Il avait déjà été repéré par V. Müller (1931, p. 11 et 13), sous le nom de barrage de Dokhna.

138 - Un tel mode de mise en valeur est attesté par exemple en Jordanie, à Ḥumayma (Oleson 1986), et est bien connu en Algérie (Ghardaïa).

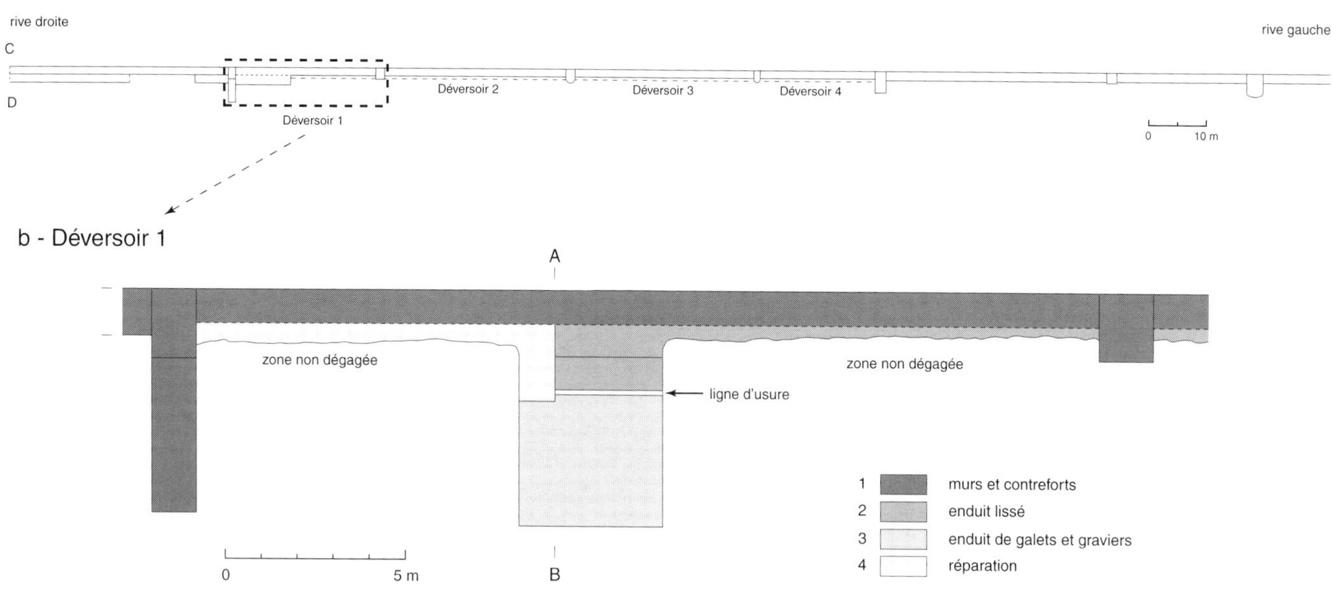

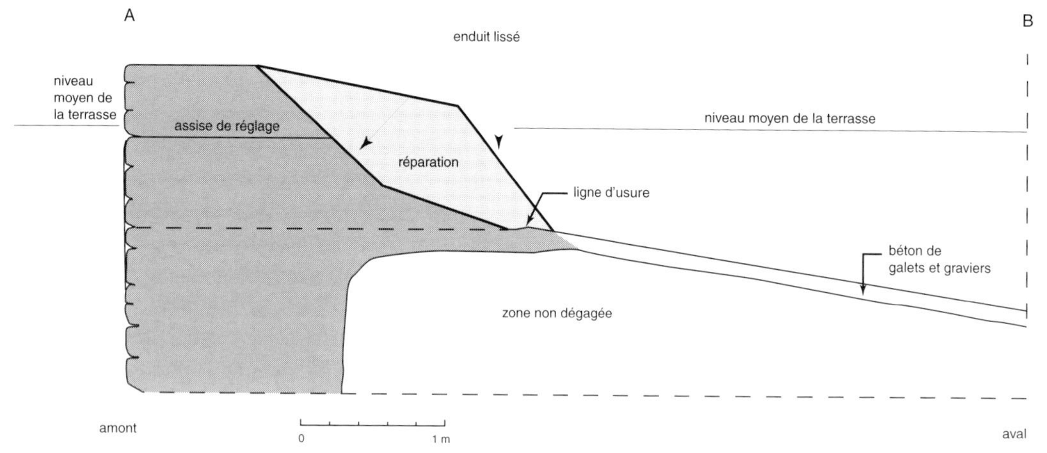

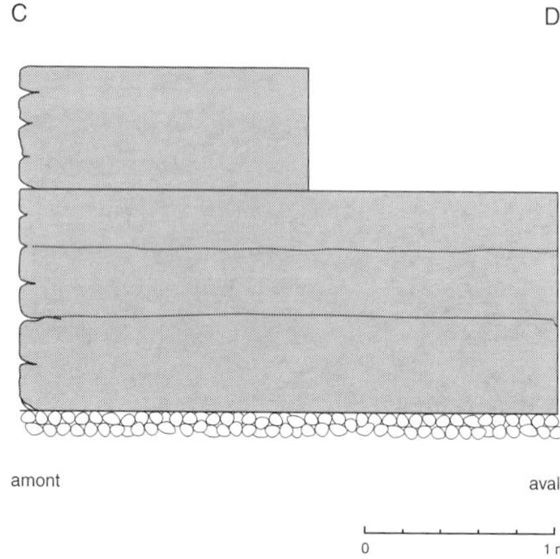

Fig. 38 - Plans et coupes du barrage du Wādi Dheina (n° 77, hors carte).

Fig. 39 - Le barrage du Wādi Dheina vu vers le nord-est.

C'est donc avec les trois sites qui se trouvent un peu en amont qu'il convient de mettre en rapport ce barrage. Deux d'entre eux ont été occupés très anciennement, apparemment dès le Néolithique pour Dheina 3 (**82**), dès l'époque d'Uruk pour Dheina 4 (**83**) ; ces deux sites ont aussi connu une occupation au Bronze ancien. Le barrage ne date cependant pas de ces hautes époques ; la présence de mortier à base de chaux n'autorise qu'une datation plus récente. Les deux sites de Dheina 2 (**81**) et 3 (**82**), occupés à l'époque islamique, pourraient permettre de dater cet ouvrage de cette période. Il n'est cependant pas impossible d'envisager qu'il ait été construit à l'époque romano-parthe, lorsque Doura-Europos dominait la région. Une ressemblance du mortier utilisé dans les bâtiments de cette ville avec celui du barrage pourrait aller dans ce sens. Les deux tessons retrouvés à proximité du barrage n'apportent aucune précision, car le seul qui soit identifiable [139] est un fragment de panse de céramique côtelée qui peut dater de l'époque romaine comme de l'époque islamique.

Les barrages de terre

Sur les plus petits des oueds ont été édifiés des barrages en terre, petites retenues dont le rôle est donc de bloquer l'écoulement des eaux de crue et de les contraindre à s'infiltrer dans les alluvions, allongeant ainsi la période végétative des plantes cultivées sur les terres situées en amont immédiat de l'ouvrage. Ils permettent une culture très localisée, d'autant plus aléatoire que l'oued et son bassin-versant sont de taille restreinte. Selon leur localisation et l'importance des réserves en eau ainsi générées, ils autorisent les emblavages, très localement de blé, le plus souvent d'orge. Lors de « mauvaises années », lorsque la réserve se révèle insuffisante à assurer le développement de l'épi, le procédé assure au moins une pâture supplémentaire, sur le blé ou l'orge en herbe. Il n'est pas impossible non plus que certains de ces barrages aient été édifiés pour créer des réservoirs saisonniers pour les moutons. Dans la mesure où nous ne les avons pas relevés systématiquement, ils ne figurent pas sur nos cartes. Nous en avons rencontré notamment en rive gauche, aux débouchés des oueds de la région d'Es Sūsa (**carte h.-t. V**).

Cette technique, simple et aisée à mettre en œuvre, était toujours utilisée naguère. On peut supposer qu'elle est très ancienne et qu'elle a, depuis fort longtemps, joué un rôle dans les

Fig. 40 - Détail du parement amont du barrage du Wādi Dheina.

139 - Annexe 2 (**1731**).

économies agropastorales pratiquées dans ou à proximité de la vallée de l'Euphrate.

LES NORIAS

Les vestiges de norias sont incontestablement plus nombreux sur le Khābūr, rivière au débit tempéré par ses sources karstiques que sur l'Euphrate qui est plus sujet à de fortes variations de son flot. De plus, le premier bénéficie d'un lit, certes à méandres, mais relativement stable, car souvent bloqué dans ses divagations par des affleurements de galets qu'il a bien du mal à attaquer [140], moins changeant en tout cas que celui de l'Euphrate.

Fig. 41 - Détail d'un déversoir du barrage du Wādi Dheina.

Les norias du Khābūr

À l'époque où H. Charles fit ses relevés dans la région, plus de trente installations de norias [141] étaient encore fonctionnelles sur le bas Khābūr, d'Es Suwar à la confluence avec l'Euphrate, soit sur environ 45 km à vol d'oiseau. Lors de nos prospections, en 1985, sur un tronçon d'un kilomètre du bas Khābūr, peu en amont de la confluence, six installations de norias étaient toujours visibles (**fig. 42**), dont quatre en rive gauche : Er Rāshdī 1 (**132**), El Masri (**133**), El Lawzīye 1 (**134**) et 2 (**135** ; **fig. 43**) ; et deux en rive droite : Rweshed 2 (**130**), El Baghdadī (**131**). Une seule roue tournait encore, à Rweshed 2, les autres installations ayant été abandonnées au début des années 1960 au profit des pompes motorisées.

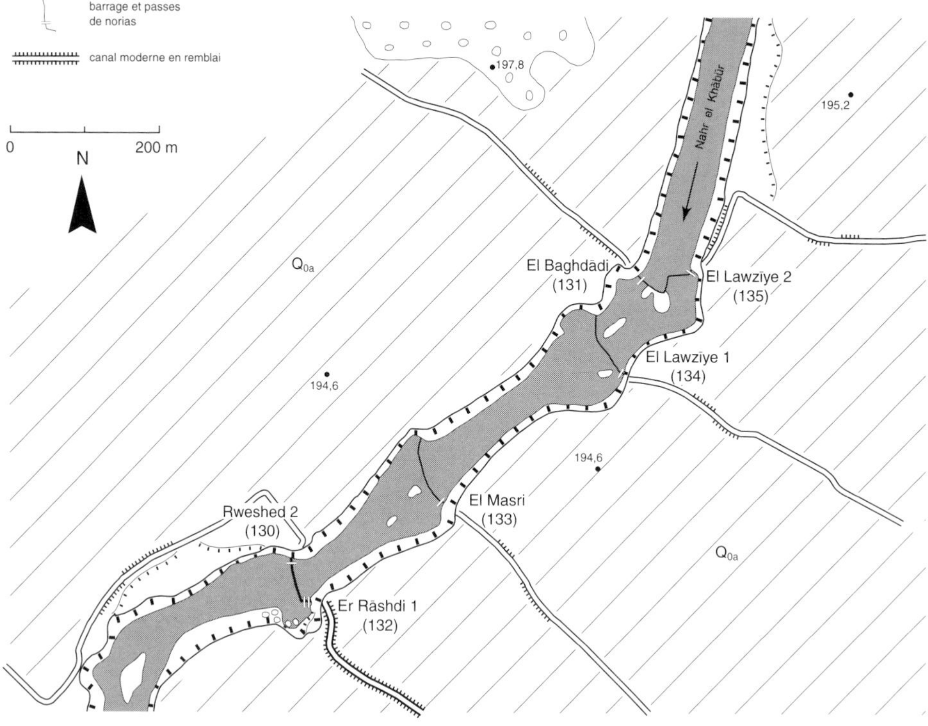

Fig. 42 - Les norias du bas Khābūr (carte II, carré G6, n°s 130 à 135) [pour la légende, voir fig. 5].

Le mode de construction est le même pour toutes ces installations. Un barrage-seuil, construit, pour l'essentiel, en blocs de dalle calcaire bruts, liés au mortier, barre le cours de la rivière. Une ou plusieurs passes sont aménagées, dans lesquelles est placée une roue ; celle-ci est actionnée par le courant, qui se trouve renforcé par le barrage. Cinq

140 - CALVET et GEYER 1992, p. 47.

141 - Voir CHARLES 1939, figure insérée entre les pages 58 et 59. Pour une description plus détaillée de ces norias, voir CHARLES 1939, p. 139 *sq.*, CALVET et GEYER 1992, p. 46-52, DELPECH *et al.* 1997.

Fig. 43 - Vestiges de l'installation de noria à El Lawzīye 2 (carte II, carré G6, n° 135).

installations avaient au moins trois roues, celle de Rweshed 2 n'en ayant que deux. À deux reprises, un même barrage-seuil permettait une double batterie de roues, une sur chaque rive ; c'est le cas d'Er Rāshdī 1 et de Rweshed 2 d'une part, d'El Baghdadī et d'El Lawzīye 2 d'autre part.

Dans plusieurs cas, des moulins étaient associés aux norias, construits directement sur le barrage-seuil, au-delà des roues. Cinq ont ainsi été repérés, à El Masri, à El Lawzīye 1, à El Lawzīye 2 et à Er Rāshdī 1 où l'on en trouve deux sur le même aménagement.

Les norias fonctionnaient au début du XXe s. comme H. Charles a pu l'observer. Elles sont vraisemblablement antérieures, mais nous ne disposons d'aucun élément pour préciser l'époque de leur construction.

Les norias de l'Euphrate

Plusieurs norias existaient sur l'Euphrate. Nous avons repéré trois installations, à Deir ez Zōr 2 (**129**), à Sālihīye 2 (**76**) et à Hajīn 3 (**155**) : cette dernière, actuellement au milieu du fleuve, a été observée par Ch. Héraud à l'occasion de sa descente du fleuve en 1922 ; elle avait alors au moins six piles, dont une surmontée d'une petite tour.

Comme en témoigne M. F. von Oppenheim [142], l'île de Deir ez Zōr était encore irriguée dans la dernière décennie du XIXe s. par plusieurs systèmes différents. La noria de Deir ez Zōr 2 (**129**) était le plus important de ces aménagements (**fig. 44**). Le barrage est formé d'un long mur, perpendiculaire au cours d'eau, qui s'avance dans l'Euphrate à partir de la berge est de l'île de Deir ez Zōr ; un seuil en blocs de basalte prolonge la construction dans le lit du fleuve. Il semble possible de définir deux phases de construction. Le premier ouvrage, qui devait supporter une installation de noria à roue unique, a été construit entièrement en briques cuites, bien appareillées, de modules divers, mais généralement de 25 cm x 25 cm. Il s'avance d'un jet dans le fleuve avec quatre contreforts semi-circulaires plaqués du côté aval. Une phase de réfection, plus rudimentaire, peut être observée ; des blocs de basalte mal équarris et maçonnés sont surajoutés à la partie ancienne, qui est percée en trois endroits pour permettre l'installation de roues dont les piles d'appui sont bien visibles.

À Sālihīye 2 (**76**), la noria, appuyée contre la berge droite, assurait l'irrigation d'un lambeau de terrasse Q_{00}. Six piles en briques cuites d'un module de 25 cm x 25 cm,

Fig. 44 - Vestiges de l'installation de noria à Deir ez Zōr 2 (carte I, carré A2, n° 129).

142 - Oppenheim 1899, p. 333 : « *Die Insel ist wohl angebaut und wird von mehreren Wasserschöpfwerken, Nā'ūra und Ġird bewässert* » ; p. 335 : « *Um den Wasserdruck zu verstärken, ist gewöhnlich ein Steindamm stromaufwärts in den Fluss hineingebaut. Die Nā'ūra von ed Dēr sahen gebrechlich aus, weil die hier wachsenden Pappeln und Tamarisken kein geeignetes Bauholz liefern* » ; voir aussi la photo p. 333.

maçonnées avec un mortier à base de gravier, de chaux et de cendre, délimitent cinq passes où se trouvaient les roues (**fig. 45**). Deux de ces piles sont encore conservées sur toute leur hauteur, tandis que celle qui est au plus loin dans le lit du fleuve est presque entièrement détruite.

On peut ajouter six autres installations signalées par Ch. Héraud [143] : un peu en amont de la confluence avec le Khābūr (piles sur la rive droite), à Taiyāni (**67**) où des traces d'un aménagement sont encore visibles, mais ne sont plus identifiables, à El 'Ashāra (**54**), probablement à l'emplacement du pont actuel et désormais non visible, en aval de Sālihīye (piles dans le fleuve, installation différente de Sālihīye 2), un peu en amont d'El Kishma (piles dans le fleuve) et à 4 km en amont d'Abu Kemāl (piles en briques dans le fleuve). Signalons enfin la présence, à El Graiye 1 (**44**), d'une construction en briques cuites qui pourrait être un moulin à aube.

Fig. 45 - Vestiges de l'installation de noria à Sālihīye 2 (carte IV, carré M15, n° 76).

LES PUITS

Les plus nombreux se trouvent dans les vallées des grands oueds affluents. Ils peuvent être soit simplement foncés dans le fond du talweg, mais le cas, rare, n'a été observé que dans le Wādi Dheina, soit creusés dans les terrasses alluviales à proximité du talweg. La plupart sont maçonnés, construits en blocs de dalle calcaire conglomératique. Le plus souvent, des abreuvoirs leur sont associés. Plus de la moitié est abandonnée. Ils participent tous à l'économie nomade.

Du fait de la salinité souvent élevée de la nappe phréatique de la vallée de l'Euphrate, les puits sont relativement rares sur les terrasses qui encadrent le fleuve. Très peu fréquents en rive droite sur la terrasse Q_{0a}, où nous n'en connaissons qu'un seul, construit en *tabouks* et localisé peu au sud-ouest de Tell Hrīm (**30**), ils sont un peu plus nombreux en rive gauche où, de manière générale, le drainage interne des formations Q_0 est mieux assuré (*a fortiori* celui de la formation Q_{00}). On en trouve quelques-uns non loin de sites, par exemple à El Jurdi Sharqi où le sapement latéral de l'Euphrate a détruit un puits d'un diamètre interne de 90 cm, construit en briques cuites jaunes d'un module de 24 x 16 cm. Au pied de la butte principale du site de Jedīd 'Aqīdat 1 (**92**) se voit encore un puits en *tabouks* (**fig. 46**). Un puits moderne creusé dans la formation Q_{II} à côté du site de Shheil 2 (**121**) servait, en avril 1987, à une pompe dont le fort débit malgré une année sèche est l'indice d'une disponibilité d'eau toute l'année. Dans ce dernier cas, le faible taux de salinité constaté est l'indice d'un drainage naturel efficace au sein de cette formation grossière.

Fig. 46 - Puits à Jedīd 'Aqīdat 1 (carte I, carré E4, n° 92).

143 - HÉRAUD 1922 a et b.

Témoignages

— Tavernier 1712, vol. I, livre III : « (Entre Anna [Anah] et Mached-raba [Rahba]), il y a de ces puits qui sont si profonds qu'il est besoin de porter avec soi jusqu'à cinquante brasses de corde qui est toute ensemble forte et menue, avec un petit seau de cuir qui peut tenir environ six pintes. Il tient peu de place, parce qu'on le peut plier et il s'étend après comme une calotte quand on veut puiser de l'eau. »

Les digues

Aujourd'hui fréquentes, mais non systématiques, et souvent mal entretenues, les digues protègent les secteurs particulièrement vulnérables aux inondations. On peut penser qu'elles ont été nombreuses par le passé : par nature directement exposées aux crues, elles ont mal résisté dès lors qu'elles n'étaient plus entretenues. Un seul exemple nous est connu, à Tell Guftān (**23**) : il doit sa préservation à la protection assurée par la masse du tell. Deux lignes de buttes s'allongent à l'abri du site, l'une vers l'est-sud-est, l'autre vers le sud (cf. **fig. 5**). Elles sont probablement des vestiges des digues qui protégeaient la zone des aménagements de prise du Nahr Sa'īd. Le relief n'est en tout cas pas naturel, puisque des coupes montrent un matériau d'apport. Cet aménagement a été réutilisé anciennement pour y implanter un cimetière.

Les autres aménagements

Nous avons regroupé ci-dessous quelques exemples d'aménagements rares et qui n'ont donc qu'un intérêt anecdotique.

Les levées

À côté de Doura-Europos, sur le plateau, de longues levées de pierres apparemment non maçonnées et mêlées à de la terre délimitent trois vastes « enclos » (Sālihīye 3, **153** ; cf. **cartes h.-t. III** et **IV**, carré L15). Hautes au maximum d'un mètre, ces levées sont ponctuellement interrompues par des sortes de « portes » en chicane, inégalement réparties sur leur longueur. Il s'agit d'ouvertures d'environ 14 à 16 m de long, plus rarement 11 à 12 m, en avant desquelles se trouve une petite levée, de longueur à peu près identique à celle de l'ouverture et distante de 7 à 12 m. La longueur totale de ces enclos avoisine les 4 km, tandis que leur largeur est d'environ 1 km. Figurant sur les cartes du service géographique de l'Armée (édition 1936), ces levées ont été repérées par N. P. Toll [144], qui les interprète comme un mur de protection de l'armée perse contre d'éventuelles sorties romaines ; il ajoute cependant qu'il en existe d'autres un peu plus loin, qu'il ne comprend pas. Comme le laisse penser cette dernière remarque, cette interprétation est peu plausible en raison de la taille et de la forme des zones ainsi délimitées [145]. Il ne peut s'agir non plus d'installations agricoles, puisque le plateau ne se prête guère à une mise en valeur agricole du fait de l'affleurement fréquent de la dalle calcaire. Il est plus vraisemblable que ces enclos aient servi de parcs à animaux, peut-être pour des chevaux. Étaient-ils en rapport avec Doura-Europos ? Ce n'est pas sûr, car à plusieurs reprises, les levées passent par-dessus de petites buttes qui semblent correspondre à des tumulus funéraires, comme ceux de la nécropole de ce site (**22 a**) ou du champ de tumulus de Sālihīye 1 (**17**). Si ces levées ne sont pas avec certitude postérieures à la période d'existence de Doura, elles le sont en tout cas par rapport à la phase de creusement et d'utilisation des tombes, phase qu'il ne nous est cependant pas possible de dater.

Les qanāts

La seule galerie drainante souterraine (*qanāt* ou *foggara*) repérée dans le secteur est celle de Sreij 2 (**208**), très courte, qui était greffée sur la source de 'Ain 'Ali, au pied du plateau de Shamiyeh. L'eau a dû servir à l'irrigation de quelques jardins. Elle apparaît actuellement au fond d'un trou de près de 3 m. Quelques aménagements maçonnés, sans doute anciens, sont visibles à proximité. Déjà repérée dans les années 1920 par V. Müller [146] qui signale un « aqueduc [...] qui descend de Fouedja à l'Imam Ali », la *qanāt* a été partiellement détruite pour aménager un semblant de bassin où les gens viennent se baigner : il n'est pas impossible que la source, qui jaillit au pied du tombeau de Mazār 'Ain 'Ali (**53**), ait eu un caractère sacré.

Plus en aval, une installation du même type semble avoir été repérée par V. Müller aux alentours de Tell Medkūk (**2**). Il signale en effet un « aqueduc qui, coupant la piste de Deir à Abou Kémal, va vers Tell Medkouk » [147]. Nous n'en avons pas retrouvé la moindre trace.

En rive gauche, rien ne permet de discerner dans le paysage en amont de Dībān 1 (Tell Kraḥ, **64**) les *qanāts* que G. Bell dit avoir vues et qui lui semblent être rattachées au Nahr Dawrīn [148] : « *though I did not see the Dawwarin, its presence was clearly indicated by the lines of kanats (underground water-conduits) running in a general southerly direction—north-north-west to south-south-east, to be more accurate—across ground that was almost absolutely level.* »

144 - Toll 1946.

145 - Ces mêmes remarques empêchent aussi d'y voir les limites du camp d'aviation de l'armée française, comme le suggère P. Leriche (1993 b, p. 84, n. 17).

146 - Müller 1931, p. 13.

147 - *Ibid.*

148 - Bell 1910, p. 530.

Chapitre VI. L'histoire de l'occupation du sol

Bernard Geyer et Jean-Yves Monchambert

L'histoire de la vallée de l'Euphrate, dans la région comprise entre Deir ez Zōr et Abu Kemāl, est encore mal connue. Quelques coups de projecteur, dus en grande partie aux résultats de fouilles, ont apporté un éclairage particulier sur certaines périodes, parfois de façon précise, comme c'est notamment le cas pour le début du xviiie s. av. J.-C. à Mari, à l'époque du roi Zimrî-Lîm. Certaines tranches d'histoire sont en revanche quasi inconnues, si ce n'est par quelques mentions de sites dans des textes d'auteurs grecs et latins. Ces informations, diffuses, ne fournissent qu'imparfaitement les éléments permettant de reconstituer continûment l'histoire de cette région. Nous tenterons ci-dessous d'évoquer, dans la mesure du possible, et par grandes périodes, les principaux événements qui ont marqué la région et de retracer l'évolution de l'occupation du sol et de la mise en valeur depuis les premières installations sédentaires, au Néolithique, jusqu'à l'avènement de l'islam [1].

Le Néolithique acéramique (fig. 1)

Les plus anciennes traces d'une occupation sédentaire relevées dans cette partie de la vallée remontent à la fin du VIIIe millénaire, au PPNB (*Prepottery Neolithic B*) récent. À ce moment-là, les populations qui, pendant l'Épipaléolithique, avaient conquis des zones sèches, puis, à la fin du Natoufien, s'étaient repliées vers les zones montagneuses et les steppes plus humides [2], où elles avaient inventé l'agriculture, colonisent les steppes désertiques et les marges des vallées des fleuves, à la faveur des possibilités nouvelles offertes par l'amélioration climatique de l'Optimum climatique holocène, notamment par une recrudescence des précipitations [3].

Le contexte naturel

Lorsque les premiers sédentaires s'installent, la formation Q_{0a} est en cours d'édification. Le fleuve circule dans un système de type en tresse, constamment changeant (**fig. 2**), et non pas dans un lit unique à méandres déformables tel que nous le connaissons aujourd'hui [4]. Le plancher de la vallée ne se prête donc pas à une occupation fixe, de type sédentaire, du fait du risque trop fréquent de divagation des bras du fleuve et de submersion par les eaux. L'habitat ne peut se localiser qu'en lisière du fond alluvial, par exemple sur l'une ou l'autre des terrasses pléistocènes. Celles-ci proposent en effet, outre des espaces relativement plans, une bonne salubrité en raison de la granulométrie généralement grossière des matériaux constitutifs qui permet un drainage efficace. Dans ce secteur de la vallée de l'Euphrate, deux sites attestent une occupation au PPNB : Buqras 1 (**50**) et Tell es Sinn (**29**). Un troisième site, localisé dans la vallée du Wādi Dheina, Dheina 3 (**82**), date probablement de cette même époque [5].

Occupation du sol et mise en valeur

Le site le plus ancien est celui de Buqras 1 (**50**), localisé à 6 km en aval de la confluence de l'Euphrate et du Khābūr, sur le rebord de la terrasse Q_{II}, dominant le fond de vallée holocène. Les archéologues y ont mis au jour les vestiges d'un village [6] de près de 3 hectares datant du PPNB récent et des débuts du Néolithique à céramique, de 7530 à 6180 av. J.-C. environ [7]. Les maisons s'y ordonnent le long de ruelles étroites formant des axes de circulation et sont groupées autour d'espaces ouverts interprétés comme étant des places. Sols et murs des maisons sont enduits de plâtre

1 - Pour la période islamique, voir Berthier *et al.* 2001.

2 - Cauvin 1994, chap. 2 et 5.

3 - Sanlaville 1997, p. 253 *sq.*

4 - Geyer et Besançon 1997, p. 9 *sq.*

5 - Nous y avons observé de nombreux fragments de vaisselle de plâtre, des sols enduits, tout en notant l'absence de céramique.

6 - Après un premier sondage effectué en 1965 (Contenson et Van Liere 1966), trois campagnes de fouilles ont permis de connaître la stratigraphie du site (Akkermans *et al.* 1983). Les dix niveaux architecturaux repérés, groupés en sept phases principales, attestent une occupation de plus d'un millénaire, commençant au PPNB, c'est-à-dire pendant la période 4 de l'*ASPRO* (Hours *et al.* 1994, p. 86) et se prolongeant pendant une bonne partie du VIIe millénaire, durant la période 5 (6900-6400 av. J.-C.), voire jusqu'au début de la période 6 (6400-5800 av. J.-C.), aux époques proto-Hassuna et Hassuna archaïque (voir ci-dessous).

7 - Dates ^{14}C calibrées (courbe de 1993), considérées comme fiables dans l'*ASPRO* (Hours *et al.* 1994), fourchette maximale établie d'après 25 datations.

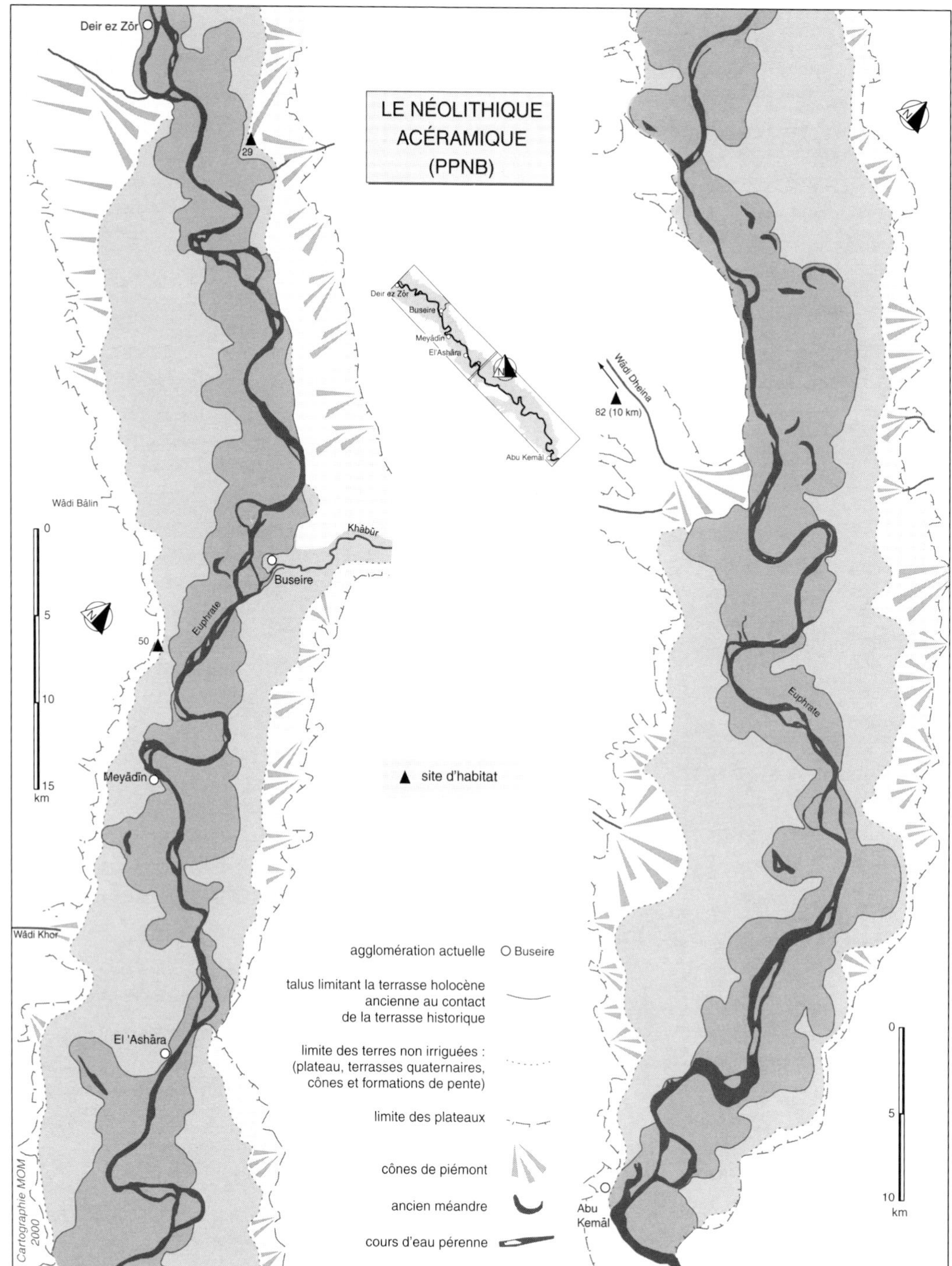

Fig. 1 - La basse vallée de l'Euphrate syrien. Les sites du Néolithique acéramique.

et sont parfois ornés de peintures ocre rouge, voire de fresques, par exemple un ensemble de 18 volatiles (autruches ou grues [8]), peints en rouge sur fond blanc, attestant ainsi leur présence dans la vallée durant ces hautes époques. Le mobilier, abondant, est varié : l'outillage lithique [9] est essentiellement en silex (pointes de flèches, de lances, racloirs, burins, perçoirs, etc.), mais l'obsidienne n'y est pas rare, témoignant de relations commerciales assez étroites avec l'Anatolie centrale [10] ; des outils en roche verte polie (haches, herminettes, etc.) attestent le travail du bois. La vaisselle est constituée de nombreux vases en plâtre — la « vaisselle blanche » —, d'une quantité relativement

8 - A. T. Clason (1989-1990, p. 210), qui a effectué l'étude taxinomique de ces oiseaux, y reconnaît plutôt des grues

9 - ROODENBERG 1983, p. 349.

10 - ROODENBERG 1986, p. 7.

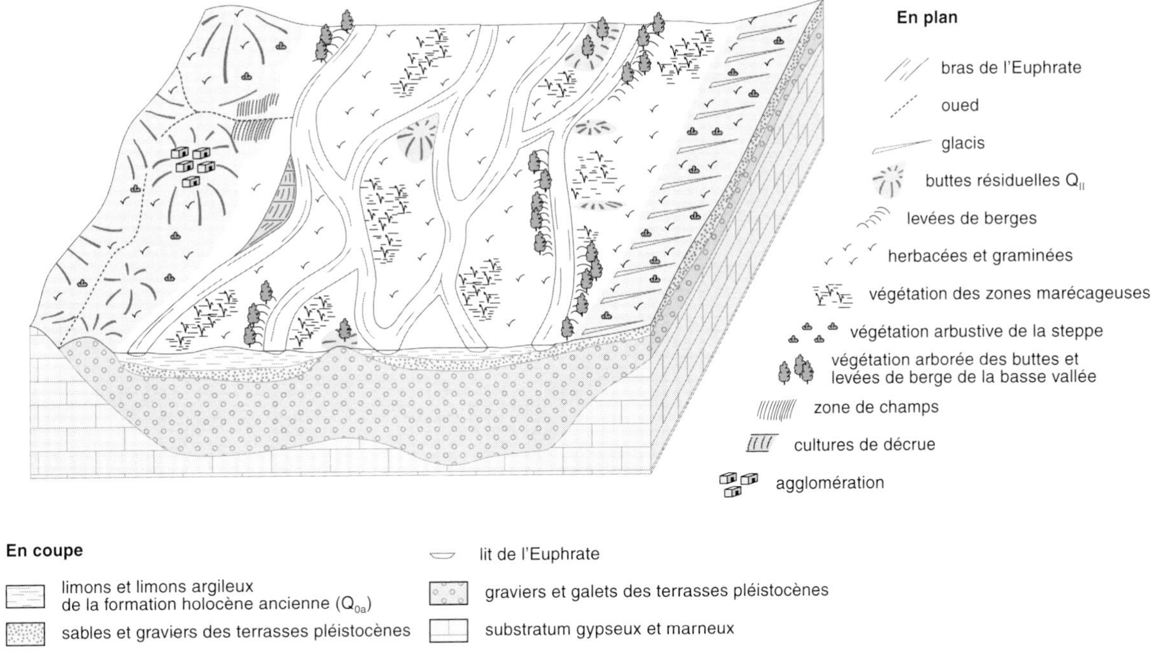

Fig. 2 - Reconstitution schématique de l'environnement de la vallée de l'Euphrate au Néolithique (PPNB).

importante de vases en pierre polie et, assez précocement et parmi les tout premiers sites à l'utiliser, de céramique.

Contemporain des dernières phases PPNB de Buqras 1, Tell es Sinn [11] (**29**) se trouve à 31 km en amont de ce dernier, en rive gauche, et à 25 km de la confluence de l'Euphrate et du Khābūr. Il est, lui-aussi, installé sur le rebord de la terrasse Q_{II}, sur un promontoire dominant le fond de vallée holocène [12]. Sept phases attestent une assez longue occupation néolithique [13]. Les vestiges architecturaux (fragments de murs ou de murets, sols en argile ou en plâtre) ne permettent pas de reconstituer l'habitat. Outre quelques exemplaires de vaisselle en pierre, les habitants ont utilisé un peu de céramique. L'outillage lithique, en quantité importante, est constitué de silex et d'un peu d'obsidienne provenant d'Anatolie. Ce matériel comprend des grattoirs, des burins et de nombreuses pointes de flèche.

Buqras 1 et Tell es Sinn sont donc localisés tous deux à la lisière du plancher holocène, aussi près que possible de la seule ressource en eau utile et cependant à l'abri des inondations. Dans les deux cas, un oued affluent débouche à proximité du site. Ces faits nous amènent à poser la question du rôle que le fond alluvial et les oueds latéraux ont pu jouer dans l'économie agricole. En effet, tirant au mieux parti des particularités de leur implantation, les populations de ces deux sites pouvaient pratiquer deux formes d'agriculture, dans des proportions différentes : la culture de décrue et la culture en sec [14]. D'une part, ils avaient à leur disposition les vastes surfaces limoneuses qui étaient situées entre les nombreux chenaux en tresse de l'Euphrate et que libérait la décrue du fleuve ; la mise en culture de ces espaces permettait d'obtenir dans le courant de l'été des légumineuses et des céréales. Ils pouvaient d'autre part compléter ces cultures de décrue par des emblavages dans des dépressions fermées du plateau ou dans les fonds d'oueds affluents dont la nappe phréatique était mieux alimentée que de nos jours [15] ; mais les résultats, qui dépendaient étroitement de la pluviosité, restaient aléatoires. Les activités de l'élevage, la chasse et la cueillette, quant à elles, convenaient à une région aux potentiels complémentaires : d'un côté, la steppe à herbacées [16], certes déjà marquée par l'aridité, mais moins pauvre qu'actuellement, et qui couvrait le plateau et les terrasses quaternaires ; d'un autre côté, des formations

11 - Les datations au ^{14}C donnent, pour deux échantillons sur les trois analysés, une fourchette allant de 7470 à 6770 av. J.-C. en dates calibrées (courbe de 1993) ; elles sont considérées comme peu fiables dans l'*ASPRO* (Hours *et al.* 1994).

12 - Cette localisation particulière justifie le toponyme (es Sinn = « la dent, le cap »).

13 - Les archéologues hollandais qui fouillaient à Buqras ont effectué un sondage en 1978 à Tell es Sinn. Ils ont pu mettre en évidence 13 couches correspondant à huit phases d'occupation, la plus récente d'époque byzantine (Roodenberg 1979-1980).

14 - Pour plus de précisions concernant les conditions de l'occupation du sol et de la mise en valeur durant cette période, voir Geyer et Besançon 1997.

15 - Geyer et Besançon 1997, p. 12.

16 - D'après J. A. K. Boerma (1989-1990), il s'agissait alors d'une steppe à *Helianthenum*, *Heliotropum*, *Plantago*, *Astragalus*, *Arnebia* et *Trigonella* ; localement, en zones favorisées, devaient pousser des formations ouvertes de pistachiers.

arborescentes liées au fleuve, où dominaient les peupliers, les saules et les tamaris [17]. Mais la probabilité d'une économie agricole, fût-elle balbutiante, est grande, malgré un climat manifestement déjà désertique : de nos jours encore, des cultures non irriguées sont régulièrement pratiquées [18].

Si les villageois de Buqras 1 disposaient notamment de blé amidonnier, de blé dur, d'engrain, d'orge à deux et à six rangs, d'orge nue, ainsi que de lentilles et de pois, il semble bien que ces produits agricoles ne constituaient pas l'essentiel de leur alimentation [19] ; la cueillette continuait à leur en apporter une part non négligeable (pistaches, figues, astragale, *trigonella*, etc.). En outre, la consommation de viande était importante, basée sur les produits de l'élevage, mais aussi de la chasse dans la steppe environnante : des restes de moutons et de chèvres ont été trouvés en grande quantité, qui proviennent d'espèces sauvages et domestiquées ; en quantité moindre se trouvent des restes de gazelles, de bovidés et de porcs [20].

À Tell es Sinn, même si les données sont à prendre avec précaution en raison des dimensions restreintes du sondage, l'économie était essentiellement fondée sur la cueillette et sur la chasse. L'étude des macrorestes végétaux [21] montre que les variétés de graines sauvages sont nombreuses et identiques à celles de Buqras 1, mais qu'en revanche, les seules céréales cultivées sont le blé amidonnier et l'orge. Quant à la chasse, elle est attestée par les restes d'ossements [22] (essentiellement gazelles, chèvres et moutons sauvages) et la prédominance des pointes de flèches dans les outils. L'élevage tenait néanmoins une place particulière, avec des chèvres et des moutons domestiques, des bovidés et des porcs.

Ainsi donc, les communautés villageoises de Buqras 1 et de Tell es Sinn s'étaient remarquablement adaptées au milieu naturel dans lequel elles s'étaient installées : implantées aux marges d'une vallée qui restait, au moins saisonnièrement, inhospitalière, elles tiraient profit, dans des proportions différentes, à la fois des ressources de l'Euphrate et de sa vallée et de celles de la steppe, où des bergers faisaient paître leurs troupeaux. Les particularités de certains milieux autorisaient, sur des surfaces certes restreintes, une agriculture qui ne nécessitait pas d'irrigation artificielle. Il est vrai qu'elles profitaient d'un climat, en plein Optimum holocène, sensiblement plus humide qu'aujourd'hui avec une plus forte proportion de précipitations de printemps [23], sans que l'on puisse pour autant remettre en cause son caractère fondamentalement aride. Mais il apparaît que l'implantation de sites néolithiques dans cette région foncièrement marquée par l'aridité n'a pas répondu seulement à des changements dans la nature du climat, mais, sans doute aussi et surtout, à un comportement dynamique de l'Euphrate fort différent de celui qu'on lui connaît actuellement [24]. Enfin, l'artisanat, auquel s'adonnait une partie de la population, était développé et déjà spécialisé. Il s'appuyait sur un système d'échanges et de communication, sans doute déjà évolué et à grande échelle, qui permettait un approvisionnement en matériaux d'origine lointaine, parfois rares et précieux, comme l'obsidienne ou les roches vertes [25].

LE NÉOLITHIQUE À CÉRAMIQUE : LES PÉRIODES PROTO-HASSUNA, HASSUNA ARCHAÏQUE, SAMARRA (fig. 3)

Après le PPNB, la céramique, dont les premiers usages sont attestés, dans cette région de l'Euphrate, à Buqras, se généralise rapidement. D'abord rudimentaire, elle évolue très vite vers des formes plus complexes et s'orne d'un décor, le plus souvent peint. Elle fournit dès lors un critère d'identification des cultures villageoises qui vont occuper l'ensemble du Croissant fertile pendant trois millénaires. C'est d'abord avec les foyers du Nord mésopotamien que ce secteur de l'Euphrate présente des analogies, notamment avec les cultures « proto-Hassuna », Hassuna archaïque et Samarra, puis avec celle de Halaf.

LE CONTEXTE NATUREL

Les conditions de l'occupation du sol ne varient guère durant les débuts du Néolithique à céramique, et ce jusque peu avant la fin de l'Optimum climatique holocène, laquelle peut être située vers 6000 BP, soit à peu près au moment de la transition Halaf-Obeid. Tout au plus peut-on se poser la question de savoir si la petite phase aride des alentours de 8000 BP, bien attestée dans le Levant sud mais apparemment non confirmée dans le Levant nord [26], a eu ou non une influence sur l'occupation de notre région. Apporter une réponse paraît difficile dans la mesure où il est délicat de déduire du seul abandon d'un site (Tell es Sinn) sur les deux attestés au PPNB (Tell es Sinn et Buqras 1), une possible rétraction de l'occupation humaine au moment où débute l'époque proto-Hassuna.

OCCUPATION DU SOL ET MISE EN VALEUR

Seul donc Buqras 1 continuerait d'être occupé au début du VIIe millénaire, assurant ainsi la permanence de

17 - BOERMA 1979-1980.
18 - D'HONT 1994, p. 50 *sq*.
19 - VAN ZEIST et WATERBOLK-VAN ROOYEN 1983, p. 358.
20 - CLASON 1983, p. 359.
21 - VAN ZEIST 1979-1980, p. 58.
22 - CLASON 1979-1980, p. 42.
23 - SANLAVILLE 1997, p. 253.
24 - GEYER et BESANÇON 1997.
25 - Ces dernières sont présentes dans les alluvions tauriques sous forme de galets, mais leur petit calibre restreignait leur usage éventuel.
26 - SANLAVILLE 1997, p. 253-254.

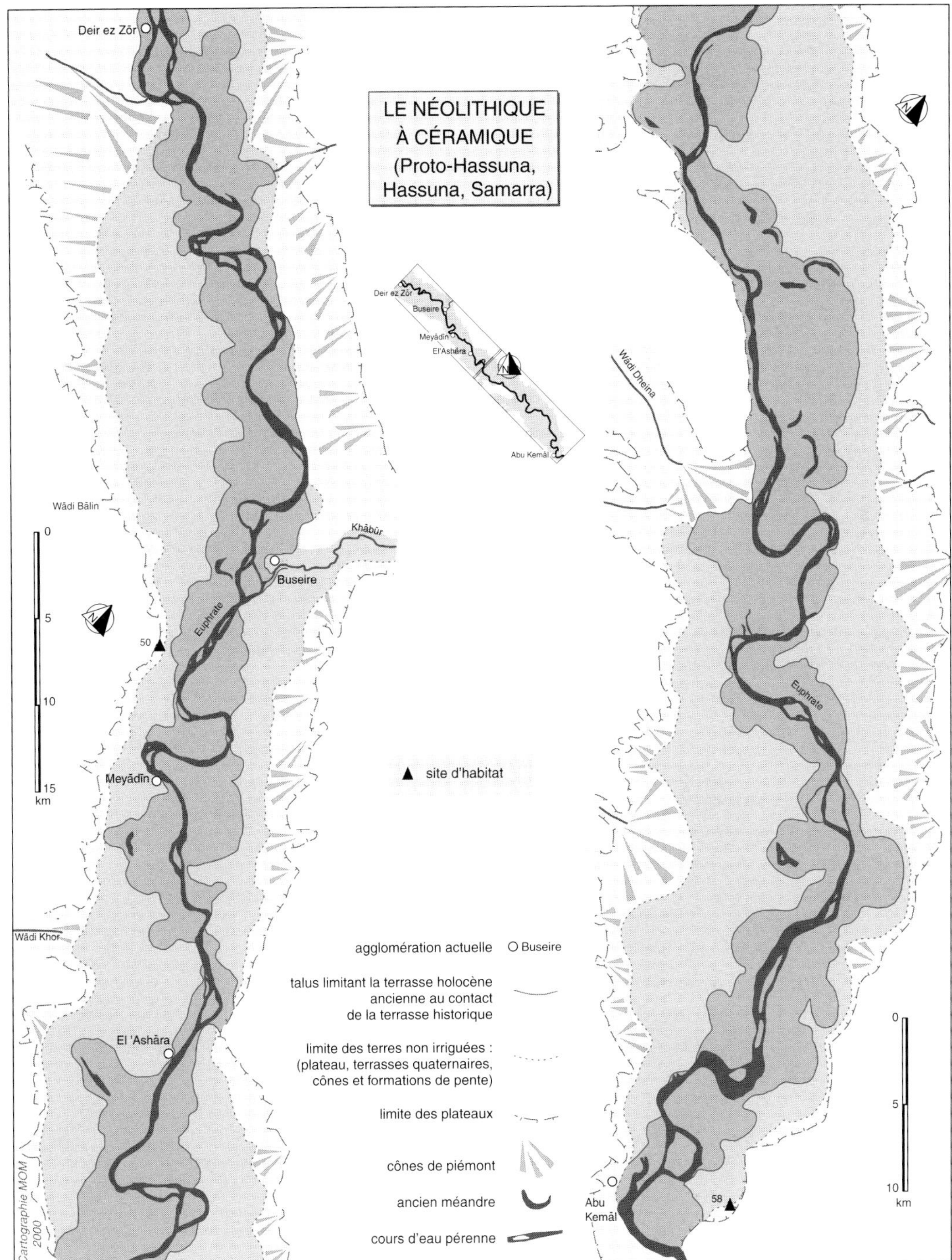

Fig. 3 - La basse vallée de l'Euphrate syrien. Les sites du Néolithique à céramique : périodes proto-Hassuna, Hassuna archaïque et Samarra.

l'occupation humaine dans la vallée. Des parallèles peuvent être établis, d'une part avec le site d'Umm Dabaghiah (sud-est du Jebel Sindjar, sur le Wādi Tharthar), lequel permet de définir, pour la première moitié du VIIe millénaire, la culture « proto-hassunienne » (ou culture d'Umm Dabaghiah-Sotto), d'autre part avec la région de l'Amūq grâce à la présence d'un fragment de *DFBW* (*Dark Face Burnished Ware*)[27]. Il n'est cependant pas impossible que le site de Bāqhūz 1 (**58**), localisé un peu plus en aval, soit aussi occupé dès le proto-Hassuna, si l'on en croit l'étude de la céramique effectuée

27 - Le Mière et Picon 1987, p. 136.

par R. Bernbeck [28]. Ensuite, dans la seconde moitié du VIIe millénaire, une occupation semble être attestée à Buqras 1, pendant les phases anciennes de la culture de Hassuna, par des tessons *Archaic Hassuna* [29]. Dans les différents cas évoqués, ces quelques tessons sont des importations lointaines [30], qui témoignent de l'ampleur des circulations de céramiques, « phénomène qui n'est [déjà plus] marginal », comme l'ont montré M. Le Mière et M. Picon [31].

Vers la fin du VIIe millénaire, la culture de Samarra [32], partiellement contemporaine de celle de Halaf, succède dans la vallée au Hassuna archaïque. À Bāqhūz 1 (**58**), près de l'actuelle frontière syro-iraqienne et à 85 kilomètres en aval de Buqras 1, un petit village est habité par une population relevant de cette culture très particulière, bien reconnaissable à sa céramique décorée. Avec Tell Boueid II, récemment exploré sur le Khābūr [33], et Tell Sabi Abyad sur le Balikh [34], il en est l'un des sites les plus occidentaux actuellement connus. Une étude détaillée de cette céramique peinte a permis à R. Bernbeck [35] de distinguer deux phases d'occupation à Bāqhūz : la phase la plus ancienne serait contemporaine de Sawwan III, le village acquérant ensuite son extension maximale pendant la phase IV de Sawwan.

Si les fouilles n'ont livré que quelques ruines de maisons difficilement interprétables [36], elles ont confirmé, d'après les quelques indications du fouilleur, l'emploi généralisé de la brique crue moulée [37], qui semble être une invention de l'époque. Par ailleurs, elles ont mis au jour un abondant outillage lithique (couteaux, plaques et percuteurs de silex, lames d'obsidienne, haches en pierre verte polie, meules en basalte) et des vases en pierre calcaire (bols et coupes). Elles ont surtout permis de recueillir une grande quantité de céramique peinte de qualité [38], ressemblant fortement à la céramique de Samarra, indice de contacts étroits avec ce dernier site, pourtant éloigné de plus de 250 km.

Les fouilles n'ont pas fourni d'autres indications sur la vie économique de Bāqhūz. Les pratiques agricoles nous restent inconnues. Toutefois, elles ne diffèrent sans doute pas beaucoup de celles proposées pour Buqras 1 et Tell es Sinn un millénaire plus tôt. Comme à Sawwan, sur le Tigre, site samarréen mieux documenté, les habitants de Bāqhūz devaient pratiquer l'élevage, en particulier celui du mouton et de la chèvre, parallèlement à la chasse, notamment celle à la gazelle. Ils cultivaient probablement, comme à Sawwan, le blé amidonnier, l'engrain, l'orge et le lin. Le domaine cultivable était encore constitué des surfaces limoneuses libérées au début de l'été par la décrue du fleuve. Un certain nombre de dépressions sur le plateau de Jézireh et les fonds d'oueds devaient en outre permettre quelques cultures en sec.

Pratiquaient-ils déjà l'irrigation ? Aucune trace n'en a été retrouvée, mais une telle pratique n'est pas invraisemblable. C'est à l'époque de Samarra en effet que l'irrigation semble être maîtrisée : à Tell es-Sawwan [39], certaines graines retrouvées (blé tendre, lin) ne peuvent être que le résultat d'une culture irriguée ; à Choga Mami [40], des canaux ont été aménagés, d'une largeur moyenne de 2 m. Ces deux sites se trouvent aux alentours de l'isohyète actuel des 200 mm de précipitations moyennes annuelles, dans des régions arides où les possibilités de culture sèche se réduisent et où le recours à l'irrigation a dû apparaître très tôt comme une nécessité. Or, la localisation de Bāqhūz est encore plus contraignante, car l'aridité y est plus forte, les précipitations moyennes annuelles n'y dépassant, actuellement, que de peu les 100 mm. Si les habitants de Choga Mami, avec près de 200 mm/an, ont aménagé des canaux d'irrigation, à plus forte raison ceux de Bāqhūz ont pu y avoir recours. Il faut cependant rappeler les particularités propres à la vallée de l'Euphrate, liées notamment à la dynamique du fleuve (cf. ci-dessus), qui autorisaient des cultures pluviales ou encore de décrue. Ce n'est qu'un peu plus tard, à l'époque de Halaf (cf. ci-dessous), que l'irrigation a dû devenir une nécessité incontournable dans la vallée.

28 - R. Bernbeck (1994, p. 188) évoque en effet la possibilité d'une phase plus ancienne que la phase Sawwan III, qui correspondrait à la phase Sotto de Hassuna (voir ci-dessous).

29 - Le Mière et Picon 1987, p. 136.

30 - 400 km pour le fragment de *DFBW* et plus de 250 km pour la catégorie *Archaic Hassuna*.

31 - Le Mière et Picon 1987, p. 144.

32 - Vers – 6000 en dates calibrées. Contemporaine du Hassuna « standard », la culture de Samarra caractérise, dans le dernier quart du VIIe millénaire et le premier du VIe millénaire, plutôt le plateau de la Jézireh ; elle est partiellement contemporaine de celle de Halaf qui se développe, quant à elle, en Mésopotamie septentrionale pendant le VIe millénaire. La phase standard de Hassuna ne semble pas attestée dans la vallée.

33 - Suleiman et Nieuwenhuyse 1999.

34 - Akkermans 1993 a.

35 - Bernbeck 1994, p. 182-191.

36 - Huit sondages ont été effectués sur le tell lui-même en 1935 et 1936 (Du Mesnil du Buisson 1948, p. 14-16), « tous poussés jusqu'au sol vierge alluvionnaire » (p. 15) ; deux se sont révélés négatifs. D'autres sondages, à l'extérieur du tell, n'ont rien donné. Les descriptions données par R. Du Mesnil du Buisson sont vagues et leur confrontation avec les deux « plans » de la planche XVI ne permettent pas de réelle reconstitution. Il semblerait toutefois que les maisons étaient constituées de pièces de petites dimensions (1,50 m à 2,20 m de largeur ; superficie maximale de l'ordre de 4 m^2) ; le plâtre semble utilisé de façon systématique pour les enduits de murs, les sols étant quant à eux en terre battue ou en plâtre. Les toits sont faits de roseaux recouverts d'un enduit épais. Aucun plan d'ensemble ne permet de corroborer l'affirmation du fouilleur sur le fort resserrement des maisons entre elles.

37 - Du Mesnil du Buisson 1948, p. 15 et pl. XV, 3.

38 - La céramique grossière existait aussi sur le site, mais R. Du Mesnil du Buisson la passe presque complètement sous silence, soulignant simplement « une petite jarre sans ornement peint, ce qui est l'exception sur le tell » (Du Mesnil du Buisson 1948, p. 20 et pl. XXIII) ; elle est en revanche signalée par R. J. Braidwood (1944, p. 50). Une équipe américaine, effectuant un ramassage de surface lors d'une prospection en 1954-1955, en a collecté une soixantaine de fragments, étudiés par M. Kleindienst (1960), qui en donne les principales caractéristiques.

39 - Helbaek 1964.

40 - Oates 1969, p. 122 *sq.*

Quelle était la fonction de Bāqhūz ? S'agit-il d'un comptoir de commerce, comme l'envisagent les rédacteurs de l'*ASPRO* [41] ? Le site est effectivement à la limite sud-occidentale de la culture samarréenne. Si l'on se fonde sur les fortes ressemblances de la céramique peinte avec celle de Samarra, des contacts étroits semblent avoir été entretenus avec cette dernière, éloignée, rappelons-le, de plus de 250 km. Vers l'ouest, des similitudes ont été observées avec le matériel de Tell Sabi Abyad sur le Balikh. Sans aller jusqu'à envisager des relations directes entre les deux sites, P. M. M. G. Akkermans [42] pense que la vallée de l'Euphrate fut une voie de diffusion de la culture de Samarra vers l'ouest, vers la Syrie intérieure, y compris la vallée du Balikh, et qu'une sorte de réseau d'échange aurait permis à la céramique de Samarra de se répandre jusque dans ces régions. L'absence de tout autre site de cette période le long de la vallée de l'Euphrate, d'après notre prospection ou celle qui a été réalisée en amont [43], nous semble cependant faire obstacle à cette théorie. Il n'est guère probable que, comme le pense P. M. M. G. Akkermans, tous les sites de cette époque aient été emportés par les divagations des méandres du fleuve [44]. Bāqhūz est installé sur une formation quaternaire, en net retrait par rapport au fond alluvial. Ce type d'implantation, lié à des choix imposés par la dynamique du fleuve, vaut pour d'éventuels sites contemporains de Bāqhūz. Ils n'auraient pu s'établir dans la plaine alluviale holocène, celle-ci étant parcourue par de multiples chenaux au cours sans cesse modifié. La diffusion de la culture samarréenne jusqu'au Balikh et à Tell Sabi Abyad semble s'être plutôt faite par le nord, par des voies plus commodes à travers des régions plus hospitalières. Bāqhūz semble plutôt avoir été un « bout du monde » dans une région aride.

La période de Halaf (**fig. 4**)

Bien que l'époque de Halaf soit souvent considérée comme faisant encore partie du Néolithique à céramique, nous avons préféré la présenter à part, car elle correspond à une rupture majeure dans les conditions de l'occupation du sol et de la mise en valeur dans la vallée.

Le contexte naturel

Vers 6000 BP, la fin de la période faste de l'Optimum holocène impose, dans la vallée, des conditions climatiques soudain plus contraignantes. La diminution des précipitations, leur irrégularité interannuelle accrue, rendent les rares cultures pluviales de plus en plus aléatoires. Ce phénomène vient ajouter ses effets à ceux dus à un changement déterminant du comportement morpho-dynamique du fleuve : au cours de l'époque de Halaf, celui-ci commence un travail d'incision [45] qui s'intensifie jusqu'à développer tous ses effets à l'époque d'Obeid. L'ensemble des contraintes a changé. Le fleuve n'adopte plus un tracé en tresses, mais coule dans un lit unique (**fig. 5**) qui, très rapidement, va développer des méandres. Le fond alluvial est devenu accessible en permanence en dépit des risques récurrents dus aux crues. L'abaissement du niveau de base, consécutif à l'enfoncement de l'Euphrate dans la formation Q_{0a}, entraîne une amélioration du drainage de cette terrasse, autorisant sa mise en valeur, sous réserve d'irrigation. Mais, inversement, les basses vallées des oueds affluents cessent d'offrir des terroirs productifs, en raison du rapide épuisement saisonnier de leurs nappes phréatiques. Enfin, les cultures de décrue ont dû très sensiblement rétrécir puisque cantonnées au seul lit de méandres, de surface restreinte et pour partie marécageux. Le fleuve, canalisé par les berges de la terrasse qu'il vient de créer, devient le seul pourvoyeur de richesse : il va rapidement fixer sur ses berges les implantations humaines. La mise en œuvre de l'irrigation peut commencer.

Occupation du sol et mise en valeur

Inconnue dans ce secteur de la vallée avant notre prospection, la culture de Halaf [46], caractéristique de la Jézireh, y est désormais attestée, de façon certaine, grâce au site de Jebel Masāikh (**16**) [47], auquel viennent peut-être s'ajouter deux autres sites, Taiyāni 3 (**96**) et Es Saiyāl 5 (**14**) [48], tous trois implantés sur la terrasse Q_{0a}, à proximité immédiate du fleuve ou d'anciens méandres.

Comment expliquer l'existence de ces installations — qui sont les plus méridionales connues dans la vallée de l'Euphrate — dans cette zone aride, loin des régions fertiles de haute Jézireh, alors densément occupées ? Cet éloignement pose problème du fait de l'absence de jalons intermédiaires, les prospections menées sur le Khābūr [49] n'ayant pas révélé d'autre site de cette époque sur une distance de près de 200 km. Sans doute ce fait n'est-il dû qu'au caractère aléatoire des prospections qui ne révèlent qu'imparfaitement les occupations les plus anciennes,

41 - Hours *et al.* 1994, p. 69.

42 - Akkermans 1993 a, p. 125-128.

43 - Kohlmeyer 1984 a et b ; 1986.

44 - Akkermans 1993 a, p. 128.

45 - Cette phase d'incision est déterminée non pas par les conditions locales, mais par celles qui affectèrent le bassin amont du fleuve, durant la deuxième moitié de l'Optimum holocène (Geyer et Sanlaville 1991, p. 105).

46 - La culture de Halaf se développe parallèlement à celle de Samarra, puis la remplace graduellement, comme elle supplante d'autres cultures, y compris celle de Hassuna dont elle est issue.

47 - Rouault 1998 b, p. 194-196.

48 - L'attribution de ces deux sites à l'époque de Halaf n'est pas certaine. Les tessons pouvant appartenir à cette culture sont en nombre très réduit.

49 - Kühne 1974-1977 et 1978-1979 ; Monchambert 1984.

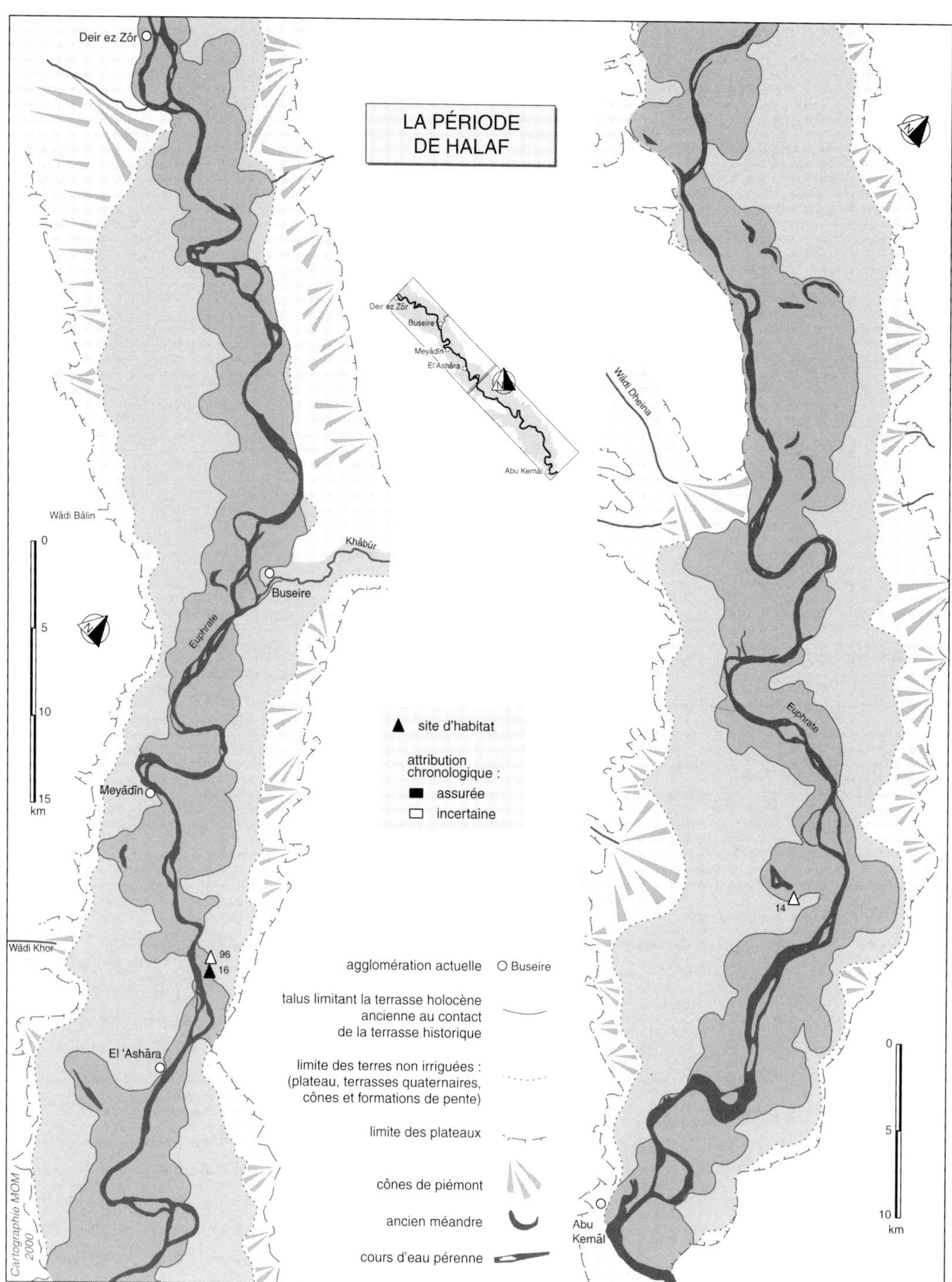

Fig. 4 - La basse vallée de l'Euphrate syrien. Les sites de la période de Halaf.

comme tendrait à le démontrer la découverte — suite à un sondage — de l'installation halafienne de Jebel Masāikh [50].

C'est en haute Jézireh que sont éparpillées des centaines de petites installations, d'une superficie en général inférieure à 1 ou 2 hectares, et dont les habitants, sédentaires, sont à la fois agriculteurs et éleveurs. Ceux-ci pouvaient y pratiquer une agriculture sèche, leur permettant de récolter des céréales domestiques et des légumineuses ; ils élevaient des brebis et des chèvres domestiques, ainsi que des bœufs et des porcs, et complétaient leur nourriture avec le produit de la chasse

50 - L'occupation de ce site à l'époque de Halaf n'a effectivement pas été décelée lors de la prospection. C'est à l'occasion d'un sondage qu'elle a été mise en évidence (Rouault 1998 b, p. 195-196).

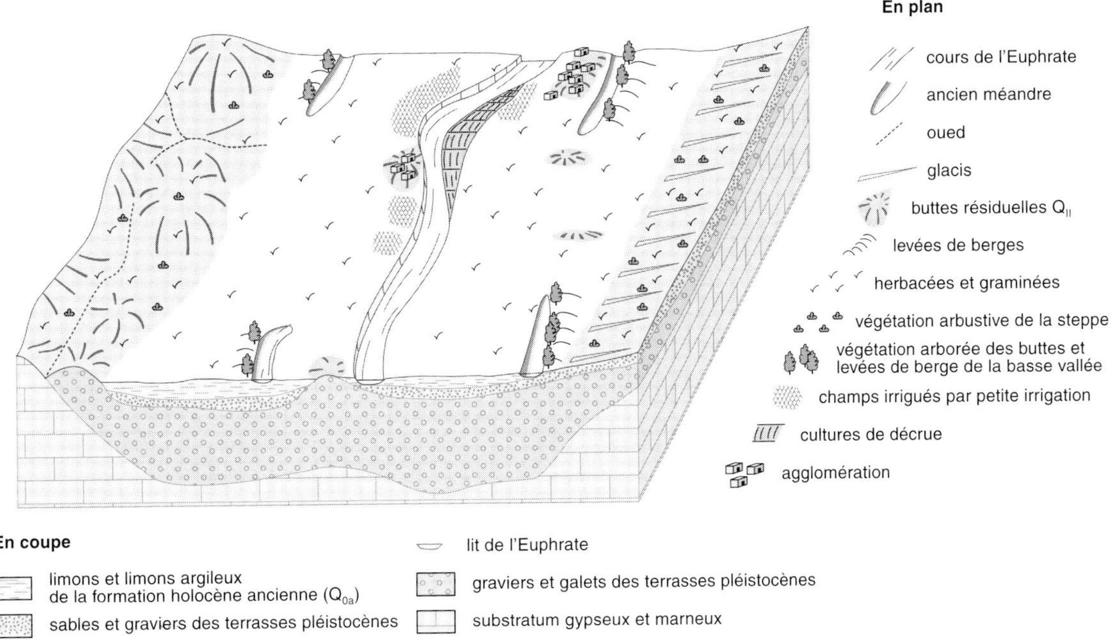

Fig. 5 - Reconstitution schématique de l'environnement de la vallée de l'Euphrate à la période de Halaf.

et, dans une moindre mesure, le long des rivières, avec celui de la pêche [51].

L'environnement de nos trois sites est beaucoup plus contraignant. S'ils correspondent à des installations permanentes, il faut imaginer que leurs habitants pratiquaient l'irrigation, ce qui est tout à fait concevable. En effet, c'est à cette époque que la mise en valeur agricole a dû quitter les fonds étriqués des oueds affluents pour gagner, plus durablement, le plancher holocène devenu accessible. Les espaces occupés par la terrasse Q_{0a} se sont trouvés continûment cultivables. Les terres proches des eaux du fleuve ont pu, dès lors, bénéficier de l'indispensable irrigation et faire valoir ainsi leur fort potentiel de fertilité. À moins qu'il ne s'agisse d'installations saisonnières, telle celle d'Umm Qseir [52], localisée sur le moyen Khābūr, à environ 200 km de Jebel Masāikh, mais déjà à l'écart des zones alors densément occupées de haute Jézireh. Cela n'est pas sûr, d'autant que nous ignorons la superficie couverte par nos sites. On peut aussi imaginer qu'il s'agissait de relais commerciaux le long de l'Euphrate, mais il resterait alors à définir l'objet du commerce.

En attendant le résultat des fouilles entreprises à Jebel Masāikh, la question reste ouverte.

LA PÉRIODE D'OBEID (**fig. 6**)

Originaire de la basse Mésopotamie, la culture d'Obeid a fini par supplanter, vers la fin du VIe millénaire, les cultures installées plus au nord. La basse vallée de l'Euphrate syrien subit elle aussi cette influence. Le nombre de sites dans la vallée augmente, passant d'un (plus deux éventuels) à quatre (plus deux éventuels).

LE CONTEXTE NATUREL

C'est probablement durant cette très longue période de l'Obeid — plus de 1 000 ans — que le fleuve se stabilise, dans un système à méandre proche de celui que nous connaissons aujourd'hui. Ces méandres, qui sont susceptibles de déformations importantes, vont peu à peu se développer partout, sauf là où ils rencontrent une résistance trop forte : en butée contre les formations rocheuses des plateaux ou encore aux endroits où affleurent des môles résistants, constitués par des pointements de la formation Q_{II}. Les affleurements de ces anciens dépôts, dont la granulométrie excède la compétence du fleuve holocène et qui sont parfois cimentés (cf. chap. I, p. 24), sont assez nombreux et jouent un rôle indéniable dans l'évolution holocène du fond de vallée. En effet, lors du changement de dynamique de l'Euphrate, ce sont ces môles de résistance qui ont fixé le cours du fleuve dès lors que l'incision de la formation Q_{0a} s'est produite entre deux môles proches. L'Euphrate s'est trouvé alors pris au piège : tel est le cas par exemple des « doublets » d'El Graiye-Taiyāni et d'Er Ramādi-Tell Abu Hasan où le fleuve est littéralement canalisé [53]. Ce n'est que dans les sections intermédiaires entre ces points fixes qu'il a pu déformer son cours. L'implantation

51 - Akkermans 1993 a et b.

52 - Tsuneki et Miyake 1998. L'étude de ce tout petit site (0,15 ha) a conduit ses fouilleurs à y voir une installation de pasteurs qui venaient y passer les mois d'hiver avec leurs troupeaux.

53 - Geyer et Monchambert 1987 b.

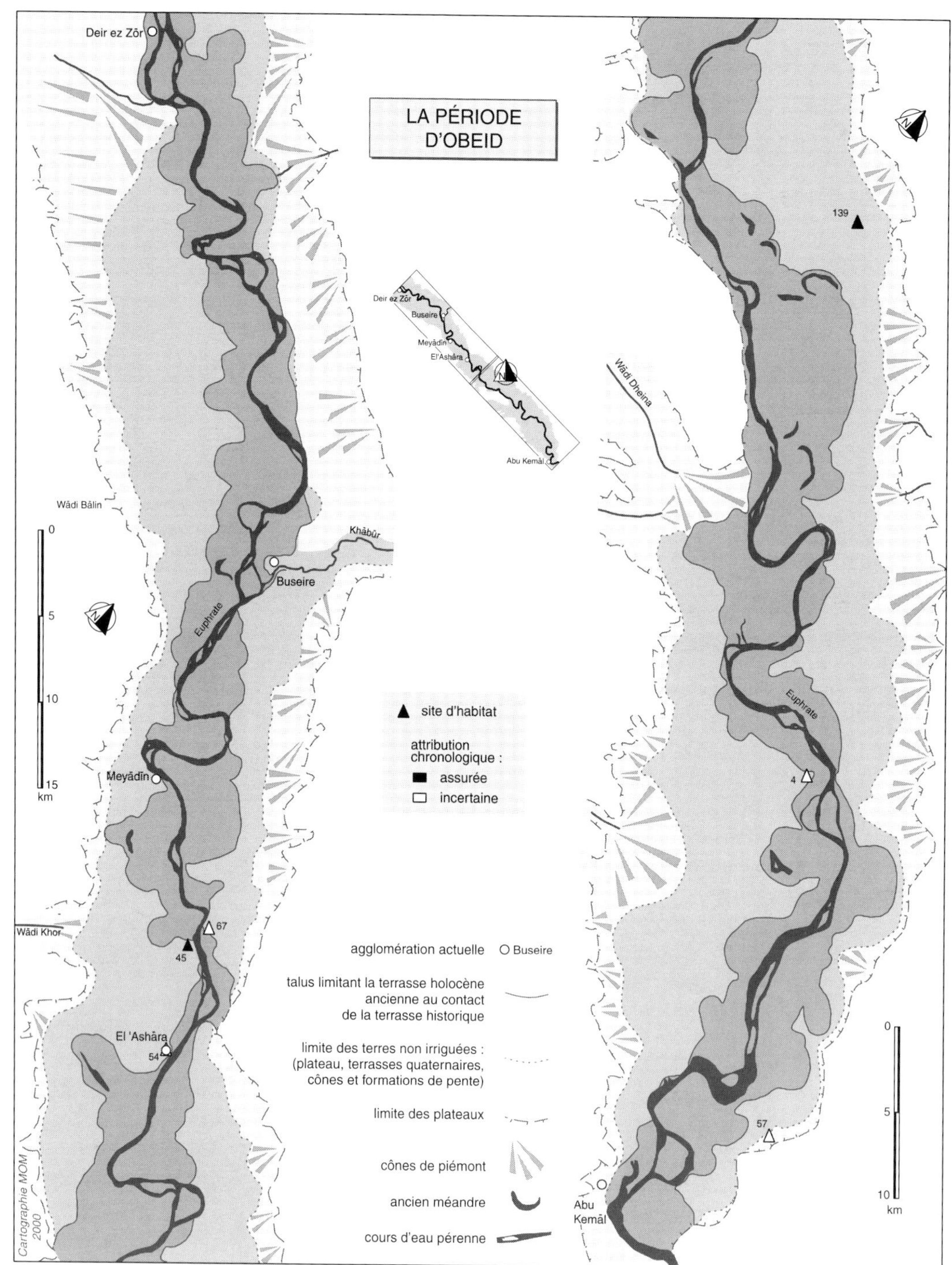

Fig. 6 - La basse vallée de l'Euphrate syrien. Les sites de la période d'Obeid.

de nombre de sites sur ces môles résistants n'est certes pas le fait du hasard. Le fleuve étant la seule ressource en eau à la fois pérenne et potable, il était nécessaire d'en être proche tout en se gardant de ses excès : violence des crues, destructions causées par ses déplacements. Seuls les débits ordinaires étaient canalisés dans l'entaille de la formation Q_{0a}, qui, récente et encore étroite, ne pouvait suffire à contenir les fortes crues. Ce risque, majeur mais occasionnel, venait s'ajouter à celui, permanent, lié au sapement latéral des berges du lit mineur du fait du déplacement des méandres. Dès lors, les seuls sites offrant une sécurité suffisante étaient ces buttes constituées d'un matériau relativement résistant [54].

54 - GEYER et BESANÇON 1997, p. 12.

Parallèlement, avec les débuts du Ve millénaire, s'estompèrent peu à peu les effets bénéfiques de l'Optimum climatique holocène. Les conditions de la mise en valeur agricole se firent de plus en plus contraignantes, marquées par l'aridité croissante. C'est probablement durant cette longue période que les hommes développèrent peu à peu les techniques d'irrigation devenues nécessaires à leur survie dans la vallée.

Occupation du sol et mise en valeur

Parmi les quatre sites certifiés, trois correspondent probablement à des villages, El Graiye 2 (**45**), Er Ramādi (**4**) et Es Sūsa 3 (**57**). Sur le premier, des tessons Obeid ont été trouvés en surface par K. Simpson [55], mais il semblerait que la fouille qui a été effectuée sur ce site [56] n'ait pas atteint les niveaux correspondants. Une fouille ouverte à Er Ramādi a fourni de la céramique caractéristique de cette époque, mais aucun niveau d'occupation n'a été repéré dans les sondages, restreints, qui y ont été effectués [57]. Le dernier, Es Sūsa 3, a livré en surface un abondant matériel céramique caractéristique des phases finales de cette culture. Si les deux premiers sont implantés sur un môle résistant, en bordure immédiate du fleuve, comme le sont aussi El 'Ashāra [58] (**54**) et Taiyāni 1 (**67**), sites dont l'occupation à l'époque d'Obeid est incertaine, Es Sūsa 3 est encore localisé en lisière du plancher alluvial, de même que le site samarréen voisin de Bāqhūz 1 et les sites néolithiques de Buqras 1 et de Tell es Sinn. Manifestement, la tendance est à se rapprocher du fleuve, même si l'on peut supposer encore quelques réticences à aller affronter les inconvénients du fond de vallée.

Le site de Hasīyet 'Abīd (**139**) semble avoir été dévolu à la taille du silex : des centaines de hachereaux en jonchaient la surface (cf. en annexe 1 la note d'É. Coqueugniot). Une telle spécialisation pourrait expliquer son implantation sur une butte résiduelle relativement à l'écart du fleuve. Dans la mesure où le site n'abritait probablement pas un habitat permanent — aucun tesson de céramique de cette époque n'y a été retrouvé —, l'approvisionnement en eau ne se posait pas de manière cruciale.

Enfin, si la datation Obeid de Taiyāni 1 (**67**) était avérée, cela pourrait signifier que certaines implantations répondaient à d'autres critères, notamment d'ordre commercial. Ce dernier site, en effet, fait face à El Graiye 2 (**45**), en un point où l'Euphrate est « canalisé » et n'a aucune possibilité de développer ses méandres ; son cours passe au pied des buttes qui portent les deux agglomérations. Situées l'un en face de l'autre, elles forment ainsi un doublet permettant de contrôler aisément le fleuve. Si toutefois celui-ci n'existait pas en tant que tel, les hommes ne tarderaient pas à en comprendre l'intérêt, notamment pour le contrôle du trafic fluvial ; ce sera chose faite dès la période suivante.

La période d'Uruk (fig. 7)

Durant cette période qui couvre la majeure partie du IVe millénaire, de nombreux changements s'opèrent, tant dans le domaine des techniques qui évoluent considérablement et ouvrent de nouvelles perspectives, que dans la vie économique, où l'on assiste à un fort accroissement de la production agricole, à l'amélioration des techniques artisanales et à un développement notable des échanges. Les conséquences sur le plan social sont importantes ; des procédés de gestion devenant de plus en plus complexes entraînent une spécialisation des tâches et une hiérarchisation de la société. C'est alors qu'apparaissent les premières villes et que se met en place le cadre socio-économique qui caractérisera le IIIe millénaire.

Le contexte naturel

Il ne diffère sans doute qu'assez peu de celui qu'a connu la période précédente. Les données paléoclimatiques sont cependant trop peu nombreuses pour que nous puissions préciser l'ambiance climatique qui prévalait alors. Pour G. Blanchet, P. Sanlaville et M. Traboulsi [59], les traits caractéristiques du climat actuel de l'ensemble levantin se seraient affirmés peu après 5000 BP (soit peu après 3800 av. J.-C.) lorsque la zone de convergence intertropicale est venue s'installer sur une position méridionale proche de celle qu'elle occupe de nos jours. On peut donc raisonnablement supposer que, dans notre région, l'aridité était marquée. L'Euphrate continuait à jouer un rôle attractif majeur et l'irrigation était plus que jamais nécessaire.

55 - Simpson 1983, p. 488 et fig. 86, p. 481.

56 - Plusieurs campagnes de fouilles y ont été effectuées entre 1977 et 1985 par des membres de la mission américaine de Terqa. Malheureusement, aucun rapport de fouilles n'a été publié ; les informations proviennent de quelques mentions (par exemple, Buccellati 1979, p. 16), d'un petit guide sur Terqa (Buccellati 1983) et d'une brève chronique (Reimer 1988).

57 - Beyer 1991 et com. pers.

58 - G. Buccellati mentionne la présence de quelques tessons pouvant être datés de l'Obeid dans le sondage MP 19 (Buccellati 1979, p. 75 : « *we are beginning to get from the ceramics hints that the site may have been inhabited in the fourth millenium and earlier from other areas of the mound as some possible Ubaid sherds have been excavated in MP 19* ») ainsi que d'un échantillon de charbon de bois (*ibid.*, p. 84) daté du Ve millénaire par le ^{14}C, mais trouvé dans une couche proche du mur de la cité CW3, daté quant à lui du IIIe millénaire. Même s'il reconnaît qu'il n'existe pas de données irréfutables d'une occupation antérieure au Dynastique archaïque 1, G. Buccellati en conclut néanmoins implicitement à une occupation ancienne du site : « *We may only conclude that the charred remains which were so dated bear evidence of early cultural activity at the site: only the minor debris are known to us at the moment, preserved in extramural dumps which may have come either from inside the city or from an ancient canal bed dredged at the time that it was transformed into a defensive moat.* » (*ibid.*, p. 84)

59 - Blanchet *et al.* 1997, p. 194.

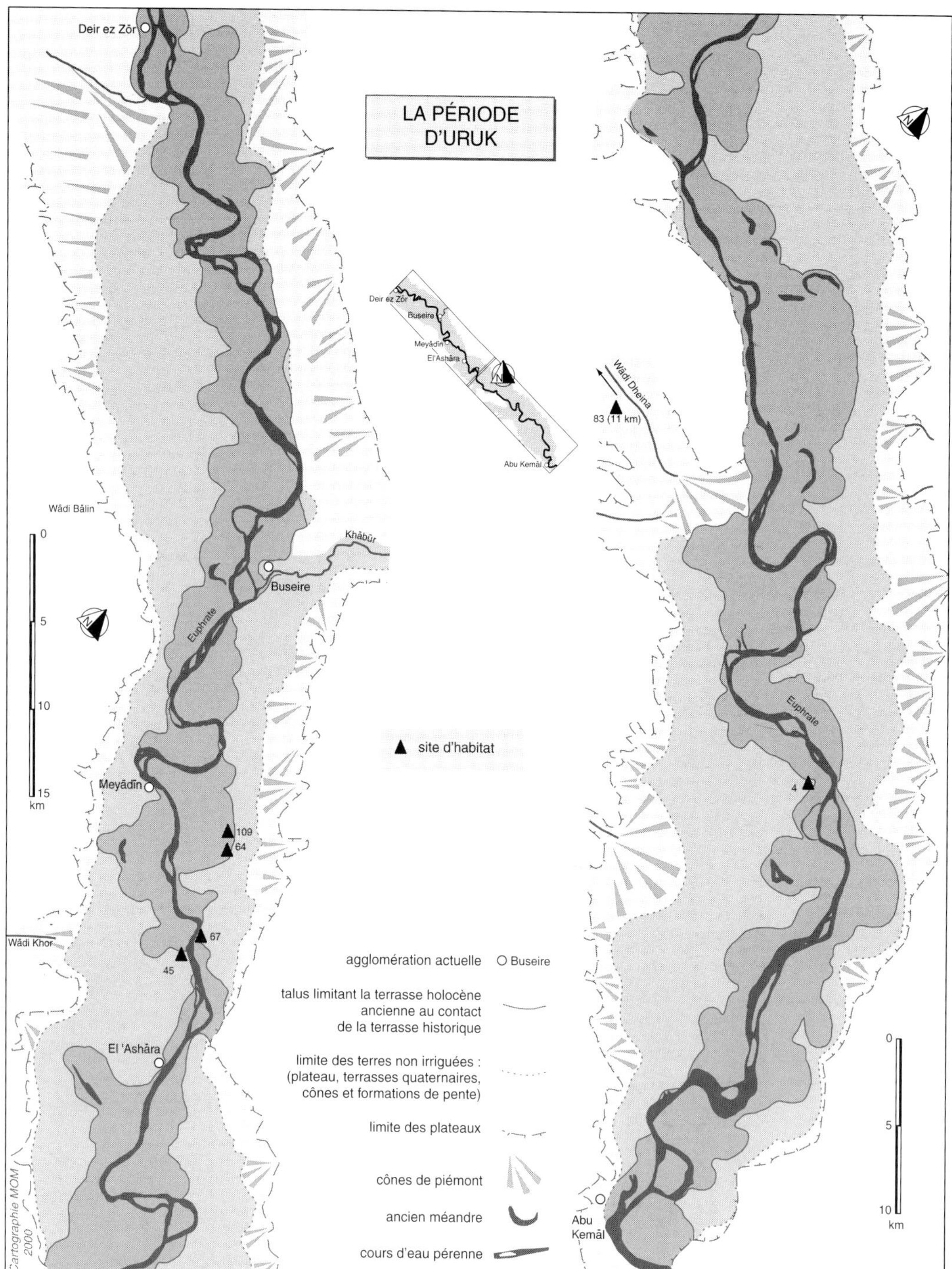

Fig. 7 - La basse vallée de l'Euphrate syrien. Les sites de la période d'Uruk.

Occupation du sol et mise en valeur

Six sites sont alors habités [60]. Cinq se localisent dans la vallée, en bordure du fleuve : trois en rive gauche (Dībān 1 [**64**], Dībān 7 [**109**] et Taiyāni 1 [**67**]), deux en rive droite (El Graiye 2 [**45**] et Er Ramādi [**4**]). Le sixième, Dheina 4 (**83**), est installé dans un oued affluent de rive droite, le Wādi Dheina ; l'eau y était proposée par l'oued et la nappe d'inféroflux.

60 - Comme pour la période d'Obeid, G. Buccellati mentionne à El 'Ashāra une détermination ^{14}C pour le IVe millénaire, mais l'échantillon concerné est bien localisé dans une couche associée au mur d'enceinte le plus ancien (CW1) et ne saurait être probant : « *The fourth millenium ^{14}C determination* [...] *cannot be taken as a dating criterion for either the construction or the utilization of the wall* » (Buccellati 1979, p. 84). Aucune couche d'occupation du IVe millénaire n'a été repérée jusqu'à présent sur ce site.

Les cinq sites proches du fleuve sont installés sur des môles résistants, trois d'entre eux en des endroits où le cours de l'Euphrate est fixé et ne peut se déplacer. Deux sont en vis-à-vis et forment un doublet, Taiyāni 1 (**67**) et El Graiye 2 (**45**). Ce sont des villages qui avaient atteint, semble-t-il, une superficie déjà notable. Le premier, certes encore occupé postérieurement, s'étend sur plus de deux hectares. Quant au second, les fouilles [61] ont montré qu'il débordait largement le tell actuel (1,5 ha) et s'étendait dans la plaine environnante, encore que ses limites n'aient pu être reconnues. Trois phases d'occupation de la fin du IVe millénaire y ont été repérées. Quelques vestiges architecturaux ont été dégagés, dont une partie d'un bâtiment : la longueur de la pièce (10 m), l'épaisseur des murs (supérieure à 1 m) et la présence de niches ont incité les fouilleurs à lui attribuer un caractère public. De nombreux bols à bord biseauté (*BRB*, *Bevelled-Rim Bowls*), caractéristiques de la période, ont été mis au jour, ainsi que divers instruments en pierre et surtout une collection d'impressions de sceaux et des bulles d'argile.

Le troisième, Er Ramādi (**4**), se trouve plus au sud, en bordure du fleuve, sur un probable môle résistant de rive droite. Il fait face au site de Tell Abu Hasan (**9**), sur la rive gauche, lui aussi installé sur une butte résiduelle. Forment-ils un second doublet ? Ce n'est pas impossible, mais nullement prouvé. L'occupation de Tell Abu Hasan à l'époque d'Uruk n'est pas certifiée par le matériel ramassé en prospection, mais elle est envisageable : le sondage qui y a été réalisé en 1938 [62] s'est arrêté, à une profondeur de huit mètres, dans les niveaux du Bronze moyen, c'est-à-dire bien au-dessus de la base du tell, laissant plusieurs mètres inexplorés. En tout cas, ce doublet sera effectif au Bronze ancien. Le village d'Er Ramādi fut vraisemblablement plus important que celui d'El Graiye 2, même si ses 7,5 hectares actuels représentent probablement une superficie supérieure à ce qu'elle était à l'époque d'Uruk. Dans les deux cas, les sites ont été implantés non loin des débouchés d'oueds importants : le Wādi el Khōr pour El Graiye 2, le Wādi Bir el Ahmar pour Er Ramādi. Ces oueds majeurs offraient des terrains de pâture pour les troupeaux d'ovins et de caprins, auxquels ils permettaient un accès facile à la steppe. À partir de l'étude des ossements d'animaux d'El Graiye 2, K. F. Galvin [63] a montré comment un pastoralisme saisonnier, dans la steppe, venait compléter le pâturage du fond de vallée. Il est intéressant de noter l'existence dans un des oueds affluents d'un petit site contemporain, Dheina 4 (**83**) ; il servait peut-être de campement saisonnier pour les bergers ou les chasseurs.

Enfin, et surtout, Er Ramādi, tout comme El Graiye 2, sont adossés à de vastes alvéoles que les habitants pouvaient mettre en valeur en les irriguant. Même s'ils n'étaient pas exploités dans leur totalité, ces terroirs étaient d'une ampleur telle qu'ils pouvaient justifier la mise en œuvre d'un important réseau de canaux d'irrigation. En l'absence de traces d'aménagements aussi anciens, il ne nous est pas possible de reconstituer la réalité de ce réseau. Procédait-on à une irrigation par machines élévatoires, ce qui n'aurait permis de cultiver que des zones restreintes, peu éloignées du fleuve ? Ou bien s'agissait-il d'une irrigation par gravité ? Le réseau aurait alors été plus structuré et aurait nécessité des aménagements plus complexes. Il aurait surtout permis d'étendre le périmètre productif. Il ne fait guère de doute que le premier mode a dû être largement utilisé, car il est beaucoup plus simple à mettre en œuvre. Mais on serait tenté de voir au cours de cette période une évolution vers le système par gravité, d'abord à petite échelle, puis plus largement. Cette évolution pourrait avoir été entraînée par une demande croissante de céréales, notamment de blé, liée à l'augmentation de la population. Par ailleurs, les possibilités de stockage permettaient d'engranger des excédents et de répartir leur distribution tout au long de l'année, sinon sur plusieurs années. Les scellements de portes provenant des fouilles d'El Graiye 2 et le sceau en stéatite trouvé à Er Ramādi en sont peut-être des témoignages indirects [64].

Assiste-t-on déjà à la mise en place des premiers éléments du réseau qui se développera au Bronze ancien ? Ce n'est pas impossible, car l'aménagement hydro-agricole organisé, selon nous, au début du IIIe millénaire (cf. ci-dessous) paraît avoir atteint d'emblée une telle ampleur et une telle sophistication que l'on imagine difficilement qu'il ait pu naître *ex abrupto*, sans expérience préalable.

La situation décrite pour Er Ramādi et El Graiye 2 vaut largement pour les trois autres sites de la vallée, même s'ils semblent n'avoir eu que des dimensions plus modestes.

On peut par ailleurs se demander, au vu de ces implantations, si la rive gauche n'était pas préférée à la rive droite ; trois des cinq sites repérés dans la plaine alluviale sont situés en rive gauche, tous dans l'alvéole de Dībān, peu en aval du débouché du Khābūr : Dībān 1 (**64**), Dībān 7 (**109**) et Taiyāni 1 (**67**).

Si, en raison des progrès de l'irrigation, l'agriculture connut vraisemblablement un essor sans précédent, il ne fait guère de doute que ces sites étaient impliqués dans un réseau commercial déjà fort développé. Nous avons vu que les choix

61 - Cf. ci-dessus, l'époque d'Obeid. Pour les résultats des fouilles, voir Reimer 1988.
62 - Parrot 1938 ; Cans 1938.
63 - Galvin 1987. À El Graiye 2, les moutons représentent 43 % de la faune, les chèvres 37 %, les bœufs seulement 11 %, le reste consistant en ossements de cerfs, d'ânes et de quelques chiens domestiques.
64 - Pour El Graiye 2, Reimer 1988 ; pour Er Ramādi, voir annexe 2, cat. **1758**.

d'implantation de certains de ces sites ne devaient rien au hasard et que leur situation en des points précis de la vallée présentait un atout stratégique important. Les impressions de sceaux-cylindres sur des bouchons de jarres et les bulles d'argile trouvées à El Graiye 2 [65], ainsi que le sceau d'Er Ramādi témoignent probablement de transactions commerciales.

Quels étaient les biens échangés ? La question est difficile à résoudre. Les échanges concernaient sans aucun doute les mêmes produits que pour les périodes précédentes : obsidienne, vases en pierre (stéatite, albâtre), bois, métaux, etc., mais aussi des denrées périssables transportées dans des jarres, mais difficiles à identifier. G. Buccellati [66] a suggéré que le sel faisait l'objet d'un commerce important. Il voit en effet dans les sites d'El Graiye 2 et d'Er Ramādi des centres de traitement et de distribution du sel, en raison de la proximité des salines d'El Buwara (cf. chap. I, **fig. 16**). Il voit dans les innombrables *Bevelled-Rim Bowls* des « sortes de moules » permettant de conditionner le sel avant de l'expédier vers les régions septentrionales, Tell Brak par exemple. Nous ne contesterons pas que les *BRB* aient pu être des récipients à usage multiple, servant, entre autres, à conditionner des pains de sel, comme le suggère G. Buccellati. En revanche, il nous paraît plus douteux qu'El Graiye 2 et Er Ramādi aient été des centres de traitement du sel en provenance d'El Buwara, cette dépression étant située à près de 60 km à vol d'oiseau, à l'est-nord-est d'El Graiye 2 et au nord-nord-est d'Er Ramādi, qui plus est, sur l'autre rive du fleuve.

Le choix des sites d'implantation et la genèse des doublets résultent-ils de considérations stratégiques visant à contrôler la circulation fluviale ? Originellement il s'agissait certainement de s'installer à proximité de l'eau tout en demeurant à l'abri des crues dévastatrices. Les avantages stratégiques et commerciaux ont pu en découler naturellement. En tout cas, l'existence de ces six sites témoigne de l'importance du fleuve au IVe millénaire : l'Euphrate constituait probablement, dès cette époque, un axe commercial important, y compris dans sa partie médiane, en aval du Khābūr.

LE BRONZE ANCIEN (**fig. 8**)

Comme l'ensemble du Proche-Orient, la vallée entre dans l'histoire : pour le Bronze ancien et le Bronze moyen, de nombreux textes nous renseignent sur Mari et son royaume, en nous fournissant des informations d'ordre historique, économique, religieux, etc. Mais ces deux époques sont très différemment documentées, en sorte que l'image qui en résulte peut être trompeuse. Si, pour le Bronze moyen, la documentation est très abondante, la situation qui y est décrite ne peut être transposée au IIIe millénaire ni *a fortiori* à l'époque de la fondation de Mari. Les informations concernant le Bronze ancien sont rares, limitées à la fois dans leur volume et dans le temps : les archives retrouvées à Mari sont en fort petit nombre. Celles d'Ébla, qui sont la meilleure source, n'y suppléent que très partiellement : elles sont tardives et restreintes à environ un siècle et demi, avant l'arrivée de Sargon.

LE CONTEXTE NATUREL

Les données se rapportant aux cinq ou six derniers millénaires demeurent le plus souvent trop peu nombreuses et surtout trop vagues pour se faire une idée claire des possibles variations climatiques et de leurs conséquences, d'autant qu'elles proviennent d'observations faites sur des milieux naturels sensiblement différents, lesquels n'ont donc pas forcément enregistré de la même manière ces éventuelles fluctuations.

En Syrie, les analyses hydrogéologiques réalisées par J.-C. Échallier et J.-C. Revel [67] paraissent indiquer l'existence d'un épisode relativement humide au cours du IIIe millénaire avant notre ère, encore que l'on puisse sérieusement douter de la fiabilité de datations obtenues à partir d'eaux fossiles. Les mêmes auteurs admettent d'ailleurs que les sols autour du site archéologique de Khirbet el-Umbashi, en Syrie aride méridionale, ne conservent aucune trace de cet épisode qui aurait dû réanimer la pédogenèse. Se fondant sur l'ensemble des études pédologiques et palynologiques réalisées dans ce secteur, F. Braemer et J.-C. Échallier [68] estiment qu'une aridité, à peu près semblable à l'actuelle, préexista à la première occupation du site (vers la fin du IVe millénaire) et concluent à l'absence de modifications significatives du climat (parce que non enregistrées dans les sédiments) durant le IIIe millénaire. Des recherches effectuées sur le haut Khābūr ont conduit à des interprétations très proches. Ainsi, M.-A. Courty [69], interprétant les résultats d'une étude paléographique fondée sur des analyses pédosédimentaires, caractérise la période qui va de *ca* 5000 BP à 3800 BP (soit ± 3800 à 2200 av. J.-C., peu après la fin de l'Optimum climatique holocène) par une détérioration progressive des conditions climatiques (changements morphodynamiques, remblaiement des chenaux par des pseudo-sables d'origine éolienne, etc.) aboutissant à l'établissement d'un climat qui, dans ses grandes lignes, différait peu de l'actuel. Elle rejoint donc les conclusions formulées par les auteurs mentionnés ci-dessus, tout en soulignant les effets amplificateurs de l'aridité dus à

65 - REIMER 1988.
66 - BUCCELLATI 1990 a.
67 - ÉCHALLIER et REVEL 1996.
68 - BRAEMER et ÉCHALLIER 1995, p. 351.
69 - COURTY 1994, p. 47.

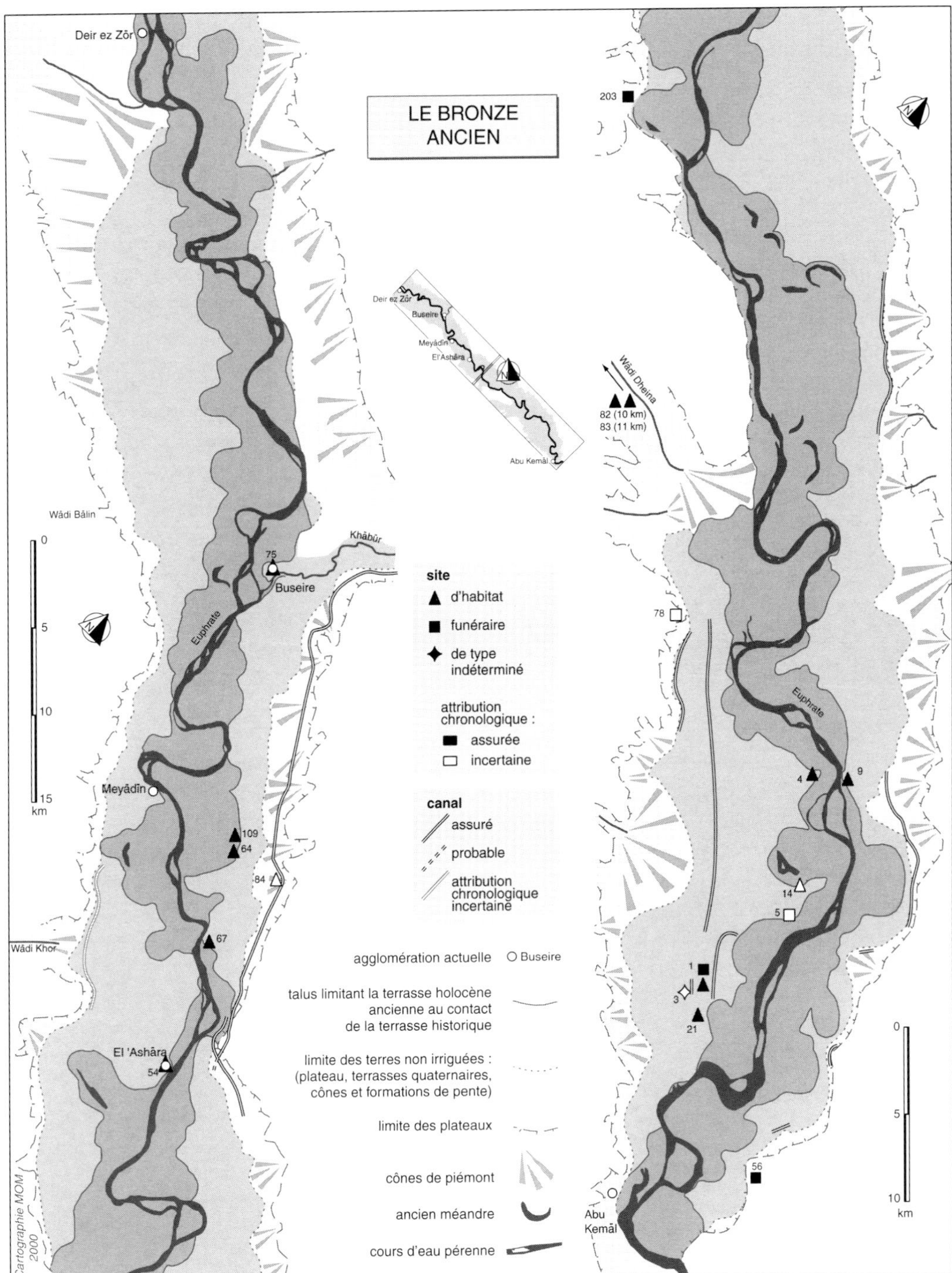

Fig. 8 - La basse vallée de l'Euphrate syrien. Les sites et les aménagements du Bronze ancien.

l'exploitation accrue des terres. Nous verrons que les avis sont beaucoup plus partagés pour la période de transition entre les époques du Bronze ancien et du Bronze moyen.

Dans la vallée de l'Euphrate, l'aridité a donc été durable et plus marquée. La nécessité de recourir à l'irrigation se fit d'autant plus pressante que la population s'accrut. Le fleuve, guidé mais non strictement canalisé par le creusement dans la terrasse Q_{0a}, restait dangereux au moment des fortes crues. Toutefois, la migration et le déplacement des méandres élargissent peu à peu le lit majeur, limitant d'autant les éventuels débordements du fleuve sur cette terrasse Q_{0a}. Celle-ci accueille les agglomérations et, surtout, une agriculture en plein essor grâce au développement des techniques d'irrigation.

Le cadre historique

L'histoire politique de la vallée au IIIe millénaire est encore fort peu connue. En dehors d'une mention dans les listes royales sumériennes, qui font de Mari le siège de la Xe dynastie après le déluge, les sources historiques sont muettes jusqu'au XXVe s. Seule l'archéologie nous permet de savoir qu'une première ville, de très grande taille, existait dès la première moitié de ce millénaire. Elle était déjà entourée d'un rempart et d'une digue elle-même surmontée d'un mur [70]. Il faut attendre les années – 2500/– 2400 pour avoir quelques rares éléments d'information d'ordre historique. C'est d'une part une défaite de Mari devant Lagash relatée par une inscription d'Eannatum, le roi de cette ville [71] ; d'autre part, une liste de huit rois de Mari, contemporains de ceux d'Ébla, a pu être reconstituée grâce aux archives d'Ébla [72] tandis que plusieurs noms de rois, qu'il est toutefois difficile de placer chronologiquement, sont connus par des inscriptions votives sur des statues. Ces rois, établis dans une seconde ville construite sur les ruines de la première, menèrent une politique expansionniste qui culmina avec la conquête, par Iblul-El, de vastes territoires, aussi bien vers le nord-ouest, où il détruisit Émar et fit du roi d'Ébla son vassal, que vers le nord-est, sans que l'on puisse préciser les limites géographiques de cette expansion [73]. Toujours est-il que la puissance de Mari fut alors considérable [74] et qu'elle s'exerça sur la majeure partie de la haute Mésopotamie. Elle est perceptible également dans la ville, où sont édifiés un palais, qui sera remanié à plusieurs reprises (palais P3, P2 et P1), et de nombreux édifices cultuels, comme les temples d'Ishtar, d'Ishtarat, de Nini-zaza ou de Ninhursag. Au terme de cette phase de conquêtes, un équilibre s'établit à l'ouest : Mari contrôle l'Euphrate jusqu'à Tuttul, à la confluence du Balikh, alors qu'Émar est dans la zone d'influence d'Ébla. C'est Sargon, vers – 2300 [75], puis son petit-fils, Naram-Sin, vers – 2250, qui mettront un terme à l'hégémonie de Mari ; ils prendront le contrôle de la ville, de toute la région du moyen Euphrate, jusqu'à Ébla, et de la haute Mésopotamie. Mari, qui subit alors des destructions importantes, est incorporée dans le vaste empire akkadien et placée sous l'autorité d'une série de gouverneurs militaires, les *shakkanakku*. D'abord nommés par le souverain d'Akkad, ceux-ci s'émancipèrent rapidement vis-à-vis du pouvoir central et devinrent indépendants, vraisemblablement dès le début du XXIIe s., fondant une dynastie qui se prolongea, bien au-delà de la disparition de l'empire d'Akkad, jusqu'au début du IIe millénaire. Pendant toute la période d'Ur III, sous l'autorité de ces *shakkanakku*[76], Mari, profitant du renouveau du pays sumérien, connut une nouvelle période de grande prospérité. La ville fut restaurée ; de grandes constructions furent entreprises, comme le Grand Palais, le palais oriental ou encore le temple aux lions. Mais c'est aussi à cette époque qu'on édifia sur la digue extérieure un puissant rempart [77] qui vint doubler le rempart intérieur construit dès les origines de la ville. Est-ce le signe de troubles importants ou la volonté d'affirmer sa puissance ? L'histoire événementielle de la région reste inconnue, seule une liste de souverains permettant d'en restituer approximativement le cadre.

L'occupation de la vallée

Si le cadre politique et l'histoire événementielle restent en très grande partie dans l'ombre, l'occupation de la vallée et son aménagement sont désormais mieux connus grâce aux fouilles effectuées sur les deux sites de Tell Hariri/Mari (1) [78]

70 - Les fouilles récentes, engagées depuis 1979, ont permis de mettre en évidence la succession de trois villes (Margueron 1996).

71 - Sollberger et Kupper 1971, IC5b (cf. annexe 3, texte 1).

72 - Archi 1985 a. Un synchronisme entre les souverains des deux villes a été proposé (Archi 1996).

73 - Archi 1985 b, p. 63. Il semblerait cependant (Archi 1990 a, p. 22) que la zone d'influence de Mari ait pu s'étendre jusqu'en Commagène au nord-ouest et en direction de Kirkuk au nord-est.

74 - Les textes trouvés à Ébla mentionnent très souvent Mari qui apparaît alors, avec Kish et Ébla, comme une des trois puissances majeures. En revanche, Terqa est quasiment absente de cette documentation ; A. Archi (1990 b) ne signale que trois mentions.

75 - Bien qu'elle soit intéressante et permette de résoudre un certain nombre de problèmes pour le IIe millénaire, nous n'adopterons pas dans cet ouvrage la nouvelle chronologie ultra-courte établie par H. Gasche, J. A. Armstrong, S. W. Cole et V. G. Gurzadyan (1998). Son utilisation nécessiterait un réexamen de nombreuses données pour la fin du IIIe millénaire et le début du IIe, qui ne relèvent pas du cadre de cette étude. Nous avons préféré employer, malgré ses imperfections, la chronologie moyenne, la plus couramment admise.

76 - Le titre *shakkanakku* est devenu à l'époque d'Ur III un titre à part entière qui désigne le souverain de Mari, sans aucun rapport de dépendance avec les rois d'Ur. Le royaume de Mari était vraisemblablement indépendant.

77 - Margueron 1998 a.

78 - Connue depuis longtemps par les textes (pour le détail des mentions de Mari antérieures à l'identification du site, voir Parrot 1974, p. 17-18), Mari est restée non localisée pendant des décennies. Il est vrai que Tell Hariri était situé à l'écart de l'Euphrate (il n'est pas signalé par Ch. Héraud lors de sa mission de reconnaissance du fleuve en 1922), ainsi que de l'ancienne piste entre Deir ez Zōr et Abu Kemāl, en sorte que sa modeste altitude le laissait pratiquement invisible. Il a néanmoins été signalé par plusieurs voyageurs : A. Musil (1927, p. 11) passe aux ruines d'al-Ḥarîri en avril 1912 ; en mai 1915 il aperçoit depuis la rive gauche la ruine étendue d'al-Ḥarîri (*ibid*., p. 173) ; W. F. Albright et R. P. Dougherty (1926, p. 19-20) y passent en 1925, mais jugent le tell « trop loin de l'Euphrate pour être un bon site pour Mari ». Enfin, V. Müller (1931, p. 13, n. 2) signale « des ruines enterrées d'une ville certainement très importante » à Tell Medkouk, toponyme sous lequel il englobe manifestement les deux sites de Tell Hariri et de Tell Medkūk. Ce n'est qu'en août 1933 que la trouvaille fortuite d'une statue sur le Tell Hariri a attiré l'attention sur ce site ; la fouille menée quelques mois plus tard par A. Parrot a permis de l'identifier avec l'ancienne Mari (sur les conditions de cette découverte et les débuts de la fouille, voir Parrot 1974, p. 10-16). A. Parrot a effectué 21 campagnes jusqu'en 1974 ; on trouvera la liste des principaux rapports et études auxquels elles ont donné lieu dans Parrot 1974, p. 193-206. J.-Cl. Margueron a pris sa succession en 1979 ; les rapports de fouilles sont parus dans la collection *MARI*.

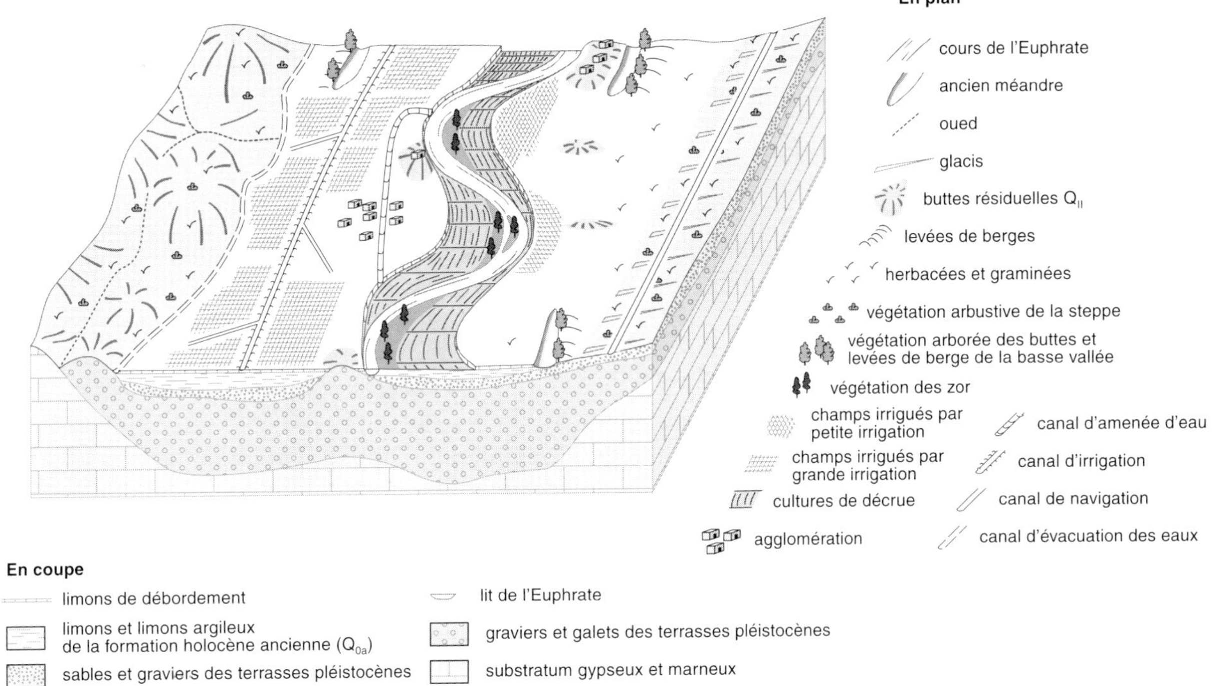

Fig. 9 - Reconstitution schématique de l'environnement et des aménagements de la vallée de l'Euphrate au Bronze ancien.

et d'El 'Ashāra/Terqa (**54**) [79], ainsi que par notre prospection. Dès le début du IIIe millénaire en effet, ce secteur de la vallée de l'Euphrate fait l'objet d'un aménagement sans précédent (**fig. 8** et **9**), dont les traces subsistent encore dans le paysage actuel. Mari et, dans une proportion moindre, Terqa connaissent alors une grande prospérité et un rayonnement considérable.

Mari est une ville neuve [80], fondée *ex nihilo* au Dynastique archaïque 1 par une puissance politique déjà forte, mais qui nous reste inconnue. Les différents sondages qui ont permis d'atteindre le niveau d'origine démontrent qu'il ne s'agit pas de l'extension d'un noyau plus ancien, mais qu'elle a été fondée sur un terrain vierge de toute occupation, vers – 2900/– 2850. Aucune couche antérieure n'a été dégagée dans les sept secteurs, relativement éloignés les uns des autres, où la fouille a atteint la base du tell [81]. Mari a été conçue d'emblée comme une grande ville et, semble-t-il, comme une capitale. Aussi le site choisi pour l'établir est-il particulier et non conforme aux critères qui régissaient jusqu'alors le choix du lieu d'implantation d'un habitat. Pour donner à la ville la taille voulue, un diamètre d'environ 1 900 m (cf. chap. IV, **fig. 18**), ses concepteurs l'ont installée au cœur de la terrasse holocène ; ils bénéficiaient ainsi d'un terrain relativement plat [82] leur permettant d'élaborer un plan circulaire, d'y bâtir sans difficulté les monuments civils et religieux et de ceindre le tout d'un rempart. La ville, à l'abri des crues normales du fleuve, fut protégée des crues exceptionnelles par une digue, qui servit aussi de support à un mur de protection extérieur, puis à un rempart. Mais cet éloignement de l'Euphrate posait

79 - Ce site a été identifié dès 1910 par E. Herzfeld (1914, p. 131-139) qui, de passage à El 'Ashāra, eut entre les mains une tablette cunéiforme akkadienne relatant la construction d'un temple au dieu Dagan à Terqa, révélant ainsi le nom du site ; en fait, F. Thureau-Dangin (1908, p. 193) avait déjà proposé cette identification. Une petite campagne de fouilles eut lieu en 1923 (Thureau-Dangin et Dhorme 1924), qui permit d'obtenir une séquence chronologique remontant jusqu'au IIIe millénaire. Entre-temps, A. Musil (1927, p. 9) passe à El 'Ashāra en 1912 et fait une brève description du site. Il hésite entre ce site et celui voisin de Ḳrejje (El Graiye) pour localiser l'ancienne Terqa (*ibid.*, p. 198). Malgré la découverte fortuite en 1948 d'une stèle assyro-araméenne, il fallut attendre l'année 1975 pour voir le site exploré de manière plus systématique par une mission américaine qui a publié plusieurs rapports préliminaires (*TPR*) ou finaux (*TFR*). Une mission française y travaille depuis 1987 (Rouault 1991, 1993-1994, 1994 ; Rouault [éd.] 1997). Une synthèse rapide, mais commode, a été rédigée par M. Chavalas (1996).

80 - Margueron 1987 b ; 1988 b, p. 41-45.

81 - La base du tell a été atteinte à la limite nord actuelle du tell au chantier B, où dix couches se succèdent sans hiatus (Margueron 1987 a, p. 22) ; sous le temple d'Ishtar (fouille inédite de 1997) ; sous le palais présargonique P3 (chantier PEC, Margueron 1995, p. 4) et à proximité (chantier H, fouille inédite de 1998) ; sous le temple de Ninhursag (chantier G, fouille inédite de 1999) ; dans les secteurs de la ceinture extérieure (Margueron 1998 a, p. 3) et du rempart intérieur (chantier J, fouille inédite de 1999). Les renseignements sur les fouilles inédites nous ont été communiqués par J.-Cl. Margueron.

82 - Les sondages ont confirmé que l'altitude de la base des niveaux archéologiques est à peu près la même partout.

le double problème de l'approvisionnement en eau et en matières pondéreuses. Il fut résolu par le creusement d'un canal d'amenée d'eau : dérivé de l'Euphrate à quelques kilomètres en amont, ce canal pénétrait à l'intérieur même de la ville, du moins de la ville basse, et rejoignait le fleuve un peu en aval du site. Il est fort probable que, de part et d'autre de cette voie d'eau, des machines élévatoires rudimentaires permettaient d'irriguer les terres avoisinantes.

Les concepteurs de Mari ne se sont, en effet, pas contentés de bâtir une ville nouvelle. Même enrichie par les taxes qu'elle ne manquait pas de percevoir grâce au contrôle qu'elle exerçait sur le trafic sur l'Euphrate, la cité n'aurait pas eu les moyens de survivre si elle n'avait eu la garantie d'un approvisionnement minimal en céréales, dépendant d'une production locale. Or les quelques cultures réalisables en lisière de la terrasse Q_{0a} grâce à une petite irrigation de proximité, même augmentées des cultures de décrues, praticables sur le lit majeur après la fin de l'inondation, étaient insuffisantes à assurer cet approvisionnement. Seule une mise en valeur optimale de son territoire le rendait possible. À cette fin, l'alvéole dans laquelle se trouvait Mari, et qui offrait une surface cultivable importante, fut aménagée ; on construisit un grand canal d'irrigation qui traversait l'alvéole sur toute sa longueur, permettant d'exploiter la quasi-totalité de la terrasse holocène. Un canal plus petit fut creusé à la périphérie de l'alvéole, au pied des glacis descendant du plateau, d'une part pour drainer les eaux résiduelles des crues qui stagnaient dans ces zones basses, d'autre part pour éviter que les eaux de ruissellement descendant du plateau n'inondent les terres cultivables et n'augmentent les risques de salinisation des terres.

Les autres alvéoles, notamment les deux alvéoles de rive droite situées en amont, celle de Mōhasan et celle d'El ʻAshāra où se trouvait Terqa, furent probablement aménagées de la même façon ; le Nahr Saʻīd, attesté à l'époque islamique, a peut-être repris une partie d'un ouvrage plus ancien. En rive gauche, l'éventuel aménagement des alvéoles est plus difficile à cerner. Sans doute des canaux d'irrigation, réutilisés postérieurement ou disparus, existaient-ils aussi. Il faut cependant rappeler que les terres de rive droite se prêtaient mieux à la grande irrigation par gravité que celles de rive gauche [83] et que ce sont sans doute celles qui ont fait l'objet des aménagements les plus développés et les plus nombreux.

Un autre canal, connu de nos jours sous le nom de Nahr Dawrīn, a vraisemblablement été construit dès les origines de Mari, cette fois en rive gauche. Sa longueur et ses caractéristiques ne permettent pas *a priori* de l'interpréter comme un ouvrage destiné originellement à l'irrigation. Il est probable qu'il s'agissait d'un canal de navigation permettant de relier le Khābūr à l'Euphrate aux environs de Mari. Deux objectifs, destinés à favoriser le commerce et les transferts de marchandises, ont pu être assignés à cet ouvrage : il s'agissait d'une part de raccourcir le trajet, en l'occurrence d'un quart environ de la longueur équivalente par les voies d'eau naturelles, d'autre part de faciliter la navigation, notamment à la remonte, et de la rendre possible sur une période plus longue dans l'année que sur le fleuve, difficile à naviguer aussi bien par basses eaux que par trop hautes eaux.

La création de Mari et l'aménagement de l'ensemble de la vallée semblent donc être allés de pair. Il en ressort que l'une et l'autre relèvent de la mise en œuvre d'un programme politique de grande envergure destiné à faire de cette région une puissance politique de premier plan [84], statut que son seul environnement ne lui permettait guère *a priori* de briguer. Comment expliquer un tel aménagement de l'ensemble de la vallée dès le début du IIIe millénaire ? Qui a fondé Mari et pourquoi ? Les acteurs de cet aménagement semblent avoir été d'origine locale ; ils connaissaient bien l'environnement, ses contraintes, mais aussi ses atouts et savaient quelles réponses apporter aux problèmes posés par cette implantation géographique particulière. Ils ont su faire preuve d'une faculté d'adaptation qui a toujours été l'apanage des habitants des régions arides. Dès lors, on peut émettre deux possibilités : les fondateurs de Mari venaient de Terqa ou de l'alvéole même de Mari, par exemple d'Er Ramādi [85].

La première hypothèse supposerait l'antériorité de Terqa. En l'état actuel de nos connaissances, il n'est pas possible de l'affirmer. Si la fondation de Mari est à peu près établie vers le XXIXe s. av. J.-C., il n'en va pas de même pour Terqa où les fouilles n'ont pu atteindre de façon significative la base du tell [86], en sorte que nous ne savons pas pour l'instant si cette cité fut créée de toutes pièces ou si elle se développa à partir d'un noyau antérieur. Les vestiges les plus anciens qui y ont été retrouvés datent du début du IIIe millénaire [87] ; il s'agit des restes d'une imposante muraille pour laquelle G. Buccellati restitue un tracé plus ou moins circulaire de près de 2 km de circonférence, ce qui suggère que la ville s'étendait plus à l'est et au nord, mais que le fleuve l'aurait fortement rognée [88]. Cette muraille, constituée

83 - Cf. chap. v, p. 175.

84 - Ce point de vue a déjà été développé par J.-Cl. Margueron (1987 b, p. 498 ; 1990 b, p. 177 ; 1991 b, p. 85). Toutes les données qui viennent d'être développées rendent caduque l'hypothèse formulée par B. Lyonnet (1998 et 2000, p. 20, n. 34), selon laquelle Mari aurait été un « centre de rassemblement de nomades » et non une ville. Cette hypothèse ne tient aucun compte des faits archéologiques révélés par la fouille (entre autres, Margueron 1998 a) et rejette en bloc ceux provenant de la prospection (Geyer et Monchambert 1987 b).

85 - On ne peut évidemment exclure qu'ils venaient d'un site aujourd'hui disparu, détruit par le fleuve.

86 - Deux sondages ont atteint la base du tell, mais leur taille réduite (2 m sur 1 m pour celui du chantier M) et leur localisation excentrée les rendent peu significatifs (Ozer 1997, p. 118 ; Limet et Tunca 1997, fig. 21 b).

87 - Nous avons vu précédemment qu'une occupation aux époques d'Obeid et d'Uruk n'est pas clairement attestée.

88 - Buccellati et Kelly-Buccellati 1978, p. 21-22 ; repris par M. Chavalas (1996). La configuration topographique confirme effectivement des sapements importants par l'Euphrate au nord du site. À l'est, les destructions, évidentes, paraissent avoir été plus limitées.

de trois murs concentriques qui correspondent à trois phases successives de construction, situées entre – 2900 et – 2700, atteint au total une épaisseur d'environ 20 m. Une telle muraille est vraisemblablement le signe de l'importance et de la puissance politique de Terqa dès le début du IIIe millénaire. Cependant, en l'absence de bâtiment et de document écrit remontant à cette période, il n'est pas possible de caractériser cette puissance ni de préciser la nature de ses relations avec Mari.

Il reste à comprendre les raisons qui auraient poussé les gens de Terqa à créer Mari à une soixantaine de kilomètres en aval. Est-ce la topographie de la vallée, dont la falaise de Bāqhūz impose que le canal de rive gauche rejoigne enfin le cours du fleuve ? Pour J.-Cl. Margueron [89], Terqa aurait été fondée avant Mari, dans le but de contrôler les échanges entre la Syrie du Nord, le Khābūr et la Mésopotamie, mais la construction du canal aurait affaibli la position de Terqa, dans la mesure où cette cité ne pouvait exercer de contrôle direct sur ce canal. La nécessité de répondre à cet inconvénient aurait entraîné la création de Mari plus près de son débouché. De fait, le site de cette nouvelle implantation offrait l'avantage de se trouver à proximité du verrou de Bāqhūz et de permettre de contrôler efficacement le trafic qui empruntait le canal.

On peut aussi émettre l'hypothèse que Mari a été fondée par les habitants d'une autre agglomération située dans son alvéole, par exemple par ceux d'Er Ramādi [90]. Comme nous l'avons vu précédemment, ce site, implanté à l'un des points de blocage du fleuve, pouvait, à l'époque d'Uruk, surveiller le trafic fluvial. Peut-être l'intensification de ce trafic à la fin du IVe et au début du IIIe millénaire a-t-elle paru un élément décisif qui aurait poussé les autorités d'Er Ramādi à en tirer un meilleur profit. Les revenus provenant des taxes imposées sur toutes les marchandises en transit, l'aménagement d'un grand canal de navigation en rive gauche faciliterait ce trafic et le ferait croître. Mais Er Ramādi, dont les possibilités d'agrandissement étaient limitées du fait de sa position à proximité immédiate du fleuve (cf. chap. IV, **fig. 24**), ne pouvait se développer suffisamment pour profiter des activités en plein essor. Or Mari s'est révélée avoir été dès l'origine un important centre métallurgique [91], qui confectionnait et revendait des produits finis en bronze, obtenus par la transformation de l'étain et du cuivre, matières premières importées grâce au fleuve, la première du Taurus, la seconde d'Iran. Er Ramādi ne pouvant devenir ce grand centre artisanal et commercial, ni se transformer en capitale, la décision aurait été prise de créer une ville neuve et d'y transférer les symboles du pouvoir, en un endroit qui offrait de nombreux avantages. Le contrôle du fleuve, celui du canal de rive gauche et celui de la route terrestre de rive droite n'apparaissaient sans doute pas des moindres [92].

Il n'est pas inintéressant de constater qu'en amont, la situation est à peu près la même pour l'installation urukéenne d'El Graiye 2, située à quelques kilomètres au nord de Terqa et elle aussi en un point de contrôle du fleuve. On peut penser que ses habitants aient été les fondateurs de Terqa.

Globalement, l'aménagement de la vallée constitua l'infrastructure autour de laquelle la vie s'organisa pendant tout le IIIe millénaire. Il est vraisemblable que des remises en état furent nécessaires après des périodes de repli, voire d'abandon, comme celle que J.-Cl. Margueron [93] pense pouvoir détecter à Mari vers le XXVIIe ou le XXVIe siècles. La deuxième ville qui s'édifia sur les décombres de la précédente s'installa à l'intérieur de la digue circulaire, reprit le tracé des remparts extérieurs et réutilisa le canal d'amenée d'eau sans lequel elle ne pouvait exister. Plus tard, les *shakkanakku* réutilisèrent une fois de plus l'infrastructure existante, lorsqu'ils entreprirent de construire la troisième ville.

Mari et Terqa ne furent pas deux agglomérations isolées chacune dans son alvéole ; elles s'appuyaient sur tout un réseau de villages établis sur les deux rives du fleuve. L'image que nous avons de l'occupation de la vallée reste cependant floue, car si onze sites contemporains (dont deux probables) ont été repérés, il est certain que d'autres ont disparu, soit à cause de l'Euphrate, soit parce qu'ils sont désormais masqués par l'alluvionnement. L'image de leur répartition (cf. **fig. 8**) est donc biaisée. Si l'on se réfère aux seuls résultats de notre prospection, deux alvéoles paraissent avoir été plus densément peuplées, celles de Dībān et de Tell Hariri, tandis que subsistaient de grandes zones vides. En rive gauche, à l'aval de Taiyāni 1 (**67**), seul le site de Tell Abu Hasan (**9**) aurait alors été occupé ; en rive droite, les deux alvéoles amont seraient demeurées désertes, à l'exception de Terqa. Il est évident que l'habitat était alors beaucoup mieux réparti sur l'ensemble de la vallée. La plupart des sites retrouvés sont installés sur des buttes résiduelles de la formation Q_{II} ou sur d'anciennes levées de berge, sur le rebord de la terrasse holocène ou à proximité, en sorte qu'ils se trouvaient non loin du fleuve. Tel est le cas, en rive gauche, de Dībān 7 (**109**), Dībān 1 (**64**), Taiyāni 1 (**67**), Tell Abu Hasan (**9**) et probablement de Buseire 1 (**75**) à la confluence avec le Khābūr, et, en rive droite, d'Er Ramādi (**4**) et d'Es Saiyāl 5 (**14**) dont la datation n'est toutefois pas assurée. Deux d'entre eux se localisent sur la terrasse holocène ancienne Q_{0a} : Dībān 4 (**84**), à distance du fleuve, mais en bordure du grand canal de rive gauche, et Ghabra (**21**), peu au sud de Mari et qui devait profiter des aménagements suscités par cette dernière. Deux

89 - Margueron 1990 b, p. 182-183 ; 1991 b, p. 91-93.

90 - Hypothèse déjà émise par J.-Cl. Margueron (1991 b, p. 93).

91 - Margueron 1996, p. 15.

92 - Margueron 1991 b, p. 91.

93 - Margueron 1996, p. 16-17.

autres sites, Dheina 3 (**82**) et 4 (**83**), se trouvent dans un oued, le Wādi Dheina. Ils ont été implantés à hauteur d'une barre rocheuse qui rétrécit le lit de l'oued, créant une poche naturelle où l'eau reste piégée, enfouie dans les sédiments, ce qui autorise *a priori* des installations permanentes. On ne saurait cependant affirmer, sans fouilles, le caractère sédentaire de ces deux sites : un environnement rude, des ressources en eau, certes probablement pérennes mais limitées, des installations isolées, plaident pour une économie fondée sur l'élevage, à moins qu'il ne s'agisse d'un lieu d'étape sur une des routes qui traversaient la steppe en direction de l'ouest.

L'image de la basse vallée de l'Euphrate syrien, telle que nous pouvons la restituer pour le Bronze ancien, est donc celle d'une région fortement aménagée, dans laquelle l'essentiel des ressources disponibles était exploité. Au regard des moyens techniques alors connus, la mise en valeur en fut maximale. Pour la première fois dans l'histoire de la vallée, nous sommes en présence d'un « monde plein ».

LE BRONZE MOYEN (**fig. 10**)

Grâce aux archives retrouvées à Mari et à Terqa, le Bronze moyen est l'époque la mieux documentée de toute l'histoire de la région. Les milliers de tablettes nous renseignent non seulement sur les événements politiques et diplomatiques, mais aussi sur l'administration du royaume des Bords-de-l'Euphrate, sur sa gestion économique et sur la vie quotidienne. En fait, ce n'est que le demi-siècle qui précède la fin de Mari, c'est-à-dire la première moitié du XVIIIe siècle, qui est ainsi documenté, et, au sein de cette période déjà bien courte, plus précisément les quatorze années du règne de son dernier roi, Zimrî-Lîm. Or, beaucoup de choses avaient changé depuis les origines de la ville et même depuis la fin du IIIe millénaire. Le contexte politique était devenu fort différent. Paradoxalement, c'est un royaume en déclin que les tablettes font revivre avec forces détails.

LE CONTEXTE NATUREL

Les opinions concernant les conditions climatiques qui prévalaient en Syrie aride au moment de la transition Bronze ancien-Bronze moyen sont étonnamment divergentes. F. Braemer et J.-C. Échallier [94] constatent, dans la région de Khirbet el-Umbashi (Syrie aride méridionale), une aridité à peu près semblable à l'actuelle durant tout le IIIe millénaire et qui n'aurait « pas changé (ni péjoration, ni amélioration) à la période de transition Bronze ancien/Bronze moyen ». Les analyses effectuées par G. Willcox [95] sur des macrorestes végétaux récoltés à Khirbet el-Umbashi donnent lieu à des interprétations un peu plus nuancées, puisque l'auteur perçoit un changement dans la végétation : durant le Bronze moyen apparaissent des espèces steppiques qui remplacent peu à peu celles qui constituaient l'association forêt-steppe (*Quercus*, *Pistacia atlantica* et *Amygdalus*) du Bronze ancien, sans toutefois les supplanter totalement. L'auteur admet cependant que cette évolution a pu résulter tout aussi bien d'une surexploitation des arbres que de l'apparition de conditions climatiques plus arides. Les échantillons ayant été prélevés sur des sites archéologiques, il n'exclut même pas la possibilité que la différence de fréquence des espèces observée ne soit due à un problème d'échantillonnage ou à une utilisation préférentielle par l'homme. Les recherches effectuées sur le haut Khābūr ont conduit à des interprétations plus fondamentalement différentes de celles évoquées ci-dessus puisque, selon M.-A. Courty [96], le climat actuel ne se serait mis en place progressivement qu'à partir de 3500 BP (soit 1900-1800 av. J.-C.), la période allant de *ca* 3800 BP à 3500 BP (soit ± 2200 à 1900 av. J.-C.) ayant eu à subir une importante oscillation climatique. Cette dernière aurait été caractérisée, en haute Jézireh syrienne, par une augmentation brutale de l'aridité [97], ayant entraîné une « dégradation environnementale considérable des paysages » [98] et une baisse importante des potentialités agro-pastorales. Il en aurait résulté une forte diminution de la productivité agricole, l'abandon de Tell Leilan, la désertion et la désertification des campagnes environnantes, et, probablement, l'effondrement de l'empire d'Agadé. Le débat engendré par ces hypothèses n'est certes pas clos. Les conclusions très différentes, et parfois opposées, formulées par les intervenants au colloque *Third Millenium BC Climate Change and Old World Collapse* [99], concernent la réalité même de cette phase aride, le moment où elle s'est produite, son importance et ses conséquences sur les paysages et sur les sociétés contemporaines, ce qui ne permet pas de se faire une idée précise des phénomènes incriminés. Du moins en ressort-il qu'il s'est incontestablement produit, aux alentours de 2000 av. J.-C. (estimation fondée sur des dates ^{14}C), un accident climatique [100], qui a laissé des traces dans différentes régions de l'Asie occidentale et qui y a eu pour conséquence une aggravation, au moins locale, de l'aridité. Mais il faut souligner que, en l'état actuel des recherches, la cause de ce phénomène est incertaine et son ampleur très mal cernée, même sur le haut Khābūr occidental [101], région où il a été mis en évidence pour la première fois. Le parallèle chronologique établi avec des événements historiques

94 - BRAEMER et ÉCHALLIER 1995, p. 351.
95 - WILLCOX 1999, p. 714-715
96 - COURTY 1994, p. 54.
97 - WEISS *et al.* 1993 ; COURTY 1994, p. 51-53.
98 - COURTY 1994, p. 52.
99 - DALFES *et al.* (éd.) 1997.
100 - Cet événement aurait été enregistré jusque dans les sédiments marins, ainsi que le rapporte R. A. Kerr (1998) qui cite des analyses réalisées sur des carottes marines prélevées dans le golfe d'Oman.
101 - LYONNET 2000, p. 8 et 16.

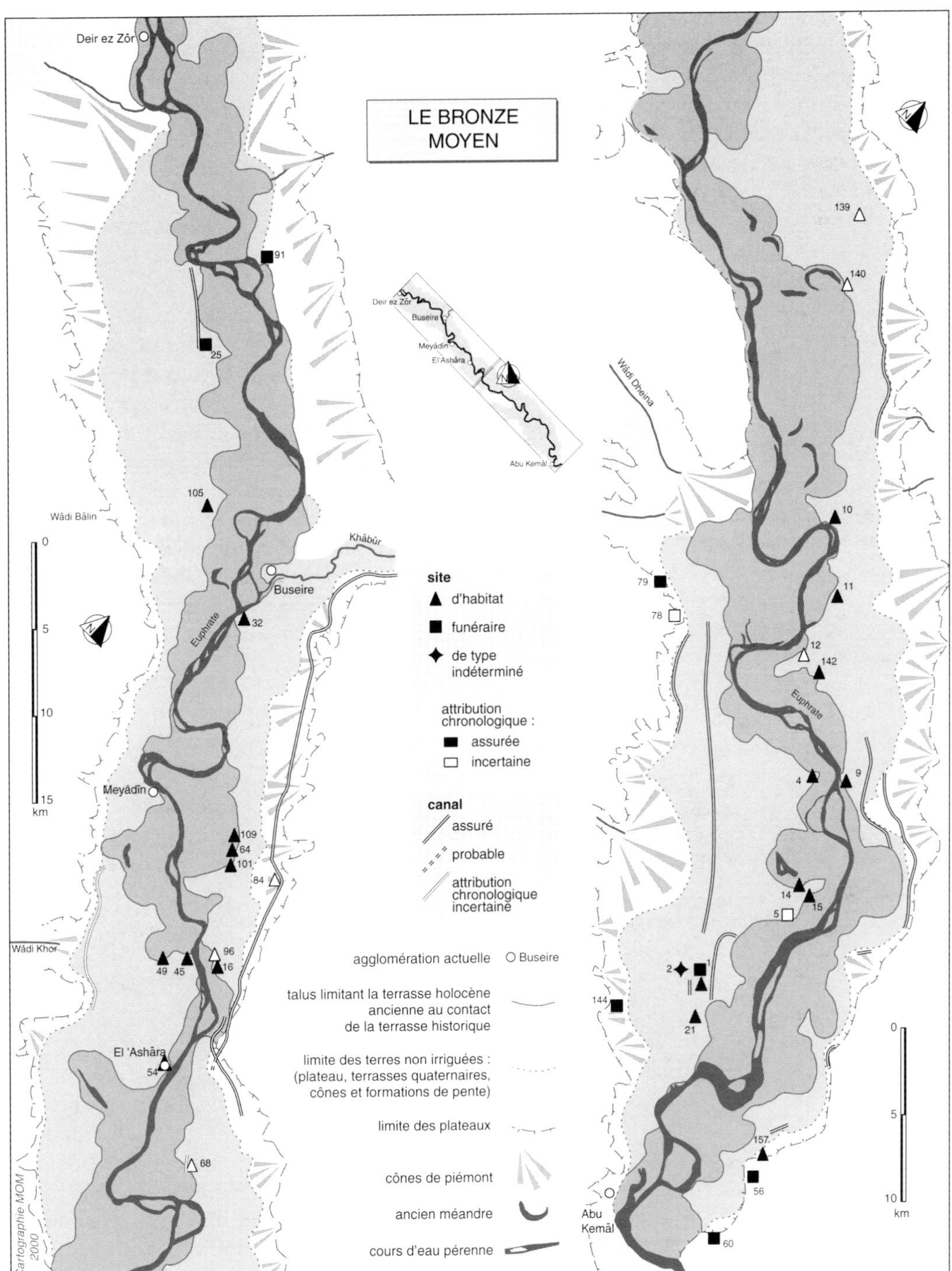

Fig. 10 - La basse vallée de l'Euphrate syrien. Les sites et les aménagements du Bronze moyen.

(notamment l'effondrement de l'empire d'Agadé) semble lui-même sujet à caution, au moment où les polémiques sur les chronologies longue ou courte redoublent d'intensité et où est proposée une chronologie, que l'on peut qualifier « d'ultra-courte », qui introduit un rajeunissement de près d'un siècle [102].

Pour la région qui nous intéresse ici, il semble que les conditions climatiques, au Bronze moyen, n'ont guère dû être différentes de celles que connaît la vallée actuellement, et qui sont, rappelons-le, fondamentalement marquées par l'aridité. Elles furent peut-être quelque peu plus sévères au moment de la transition Bronze ancien-Bronze moyen. Les

102 - Gasche *et al.* 1998.

conditions de l'occupation du sol n'ont cependant pas fondamentalement changé par rapport à la période précédente. Le fleuve empruntait toujours un lit unique à méandres, mais de plus en plus divagant. Le domaine compris entre les talus qui limitent la terrasse Q_{0a} eut tendance à s'élargir (**fig. 11**), offrant aux inondations un espace plus important, ce qui limitait d'autant les occasions de débordement sur la terrasse Q_{0a}. Les données dont nous disposons ne sont cependant pas suffisamment précises pour entrer plus dans le détail, notamment pour ce qui concerne une éventuelle modification des conditions de l'irrigation, donc de la mise en valeur.

Le cadre historique

Suite à l'effondrement de l'empire d'Ur III, le Proche-Orient entra dans une période troublée. L'éclatement de l'empire donna naissance à de nombreux états qui essayèrent d'établir leur hégémonie, comme Isin, Larsa ou encore Uruk en basse Mésopotamie, Ešnunna dans la Diyala, Assur en Assyrie. Les conflits furent nombreux. L'on assista aussi à de vastes mouvements de populations, déjà initiés dans le dernier tiers du IIIe millénaire : des nomades venus de l'ouest, les Amorrites, s'implantèrent un peu partout en Mésopotamie, se mêlant aux populations locales et prenant peu à peu le pouvoir.

C'est une situation équivalente qui semble avoir prévalu à Mari et dans sa région à la fin du XIXe s., lorsque l'histoire de la région nous est à nouveau documentée, après une période de silence d'une durée encore imprécise, de l'ordre d'un siècle.

Pendant cette période obscure, la dynastie des *shakkanakku* qui semble s'être maintenue pendant la majeure partie du XXe s. finit par disparaître. La vallée de l'Euphrate serait alors devenue une zone d'instabilité politique [103]. Occupée et plus ou moins maîtrisée par les nomades en cours de sédentarisation, elle aurait été morcelée en de nombreux petits « États » constitués autour de chaque centre urbain et gouvernés par des souverains amorrites. Mari aurait alors été une « ville déchue », qui aurait perdu son importance militaire et politique au profit d'une autre localité. Au mieux, elle n'aurait donc été que l'une de ces « capitales », souvent éphémères, au même titre que Ṣuprum (Tell Abu Hasan

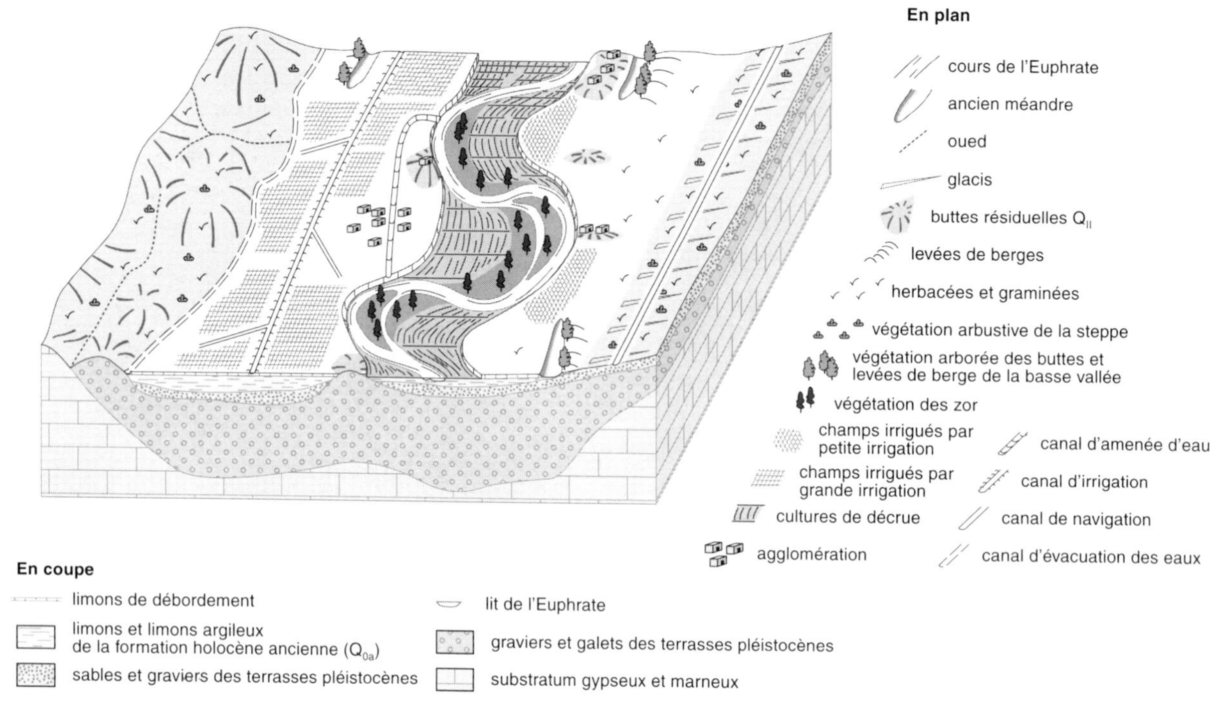

Fig. 11 - Reconstitution schématique de l'environnement et des aménagements de la vallée de l'Euphrate au Bronze moyen.

103 - DURAND 1985, p. 169-170. La prudence nous semble s'imposer ici, car nous n'avons aucune preuve d'une telle instabilité, qui est induite du silence des sources écrites. Les fouilles, quant à elles, ne fournissent aucun élément permettant de dire que la ville aurait été abandonnée pendant un siècle, qui plus est en raison d'un manque d'autorité politique ; les reprises de murs et les réparations visibles sur certains édifices sont des signes d'une usure banale, que l'on peut observer dans le cadre de la vie normale d'un bâtiment.

[9][104]) et Terqa[105] ; au pire, elle serait passée sous le contrôle d'une autre cité, telle Ešnunna[106].

À la fin du XIXe s., Yaggid-Lîm, d'origine bensim'alite, est établi à Ṣuprum, d'où il semble contrôler Mari ; lui, ou son fils Yahdun-Lîm, transfère ensuite le siège de sa royauté dans cette dernière[107]. Yahdun-Lîm redonne du lustre à la vieille cité ; il étend peu à peu son autorité sur le moyen Euphrate[108] jusqu'au Balikh au détriment des Benjaminites, puis le long du Khābūr jusqu'au piémont du Taurus où, malgré l'opposition de Šamši-Adad, le roi d'Ekallâtum[109], il s'assure une importante source d'approvisionnement. Il restaure les murailles de Mari et de Terqa, les deux villes les plus importantes du royaume des « Bords-de-l'Euphrate », et mène une politique d'aménagement du territoire, en faisant (re)creuser des canaux et en construisant des villes[110].

Šamši-Adad renverse le successeur de Yahdun-Lîm et s'empare de Mari peu après – 1800, se constituant ainsi le vaste royaume de Haute-Mésopotamie, qui s'étend du Balikh à l'ouest jusqu'au Tigre à l'est. Il en confie à son fils aîné, Išme-Dagan, la partie orientale avec Ekallâtum comme capitale ; il donne à son autre fils, Yasmah-Addu, l'administration de Mari et de la moitié occidentale de son royaume jusqu'à Tuttul, lui-même résidant à Šubat-Enlil (Tell Leilan) et supervisant de là ce double gouvernement. Le règne de Yasmah-Addu est marqué par des crises locales, comme une attaque de nomades contre Ṣuprum qui aboutit à sa prise temporaire, mais aussi par de fréquentes campagnes militaires vers le nord et l'ouest pour aider son père à réprimer des révoltes et à contrecarrer l'influence et les prétentions des rois d'Alep et d'Ešnunna. C'est au cours d'une campagne contre le roi d'Alep que meurt Šamši-Adad en – 1775. Cette mort marque la fin du royaume de Haute-Mésopotamie, qui se disloque en une multitude de petits États. À Mari, Yasmah-Addu disparaît lui aussi, remplacé par Zimrî-Lîm, sans doute un neveu de Yahdun-Lîm[111].

L'action politique de Zimrî-Lîm se situe dans le prolongement de celle de Yahdun-Lîm. Après avoir conclu une alliance avec le roi d'Alep en épousant la fille de ce dernier, il entreprend de restaurer le royaume qu'avait constitué Yahdun-Lîm. Très rapidement, son territoire s'étend du Balikh à Hit en incluant le Khābūr. La prise de Kahat lui permet de contrôler le piémont du Taurus, l'Idamaraṣ[112], région fertile et économiquement importante tant pour l'approvisionnement en céréales que pour le pacage des moutons. Mais l'unification du pays ne se réalise pas sans difficultés : deux groupes ethniques rivaux occupaient ce territoire, les Benjaminites et les Bensim'alites[113]. D'origine bensim'alite, Zimrî-Lîm dut réprimer plusieurs révoltes de cheikhs benjaminites. Ceux-ci finirent par lui apporter leur soutien. Cette réconciliation coïncida avec une victoire sur Ešnunna en –1770, après une très chaude alerte qui vit l'ennemi aux portes de Mari, et marqua le début d'une période de relative tranquillité qui dura quatre ans.

La situation internationale se dégrada à nouveau : en – 1765, les Élamites prirent Ešnunna et, si Zimrî-Lîm commença par s'en réjouir, il dut très rapidement intervenir contre les Élamites qui pénétraient à l'intérieur de son propre royaume, en haute Jézireh, et conclut une alliance avec Hammurabi de Babylone, lui aussi menacé. Tous deux, avec l'appui de Yarim-Lîm d'Alep, chassèrent les Élamites de Babylonie. Il prêta ensuite main forte à Hammurabi dans la lutte qui l'opposait à Rîm-Sîn de Larsa, tout en menant dans le nord des opérations contre Išme-Dagan d'Ekallâtum. Quelques mois plus tard, il prit le parti du roi d'Ešnunna contre les visées expansionnistes d'Hammurabi. Ce dernier l'emporta néanmoins et se retourna contre Zimrî-Lîm ; il prit Mari en – 1761, pillant et détruisant le palais[114]. La ville, privée de son centre administratif et politique, perdit aussitôt son importance au profit de Terqa, la capitale religieuse. Elle ne se releva jamais de cette défaite[115].

L'histoire de la vallée après la chute de Mari est encore mal connue ; elle semble avoir été assez complexe. Terqa devint la capitale de la région, le royaume de Khana, tout en restant un important centre religieux. La liste des rois qui se

104 - Identification proposée par W. F. Albright et R. P. Dougherty (1926) qui ont localisé à Tell Abu Hasan la Supru des annales néo-assyriennes de Tukultī-ninurta II (voir chap. IV). Repris par J.-M. Durand (1990 a, p. 117). En 1915, A. Musil passa par ce site (Tell al-Bahasna) qu'il identifia avec la ville néo-assyrienne d'Aḳarbani/Naḳarabani (MUSIL 1927, p. 174 et 204). Un sondage y fut effectué au début 1937 par des membres de la mission de Mari. Le sondage fut arrêté à 8 mètres de profondeur, après avoir atteint des niveaux « contemporains de la Ire dynastie de Babylone ». Cependant, aucune indication précise sur les trouvailles qui y ont été faites ne figure dans le bref compte rendu de A. Parrot, en dehors de « fragments identiques à certains du Palais de Mari » (PARROT 1938, p. 27-29), non plus que dans l'article de R. Cans (1938, p. 355).

105 - DURAND 1985, p. 168-171.

106 - DURAND 1998, p. 144.

107 - Yaggid-Lîm : DURAND 1997, p. 43 ; Yahdun-Lim : DURAND 1985, p. 168 et CHARPIN et DURAND 1985, p. 294.

108 - Il glorifie lui-même son action militaire sur des briques de fondation du temple de Shamash (SOLLBERGER et KUPPER 1971, IVF6b, p. 245-247).

109 - La localisation de cette ville reste incertaine ; elle devait se trouver sur le Tigre non loin d'Assur.

110 - SOLLBERGER et KUPPER 1971, IVF6a, p. 244 (cf. annexe 3, texte 5).

111 - Pour la chronologie de toute cette époque, voir CHARPIN et DURAND 1985.

112 - Région située entre les cours supérieurs du Khābūr et du Balikh.

113 - Si les Benjaminites occupaient plutôt la vallée de l'Euphrate et la partie occidentale de la Jézireh et les Bensim'alites plutôt le nord, ces deux groupes étaient présents dans la région de Mari, où chacun disposait de bases importantes. Ainsi, Appan était-elle une localité bensim'alite, Mišlan une place forte benjaminite, avec ses remparts que Zimrî-Lîm fut contraint de détruire au début de son règne pour mater une rébellion (VILLARD 1984, p. 484).

114 - Sur cette destruction, voir MARGUERON 1990 c.

115 - Seuls le Palais, les remparts et, semble-t-il, certains bâtiments administratifs furent détruits, en tant que symboles du pouvoir. La ville continua à exister, au moins pendant l'époque de Khana, ce qu'atteste du matériel archéologique provenant du chantier E (MARGUERON 1994) et du Palais (PARROT 1962, p. 173). Par la suite, une occupation est attestée aux époques médio-assyrienne (cimetière dans les ruines du Palais, traces d'habitat au chantier E) et séleuco-parthe (MARGUERON 1994).

succédèrent sur le trône de Terqa a été en grande partie reconstituée [116]. Leur statut n'est pas toujours établi : s'agissait-il de rois indépendants ou de vassaux des rois de Babylone ? Il semble que la situation ait changé plusieurs fois et que le contrôle de Babylone ait pu s'exercer directement, notamment sous Ammi-ṣaduqa de Babylone (1646-1626).

Occupation du sol et mise en valeur

Au Bronze moyen, la vallée semble être plus densément occupée qu'au IIIe millénaire. C'est du moins ce que suggère le nombre de sites d'habitat : 27 ont été retrouvés (21 assurés et 6 incertains), soit un peu plus du double que pour le Bronze ancien. Là encore, ce nombre est certainement inférieur à la réalité de l'époque. Les archives de Mari mentionneraient en effet au moins 114 localités [117] : même si certaines n'étaient peut-être que des hameaux, voire des fermes, la différence est notable.

C'est l'ensemble du territoire qui est occupé. Les sites sont répartis sur toute la longueur de la vallée et sur les deux rives, 17 étant implantés en rive gauche, 10 en rive droite ; cela corrobore aussi l'image qu'en donnent les textes de Mari.

La stratégie d'implantation reste la même qu'au Bronze ancien. Plusieurs sites voient d'ailleurs leur occupation se poursuivre d'une période à l'autre : c'est le cas pour Mari bien sûr, mais aussi pour Dībān 1 (**64**) et 7 (**109**), Tell Abu Hasan (**9**) en rive gauche, El 'Ashāra-Terqa (**54**) [118], Er Ramādi (**4**), Es Saiyāl 5 (**14**), Ghabra (**21**) en rive droite. Quelques implantations se réinstallent sur des sites occupés plus anciennement, comme Jebel Masāikh (**16**) ou El Graiye 2 (**45**), apparemment occupé dans le deuxième quart du IIe millénaire, à l'époque de Khana [119], après l'avoir été au IVe millénaire. Les implantations nouvelles sont localisées sur le rebord de la terrasse holocène, à proximité du fleuve, souvent sur des buttes. Les exceptions sont rares. La plus importante concerne Mōhasan 1 (**25**, peut-être Dûr-Yahdun-Lîm), implanté à l'intérieur de la terrasse holocène et à l'écart du fleuve ; comme pour Mari mille ans plus tôt, à moins que la fondation de ce site ne soit beaucoup plus ancienne, sinon contemporaine de celle de la capitale [120], le problème de l'approvisionnement en eau qui en résulte est réglé par le creusement d'un canal d'amenée d'eau depuis l'Euphrate. Une seconde exception est le site d'Es Salu 5 (**105**), pour lequel nous n'avons toutefois pas repéré de canal d'amenée d'eau, mais le site n'est qu'à quelques kilomètres en aval de Mōhasan 1 et dans l'axe du canal de Mōhasan, dont on peut penser qu'il se prolongeait jusque-là. Les canaux d'irrigation en revanche n'ont pas attiré d'habitat, signe qu'ils ne fonctionnaient pas toute l'année.

Au début du Bronze moyen, l'aménagement de la vallée resta fondamentalement le même qu'au Bronze ancien. Le canal d'amenée d'eau de Mari était toujours en usage ; il le resta tout au long de la période troublée, la ville, d'après les données des fouilles, n'ayant pas été abandonnée. Mōhasan 1 (**25**) bénéficiait d'un aménagement du même type.

Le grand canal de rive gauche (le Nahr Dawrīn) demeura vraisemblablement fonctionnel. Il connut peut-être une période d'abandon au XIXe s., si la vallée était effectivement morcelée ; ce canal, en raison de sa longueur, ne peut fonctionner que si l'ensemble de son tracé est sous le contrôle d'une seule et même autorité. Toujours est-il que ces dernières conditions étaient réunies à la fin du XIXe s. et au début du XVIIIe s. Il a pu servir à l'occasion au transport de troupes [121], pour rejoindre plus rapidement la région du haut Khābūr où se déroulèrent alors la plupart des opérations militaires. Mais c'est probablement au transport de marchandises qu'il servait avant tout. Il venait en complément d'un réseau de routes terrestres assez développé [122], dont certaines traversaient le désert, et du fleuve lui-même qui servait notamment au commerce vers l'ouest et le royaume du Yamhad. Même s'il était en régression par rapport au IIIe millénaire [123], le commerce restait florissant, comme en témoigne un certain nombre de tablettes précisant le montant des taxes, en argent et en nature, prélevées sur les bateaux [124].

Il est possible qu'une remise en état du réseau d'irrigation ait été nécessaire à la fin du XIXe s. Le réseau que trouvent Yaggid-Lîm et Yahdun-Lîm semble, en effet, être relativement délabré. C'est vraisemblablement le sens des propos de Yahdun-Lîm lorsqu'il se glorifie d'avoir « creusé des canaux », dont le plus célèbre est le canal Išim-Yahdun.Lîm, à proximité duquel il édifia la ville de Dûr-

116 - Rouault 1984 et 1992 ; Buccellati 1988.

117 - Anbar 1987. Rappelons que l'accumulation progressive de limons de débordement sur la surface de la terrasse Q_{0a} nous cache probablement nombre de petits sites de faible élévation.

118 - Terqa était une ville d'importance moyenne, capitale de district, où résidait un gouverneur. « Ville aimée de Dagan », elle était, depuis l'époque d'Agadé, le principal centre cultuel du grand dieu du Moyen-Euphrate, Dagan, dont elle abritait un grand temple ; le roi de Mari y séjournait fréquemment.

119 - Les niveaux correspondants n'ont pas été fouillés. Ils sont signalés et datés par G. Buccellati qui regrette la destruction au bulldozer des couches supérieures du tell Qraya juste avant l'arrivée de l'équipe de fouilles américaine (Buccellati 1983, p. 7).

120 - Cf. ci-dessus chap. IV.

121 - Durand 1990 a, p. 136. On restera toutefois circonspect sur l'efficacité d'un tel transport de troupes vers l'amont. A. Finet (1969, p. 40) estime à « 1 000 kg et 10 km par jour » le rendement d'un haleur en basse Mésopotamie, où la pente est très faible. Il est très vraisemblable que les troupes se déplacèrent à pied, la flottille qui les accompagnait transportant le matériel.

122 - Joannès 1996.

123 - Margueron 1996, p. 19 ; Michel 1996, p. 397.

124 - *ARM* XIII, 58-100 ; voir aussi Michel 1996, p. 385-397.

Yahdun-Lîm [125]. Le « creusement » dont ce roi s'attribue le mérite n'est probablement, de façon plus prosaïque, qu'une réfection d'un canal plus ancien. Malgré ces travaux, le réseau, après plusieurs siècles, sinon un millénaire de fonctionnement, est en mauvais état et cause d'innombrables soucis aux gouverneurs qui en ont la responsabilité et aux spécialistes chargés d'en assurer la maintenance. Les textes évoquent plusieurs incidents dus notamment à des brèches dans les digues.

Or, ce réseau est indispensable à la vie du royaume. Ne fonctionnant qu'au printemps, après une remise en état annuelle [126], il irriguait les terres de la terrasse holocène où étaient cultivés le blé, l'orge et sans doute le lin et des légumineuses. La culture du sésame est en revanche peu vraisemblable [127].

Si la culture est un des fondements de l'économie, l'élevage en est un autre. Une analyse ostéologique effectuée sur du matériel de Terqa [128] montre pour l'époque de Khana une très forte proportion de chèvres (40 %) et de moutons (37 %), tandis que les bœufs (*Bos taurus*) représentent une part non négligeable, avec 11 %. Cette répartition est à peu près comparable à celle qui a pu être observée pour l'époque d'Uruk. Les textes de Mari confirment cette importance de l'élevage qui se caractérise en grande partie par le pastoralisme. Celui-ci concerne l'ensemble de la population, les bédouins avant tout, mais aussi le palais et les particuliers [129].

LE BRONZE RÉCENT (**fig. 12**)

Jusqu'à ces dernières années, la deuxième partie du IIe millénaire restait une période beaucoup plus obscure ; la vallée donnait l'impression d'avoir constitué alors un espace abandonné aux tribus nomades [130]. Cette image est désormais caduque, même si l'on ne peut nier que le Bronze récent correspond à une période de forte récession.

LE CONTEXTE NATUREL

La tendance générale de la dynamique du fleuve a donc conduit, depuis l'époque de Halaf, à l'incision du fond de vallée alluvial au détriment de la formation Q_{0a}. Le renversement de cette tendance, qui s'est traduit par la mise en place, dans l'entaille ouverte dans le fond de vallée, d'une formation alluviale (dénommée Q_{0b}, cf. chap. I, p. 44), a pu être datée, grâce à des traceurs archéologiques, de la fin du Bronze moyen ou, plus probablement, du Bronze récent.

Les publications portant sur les paléo-environnements de ces régions ne mentionnant aucun accident climatique pour cette période, il est difficile de caractériser l'hypothétique péjoration climatique et/ou le phénomène d'origine anthropique qui seraient à l'origine de ce changement de régime du cours d'eau. Seules des études portant sur le haut bassin de l'Euphrate pourraient mettre en évidence d'éventuelles modifications des paramètres hydroclimatiques.

Les implications du renversement de la dynamique ont été nombreuses sur les conditions de l'occupation du sol et de la mise en valeur. Le lit majeur du fleuve, compris entre les talus délimitant la terrasse Q_{0a}, s'est trouvé profondément transformé. Jusqu'alors, il était aisément accessible, hors périodes de hautes eaux, et pouvait être mis en valeur une fois celles-ci écoulées. Il permettait par ailleurs aux crues de s'évacuer sans trop déborder sur les terroirs cultivés. On peut penser que seules les crues importantes venaient inonder les terres. La nouvelle phase de sédimentation implique que, peu à peu, cette entaille s'est comblée, seulement partiellement puisque partout subsiste un emboîtement d'au moins 0,5 m. Il s'ensuit que l'espace disponible pour les écoulements s'est réduit (**fig. 13**), que les crues ont donc eu tendance, de plus en plus fréquemment, à quitter ce lit majeur devenu trop étriqué pour s'étaler sur la surface de la terrasse Q_{0a}. Les conséquences en ont été une recrudescence des inondations dévastatrices sur les riches terres de cette terrasse, une difficulté accrue à s'implanter en plaine, du moins hors des points hauts, exigus, que sont les levées de berge et les buttes résiduelles de la formation Q_{II}. Ces faits pourraient être considérés comme suffisants à expliquer la moindre occupation de la région au Bronze récent si le reflux n'était pas constaté également dans d'autres secteurs de la Syrie : Sajour, Queiq, marges arides de la Syrie du Nord, etc. (cf. chap. I, p. 46).

LE CADRE HISTORIQUE

Depuis sa prise par Hammurabi, Mari n'avait plus d'existence politique. En revanche, Terqa, qui était devenue la métropole régionale, continua à jouer un certain rôle, dont il est cependant difficile de cerner l'importance. Vers – 1595, la ville vit certainement passer l'armée hittite lors du raid de Mursili Ier sur Babylone. Elle redevint probablement, pour un siècle, la capitale d'un royaume indépendant, avant de tomber, au début du XVe s., sous contrôle mitannien. Cosmopolite, elle semble avoir assez bien absorbé ces

125 - Ces renseignements sont connus par un disque de fondation retrouvé à Mari (Thureau-Dangin 1936, p. 51-52).

126 - Le gouverneur de Terqa le confirme : « cette année-ci ce travail n'a pas à être entrepris » (*ARM* III 5 et Durand 1998, n° 799).

127 - Cf. chap. IV, notes 13 et 14, et Durand 1997, p. 353.

128 - Galvin 1987, p. 124.

129 - Durand 1998, p. 470 *sq.*

130 - Pour G. Buccellati (1990 b, p. 239), par exemple, la fin de Terqa coïncide avec le raid de Mursili Ier et, d'après les sources archéologiques, « *Terqa did not survive as an urban center past the 16th century* ». La ville, abandonnée, demeurait un point de rassemblement lors de cérémonies tribales ; quant au royaume de Khana, il aurait entièrement disparu, laissant un vide politique et urbain (« *a political and urban vacuum* ») qui aurait perduré pendant près d'un millénaire.

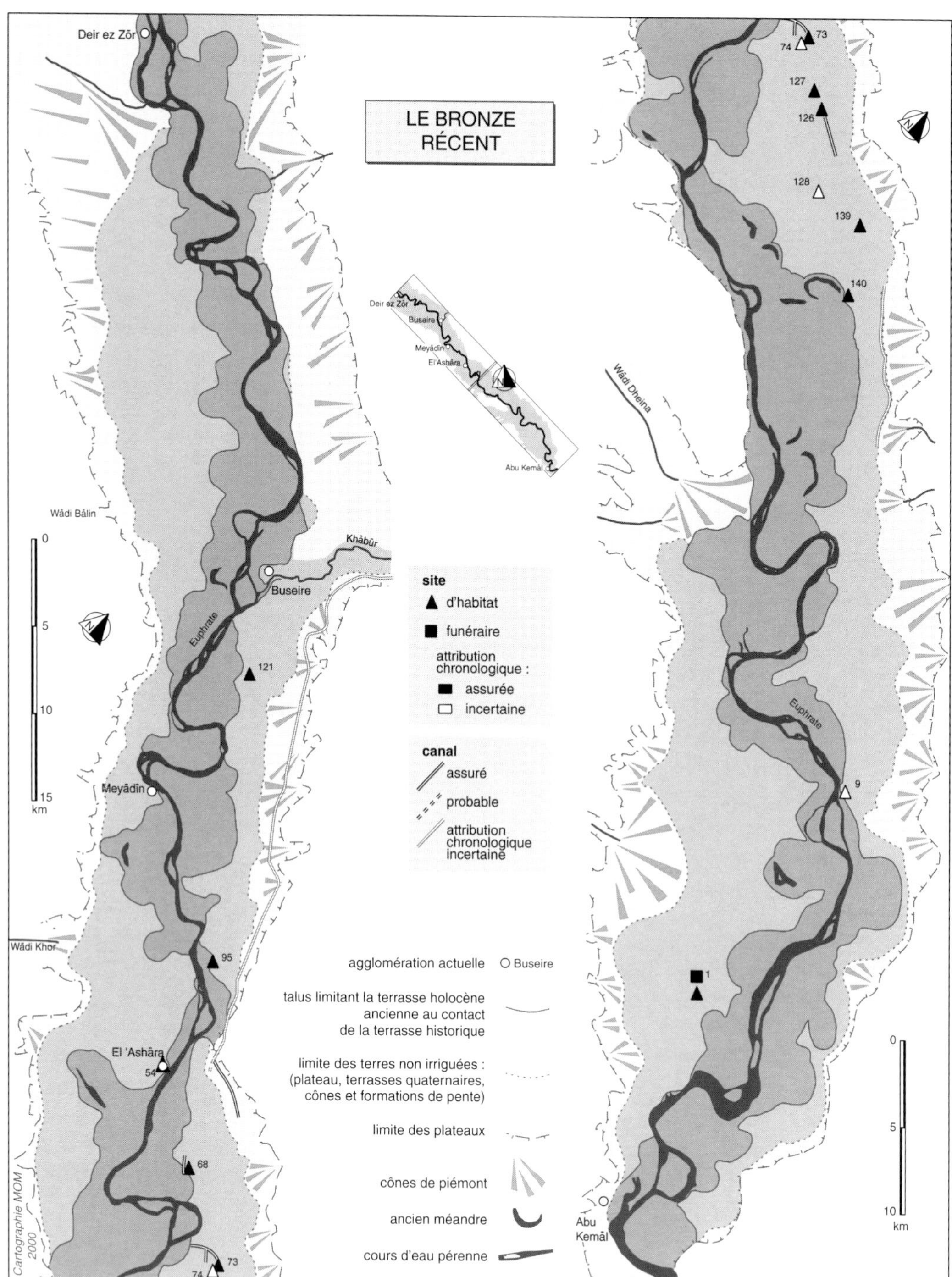

Fig. 12 - La basse vallée de l'Euphrate syrien. Les sites et les aménagements du Bronze récent.

influences extérieures et les mouvements de population subséquents, à en juger par les noms hourrites ou kassites de certains rois [131]. Terqa n'eut néanmoins pas un développement considérable, se limitant vraisemblablement à la dizaine d'hectares qu'elle couvrait déjà au IIIe millénaire [132]. Le dernier événement connu est

131 - Rouault 1992.

132 - Une petite extension est possible (Rouault 1992, p. 247) si l'on en croit une tablette (TQ12-1) mentionnant une ville nouvelle de Terqa (l. 33) et une citadelle (l. 69). Trois bâtiments ont été retrouvés : le temple de Ninkarrak, la maison de Puzurrum riche en archives et un bâtiment public à vocation administrative, dont la destination reste mal définie ; les fouilleurs y ont retrouvé un certain nombre de documents, essentiellement d'ordre administratif, mais aussi des tablettes rondes ainsi que des tablettes non écrites, qui laisseraient penser à une école de scribes. L'hypothèse a aussi été avancée qu'il pourrait s'agir du palais en raison de sa localisation au centre de ce qui devait être l'ancien tell (zone F).

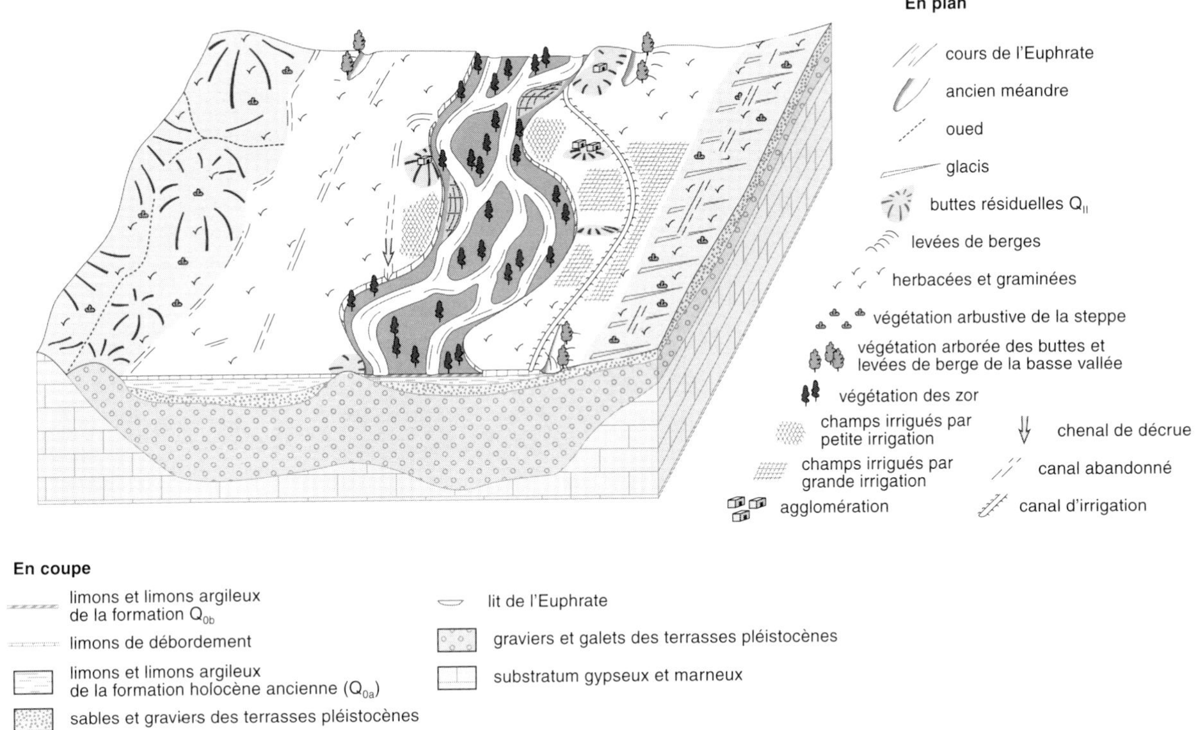

Fig. 13 - Reconstitution schématique de l'environnement et des aménagements de la vallée de l'Euphrate au Bronze récent.

l'expédition de Tukultī-ninurta Ier ; dans le dernier quart du XIIIe s., le souverain assyrien, après avoir défait le roi de Babylone et détruit sa capitale, remonta l'Euphrate et soumit « les pays de Mari, Ḫana, Rapiqu [133] ». Il semble cependant, d'après les archives [134] retrouvées à Tall Šēḫ Ḥamad [135] sur le Khābūr, que la région était déjà passée sous contrôle assyrien, puisque des liens entre Terqa et Dūr-katlimmu sont attestés dès le règne de Salmanasar Ier au milieu du XIIIe s.

Occupation du sol et mise en valeur

Notre prospection a modifié du tout au tout notre connaissance de la vallée au Bronze récent. Un seul site, El ʿAshāra/Terqa (**54**), était connu au début des années 1980 pour avoir été occupé, au moins partiellement, à cette période. Un second, Tell Hariri/Mari (**1**), sur lequel n'avait été trouvé qu'un cimetière médio-assyrien de grande taille, a révélé lors de la campagne de fouilles de 1987 un niveau d'occupation médio-assyrien [136].

Ce sont désormais 13 sites au moins, dont 3 non assurés, qui attestent une occupation au Bronze récent. À l'exception d'El ʿAshāra et de Tell Hariri situés en rive droite, tous sont en rive gauche, et pour la plupart dans l'alvéole d'Abu Hammām : Jebel Mashtala (**68**) [137] et Tell es Sufa (**140**) sont sur le rebord de la terrasse holocène, le premier étant traversé par un canal qui est peut-être une dérivation du Nahr Dawrīn. Trois sites, Tell Marwāniye (**73**), Abu Hardūb 2 (**127**) et 1 (**126**) sont implantés le long du canal d'El Jurdi Sharqi ; il en est peut-être de même pour El Jurdi Sharqi 3 (**74**), dont la datation n'est pas assurée, et pour Hasīyet ʿAbīd (**139**), si le canal se prolongeait jusqu'à lui. On observe là un changement du mode d'implantation de l'habitat, qui se fixe non seulement en bordure du fleuve, mais aussi au cœur de la terrasse holocène, le long d'un canal dont on est en droit de penser qu'il fonctionnait toute l'année ; ces sites sont en effet trop éloignés du fleuve pour y avoir puisé leur eau. Un septième site se trouve dans cette alvéole, Jīshīye (**128**), à la datation toutefois non assurée ; il peut avoir été alimenté par le canal ou avoir été un habitat temporaire, comme pourrait le suggérer sa petite superficie visible, d'environ 150 m^2.

On peut ajouter à ces sites ceux de Shheil 2 (**121**) et de Taiyāni 2 (**95**) dans l'alvéole de Dībān, et peut-être celui de

133 - Cf. annexe 3, texte 15.

134 - Röllig 1984 ; Cancik-Kirschbaum 1996, p. 41 et p. 94, lettre 2, l. 25 et 27.

135 - Les fouilles sur ce site ont révélé des vestiges d'une capitale provinciale médio-assyrienne, Dūr-katlimmu, fondée au début du XIIIe s. av. J.-C., notamment un palais avec ses archives (Kühne 1991, p. 29-32 et références bibliographiques dans Kühne [éd.] 1991, p. 17-18).

136 - Chantier E (Margueron *et al.* 1993, p. 17-19). L'étude de la céramique a permis de dater cette installation de la fin du XIIIe s. et du début du XIIe s. (Pons et Gasche 1996).

137 - De très nombreux fonds de vases gobelets d'époque kassite se trouvent à la surface de ce site, sur lequel un sondage a été effectué en 1996 (Rouault 1998 b).

Tell Abu Hasan (**9**) dans celle de Hajīn, tous situés de façon plus habituelle en bordure du fleuve ou à proximité.

D'une façon générale, ces sites sont de petite taille et ne correspondent probablement qu'à des villages. Les seuls dont l'habitat dut être développé sont El 'Ashāra/Terqa et Jebel Mashtala, dont la superficie dépasse les 10 ha. Si Terqa était encore un centre politique, comme l'attestent les archives de Dūr-katlimmu, il est plus difficile de savoir quelle était la fonction de Jebel Mashtala. À Tell Hariri, les quelques vestiges retrouvés en 1987 proviennent d'un habitat domestique, que l'on peut mettre en rapport avec les tombes retrouvées dans les ruines du Grand Palais [138]. L'ancienne capitale n'était manifestement plus qu'une bourgade sans envergure politique, mais elle ne semble pas avoir été dénuée de ressources, si l'on en juge par le mobilier funéraire, relativement riche. La présence, dans ces tombes, d'objets féminins semblerait indiquer qu'il s'agissait plutôt d'un village que d'une garnison, contrairement à l'hypothèse émise par A. Parrot [139]. Aucune installation militaire n'y a en effet été retrouvée, même sur le tell dit des remparts, ou « Hariri zrir », excroissance méridionale de la digue dans laquelle J.-Cl. Margueron verrait une plate-forme artificielle ayant pu servir de support à un fort [140].

C'est donc avant tout la rive gauche qui demeurait occupée et mise en valeur, malgré les difficultés évoquées ci-dessus, inhérentes au changement de dynamique du fleuve. Aucune trace de canal ne peut être datée de cette époque en rive droite. Il est vraisemblable que les canaux d'irrigation du Bronze moyen étaient tombés en désuétude ; non seulement les besoins avaient dû fortement diminuer, la population étant moins nombreuse, mais surtout le pouvoir politique en place ne semble pas avoir eu les moyens de les entretenir ; le réseau semble avoir été dans un tel état de délabrement au xviiie s. qu'il aurait nécessité un pouvoir fort et une longue période de stabilité politique et de prospérité pour être correctement restauré. Cela ne semble pas avoir été le cas. Par comparaison, la vallée du Khābūr, placée sous un pouvoir fort au moins pendant la période médio-assyrienne, semble avoir bénéficié d'un système d'irrigation régional [141].

Sur la rive gauche, les seules alvéoles qui aient été aménagées ou, en tout cas, dont on ait gardé les traces d'une probable mise en valeur agricole, sont celles où l'habitat fut le plus dense, c'est-à-dire les alvéoles de Dībān et d'Abu Hammām ; seuls en effet le Nahr Dawrīn et le canal d'El Jurdi Sharqi semblent avoir fonctionné. Il n'est pas sûr en revanche que ce dernier ait été construit à cette époque ; il est plus probable qu'il l'avait été au Bronze moyen, voire au Bronze ancien. Néanmoins, son usage au Bronze récent est intéressant, car il a fixé sur ses rives des villages et des hameaux qui, nous l'avons vu, dépendaient exclusivement de son fonctionnement pour leur approvisionnement en eau. Il devait donc être en eau toute l'année, ce qui correspondrait à une innovation dans la vallée, liée peut-être au fait que l'exhaussement du lit de l'Euphrate rendait plus aisée l'alimentation du canal en période de basses eaux. Cela pourrait être un indice de la pratique de cultures d'été, mais nous n'avons aucun renseignement précis nous permettant d'aller plus avant dans cette hypothèse.

Quant au Nahr Dawrīn [142], il n'est pas impossible qu'il ait été utilisé à des fins d'irrigation, jusqu'à Darnaj avec un éventuel débouché par le site de Jebel Mashtala (**68**). Le Nahr Dawrīn ne semble en effet plus fonctionner en tant que canal de navigation. Néanmoins, la vallée n'était pas isolée du reste du monde ; elle servait de voie de communication entre la Babylonie et la Syrie du Nord, où une ville comme Émar connaît une importante activité économique reposant en grande partie sur le commerce fluvial. À Tell Hariri, le mobilier des tombes médio-assyriennes témoigne de la persistance de relations commerciales avec la Babylonie ainsi qu'avec la côte syrienne [143].

La période néo-assyrienne (**fig. 14**)

Comme pour le Bronze récent, notre connaissance de l'occupation de la vallée était, récemment encore, très restreinte. L'époque néo-assyrienne n'était jusque-là attestée dans la vallée que par une nécropole, trouvée par A. Parrot dans les ruines du palais de Mari, et surtout par les inscriptions royales des souverains néo-assyriens.

La rupture nette que l'on constate au début du xiie s. au Levant, en Syrie occidentale et jusqu'en Anatolie, où les Peuples de la Mer emportent tout sur leur passage, n'est pas aussi marquée en Syrie orientale et en Mésopotamie. Là, ce sont les nomades araméens qui vont bientôt provoquer des troubles considérables aux conséquences tout aussi importantes. L'une d'elles est la montée en puissance de l'Empire assyrien, qui prendra toute son ampleur dans la première moitié du Ier millénaire av. J.-C. Notre région, passée sous contrôle assyrien dès le xiiie s., sera affectée par ce phénomène.

Le contexte naturel

Les caractéristiques climatiques du début du Ier millénaire avant notre ère sont encore très mal élucidées. Si J. Neumann et S. Parpola [144] décèlent, à cette époque, un épisode humide en Mésopotamie, un des auteurs,

138 - Parrot 1937, p. 81 ; 1962, p. 173.
139 - Parrot 1974, p. 146 *sq.*
140 - Margueron 1982, p. 29 ; 1994.
141 - Kühne 1990 c, p. 27 ; Ergenzinger et Kühne 1991, p. 181 *sq.*
142 - Il est possible qu'il corresponde au canal « Ḫabur-ibal-bugaš » qu'aurait (re-)creusé un roi de Terqa du nom de Hammurabi et qui reliait les villes de Dûr-Išarlim et de Dûr-Igitlim (Thureau-Dangin et Dhorme 1924, p. 267).
143 - Caubet 1984, p. 41.
144 - Neumann et Parpola 1987.

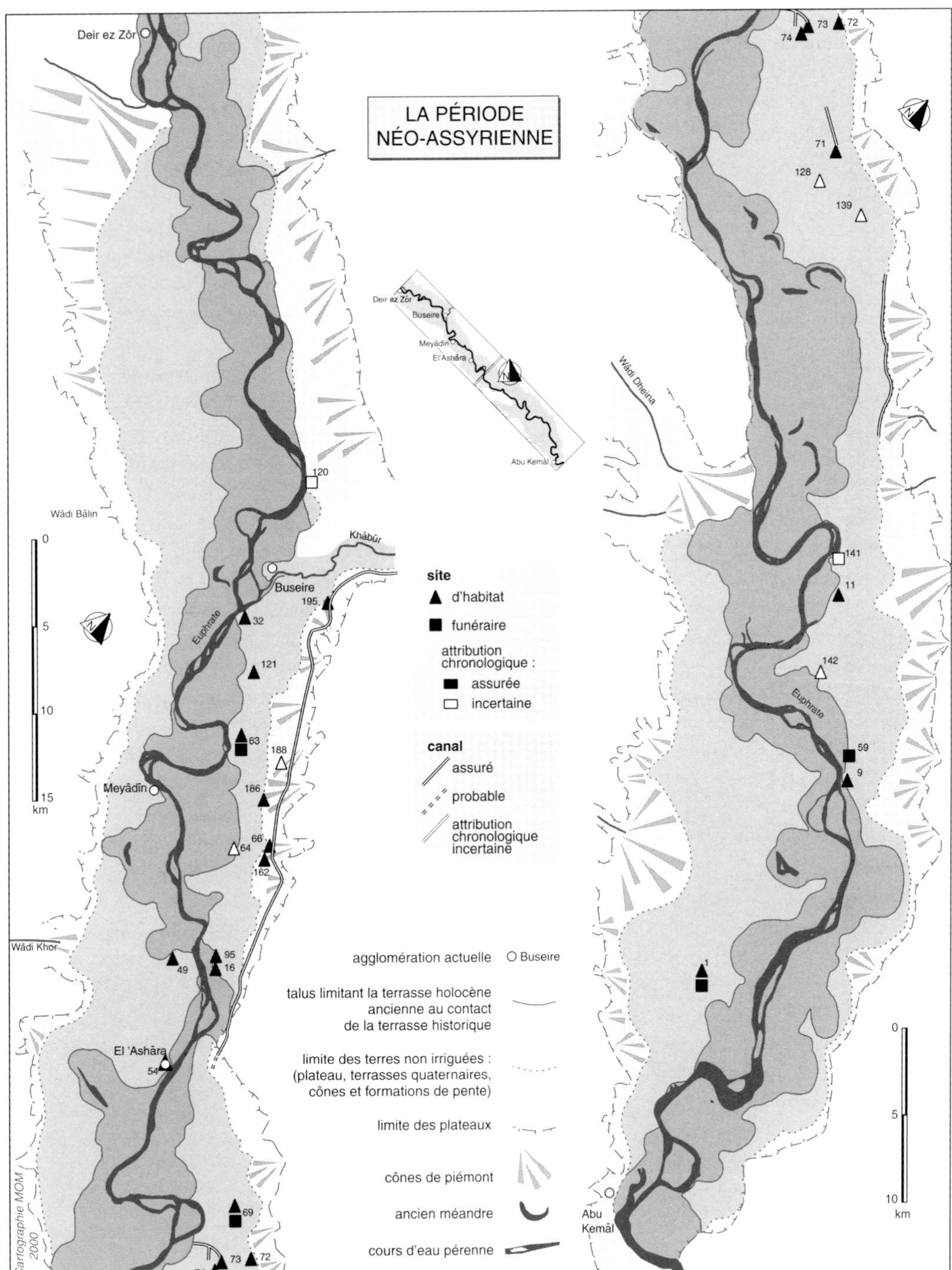

Fig. 14 - La basse vallée de l'Euphrate syrien. Les sites et les aménagements de la période néo-assyrienne.

J. Neumann [145], estime que, dans le Moyen-Orient septentrional, la première moitié de ce même millénaire fut marquée par une ambiance un peu plus froide et, peut-être, un peu moins humide qu'aujourd'hui. Cette dernière hypothèse semble trouver confirmation dans les études palynologiques et sédimentologiques réalisées en Europe centrale : K. D. Jäger [146] évoque une très longue période sèche entre 1300 et 750 av. J.-C., qui accompagna une baisse des températures vers 800-700 av. J.-C. Le rafraîchissement semble être l'élément le plus marquant de cette époque.

145 - J. Neumann (1991, p. 453) fait référence à des études concernant le Caucase, le nord de la mer d'Azov (sources soviétiques).

146 - Jäger 1997.

La vallée de l'Euphrate ne nous a fourni que peu de renseignements se rapportant aux paléo-environnements de l'époque néo-assyrienne. En revanche, dans la vallée du Khābūr, P. J. Ergenzinger [147] a pu mettre en évidence un changement de dynamique de cette rivière, qui serait intervenu, d'après les données fournies par la stratigraphie, il y a quelque 3 000 ans [148]. Le cours d'eau serait alors passé d'un mode à chenaux en tresse favorisant une sédimentation sableuse (compétence relativement élevée) à une phase d'incision qui s'est traduite par un lit unique, à méandres, et des dépôts plus fins sous forme de limons de débordements (compétence plus faible) : un changement radical, donc, dans les possibilités de mise en valeur du fond alluvial qui serait alors devenu exploitable par les agriculteurs. On peut supposer que c'est à peu près à la même période que se produit, dans la vallée de l'Euphrate, l'incision de la terrasse Q_{0b}, édifiée durant le Bronze récent. La conséquence en est un retour à des conditions de vie et de mise en valeur moins contraignantes dans la vallée, avec un fleuve mieux canalisé et des crues de débordement probablement moins fréquentes.

Le cadre historique

L'histoire de la vallée, telle qu'elle peut être reconstituée à partir des rares éléments en notre possession [149], peut se résumer à une série d'expéditions militaires, retracées, parfois par le menu, par les souverains assyriens eux-mêmes. Dans leurs annales, ils se glorifient d'avoir défendu leur pays en matant de nombreuses rébellions et, ce qui est la meilleure défense, d'avoir conquis de nouvelles terres. En dehors de ces récits, nous ne connaissons rien de l'histoire événementielle de la région.

Tukultī-ninurta Ier avait ouvert la voie vers – 1230. À la fin du XIIe s. av. J.-C., Tiglat-pileser Ier (1114-1076) repoussa les frontières de l'Empire assyrien en effectuant plusieurs expéditions [150] contre des tribus araméennes localisées à l'ouest de l'Assyrie, notamment dans le pays de Suḫu, soit juste en aval de l'actuelle frontière syro-iraqienne. Plus tard, Aššur-bēl-kala (1073-1056) entreprit deux campagnes [151] contre un roi de Mari dénommé Tukultī-mēr, lequel, identifié depuis 1885 par une statue votive [152] trouvée à Sippar, fut roi de Khana.

Lorsqu'une nouvelle phase de l'expansion assyrienne commence, à la fin du Xe s., la région est dominée par des populations araméennes ; elle s'appelle, d'après les inscriptions royales assyriennes, « Laqê » ou « pays de Laqê » [153]. Il s'agit d'une fédération de plusieurs petites entités araméennes, dont certaines possèdent des dénominations clairement araméennes [154] et dont les princes portent des noms araméens ou, à tout le moins, ouest-sémitiques [155]. Plusieurs souverains assyriens vont parcourir successivement ce territoire tantôt pour y asseoir leur autorité, en matant des rébellions, tantôt à l'occasion de la conquête de nouveaux territoires.

C'est d'abord Adad-nīrārī II qui dans ses annales [156], datées de – 893, relate une expédition qui ressembla davantage à une parade militaire dans un pays entièrement soumis qu'à une véritable campagne de guerre. Il n'est fait aucune allusion à des marques d'hostilité, mais le souverain perçut des contributions des principaux chefs locaux ; il affirma ainsi de façon éclatante son autorité sur les territoires soumis. Après être allé dans le Ḫanigalbat [157], Adad-nīrārī II descendit la vallée du Khābūr et, après une étape à Dūr-katlimmu, entra dans le pays de Laqê où il perçut plusieurs tributs, d'abord de la ville de Zūriḫ (peut-être Tell Abu Ha'it), puis de celle tenue par Harānu (peut-être Jebel Masāikh, **16**) ; avançant sur la rive gauche de l'Euphrate, il traversa le fleuve pour se rendre à Sirqu/El 'Ashāra (**54**) [158] et y recevoir « tribut, taxes, la propriété du palais (de Mudadda, son gouverneur), des bœufs, des ânes-*agālu* » ainsi que « tribut et taxes du pays de Laqê dans sa totalité, amont et aval ». Après un nouveau tribut perçu à Ḫindānu/'Anqa, il transporta le tout à Assur.

Tukultī-ninurta II (890-884) poursuivit la politique de son père ; en – 885, il remonta l'Euphrate depuis la Babylonie jusqu'au Khābūr ; ses annales retracent cette expédition et détaillent les étapes successives de son voyage ainsi que les tributs perçus, notamment dans le pays de Laqê [159]. De Ḫindānu/'Anqa, il rejoint Nagiatu, aux environs d'Es Sūsa et de Bāqhūz, en traversant une zone « montagneuse » ; il fait ensuite étape à Aqarbānu (non identifiée), puis à Ṣupru/Tell Abu Hasan (**9**) et à Arbatu (peut-être Tell Khaumat Hajīn, **11**) ; après une nuit en rase campagne, il s'arrête à

147 - Ergenzinger 1991, p. 42-50.

148 - Sur les problèmes, très particuliers, posés par la datation de cet événement, on se reportera à Ergenzinger 1991, p. 49 et à Geyer 1992 b, p. 153.

149 - Aucun des sites fouillés n'a livré de couches archéologiques en place pour cette période. Si le site d'El 'Ashāra n'a pas conservé de niveaux d'habitat pour le Ier millénaire, il a livré toutefois des tombes de cette époque dans plusieurs secteurs du tell (Buccellati 1983, p. 22 ; Buccellati et Kelly-Buccellati 1983, p. 56).

150 - Cf. annexe 3, texte 16.

151 - Cf. annexe 3, textes 17 et 18.

152 - Pinches 1885, p. 351.

153 - Ce « pays » semble correspondre à la partie de la vallée de l'Euphrate située entre l'actuelle frontière syro-iraqienne et la confluence du Khābūr. Il est sans doute possible de le considérer comme le successeur de l'ancien royaume de Khana, sans réelle continuité toutefois, une lacune de cent cinquante ans s'intercalant entre les deux.

154 - Ainsi, l'une des entités majeures de cette région, le Bīt-Ḫalupê, a-t-elle un nom construit à partir de l'élément « Bīt » signifiant « maison », ici « la Maison de Ḫalupê » au même titre que d'autres États araméens de Syrie (par exemple, Bīt Adini, Bīt Baḫiani).

155 - Dion 1995, p. 6-7.

156 - Cf. annexe 3, texte 19. Pour la reconstitution de l'itinéraire et l'identification des différentes étapes, voir chap. IV, p. 140-144.

157 - Région située entre le Balikh et le Khābūr.

158 - Sirqu est alors la nouvelle dénomination de Terqa.

159 - Cf. annexe 3, texte 20. Pour la reconstitution de l'itinéraire et l'identification des différentes étapes, voir chap. IV, p. 140-144.

Sirqu, puis aux environs immédiats de Rummunina (peut-être Dībān 11, **162**), où il signale l'existence d'un « canal du Khābūr », avant de faire étape dans la ville de Sūru de Bīt-Ḫalupê (peut-être Tell Abu Ha'it), située le long du Khābūr. Il gagne ensuite Dūr-katlimmu après une étape à Usala. Il semblerait, si l'on s'en réfère aux trois chefs qui versent un (double) tribut au roi assyrien et aux lieux de ces versements, que parmi les villes du pays de Laqê qui sont mentionnées, Sūru de Bīt-Ḫalupê, Arbatu et Sirqu, tenues respectivement par Ḫamatāiia, Ḫarānu et Mudadda, aient été les plus importantes.

Est-ce à cette occasion qu'une stèle en basalte [160], trouvée fortuitement à El 'Ashāra en 1948 et mentionnant Tukultī-ninurta II, fut érigée ? S'il est difficile de l'affirmer, c'est néanmoins vraisemblablement lors de l'une des expéditions de ce souverain dans la région que les habitants de Sirqu [161] voulurent l'honorer pour avoir détruit une ville rivale [162].

La région semble être alors pleinement sous obédience assyrienne ; dans une inscription d'Aššurnasirpal II (883-859), Ḫamatāiia est en effet devenu « gouverneur » de Sūru de Bīt-Ḫalupê [163] et doit donc être le représentant officiel du roi. Néanmoins, les résistances au pouvoir assyrien sont fortes : Ḫamatāiia est tué en – 882 à l'occasion d'une rébellion de la population locale, qu'Aššurnasirpal II vient mater [164]. Dans cette même inscription, il proclamera avoir alors « établi durablement sa victoire et sa puissance sur le pays de Laqê » et « imposé un tribut, des taxes et des droits d'une exceptionnelle importance sur tous les rois du pays de Laqê : de l'argent, de l'or, de l'étain, du bronze, des vases en bronze, des bœufs, des moutons, des vêtements multicolores, des vêtements de lin » [165]. Cette politique visait à soumettre définitivement le pays en le rendant exsangue, à l'instar de bien d'autres petites principautés araméennes de la région, jusqu'à la Méditerranée. Ici et là, des révoltes s'ensuivirent, qui entraînèrent de nouvelles expéditions punitives. L'une d'entre elles, en – 878, est décrite dans toutes ses étapes [166] : après Dūr-katlimmu, le roi s'arrête successivement dans les villes de Bīt-Ḫalupê (peut-être Tell Abu Ha'it), Sirqu/El 'Ashāra (**54**), Ṣupru/Tell Abu Hasan (**9**), Naqarabānu (non identifiée), percevant à chaque fois un tribut, puis poursuit vers Ḫindānu/'Anqa, avant d'aller raser la ville de Sūru du Suḫu.

Une autre expédition [167] le ramène peu de temps après dans cette région, après que « le pays de Laqê, la ville de Ḫindānu et le pays de Suḫu se sont révoltés et ont traversé l'Euphrate ». Depuis Kalhu, le roi se rend à travers le désert jusqu'à proximité de la ville de Sūru de Bīt-Ḫalupê. « Je construisis mes propres bateaux dans la ville de Sūru et me dirigeai vers l'Euphrate ». Il remonte dans un premier temps le fleuve « jusqu'aux détroits de l'Euphrate [168] » où il conquiert les villes des Laqéens Ḫenti-ili et Azi-ili. « Je les massacrai, emportai des captifs, rasai, détruisis, brûlai leurs villes ». Après avoir fait demi-tour, le roi descendit l'Euphrate et, précise-t-il, « rasa, détruisit, brûla les villes qui sont sur cette rive de l'Euphrate et qui appartiennent au pays de Laqê et au pays de Suḫu, depuis l'embouchure du Ḫabur jusqu'à la ville de Ṣibatu du pays de Suḫu et s'empara de leurs moissons ». Il « traversa l'Euphrate à la ville de Ḫaridu [169] au moyen des bateaux qu'il avait faits, de radeaux et d'outres qui s'étaient déplacés en même temps le long de la route ». Après une bataille victorieuse, il remonta par l'autre rive de l'Euphrate [170], conquérant et détruisant entre autres les villes du pays de Laqê qui s'y trouvaient.

D'autres textes [171] d'Aššurnasirpal II font encore mention du pays de Laqê comme pays conquis dont ce souverain a déporté la population, ainsi que de Sirqu où se trouve un gué sur l'Euphrate. Ses nombreuses expéditions sembleraient toutefois montrer que, malgré toutes ses affirmations, le roi ne soit jamais parvenu à soumettre réellement les pays de Laqê et de Suḫu [172].

Il n'est pas impossible que son fils, Salmanasar III (858-824), qui mènera à son tour des campagnes annuelles vers l'ouest et soumettra au tribut tous les territoires jusqu'à Israël, soit passé dans ce secteur lors de l'une ou l'autre de ses expéditions.

Au tout début du VIIIe s., sous le règne d'Adad-nīrārī III (811-781), le nom de Sirqu apparaît sur la stèle de Saba'a [173] dans l'un des titres de Nergal-ereš, « gouverneur de

160 - Tournay et Saouaf 1952. Voir aussi Güterbock 1957, p. 123 et Grayson 1976, ARI 2, c13.

161 - Le style de l'iconographie indique une fabrication locale, peut-être en imitation d'un original assyrien (Buccellati et Kelly-Buccellati 1983, p. 56). L'inscription cunéiforme rappelle la tradition assyrienne, malgré la qualité médiocre de la gravure.

162 - Bien qu'elle ne soit pas mentionnée dans les annales de Tukultī-ninurta II, cette ville aurait été, selon R. J. Tournay et S. Saouaf (1952, p. 179-180 et 190), la voisine de Sirqu et sa rivale — temporaire —, la supplantant quelque temps comme capitale du royaume de Laqê.

163 - RIMA II, A.0.101.1, i 75.

164 - RIMA II, A.0.101.1, i 75-93.

165 - RIMA II, A.0.101.1, i 94-95.

166 - Cf. annexe 3, texte 21.

167 - Cf. annexe 3, texte 22.

168 - Il s'agit vraisemblablement du défilé d'Al-Khanouqa, à environ 75 kilomètres de l'embouchure du Khābūr.

169 - Le site, identifié avec l'actuelle Khirbet ed-Diniye en Iraq, correspond à la Haradum paléobabylonienne (Kepinski-Lecomte 1992).

170 - Il a descendu l'Euphrate par la rive gauche et le remonte par la rive droite.

171 - RIMA II, A.0.101.2, l. 54, A.0.101.26, l. 50, A.0.101.28, v 3-4, A.0.101.30, l. 34-35.

172 - Pour le Suḫu, J. A. Brinkman (1968, p. 187) en veut pour preuve la présence d'envoyés de ce pays au banquet donné par le roi lors de la consécration du palais de sa nouvelle capitale, Kalhu (RIMA II, A.0.101.30, l. 141 *sq.*) ; selon lui, ils n'auraient pas été mentionnés dans l'inscription s'ils avaient été sujets assyriens *stricto sensu*. La même remarque est sans doute valable pour les Laqêens, bien qu'ils ne soient pas cités sur la stèle du banquet : leurs révoltes successives et leur présence répétée aux côtés du Suḫu le laisseraient cependant penser.

173 - Unger 1916 : 2, 12 ; Tadmor 1973. L'inscription qui figure sur cette stèle est légèrement postérieure à l'année – 797 (Tadmor 1973).

Rasappa,... Sirqu, Laqê, Hindanu, Anat et Suhi ». Une localité du nom de *Mare* semble aussi être attestée [174], qu'E. Forrer, suivi par S. Page, a proposé d'identifier avec Mari [175]. Une autre stèle trouvée à Tell al-Rimah [176] mentionne ce personnage, « gouverneur de Raṣapa, Lakê, Sirqu (?), Anat, Suḫi et ... ». Cette même inscription fournit des précisions sur le district de Laqê : 331 villes ou villages sont regroupés autour de plusieurs « centres », dont une « Dūr-Adad-nīrārī avec ses quinze villages dans le district de Lakê ».

Un peu plus tard, dans le deuxième quart du VIIIe s., deux gouverneurs du Suḫu voisin résidant à Anat, Šamaš-reš-uṣur et son fils Ninurta-kudurri-uṣur, se donnèrent le titre de « gouverneur de Suhu et de Mari » [177]. Qu'indique cette dénomination ? Mari a-t-elle encore une existence, même réduite, ou sa mention dans la titulature des gouverneurs du Suḫu n'est-elle que le rappel de la tradition et de la culture babyloniennes de cette dynastie [178], « Mari » désignant alors le pays de Laqê [179] ? Le pays de Suḫu dépassait-il vers le nord les parages de l'actuelle frontière syro-iraqienne ? Quoi qu'il en soit, sa population araméenne n'était pas à l'abri de menaces de la part d'autres Araméens. Plusieurs documents [180] rapportent le raid, trois mois après l'accession au pouvoir de Ninurta-kudurri-uṣur, de deux mille Araméens sur le pays de Laqê : ils ravagent d'abord le pays et en renversent le gouverneur assyrien, avant d'être anéantis par les troupes du Suḫu et par ce qui subsistait de la garnison de Laqê.

Cet épisode est le dernier qui nous soit connu par les textes. Pendant trois siècles, jusque bien après la disparition de l'Empire assyrien, l'histoire de la vallée demeurera complètement obscure.

Occupation du sol et mise en valeur

L'histoire, en pointillé, de la vallée ne permet pas d'avoir une vision précise de la situation politique de la région pendant le Ier millénaire av. J.-C. Les deux entités politiques qui recouvrent la vallée au Xe s., le pays de Laqê et, dans une moindre mesure, le pays de Suḫu, sont de petites principautés araméennes ; soumises au pouvoir assyrien, elles semblent avoir repris de temps à autre leur indépendance. Même si elle n'a pas été régulière, la présence de l'autorité assyrienne a procuré à ce secteur de la vallée une certaine prospérité. Les rébellions dont font état les annales des souverains assyriens et les expéditions punitives qu'elles provoquèrent témoignent néanmoins d'une relative insécurité dont on peut penser qu'elle fut préjudiciable au développement de la région et à sa mise en valeur. Il est également difficile de savoir si Sirqu (El 'Ashāra), qui, avec son palais [181], semble avoir été, au moins un temps, la capitale du pays de Laqê, a été élevée par les rois assyriens au rang de centre politique provincial comme le fut Dūr-katlimmu. À ce titre, cette dernière put jouer un rôle moteur dans le développement économique de la vallée du Khābūr, dont l'aménagement semble effectivement avoir été, alors, beaucoup plus important et mieux structuré que celui de la vallée de l'Euphrate [182].

L'occupation de la vallée se densifie par rapport au Bronze récent, au moins en rive gauche. Vingt sites sont désormais habités, auxquels viennent peut-être s'ajouter cinq autres pour lesquels l'attribution à cette période est incertaine. Neuf d'entre eux prolongent vraisemblablement un habitat antérieur. Comme pour le Bronze récent, la quasi-totalité de ces implantations est située en rive gauche, mais de façon un peu plus équilibrée : 9 sites sont dans l'alvéole de Dībān (plus 2 probables), 6 dans celle d'Abu Hammām (plus 2 probables), 2 dans celle de Hajīn (plus un probable). Trois seulement sont en rive droite : El Graiye 3 (**19**), El 'Ashāra (**54**) et Tell Hariri (**1**). Cette distribution se trouve confirmée par les inscriptions royales assyriennes : les localités qui y sont mentionnées sont toutes situées en rive gauche, à l'exception de Sirqu, qui correspond à El 'Ashāra.

L'implantation des sites reste conditionnée par la présence de l'eau. La moitié d'entre eux sont installés en bordure de l'Euphrate ou à proximité : d'amont en aval, nous trouvons ainsi, en rive gauche, Safāt ez Zerr 2 (**32**), Shheil 2 (**121**), Maqbarat Graiyet 'Abādish (**63**), Dībān 1 (**64**), Taiyāni 2 (**95**) et Jebel Masāikh (**16**) dans l'alvéole de Dībān, puis El Jurdi Sharqi 4 (**90**), à la prise d'eau du canal du même nom, dans celle d'Abu Hammām, enfin Tell Khaumat Hajīn (**11**), Hajīn 2 (**142**) et Tell Abu Hasan (**9**) dans celle de Hajīn. Sur les trois sites de rive droite, deux sont sur le rebord de la terrasse, El Graiye 3 (**49**) et El 'Ashāra (**54**) dans l'alvéole d'El 'Ashāra ; le troisième, Tell Hariri (**1**), à l'écart du fleuve, continue peut-être à utiliser le canal d'amenée d'eau des périodes antérieures. Parmi les autres, plusieurs se trouvent au cœur de la terrasse holocène : situés dans l'alvéole d'Abu Hammām, ils correspondent à des implantations préexistantes qui s'étaient fixées le long du canal d'El Jurdi Sharqi ou de l'une de ses dérivations éventuelles : Tell

174 - Unger 1916 : 2, 12, l. 23 ; mais H. Tadmor (1973, p. 145) propose une autre lecture.

175 - Forrer 1921, p. 14 ; Page 1968, p. 150.

176 - Page 1968.

177 - Le premier est connu depuis longtemps (Weissbach 1903, IV, col. II, l. 27) ; le second l'a été plus récemment par des stèles et des tablettes trouvées à Sur Jar'a et dans l'île de 'Āna (Cavigneaux et Ismaïl 1990).

178 - Ces documents nous renseignent notamment sur la culture babylonienne de ces souverains, qui fondent leur légitimité sur une généalogie remontant au roi Hammurabi de Babylone.

179 - Cela semble être l'avis d'A. Musil (1927, p. 212).

180 - Cavigneaux et Ismaïl 1990, n° 2 essentiellement.

181 - L'existence de ce palais n'est attestée que par les inscriptions royales néo-assyriennes. En fait, l'occupation d'El 'Ashāra à l'époque néo-assyrienne pose problème, car aucun vestige n'en a été retrouvé (Rouault 1998 a, p. 321) ; il est cependant possible que ces niveaux aient été entièrement érodés au cours d'une longue période d'abandon du site (cf. chap. IV, note 250).

182 - Kühne 1990 c, p. 27 ; Ergenzinger et Kühne 1991, p. 181 *sq.*

Marwāniye (**73**), El Jurdi Sharqi 3 (**74**), Jīshīye (**128**), Hasīyet 'Abīd (**139**) ; un site nouveau semble s'être installé sur ses rives, Hasīyet el Blāli (**71**). D'autres, fait nouveau, sont installés à la limite externe de la terrasse holocène, au pied des glacis de bas de pente du plateau, sur les terrasses anciennes : cinq sont dans l'alvéole de Dībān, Er Rāshdi 3 (**195**), Dībān 17 (**188**), 15 (**186**), 3 (**66**) et 11 (**162**) et un dans celle d'Abu Hammām, El Jurdi Sharqi 2 (**72**). En réalité, ces sites se trouvent sur la rive droite du Nahr Dawrīn, soit sur ses berges, soit à courte distance, et témoignent de son fonctionnement. Un autre site, El Jurdi Sharqi 1 (**69**), au cœur de la terrasse holocène dans l'alvéole d'Abu Hammām, dépendait peut-être d'une dérivation du Nahr Dawrīn.

L'aménagement de la vallée ne semble guère différent de celui que l'on pouvait retracer pour le Bronze récent. Le canal d'El Jurdi Sharqi fonctionne toujours. Il en va de même du tronçon amont du Nahr Dawrīn, vraisemblablement mentionné par le souverain assyrien Tukultī-ninurta II, qui irrigue l'alvéole de Dībān, peut-être aussi celle d'Abu Hammām ; il ne semble cependant pas se prolonger plus en aval.

Ce sont donc à nouveau les deux alvéoles amont de rive gauche qui sont occupées et mises en valeur. Aucun indice ne permet d'avoir une idée sur l'aménagement de la rive droite. Apparemment peu peuplée, cette rive ne semble pas avoir été exploitée de façon intensive. Sans doute n'y pratiquait-on que la petite irrigation. Il faut néanmoins souligner la contradiction apparente de ce « sous-développement » avec le statut de capitale du pays de Laqê que semble avoir acquis Sirqu. Lieu de versement du tribut à Adad-nīrārī II, siège d'un palais dont les vestiges n'ont toutefois pas été retrouvés, ville dont le chef, Mudadda, est le premier à accueillir Tukultī-ninurta II dans le pays de Laqê, en lui versant alors un premier tribut, puis un second lorsque le souverain arrive dans sa ville, cette cité semble bien être le principal centre du pays de Laqê.

En tout cas, la région semble avoir connu une certaine prospérité, au moins au IXe s., ce qui peut s'expliquer notamment par le changement de dynamique du fleuve et le retour à des conditions de vie et de mise en valeur plus favorables à un développement économique. Le détail des tributs versés par les Laqéens aux souverains assyriens ne donne pas l'impression que la région fut pauvre ; il témoigne au contraire de sa richesse et de sa vitalité. Ce sont ainsi au moins 2 400 moutons, 500 bœufs et 40 ânes qui sont donnés à Tukultī-ninurta II ; celui-ci perçoit en outre 26 mines d'or et 37 d'argent, 130 talents de bronze, une quarantaine d'étain, 2 de fer, sans compter 170 vases en bronze, 150 vêtements ainsi que des quantités non précisées de céréales, de paille, de pain et de bière. Plus tard, les tributs imposés par Aššurnasirpal II consistent aussi en métaux (argent, or, étain, bronze), en objets confectionnés en métal (vases en bronze), en vêtements (vêtements de lin) ainsi qu'en bétail : des bœufs et des moutons. Aucune quantité n'est précisée, mais nous avons tout lieu de penser qu'elles devaient être importantes, notamment lorsque ces impositions suivaient le rétablissement de l'ordre après une rébellion ; par ailleurs, la fréquence à laquelle se succèdent ces tributs ne semble pas avoir épuisé la région, du moins dans la première moitié du IXe s.

Ces inscriptions nous permettent ainsi d'avoir quelques précisions sur l'activité économique de la vallée. Elle semble s'être développée dans trois domaines : l'agriculture, attestée par les céréales, l'élevage et l'artisanat, mieux documentés.

Trois catégories d'animaux sont mentionnées dans ces tributs : le mouton, le bœuf et l'âne. En comparaison des 2 400 moutons, la présence d'au moins 500 bœufs dans le butin de Tukultī-ninurta II est considérable ; la forte part prise par cet animal dans l'élevage pourrait être confirmée par l'étude de K. F. Galvin [183] sur la faune d'El 'Ashāra. On notera aussi la possibilité d'avoir recours à la chasse dans la steppe, notamment au taureau sauvage et à l'autruche comme l'évoque Aššurnasirpal [184], même s'il ne s'agit là que d'un divertissement.

Tel qu'il ressort des annales, l'artisanat concerne trois types d'activités : la métallurgie, la « chaudronnerie » avec les vases et ustensiles en métal, la confection vestimentaire. La première est attestée par les nombreux métaux (or, argent, bronze, étain, fer) qui semblent se présenter à l'état brut et dont la présence ne se justifie que s'ils sont destinés à être fondus, et par l'antimoine, utilisé pour durcir les métaux auxquels il est associé. Alors qu'aucun d'entre eux n'est disponible dans la région, les Laqêens semblent en détenir de grandes quantités, qui ne peuvent provenir que des régions productrices d'Anatolie, du Zagros ou d'Élam. Ces métaux servaient à fabriquer des vases qui étaient vraisemblablement destinés à l'exportation, comme l'était sans doute aussi la laine des moutons.

Cet artisanat permet donc d'envisager des relations commerciales assez développées avec les pays environnants, tant à l'est qu'à l'ouest, ainsi peut-être qu'un commerce de transit dont devaient profiter les chefs locaux en imposant

183 - K. F. Galvin (1987, p. 125 *sq.*) met en effet en évidence une augmentation sensible de l'élevage bovin : le bœuf représente désormais 17 % des animaux pour 11 % au Bronze moyen. La part du mouton reste stable, avec un tiers du bétail (pour 36 % au IIe millénaire) ; c'est surtout la chèvre qui est en forte diminution, avec 17 % au lieu de 40 %. En revanche, l'âne, qui figure aussi dans les tributs, semble avoir doublé, tandis que le chameau qui n'était pas attesté au Bronze moyen l'est désormais. Mais l'échantillonnage du début du Ier millénaire av. J.-C. est réduit : 6 individus (pour 292 au Bronze moyen). Cela représente en fait 2 moutons et un animal de chaque autre catégorie. Compte tenu de ces tout petits nombres, nous émettrons des réserves sur l'explication proposée par K. F. Galvin : « *the explanation for the decline of goats and slight rise in the number of cattle may relate to the transition to wealth finance, an upswing in the economies of centers located along transcontinental trade routes and realistic possibilities for economies of scale.* » (*ibid.*, p. 127)

184 - Cf. annexe 3, texte 22.

des taxes. Ce commerce empruntait-il le fleuve ? Si oui, était-il suffisant pour entraîner la construction d'un canal comme le Nahr Sémiramis ? Les Laqêens auraient-ils pu le faire ? Il ne nous est pas possible de répondre à ces questions.

LES PÉRIODES NÉOBABYLONIENNE ET PERSE ACHÉMÉNIDE (**fig. 15**)

La part d'incertitude que nous constatons pour l'époque néo-assyrienne est infiniment plus grande ensuite. Période pour laquelle la documentation écrite est pratiquement muette, les trois siècles pendant lesquels la région fut intégrée aux Empires néobabylonien et perse restent obscurs. La prospection n'a pas apporté d'éléments nouveaux nous permettant d'en éclairer l'histoire ni de retracer les grandes lignes de l'occupation de la vallée et de sa mise en valeur.

LE CONTEXTE NATUREL

La fraîcheur, qui était déjà le facteur marquant de la période précédente, semble s'être accentuée, sans que l'on sache quelles ont pu en être les conséquences dans notre région. F. Ortolani et S. Pagliuca [185] n'hésitent pas à qualifier de « petit âge glaciaire archaïque » (*Piccola Età Glaciale Arcaica*) la période allant de 520 à 350 av. J.-C., qu'ils considèrent comme froide et humide dans l'ensemble de l'aire méditerranéenne. Dans le golfe Persique, le niveau marin connaît un abaissement progressif qui atteint son point le plus bas (– 1 m par rapport à l'actuel) durant l'époque hellénistique [186]. On peut cependant considérer que les effets de ces fluctuations climatiques ont été de peu d'ampleur dans notre région. Certes, sur le bas Euphrate syrien, une série de terrasses dites « historiques » (Q_{00}) témoigne de plusieurs cycles de sédimentation/incision, mais leur efficacité fut trop faible pour qu'il soit possible de les différencier ou de les caractériser, *a fortiori* de les dater. Ces terrasses sont peu marquées et toujours d'altitude relative faible : leur genèse peut être aussi bien climatique qu'anthropique ; elle est probablement allogène, à rechercher dans le bassin amont du fleuve.

LE CADRE HISTORIQUE

Après la disparition définitive de l'Empire assyrien en – 610, le monde mésopotamien passe sous la coupe de Babylone. Nabopolassar, puis Nabuchodonosor, étendent leur empire jusqu'à la Méditerranée. Il est vraisemblable que l'une ou l'autre de leurs expéditions les ait amenés dans ce secteur de la vallée, mais nous n'en avons aucune relation. Moins d'un siècle plus tard, lorsque l'Empire néobabylonien s'effondre à son tour, il est intégré dans sa totalité dans l'Empire perse par Cyrus le Grand. À l'exception d'une indication d'ordre général d'Hérodote, qui signale que l'Euphrate est une voie de circulation courante au ve s. av. J.-C. entre la Méditerranée et Babylone [187], il faut attendre l'extrême fin du ve s. pour avoir une information historique précise. Ce n'est qu'en – 401, après trois siècles et demi de silence, que la vallée resurgit de l'obscurité grâce à un passage de l'*Anabase*, dans lequel Xénophon relate l'expédition des Dix Mille le long de l'Euphrate [188]. Pour la zone qui nous intéresse ici, ce récit est cependant peu explicite. L'armée de Cyrus le Jeune descend la vallée de l'Euphrate, passe par Korsoté (Buseire 1), grande ville arrosée par le Mascas (Khābūr), et poursuit sa route vers Babylone.

Après ce compte rendu de Xénophon, nous n'avons aucun témoignage direct sur cette partie de la vallée de l'Euphrate pendant un siècle. Seul un extrait de Diodore [189] permet de déduire que l'Athénien Conon est passé dans la région en – 396, lorsqu'il descendit l'Euphrate pour aller rencontrer Artaxerxès II à Babylone. De même, c'est à partir de la relation par Arrien de l'*Anabase d'Alexandre*, établie d'après le témoignage d'Aristobule, que nous savons qu'en – 323, une partie de la flotte d'Alexandre passa à son tour dans la région pour rejoindre Babylone.

OCCUPATION DU SOL ET MISE EN VALEUR

Cette période, peu documentée par les sources écrites, est archéologiquement muette. Aucun élément ne nous a permis d'identifier, pour cette période, des sites d'habitat ou des aménagements hydro-agricoles. La région est-elle réellement déserte ? Ou faut-il voir là les effets, conjugués ou non, d'une part des aléas de la prospection, d'autre part de la méconnaissance et du caractère peu discriminant du matériel céramique [190] ?

Les seules données nous sont fournies par l'examen des textes des historiens grecs. Les renseignements les plus nombreux proviennent de Xénophon, dans l'*Anabase* [191]. Si l'on se fie à ses indications, la région semble alors désolée et abandonnée. En effet, de part et d'autre de Korsoté, qu'il convient de localiser à la confluence du Khābūr et de l'Euphrate et d'identifier avec Buseire 1 (**75**) [192], Xénophon

185 - F. Ortolani et S. Pagliuca (1998, p. 304-305) se fondent essentiellement sur des études réalisées en Italie du Sud, en Afrique du Nord et en Égypte.

186 - SANLAVILLE 1989, GEYER et SANLAVILLE 1996.

187 - HÉRODOTE I, 185 : « et maintenant, ceux qui se rendent de notre mer à Babylone, pendant qu'ils descendent l'Euphrate… » (annexe 3, texte 39).

188 - XÉNOPHON, *Anabase*, I, 5, 1-7 (annexe 3, texte 61).

189 - DIODORE XIV, 81, 4 : « de là (la Cilicie), il traversa la Syrie jusqu'à Thapsaque, puis navigua sur l'Euphrate jusqu'à Babylone » (annexe 3, texte 31).

190 - Cf. annexe 2.

191 - Cf. annexe 3, texte 61.

192 - GAWLIKOWSKI 1992, p. 178-179 (cf. chap. IV, p. 145). Buseire 1 est en effet le seul site que l'on peut attribuer avec vraisemblance à cette époque, sans toutefois que la prospection nous ait permis d'en avoir confirmation. La configuration des lieux à la confluence du Khābūr et de l'Euphrate est très voisine de la description que fait Xénophon de la ville de Korsoté.

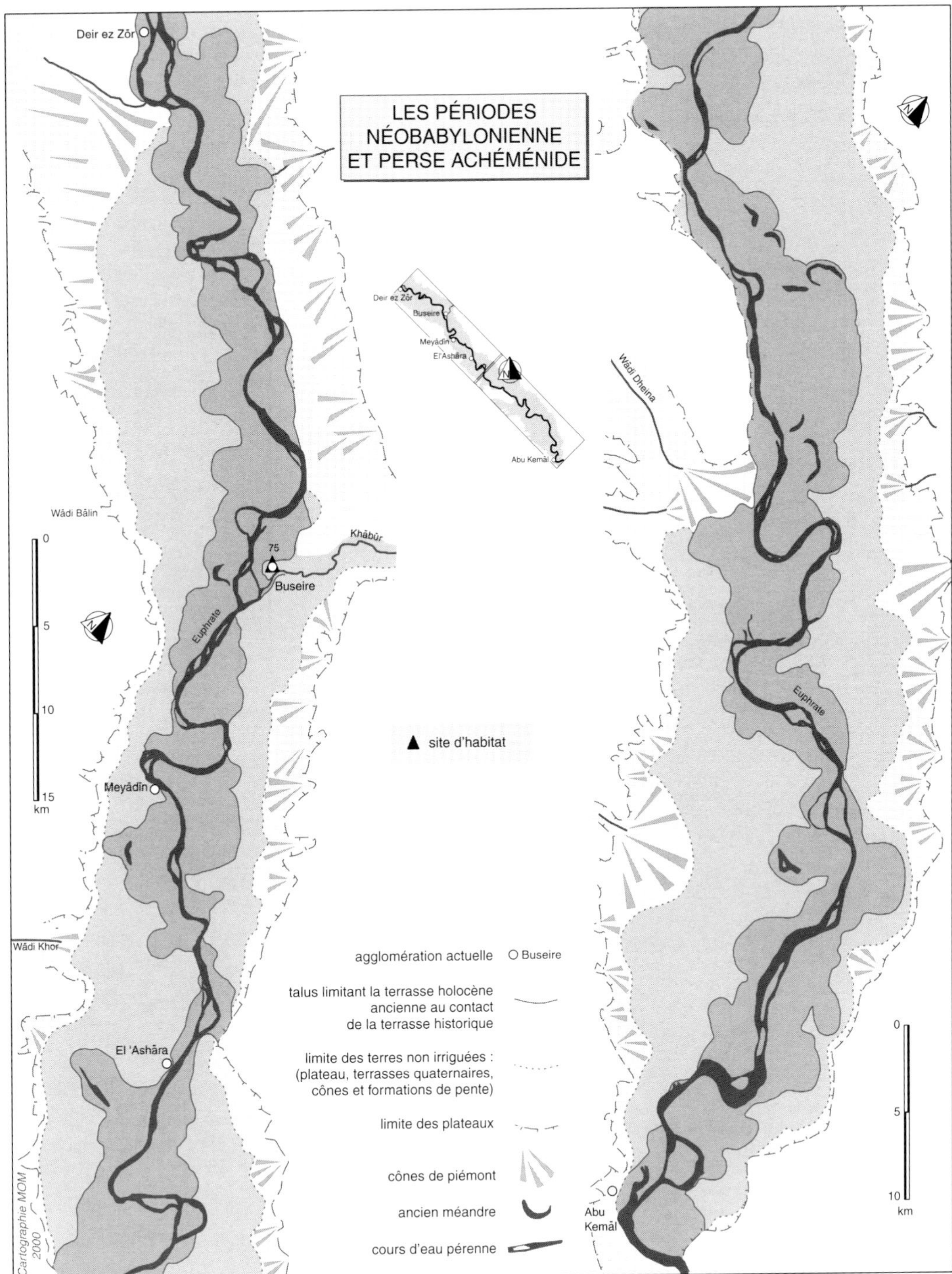

Fig. 15 - La basse vallée de l'Euphrate syrien. Les sites et les aménagements des périodes néobabylonienne et perse achéménide.

parle d'un « désert » et décrit un pays « nu », sans « herbe, ni arbre d'aucune sorte », où les « bêtes de somme moururent de faim ». Korsoté, la seule ville mentionnée entre le Balikh et l'entrée en Babylonie, est « grande » certes, mais « déserte ».

Cette image est quelque peu en contradiction avec ce que l'on peut déduire des propos d'Hérodote. La vallée de l'Euphrate semble en effet être une voie de communication habituelle, si ce n'est la principale, entre la Méditerranée et la Babylonie, impliquant de ce fait une activité économique minimale sur l'ensemble du cours du fleuve. Xénophon le confirme d'ailleurs indirectement, à propos de la confluence du Balikh et de l'Euphrate où se trouvent de « nombreux villages pleins de blé et de vin » ou, plus loin, à propos de Charmandé, « une ville riche et grande ». Xénophon semble donc se contredire. En fait, ses indications ne sont pas incohérentes ; il a fait lui-même le voyage et parle donc d'expérience. Nous avons montré ailleurs [193] que le paysage qu'il décrit est celui du plateau et non celui de la vallée, où l'armée de Cyrus ne descend que pour se ravitailler en eau. Si Korsoté est décrite comme une ville abandonnée, c'est qu'elle doit l'être ; si l'armée finit par manquer de vivres, c'est qu'il n'y a effectivement guère de villages en aval de Korsoté pour s'approvisionner, en tout cas qu'il n'y a pas de centre urbain. Cette partie de la vallée n'est donc vraisemblablement que peu habitée et peu mise en valeur, contrairement à d'autres secteurs.

La végétation que voit Xénophon sur le plateau est fort maigre ; il s'agirait, d'après les identifications proposées par S. Amigues [194], d'armoise et de roseau odorant, ce dernier vraisemblablement dans les oueds. Amateur de chasse, le Grec semble impressionné par la faune, apparemment abondante : « des bêtes sauvages de toutes sortes, de très nombreux onagres (ânes sauvages), beaucoup d'autruches, et des grandes. Il y avait aussi des outardes et des gazelles » [195].

La navigabilité de l'Euphrate est confirmée par Diodore et Arrien [196]. Ce dernier précise même que des navires d'un tonnage déjà important l'empruntent. Il rapporte qu'Alexandre fait venir « de Phénicie deux quinquérèmes phéniciennes, trois quadrirèmes, douze trirèmes et quelque trente *triacontoroi* [197], qui avaient été démontés et apportés depuis la Phénicie jusqu'à l'Euphrate, à la ville de Thapsaque » ; ensuite, « après avoir été réassemblés là, ils avaient descendu le fleuve jusqu'à Babylone ». Toutefois, leurs notations sont trop générales pour que nous puissions savoir si l'Euphrate désigne toujours le fleuve lui-même ou si, à l'occasion, il peut s'agir d'un canal comme le Nahr Sémiramis.

L'abandon relatif que connut alors la vallée ne peut s'expliquer par des causes naturelles. Si l'ambiance fraîche qui semble affecter le monde méditerranéen a pu se faire sentir jusque dans ces régions déjà fortement marquées par la continentalité, c'est pour en adoucir les contraintes, du moins celles liées aux fortes températures. De plus, la maîtrise des techniques d'irrigation, à petite ou à grande échelle, autorisait la pérennité des occupations, et ce, même dans des circonstances plus contraignantes (cf. ci-dessus celles décrites pour l'âge du Bronze récent) que celles que l'on peut supposer pour les périodes considérées ici. Les causes de cet abandon sont donc à chercher ailleurs, peut-être dans l'instabilité politique qui semble avoir alors régné dans la vallée.

LA PÉRIODE « CLASSIQUE » (**fig. 16**)

Cette dénomination générale regroupe les six siècles et demi séparant la conquête de la Perse par Alexandre le Grand en – 330 de la fondation de Constantinople par l'empereur Constantin en + 330. Ce regroupement, dicté par la difficile identification chronologique du matériel archéologique retrouvé à la surface des sites, n'est donc pas satisfaisant en soi, car il concerne trois phases pendant lesquelles la vallée a été successivement soumise à trois pouvoirs différents : l'Empire séleucide, l'Empire parthe et l'Empire romain. Ces trois périodes ont cependant pour points communs d'être caractérisées par l'hellénisation de la Syrie et d'être centrées sur un site majeur de la vallée, Doura-Europos [198], qui n'a d'ailleurs connu d'existence qu'à ce moment-là, entre – 303 et + 256, et dont l'histoire se confond avec celle de la région.

Le contexte naturel

Les trois siècles qui précédèrent et, surtout, les quatre ou cinq siècles qui suivirent le début de notre ère semblent avoir été favorisés par un climat redevenu peu à peu plus chaud et plus humide [199]. Ce fut le « petit optimum climatique classique », contemporain des époques hellénistique, et surtout romaine et romaine tardive. Cette amélioration climatique se serait fait sentir dans toutes les régions sous influence méditerranéenne, où elle est abondamment documentée [200]. Elle affecta jusqu'au cœur de la steppe aride syrienne puisqu'un horizon humique daté de 1860 ± 70 BP et de 1930 ± 30 BP atteste que Palmyre a bénéficié à l'époque romaine d'un regain, modeste mais réel, de la pluviosité [201]. U. Rösner et F. Schäbitz [202] la perçoivent également, dès le début de l'époque romaine, en haute Jézireh (à Khatouniyé, à la latitude de Hassekeh près de la frontière iraqienne), où une humidité accrue est attestée par l'augmentation du taux de pollen d'arbres et une accélération de la pédogenèse. Sur les marges arides de la Syrie du Nord (région de Salamya-

193 - Monchambert 1999.
194 - Amigues 1995, p. 65-68.
195 - *Anabase*, I, 5, 2 (cf. annexe 3, texte 61).
196 - Cf. annexe 3, textes 26 et 31.
197 - Il s'agit respectivement de bateaux à 5, 4 et 3 rangs de rameurs et de navires à 30 rameurs.
198 - L'importance du site (Qal'at es Sālihīye, **22**) a été reconnue dès 1920 lorsque des soldats anglais y firent des tranchées afin de se protéger contre des attaques de tribus. Après une première série de fouilles effectuées de 1922 à 1924 sous la direction de F. Cumont (1926), le site a été en grande partie dégagé en dix campagnes, de 1928 à 1937, par une mission conjointe de l'université de Yale et de l'Académie des Inscriptions et Belles Lettres, placée sous la direction de M. I. Rostovtzeff ; elles ont donné lieu à deux séries de publications (*Preliminary Reports* et *Final Reports*). Un nouveau programme de recherches a été lancé en 1986 par une équipe franco-syrienne. Les premiers résultats ont été publiés dans la collection *Doura-Europos Études* : Leriche (éd.) 1986, 1988 et 1992 ; Leriche et Gelin (éd.) 1997.
199 - Neumann (1991), p. 456 pour des données concernant le Caucase central, p. 457 pour le sud de l'ex-Union soviétique européenne (au nord de la mer d'Azov), p. 458 pour l'Anatolie centrale (Erciyes Dagh), p. 459 pour la Crimée.
200 - On se reportera aux bibliographies récentes utilisées par Ortolani et Pagliuca (1998) et Geyer (2002).
201 - Besançon *et al.* 1997, p. 18-19.
202 - Rösner et Schäbitz 1991.

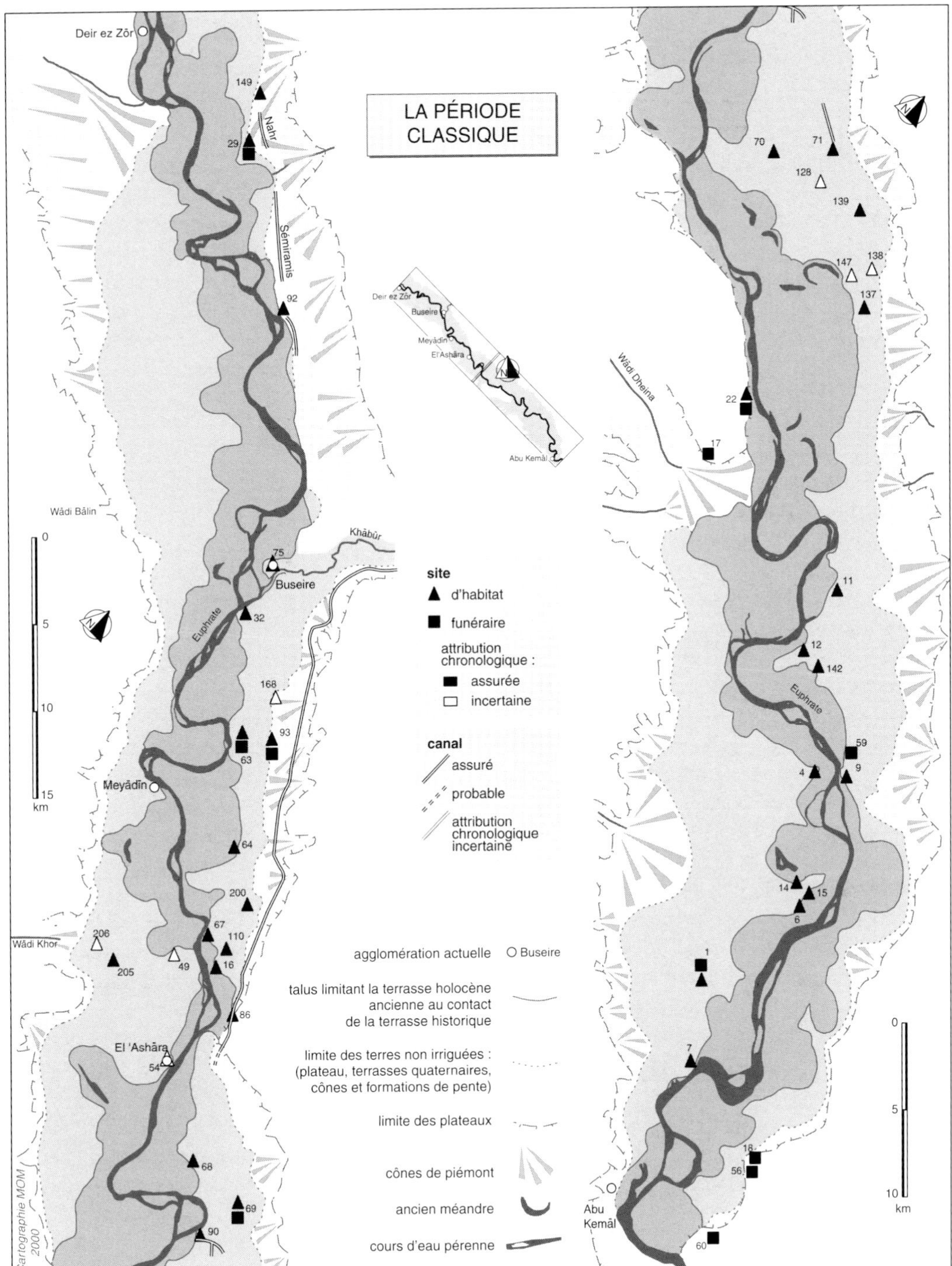

Fig. 16 - La basse vallée de l'Euphrate syrien. Les sites et les aménagements de la période « classique ».

Andarin), c'est à l'époque hellénistique que débute une phase d'expansion du peuplement dans la steppe, qui va se poursuivre jusqu'à la conquête islamique [203]. La période doit donc être considérée comme particulièrement favorable à la mise en valeur de la vallée de l'Euphrate, puisqu'associant des conditions climatiques moins contraignantes qu'à l'habitude à une maîtrise de plus en plus affirmée des techniques d'irrigation.

203 - Geyer et Rousset 2001.

Le cadre historique

C'est avec la fondation d'Europos [204], en – 303 par Nicanor, un général de Séleucos Ier, que l'histoire de la vallée nous est à nouveau mieux connue, et ce pour une période de cinq siècles et demi.

La domination séleucide

Création *ex nihilo* à vocation essentiellement militaire [205], Europos est une colonie qui s'intègre dans l'organisation d'ensemble de l'Empire séleucide. L'Euphrate représente alors un important axe commercial entre les deux capitales de l'empire, Antioche à l'ouest et Séleucie-du-Tigre à l'est. Ville étape, Europos est un maillon sur cette route qu'elle contribue à protéger. Sa position lui confère tout de suite une importance que n'eut pas alors Circesium, dont la (re)fondation pourrait également remonter au règne de Séleucos [206]. Établie sur le rebord de la falaise, une citadelle contrôle à la fois la voie fluviale de l'Euphrate et la route terrestre de rive droite qui y descend, lorsque l'on vient de l'amont, du plateau ; à son pied, sur les pentes, devait se trouver une ville basse habitée par les colons grecs et macédoniens [207].

L'avènement de la dynastie parthe des Arsacides en – 247, dans la basse vallée de l'Euphrate, n'entraîne pas de changements notables. En – 221, Molon, un satrape de Médie en révolte contre le roi séleucide Antiochus III, s'empare pendant quelque temps de la Parapotamie, y compris la région d'Europos, avant d'être défait par Antiochus [208]. Dans le courant du IIe s. av. J.-C., Europos voit son importance croître ; de simple colonie, elle devient bientôt un centre régional prospère. Elle s'étend sur le plateau par l'édification d'une ville de plan hippodamien, dont le côté ouvert, à l'ouest, est protégé par la construction d'un rempart [209]. Élevée au rang de *polis* (cité), elle est régie par des institutions grecques et abrite une population autochtone, dont une partie joue un rôle non négligeable dans la gestion des affaires de la cité. Cette élite indigène comprend vite son intérêt : s'hellénisant rapidement, elle peut ainsi participer au développement des activités commerciales et en tirer profit, contribuant de la sorte, comme dans la plupart des autres fondations séleucides, au renforcement de la puissance de l'Empire. Mais la prise de Séleucie-du-Tigre par les Parthes, en – 141, rompt l'équilibre international et déclenche un processus de désintégration de l'Empire séleucide, qui se réduit à un petit État en Syrie occidentale, avant d'être finalement absorbé par Rome [210].

La domination parthe

Lorsqu'en – 113, les Parthes s'emparent d'Europos et l'intègrent à leur empire [211], cela ne semble pas affecter la prospérité de la ville ; certes, et malgré la relative proximité du monde romain [212], elle perd manifestement son caractère militaire, au point que les remparts sont laissés à l'abandon [213]. Mais, continuant à être régie par les institutions séleucides, elle jouit d'une certaine autonomie vis-à-vis du roi et de l'administration centrale [214] et garde un rôle significatif, d'abord dans la satrapie de Parapotamie, puis dans celle de Mésopotamie et de Parapotamie, dont elle fut peut-être même le siège [215]. Surtout, l'Euphrate reste une route commerciale importante [216]. La vallée est jalonnée de comptoirs, et Doura-Europos est l'une de ces étapes. Toutefois, aux dires de Strabon, cette route semble avoir été quelque peu délaissée par les commerçants au Ier s. av. J.-C. en raison de la multiplicité des taxes exigées par les nombreux phylarques arabes qui contrôlaient, de façon anarchique, les rives du fleuve [217]. Néanmoins, cette position en bordure de l'Euphrate

204 - La fondation macédonienne prit le nom d'Europos, du nom du village natal de Séleucos Ier en Macédoine. Ce n'est qu'à partir de sa conquête par les Parthes que la cité fut rebaptisée Doura-Europos.

205 - Leriche 1993 b, p. 83. Pour E. Will (1988), la fonction militaire n'est pas dans le projet séleucide et n'apparaîtra que lorsque la ville sera un enjeu de la rivalité entre les Romains et les Parthes.

206 - D'après la chronographie de Bar Hebraeus (cf. annexe 3, texte 66).

207 - Les campagnes de fouilles 1991-1993 ont modifié la vision habituellement admise des débuts de la ville (Leriche et al-Mahmoud 1997, p. 19 ; Leriche 1997).

208 - Polybe V, 48, 16 : « Là (à Séleucie-sur-le-Tigre), quand il (Molon) eut bien soigneusement reposé son armée et encouragé la troupe, il reprit la suite des opérations et conquit la Parapotamie jusqu'à la ville d'Europos, la Mésopotamie jusqu'à Doura » (cf. annexe 3, texte 50). Les deux villes citées sont Doura-Europos (Europos) et Doura sur la rive gauche du Tigre (Doura).

209 - Leriche 1986, p. 61-82 ; 1993 a, p. 126.

210 - En – 64/– 63, Pompée prend possession des dépouilles de l'Empire séleucide qu'il transforme en province romaine : la province de Syrie.

211 - Son rattachement à la satrapie de Parapotamie est attesté par deux documents du Ier siècle de notre ère trouvés à Doura (*P. Dura* 18, l. 2 et 14, daté de 87 et *P. Dura* 19, l. 2, daté de 88/89).

212 - Le point de contact le plus proche entre les deux empires, romain et parthe, se situe vers l'embouchure du Balikh. En amont, la frontière était l'Euphrate, la rive gauche étant territoire parthe. Cette limite perdurera jusqu'à l'offensive de Lucius Verus en 165. Il est néanmoins vraisemblable que Trajan l'ait repoussée en direction du sud-est, sans doute jusqu'au défilé d'Al-Khanouqa (Gawlikowski 1996, p. 132-133).

213 - Leriche 1993 b, p. 83.

214 - Voir en particulier l'analyse de P. Arnaud (1986).

215 - Le parchemin *P. Dura* 20 mentionne en 121 un gouverneur parthe du nom de Manesos, dont l'une des charges est d'être « stratège de Mésopotamie et de Parapotamie » (l. 5 : στρατηγοῦ Μεσοποταμίας καὶ Παραποταμίας).

216 - Sur le rôle militaire et économique de l'Euphrate, en particulier du Moyen-Euphrate, pendant les premiers siècles de notre ère, voir Frézouls 1980, notamment p. 366 *sq.*

217 - Strabon (*Géographie* 16. I. 27) indique la préférence des commerçants pour une route située plus au nord, à trois jours de marche de l'Euphrate, et traversant le désert ; les Scénites qui contrôlent ces régions sont plus accueillants et rançonnent moins les voyageurs que « les phylarques qui habitent le long du fleuve sur les deux rives », lesquels « perçoivent leurs propres taxes, et cela sans modération » (cf. annexe 3, texte 55).

et au débouché d'une piste caravanière venant de Palmyre [218] favorise le développement de la ville, dont la population augmente fortement. De nombreuses communautés y sont représentées, comme en témoignent l'abondante documentation fournie par des parchemins, papyri et graffiti [219], et l'existence de nombreux temples, dédiés à des divinités grecques ou orientales, tels Zeus Théos, Zeus Kyrios, Adonis, Bêl, Atargatis, ainsi que d'une synagogue. De grands travaux sont entrepris : reconstruction du palais de la citadelle, édification de temples (parfois aménagés dans des tours du rempart [220]), de thermes, etc.

Peu à peu, et surtout à partir du règne de l'empereur Hadrien (117-138), Palmyre monte en puissance et détourne à son profit l'essentiel du trafic commercial qui transitait auparavant par l'Euphrate [221]. Loin d'en souffrir, Doura-Europos, où la présence palmyrénienne s'accroît [222], profite de ce transfert. Un cantonnement d'archers palmyréniens, basé à Doura même, assure la sécurité de la piste caravanière la reliant à Palmyre.

Cette prospérité, fondée comme à l'époque hellénistique sur le commerce mais aussi sur la richesse du terroir, se prolonge jusqu'en 165, sauf pendant un très court intermède de deux ans, entre 115 et 117, durant lequel Doura-Europos est momentanément occupée par les Romains, lors de l'expédition de Trajan à Ctésiphon. Ceux-ci laisseront comme témoignage de leur passage l'arc de triomphe situé devant la ville. En 160, un séisme est réputé avoir provoqué l'effondrement dans l'Euphrate d'une partie de la citadelle et son abandon [223], mais n'aurait pas eu de conséquences fâcheuses pour la ville.

En 163, en réponse à une nouvelle intervention parthe contre les troupes romaines en Arménie et à l'occupation de la Syrie, Marc-Aurèle envoie Lucius Verus mener une offensive d'envergure qui va durer quatre ans. Un des légats, Avidius Cassius, descend l'Euphrate, s'empare de Doura-Europos en 165 et pousse son avantage jusqu'à Séleucie-du-Tigre et Ctésiphon. Doura-Europos se trouve intégrée à l'Empire romain dont la frontière avec l'Empire parthe est repoussée désormais vers le sud-est, plus en aval sur l'Euphrate.

La domination romaine

Après sa conquête par les Romains, Doura-Europos devient un point stratégique important pour l'Empire en raison de sa position très avancée ; elle retrouve de ce fait une fonction militaire plus affirmée, même si, pendant une cinquantaine d'années, la ville connaît une certaine tranquillité due principalement à l'affaiblissement de l'Empire parthe.

Fin 197, Doura voit passer Septime-Sévère qui éprouve le besoin de raffermir la puissance romaine en Mésopotamie. En effet, les Parthes, profitant de ce que l'empereur était occupé par des problèmes internes, avaient porté la guerre en Mésopotamie et en avaient conquis une grande partie, ne s'arrêtant que devant Nisibis qu'ils n'étaient pas parvenus à prendre. Septime-Sévère réagit rapidement, gagne Nisibis, puis descend l'Euphrate avec une flotte qu'il fait construire sur le fleuve [224] et va s'emparer de Séleucie-du-Tigre, de Babylone et de Ctésiphon, qu'il incorpore dans une nouvelle province, celle de Mésopotamie. C'est peut-être à cette occasion que la frontière est repoussée à son point maximal vers le sud-est, à plus de 150 km de Doura, aux environs de Kifrin, site identifié avec l'ancienne Becchoufrein [225], et de l'île de Bijan [226].

Quelques années plus tard, vers 208, le passage à Doura d'une ambassade parthe, dirigée par Gocès, nous est connu par une lettre de Marius Maximus [227], gouverneur de la province et général de l'armée, au procurateur de Syrie, Minicius Martialis et aux commandants des postes situés sur l'itinéraire emprunté.

Refondée sous l'empereur Caracalla sous les surnoms d'*Aurelia Antoniniana*, Doura-Europos devient colonie romaine sous Sévère Alexandre. De nouvelles constructions sont entreprises : un amphithéâtre, des thermes, plusieurs temples, dont un *mithraeum*. La ville profite de la prospérité de Palmyre ; le commerce reste intense, grâce surtout au trafic caravanier qui transite en partie par elle et que continuent de protéger les troupes palmyréniennes.

Au début du IIIe s., la menace perse se fait de nouveau sentir. En effet, les Sassanides, qui se réclament des Achéménides et entendent restaurer la grandeur d'antan,

218 - De nombreux puits jalonnent cette piste qui emprunte la partie aval du Wādi Dheina (Wādi es Souāb), passe par Ğibb et Ḥomeyma, puis par Warka et Ğiffa ou par Mourabba'a et Ğiffa (ou Moumbaṭaḥ) ; cf. Poidebard 1934, p. 115-117.

219 - De nombreuses langues sont attestées, comme le grec, le latin, l'araméen, l'hébreu, le syriaque, le palmyrénien, etc. (Welles *et al.* 1959 ; Kilpatrick 1964).

220 - C'est le cas entre autres du temple de Bêl et de celui de Zeus Kyrios.

221 - Sur le rôle de Palmyre dans le commerce caravanier et la délimitation de sa zone d'influence, voir Gawlikowski 1983 b ; Teixidor 1993.

222 - Deux temples en témoignent, l'un dédié au dieu Bêl, l'autre aux Fortunes de Doura et de Palmyre.

223 - Pillet 1931, p. 13-15.

224 - Dion Cassius, *Hist. Rom.*, 75, 21, 9 : « Sévère fit construire des bateaux sur l'Euphrate, et tout à la fois naviguant et marchant le long du fleuve, il s'empara promptement de Séleucie et de Babylone abandonnées » (cf. annexe 3, texte 32).

225 - Invernizzi 1986, notamment p. 59-60 et p. 66. La distance entre Doura et Kifrin est d'environ 175 km. Cette localité est mentionnée dans les parchemins de Doura, en particulier les parchemins *P. Dura* 100 (daté de 219) et 101 (de 222).

226 - Ce site était auparavant l'une des étapes de la Route royale des Parthes, du nom de Izan (Isidore de Charax, Ἴζαν νησόπολις, « la ville insulaire d'Izan »). Les fouilles polonaises ont mis au jour les vestiges de la garnison romaine (pour une rapide synthèse des fouilles, voir Gawlikowski 1983 a).

227 - *P. Dura* 60 B (cf. annexe 3, texte 63).

contestent le pouvoir aux Arsacides. Vers 224/226, Ardashir renverse le roi Artaban, puis relance la lutte contre Rome. C'est sans doute à partir de ce moment que l'activité militaire devient très intense à Doura. La ville devient le siège du *Dux Ripae*, chargé de défendre la vallée. La partie nord de la ville est transformée en camp militaire, de nouveaux bâtiments sont construits, comme le prétoire ou le palais du *Dux*, les fortifications sont renforcées. La garnison qui y cantonne voit ses effectifs augmenter, avec un nombre de plus en plus important d'archers palmyréniens.

Après la reprise des hostilités, plusieurs expéditions militaires ont lieu, menées tantôt par les Perses, tantôt par les Romains. Sous Gordien III, Doura-Europos est attaquée par les Perses en avril 239 [228]. Cinq ans plus tard, en 244, Gordien, qui vient de remporter une victoire sur les Perses à Resaina, marche sur Ctésiphon ; de Nisibis, il descend le Khābūr et l'Euphrate, passant vraisemblablement à Circesium et à Doura. C'est au cours de cette expédition qu'il trouve la mort, victime soit d'une chute de cheval, soit d'un complot fomenté par celui qui sera son successeur, Philippe l'Arabe [229]. Ce dernier lui fait élever un tombeau [230] à proximité de Circesium.

Il est vraisemblable que ces événements affectèrent le commerce qui transitait par la vallée. La route de l'Euphrate, devenue moins sûre et déjà délaissée au profit de la route caravanière par Palmyre, est sans doute partiellement abandonnée par les marchands et les voyageurs [231] qui doivent lui préférer la route du nord par le piémont.

Un peu plus tard, le successeur de Philippe, l'empereur Dèce, aurait introduit des lions dans le désert d'Arabie, jusque dans la région de Circesium, si l'on en croit la mention qui en est faite ultérieurement dans la *Chronique Pascale* pour la 257e olympiade (250-253) [232].

En 253, l'armée perse envahit la Syrie et occupe momentanément Doura [233]. C'est finalement en 256 que la ville est prise par les Sassanides après un siège de plusieurs semaines [234]. Doura est ensuite abandonnée, à l'exception, semble-t-il, d'une petite partie du site à proximité du fleuve [235], et sa population sans doute déportée [236]. Circesium tombe aussi aux mains de Shapuhr Ier lors de cette même campagne [237].

Les Romains récupéreront assez rapidement cette dernière place, qui sera désormais le point ultime de leur empire dans la vallée de l'Euphrate. Circesium devient *de*

228 - Un graffito trouvé à Doura (SEG VII, 743b) atteste que la Cohors XX Palmyrenorum Gordiana a subi une attaque perse « le 30 xandicos 550 sél. », soit le 30 avril 239 (cf. annexe 3, texte 64).

229 - Sur la mort controversée de Gordien III, voir LORIOT 1975, p. 770-774, qui ne recense pas moins de quatre versions différentes, qui divergent sur les circonstances de sa mort (assassinat ou chute de cheval) et/ou sur le lieu (champ de bataille, région de Circesium…). La thèse de l'assassinat est évoquée notamment par Ammien Marcellin dans le discours qu'il prête à Julien après la traversée du Khābūr : « s'il (Gordien) n'était tombé sous des coups impies, par les intrigues de Philippe, préfet du prétoire, criminellement aidé de quelques complices, en ce lieu même où il est enseveli » (XXIII, 5, 17 ; annexe 3, texte 24), ainsi que par Eutrope : « sur le retour, il (Gordien) fut tué non loin du territoire romain par la fourberie de Philippe, qui régna après lui » (*Breu.* IX, 2, 3 ; annexe 3, texte 34) et par Orose : « après avoir livré avec bonheur des batailles considérables contre les Parthes, Gordien fut tué du fait de la trahison des siens, non loin de Circessos sur l'Euphrate » (*Histoires* VII, 19, 5 ; annexe 3, texte 48). Toutefois, la tradition byzantine s'éloigne des abréviateurs latins en attribuant la mort de l'empereur à une chute de cheval lors de la bataille de Mésichè, à proximité de Ctésiphon. Cette version est plus conforme avec l'inscription des *Res Gestae diui Saporis* de Naqš-i-Rustem, dans laquelle le Roi des rois, Shapuhr Ier, évoque la mort de Gordien au cours de ce combat (HONIGMANN et MARICQ 1953, p. 12 et p. 110, l. 8). La version des *Oracles Sibyllins*, XIII, de peu postérieure à l'événement, combine la trahison et le champ de bataille : « trahi par un compagnon, il tomba au combat, frappé par un fer brillant comme le feu ». Cette dernière version est considérée comme la plus proche de la réalité par E. Honigmann et A. Maricq (1953, p. 118-122).

230 - *Histoire Auguste* XXXIV, 2 ; FESTUS, *Abr.* 22, 2. À en croire ce dernier et Eutrope (*Breu.* IX, 2, 3), il s'agit d'un cénotaphe. Ce tombeau était encore visible à l'époque de Julien en 363 (AMMIEN MARCELLIN, XXIII, 5, 7 ; ZOSIME, III, XIV, 2). Pour toutes ces références, voir annexe 3, textes 40, 37, 34, 23-24 et 62. Sur la localisation du tombeau, voir chap. IV.

231 - Peut-on cependant affirmer que « la route du Sud longeant l'Euphrate […] n'était plus utilisée par les voyageurs pour se rendre en Perse et en Babylonie » comme le fait M. Tardieu (1990, p. 130, n. 96) d'après l'itinéraire que Philostrate fait emprunter à Apollonios de Thyane ? Nous ne le pensons pas, car dans ce récit (GRIMAL 1958, p. 1048-1049), aucune étape n'est mentionnée entre Zeugma et Ctésiphon, en sorte que la route de l'Euphrate reste tout aussi envisageable. De plus, rien ne dit que les routes situées plus au nord étaient plus sûres : en 230, les Perses menèrent leurs attaques sur plusieurs fronts, dont la haute Mésopotamie.

232 - *Chronicon Paschale*, P 271 : « L'empereur Dèce lui-même amena d'Afrique des lions terribles et des lionnes et les libéra vers l'orient, depuis l'Arabie et la Palestine jusqu'au camp de Kirkésion, pour qu'ils se reproduisent, à cause des barbares Saracènes » (cf. annexe 3, texte 29). Le terme « Saracènes » — ou Sarrasins — désigne les populations arabes nomades.

233 - Voir à ce sujet l'article de F. Grenet (1988) qui réexamine tous les documents sassanides trouvés à Doura-Europos. Il s'oppose à S. James (1985) et à D. Macdonald (1986), qui réfutent une première occupation sassanide en 253, le second attribuant les documents perses à la présence d'une petite garnison sassanide qui y aurait stationné pendant quelque temps après la prise de la ville.

234 - L'état de conservation des vestiges a permis de reconstituer ce siège dans le détail (LERICHE 1993 b).

235 - Les fouilles récentes ont mis en évidence, non loin du rebord de la falaise, un habitat modeste qui se serait prolongé au moins jusqu'au Ve s. (LERICHE et AL-MAHMOUD 1997, p. 16 et 20).

236 - HOPKINS 1979, p. 249, 264. Une garnison sassanide resta quelque temps dans la ville, qui fut ensuite abandonnée. Au IVe s., un ermite chrétien du nom de Benjamin y vivait, sans doute complètement isolé. Mu'aïn, un ancien général du roi perse Shapuhr II fuyant les persécutions qui s'abattirent dans l'Empire sassanide contre les chrétiens à partir de 339/340, le rencontra « dans une ville ruinée, qui s'appelle Doura » ; informé de sa présence auprès de ce chrétien du « désert de Doura », le roi le fit chercher (Actes syriaques de Mār Mu'aïn, cités par CUMONT 1926, p. 164). Un peu plus tard, l'armée de Julien constatera cet abandon définitif (témoignages d'Ammien Marcellin, puis de Zosime, voir ci-dessous). Au IXe s., une garnison abbasside viendra occuper la citadelle.

237 - Doura et Circesium figurent dans la liste des villes prises par Shapuhr Ier lors de cette campagne (inscription des *Res Gestae diui Saporis*, version grecque, l. 17 ; cf. annexe 3, texte 65). Il s'agit de la plus ancienne attestation de Circesium.

facto un élément clé dans le système de défense romain et sera le siège de la legio IV Parthica, comme le confirmera par la suite la *Notitia Dignitatum* [238].

Quelques années plus tard, en 273, la chute de Palmyre a une double conséquence : la route commerciale du désert est abandonnée tandis que les grandes tribus arabes voient leur rôle se renforcer considérablement dans ces vastes zones difficiles à contrôler. Promptes à passer d'une alliance à une autre, elles deviennent dès lors un élément avec lequel Rome devra compter.

Mais l'ennemi majeur reste l'Empire perse. La nécessité de défendre les frontières orientales se fait plus pressante et les Romains prennent peu à peu des mesures pour se protéger. Dioclétien développe et réorganise le *limes* à la fin du IIIe s. Il crée une ligne de défense en profondeur, constituée de places fortes reliées par des routes, telle la *strata diocletiana* qui relie Damas à l'Euphrate *via* Palmyre. Cette ligne est renforcée par un « *limes exterior* », dispositif avancé composé d'avant-postes isolés en rase campagne [239], parfois fort éloignés de la ligne principale. Dans le cadre de ce vaste programme de renforcement du *limes*, Dioclétien fortifie Circesium [240] et (re)construit plusieurs forteresses de la région [241] en amont de Circesium sur l'Euphrate, dont Mambri [242] et Zenobia [243] en Euphratésie, cette dernière occupant une position stratégique importante, dans un étranglement de la vallée de l'Euphrate au pied du Jebel Bichri ; ce dispositif est complété par le site de Zalabīya sur l'autre rive, en Osrhoène, petit *castellum* qui est sans doute l'Annoukas de Procope [244]. Mais l'Euphrate perd son rôle de grande route commerciale au profit de Nisibis qui devient, à la suite du traité de 297 signé par Galère avec les Perses, le plus important point de passage.

Occupation du sol et mise en valeur

Pendant près de six siècles, Europos, puis Doura-Europos (Qal'at es Sālihīye, **22**), fut le centre le plus important de la vallée. D'abord fondation macédonienne à vocation militaire, elle profita de sa position particulière pour devenir rapidement une capitale régionale. Bénéficiant en effet d'une remarquable protection naturelle par sa position entre deux oueds et en surplomb de l'Euphrate sur le rebord du plateau, la ville, construite en damier [245] autour d'une agora, était protégée à l'est par une citadelle en à-pic d'une quarantaine de mètres sur le fleuve. Elle pouvait ainsi surveiller le trafic fluvial juste en contrebas, la route terrestre de rive droite qui passait obligatoirement par le plateau [246] et empruntait un vallon situé au cœur même de la ville, et, indirectement, le trafic terrestre en provenance de Palmyre qui passait par le Wādi Dheina, dont le débouché est situé quelque cinq kilomètres en aval. Sous les Séleucides, puis sous les Parthes, l'Euphrate joua en effet un grand rôle stratégique et commercial en reliant les deux capitales de l'Empire séleucide. Ville étape [247] sur la « Route royale » des Parthes qui relie Séleucie-de-l'Euphrate/Zeugma [248] sur le haut Euphrate et Séleucie-du-Tigre en Babylonie, Europos en était un des maillons importants et contribuait à protéger le trafic qui empruntait cette voie. En amont, cette voie fluviale profitait probablement d'un aménagement de premier ordre, le Nahr Sémiramis, un canal de navigation qui doublait sur la rive gauche le fleuve en aval du défilé de Halabīya-Zalabīya jusqu'au Khābūr. Lorsque Palmyre, dans le courant du IIe s. apr. J.-C., accapara l'essentiel de ce trafic, Doura en profita aussi. Située à peu près à la même latitude que cette dernière, elle contrôlait l'accès à la route caravanière la plus directe [249] et la plus aisée entre l'Euphrate

238 - *Notitia Dignitatum*, Or. XXXV, 24 : « préfet de la legio IV Parthica, à Circesium » (annexe 3, texte 47).

239 - Ammien décrit rapidement ce dispositif en XIV, III, 2 : « toutes les régions de Mésopotamie, habituées aux alertes fréquentes, étaient gardées par des postes avancés et des corps d'observation en rase campagne » (*Mesopotamiae tractus omnes, crebro inquietari sueti, praetenturis et stationibus seruabantur agrariis* ; trad. E. Galletier). Sur l'organisation du *limes* en Syrie, voir l'étude d'A. Poidebard (1934), notamment le chapitre 5. Voir aussi Bauzou 1989, Ulbert 1989 et, plus récemment, Gatier 2000.

240 - Ammien Marcellin, XXIII, v, 2 : « Cercusium, [...] place fort sûre, bâtie selon toutes les règles de l'art. Ses murailles sont entourées par les fleuves du Khābūr et de l'Euphrate, qui donnent au site la configuration d'une presqu'île. Dioclétien a entouré cette place, jusque-là exiguë et peu sûre, de tours et de murs élevés, au temps où, aux confins même des pays barbares, il organisait les défenses frontalières en profondeur » (annexe 3, texte 23). Procope, *De aed.* II 6, 2 : « l'empereur Dioclétien l'édifia il y a longtemps » et II, 6, 4 : « Dioclétien, en son temps, avait construit cette place forte en l'entourant d'un mur qui ne formait pas un cercle complet : il avait étendu jusqu'à l'Euphrate la construction du rempart, édifiant une tour à chacune des deux extrémités et avait laissé ce côté-ci de la place forte complètement dépourvu de rempart, pensant, d'après moi, que l'eau du fleuve suffirait comme fortification de la place de ce côté-ci » (annexe 3, texte 52).

241 - Procope, *De aed.* II, 8, 7-21.

242 - Il pourrait s'agir, d'après A. Poidebard (1934, p. 86-87), du tell fortifié de Qouboût Tibni, à 7,5 km en aval de Halabīya (Zenobia), soit à peu près les « 5 milles » indiqués par Procope.

243 - Ce site est l'actuelle Halabiya, fouillée par J. Lauffray en 1944 et 1945. Les travaux ont été publiés récemment (Lauffray 1983 et 1991).

244 - Procope, *De aed.* II, 6, 12.

245 - L'urbanisme, d'une très grande régularité, est de type hippodamien : chaque îlot regroupe huit maisons de surface identique (310 m^2), édifiées sur le même modèle. E. Will (1988) estime la population totale de la ville à environ 5 000 à 6 000 personnes.

246 - Geyer 1988, p. 290.

247 - Isidore de Charax : « Doura, ville de Nicanor, fondation des Macédoniens, appelée Europos par les Grecs » (annexe 3, texte 41).

248 - Ce point de passage extrêmement important dans l'Antiquité a été identifié au site de Tepe Belkis, en Turquie, à proximité de l'actuelle frontière avec la Syrie (Wagner 1976 ; Kennedy 1994 ; Abadie-Reynal *et al.* 1998, avec bibliographie concernant les fouilles).

249 - Une inscription trouvée à Umm el 'Amad atteste l'existence d'une autre route caravanière reliant directement Palmyre à Hit *via* Umm el 'Amad, Umm es Salabikh, Qasr Swab, Qasr Helqum et passant plus au sud que celle qui transite par Doura (Mouterde et Poidebard 1931, p. 106). Le nombre d'étapes dans le désert y est nettement plus important.

et Palmyre, par le Wādi Dheina. C'est à Doura que les caravanes arrivant du sud-est quittaient la vallée pour rejoindre Palmyre.

Si la richesse de Doura-Europos reposait essentiellement sur le commerce, elle était aussi fondée sur la mise en valeur de son terroir agricole, laquelle bénéficiait de conditions climatiques devenues un peu moins contraignantes. La ville contrôlait ainsi, du haut de sa falaise, l'ensemble de son territoire, lequel s'étendait vraisemblablement de la basse vallée du Khābūr, en amont de sa confluence avec l'Euphrate [250], jusqu'aux environs de l'actuelle ville d'Abu Kemāl. Plusieurs villages et hameaux sont mentionnés dans les parchemins de Doura, mais leur localisation est rarement précisée. Certains se retrouvent dans les *Étapes parthiques* d'Isidore de Charax ou dans les toponymes des listes de Ptolémée. Plusieurs d'entre eux doivent correspondre à l'un ou l'autre des 37 sites retrouvés au cours de la prospection, sans qu'il soit toujours possible de proposer d'identification.

Comme pour les périodes précédentes, la localisation des sites que l'on peut attribuer à cette époque (30 assurés et 7 probables) est très inégalement répartie entre les deux rives. C'est de nouveau la rive gauche qui est la plus densément occupée avec 27 sites (dont 5 probables). Trois se trouvent en amont de la confluence du Khābūr et de l'Euphrate : Hatla 2 (**149**), Tell es Sinn (**29**), Et Tābīye 2 (**92**). Ils sont à proximité d'un canal, le Nahr Sémiramis, dont le fonctionnement à cette époque est probable. À la confluence se trouvent deux sites : en rive droite du Khābūr, Buseire 1 (**75**) est l'ancienne Phaliga (ou Phalga ou Paliga), qui, devenue Circesium, prendra une grande importance après la chute de Doura ; en rive gauche, Safāt ez Zerr 2 (**32**) est peut-être l'ancienne Nabagath [251]. Neuf sites sont répartis dans l'alvéole de Dībān : Shheil 5 (**168**, probable) et 1 (**93**), Maqbarat Graiyet 'Abādish (**63**), Dībān 1 (**64**) et 21 (**200**), Taiyāni 1 (**67**) et 5 (**110**), Jebel Masāikh (**16**, peut-être les anciennes Asicha, puis Zaitha sur la fin de la période et le début de la suivante [252]) et Darnaj (**86**) à la jonction avec l'alvéole d'Abu Hammām. Dans celle-ci, dix sites ont été repérés, dont 4 probables : Jebel Mashtala (**68**), El Jurdi Sharqi 1 (**69**) et 4 (**90**), Maqbarat el Ma'ādi (**70**), Hasīyet el Blāli (**71**), Jīshīye (**128**, probable), Hasīyet 'Abīd (**139**, probable), Kharāij 2 (**138**, probable), Hasīyet er Rifān (**147**, probable) et Kharāij 1 (**137**). Plus en aval, on ne trouve plus que quatre sites, Tell Khaumat Hajīn (**11**), Tell Halīm Asra Hajīn (**12**), Hajīn 2 (**142**) et Tell Abu Hasan (**9**). On trouve en revanche plusieurs sites funéraires, dont deux importants, Es Sūsa 1 et 2 (**18/56**) et Bāqhūz 2 (**60**), que l'on peut sans doute mettre en rapport avec des habitats de rive droite, en particulier 'Anqa (en aval de l'actuelle frontière syro-iraqienne) et Ta'as el 'Ashāir (**7**).

La rive droite semble en revanche peu occupée. En dehors de Doura-Europos, neuf sites seulement y ont été repérés : aucun dans l'alvéole de Mōhasan, trois, dont un seul assuré, dans celle d'El 'Ashāra (El Graiye 3 [**49**, probable], 6 [**205**] et 7 [**206**, probable]) et six dans celle de Tell Hariri (Er Ramādi [**4**], Es Saiyāl 5 [**14**], 2 [**15**] et 3 [**6**], Tell Hariri [**1**, peut-être l'ancienne Merrhan] et Ta'as el 'Ashāir [**7**]).

Dans les deux alvéoles situées en aval, tous les sites, à l'exception de Tell Hariri, se trouvent en bordure de l'Euphrate. En revanche, les alvéoles amont ont un habitat plus éclaté. Une dizaine de sites sont en bordure ou à proximité du fleuve ; ainsi, dans l'alvéole de Dībān, Safāt ez Zerr 2 (**32**), Maqbarat Graiyet 'Abādish (**63**), Dībān 1 (**64**), Taiyāni 1 (**67**) et 5 (**110**), Jebel Masāikh (**16**), dans celle d'Abu Hammām, Jebel Mashtala (**68**), El Jurdi Sharqi 4 (**90**), Hasīyet er Rifān (**147**) et Kharāij 1 (**137**), ou dans celle d'El 'Ashāra, El Graiye 3 (**49**). Certains sont à proximité d'un canal, comme Hasīyet el Blāli (**71**) à côté du canal d'El Jurdi Sharqi ou Hasīyet 'Abīd (**139**), dans le prolongement de ce même canal. L'implantation de sites comme Maqbarat el Ma'ādi (**70**), Jīshīye (**128**) dans cette même alvéole suppose l'existence de canaux secondaires. D'autres en revanche sont éloignés de tout point d'eau repérable de nos jours. C'est le cas par exemple, dans l'alvéole de Dībān, de Shheil 5 (**168**) et 1 (**93**), et de Dībān 21 (**200**). Cela nous incite à penser que le tronçon du Nahr Dawrīn qui longe cette alvéole était en fonction et approvisionnait cet habitat au moyen de dérivations. On peut envisager la même chose pour El Jurdi Sharqi 1 (**69**), dans l'alvéole d'Abu Hammām. En revanche, l'implantation de sites comme El Graiye 6 (**205**) et 7 (**206**) dans celle d'El 'Ashāra laisse penser que des canaux, maintenant disparus, ont pu exister.

Ces canaux permettaient avant tout de mettre en valeur le terroir, par la pratique d'une irrigation qui semble avoir été différenciée selon les secteurs. Il ressort des parchemins que c'est la région de la confluence qui est la plus riche. Des canaux, apparemment de petit gabarit [253], y sont mentionnés. C'est effectivement la zone amont de rive gauche qui est la plus peuplée et pour laquelle nous sommes à peu près certains que des aménagements existaient. Le Nahr Dawrīn était alors en eau, comme le prouve la présence de plusieurs sites installés à sa proximité ; il ne semble pas avoir retrouvé sa vocation de canal de transport et devait servir à l'irrigation de l'alvéole de Dībān, peut-être aussi à la partie amont de

250 - Le parchemin *P. Dura* 26 de Doura-Europos (Welles *et al.* 1959, p. 137 *sq.*) indique (l. 6) qu'une cohorte a ses quartiers d'hiver dans le village de Sachare sur le Khābūr. Ce toponyme évoque celui de la Saggarâtum paléobabylonienne d'une part, celui, moderne, de Tell Seğer d'autre part.

251 - Sur ces deux identifications, voir chap. IV, p. 146 *sq.*

252 - Sur ces identifications, voir chap. IV, p. 150-151, 154, 156 *sq.*

253 - Par exemple, *P. Dura* 26, l. 16 (Welles *et al.* 1959, p. 138).

celle d'Abu Hammām. Cette dernière alvéole était aussi irriguée par un grand canal, le canal d'El Jurdi Sharqi, d'où pouvaient partir des dérivations. Il semble donc que l'on pratiquait la grande irrigation, même si les parchemins retrouvés à Doura sont silencieux sur le sujet et ne mentionnent aucun fonctionnaire spécialisé pour gérer le réseau. En rive droite en revanche, il n'est pas sûr que le système ait été le même. Non seulement l'habitat y était beaucoup plus clairsemé, mais aucun vestige de canal ne semble pouvoir être daté de cette période. Il n'est dès lors pas impossible que l'on y ait pratiqué surtout de la petite irrigation et que les superficies concernées aient été limitées.

Le terroir était divisé en lots (*klèroi*), qui furent assignés dans un premier temps à des colons grecs et macédoniens, généralement des vétérans. Ils pratiquaient non seulement la culture des céréales, notamment le blé, mais aussi la viticulture, qui semble avoir été d'un bon rapport. En outre, des jardins avec des arbres fruitiers procuraient des revenus complémentaires.

LA PÉRIODE ROMAINE TARDIVE (**fig. 17**)

Aucun site de cette époque romaine tardive (ou proto-byzantine) n'a été fouillé et n'apporte de renseignements directs sur l'occupation et l'aménagement de la vallée jusqu'à l'avènement de l'islam dans la première moitié du VIIe s. ; les seules informations proviennent d'auteurs grecs ou latins, notamment d'historiens et de chronographes. Mais leurs écrits, bien que relativement nombreux, sont souvent de seconde main et ne concernent qu'un nombre restreint d'événements. À l'occasion toutefois, certaines données concernant le paysage ou le site majeur de la région pendant cette période, Circesium, se révèlent intéressantes. La configuration géopolitique qui en ressort s'est trouvée confirmée par la prospection.

LE CONTEXTE NATUREL

À partir du milieu du Ier millénaire apr. J.-C., le conditionnement climatique qui prévalait dans toute la région depuis un peu moins d'un millénaire a subi une dégradation progressive faisant place à un nouvel épisode frais, quoique sans doute encore humide [254], lequel se prolongea jusqu'aux environs du IXe s. F. Ortolani et S. Pagliuca [255] dénomment cette période le « petit âge glaciaire du haut Moyen Âge » (*Piccola Età Glaciale Alto medievale*) : ils estiment que celui-ci a duré de 500 à 750 apr. J.-C.

Cette péjoration semble s'être traduite assez rapidement, du moins en Syrie aride, par une accentuation de l'instabilité climatique. Pour les régions occidentales de la Syrie, G. Tate [256] a retrouvé, dans les chroniques, les mentions de disettes dues à de mauvaises récoltes, elles-mêmes liées à des chaleurs estivales excessives ou à des précipitations hivernales trop abondantes. De tels accidents se sont multipliés durant la deuxième moitié du VIe siècle. Pour autant, il n'est pas certain que l'agriculture ait eu à souffrir durablement de ces conditions devenues peu à peu plus contraignantes, du moins de manière brutale ou rapide. Toutefois, dans la région de Salamya-Andarin, c'est paradoxalement au cours des Ve et VIe s. que l'occupation du sol atteint son extension maximale vers l'est [257], profitant de conditions édaphiques rendues favorables par la longue durée du « petit optimum climatique classique ». Dans la vallée de l'Euphrate, il nous est impossible d'estimer, du moins au vu des connaissances actuelles, l'impact de cette péjoration climatique sur la mise en valeur. On peut cependant admettre qu'elle fut relativement faible, du moins dans les premiers temps, c'est-à-dire jusqu'à la conquête islamique.

LE CADRE HISTORIQUE

Le système défensif mis en place par Dioclétien à la fin du IIIe siècle se révéla efficace ; la région connut jusqu'à l'avènement de Justin Ier en 518 une longue période de paix et de prospérité, à peine troublée par trois guerres : d'après nos sources, seule la première entre 361 et 364, sous les empereurs Julien et Jovien, concerna ce secteur de l'Euphrate ; les conflits qui éclateront entre Rome et les Sassanides dans les années 421-422, puis 502-505, se dérouleront sur d'autres terrains, plus au nord, et épargneront la vallée de l'Euphrate. Au cours de ces deux siècles, l'Euphrate retrouva son rôle dans le commerce international et redevint une des trois voies entre le monde méditerranéen et l'Extrême-Orient [258], malgré la pression que maintinrent les tribus arabes, notamment en lançant des raids [259].

L'expédition qui, en 363, emmène Julien jusqu'à Ctésiphon a été abondamment relatée par plusieurs auteurs : Libanius, Ammien Marcellin, Malalas, Zosime. Le premier à la rapporter est Libanius, dès le printemps 365, dans une épitaphe en forme de panégyrique [260], mais l'évocation de la

254 - Neumann (1991), p. 456 pour le Caucase central, p. 457 (fig. 2) pour le sud de l'ex-Union soviétique européenne, p. 458 (fig. 3). WIGLEY, 198-, pour le bassin oriental de la Méditerranée.

255 - ORTOLANI et PAGLIUCA 1998, p. 304-305.

256 - TATE 1992, p. 341-342.

257 - GEYER et ROUSSET 2001.

258 - TATE 1989, p. 98.

259 - Ammien Marcellin le note dans son récit de l'expédition en 363 : entre Callinicum et Circesium, Julien réserve aux « roitelets des peuples sarrasins (venus) s'agenouiller devant lui [...] un chaleureux accueil en raison de leurs aptitudes à la guérilla » (XXIII, III, 8). Ammien semble le confirmer implicitement un peu plus loin, lorsqu'il évoque, en aval de Circesium, la crainte de l'empereur « de se laisser surprendre par une embuscade invisible » (XXIV, I, 2) ou de voir « le personnel de service et les bagages enlevés par une attaque brusquée, comme il est souvent arrivé » (XXIV, I, 4). Voir sur ce point SHAHÎD 1989.

260 - LIBANIUS, *Or.* XVIII. Pour la datation de cette épitaphe, voir l'étude de WIEMER 1995, p. 260-268.

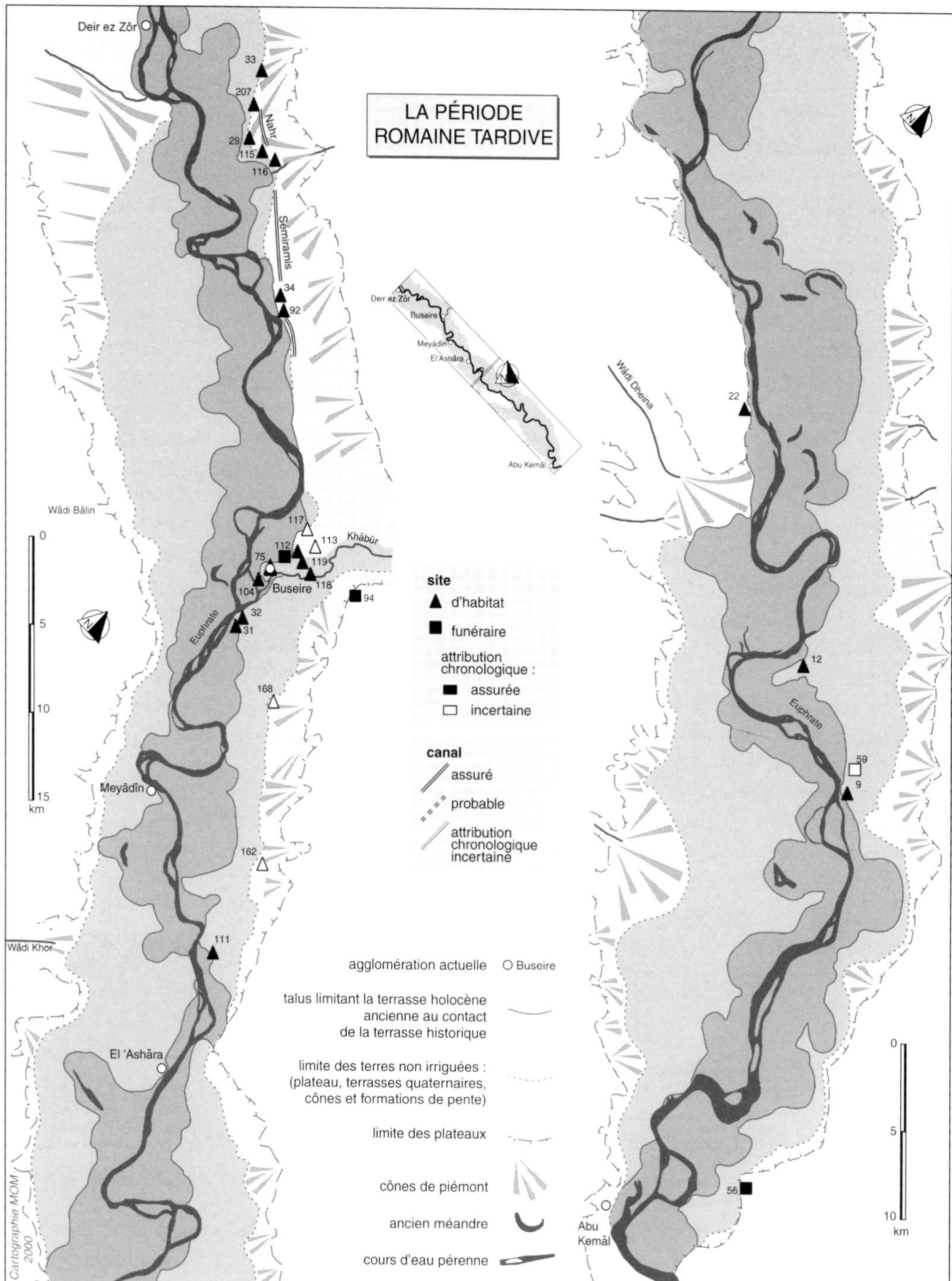

Fig. 17 - La basse vallée de l'Euphrate syrien. Les sites et les aménagements de la période romaine tardive.

traversée de ce secteur de la vallée de l'Euphrate y est très succincte ; il ne cite aucun toponyme et la première place mentionnée depuis le haut Euphrate est localisée plus en aval, à 'Āna [261].

Ammien Marcellin, qui a vraisemblablement rejoint cette expédition à Circesium et y a participé au sein de l'état-major de l'empereur, voire dans sa suite immédiate, la relate de façon précise [262] près de trente ans plus tard, dans les

261 - LIBANIUS, *Or.* XVIII, 218.

262 - AMMIEN MARCELLIN, XXIII, V, 1-8, 15-17 et XXIV, I, 1-6 (annexe 3, textes 23 à 25). Pour le rôle exact d'Ammien, voir FONTAINE 1977 a, p. 17 et n. 1.

années 390-392 : Julien descendit à marches forcées le long de l'Euphrate depuis Callinicum, à l'embouchure du Balikh, jusqu'à Circesium, « place fort sûre », où il entra au début du mois d'avril. Il y séjourna le temps que l'armée franchisse le Khābūr sur un pont de bateaux qu'il fit ensuite couper. Il fut rejoint par une flotte qui lui apporta des vivres en grande quantité. Accompagnée par cette dernière, l'armée [263] reprit alors sa marche, pénétra en territoire perse [264], passa à Zaitha et arriva à Doura qu'elle atteignit en deux jours ; cette dernière ville était alors abandonnée, seulement fréquentée par des hardes de cerfs et, peut-être, des lions [265]. « Ensuite, au terme d'une marche sans encombres de quatre jours, [...] le comte Lucillien est envoyé [...] pour emporter d'assaut le fort d'Anathan. »

Le résumé de Malalas est beaucoup plus succinct [266] : « Julien arriva à la place forte de Circésion [...]. Ensuite il partit de là et franchit l'Aboras par le pont, cependant que les navires arrivaient dans l'Euphrate ». Il donne toutefois des précisions sur les effectifs : « il laissa aussi dans la place forte de Circésion les six mille soldats qu'il y avait trouvés en garnison et leur adjoignit encore d'autres légionnaires au nombre de quatre mille. [...] Les navires étaient au nombre de mille deux cent cinquante. »

Plus d'un siècle après, sans doute au début du VIe s., Zosime [267] raconte à son tour le déroulement de cette expédition : « l'empereur, de là (Callinicon) continua sur Circésion [268] [...], puis traversa le fleuve Aboras et emprunta la voie fluviale de l'Euphrate après s'être embarqué. [...] Il pénétra donc à l'intérieur des frontières perses [...]. Il avança de soixante stades et parvint dans un endroit nommé Zautha, puis de là à Dura [269] [...] ; de là il couvrit quatre étapes et parvint dans un endroit qui se nomme Phathousas. »

Julien fut tué au retour de l'expédition. Son successeur, Jovien, signa une paix peu avantageuse pour Rome, abandonnant au roi perse Shapuhr II une partie de la Mésopotamie du Nord et toute la région située à l'est de Nisibis ; la frontière était formée par le Khābūr et Circesium devint le point extrême sur l'Euphrate.

S'ensuivit un siècle de relative tranquillité, pendant lequel les fortifications de Circesium, qui dépendait du *Dux Osrhoenae* [270], furent plus ou moins laissées à l'abandon [271]. C'est sans doute dans le courant du Ve s. que la legio IV Parthica fut transférée de Circesium à Beroea (Alep) [272]. Cette sérénité fut tout juste troublée, semble-t-il, par une attaque arabe contre Circesium en 502 dont vint rapidement à bout Timostrates, le *dux* de la ville de Callinicon [273].

Dans le deuxième quart du VIe siècle, les hostilités avec la Perse reprennent : quatre guerres vont se succéder, dans lesquelles les tribus arabes jouent un rôle de plus en plus important [274]. La région de Circesium est alors le théâtre d'un certain nombre d'événements, relatés par les auteurs contemporains ou des chronographes postérieurs.

La première guerre entre Perses et Romains éclate en 527 à l'avènement de Justinien, mais elle n'affecte pas directement la région, sauf en 531 : au printemps, sous le commandement d'Azarethes, une armée perse forte d'environ 15 000 hommes et renforcée par un détachement

263 - L'armée de Julien est considérable, sans doute environ 100 000 hommes. Selon Ammien, « il y avait presque dix milles entre l'arrière-garde et les porte-enseignes de tête ». Ces dix milles représentent près de 15 km ; Zosime évalue quant à lui la longueur de cette colonne à 12,5 km (70 stades).

264 - Ammien Marcellin, XXIV, i, 1 : « il pénétra en territoire assyrien aux premiers feux du jour ». La narration d'Ammien est quelque peu confuse : interrompant son récit entre Zaitha et Doura, il rapporte d'abord un discours de Julien à ses troupes et insère ensuite une longue description de la Perse avant de reprendre (livre XXIV, i, 1-6) son récit au moment du départ de Circesium. À moins que le récit du livre XXIII, v, 8 ne relate une petite expédition de reconnaissance menée par l'empereur, comme W. R. Chalmers (1959) en fait l'hypothèse.

265 - « Nous parvînmes auprès de la ville abandonnée de Doura » ; « on découvrit en ce lieu plusieurs hardes de cerfs » (Ammien Marcellin, XXIV, i, 5). Quelques pages plus tôt (XXIII, v, 8), le texte rapporte que c'est à proximité immédiate de Doura que l'on présente à Julien « un lion de taille gigantesque » qui vient d'attaquer un détachement (annexe 3, textes 25 et 23).

266 - Annexe 3, texte 42.

267 - Voir F. Paschoud (1971, t. I, p. xvii) qui situe la rédaction de l'*Histoire nouvelle* de Zosime un bon demi-siècle plus tard (vers 498-518) que la datation communément admise. Le récit de l'expédition de Julien par Zosime (III, xii, 3 - xiv, 2 [annexe 3, texte 62]) se fonde sur des sources antérieures, dont Libanius, Ammien Marcellin et Malalas (voir en particulier Brok 1959, p. 9 *sq.*).

268 - Circésion est une « place forte entourée par le fleuve Aboras et l'Euphrate lui-même, toute proche de la frontière assyrienne » (Zosime, III, xii, 3 [annexe 3, texte 62]).

269 - Comme chez Ammien Marcellin, Dura est une ville abandonnée « qui conservait des vestiges prouvant qu'il y avait eu une fois une ville, mais qui était alors déserte » et « les soldats y aperçurent aussi une foule de cerfs qu'ils abattirent à coups de flèches et dont ils profitèrent pour se nourrir à satiété » (Zosime, III, xiv, 2).

270 - La *Notitia Dignitatum* (Or. XXXV, 24), liste de garnisons qui date de la première moitié du Ve s., situe ce *castellum* dans le duché d'Osrhoène (annexe 3, texte 47).

271 - C'est ce que suggèrent les remarques de Procope quand il signale que Justinien, dans le deuxième quart du VIe s., dut faire rénover ou reconstruire plusieurs *castella* en ruines ou délabrés, dont Circesium (voir ci-dessous), que l'empereur trouva « endommagée par le temps qui passe, complètement négligée et en outre non gardée » (*De aed.* II, 6, 3 [annexe 3, texte 52]).

272 - C'est ce qui semble ressortir des propos de Théophylactus de Simocatte (*Hist.* II, 6, 9) : « les plus braves de l'armée, dit-on, appartenaient aux Quartoparthes ; c'est ainsi que l'on appelait ceux qui séjournaient dans la ville de Beroea de Syrie. »

273 - Fait cité par A. Musil (1927, p. 335), d'après la *Chronique* de Josué le Stylite. Callinicon correspond à l'actuelle ville de Raqqa, à proximité de la confluence du Balikh et de l'Euphrate.

274 - Les protagonistes essaient de s'assurer le concours des tribus nomades, mais le rôle de ces dernières n'est pas toujours très clair. Ainsi, en 580, le chef des nomades barbares, un certain Alamundar, semble jouer double jeu, si l'on en croit le récit de Théophylactus de Simocatte (*Hist.* III, 17), qui fait des Saracènes un tableau peu flatteur : « la tribu des Saracènes, c'est un fait établi, était tout à fait infidèle et versatile, n'ayant ni suite dans les idées ni constance dans l'esprit de modération » (annexe 3, texte 58).

de 5 000 Arabes lakhmides, pénètre en territoire romain à proximité de Circesium et remonte l'Euphrate. Elle se termine en 532 par la conclusion d'une « Paix éternelle ». Mais Justinien, qui, dès son accession au trône, a commencé à procéder à une réforme de l'organisation militaire de l'Orient et a réalisé de nombreux travaux de fortifications dans les villes de Mésopotamie, d'Osrhoène et d'Euphratésie [275], n'en poursuit pas moins son œuvre, qu'il continuera d'ailleurs pendant la seconde guerre perse [276]. Circesium, dernière place romaine à l'est, redevient le siège d'un duché et abrite une garnison permanente [277] ; après des décennies de négligence, la ville voit ses fortifications restaurées et renforcées [278] de manière considérable.

En 540, la « Paix éternelle » est rompue par le roi perse Khosro Ier (531-579) qui remonte l'Euphrate par sa rive droite. Son expédition nous est relatée par Procope qui décrit à cette occasion la ville de Circesium [279]. Khosro passe sans prendre cette « place aussi bien défendue » et poursuit jusqu'à Zenobia où il arrive après trois jours de marche. Cette première expédition marque le début d'une longue guerre qui n'épargnera aucune région orientale jusqu'en 562.

Une troisième guerre se déroule à la fin du règne de Justin II, à partir de 578, puis sous Maurice jusqu'en 590 : en 578, Circesium voit de nouveau passer les troupes perses de Khosro Ier. Ce dernier, en provenance du Tigre, rejoint l'Euphrate par le désert. Arrivé à un lieu dénommé Abarrôn en aval de Circesium, il envoie l'un de ses généraux, Adormanès, remonter le fleuve et ravager le territoire romain jusqu'à Antioche et Apamée, pendant que lui-même remonte le Khābūr jusqu'à Nisibis [280].

En 580, Maurice lance une expédition vers la Babylonie et passe par Circesium [281] sans s'y attarder. Sans doute y repassa-t-il quelque temps plus tard, après que le roi perse, informé des intentions des Romains par un chef nomade qui jouait double jeu, eut transféré le terrain d'affrontement à Callinicum.

En 590, le roi perse Khosro II doit faire face à un usurpateur, un général du nom de Vahram Tchûbin, qui prend, momentanément, le nom de Vahram VI ; Khosro cherche refuge auprès de Maurice et dans sa fuite, remonte l'Euphrate, se rapproche des forteresses des Aboréens et des Anéens [282] et arrive à Circesium où il est reçu par le phrourarque Probos qui commande la ville, avant de continuer sa route jusqu'à Hiérapolis [283].

Vers cette même année 590, il n'est pas impossible qu'une martyre perse du nom de Golindouch, arrivant de Perse, soit passée par Circesium en se rendant à Jérusalem [284].

Pendant les ve et vi[e] siècles, Circesium fut le siège d'un évêché dépendant du Patriarcat d'Antioche. Trois noms d'évêques nous sont connus. Abraham, évêque du lieu en 451, signa les résolutions du concile de Chalcédoine [285]. Nonnos, un monophysite, fut banni vers 519, participa à la *Collatio* [286] de 532 à Constantinople et mourut en exil. David, évêque vers 536, aurait été signataire d'une déclaration d'évêques orientaux contre les Acéphales [287].

Les troubles suscités par l'avènement de Phocas en 602 et sous son règne jusqu'en 610, épargnèrent apparemment la région. En 630, la paix est conclue avec les Perses, mais peu de temps après survient la conquête arabe. C'est en 637 ou en 639 (peut-être le 6 octobre) que Circesium serait

275 - Procope s'en fait l'écho dans son *De aedificiis*.

276 - Procope, *De aed.* II, 10, 1-14.

277 - Procope, *De aed.* II, 6, 9 : « après y avoir installé un commandant des troupes que l'on appelle Duc, destiné à s'y établir de façon permanente, il fit en sorte que la garnison fût adaptée à l'administration de la circonscription » (annexe 3, texte 52). L'existence de ce duché ne fut peut-être pas très longue : dans sa *Description du monde romain*, sorte de manuel officiel énumérant les 64 provinces et 923 villes de l'empire d'Orient, rédigé vers la fin du vi[e] siècle (ou au début du viie s.), Georges de Chypre situe Circesium dans la province d'Osrhoène dont la métropole est Édesse (cf. annexe 3, texte 38). Toutefois, cet ouvrage, imitant ou reprenant un ouvrage du début du vi[e] s., le *Synekdèmos* d'Hiéroklès, décrit peut-être une situation plus ancienne, remontant au plus tard au début du règne de Justinien (Honigmann 1939).

278 - Procope, *De aed.* II, 6, 7-8 (cf. annexe 3, texte 52).

279 - Procope, *Bell. pers.* II, 5, 1-3 (cf. annexe 3, texte 51).

280 - Ces faits sont relatés au début du viie s. par Théophylactus de Simocatte (*Hist.* III, 10, 6-8) : « Ce lieu (Abarrôn) était éloigné de Kirkésion, la ville des Romains, de cinq jours de route. [...] Adormanès arriva à proximité de Kirkésion, traversa l'Euphrate et ravagea le pays des Romains » (annexe 3, texte 57).

281 - Théophylactus de Simocatte, *Hist.* III, 17, 5 (annexe 3, texte 58).

282 - La forteresse des Anéens est à identifier avec la place forte de 'Āna, située à une centaine de kilomètres en aval et dont il est question un peu plus loin, quand Théophylactus de Simocatte (*Hist.* V, 1, 2) relate le passage, quelques mois plus tard (en janvier ou février 591), d'un général de Vahram dans ce lieu situé « à proximité de Kirkésion » (annexe 3, texte 60).

283 - Théophylactus de Simocatte, *Hist.* IV, 10, 4-5 (annexe 3, texte 59). Ces mêmes faits seront relatés par Théophane deux siècles plus tard, vers la fin du viiie s. ou le début du ixe s., mais de façon plus romanesque (annexe 3, texte 56).

284 - Circesium est mentionné par Nicéphore Calliste Xanthopoulos (*Historia Ecclesiastica* XVIII, 25 [annexe 3, texte 46]). Toutefois, les récits plus détaillés d'Evagrius (*Historia Ecclesiastica* VI, 20), contemporain des événements, et de Théophylactus de Simocatte (*Hist.* V, 12) ne mentionnent pas Circesium. Le passage par Circesium est plus vraisemblable que par Daras, puisque cette dernière ville, identifiée avec Anastasioupolis, fondée par Anastase Ier au début du vi[e] s. et localisée à une trentaine de kilomètres à l'est de Nisibis, était tombée aux mains des Perses depuis novembre 573 et ne redevint byzantine qu'en 591 (voir Olajos 1988, p. 78-79).

285 - Michel le Syrien, livre VIII, chap. x (Chabot 1901, p. 63) et J. D. Mansi, *Sacrorum Conciliorum (...) Collectio*, t. 7, col. 432 (cf. annexe 3, texte 43). Voir en outre A. Musil (1927, p. 335), qui cite aussi Harduin.

286 - Il s'agit d'une conférence qui mit face à face six évêques monophysites et six évêques chalcédoniens. Elle est relatée dans une chronique anonyme de 846 (Brooks 1903, p. 227).

287 - D'après A. Musil (1927, p. 335), qui cite Harduin. Les Acéphales étaient un groupe de monophysites qui ne pardonnèrent pas à Pierre le Bègue, patriarche monophysite d'Antioche, d'avoir accepté l'« Hénotique », édit d'union promulgué en 482 par l'empereur Zénon l'Isaurien (sur ces points d'ordre religieux, voir Marrou 1963).

tombée aux mains des musulmans, qui transforment la grande église de la ville, Saint-Georges, en mosquée [288].

Occupation du sol et mise en valeur

Il ressort des événements historiques qui viennent d'être retracés que la vallée de l'Euphrate fut, pendant la période romaine tardive, une zone de passage pour les armées romaines et sassanides. Mais elle fut aussi, pendant la longue période de paix des IVe et Ve s., un important axe commercial. Ce n'est qu'à partir du début du VIe s. que le trafic cessa de passer par cette région, préférant une route située beaucoup plus au nord.

Le lieu le mieux documenté est le site clé de la région, Circesium, l'actuel bourg de Buseire (Buseire 1, **75**). Situé à la confluence de l'Euphrate et du Khābūr, il est naturellement protégé par sa position à l'extrémité de la langue de terre qui s'étire entre les lits majeurs des deux cours d'eau. Devenu un site stratégique majeur de l'Empire romain dont il est, sur l'Euphrate, le point le plus oriental, il fut l'objet de soins attentifs de la part de deux empereurs qui en renforcèrent les défenses [289], Dioclétien, à la fin du IIIe s., et Justinien, au VIe s.

Le territoire placé sous le contrôle de Circesium, s'il est sans doute vaste compte tenu de son statut, au moins temporaire, de siège de duché, est toutefois relativement restreint dans la zone concernée par nos prospections. Le *limes* était constitué par l'Euphrate en direction de l'ouest-nord-ouest, par le Khābūr vers le nord, en fait par leurs vallées et non par les cours d'eau eux-mêmes. Il ne s'agissait pas en effet d'une ligne frontière bien délimitée, mais d'un axe de circulation reliant les principaux centres militaires situés à proximité du territoire ennemi ; Circesium était l'un de ces points majeurs, à l'endroit où le *limes* changeait de direction et quittait l'Euphrate pour remonter vers le nord. Au-delà de cette « rocade » se trouvait une sorte de *no man's land*, une zone steppique, occupée seulement par les tribus nomades, qui constituait un glacis protecteur.

C'est sur cet axe, ou en retrait par rapport à lui, que se concentra donc l'implantation humaine [290]. C'est ainsi que les installations retrouvées dans le cadre de notre prospection se situent presque exclusivement en amont de Buseire 1, à l'intérieur de la zone directement contrôlée par l'armée romaine, en rive gauche de l'Euphrate. Sept sont échelonnées sur des terrasses anciennes en bordure de la vallée de l'Euphrate. Le plus important est Tell es Sinn (**29**), ville fortifiée située à une vingtaine de kilomètres de Circesium. Les six autres, Hatla 1 (**33**) et 3 (**207**), Mazlūm 1 (**115**) et 2 (**116**), Et Tābīye 1 (**34**) et Jedīd 'Aqīdat 1 (**92**) sont de petits villages, aux superficies modestes et sans traces d'une occupation antérieure, à l'exception de Jedīd 'Aqīdat 1. Leur emplacement n'était pas sans poser quelques problèmes pour leur approvisionnement en eau : ils sont en effet nettement surélevés par rapport au fleuve dont ils sont parfois fort éloignés, même si, à l'occasion des déplacements du cours d'eau, deux d'entre eux (Et Tābīye 1 et Jedīd 'Aqīdat 1) ont pu momentanément se trouver en bordure du fleuve. En fait, leur alimentation en eau pouvait sans doute s'obtenir grâce au Nahr Sémiramis, canal dont nous avons vu que la prise est située à une soixantaine de kilomètres en amont, au pied de Zalabīya, et qui court jusqu'aux environs de Buseire 1 sur le rebord des terrasses anciennes dans lesquelles il est creusé. Il a pu jouer un rôle important pour faciliter le commerce fluvial qui empruntait l'Euphrate du IVe au début du VIe s. S'il semble avoir perdu, par la suite, sa vocation initiale de canal de navigation, il est néanmoins probable qu'il était alors encore en eau. Il a pu, de plus, servir à irriguer, au moins dans sa partie terminale, les terres situées au nord de Buseire 1. En effet, sur tout ce dernier secteur, les terres susceptibles d'être cultivées sans aménagement hydraulique étaient peu nombreuses et se limitaient aux zones basses soumises aux inondations du fleuve. Le recours à l'irrigation s'y avérait donc nécessaire.

Cinq autres sites d'habitat, El Fleif 1 (**112**), 2 (**113**, incertain), 4 (**117**, incertain) et 5 (**119**) et Rweshed 1 (**118**) sont concentrés juste au nord de Buseire, sur la terrasse holocène, au milieu d'une zone cultivable dont la mise en valeur était aisée et qui permettait de subvenir aux besoins de Circesium. Ces petits villages pouvaient profiter de l'eau apportée par le Nahr Sémiramis et, plus encore, de la proximité du Khābūr. Cette rivière, au débit relativement régulier adapté aux besoins spécifiques de l'irrigation, entraînait naguère plusieurs *norias* encore installées sur ses rives. Ces installations permettaient la mise en culture de petits secteurs, tant en rive droite (El Baghdadī [**131**], Rweshed 2 [**130**] au nord de Buseire 1, qu'en rive gauche (El Lawzīye 2 [**135**] et 1 [**134**], El Masri [**133**], Er Rāshdi 1 [**132**]). Le fonctionnement de ces installations entre le IVe s. et le début du VIe s. ne peut être garanti, mais le principe en était connu et l'aménagement est suffisamment simple pour que l'hypothèse puisse être formulée.

288 - La fin de la ville est rapportée par W. F. Ainsworth, d'après Al Wakedi, *The History of the Conquest of Mesopotamia by the Arabs*, imprimé en arabe par Ewald sous le titre *Libri Wakedii de Mesopotamiae expugnatae historia pars I*, Göttingen 1827 (Ainsworth 1888, t. 1, chap. 14, p. 358-368). Une autre source (at-Ṭabari, *Ta'rîḫ*), citée par A. Musil (1927, p. 336), place en 637 la prise de Circesium par les musulmans qui arrivent de Hit.

289 - La topographie de Circesium nous est assez bien connue, grâce aux témoignages d'Ammien Marcellin (XXIII, v, 1) et de Zosime (III, 12, 3) pour l'époque de Dioclétien, et surtout à celui beaucoup plus détaillé de Procope (*Bell. Pers.* II, 5 ; *De aed.* II, 6-9) pour l'époque de Justinien (annexe 3, textes 23, 62, 51 et 52). Cf. aussi Monchambert 1999.

290 - La carte des sites et des aménagements de la vallée à l'époque romaine tardive est le reflet de la situation probable aux Ve et VIe s. Les sites alors occupés se caractérisent par la présence d'une céramique peinte bien identifiable (cf. annexe 2). Pour le IVe s., les sites possibles sont à trouver sur la carte de la période « classique ».

En aval de Circesium, sept sites seulement, dont, semble-t-il, deux funéraires, s'échelonnent sur une distance d'environ cent kilomètres, tous sur la rive gauche de l'Euphrate. La seule exception de rive droite semble être Qal'at es Sālihīye (**22**), où les fouilles récentes ont mis au jour une petite installation, postérieure à la prise de Doura-Europos par les Perses [291], dont l'occupation se serait prolongée au moins jusque dans le courant du ve s.

Un fortin, Safāt ez Zerr 1 (**31**), situé à trois kilomètres de Buseire, un peu en aval de l'actuelle confluence de l'Euphrate et du Khābūr, complétait certainement le dispositif défensif de Circesium. Il paraît associé à un petit site d'habitat, Safāt ez Zerr 2 [292] (**32**), dont les occupants auraient pu, le cas échéant, se replier rapidement à Circesium pour se protéger d'une attaque ennemie. À l'est de ce village s'étendait une petite zone qu'un aménagement succinct suffisait à mettre en valeur, permettant ainsi de procéder à une partie des cultures nécessaires à l'approvisionnement de Circesium.

Dix-huit kilomètres plus loin, le petit site de Taiyāni 6 (**111**) semble avoir été occupé à cette époque. Avait-il un rôle militaire ? Sa localisation à proximité du rebord d'une avancée du plateau, en un endroit où l'Euphrate a toujours été proche de la falaise, pouvait lui permettre de contrôler la circulation au pied du plateau. Non loin, mais apparemment occupé seulement au début de la période romaine tardive [293], se trouve le site de Jebel Masāikh (**16**), dont nous avons proposé l'identification avec l'ancienne Zaitha. C'est sans doute en amont de ces deux sites que l'on peut situer la limite entre les zones tenues respectivement par les Romains et par les Perses. D'après les textes, la « frontière » n'était pas très éloignée de Circesium, peut-être à une quinzaine de kilomètres [294].

Les deux autres sites d'habitat se trouvent respectivement à environ 70 et 75 kilomètres en aval de Buseire. Le premier, Tell Halim Asra Hajīn (**12**), n'était sans doute qu'une petite agglomération. Le second, Tell Abu Hasan (**9**), a pu constituer un poste avancé perse le long de l'Euphrate : son altitude en faisait un excellent point d'observation en bordure du fleuve et à moins de cinq kilomètres du plateau. Un cimetière, Abu Hasan 2 (**59**), se trouvait à proximité. Un autre site d'habitat devait se trouver un peu plus en aval, puisqu'il existe une nécropole à Es Sūsa (**18/56**).

Aucun aménagement hydraulique d'importance ne semble avoir fonctionné à cette époque en aval du Khābūr. Le tracé du Nahr Dawrīn s'étend sur le territoire des deux empires, la prise se trouvant en territoire romain, l'essentiel de son cours étant chez les Perses. Le canal d'El Jurdi Sharqi qui fonctionnait à l'époque classique ne semble plus avoir été en usage, l'alvéole d'Abu Hammām paraissant désertée. Pour ce qui est de la rive droite, l'absence de tout habitat ne nous permet pas d'envisager une quelconque mise en valeur.

Le peuplement de la vallée et son aménagement pendant la période romaine tardive sont donc totalement différents de ce qui a été observé pour les périodes précédentes. La situation politique a entraîné une modification radicale de l'occupation du sol dans la vallée. Seule la zone septentrionale de la région, en amont de la confluence du Khābūr et de l'Euphrate, placée sous l'autorité romaine, semble avoir été peuplée et cultivée. La zone en aval était une sorte de *no man's land* où se trouvaient quelques implantations isolées. La rive droite, quant à elle, semble avoir été presque complètement désertée par les sédentaires. Avec la conquête arabo-islamique, elle connaîtra une nouvelle ère de prospérité.

CONCLUSION

L'histoire de l'occupation du sol, de la mise en valeur et de l'aménagement de la vallée de l'Euphrate, telle que nous avons pu la reconstituer, voit des périodes de grande prospérité alterner avec des périodes de plus ou moins grande récession, sinon de fort déclin.

Nous assistons tout d'abord, à partir du VIIIe millénaire, à une lente prise de possession de la vallée par l'homme, qui traduit une perception et une appropriation progressives par ce dernier des contraintes et des atouts de son environnement et qui aboutit, à l'époque d'Uruk, à une occupation raisonnée de la vallée. C'est durant toute cette période relativement mal connue du Chalcolithique que sont acquises, peu à peu, les techniques de l'irrigation, probablement sous les effets conjugués d'un changement de dynamique du fleuve (contrainte naturelle) et des impératifs liés à une amélioration des conditions de subsistance (contrainte anthropique).

Mais c'est au début du IIIe millénaire que les hommes ont pris la juste mesure du potentiel que leur offrait la vallée et des dispositions à prendre pour en profiter. Ils ont su mettre en œuvre les moyens nécessaires pour y parvenir et organiser ce qui fut un premier « monde plein ». De fait, c'est manifestement au Bronze ancien que la vallée a connu sa période de plus grande splendeur. Certes, les époques néo-assyrienne, puis classique ont vu la vallée être assez

291 - LERICHE et AL-MAHMOUD 1997, p. 16 et 20.

292 - La datation de ce site à l'époque romaine tardive n'est pas assurée.

293 - Ce site ne figure pas sur la carte de la vallée à l'époque romaine tardive, car nous n'y avons pas trouvé de céramique typique des ve et vi^e s. S'il s'agit bien de Zaitha (cf. chap. IV), il faut en déduire que son occupation se serait terminée à la fin du IVe s. ou au début du ve s.

294 - Cf. chap. IV. Théophylactus de Simocatte (*Hist.* IV, 10, 4-5) semblerait le confirmer, en situant les limites du territoire de Circésium à 10 milles de cette dernière, soit près de 15 km : « Khosro se rapproche des forteresses des Aboréens et des Anéens ; elles payaient tribut à l'administration perse. S'éloignant de là, Khosro arrive aux limites du territoire de la ville de Kirkésion. Passant la nuit à dix milles, il envoie des messagers à Kirkésion pour annoncer son arrivée » (annexe 3, texte 59).

densément occupée — peut-être même plus qu'au Bronze ancien — et fortement mise en valeur, mais ses habitants n'ont fait le plus souvent que reprendre et remettre en état un aménagement préexistant, conçu et réalisé au début du IIIe millénaire. Car c'est bien à ce moment-là que se sont mis en place les principaux éléments qui ont constitué l'infrastructure de base de tous les aménagements qui s'y sont ensuite succédé pendant plus de quatre millénaires.

L'histoire de l'aménagement de la vallée de l'Euphrate montre en outre à quel point le développement d'une région aride dépend étroitement non seulement d'une parfaite maîtrise de l'eau, mais aussi de la présence d'une autorité politique forte, capable de concevoir et de réaliser les grands projets de mise en valeur adaptés aux conditions très spécifiques des grandes vallées en milieu à fortes contraintes. Il convient entre autres de parer au mieux aux risques qui sont inhérents à l'eau tout en exploitant au mieux cette ressource, de mobiliser les énergies considérables nécessitées non seulement par l'ampleur des travaux à effectuer, mais aussi par l'entretien des aménagements réalisés, toutes tâches qui nécessitent l'acquisition d'une technicité appropriée. Certes, de petits aménagements hydrauliques locaux peuvent assurer une certaine richesse comme ce dut être le cas jusqu'à la fin du IVe millénaire, mais le plein essor ne saurait être atteint sans un aménagement régional conséquent : l'homme doit alors remodeler le paysage. Seul un pouvoir fort est à même de concevoir de tels projets, de les réaliser et d'assurer la pérennité du système.

Nous pouvons ainsi affirmer qu'au Bronze ancien, la maîtrise de l'eau a fait partie intégrante d'un programme politique d'aménagement du territoire. Le « plan d'aménagement » qui fut alors réalisé concernait l'ensemble de la vallée, peut-être depuis le défilé d'Al-Khanouqa, en tout cas depuis le cours inférieur du Khābūr jusqu'au verrou de Bāqhūz. Il impliquait une parfaite maîtrise des techniques hydrauliques. Comme nous l'avons vu, il comprenait trois axes complémentaires et indissociables les uns des autres : 1) la fondation d'une capitale de prestige, Mari, sous la forme d'une ville neuve de grande taille ; 2) l'établissement d'un important réseau d'irrigation et de drainage, afin d'assurer au mieux la pérennité de l'approvisionnement de la capitale, notamment en céréales ; 3) la construction d'un canal de navigation reliant le Khābūr à l'Euphrate un peu en aval de Mari pour satisfaire à trois exigences (pallier le risque de pénurie alimentaire en s'assurant un complément de céréales depuis le moyen Khābūr, s'approvisionner en minerai sur le piémont du Taurus et favoriser un commerce de transit lucratif entre la Mésopotamie en aval et la Syrie occidentale et le Khābūr en amont). Le plan d'aménagement intègre ainsi la ville et son terroir dans un ensemble géopolitique plus vaste qui devait englober au moins la vallée du moyen Khābūr et, vraisemblablement, l'ensemble de la plaine de haute Jézireh. Mari devait nécessairement contrôler, directement ou non, l'ensemble de ces territoires.

La puissance politique en place doit aussi être à même d'assurer la maintenance du système, en veillant notamment à la sécurité des grands canaux qui constituent des artères vitales. Si, à l'époque classique, puis à l'époque islamique, la vallée semble avoir connu une certaine prospérité, c'est que des pouvoirs régionaux étaient bien établis sur l'ensemble du territoire, basés à Doura-Europos dans le premier cas, à Raḥba dans le second. En revanche, lorsqu'elle est éloignée des centres politiques majeurs ou de leurs relais régionaux, comme c'est le cas au Bronze récent et pendant la période perse achéménide, ou lorsqu'elle est aux confins de deux puissances politiques, comme à l'époque romaine tardive, elle tombe en déshérence.

Au Bronze récent, l'image de la basse vallée de l'Euphrate syrien contraste avec celle de la vallée du Khābūr, qui semble avoir connu un système d'irrigation régional. La présence, au cœur de cette région, d'une capitale provinciale, Dūr-katlimmu, a vraisemblablement insufflé à cette vallée, proche du pouvoir central, un dynamisme dont n'a pu profiter un secteur plus excentré comme celui de la vallée de l'Euphrate.

À l'époque perse achéménide, aucune autorité forte ne s'exerce plus sur la vallée. Le centre du pouvoir dont elle relève se trouve à des centaines de kilomètres et aucun relais politique n'est établi à proximité. L'occupation de la vallée est alors particulièrement clairsemée, presque réduite à néant.

À l'époque romaine tardive, la région est partagée entre les Empires romain et perse. Si les Romains s'appuient sur une grande place forte au point extrême de leur empire, les Perses n'ont rien à leur opposer. L'occupation du sol et la mise en valeur reflètent cette dichotomie. Le Nahr Sémiramis, en amont de la confluence Khābūr/Euphrate, pouvait fonctionner parce que l'ensemble du territoire qu'il traversait était sous un contrôle unique, celui des Romains. En revanche, le Nahr Dawrīn, qui avait fonctionné pendant des siècles, n'était plus en usage : il courait désormais sur le territoire des deux empires, la prise se trouvant en territoire romain, l'essentiel de son cours étant chez les Perses. Et tandis que l'habitat est relativement dense dans la zone septentrionale, romaine, il est très clairsemé en aval au point de constituer une sorte de *no man's land*.

Par l'envergure, la pertinence et la sophistication de la mise en valeur du territoire qui fut alors réalisée, le Bronze ancien fait donc figure d'exception. Bien que nous ne sachions rien de la puissance politique qui a pu concevoir et mettre en œuvre un tel programme d'aménagement à l'échelle régionale, nous pouvons postuler, à bon droit, l'existence d'un pouvoir organisé, fort et centralisateur au sein d'une société urbaine hiérarchisée, peut-être déjà un État. L'ampleur des travaux, la main d'œuvre nécessaire, l'étendue du territoire sous le contrôle, direct ou non, de

Mari qu'implique cet aménagement le suggèrent fortement. La puissance de cette dernière, entité agricole, artisanale, commerçante, semble donc avoir été considérable dès le début du IIIe millénaire.

Reste à estimer le poids du pastoralisme, et de l'élevage de manière plus générale, dans l'économie régionale, réalités que les méthodes mises en œuvre dans le cadre de cette prospection « d'urgence » ne nous ont pas permis d'aborder.

Bibliographie générale

Abadie-Reynal C., Ergeç R., Gaborit J., Leriche P.

1998 Deux sites condamnés dans la vallée de l'Euphrate : Séleucie-Zeugma et Apamée, *Archéologia* 343, p. 28-39.

Abdul Salam A.

1966 *Morphologische Studien in der Syrischen Wüste und dem Antilibanon*, Univ. libre de Berlin, 152 p.

Adams R. McC.

1965 *Land behind Baghdad. A History of Settlement on the Diyala Plains*, Chicago.

1981 *Heartland of Cities: Surveys of Ancient Settlements and Land Use on the Central Floodplain of the Euphrates*, Chicago.

Adams R. McC., Nissen H. J.

1972 *The Uruk Countryside*, Chicago.

Ainsworth W. F.

1888 *A Personal Narrative of the Euphrates Expedition*, Londres.

Akkermans P. A.

1983 Stratigraphy and Architecture, in P.A. Akkermans *et al.*, *Bouqras Revisited: Preliminary Report on a Project in Eastern Syria*, *Proceedings of the Prehistoric Society* 49, p. 336-349.

Akkermans P. A., Boerma J. A. K., Clason A. T., Hill S. G., Lohof E., Mecklejohn C., Le Miere M., Molgat G. M. F., Roodenberg J. J., Waterbolk-van Royen W., Van Zeist W.

1983 *Bouqras Revisited: Preliminary Report on a Project in Eastern Syria*, *Proceedings of the Prehistoric Society* 49, p. 335-372.

Akkermans P. A., Fokkens H.

1979 De prehistorische nederzetting Tell Bouqras, *Phoenix* 24/2, p. 55-65.

Akkermans P. A., Fokkens H., Waterbolk H.-T.

1981 Stratigraphy, Architecture and Layout of Bouqras, in J. Cauvin et P. Sanlaville (éd.), *Préhistoire du Levant. Chronologie et organisation de l'espace depuis les origines jusqu'au VI*[e] *millénaire*, colloque CNRS n° 598, Lyon, 1980, éd. du CNRS, Paris, p. 485-502.

Akkermans P. A., Roodenberg J. J., Van Loon M. N., Waterbolk H.-T.

1978-1979 Tall Buqras, *AfO* 26, p. 152-156.

Akkermans P. A., Van Loon M. N., Roodenberg J. J., Waterbolk H.-T.

1982 The 1976-1977 Excavations at Tell Bouqras, *AAAS* XXXII, p. 45-57.

Akkermans P. M. M. G.

1993 a *Villages in the Steppe. Late Neolithic Settlement and Subsistence in the Balikh Valley, Northern Syria*, Ann Arbor.

1993 b Il periodo Halaf nell'Eufrate e nella Gezira, in O. Rouault et M.-G. Masetti-Rouault (éd.), *L'Eufrate e il tempo*, p. 27-29.

Alabe F.

1992 La céramique de Doura-Europos, *Syria* LXIX, p. 49-63.

Albright W. F., Dougherty R. P.

1926 From Jerusalem to Baghdad down the Euphrates, *BASOR* 21, p. 1-21.

Alex M.

1985 *Klimadaten ausgewählter Stationen des Vorderen Orients*, Beihefte zum Tübinger Atlas des Vorderen Orients, Wiesbaden.

Amigues S.

1995 Végétation et cultures du Proche-Orient dans l'*Anabase*, in P. Briant (éd.), *Dans les pas des Dix-Mille*, *Pallas* 43, p. 61-78.

Anbar M.

1987 Compte rendu de J.-M. Durand, *ARM* XXI ; J.-R. Kupper, *ARM* XXII ; G. Bardet, F. Joannes, B. Lafont, D. Soubeyran, P. Villard, *ARM* XXIII, *MARI* 5, p. 639-657.

Andrae W., Lenzen H. J.

1933 *Die Partherstadt von Assur*, WVDOG 57.

Archi A.

1985 a Le synchronisme entre les rois de Mari et les rois d'Ebla au IIIe millénaire, *MARI* 4, p. 47-51.

1985 b Les rapports politiques et économiques entre Ebla et Mari, *MARI* 4, p. 63-83.

1990 a Imâr au IIIe millénaire d'après les archives d'Ebla, *MARI* 6, p. 21-38.

1990 b Tuttul-sur-Baliḫ à l'âge d'Ebla, in Ö. Tunca (éd.), *De la Babylonie à la Syrie, en passant par Mari, Mélanges offerts à Monsieur J.-R. Kupper, à l'occasion de son 70*[e] *anniversaire*, Liège, p. 197-207.

1996 Chronologie relative des archives d'Ébla, in J.-M. Durand (éd.), *Amurru 1. Mari, Ébla et les Hourrites, Dix ans de travaux*, actes du colloque international (Paris, mai 1993), Paris, ERC, p. 11-28.

Arnaud P.

1986 Microcosme grec ou rouage de l'administration arsacide ?, *Syria* LXIII, p. 135-155.

Balbi G.
1597 voir Pinto 1962.

Baslez M.-F.
1995 Fleuves et voies d'eau dans l'*Anabase*, in P. Briant (éd.), *Dans les pas des Dix-Mille*, *Pallas* 43, p. 79-88.

Bauzou T.
1989 Les routes romaines de Syrie, in J.-M. Dentzer et W. Orthmann (éd.), *Archéologie et histoire de la Syrie, II, La Syrie de l'époque achéménide à l'avènement de l'Islam*, Saarbrücken, p. 205-221.

Bell G. L.
1910 The East Bank of the Euphrates from Tell Ahmar to Hit, *The Geographical Journal* 36, p. 513-537.
1924 *Amurath to Amurath*, Macmillan & Co., Londres.

Bellinger A. R.
1966 *Catalogue of the Byzantine Coins in the Dumbarton Oaks Collection and in the Whittemore Collection. T. I. Anastasius I to Maurice 491-602*, Washington.

Bernbeck R.
1993 *Steppe als Kulturlandschaft. Das 'Ağīğ-Gebiet Ostsyriens vom Neolithikum bis zur islamischen Zeit*, Dietrich Reimer Verlag, Berlin.
1994 *Die Auflösung der häuslichen Produktionsweise. Das Beispiel Mesopotamiens*, Dietrich Reimer Verlag, Berlin.

Berthier S.
à paraître *La céramique villageoise de la moyenne vallée de l'Euphrate à l'époque islamique (fin* VII*e*-XIV*e* *s., Syrie). Index typologique*, 2 vol., IFEAD, Damas.

Berthier S., Chaix L., D'Hont O., Gyselen R., Samuel D., Studer J., Monchambert J.-Y., Rousset M.-O., Gardiol J.-B.
2001 *Peuplement rural et aménagements hydroagricoles dans la vallée de l'Euphrate (fin du* VII*e*-XIX*e* *siècle)*, Publications de l'IFEAD n° 191, Damas.

Berthier S., D'Hont O.
1994 Le peuplement rural de la moyenne vallée de l'Euphrate à l'époque islamique (VIIe-XXe siècle) : premiers résultats, *Archéologie islamique* 4, p. 153-175.

Berthier S., D'Hont O., Geyer B.
1989 Le peuplement rural de la moyenne vallée de l'Euphrate à l'époque islamique (VIIe siècle-début du XXe siècle), in *Contribution française à l'archéologie syrienne*, Damas, IFAPO, p. 227-231.

Berthier S., Geyer B.
1988 Rapport préliminaire sur une campagne de fouilles de sauvetage à Tell Hrīm (Syrie) [hiver 1986], *Syria* LXV, p. 63-98.

Besançon J.
1957 *L'homme et le Nil*, Gallimard, 396 p.
1983 L'Euphrate et le nord-est de la Syrie : modifications du milieu naturel au cours du Quaternaire, *Annales de Géographie* IV, univ. St-Joseph, Beyrouth, p. 41-120.
1985 Présentation d'un procédé morphométrique pour la détermination typologique des cônes et glacis de piémont Béqaa-Liban, *Mém. et Doc. Géogr.*, CNRS, p. 13-43.

Besançon J., Copeland L., Hours F., Muhesen S., Sanlaville P.
1980 Géomorphologie et préhistoire de la vallée moyenne de l'Euphrate. Essai de chronologie du Pléistocène et du Paléolithique de Syrie, *Comptes rendus de l'Académie des sciences de Paris* 290, p. 167-170.
1982 Prospection géographique et préhistorique dans le bassin d'El Kowm Syrie, *Cahiers de l'Euphrate* 3, p. 9-26.

Besançon J., Copeland L., Hours F., Sanlaville P.
1978 The Palaeolithic Sequence in Quaternary Formations of the Orontes River Valley, Northern Syria, *Bul. Lond. Inst. Arch.*, p. 149-170.

Besançon J., Copeland L., Muhesen S., Sanlaville P.
1994 Prospection géomorphologique et préhistorique dans la région de Tartous (Syrie), *Paléorient* 20/1, p. 5-19.

Besançon J., Delgiovine A., Fontugne M., Lalou Cl., Sanlaville P., Vaudour J.
1997 Mise en évidence et datation de phases humides du Pléistocène supérieur dans la région de Palmyre (Syrie), *Paléorient* 23/1, p. 5-23.

Besançon J., Geyer B.
1995 La cuvette du Ruğ (Syrie du Nord). Les conditions naturelles et les étapes de la mise en valeur, *Syria* LXXII, fasc. 3-4, p. 307-355.
sous presse Environmental and Land-Use Evolution in the Euphrates Valley during the Neolithic and Chalcolithic Periods, *The Syrian Djezireh, Cultural Heritage and Interrelations*, actes du colloque de Deir ez-Zor.

Besançon J., Geyer B., Sanlaville P.
1989 Contribution to the Study of the Geomorphology of the Azraq Basin, Jordan, in L. Copeland et F. Hours (éd.), *The Hammer on the Rock*, coll. Maison de l'Orient-BAR IS 540 i, Oxford, p. 7-63.

Besançon J., Hours F.
1971 Préhistoire et géomorphologie : les formes du relief et les dépôts quaternaires dans la région de Joubb Jannine Béqaa méridionale-Liban, *Hannon* VI, Beyrouth, p. 29-135.

Besançon J., Sanlaville P.
1982 Aperçu sur la vallée de l'Euphrate syrien, *Paléorient* 7/2, p. 5-18.
1985 Le milieu géographique, in P. Sanlaville (éd.), *Holocene Settlement in North Syria. Résultats de deux prospections archéologiques effectuées dans la région du nahr Sajour et sur le haut Euphrate syrien*, BAR IS 238, p. 7-40.
1988 L'évolution géomorphologique du bassin d'Azraq (Jordanie) depuis le Pléistocène moyen, colloque *Préhistoire du Levant* 2, CNRS, Lyon.
1991 Une oasis dans la steppe aride syrienne : la cuvette d'El Kowm au Quaternaire, *Cahiers de l'Euphrate* 5-6, p. 11-32.

Beyer D.
1991 La campagne 1991 de Tell Ramadi (Syrie), *Orient-Express* 1991/2, p. 16.

Bianquis T.
1979 Réflexions sur l'archéologie islamique en Syrie : la genèse de la fouille de Raḥba-Mayādīn, in J. Vercoutter, *Hommages à Serge Sauneron, II. Égypte post-pharaonique*, Bibliothèque d'étude 82, Le Caire, IFAO, p. 238-285.
1986 a La mission archéologique franco-syrienne de Raḥba-Mayādīn, *Histoire et archéologie de l'habitat médiéval*, Lyon, CIHAM, p. 137-146.

BIANQUIS T.
1986 b Quelques problèmes d'hydraulique soulevés lors des fouilles de Raḥba-Mayadin, in P. Louis (éd.), *L'homme et l'eau en Méditerranée et au Proche-Orient, III, L'eau dans les techniques*, TMO 11, Lyon, Maison de l'Orient, p. 121-128.
1987 La mission franco-syrienne de Rahba-Mayadin, *Dossiers Histoire et archéologie* 122, p. 27-31.
1989 La mission franco-syrienne de Rahba-Mayadin, 1976-1981, *Contribution française à l'archéologie syrienne 1969-1989*, Damas, IFAPO, p. 220-226.
1993 Raḥba et les tribus arabes avant les croisades, *BEO* 41-42 (1989-1990), p. 23-53.

BIANQUIS T., HONIGMANN E.
1994 Al-Raḥba, *EI* 2, p. 407-710.

BIANQUIS T., ROUSSET M.-O.
1996 Raḥba Mayādīn, *Exposition syro-européenne d'archéologie. Miroir d'un partenariat*, Damas, p. 185-186.

BLANCHET G., SANLAVILLE P., TRABOULSI M.
1997 Le Moyen Orient de 20000 à 6000 BP. Essai de reconstitution paléoclimatique, *Paléorient* 23/2, p. 187-196.

BLUNT A.
1879 (1968) *Bedouin Tribes of the Euphrates*, John Murray, Londres.

BOEHMER R. M., DÄMMER H.-W.
1985 *Tell Imlihiye, Tell Zubeidi, Tell Abbas*, Ph. von Zabern, Mayence.

BOERMA J. A. K.
1979-1980 Soils and Natural Environment of the Tell Bouqras Area, East Syria, *Anatolica* VII, p. 61-74.
1983 Environmental Conditions, in P. A. Akkermans *et al.*, *Bouqras Revisited: Preliminary Report on a Project in Eastern Syria, Proceedings of the Prehistoric Society* 49, p. 362-365.
1989-1990 Palaeoenvironmental and Palaeo Land-Evaluation Based on Actual Environment Conditions of Tell Bouqras, East Syria, *Anatolica* XVI, p. 215-249.

BONATZ D., KÜHNE H., MAHMOUD A.
1998 *Rivers and Steppes. Cultural Heritage and Environment of the Syrian Jezireh*. Catalogue to the Museum of Deir ez-Zor, Damas.

BOUCHER A.
1913 *L'Anabase de Xénophon (Retraite des Dix Mille) avec un commentaire historique et militaire*, Paris-Nancy.

BOUNNI A.
1980 Les tombes à tumuli du Moyen-Euphrate, in J.-Cl. Margueron (éd.), *Le Moyen-Euphrate. Zone de contacts et d'échanges*, actes du colloque de Strasbourg, 10-12 mars 1977, Brill, Leyde, p. 315-325.

BOUSQUET B., PÉCHOUX P.-Y.
1980 Géomorphologie, archéologie, histoire dans le bassin oriental de la Méditerranée : principes, méthodes, résultats préliminaires, *Méditerranée* 1, p. 33-45.

BRAEMER F., ÉCHALLIER J.-C.
1995 La marge désertique en Syrie du Sud au IIIe millénaire. Éléments d'appréciation de l'évolution du milieu, *L'homme et la dégradation de l'environnement*, XVe Rencontres internationales d'archéologie et d'histoire d'Antibes, p. 345-356.

BRAIDWOOD R. J.
1944 I. Introduction, in R. J. Braidwood *et al.*, New Chalcolithic Material of Samarran Type and its Implications, *JNES* III, p. 48-51.

BRAIDWOOD R. J., BRAIDWOOD L. S., TULANE E., PERKINS A. L.
1944 New Chalcolithic Material of Samarran Type and its Implications, *JNES* 3, p. 47-72.

BREW G. E., LITAK R. K., SEBER D., BARAZANGI M., SAWAK T., AL-IMAN A.
1997 Basement Depth and Sedimentary Velocity Structure in the Northern Arabian Platform, Eastern Syria, *Geophysical Journal International* 128, p. 617-631.

BRINKMAN J. A.
1968 *A Political History of Post-kassite Babylonia 1158-722 BC*, Analecta Orientalia 43, Roma.

BROK M. F. A.
1959 *De perzische Expeditie van kaizer Julianus volgens Ammianus Marcellinus*, Groningen.

BROOKS E. W.
1903 *Chronicon anonymum ad AD 846 pertinens*, CSCO 3, Paris, p. 157-238.

BUCCELLATI G.
1979 The Fourth Season: Introduction and the Stratigraphic Record, *Terqa Preliminary Reports* 10, Undena Publications, Malibu.
1983 *Terqa, An Introduction to the Site.*
1988 The Kingdom and Period of Khana, *BASOR* 270, p. 43-61.
1990 a Salt at the Dawn of History: The Case of the Bevelled-Rim Bowls, in P. Matthiae, M. Van Loon et H. Weiss (éd.), *Resurrecting the Past, A Joint Tribute to Adnan Bounni*, Istanbul, p. 17-40.
1990 b From Khana to Laqê: the End of Syro-Mesopotamia, in Ö. Tunca (éd.), *De la Babylonie à la Syrie, en passant par Mari., Mélanges offerts à Monsieur J.-R. Kupper, à l'occasion de son 70e anniversaire*, Liège, p. 229-253.

BUCCELLATI G., KELLY-BUCCELLATI M.
1978 *The Third Season: Introduction and the Stratigraphic Record*, TPR 6, Undena Publications, Malibu.
1983 Terqa: The First Eight Seasons, *AAAS* XXXIII, p. 47-67.

CALVET Y., GEYER B.
1991 Antike Talsperren in Syrien, in G. Garbrecht (éd.), *Historische Talsperren 2*, Verlag K. Wittwer, Stuttgart, p. 195-236 et 283.
1992 *Barrages antiques de Syrie*, CMO n° 21, Lyon, Maison de l'Orient, 144 p.

CAMPBELL B.
1989 The Roman Pottery from Seh Qubba, North Iraq, in D. H. French, C. S. Lightfoot, *The Eastern Frontier of the Roman Empire*, Proceedings of a Colloquium Held at Ankara in September 1988, BAR IS 553, p. 53-65.

CAMPBELL THOMPSON R., MALLOWAN M. E. L.
1933 The British Museum Excavations at Nineveh, 1931-32, *Annals of Archaeology and Anthropology* 20, p. 71-186.

Cancik-Kirschbaum E. C.
1996 *Die Mittelassyrischen Briefe aus Tall Šēḫ Ḥamad*, Dietrich Reimer Verlag, Berlin.

Cans R.
1938 Les fouilles de la mission archéologique de Mari (Syrie), *L'Architecture* 51, p. 353-360.

Catalogues d'exposition
1982 *Land des Baal. Syrien—Forum der Völker und Kulturen*, Museum für Vor- und Frühgeschichte Berlin, Mainz am Rhein.
1983 *Au pays de Baal et d'Astarté. 10 000 ans d'art en Syrie*, musée du Petit Palais, 26 octobre 1983-8 janvier 1984, Paris.
1989 *Contribution française à l'archéologie syrienne 1969-1989*, IFAPO, Centre de Damas.
1993 a *Syrie. Mémoire et Civilisation*, Institut du monde arabe, Paris.
1993 b *L'Eufrate e il tempo. Le civiltà del medio Eufrate e della Gezira siriana*, édité par O. Rouault et M.-G. Masetti-Rouault.
1996 *Exposition syro-européenne d'archéologie. Miroir d'un partenariat*, Damas.

Caubet A.
1984 Ougarit, Mari et l'Euphrate. II, Les liens entre Ougarit, Mari et l'Euphrate (xiiie s.) : un exemple, les faïences, *AAAS* XXXIV, p. 33-41.

Cauvin J.
1994 *Naissance des divinités, Naissance de l'agriculture. La Révolution des symboles au Néolithique*, CNRS éditions, Paris.

Cauvin J., Cauvin M.-C., Helmer D., Willcox G.
1997 L'homme et son environnement au Levant nord entre 30000 et 7500 bp, *Paléorient : Paléoenvironnement et sociétés humaines au Moyen-Orient de 20000 bp à 6000 bp*, n° 23/2, p. 51-69.

Cavigneaux A., Ismaïl B. K.
1990 Die Statthalter von Suḫu und Mari im 8. Jh. v. Chr., *Baghdader Mitteilungen* 21, p. 321-456.

Chabot J.-B.
1901 *Chronique de Michel le Syrien, patriarche jacobite d'Antioche (1166-1199), t. II*, Paris.

Chalmers W. R.
1959 An Alleged Doublet in Ammianus Marcellinus, *RhM* 102, p. 183-189.

Chapot V.
1907 *La frontière de l'Euphrate de Pompée à la conquête arabe*, Paris.

Charles H.
1939 *Tribus moutonnières du Moyen-Euphrate*, Documents d'études orientales VIII, IFD Damas.

Charpin D., Durand J.-M.
1985 La prise du pouvoir par Zimri-Lim, *MARI* 4, p. 293-343.

Chaumont M.-L.
1984 Études d'histoire parthe V. La route royale des Parthes de Zeugma à Séleucie du Tigre d'après l'itinéraire d'Isidore de Charax, *Syria* LXI, p. 64-107.

Chavalas M.
1996 Terqa and the Kingdom of Khana, *Biblical Archaeologist* 59/2, p. 90-103.

Chesney F. R.
1850 *The Expedition for the Survey of the Rivers Euphrates and Tigris, in the Years 1835, 1836 and 1837.*

Cholet (Comte M. P. de)
1892 *Voyage en Turquie d'Asie, Arménie, Kurdistan et Mésopotamie*, Plon, Paris.

Cinti Luciani S.
1993 The Late Pottery from Tell Jikan and Tell Khirbet Salih, in G. Wilhelm, C. Zaccagnini, *Tell Karrana 3, Tell Jikan, Tell Khirbet Salih*, Baghdader Forschungen 15, Ph. von Zabern, Mainz am Rhein, p. 279-292.

Clark D.
1967 The Middle Acheulian Occupation Site at Latamne, Northern Syria, *Quaternaria* 9, p. 1-68.

Clason A. T.
1979-1980 The Animal Remains from Tell es Sinn, Compared with those from Bouqras, *Anatolica* VII, p. 35-53.
1983 Faunal Remains, in P. A. Akkermans *et al.*, *Bouqras Revisited: Preliminary Report on a Project in Eastern Syria, Proceedings of the Prehistoric Society* 49, p. 359-362.
1989-1990 The Bouqras Bird Frieze, *Anatolica* XVI, p. 210-213.

Cleuziou S., Tosi M.
1997 Hommes, climats et environnements de la Péninsule arabique à l'Holocène, *Paléorient : Paléoenvironnement et sociétés humaines au Moyen-Orient de 20000 bp à 6000 bp*, n° 23/2, p. 121-135.

Contenson H. de
1966 Découvertes récentes dans le domaine du Néolithique en Syrie, *Syria* XLIII, p. 152-154.

Contenson H. de, Van Liere W. J.
1966 Premier sondage à Bouqras en 1965. Rapport préliminaire, *AAAS* XVI, p. 181-192.

Copeland L., Hours F.
1993 The Middle Orontes. Paleolithic flint industries, in *Le Paléolithique de la vallée moyenne de l'Oronte. Peuplement et environnement*, BAR IS 587, p. 63-144.

Courty M.-A.
1994 Le cadre paléogéographique des occupations humaines dans le bassin du Haut-Khabur (Syrie du Nord-Est). Premiers résultats, *Paléorient* 20/1, p. 21-59.

Cumont F.
1917 *Études syriennes*, A. Picard, Paris.
1926 *Fouilles de Doura-Europos (1922-1923)*, Paris.

Cuntz O.
1923 *Die Geographie des Ptolemaeus, Galliae, Germania, Raetia, Noricum, Pannoniae, Illyricum, Italia*, Handschriften, Text und Untersuchungen, Berlin (réimp. 1975, New York).

Cuntz O., Schnetz J.
1990 *Itineraria Romana*, Teubner.

CURTIS J.
1989 *Excavations at Qasrij Cliff and Khirbet Qasrij*, British Museum Publications, London.

CZERNIK J.
1875 *Ingenieur Josef Czernik's Technische Studien-Expedition durch die Gebiete des Euphrat und Tigris nebst Ein- und Ausgangs-Routen durch Nord-Syrien*, bearbeitet und herausgegeben von Amand Freiherrn V. Schweiger-Lerchenfeld, Ergänzungsheft n° 44 zu *Petermann's « Geographischen Mitteilungen »*, Gotha.

DALFES H. N., KUKLA G., WEISS H. (éd.)
1997 *Third Millenium BC Climatic Change and Old World Collapse*, NATO ASI Series I: Global Environmental Change, vol. 49, Springer, 728 p.

DALONGEVILLE R., RENAULT-MISKOVSKY J.
1993 Paysages passés et actuels de l'île de Naxos, in R. Dalongeville et G. Rougemont (éd.), *Recherches dans les Cyclades*, CMO 23, Lyon, Maison de l'Orient, p. 9-57.

DEBEVOISE N. C.
1934 *Parthian Pottery from Seleucia on the Tigris*, Ann Arbor.

DELOUGAZ P.
1952 *Pottery from the Diyala Region*, OIP 63, Chicago.

DELPECH A., GIRARD F., ROBINE G., ROUMI M.
1997 *Les norias de l'Oronte : analyse technologique d'un élément du patrimoine syrien*, IFEAD, Damas.

DESCAT R.
1995 Marché et tribut : l'approvisionnement des Dix-Mille, in P. Briant (éd.), *Dans les pas des Dix-Mille*, *Pallas* 43, p. 99-108.

D'HONT O.
1994 *Vie quotidienne des 'Agēdāt. Techniques et occupation de l'espace sur le Moyen-Euphrate*, IFEAD 147, Damas, 263 p.

DILLEMANN L.
1961 Ammien Marcellin et les pays de l'Euphrate et du Tigre, *Syria* XXXVIII, p. 87-158.

DION P. E.
1995 The Syro-Mesopotamian Border in the VIIIth Century BC: The Aramaeans and the Establishment, *Bulletin de la Société canadienne des études mésopotamiennes* 30, Québec, p. 5-10.

DODGEON M. H., LIEU S. N. C.
1991 *The Roman Eastern Frontier and the Persian Wars (AD 226-363). A Documentary History*, Routledge, London, New York.

DOSSIN G.
1938 Signaux lumineux au pays de Mari, *RA* 35, p. 174-186.
1940 Inscriptions de fondation provenant de Mari, *Syria* XXI, p. 152-169.
1970 Archives de Sûmu-Iaman, roi de Mari, *Revue d'assyriologie et d'archéologie orientale* LXIV/1, p. 17-44.

DUDA D.
1978 Die Keramik aus dem Gebiet des Gareus-Tempels, *UVB* 28, p. 46-56.

DU MESNIL DU BUISSON R.
1948 *Baghouz. L'ancienne Corsôté. Le tell archaïque et la nécropole de l'âge du Bronze*, Brill, Leyde.

DURAND J.-M.
1985 La situation historique des Šakkanakku : nouvelle approche, *MARI* 4, p. 147-172.
1987 a Documents pour l'histoire du royaume de Haute-Mésopotamie, I, *MARI* 5, p. 155-198.
1987 b Villes fantômes de Syrie et autres lieux, *MARI* 5, p. 199-234.
1988 *Archives épistolaires de Mari.* I/1, ARM XXVI, ERC, Paris.
1990 a Problèmes d'eau et d'irrigation au royaume de Mari : l'apport des textes anciens, in B. Geyer (éd.), *Techniques et pratiques hydro-agricoles traditionnelles en domaine irrigué : approche pluridisciplinaire des modes de culture avant la motorisation en Syrie,* actes du colloque de l'IFAPO, Damas 1987, BAH CXXXVI, vol. 1, Geuthner, Paris, p. 101-142.
1990 b La cité-État d'Imâr à l'époque des rois de Mari, *MARI* 6, p. 39-92.
1997 *Les documents épistolaires du palais de Mari. Tome I*, Littératures anciennes du Proche-Orient 16, Éditions du Cerf, Paris.
1998 *Les documents épistolaires du palais de Mari. Tome II*, Littératures anciennes du Proche-Orient 17, Éditions du Cerf, Paris.

DUSSAUD R.
1927 *Topographie historique de la Syrie antique et médiévale*, BAH IV, Paris.

DYSON S. T.
1968 *The Commonware Pottery. The Brittle Ware*, New Haven.

ECHALLIER J.-C., REVEL J.-C.
1996 L'environnement ancien de Khirbet-el-Umbashi (Syrie). Premières données morphopédologiques et hypothèses, *L'Anthropologie* 100, n° 1, Paris, p. 213-225.

ÉLISSÉEF N., PAILLET J.-L.
1986-1987 Deuxième mission au Château de Raḫba. Rapport préliminaire 1979, *AAAS* XXXVI-XXXVII, p. 136-143.

ERGENZINGER P. J.
1987 Big Hydraulic Structures in Ancient Mesopotamia in North-East Syrien, *Die Erde* 118, p. 33-36.
1991 Geomorphologische Untersuchungen im Unterlauf des Ḫābūr, in H. Kühne (éd.), *Die rezente Umwelt von Tall Šēḫ Ḥamad und Daten zur Umweltrekonstruktion der assyrischen Stadt Dūr-Katlimmu*, Dietrich Reimer Verlag, Berlin, p. 35-50.

ERGENZINGER P. J., KÜHNE H.
1991 Ein regionales Bewässerungssystem am Ḫābūr, in H. Kühne (éd.), *Die rezente Umwelt von Tall Šēḫ Ḥamad und Daten zur Umweltrekonstruktion der assyrischen Stadt Dūr-Katlimmu*, Dietrich Reimer Verlag, Berlin, p. 163-190.

FARRELL W. J.
1961 A Revised Itinerary of the Route Followed by Cyrus the Younger through Syria, 401 BC, *Journal of Hellenic Studies* 81, p. 153-155.

FINET A.
1969 L'Euphrate, route commerciale de la Mésopotamie, *AAAS* XIX, p. 37-48.

FONTAINE J.
1977 a *Ammien Marcellin, Histoire, t. IV, 1 (livres XXIII-XXV), 1re partie*, Les Belles Lettres, Paris.
1977 b *Ammien Marcellin, Histoire, t. IV, 2 (livres XXIII-XXV), Commentaire*, Les Belles Lettres, Paris.

FORRER E.
1921 *Die Provinzeinteilung des assyrischen Reiches*, Leipzig.

FORTIN M.
1997 Urbanisation et « redistribution » de surplus agricoles en Mésopotamie septentrionale (3000-2500 av. J.-C.), in W. E. Aufrecht, N. A. Mirau, S. W. Gauley (éd.), *Urbanism in Antiquity. From Mesopotamia to Crete*, Sheffield Academic Press, Sheffield, p. 50-81.

FREY W., KÜRSCHNER H.
1991 Die aktuelle und potentielle natürliche Vegetation im Bereich des Unteren Ḫābūr, in H. Kühne (éd.), *Die rezente Umwelt von Tall Šēḫ Ḥamad und Daten zur Umweltrekonstruktion der assyrischen Stadt Dūr-Katlimmu*, Dietrich Reimer Verlag, Berlin, p. 87-103.

FRÉZOULS E.
1980 Les fonctions du Moyen-Euphrate à l'époque romaine, in J.-Cl. Margueron (éd.), *Le Moyen-Euphrate. Zone de contacts et d'échanges*, actes du colloque de Strasbourg, 10-12 mars 1977, Brill, p. 355-386.

FRIIS JOHANSEN C.
1971 Les terres sigillées orientales, in A. Papanicolaou Christensen, C. Friis Johansen, *Hama Fouilles et recherches 1931-1938*, III, 2. *Les poteries hellénistiques et les terres sigillées orientales*, Copenhague, p. 55-204.

GALVIN K. F.
1987 Forms of Finance and Forms of Production: The Evolution of Specialized Livestock Production in the Ancient Near East, in E. M. Brumfiel et T. K. Earle (éd.), *Specialization, exchange, and complex societies*, Cambridge, p. 119-129.

GASCHE H.
1971 Premières recherches archéologiques, in L. De Meyer, H. Gasche, R. Paepe, *Tell ed-Der* I. *Rapport préliminaire sur la première campagne (février 1970)*, Louvain, p. 29-51.
1978 Le sondage A : l'Ensemble I, in L. De Meyer (éd.), *Tell ed-Der* II, Louvain, p. 57-131.

GASCHE H., ARMSTRONG J. A., COLE S. W., GURZADYAN V. G.
1998 *Dating the Fall of Babylon: A Reappraisal of Second-Millenium Chronology*, Mesopotamian History and Environment Memoirs 2-4, Univ. of Ghent/Oriental Institute of the Univ. of Chicago.

GATIER P.-L.
2000 Une frontière sans limes ?, in L. Nordiguian et J.-F. Salles (éd.), *Aux origines de l'archéologie aérienne. A. Poidebard (1878-1955)*, Beyrouth, p. 139-149.

GAWLIKOWSKI M.
1983 a L'île de Bidjan sur le Moyen-Euphrate, une forteresse assyrienne et romaine, *Archéologia* 178, p. 26-33.
1983 b Palmyre et l'Euphrate, *Syria* LX, p. 53-68.
1988 La route de l'Euphrate d'Isidore à Julien, in P.-L. Gatier, B. Helly et J.-P. Rey-Coquais, *Géographie historique au proche-Orient (Syrie, Phénicie, Arabie, grecques, romaines, byzantines)*, actes de la table ronde de Valbonne, 16-18 septembre 1985, Notes et monographies techniques 23, CNRS éditions, Paris, p. 77-98.
1992 Les rivières fantômes du désert oriental, *Ktema* 17, p. 169-179.
1996 Thapsacus and Zeugma, the Crossing of the Euphrates in Antiquity, *Iraq* 58, p. 123-133.
1997 L'empereur Julien sur les bords de l'Euphrate, in A. Sérandour (éd.), *Des Sumériens aux Romains d'Orient. La perception géographique du monde. Espaces et territoires au Proche-Orient ancien*, actes de la table ronde du 16 novembre 1996, Antiquités sémitiques 2, p. 145-155.

GEERE H. V.
1904 *By Nile and Euphrates. A Record of Discovery and Adventure*, T&T Clark, Edinburgh.

GEORGE P.
1993 *Dictionnaire de la géographie*, Paris, PUF, 5e éd., 498 p.

GERSAR
1976 *Aménagement de la basse vallée de l'Euphrate. Avant projet général provisoire — tome A — Situation actuelle et données de base des aménagements*, Administration générale pour le développement du bassin de l'Euphrate.
1977 *Development of the Lower Euphrates Valley. Technical Report Zone 1*, GERSAR-SCET et GOLD.
1984 *Development of the Lower Euphrates Valley. Zone 1, Sector 7—Irrigation Project, Report R4,* GERSAR-SCET et GOLD.

GEYER B.
1984 Environnement et milieu naturel à Mari, *Histoire et Archéologie : les dossiers, numéro spécial : Éblouissante richesse de Mari sur l'Euphrate*, n° 80, p. 14-16.
1985 Géomorphologie et occupation du sol dans la moyenne vallée de l'Euphrate dans la région de Mari, *MARI* 4, p. 27-39.
1986 Notes sur l'implantation de Tell Melebiya (vallée du Khābūr-Syrie), *Akkadica* 46, p. 17-18 et 47.
1988 Le site de Doura-Europos et son environnement géographique, *Syria* LXV, p. 285-295.
1990 a Aménagements hydrauliques et terroir agricole dans la moyenne vallée de l'Euphrate, in B. Geyer (éd.), *Techniques et pratiques hydro-agricoles traditionnelles en domaine irrigué : approche pluridisciplinaire des modes de culture avant la motorisation en Syrie*, actes du colloque de l'IFAPO, Damas 1987, BAH CXXXVI, vol. 1, Geuthner, Paris, p. 63-85.
1990 b Une ville aujourd'hui engloutie : Emar — contribution géomorphologique à la localisation de la cité, *MARI* 6, ERC, ADPF, Paris, p. 107-119.

Geyer B.

1992 a L'environnement ancien d'Haradum : un site parfaitement intégré à son environnement, in C. Képinski-Lecomte (éd.), *Haradum I. Une ville nouvelle sur le Moyen-Euphrate* XVIIIe-XVIIe *siècles av. J.-C.*, ERC, ADPF, Paris, p. 37-49.

1992 b Compte rendu de Kühne H. (éd.), 1991, Die rezente Umwelt von Tall Šēḫ Ḥamad und Daten zur Umweltrekonstruktion der assyrischen Stadt Dūr-Katlimmu, *Paléorient* 18/2, p. 152-156.

1995 L'Euphrate et sa vallée : 1922-1990, in Institut Français de Damas, *Une mission de reconnaissance de l'Euphrate en 1922. Enjeux économiques, politiques et militaires. Deuxième partie : les textes*, PIFD n° 133, Damas, p. 11-27 (+ index, p. 115-124).

2002 Physical Factors in the Evolution of the Landscape and Land Use, in *Economic History of Byzantium. From the Seventh through the Fifteenth Century*, Dumbarton Oaks Studies XXXIX, p. 31-54.

Geyer B., Besançon J.

1997 Environnement et occupation du sol dans la vallée de l'Euphrate syrien durant le Néolithique et le Chalcolithique, *Paléorient* 22/1, p. 5-15.

Geyer B., Besançon J., Calvet Y., Debaine F.

1998 Les marges arides de la Syrie du Nord : prospection géo-archéologique, *BAGF* 75/2, p. 213-223.

Geyer B., Besançon J., Calvet Y., Rousset M.-O.

1999 *Les marges arides de la Syrie du Nord : rapport d'étape au ministère des Affaires étrangères*, Lyon.

Geyer B., Monchambert J.-Y.

1983 Prospection dans la basse vallée de l'Euphrate syrien, *AAAS* XXXIII, p. 261-265 (traduction en arabe p. 229-231).

1987 a Une nécropole à Es Susa, basse vallée de l'Euphrate syrien, *MARI* 5, p. 275-291.

1987 b Prospection de la moyenne vallée de l'Euphrate : rapport préliminaire : 1982-1985, *MARI* 5, p. 293-344.

1989 Prospection de la moyenne vallée de l'Euphrate, *Contribution française à l'archéologie syrienne 1969-1989*, Damas, IFAPO, p. 65-72.

Geyer B., Rousset M.-O.

2001 Les steppes arides de la Syrie du Nord à l'époque byzantine ou la « ruée vers l'est », in B. Geyer (dir.), *Conquête de la steppe et appropriation des terres sur les marges arides du Croissant fertile*, TMO n° 36, Maison de l'Orient, Lyon, p. 111-121.

Geyer B., Sanlaville P.

1991 Signification et chronologie des terrasses holocènes du bassin syrien de l'Euphrate, *Physio-Géo.* 22-23, p. 101-106.

1996 Nouvelle contribution à l'étude géomorphologique de la région de Larsa-'Oueili (Iraq), in J.-L. Huot (dir.), *Oueili. Travaux de 1987 et 1989*, ERC, ADPF, Paris, p. 391-408.

Gibson McG.

1972 *The City and Area of Kish*, Miami.

Gilliam J. F.

1970 Three Passages in the Historia Augusta: Gord. 21, 5 and 34, 2-6; Tyr. trig. 30, 12, *Bonner Historia Augusta Colloquium*, III, *1968-1969*, p. 103-107.

Goetze A.

1953 An Old Babylonian Itinerary, *JCS* 7, p. 51-72.

Grayson K. A.

1976 *Assyrian Royal Inscriptions*, Otto Harrasowitz, Wiesbaden.

1987 *Assyrian Rulers of the Third and Second Millenia* BC *(to 1115* BC*)*, RIMA 1, University of Toronto Press, Toronto.

1991 *Assyrian Rulers of the Early First Millenium* BC*, I (1114-859* BC*)*, RIMA II, University of Toronto Press, Toronto.

Gregory S., Kennedy D.

1985 *Sir Aurel Stein's Limes Repor*t, BAR IS 272.

Grenet F.

1988 Les Sassanides à Doura-Europos (253 ap. J.-C.). Réexamen du matériel épigraphique iranien du site, in P.-L. Gatier, B. Helly, J.-P. Rey-Coquais, *Géographie historique au Proche-Orient (Syrie, Phénicie, Arabie, grecques, romaines, byzantines)*, actes de la table ronde de Valbonne, 16-18 septembre 1985, Notes et monographies techniques 23, CNRS Éditions, Paris, p. 133-158.

Grimal P.

1958 *Romans grecs et latins*, La Pléiade, Gallimard.

Groneberg B.

1980 *Répertoire géographique des textes cunéiformes*, 3, Wiesbaden.

Guérin C., Eisenmann V., Faure M.

1993 Les grands mammifères de Latamné (vallée de l'Oronte, Syrie), in P. Sanlaville *et al.* (éd.), *Le Paléolithique de la vallée moyenne de l'Oronte. Peuplement et environnement*, BAR IS 587, p. 169-178.

Guibert P., Ney Cl., Bechtel F., Schvoerer M., Berthier S.

1998 Chronologie par thermoluminescence de l'occupation médiévale de l'Euphrate syrien : étude de céramiques provenant de Tell Guftān, *BEO* 50, p. 157-175.

1999 Chronologie par thermoluminescence de l'occupation médiévale de l'Euphrate syrien : étude de céramiques provenant de Tell Hrim et de Tell Qaryat Medad, *BEO* 51, p. 249-261.

Guide Bleu

1932 *Syrie Palestine*, Hachette, Paris.

1965 *Moyen-Orient*, Hachette, Paris.

Güterbock H.

1957 A Note on the Stela of Tukulti-Ninurta II Found near Tell Ashara, *JNES* 16, p. 123.

Haerinck E.

1980 Les tombes et les objets du sondage sur l'enceinte de Abu Habbah, in L. De Meyer (éd.), *Tell ed-Der* III, Louvain, p. 53-79.

Haller A.

1954 *Die Gräber und Grüfte von Assur*, Verlag Gebr. Mann, Berlin.

HARBA M.
1978 *Organisations agraires, population rurale et développement en Syrie*, thèse, Montpellier, 505 p.

HARPER R. P.
1980 Athis-Neocaesaria-Qasrin-Dibsi Faraj, in J.-Cl. Margueron (éd.), *Le Moyen Euphrate. Zone de contacts et d'échanges*, actes du colloque de Strasbourg, 10-12 mars 1977, Brill, Leyde, p. 327-348.

HAYES J. W.
1972 *Late Roman Pottery*.

HEINZ J.-G., BODI D., MILLOT L.
1990 *Bibliographie de Mari : Archéologie et textes (1933-1988)*, Wiesbaden.
1992 Bibliographie de Mari : Supplément I (1989-1990), *Akkadica* 77, p. 1-37.
1993 Bibliographie de Mari : Supplément II (1991-1992), *Akkadica* 81, p. 1-22.
1994 Bibliographie de Mari : Supplément III (1992-1993), *Akkadica* 86, p. 1-23.
1995 Bibliographie de Mari : Supplément IV (1993-1994), *Akkadica* 91, p. 1-22.
1996 Bibliographie de Mari : Supplément V (1994-1995), *Akkadica* 96, p. 1-19.
1997 Bibliographie de Mari : Supplément VI (1995-1996), *Akkadica* 104-105, p. 1-23.

HELBAEK H.
1964 Early Hassunan Vegetable Food at Tell as-Sawwan near Samarra, *Sumer* XX, p. 45-48.
1966 The Plant Remains from Nimrud, in M. E. L. Mallowan, *Nimrud and its remains*, vol. 2, London, p. 613-620.

HELMER D., ROITEL V., SAÑA M., WILLCOX G.
1998 Interprétations environnementales des données archéozoologiques et archéobotaniques en Syrie du Nord de 16000 BP à 7000 BP, et les débuts de la domestication des plantes et des animaux, in M. Fortin et O. Aurenche (éd.), *Espace naturel, espace habité en Syrie du Nord (X^e-IIe millénaire av. J.-C.)*, actes du colloque de Québec, mai 1997, BCSMS 33/TMO 28, Québec-Lyon, p. 9-33.

HENNESSY J. B.
1970 Excavations at Samaria-Sebaste, 1968, *Levant* 2, p. 1-21.

HENNING G., HOURS F.
1982 Dates pour le passage entre l'Acheuléen et le Paléolithique moyen à El Kowm (Syrie), *Paléorient* 8/1, p. 81-83.

HÉRAUD Ch.
1922 a voir Institut Français de Damas 1988.
1922 b voir Institut Français de Damas 1995.

HERZFELD E.
1911 Zur Routenkarte, in F. Sarre et E. Herzfeld, *Archäologische Reise im Euphrat- und Tigris-Gebiet*, Bd I, Kap. III, Berlin.
1914 Ḫana und Mari, *RA* 11, p. 131-139.
1920 Euphratburgen, in F. Sarre et E. Herzfeld, *Archäologische Reise im Euphrat- und Tigris-Gebiet*, Bd II, Kap. X, Berlin, p. 365-395.

HOHL E.
1934 Zur *Historia-Augusta*-Forschung, *Klio* 27, p. 149-164.

HOLE F., JOHNSON G. A.
1986-1987 Umm Qseir on the Khabur. Preliminary Report on the 1986 Excavation, *AAAS* XXXVI-XXXVII, p. 172-220.

HOLLAND T. A.
1976 Preliminary Report on Excavations at Tell Sweyhat, Syria, 1973-4, *Levant* 8, p. 36-70.
1977 Preliminary Report on Excavations at Tell Sweyhat, Syria, 1975, *Levant* 9, p. 36-65.
1980 Incised Pottery from Tell Sweyhat, Syria and its Foreign Connections, in J.-Cl. Margueron (éd.), *Le Moyen-Euphrate. Zone de contacts et d'échanges*, actes du colloque de Strasbourg, 10-12 mars 1977, Brill, Leyde, p. 127-157.

HONIGMANN E.
1939 *Le Synekdèmos d'Hiéroklès et l'opuscule géographique de Georges de Chypre. Texte, introduction, commentaire et cartes*, Bruxelles.

HONIGMANN E., MARICQ A.
1953 *Recherches sur les Res Gestae Divi Saporis*.

HOPKINS C.
1979 *The Discovery of Dura-Europos*, Yale University Press, New Haven et London.

HOURANI F., COURTY M.-A.
1997 L'évolution morpho-climatique de 10500 à 5500 BP dans la vallée du Jourdain, *Paléorient : Paléoenvironnement et sociétés humaines au Moyen-Orient de 20000 BP à 6000 BP*, n° 23/2, p. 95-105.

HOURS F., AURENCHE O., CAUVIN J., CAUVIN M.-Cl., COPELAND L., SANLAVILLE P.
1994 *Atlas des sites du Proche Orient (14000-5700 BP)*, TMO 24, Maison de l'Orient, Lyon.

HROUDA B.
1961 Tell Fechĕrije. Die Keramik, *ZA* Neue Folge 20, p. 201-239.
1962 Tell Halaf IV. Die Kleinfunde aus historischen Zeit, in M. F. von Oppenheim, *Der Tell Halaf*, Berlin.
1990 Die altbabylonischen tumuli von Baġūz bei Mâri : Begräbnisse der Ḫanäer ?, in Ö. Tunca (éd.), *De la Babylonie à la Syrie, en passant par Mari, Mélanges offerts à M. J.-R. Kupper à l'occasion de son 70e anniversaire*, Liège, p. 103-114.

HÜTTEROTH W.
1993 Étude historico-géographique de la Ğesīre Supérieure, *BEO* 41/42, p. 59-63.

IMBRIE J., HAYS J. D., MARTINSON D. G., MCINTIRE A., MIX A. C., MORLEY J. J., PACES N. G., PRELL W. L., SHACKLETON N. J.
1984 The Orbital Theory of Pleistocene Climate: Support from a Revised Chronology of the Marine $\delta^{18}O$ Record, in A. Berger *et al.* (éd.), *Milankovitch and Climate, Part I*, D. Reidel, Norwell, p. 269-305.

Institut français de Damas
1988 *Une mission de reconnaissance de l'Euphrate en 1922. Première partie : les cartes*, IFEAD, PIFD 132, Damas.

Institut français de Damas
1995 *Une mission de reconnaissance de l'Euphrate en 1922. Deuxième partie : les enjeux économiques, politiques et militaires d'une conquête*, IFEAD, PIFD 133, Damas.

INVERNIZZI A.
1986 KIFRIN-BHXXOΥΦPEIN, *Mesopotamia* 21, p. 53-84.

JÄGER K. D.
1997 Mid- to Late Holocene Changes in Central Europe Climate and Man, in H. N. Dalfes, G. Kukla et H. Weiss (éd.), *Third Millenium BC Climate Change and Old World Collapse*, NATO ASI Series, vol. I 49, Springer Verlag, p. 401-408.

JAMES S.
1985 Dura-Europos and the Chronology of Syria in the 250s AD, *Chiron* 15, p. 111-124.

JANNI P.
1984 *La mappa e il periplo : cartografia antica e spazio odologico*, Rome.

JAWHER I. A.
1983 Vers une classification régionale des précipitations en Irak, *Annales de Géographie* 4, univ. St-Joseph, Beyrouth, p. 1-40.

JEAN-MARIE M.
1990 Les tombeaux en pierre de Mari, *MARI* 6, p. 303-336.
1999 *Tombes et nécropoles de Mari*, BAH CLIII, Beyrouth.

JOANNÈS F.
1995 L'itinéraire des Dix-Mille en Mésopotamie et l'apport des sources cunéiformes, in P. Briant (éd.), *Dans les pas des Dix-Mille*, *Pallas* 43, p. 173-199.
1996 Routes et voies de communication dans les archives de Mari, in J.-M. Durand (éd.), *Amurru 1. Mari, Ébla et les Hourrites, Dix ans de travaux,* actes du colloque international (Paris, mai 1993), Paris, ERC, p. 323-361.

JOHNSON M. J.
1995 The Sepulchrum Gordiani at Zaitha and its Significance, *Latomus* 54, p. 141-144.

KAMPSCHULTE I., ORTHMANN W.
1984 *Gräber des 3. Jahrtausends v. Chr. im syrischen Euphrattal. I. Ausgrabungen bei Tawi 1975 und 1978*, Saarbrücker Beiträge zur Altertumskunde, Bd 38, R. Habelt, Bonn.

KANTOR H. J.
1958 The Pottery, in C. W. McEwan *et al.*, *Soundings at Tell Fakhariyah*, OIP 79, Chicago, p. 21-41.

KELLY-BUCCELLATI M., SHELBY W. R.
1977 A Typology of Ceramics Vessels of the Third and Second Millenia from the First Two Seasons, *Terqa Preliminary Reports* 4, SMS 1/6, Malibu, p. 1-56.

KENNEDY D.
1994 Zeugma, une ville antique sur l'Euphrate, *Archéologia* 306, p. 26-35.

KEPINSKI-LECOMTE C. (éd.)
1992 *Haradum I. Une ville nouvelle sur le Moyen-Euphrate (XVIIIe-XVIIe siècles av. J.-C.)*, ERC, Paris.

KERBE J.
1979 *Climat, hydrologie et aménagements hydro-agricoles de Syrie*, thèse d'État, univ. Bordeaux III.

KERR R. A.
1998 Sea-Floor Dust Shows Drought Felled Akkadian Empire, *Science* 279, p. 325-326.

KIEPERT R.
1900 Begleitworte zur Karte « Syrien und Mesopotamien », in M. F. von Oppenheim, *Vom Mittelmeer zum Persischen Golf, durch den Ḥaurān, die syrische Wüste und Mesopotamien*, Dietrich Reimer, Berlin, Bd 2, p. 391-414 et carte.

KILLICK R.
1988 Pottery from the Neo-assyrian to Early Sasanian Periods, in A. Northedge, A. Bamber, M. Roaf, *Excavations at 'Āna*, Aris & Phillips Ltd, Warminster, p. 54-75.

KILPATRICK G. D.
1964 *Dura-Europos: The Parchments and Papyri*, GRBS 5.

KLEIN W.
1914 *Studien zu Ammianus Marcellinus*, Klio Beihefte 13, Leipzig.

KLEINDIENST M.
1960 Note on a Surface Survey at Baghouz (Syria), *Anthropology Today* 6, p. 65-72.

KLENGEL H.
1980 Zum Bewässerungsbodenbau am Mittleren Euphrat nach den Texten von Mari, *Altorientalische Forschungen* 7, p. 77-87.

KOHLER E. L.
1995 *The Lesser Phrygian Tumuli.* Part I: *The Inhumations (The Gordion Excavations [1950-1973] Final Reports,* vol. II*)*, Philadelphia.

KÖHLER-ROLLEFSON I.
1988 The Aftermath of the Levantine Neolithic Revolution in the Light of Ecological and Ethnographic Evidence, *Paléorient* 14/1, p. 87-93.

KOHLMEYER K.
1984 a Archäologische Geländebegehung im Euphrattal zwischen Ṭabqa/aṭ-Ṭaura und Dair az-Zaur, *AfO* 31, p. 190-193.
1984 b Euphrat-Survey—Die mit Mitteln der Gerda Henkel Stiftung durchgeführte archäologische Geländebegehung im syrischen Euphrattal, *MDOG* 116, p. 95-118.
1986 Euphrat-Survey 1984. Zweiter Vorbericht über die mit Mitteln der Gerda Henkel Stiftung durchgeführte archäologische Geländebegehung im syrischen Euphrattal, *MDOG* 118, p. 51-65.

KONRAD M.
1992 Flavische und spätantike Bebauung unter der Basilika B von Resafa-Sergiupolis, *Damaszener Mitteilungen* 6, p. 313-402.

KRAELING C. H.
1952 Report on a Sounding in the Jezireh, May 25-26, 1952, *AAS* II, 1952, p. 252-258.

KÜHNE H.
1974-1977 Zur historischen Geographie am Unteren Ḫābūr. Vorläufiger Bericht über eine archäologische Geländebegehung, *AfO* 25, p. 249-255.
1976 *Die Keramik vom Tell Chuēra und ihre Beziehungen zu Funden aus Syrien-Palästina, der Türkei und dem Iraq*, Berlin.

KÜHNE H.

1978-1979 Zur historischen Geographie am Unteren Ḫābūr. Zweiter, vorläufiger Bericht über eine archäologische Geländebegehung, *AfO* 26, p. 181-195.

1980 Zur Rekonstruktion der Feldzüge Adad-Nīrārī II, Tukulti-Ninurta II und Aššurnaṣirpal II im Ḫābūrgebiet, *Baghdader Mitteilungen* 11, p. 44-70.

1990 a Ein Bewässerungssystem der Ersten Jahrtausends v. Chr. am Unteren Ḫābūr, in B. Geyer (éd.), *Techniques et pratiques hydro-agricoles traditionnelles en domaine irrigué : approche pluridisciplinaire des modes de culture avant la motorisation en Syrie,* actes du colloque de l'IFAPO, Damas 1987, BAH CXXXVI, vol. 1, Geuthner, Paris, p. 193-215.

1990 b The Effects of Irrigation Agriculture: Bronze and Iron Age Habitation along the Khabur, Eastern Syria, in S. Bottema, G. Entjes-Nieborg, W. Van Zeist (éd.), *Man's Role in the Shaping of the Eastern Mediterranean Landscape*, Balkema, Rotterdam, p. 15-30.

1991 Die Rezente Umwelt von Tall Šēḫ Ḥamad und Daten zur Umweltrekonstruktion der assyrischen Stadt Dūr-katlimmu—Die Problemstellung, in H. Kühne (éd.), *Die Rezente Umwelt von Tall Šēḫ Ḥamad und Daten zur Umweltrekonstruktion der assyrischen Stadt Dūr-katlimmu*, p. 21-33.

1995 The Assyrians on the Middle Euphrates and the Ḫābūr, in M. Liverani (éd.), *Neo-Assyrian Geography*, Rome, p. 69-85.

KÜHNE H. (éd.)

1991 *Die Rezente Umwelt von Tall Šēḫ Ḥamad und Daten zur Umweltrekonstruktion der assyrischen Stadt Dūr-katlimmu*, Dietrich Reimer Verlag, Berlin.

KUPPER J.-R.

1952 Le canal Išîm-Iaḫdunlim, *Bibliotheca Orientalis* IX n° 5/6, p. 168-169.

1988 L'irrigation à Mari, *Bulletin of Sumerian Agriculture* IV, p. 93-103.

KUZUCUOGLU C., ROBERTS N.

1997 Évolution de l'environnement en Anatolie de 20000 à 6000 BP, *Paléorient : Paléoenvironnement et sociétés humaines au Moyen-Orient de 20000 BP à 6000 BP*, n° 23/2, p. 7-24.

LAFONT B.

1992 Nuit dramatique à Mari, in J.-M. Durand (éd.), *Florilegium marianum. Recueil d'études en l'honneur de Michel Fleury*, Mémoires de NABU 1, p. 93-105.

1993 Une nuit dramatique à Mari, document n° 142, *Syrie, Mémoire et Civilisation*, p. 202-203.

LAPP P. W.

1961 *Palestinian Ceramic Chronology 200 BC–AD 70*, New Haven.

LAUFFRAY J.

1983 *Ḥalabiyya-Zenobia, Place forte du limes oriental et la Haute-Mésopotamie au VIe siècle.* T. I, *Les duchés frontaliers de Mésopotamie et les fortifications de Zenobia*, BAH CXIX, Geuthner, Paris.

1991 *Ḥalabiyya-Zenobia, Place forte du limes oriental et la Haute-Mésopotamie au VIe siècle.* T. II, *L'architecture publique, religieuse, privée et funéraire*, BAH CXXXVIII, Geuthner, Paris.

1983 a Mari 1979. Rapport préliminaire sur la céramique du chantier A, *MARI* 2, p. 165-193.

1983 b *La céramique de l'âge du Fer II-III à Tell Abou Danné et ses rapports avec la céramique contemporaine en Syrie*, ERC, Paris.

1984 La céramique du tombeau IXQ50-SE.T6 de Mari, *MARI* 3, p. 217-221.

1985 a Rapport préliminaire sur la séquence céramique du chantier B de Mari (IIIe millénaire), *MARI* 4, p. 93-126.

1985 b Rapport préliminaire sur la céramique du Bronze Ancien IVa découverte au « Palais Présargonique 1 » de Mari, *MARI* 4, p. 127-136.

1987 a Rapport préliminaire sur la céramique paléo-babylonienne du chantier E de Mari, *MARI* 5, p. 443-462.

1987 b Rapport préliminaire sur la céramique des premiers niveaux de Mari (chantier B 1984), *MARI* 5, p. 415-442.

1990 a La céramique du tombeau 300 de Mari (Temple d'Ishtar), *MARI* 6, p. 349-374.

1990 b La céramique du tombeau IVR2-SE.T7 de Mari (Chantier A, Palais oriental), *MARI* 6, p. 375-384.

LE MIÈRE M.

1983 Pottery and White Ware, in P. A. Akkermans *et al.*, Bouqras Revisited: Preliminary Report on a Project in Eastern Syria, *Proceedings of the Prehistoric Society* 49, p. 351-354.

LE MIÈRE M., PICON M.

1987 Productions locales et circulation des céramiques au VIe millénaire, au Proche-Orient, *Paléorient* 13/2, p. 133-147.

LERICHE P.

1986 Chronologie du rempart de brique crue de Doura Europos, DEE 1, *Syria* LXIII, p. 61-82.

1993 a Nouvelles données sur l'histoire architecturale et urbaine de Doura Europos, in A. Invernizzi et J.-F. Salles, *Arabia Antiqua. Hellenistic Centres around Arabia*, Serie Orientale Roma 72, 2, IsMEO, Rome, p. 113-127.

1993 b Techniques de guerre sassanides et romaines à Doura Europos, in F. Vallet et M. Kazanski, *L'armée romaine et les Barbares du IIIe au VIIe siècles*, p. 83-100.

1997 Pourquoi et comment Europos a été fondée à Doura ?, in P. Brulé et J. Oulhen, *Esclavage, guerre, économie en Grèce ancienne. Hommages à Yvon Garlan*, Presses universitaires de Rennes, p. 191-210.

LERICHE P. (éd.)

1986 *Doura-Europos Études* I, *Syria* — HS n° 16.

1988 *Doura-Europos Études* II, *Syria* — HS n° 17.

1992 *Doura-Europos Études* III, *Syria* — HS n° 20.

LERICHE P., AL-MAHMOUD A.

1997 Bilan des campagnes 1991-1993 de la mission franco-syrienne à Doura-Europos, in P. Leriche et M. Gelin (éd.), *Doura-Europos Études* IV, BAH CXLIX, IFAPO, Beyrouth, p. 1-20.

LERICHE P., GELIN M. (éd.)

1997 *Doura-Europos Études* IV, BAH CXLIX, IFAPO, Beyrouth.

LERICHE P., MAHMOUD A.

1988 Bilan des campagnes de 1986 et 1987 de la mission franco-syrienne à Doura-Europos, in P. Leriche (éd.) *Doura-Europos Études* II, p. 261-282.

LERICHE P., MAHMOUD A.
1992 Bilan des campagnes de 1988 et 1990 à Doura-Europos, in P. Leriche (éd.), *Doura-Europos Études* III, p. 3-28.

LE STRANGE G.
1905 (1966) *The Lands of the Eastern Caliphate. Mesopotamia, Persia, and Central Asia from the Moslem Conquest to the Time of Timur*, Frank Cass & Co. Ltd, Londres.

LIMET H., TUNCA Ö.
1997 Terqa : rapport préliminaire (1987-1989). Chantiers A et M. Stratigraphie et constructions (1989), *MARI* 8, p. 104-114.

LINES J.
1954 Late Assyrian Pottery from Nimrud, *Iraq* 16, p. 164-167.

LITAK R. K., BARAZANGI M., BREW G., SAWAF T., AL-IMAM A., AL-YOUSSEF W.
1998 Structure and Evolution of the Petroliferous Euphrates Graben System, Southern Syria, *Am. Assoc. Petr. Geol. Bull.* 82, p. 1173-1190.

LLOYD S.
1948 Uruk Pottery. A Comparative Study in Relation to Recent Finds at Eridu, *Sumer* IV, p. 39-51.

LLOYD S., SAFAR F.
1943 Tell Uqair, *JNES* 2, p. 132-158.
1945 Tell Hassuna. Excavations by the Iraq Government Directorate General of Antiquities in 1943 and 1944, *JNES* 4, p. 255-284.

LOHOF E.
1983 Figurines, Other Clay, Stone and Bone Artefacts, and Seals, in P. A. Akkermans *et al., Bouqras Revisited: Preliminary Report on a Project in Eastern Syria, Proceedings of the Prehistoric Society* 49, p. 354-357.

LORIOT X.
1975 Les premières années de la grande crise du IIIe siècle : de l'avènement de Maximin le Thrace (235) à la mort de Gordien III (244), *ANRW* II/2, p. 657-787.

LYONNET B.
1998 Le peuplement de la Djéziré occidentale au début du IIIe millénaire, villes circulaires et pastoralisme : questions et hypothèses, in M. Lebeau (éd.), *About Subartu. À propos de Subartu. Studies devoted to upper Mesopotamia. Études consacrées à la Haute Mésopotamie*, Subartu IV/1, Brepols, Bruxelles, p. 179-193.
2000 Objectifs de la prospection, méthodologie et résultats généraux, in B. Lyonnet (éd.), *Prospection archéologique du Haut-Khabur occidental (Syrie du NE), vol. I*, BAH CLV, Beyrouth, p. 5-73.

MACDONALD D.
1986 Dating the Fall of Dura-Europos, *Historia* 35, p. 45-68.

MACKENSEN M.
1984 *Resafa* I. *Eine befestigte spätantike Anlage vor den Stadtmauern von Resafa*, Mayence.

MAHMOUD A.
1978 Die Industrie der islamischen Keramik aus der zweiten Season, *Terqa Preliminary Reports* 5, SMS 2/5, p. 1-16.

MALLET J.
1975 Mari : une nouvelle coutume funéraire assyrienne, *Syria* LII, p. 23-36.

MALLOWAN M.
1933 The Prehistoric Sondage of Nineveh, 1931-1932, *AJA* 23, p. 127-177.
1936 The Excavations at Tall Chagar Bazar, and an archaeological Survey of the Habur Region, 1934-5, *Iraq* 3, p. 1-86.
1946 Excavations in the North Balikh Valley, 1936, *Iraq* 8, p. 112-156.

MARÉCHAL C.
1982 Vaisselles blanches du Proche-Orient : El Kowm (Syrie) et l'usage du plâtre au néolithique, *Cahiers de l'Euphrate* 3, p. 217-251.

MARESCH P.
1920 Zalūbiyyah, in F. Sarre, E. Herzfeld, *Archäologische Reise im Euphrat- und Tigris-Gebiet,* Bd II, Berlin, 1920, p. 373-381.

MARGUERON J.-Cl.
1982 Mari. Rapport préliminaire sur la campagne de 1979, *MARI* 1, p. 9-30.
1983 Mari : Rapport préliminaire sur la campagne de 1980, *MARI* 2, p. 9-35.
1984 a Mari : Rapport préliminaire sur la campagne de 1982, *MARI* 3, p. 7-39.
1984 b Une tombe monumentale à Mari, *MARI* 3, p. 197-215.
1986 Mari : principaux résultats des fouilles conduites depuis 1979, *CRAI, 1986*, p. 763-786.
1987 a Mari : Rapport préliminaire sur la campagne de 1984, *MARI* 5, p. 5-36.
1987 b État présent des recherches sur l'urbanisme de Mari — I, *MARI* 5, p. 483-498.
1988 a Espace agricole et aménagement régional à Mari au début du IIIe millénaire, *Bulletin on Sumerian Agriculture* 4, p. 49-60.
1988 b Mari et Emar : deux villes neuves de la vallée de l'Euphrate à l'âge du Bronze, in J.-L. Huot (éd.), *La ville neuve, une idée de l'Antiquité ?*, p. 37-60.
1990 a Mari : Rapport préliminaire sur la campagne de 1985, *MARI* 6, p. 5-18.
1990 b L'aménagement de la région de Mari : quelques considérations historiques, in B. Geyer (éd.), *Techniques et pratiques hydro-agricoles traditionnelles en domaine irrigué. Approche pluridisciplinaire des modes de culture avant la motorisation en Syrie,* actes du colloque de l'IFAPO, Damas 1987, BAH CXXXVI, vol. 1, Geuthner, Paris, p. 171-191.
1990 c La ruine du palais de Mari, *MARI* 6, p. 423-431.
1990 d Une tombe royale sous la salle du trône du palais des Shakkanakku, *MARI* 6, p. 401-422.
1991 a Mari : travaux récents (1979-1990), *AJA* 95/4, p. 709-711.
1991 b Mari, l'Euphrate, et le Khabur au milieu du IIIe millénaire, *BCSMS* 21, p. 79-100.
1993 Mari : Rapport préliminaire sur la campagne de 1987, *MARI* 7, p. 5-38.
1994 Mari au IIe millénaire, in H. Gasche *et al.* (éd.), *Mesopotamian History and Environment, Cinquante-deux réflexions sur le Proche-Orient ancien offertes en hommage à Léon De Meyer*, Peeters, Louvain, p. 313-320.

MARGUERON J.-Cl.
1995 Mari 1994 : rapport sur la 31e campagne, *Orient Express* 1995/1, p. 4-6.
1996 Mari, reflet du monde mésopotamien au IIIe millénaire, *Akkadica* 98, p. 11-30.
1997 Mari : Rapport préliminaire sur les campagnes de 1990 et 1991, *MARI* 8, p. 9-70.
1998 a La XXXIIIe campagne de fouilles à Mari (automne 1997), *Orient-Express* 1998/1, p. 3-6.
1998 b Aménagement du territoire et organisation de l'espace en Syrie du Nord à l'âge du Bronze : limites et possibilités d'une recherche, in M. Fortin et O. Aurenche (éd.), *Espace naturel, espace habité en Syrie du Nord (Xe-IIe millénaire av. J.-C.)*, actes du colloque de Québec, mai 1997, BCSMS 33/TMO 28, Québec-Lyon, p. 167-178.
2000 Mari : les enjeux d'une exploration archéologique, *Bulletin de la Société des amis de l'École normale supérieure* 215, janvier-février 2000, p. 50-69.

MARGUERON J.-Cl. (dir.), MULLER-PIERRE B., MONCHAMBERT J.-Y., WEYGAND I.
1993 Mari : Rapport préliminaire sur la campagne de 1987, *MARI* 7, ERC, Paris, p. 5-38.

MARROU H.-I.
1963 De la persécution de Dioclétien à la mort de Grégoire le Grand, in J. Daniélou et H.-I. Marrou, *Nouvelle Histoire de l'Église,* I. *Des origines à Grégoire le Grand*, Paris, Le Seuil, 1963, rééd. *L'Église de l'Antiquité tardive*, Coll. Points, H81, Paris, Le Seuil, 1985.

MASETTI-ROUAULT M.-G.
1997 Terqa : rapport préliminaire (1987-1989). Chantier F, le sondage F3k1 (1988-1989), *MARI* 8, p. 89-98.

MATTHEWS J.
1989 *The Roman Empire of Ammianus*, Londres.

MCCOWN D. E., HAINES R.
1967 *Nippur.* I. *Temple of Enlil, Scribal Quarter and Soundings*, OIP 78, Chicago.

MEIN P., BESANÇON J.
1993 Micromammifères du Pléistocène moyen de Latamné (Syrie), in P. Sanlaville *et al.* (éd.), *Le Paléolithique de la vallée moyenne de l'Oronte. Peuplement et environnement*, BAR IS 587, p. 179-182.

MICHEL C.
1996 Le commerce dans les textes de Mari, in J.-M. Durand (éd.), *Amurru 1. Mari, Ébla et les Hourrites, Dix ans de travaux*, actes du colloque international (Paris, mai 1993), Paris, ERC, p. 385-426.

MILLER N.
1997 The Macrobotanical Evidence for Vegetation in the Near East, c. 18000/16000 BC to 4000 BC, *Paléorient : Paléoenvironnement et sociétés humaines au Moyen-Orient de 20000 BP à 6000 BP*, no 23/2, p. 197-207.

MILLER N. F.
1991 The Near East, in W. Van Zeist, K. Wasylikowa, K.-E. Behre (éd.), *Progress in Old World Palaeoethnobotany. A retrospective view on the occasion of 20 years of the International Work Group for Palaeoethnobotany*, Balkema, Rotterdam, p. 133-160.

MINZONI-DESROCHE A., SANLAVILLE P.
1988 Le Paléolithique inférieur de la région de Gaziantep, in O. Aurenche, M.-C. Cauvin, P. Sanlaville (éd.), « Préhistoire du Levant II : Processus des changements culturels », *Paléorient* 14/2, p. 87-98.

MIRZAEV K. M.
1982 Explanatory Note to the Geomorphological Map of Syria, scale 1:500 000, Moscou, 160 p.

MOMMSEN Th.
1885 (1985) *Histoire romaine, t. II* (réédition de l'édition de 1885), Bouquins, Laffont.

MONCHAMBERT J.-Y.
1984 Le futur lac du Moyen Khabour : Rapport sur la prospection archéologique menée en 1983, *Syria* LXI, p. 181-218.
1990 a Réflexions à propos de la datation des canaux : le cas de la basse vallée de l'Euphrate syrien, in B. Geyer (éd.), *Techniques et pratiques hydro-agricoles traditionnelles en domaine irrigué : approche pluridisciplinaire des modes de culture avant la motorisation en Syrie*, actes du colloque de l'IFAPO, Damas 1987, BAH CXXXVI, vol. 1, Geuthner, Paris, p. 87-100.
1990 b Un tesson inscrit à Es Saiyal, *MARI* 6, ERC, ADPF, Paris, p. 645-646.
1999 De Korsoté à Circesium : la confluence du Khabour et de l'Euphrate de Cyrus à Justinien, *Ktema* 24, p. 225-241.
2001 L'occupation de la vallée à l'avènement de l'Islam, in S. Berthier *et al.*, *Peuplement rural et aménagements hydroagricoles dans la vallée de l'Euphrate (fin du VIIe-XIXe siècle)*, publication de l'IFEAD no 191, Damas.
sous presse L'occupation humaine de la Moyenne Vallée de l'Euphrate : premières conclusions, *Aḫ Purattim* 1.

MORITZ B.
1889 *Zur antiken Topographie der Palmyrene*, Berlin.

MORRISSON C.
1970 *Catalogue des monnaies byzantines de la Bibliothèque Nationale. T. I. D'Anastase à Justinien II (491-711)*, Paris.

MOUTERDE R., POIDEBARD A.
1931 La route ancienne des caravanes entre Palmyre et Hit, *Syria* XII, p. 101-115.

MUHESEN S.
1993 L'Acheuléen récent évolué de l'Oronte, in P. Sanlaville *et al.* (éd.), *Le Paléolithique de la vallée moyenne de l'Oronte. Peuplement et environnement*, BAR IS 587, p. 145-166.

MÜLLER C.
1901 *Claudii Ptolemaei Geographia I, 2*, Paris.

MÜLLER V.
1931 *En Syrie avec les Bédouins. Les tribus du désert*, Paris.

MUSIL A.
1927 *The Middle Euphrates, a Topographical Itinerary*, American Geographical Society, Oriental Explorations and Studies 3, New York.

MUTIN G.
2000 *L'eau dans le monde arabe*, Ellipses, 156 p.

NÈGRE A.
1980-1981 Les monnaies de Mayādīn : mission franco-syrienne de Raḥba-Mayādīn, *BEO* 32-33, p. 201-252.

NEUMANN J.
1991 Climate of the Black Sea Region about 0 C.E., *Climatic Change* 18, p. 453-465.

NEUMANN J., PARPOLA S.
1987 Climatic Change and the 11th-10th Century Eclipse of Assyria and Babylonia, *JNES* 46, p. 161-182.

NICOD J.
1992-1993 Recherches nouvelles sur les karsts des gypses et des évaporites associées, *Karstologia*, p. 1-10 et 15-30.

NICOLET C.
1988 *L'inventaire du monde. Géographie et politique aux origines de l'Empire romain*, Hachette, Paris.

NORTHEDGE A.
1988 Middle Sasanian to Islamic Pottery and Stone Vessels, in A. Northedge, A. Bamber, M. Roaf, *Excavations at 'Āna*, Aris & Phillips Ltd, Warminster, p. 76-114.

OATES D.
1968 *Studies in the Ancient History of Northern Iraq*, Oxford University Press, London.

OATES J.
1959 Late Assyrian Pottery from Fort Shalmaneser, *Iraq* 21, p. 130-146.
1969 Choga Mami 1967-68: A Preliminary Report, *Iraq* 31, p. 115-152.
1982 Some Late Early Dynastic III Pottery from Tell Brak, *Iraq* 44, p. 205-219.
1985 Tell Brak: Uruk Pottery from the 1984 Season, *Iraq* 47, p. 175-186.

OLAJOS T.
1988 *Les sources de Théophylacte Simocatta historien*, Leyde.

OLESON J.-P.
1986 The Ḥumayma Hydraulic Survey: Preliminary Report of the 1986 Season, *Annual of the Department of Antiquities of Jordan* XXX, p. 253-260 et 473-477.

OPPENHEIM M. F. von
1899 *Vom Mittelmeer zum Persischen Golf, durch den Ḥaurān, die syrische Wüste und Mesopotamien*, Dietrich Reimer, Berlin, Bd 1.
1900 *Vom Mittelmeer zum Persischen Golf, durch den Ḥaurān, die syrische Wüste und Mesopotamien*, Dietrich Reimer, Berlin, Bd 2.

ORSSAUD D.
1980 La céramique, in J.-P. Sodini *et al.*, Déhès (Syrie du Nord), Campagnes I-III (1976-1978). Recherches sur l'habitat rural, *Syria* LVII, p. 234-266.
1991 Notice sur la céramique, in J. Lauffray (éd.), *Ḥalabiyya-Zenobia, Place forte du limes oriental et la Haute-Mésopotamie au VIe siècle*. T. II, *L'architecture publique, religieuse, privée et funéraire*, BAH CXXXVIII, Paris, p. 260-275.
1992 Le passage de la céramique byzantine à la céramique islamique : quelques hypothèses à partir du mobilier de Déhès, in P. Canivet, J.-P. Rey-Coquais (éd.), *La Syrie de Byzance à l'Islam, VIIe-VIIIe siècles*, actes du colloque international, Lyon-Maison de l'Orient méditerranéen, Paris-Institut du monde arabe, 11-15 septembre 1990, Damas, p. 219-228.

ORTHMANN W.
1981 *Halawa 1977-1979*, Bonn.

ORTOLANI F., PAGLIUCA S.
1998 Variazoni climatiche cicliche e modificazioni dell'ambiente fisico « tipo effetto serra » durante il periodo storico nell'area mediterranea. Previsioni per il prossimo futuro, *Tecniche per la difesa dall'inquinamento*, Atti del 18° Corso di aggiornamento, Editoriale Bios, p. 259-312.

OZER A.
1997 Prospection géomorphologique dans la région de Terqa, *MARI* 8, p. 115-124.

PABOT H.
1955 *Les pâturages du « désert syrien »*, rapport FAO, Rome.
1956 *Rapport au gouvernement syrien sur l'écologie végétale et ses applications*, rapport FAO n° 663, Rome.

PAGE S.
1968 A Stela of Adad-nirari III and Nergal-ereš from Tell al-Rimah, *Iraq* 30, p. 139-153.

PAILLET J.-L.
1983 *Le château de Raḥba, étude d'architecture militaire islamique médiévale*, doctorat de 3e cycle, université Lyon 2.

PAPANICOLAOU CHRISTENSEN A.
1971 Les poteries hellénistiques, in A. Papanicolaou Christensen, C. Friis Johansen, *Hama Fouilles et recherches 1931-1938 III 2. Les poteries hellénistiques et les terres sigillées orientales*, Copenhague, p. 1-54.
1986 Les lampes hellénistiques, romaines et byzantines, in A. Papanicolaou Christensen, R. Thomsen, G. Ploug, *Hama Fouilles et recherches 1931-1938 III 3. The Graeco-Roman Objects of Clay, the Coins and the Necropolis*, Copenhague, p. 32-52.

PARROT A.
1937 Les fouilles de Mari : troisième campagne (hiver 1935-1936), *Syria* XVIII, p. 54-84.
1938 Les fouilles de Mari : quatrième campagne (hiver 1936-1937), *Syria* XIX, p. 1-29.
1956 *Mission archéologique de Mari, I, Le Temple d'Ishtar*, BAH LXV, Geuthner, Paris.
1959 *Mission archéologique de Mari, II, 3, Le Palais, Documents et monuments*, BAH LXX, Paris.
1962 Les fouilles de Mari : douzième campagne (automne 1961), *Syria* XXXIX, p. 151-179.
1974 *Mari capitale fabuleuse*, Payot, Paris.

PASCHOUD F.
1971 *Zosime, Histoire nouvelle, t. I (livres I et II)*, Les Belles Lettres, Paris.
1979 *Zosime, Histoire nouvelle, t. II, 1re partie (livre III)*, Les Belles Lettres, Paris.

PERVES M.
1964 Préhistoire de la région du Moyen Euphrate, *BSPF* 61, p. 422-435.

PFÄLZNER P.
1984 Eine archäologische Geländebegehung im Gebiet des Wadi 'Aǧīǧ/Ostsyrien, *AfO* XXXI, p. 178-185.
1995 *Mittanische und mittelassyrische Keramik. Eine chronologische, funktionale und produktionsökonomische Analyse*, Dietrich Reimer Verlag, Berlin.

PILLET M.
1931 General Report on the Campain, *Dura Report: The Excavations at Dura Europos, Preliminary Report on the Second Season of Work*, New Haven, p. 1-19.

PINCHES T.
1885 Babylonian Art, Illustrated by Mr H. Rassam's Latest Discoveries, *Transactions of the Society of Biblical Archaeology* 8, p. 347-351.

PINTO O. (éd.)
1962 *Viaggi di C. Federici e G. Balbi alle Indie Orientali*, Rome.

POIDEBARD A.
1934 *La trace de Rome dans le désert de Syrie. Le limes de Trajan à la conquête arabe*, BAH XVIII, Geuthner, Paris.

POLASCHEK E.
1965 Ptolemaios als Geographer, *RE* Suppl. X, c. 680-833.

PONIKAROV V. P. (éd.)
1966 *The Geological Map of Syria, Scale 1:200 000, Sheet I.37.XXIII-XXIV*, Damas, 41 p.
1967 *The Geology of Syria, Scale 1:500 000*, Damas.
1968 *The Geological Map of Syria, Scale 1:200 000, Sheet I.37.XVII-XVIII*, Damas, 43 p.

PONS N., GASCHE H.
1996 Du cassite à Mari, in H. Gasche et B. Hrouda, *Collectanea Orientalia. Histoire, arts de l'espace et industrie de la terre, Études offertes en hommage à Agnès Spycket*, CPOA 3, Neuchâtel, Paris, p. 287-298.

REIMER S.
1988 Tell Qraya, *Syrian Archaeology Bulletin* 1, Malibu, p. 6.

RICCIARDI VENCO R.
1982 La ceramica partica, in P.-E. Pecorella (éd.), *Tell Barri/Kahat*, p. 55-75.

RIMA voir GRAYSON 1987 et 1991.

RITTER C.
1844 *Die Erdkunde*, Bd VII, *zweite Abteilung : das Stufenland des Euphrat- und Tigrissystems*, Berlin.

ROAF M.
1983 A Report on the Work of the British Archaeological Expedition in the Eski Mosul Dam Salvage Project from November 1982 to June 1983, *Sumer* XXXIX, p. 68-82.

RÖLLIG W.
1984 Preliminary Remarks on the Middle Assyrian Archive of Tall Šēḫ Ḥamad/Dūr-katlimmu, *AAAS* XXXIV, p. 189-194.

ROODENBERG J. J.
1979-1980 Sondage des niveaux néolithiques de Tell es-Sinn, *Anatolica* VII, p. 21-33.
1983 Lithic Industry, in P. A. Akkermans *et al.*, *Bouqras Revisited: Preliminary Report on a Project in Eastern Syria, Proceedings of the Prehistoric Society* 49, p. 349-351.
1986 *Le mobilier en pierre de Bouqras*, Istanbul.

RÖSNER U., SCHÄBITZ F.
1991 Palynological and Sedimentological Evidence for the Historic Environment of Khatouniye, Eastern Syrian Djezire, *Paléorient* 17/1, p. 77-87.

ROSTOVTZEFF M. I.
1933 Les archives militaires de Doura, *CRAI*, 1933, p. 309-323.

ROUAULT O.
1984 L'archive de Puzurum, *Terqa Preliminary Reports* 1, Undena, Malibu.
1991 Terqa, *AJA* 95, p. 727-729.
1992 Cultures locales et influences extérieures : le cas de Terqa, *Studi Micenei ed egeo-anatolici* 30, p. 247-256.
1993-1994 Tall Ašāra/Terqa 1987-1989, *AfO* 40/41, p. 285-289.
1994 Terqa, *AJA* 98, p. 142-143.
1997 a Terqa : rapport préliminaire (1987-1989). Introduction, *MARI* 8, p. 73-82.
1997 b Terqa : rapport préliminaire (1987-1989). Chantier E (1989), *MARI* 8, p. 99-103.
1998 a Recherches récentes à Tell Ashara-Terqa (1991-1995), in M. Lebeau (éd.), *About Subartu. À propos de Subartu. Studies devoted to upper Mesopotamia. Études consacrées à la Haute Mésopotamie*, Subartu IV, 1, Brepols, Bruxelles, p. 313-330.
1998 b Villes, villages, campagnes et steppe dans la région de Terqa : données nouvelles, in M. Fortin et O. Aurenche (éd.), *Espace naturel, espace habité en Syrie du Nord (Xe-IIe millénaire av. J.-C.)*, actes du colloque de Québec, mai 1997, BCSMS 33/TMO 28, Québec-Lyon, p. 191-198.

ROUAULT O. (éd.)
1997 Dossier : Recherches sur Terqa, *MARI* 8, p. 71-178.

ROUAULT O., MASETTI-ROUAULT M.-G., CIFOLA B., DOUMENC L., SALVATORE C. di
1997 Terqa : rapport préliminaire (1987-1989). Chantier F (1987-1989) — Étude générale, *MARI* 8, p. 83-88.

ROUSSEAU J.-B. Louis Jacques
1899 *Voyage de Bagdad à Alep (1808)*, J. André, Paris.

ROUSSET M.-O.
1996 *Contribution à l'étude de la céramique islamique : analyse du matériel archéologique de Raḥba-Mayādīn (Syrie, vallée de l'Euphrate)*, tomes 1-2, thèse en archéologie, université Lyon 2.
1998 La mosquée de Raḥba, *Les Annales islamologiques* 32, p. 177-217.

ROVA E.
1993 Pottery, in G. Wilhelm, C. Zaccagnini, *Tell Karrana 3, Tell Jikan, Tell Khirbet Salih*, Baghdader Forschungen 15, Ph. von Zabern, Mainz am Rhein, p. 37-136.

RUSSIN R. U., HANFMANN G. M. A.
1983 Lydian Graves and Cemeteries, in G. M. A. Hanfmann (éd.), *Sardis from Prehistoric to Roman Times. Results of the Archaeological Exploration of Sardis 1958-1975*, Cambridge-London, p. 53-66.

SABBAH G.
1978 *La méthode d'Ammien Marcellin. Recherches sur la construction du discours historique dans les Res Gestae*, Paris.

SACHAU E.
1883 *Reise in Syrien und Mesopotamien*, Leipzig.

SAFREN J. D.
1984 The Location of Dūr-Yaḫdun-Lim, *RA* 78, p. 123-141.
1989 Dūr-Yaḫdun-Lim, the *Raison d'être* of an Ancient Mesopotamian Fortress-City, *JESHO* 32, p. 1-47.

SANLAVILLE P.
1977 *Étude géomorphologique de la région littorale du Liban*, Beyrouth, 3 tomes.
1989 Considérations sur l'évolution de la basse Mésopotamie au cours des derniers millénaires, *Paléorient* 15/2, p. 5-27.

SANLAVILLE P.
1997 Les changements dans l'environnement au Moyen-Orient de 20000 BP à 6000 BP, *Paléorient : Paléoenvironnement et sociétés humaines au Moyen-Orient de 20000 BP à 6000 BP*, n° 23/2, p. 249-262.

SANLAVILLE P. (éd.)
1979 *Quaternaire et préhistoire du Nahr el Kébir septentrional : les débuts de l'occupation humaine dans la Syrie du nord et au Levant*, CNRS, Lyon, 162 p.
1985 *Holocene Settlement in North Syria. Résultats de deux prospections archéologiques effectuées dans la région du nahr Sajour et sur le haut Euphrate syrien*, BAR IS 238, Oxford-Lyon, 178 p.

SANLAVILLE P., BESANÇON J., BOUCHARLAT R., DALONGEVILLE R., EVIN J., GEYER B., HUOT J.-L., LOMBARD P., MARGUERON J., DE MEDWECKI V., SALLES J.-F.
1993 Occupation humaine et environnement en Mésopotamie et sur la rive arabe du Golfe Persique depuis le Néolithique, in C. Beck et R. Delort (éd.), *Pour une histoire de l'environnement. Travaux du programme interdisciplinaire de recherche sur l'environnement*, CNRS éditions, p. 21-40.

SANLAVILLE P., BESANÇON J., COPELAND L., MUHESEN S. (éd.)
1993 *Le Paléolithique de la vallée moyenne de l'Oronte (Syrie)*, BAR IS 587, 204 p.

SARRE F.
1920 Die Keramik im Euphrat- und Tigris-Gebiet, in F. Sarre et E. Herzfeld, *Archäologische Reise im Euphrat- und Tigris-Gebiet*, Bd IV, Berlin.

SARRE F., HERZFELD E.
1911 *Archäologische Reise im Euphrat- und Tigris-Gebiet*, Bd I, Berlin.
1920 a *Archäologische Reise im Euphrat- und Tigris-Gebiet*, Bd II, Berlin.
1920 b *Archäologische Reise im Euphrat- und Tigris-Gebiet*, Bd III, Berlin.
1920 c *Archäologische Reise im Euphrat- und Tigris-Gebiet*, Bd IV, Berlin.

SCHEIL J. V.
1909 *Annales de Tukulti-Ninip II.*

SCHMIDT H.
1943 *Tell Halaf I. Die prähistorischen Funde*, de Gruyter, Berlin.

SHAHÎD I.
1989 *Byzantium and the Arabs in the Fifth Century*, Washington.

SIMPSON K.
1983 *Settlement Patterns on the Margins of Mesopotamia: Stability and Change along the Middle Euphrates, Syria*, doctorat, univ. of Arizona.

SODINI J.-P., TATE G., BAVANT B. et S., BISCOP J.-L., ORSSAUD D.
1980 Déhès (Syrie du Nord), Campagnes I-III (1976-1978). Recherches sur l'habitat rural, *Syria* LVII, p. 1-304.

SODINI J.-P., VILLENEUVE E.
1992 Le passage de la céramique byzantine à la céramique omeyyade en Syrie du Nord, en Palestine et en Transjordanie, in P. Canivet et J.-P. Rey-Coquais (éd.), *La Syrie de Byzance à l'Islam, VIIe-VIIIe siècles*, actes du colloque international, Lyon-Maison de l'Orient méditerranéen, Paris-Institut du monde arabe, 11-15 septembre 1990, Damas, p. 195-218.

SOLLBERGER E., KUPPER J.-R.
1971 *Inscriptions royales sumériennes et akkadiennes*, Littératures anciennes du Proche-Orient 3, Éditions du Cerf, Paris.

SPEISER E. A.
1935 *Excavations at Tepe Gawra. Vol. I. Levels I-VIII*, Philadelphia.

SPYCKET A.
1950 Bibliographie de Mari, in A. Parrot (dir.), *Studia Mariana*, Brill, Leyde, p. 127-138.

STEIN A.
1938-1939 voir GREGORY S. et KENNEDY D. 1985.

STEPHENS F. J.
1937 A Cuneiform Tablet from Dura-Europas, *RA* 34, p. 183-190.

STROMMENGER E.
1967 *Gefässe aus Uruk von dem neubabylonischen Zeit bis zu den Sassaniden*, Berlin.

STURM J.
1938 Φάλγα, *RE* 38, c. 1668.

SULEIMAN A., NIEUWENHUYSE O.
1999 Tell Boueid II: Syrian Rescue Excavations at a Small Hassuna/Samarra Site, *Orient-Express* 1999/1, p. 3-5, Paris.

SÜRENHAGEN D.
1978 Keramikproduktion in Ḥabūba Kabira-Süd. Untersuchungen zur Keramikproduktion innerhalb der Spät-Urukzeitlichen Siedlung Ḥabūba Kabira-Süd in Nordsyrien, *Acta praehistorica et archaeologica* 5/6, Verlag Bruno Hessling, Berlin, p. 43-164.

TADMOR H.
1973 The Historical Inscriptions of Adad-nirari III, *Iraq* 35, p. 141-150.

TAHA A.
1991 Prospection du site romain tardif de Juwal (cuvette d'El Kown, Syrie), *Cahiers de l'Euphrate* 5-6, p. 61-66.

TARDIEU M.
1990 *Les paysages reliques. Routes et haltes syriennes d'Isidore à Simplicius*, Peeters, Louvain-Paris.

TARN W. W.
1984 *The Greeks in Bactria and India*, Chicago.

TASSIGNON I.
1997 Terqa : rapport préliminaire (1987-1989). La poterie des campagnes de 1988 et 1989, *MARI* 8, p. 125-140.

TATE G.
1989 La Syrie à l'époque byzantine : essai de synthèse, in J.-M. Dentzer et W. Orthmann (éd.), *Archéologie et histoire de la Syrie, II : La Syrie de l'époque achéménide à l'avènement de l'Islam*, Saarbrücken, p. 98-116.
1992 *Les campagnes de la Syrie du Nord du IIe au VIIe s.*, t. 1, BAH CXXXIII, 364 p.

TAVERNIER J.-B.
1712 *Les six voyages en Turquie, en Perse et aux Indes*, Utrecht.

TCHERNOV E.
1997 Are Late Pleistocene Environmental Factors, Faunal Changes and Cultural Transformations Causally Connected? The Case of the Southern Levant, *Paléorient : Paléoenvironnement et sociétés humaines au Moyen-Orient de 20000 BP à 6000 BP*, n° 23/2, p. 209-228.

TEFNIN R.
1980 Deux campagnes de fouilles au Tell Abou Danné (1975-1976), in J.-Cl. Margueron (éd.), *Le moyen Euphrate. Zone de contacts et d'échanges*, actes du colloque de Strasbourg, 10-12 mars 1977, Brill, Leyde, p. 179-199.
1983 Aperçu sur neuf campagnes de fouilles belges aux Tells Abou Danné et Oumm el-Marra (1975-1983), *AAAS* XXXIII/2, p. 141-152.

TEIXIDOR J.
1993 La Palmyrène orientale : frontière militaire ou zone douanière ?, in B. Brun, S. van der Leeuw, C. R. Whittaker, *Frontières d'empire. Nature et signification des frontières romaines*, Nemours, p. 95-103.

THUREAU-DANGIN F.
1908 Tirqa, *Orientalistische Literaturzeitung* 11, p. 193-194.
1936 Iaḫdunlim, roi de Ḫana, *RA* 33, p. 49-54.

THUREAU-DANGIN F., DHORME P.
1924 Cinq jours de fouilles à 'Asharah (7-11 septembre 1923), *Syria* V, p. 265-293.

THUREAU-DANGIN F., DUNAND M.
1936 *Til Barsib*, Geuthner, Paris.

TOBLER A. J.
1950 *Excavations at Tepe Gawra.* Vol. II. *Levels IX-XX*, Philadelphia.

TOLL N. P.
1943 *The Excavations at Dura-Europos. Final Report IV*, Part I, *1, The Green Glazed Pottery*, New Haven.
1946 *The Excavations at Dura-Europos. Preliminary Report of the Ninth Season of Work 1935-1936.* Part II, *The Necropolis*, New Haven.

TOUEIR K.
1979 Syria Islamica aus archäologischer Sicht, *Das Altertum* 25, p. 93-98.

TOURNAY R. J., SAOUAF S.
1952 Stèle de Tukulti-ninurta II, *AAS* II, p. 169-190.

TRABOULSI M.
1981 *Le climat de la Syrie : exemple de dégradation vers l'aride du climat méditerranéen*, thèse de 3e cycle, université Lyon 2.

TREIDLER H.
1967 Zaitha, *RE* II. Reihe, t. 18, c. 2288.

TREUIL R., DARCQUE P., POURSAT J.-C., TOUCHAIS G.
1989 *Les civilisations égéennes du Néolithique et de l'âge du Bronze*, PUF, Nouvelle Clio, Paris.

TSUNEKI A., MIYAKE Y. (éd.)
1998 *Excavations at Tell Umm Qseir in Middle Khabur Valley, North Syria. Report of the 1996 Season*, University of Tsukuba.

TUNCA Ö.
1987 La poterie, in Ö. Tunca, *Tell Sabra*, Akkadica Supplementum 5, Peeters, Louvain, p. 55-90.

ULBERT T.
1989 Villes et fortifications de l'Euphrate à l'époque paléo-chrétienne (IVe-VIIe s.), in J.-M. Dentzer et W. Orthmann (éd.), *Archéologie et histoire de la Syrie*, II : *La Syrie de l'époque achéménide à l'avènement de l'Islam*, Saarbrücken, p. 283-296.

UNGER E.
1916 *Reliefstele Adadniraris aus Saba'a und Semiramis*, PKOM 2.

VAN ZEIST W.
1979-1980 Examen de graines de Tell es-Sinn, *Anatolica* VII, p. 55-59.

VAN ZEIST W., WATERBOLK-VAN ROOYEN W.
1983 A Preliminary Note on The Palaeobotany, in P. A. Akkermans *et al.*, *Bouqras Revisited: Preliminary Report on a Project in Eastern Syria, Proceedings of the Prehistoric Society* 49, p. 357-359.

VILLARD P.
1984 Chapitre V, in G. Bardet, F. Joannès, B. Lafont, D. Soubeyran, P. Villard, *Archives administratives de Mari I*, ARM XXIII, ERC, Paris, p. 453-585.

VOGEL J. C., WATERBOLK H. T.
1967 Groningen Radiocarbon Dates VII, *Radiocarbon* 9, p. 107-155.

VOIGT S., SCHNADWINKEL M.
1995 Caving beneath the Desert: Cater Magara, *The International Caver* 14, p. 15-26.

WAGNER J.
1976 *Seleukeia am Euphrat. Zeugma*, L. Reichert, Wiesbaden.

WEISS H., COURTY M.-A., WETTERSTROM W., GUICHARD F., SENIOR L., MEADOW R., CURNOW A.
1993 The Genesis and Collapse of Third Millenium North Mesopotamian Civilization, *Science* 261, p. 995-1004.

WEISSBACH F. H.
1903 *Babylonische Miscellen*, Leipzig.
1935 Nabagath, *RE* 32, c. 1450.

WELLES C. B., FINK R. O., GILLIAM J. F.
1959 *The Excavations at Dura-Europos. Final Report V, Part I. The Parchments and Papyri*, New Haven, Yale University.

WEULERSSE J.
1946 *Paysans de Syrie et du Proche-Orient*, Gallimard.

WIEMER H.-U.
1995 *Libanios und Julian : Studien zum Verhältnis von Rhetorik und Politik im vierten Jahrhundert n. Chr.*, Vestigia 46, Beck, München.

WIGLEY T. M. L.
198- *Geographical Patterns of Climatic Change, 1000 BC-1700 AD*, Interim report to NDAA, US Dept. of Commerce under Contract N7.

WILKINSON T. J.
1990 *Town and Country in Southeastern Anatolia, vol. I, Settlement and Land Use at Kurban Höyük and Other Sites in the Lower Karababa Basin*, OIP 109, Chicago.

Will E.
1949 La tour funéraire de la Syrie et les monuments apparentés, *Syria* XXVI, p. 258-313.
1988 La population de Doura-Europos : une évaluation, *Syria* LXV, p. 315-321.

Willcox G.
1999 Charcoal Analysis and Holocene Vegetation History in Southern Syria, *Quaternary Science Reviews* 18, p. 711-716.

Woolley L.
1965 *The Kassite Period and the Period of the Assyrian Kings*, Londres.

Young R. S.
1981 *The Great Early Tumuli (The Gordion Excavations Final Reports, vol. I)*, Philadelphia.

Zohary D., Hopf M.
1993 *Domestication of Plants in the Old World. The Origin and Spread of Cultivated Plants in West Asia, Europe and the Nile Valley*, Clarendon Press, Oxford.

ABRÉVIATIONS

AAAS = Annales archéologiques arabes syriennes
AAS = Annales archéologiques de Syrie
AfO = Archiv für Orientforschung
AJA = American Journal of Archaeology
ANRW = Aufstieg und Niedergang der Römischen Welt
ARM = Archives royales de Mari
BAGF = Bulletin de l'Association des géographes français
BAH = Bibliothèque archéologique et historique
BAR IS = British Archaeological Reports, International Series
BASOR = Bulletin of the American Schools of Oriental Research
BCSMS = Bulletin of the Canadian Society for Mesopotamian Studies
BEO = Bulletin d'études orientales
BSPF = Bulletin de la Société de Préhistoire française
CMO = Cahiers de la Maison de l'Orient
CPOA = Civilisations du Proche-Orient. Série I, Archéologie et environnement
CRAI = Comptes rendus de l'Académie des inscriptions et belles-lettres
CSCO = Corpus scriptorum christianorum Orientalium
ERC = Éditions Recherche sur les civilisations
EI 2 = Encyclopaedia Islamica
GRBS = Greek, Roman and Byzantine Studies
JCS = Journal of Cuneiform Studies
JESHO = Journal of the Economic and Social History of the Orient
JNES = Journal of Near Eastern Studies
MARI = Mari, Annales de recherches interdisciplinaires
MDOG = Mitteilungen der Deutschen Orient-Gesellschaft
Mém. et Doc. Géogr. = Mémoires et Documents de Géographie
NABU = Nouvelles assyriologiques brèves et utilitaires
OIP = Oriental Institute Publications
PKOM = Publikationen der Kaiserlich Osmanischen Museen
PUF = Presses universitaires de France
RA = Revue d'assyriologie et d'archéologie orientale
RE = Paulys Real-Encyclopädie der klassischen Altertumswissenschaft
RhM = Rheinisches Museum
RIMA = The Royal Inscriptions of Mesopotamia. Assyrian Periods
SMS = Syro-Mesopotamian Studies
TMO = Travaux de la Maison de l'Orient
UVB = Vorläufiger Bericht über die in Uruk-Warka unternommenen Ausgrabungen
WVDOG = Wissenschaftliche Veröffentlichungen der Deutschen Orient-Gesellschaft
ZA = Zeitschrift der Assyriologie

Glossaire

aggradation : alluvionnement venant engraisser une formation alluviale.

badiya : steppe désertique parcourue par les nomades.

barkhane : dune en croissant, à convexité tournée vers le vent.

brachyanticlinal : anticlinal court relativement à sa largeur.

cataclinal : qualifie une direction conforme à celle du pendage des couches géologiques.

colluvion : dépôt mis en place sur la partie inférieure d'un versant et à son pied, et n'ayant donc subi qu'un court transport, contrairement aux alluvions.

diaclase : fissure dans une roche dure.

diramation : tendance à la diffluence, à la bifurcation d'une rivière en cours d'exhaussement.

endoréisme : organisation des régions dont le réseau hydrographique se raccorde à une dépression fermée.

érosion aréolaire : dite aussi érosion latérale, elle s'exerce sur de vastes surfaces, créant des modelés d'aplanissement.

évaporite : roche sédimentaire saline (gypse, sel gemme, etc.).

graben : bloc effondré entre deux compartiments soulevés.

inféroflux : écoulement qui se produit sous un cours d'eau, dans les alluvions qui tapissent le fond du lit.

mesa, meseta : plateau basaltique, plus ou moins démantelé, dû à la mise en relief d'une coulée par l'érosion.

nebka : petites dunes d'obstacle, sous et derrière des buissons.

ouvala : dépression fermée, formée par la coalescence de plusieurs dolines.

palatable : se dit d'un végétal qui peut être consommé par les animaux.

pédiplaine : aplanissement formé par le développement de surfaces d'érosion locales contiguës qui arasent toute une région.

phytostasie : phase de stabilité pendant laquelle se réalise, sous couvert végétal, l'altération sur place de la roche (voir rhexistasie).

piézométrique : qualifie le niveau de l'eau dans un puits.

reg : pavage de déflation éolienne dans les milieux arides et semi-arides.

régolite : formation superficielle n'ayant subi aucun transport et résultant de la fragmentation d'une roche massive.

rhexistasie : phase de rupture d'équilibre (voir phytostasie) sous l'effet de causes climatiques, tectoniques ou anthropiques.

Les définitions géomorphologiques ont été établies d'après Baulig H., 1970, *Vocabulaire de géomorphologie*, éditions Ophrys, 230 p. et George P., 1993, *Dictionnaire de la géographie*, PUF, 498 p.

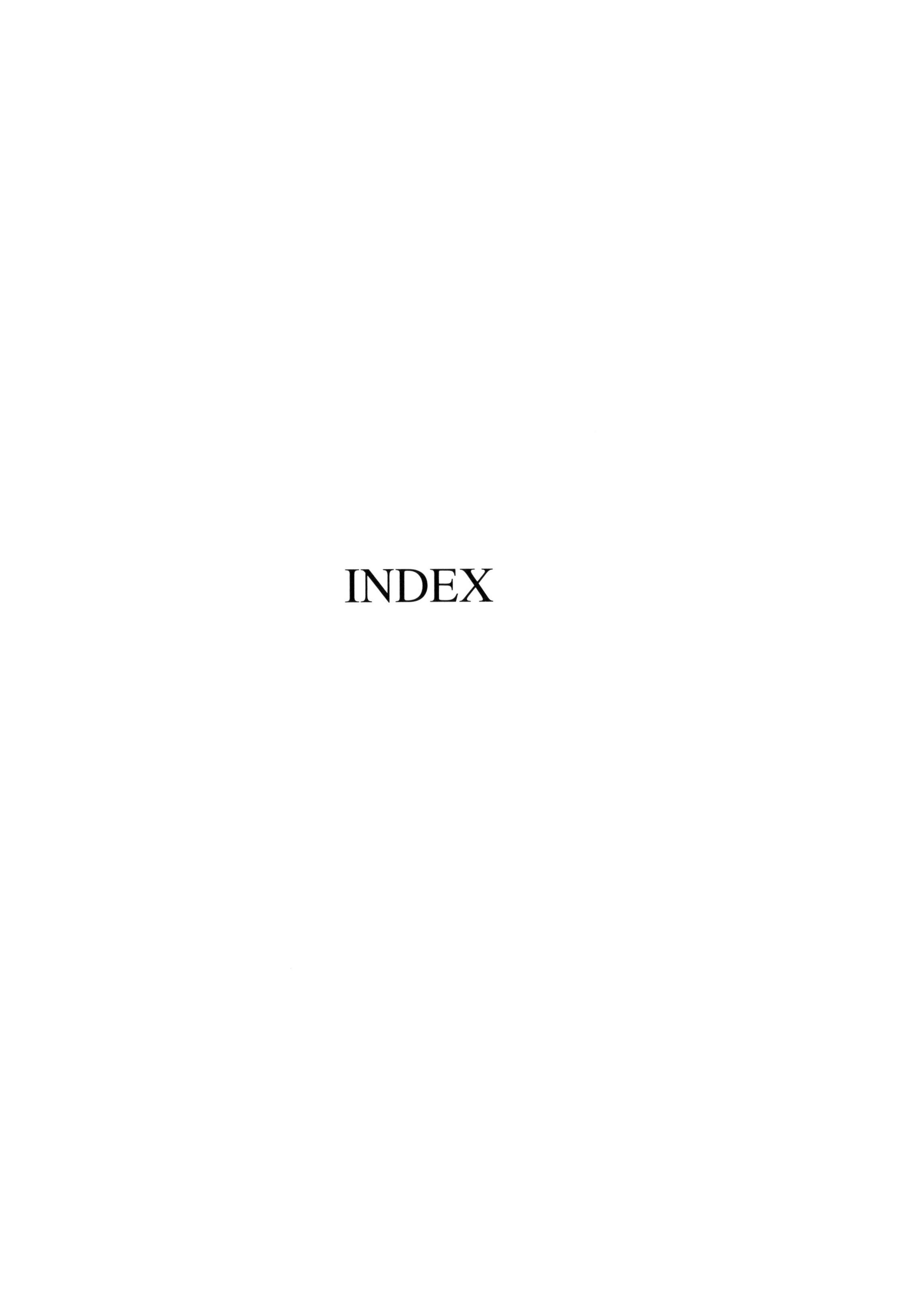

INDEX

Index des toponymes actuels

L'index concerne le volume I. Il ne regroupe que les toponymes de la région prospectée. Sauf indication contraire, la toponymie et la graphie adoptées sont celles de la carte au 1:25 000.

Index des toponymes anciens

L'index concerne le volume I.

Liste des figures

CHAPITRE PREMIER. LA GÉOMORPHOLOGIE DE LA BASSE VALLÉE DE L'EUPHRATE SYRIEN

CHAPITRE II. ÉLÉMENTS DES CADRES GÉOGRAPHIQUES PASSÉS

CHAPITRE IV. LES SITES ARCHÉOLOGIQUES

CHAPITRE V. LES AMÉNAGEMENTS HYDRAULIQUES

CHAPITRE VI. L'HISTOIRE DE L'OCCUPATION DU SOL

Liste des tableaux

CHAPITRE PREMIER. LA GÉOMORPHOLOGIE DE LA BASSE VALLÉE DE L'EUPHRATE SYRIEN

CHAPITRE II. ÉLÉMENTS DES CADRES GÉOGRAPHIQUES PASSÉS

CHAPITRE IV. LES SITES ARCHÉOLOGIQUES

CHAPITRE V. LES AMÉNAGEMENTS HYDRAULIQUES

Table des matières du volume I

خامات المعادن من سفوح جبال الطوروس وتسهيل حركة التجارة العابرة المربحة بين بلاد الرافدين من جهة وسوريا الغربيّة والخابور من جهة أخرى. فكان بالتالي من شأن خطّة التأهيل هذه ربط المدينة وحوزها الطبيعي بمنظومة جيوسياسيّة أكثر اتساعاً تشملّ وادي الخابور الأوسط وربّما سهل الجزيرة العليا بأكمله، بحيث كانت ماري تسيطر على مجمل تلك المناطق بشكل مباشر أو غير مباشر.

لقد كان على السلطة السياسيّة القائمة أن تكون قادرة على صيانة نظام المنشآت، لا سيّما من خلال السهر على سلامة القنوات الكبرى التي تشكّل شرايينه الرئيسيّة. وإذا كان الوادي قد شهد بعض الازدهار في العصر الكلاسيكي ومن ثمّ في العصر الإسلامي، فالأمر يعود إلى الأنظمة السياسيّة الإقليميّة التي تمكّنت من بسط سلطتها على المنطقة بأكملها، والتي تركّزت في الفترة الأولى في دورا أوروبوس وفي الثانية في رحبة. أمّا في الفترات التي كانت المنطقة فيها بعيدة عن عواصم السياسة الرئيسيّة أو مراكز السلطة الإقليميّة، كما في عصر البرونز الحديث وعصر الفرس الأخمينيّين، أو عندما كانت واقعة على تخوم قوّتين سياسيّتين، كما في العصر الروماني المتأخّر، فكانت أوضاعها تنزلق باتجاه التدهور.

في غضون عصر البرونز الحديث، ظهر التباين واضحاً بين وادي الفرات الأسفل ووادي الخابور الذي يبدو أنّه عرف آنذاك نظام ريّ خاص به، بسبب بروز عاصمة اقليميّة في قلب المنطقة، هي دور-كاتليمّو، التي بعثت في وادي الخابور القريب من مركز السلطة نهضة لم تفد منها منطقة وادي الفرات البعيدة.

في عصر الفرس الأخمينيّين لم يعُد الوادي خاضعاً لأية سلطة قويّة، لا سيّما وأن مركز الحكم بات على بُعد مئات الكيلومترات ولم يكن في الجوار أيّ مركز سياسيّ اقليميّ، الأمر الذي يفسّر تبعثر عَمْر الوادي، وهو عمر كاد أن يختفي منه.

في العصر الروماني المتأخّر، تقاسمت المنطقة الإمبراطوريّتان الرومانيّة والفارسيّة. وفيما أقام الرومان قلعة عظيمة يحمون من خلالها أطراف إمبراطوريتهم، لم يكن للفرس ما يقابلها. وظهر مثل هذا التباين بشكل واضح على صعيد عَمْر المنطقة واستغلالها، فبقي نهر سميراميس، عند عالية ملتقى الخابور والفرات، سهل الملاحة لوقوع مجراه في منطقة كانت بكاملها تحت السيطرة الرومانيّة، أمّا على نهر دورين الذي كان يُستعمل طيلة قرون، فتوقّفت الملاحة بسبب وقوع مجراه في منطقة موزّعة بين الإمبراطوريّتين، إذ كان قسمه الأعلى يسيل في الأراضي الواقعة تحت السيطرة الرومانيّة فيما معظم مجراه يسيل في الأراضي الواقعة تحت السيطرة الفارسيّة. أمّا على صعيد العَمْر فكان كثيفاً بعض الشيء في المناطق الشماليّة أو الرومانيّة فيما كان في المناطق الجنوبيّة مبعثراً إلى حدّ الانعدام.

انطلاقاً من هذه المعطيات يمكن اعتبار عصر البرونز القديم عصراً استثنائيّاً من حيث انتشار العمْر فيه كما من حيث دقّة أساليب استثمار الحوز الزراعي وتعقيدها. وعلى الرغم من عدم معرفتنا بطبيعة السلطة السياسيّة التي تمكّنت من وضع مثل هذا المخطّط التنظيمي وتنفيذه على مستوى المنطقة، فمن الممكن افتراض وجود حكم منظَّم قويّ ومركزيّ، على رأس مجتمع مدينيّ هرميّ التنظيم، يتمتّع على ما يبدو بجميع مواصفات الدولة. ومن الأمور التي تدفع إلى هذا الاستنتاج ضخامة الأعمال وأعداد العمّال الموجلين بتنفيذها واتساع المنطقة التي كانت ماري تتحكّم بها بشكل مباشر أو غير مباشر والتي تمتّعت منذ بدايات الألف الثالثة بقوّة عظيمة زراعياً وحرفياً وتجارياً.

(نقل هذا النصّ إلى العربيّة حسّان سلامه سركيس)

خلاصة

بدفع من جان-كلود مارغرون، إنطلقت عام ١٩٨٢ عمليّة استكشاف شاملة قادها الجغرافي برنار جيير والأرخيولوجي جان-إيڤ مونشامبير بهدف تعرّف البيئة المحيطة بماري، مدينة الفرات الأوسط العُظمى في الألفين الثالثة والثانية. بيد أن تلك العمليّة ما لبثت أن تخطّت الحدود التي وُضعت لها في بداياتها بعد أن تبيّن أن المجال الطبيعي الذي تُشرف عَليه ماري لا يقتصر على الرقعة التي تتوسطها المدينة وحسب وإنّما يمتدّ حتّى مصب الخابور على أقلّ تقدير. في الوقت عينه، كانت أشغال التجهيزات المائيّة والزراعيّة الجارية في الوادي بين دير الزور وأبو كمال تهدّد بشكل مباشر التجهيزات والمنشآت القديمة التي كانت معرّضة للزوال بشكل نهائي. فكان لا بدّ من إعطاء عملية الاستكشاف طابع العجلة القصوى وجمع أكبر قدر ممكن من المعلومات المتعلّقة بالمنطقة قبل فوات الأوان.

امتدّ نطاق الاستكشافات من حوز ماري المباشر، أي من القطاع الذي تحدّه جروف دورا أوروبوس شمالاً وباغوز جنوباً، ليشمل مجمل وادي الفرات الواقع بين دير الزور وأبو كمال، بهدف إعادة تشكيل تطوّر عَمْر وادي الفرات عبر التاريخ. ورافق توسيع المجال الجغرافي توسيع الإطار الزمني بحيث تجاوز فترتي البرونز القديم والأوسط ليشمل جميع المفاحص وبقايا المنشآت التنمويّة منذ مراحل الاستقرار في العصر الحجري الحديث حتّى بدايات القرن العشرين.

وإذا كان هذا الكتاب يقتصر في الواقع على الفترات التي سبقت الفتح الإسلامي، فقد أوكلت دراسة معطيات العَمْر الريفي والمنشآت الزراعيّة في العصور الإسلاميّة إلى السيّدة صوفي بيرتييه التي نشرت نتائجها في موضع آخر عام ٢٠٠١.

أظهرت نتائج الاستكشاف التي مكّنتنا من إعادة تشكيل تاريخ عَمْر الوادي واستصلاح أرضه وتأهيله تناوباً بين فترات متعدّدة شهد بعضُها ازدهاراً كبيراً فيما شهد بعضها الآخر انحساراً تفاوتت شدّته حتّى كاد يلامس الانحطاط.

فمنذ الألف الثامنة، أخذ الإنسان يبسط سيطرته ببطء على الوادي ويذلّل بشكل تدريجيّ العوائق التي كانت تواجهه ويستغلّ في الوقت عينه معطيات بيئته الإيجابيّة، الأمر الذي أدّى به في فترة أوروك/الوركاء إلى عَمْر الوادي بشكل منهجي. وفي غضون عصر الحجر والنحاس - وهي مرحلة مجهولة نسبيّاً -، تمكّن الإنسان شيئاً فشيئاً من الإمساك بزمام تقنيّات الريّ، وذلك، على ما يبدو، بسبب تضافر عوامل طبيعيّة أدّت إلى إحداث تغيير في نشاط النهر وأخرى بشريّة فرضت عليه تحسين ظروفه المعيشيّة.

لم يتمكّن الإنسان من تعرّف مقدّرات الوادي واتخاذ التدابير اللازمة للإفادة منه وإيجاد الوسائل الكفيلة بتنظيم حوزه بشكل متكامل إلا في بداية الألف الثالثة، وهي الفترة التي رُكّزت فيها أهمّ عناصر البُنى التحتيّة الأساسيّة التي تعاقبت على مدى أربعة آلاف سنة ونيّف، بحيث كان عصر البرونز القديم أكثر فترات تاريخ الوادي ازدهاراً. وإذا كانت كثافة عَمْر الوادي واستغلاله قد ازدادت في العصر الأشوري الحديث أو في العصر الكلاسيكي، وتجاوزت أحياناً ما كان عليه الوضع في عصر البرونز القديم، فإن المعطيات تُظهر أن سكّان الوادي غالباً ما لجأوا إلى إصلاح التجهيزات التي صُمِّمَت وأُنشِئت في بداية الألف الثالثة وأعادة استخدامها.

يُظهر تاريخ تأهيل الوادي أن تنمية منطقة جدباء لا تقوم على حُسن استغلال المياه وحسب وإنّما أيضاً على وجود سلطة سياسيّة قويّة قادرة على تخطيط المشاريع التنموية وتنفيذها، وهي مشاريع لا بدّ لها من أن تتلائم وخصوصيّة بيئات وديان الأنهر العظيمة وظروفها القاهرة. إذ لا بدّ من مواجهة أخطار المياه من جهة واستغلالها على أفضل وجه ممكن من جهة أخرى، ولا بدّ أيضاً من تجنيد طاقات هائلة لتنفيذ مثل هذه الأعمال الضخمة من جهة وصيانة المنشآت المُنجَزَة من جهة أخرى، وجميعها مهامُ تتطلّب التمكّن من تقنيّات مناسبة. وإذا كان من الممكن أن تقوم بعض المنشآت المائيّة الموضعيّة بتأمين بعض الازدهار، كما كانت عليه الحال حتّى نهاية الألف الرابعة، فمن غير الممكن بلوغ الازدهار الكامل من دون أن تشمل أعمال التنمية المنطقة بكاملها، مما يحتّم إعادة صياغة البائة. وجميعها أمور لا يمكن تنفيذها إلا من خلال سلطة قويّة قادرة على تخطيطها وتنفيذها وتأمين ديمومتها.

من الممكن التأكيد أن مسألة التحكّم بالماء حصلت في عصر البرونز القديم وشكّلت جزءاً لا يتجزّأ من برنامج سياسيّ يتناول تأهيل الحوز. فقد شملت «خطّة التأهيل» التي نُفِّذَت الوادي بمجمله، ابتداءً من مضيق الخانوقة أو مجرى الخابور الأسفل حتّى مُختَنَق باغوز، واقتضت معرفة تامّة بتقنيّات التجهيزات المائيّة. فكانت هذه الخطّة تتألّف من ثلاثة بنود متكاملة وغير قابلة للفصل واحدها عن الآخر. إذ تمحور الأوّل حول تأسيس مدينة جديدة عظيمة الاتساع والهيبة تمثّلت بالعاصمة ماري، فيما تمحور الثاني حول إنشاء شبكة عظيمة من قنوات الريّ والجرّ بهدف تأمين احتياجات المدينة على المدى البعيد، لا سيّما تموينها بالحَبّيّات، أمّا الثالث فتمحور حول إنشاء قناة ملاحة تربط الخابور بالفرات عند نقطة تقع عند سافلة ماري، بهدف مواجهة خطر النقص الغذائي من خلال تأمين فائض إضافي من الحبّيّات من منطقة الخابور الأوسط وتأمين استيراد

المحتويات

المجلد الأول

المعهد الفرنسي للشرق الاوسط
عمان - بيروت - دمشق
المكتبة الأثرية والتاريخية - المجلد ١٦٦
معهد الآثار الفرنسي للشرق الأدنى
بعثة ماري الأرخيولوجيّة - الجزء السادس

وادي الفرات السوري الأسفل

من العصر الحجري الحديث حتّى ظهور الإسلام :
جغرافيا ، أرخيولوجيا وتاريخ

المجلد الأول : النص

بإدارة
برنار جيير
و
جان إيڤ مونشامبير

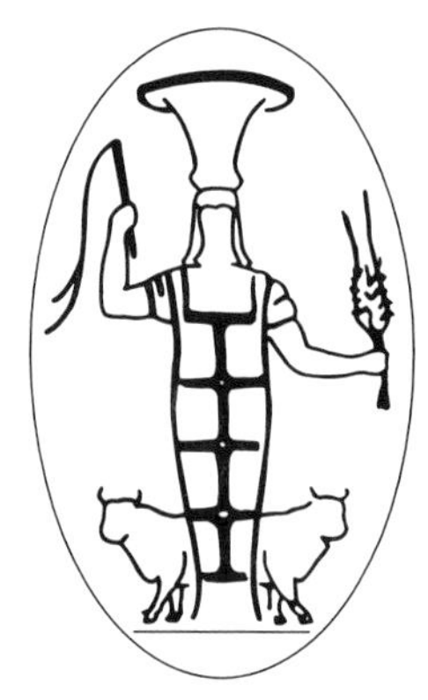

مجلد طبع بمساعدة المديرية العامة للتعاون العالمي والتطور
في وزارة الخارجية الفرنسية

بيروت
٢٠٠٣